EL PINTOR D'ÀNIMES

Ildefonso Falcones de Sierra, casat i pare de quatre fills, és advocat i escriptor. *L'església del mar*, la seva primera novel·la, es va convertir en un èxit editorial mundial sense precedents, reconeguda tant pels lectors com per la crítica, i publicada a més de quaranta països. L'obra ha estat mereixedora de diversos premis, entre els quals l'Euskadi de Plata 2006 a la millor novel·la en llengua espanyola, el Qué Leer al millor llibre en castellà de l'any 2006, el premi Fundación José Manuel Lara a la novel·la més venuda el 2006, el prestigiós guardó italià Giovanni Boccaccio 2007 al millor autor estranger, el premi internacional Città dello Stretto 2008 i el Fulbert de Chartres 2009. A més, l'any 2018 es va convertir en una exitosa sèrie de televisió emesa per Antena 3, TV3 i disponible a Netflix. L'obra també ha estat adaptada al format de novel·la gràfica en una magnífica edició de Random Comics il·lustrada per Tomeu Pinya.

La seva segona novel·la, *La mà de Fàtima* (Rosa dels Vents, 2009), fou guardonada amb el premi Roma 2010, i *La reina descalça* (Rosa dels Vents, 2013), la següent novel·la, va rebre el premi Pencho Cros 2013. *Els hereus de la terra* (Rosa dels Vents, 2016) és l'esperadíssima i aclamada continuació de *L'església del mar*. El 2019, Ildefonso Falcones va reprendre la història de Barcelona amb l'esplèndida *El pintor d'ànimes*, on va retratar les albors del segle xx, quan el modernisme arquitectònic que canviaria l'aspecte de la ciutat va conviure amb les tensions de la lluita social i obrera.

La seva obra ha venut més de deu milions d'exemplars arreu del món i ha rebut nombrosos elogis de la crítica i el suport incondicional dels lectors, cosa que converteix Ildefonso Falcones en un dels grans referents mundials del gènere històric.

ILDEFONSO FALCONES

EL PINTOR D'ÀNIMES

Traducció d'Imma Estany i Mireia Alegre

DEBUTXACA

Paper certificat pel Forest Stewardship Council®

Títol original: *El pintor de almas*

Primera edició a Debutxaca: abril del 2021

Printed in Spain – Imprès a Espanya

ISBN: 978-84-18196-27-0
Dipòsit legal: B-743-2021

Compost a La Nueva Edimac, S. L.

Imprès a Novoprint
Sant Andreu de la Barca (Barcelona)

DB 96270

*Vaig començar aquest llibre gaudint de bona salut i,
com a conseqüència d'una malaltia greu,
hi he posat el punt final teclejant amb
mil agulles clavades al tou dels dits.
El vull dedicar a tots aquells que lluiten contra el càncer,
i també als que ens ajuden, ens animen, ens acompanyen,
pateixen amb nosaltres i, de vegades,
han de suportar la nostra desesperació. Gràcies.*

PRIMERA
PART

1

Barcelona, maig del 1901

Els crits de centenars de dones i criatures ressonaven als carrerons de la ciutat vella. «Vaga!» «Tanqueu!» «Pareu les màquines!» «Abaixeu les persianes!» Un piquet femení recorria els carrers amb els fills a coll o fermats amb la mà per evitar que anessin darrere de la canalla més gran, lliure del control dels pares. Les dones instaven tots els obrers i comerciants que encara no havien tancat els tallers, les fàbriques o els comerços a interrompre immediatament l'activitat. Els bastons i els garrots que enarboraven feien capitular pràcticament tothom, si bé de tant en tant se sentia una trencadissa de vidres dels aparadors o esclatava una batussa.

—Són dones! —va cridar un avi des del balcó d'un primer pis, traient el cap per sobre d'un comerciant colèric que s'encarava a dues d'elles.

—Anselm, jo... —va dir el comerciant mirant amunt.

La seva excusa aviat la van aplacar els insults i la cridòria de tota la gentada que observava l'escena des dels altres balcons d'aquelles cases velles i apinyades, habitades per obrers i gent humil, de façanes esquerdades, escrostonades i tacades d'humitat. El comerciant va serrar els llavis, va fer que no amb el cap i va passar el forrellat mentre uns nanos bruts i malforjats cantaven victòria i es burlaven d'ell. Alguns espectadors van somriure sense miraments davant les burles d'aquella colla de vaguistes precoços; el comerciant, un espardenyer, no era una persona estimada al barri. No fiava, no reia, i no saludava mai.

La mainada va continuar burlant-se'n fins que la policia que seguia el piquet de dones estava a punt d'arribar a la seva altura. Aleshores van arrencar a córrer darrere del formiguer de gent que continuava desplaçant-se pels carrerons de la Barcelona medieval tan sinuosos com foscos; la meravellosa llum primaveral d'aquell mes de maig era incapaç de penetrar per l'estret entramat urbà més enllà dels pisos més alts dels edificis que s'alçaven sobre l'empedrat. Els veïns dels balcons van emmudir quan van passar els guàrdies civils, uns quants a cavall, amb els sables enfundats, la majoria d'ells amb el rostre contret, en una tensió que es palpava en els seus moviments sincopats. Els uns i els altres eren conscients del conflicte amb què topaven aquells homes: la seva obligació era impedir els piquets il·legals, però no estaven disposats a carregar contra dones i nens.

La història de la revolució obrera a Barcelona estava lligada a les dones i als seus fills. Eren elles mateixes les que en nombroses ocasions exhortaven els seus homes a quedar-se al marge de les accions violentes; «amb nosaltres no s'atreviran, i podem aconseguir el tancament totes soles», argumentaven. I així va ser també aquell mes de maig del 1901, quan els obrers s'havien llançat als carrers després que, a finals d'abril, la Companyia de Tramvies de Barcelona hagués acomiadat els treballadors que s'havien declarat en vaga i els hagués substituït contractant esquirols.

La vaga general a què aspiraven les associacions d'obrers en defensa dels tramviaires acomiadats estava lluny de produir-se i, malgrat algunes accions violentes, semblava que la Guàrdia Civil tenia el control de la situació a la ciutat.

De sobte, va esclatar un clamor de la boca dels centenars de dones després que corregués la brama que un tramvia circulava per les Rambles. Es van sentir insults i crits d'amenaça: «Esquirols!», «Fills de puta!», «A l'atac!».

Les vaguistes van avançar amb el pas àgil, algunes d'elles pràcticament corrien, pel carrer de la Portaferrissa per arribar a la rambla de les Flors, més amunt de la Boqueria, un mercat que a diferència dels altres de Barcelona, com podien ser el de Sant Antoni, el del Born o el de la Concepció, no va néixer d'un projecte concret sinó de l'ocupació que els mateixos venedors van fer de la plaça de Sant Josep, una magnífica esplanada porxada. Al final, van guanyar els mercaders i la plaça es va cobrir amb tot de tendals i uns coberts provisionals, i els pòrtics que l'envoltaven van passar a ser les parets del nou mercat. Les tradicionals parades de flors, dues rastelleres d'estructures de ferro forjat encarades a banda i banda d'un tram de les Rambles, havien tancat, però les floristes, moltes d'elles en actitud desafiadora, amb els braços en nansa, s'estaven al costat disposades a defensar-les. A Barcelona, només es venien flors en aquell indret. Al mercat de la Boqueria, una munió de carruatges amb coberta de lona i tir de cavalls esperaven estacionats en filera, costat per costat, a dues passes escasses de les vies del tramvia. Les bèsties van reaccionar amb nerviosisme davant la cridadissa i l'allau de dones, que pràcticament no es van fixar en l'esvalot de cavalls encabritats, mossos i botiguers corrent amunt i avall. El tramvia, que iniciava el recorregut a la rambla de Santa Mònica, a pocs metres del port, i cobria la línia Barcelona-Gràcia, s'apropava.

En Dalmau Sala havia seguit el piquet durant el seu itinerari per la ciutat vella al costat d'una multitud d'homes, en silenci darrere de la Guàrdia Civil. Quan va arribar a les Rambles, un espai més ampli, va disposar d'un camp de visió més complet. El caos era absolut. Cavalls, carros i paradistes. Ciutadans corrent, curiosos; policies que es col·locaven en formació davant del grup de dones amb els fills a coll, que s'havien plantat allà creant una barrera humana per protegir les altres companyes, les que tenien al darrere i s'havien concentrat a les vies del tramvia per aturar la màquina.

En Dalmau va notar una esgarrifança per tot el cos quan va veure algunes dones que alçaven els menuts i els exhibien davant dels guàrdies civils. Els fills que tenien algun any més s'aferraven a les faldilles de les mares, espantats, amb els ulls oberts com si examinessin l'entorn buscant unes respostes que no trobaven; mentrestant, els adolescents, ensuperbits per l'ambient, arribaven a desafiar els policies.

No feia gaires anys, uns quatre o cinc, en Dalmau s'havia comportat amb la mateixa insolència davant de la policia; la seva mare darrere d'ell, cridant, exigint justícia o millores socials, animant-lo a la lluita, com feien la majoria de les mares que interposaven els seus fills en defensa d'unes causes que consideraven superiors fins i tot a la seva integritat física.

Per un instant, els crits de les dones van generar en en Dalmau una embriaguesa semblant a la que havia viscut temps enrere, quan es plantava davant la policia. Aleshores se sentien déus. Lluitaven pels obrers! De vegades la Guàrdia Civil o l'exèrcit carregava contra ells, però avui això no passaria, va pensar en Dalmau desviant la mirada i fixant-se en les vaguistes que plantaven cara al tramvia. No. Aquell dia res no feia pensar que la força pública ataqués les dones; ho pressentia, ho sabia.

En Dalmau no va trigar a localitzar-les. A primera fila, per davant de totes, desafiant amb la mirada, com si això fos suficient per aturar el tramvia de la línia de Gràcia que pujava. En Dalmau va somriure. Què no havien d'aconseguir aquelles mirades? La Montserrat i l'Emma, la germana petita i la seva xicota, totes dues inseparables, unides per la desgràcia, unides per la lluita obrera. El tramvia alertava que s'apropava a la gent fent repicar la campaneta; el sol que s'esmunyia entre l'arbratge de les Rambles feia llambregar les rodes i els elements metàl·lics del vagó. Alguna dona va recular; però eren poques, ben poques. En Dalmau es va alçar. No temia per elles; el tramvia frenaria. Mares i policies van callar, atents. Molts curiosos van contenir la respiració. Semblava que el grup de dones concentrat a les vies s'engrandís, ferm, tenaç, disposat a ser atropellat.

El tramvia va frenar.

Les dones van fer crits d'alegria mentre els pocs passatgers que havien gosat utilitzar el transport i que viatjaven a la part superior del vagó, a l'aire lliure, al baterell del sol, baixaven a empentes i rodolons per fugir darrere del conductor i dels revisors; tots plegats esquirols que havien saltat del tramvia abans fins i tot que la màquina s'arribés a aturar.

En Dalmau va contemplar l'Emma i la Montserrat, les dues alçant un puny irat al cel, rialleres, celebrant eufòriques la victòria amb les seves companyes. Encara no havia passat un minut i els centenars de dones es van llançar a la via. «Som-hi!» «A l'abordatge!» Quan la Guàrdia Civil va voler reaccionar, ja tenia la barrera de nens al damunt. Una allau de mans va encastar-se al lateral del vagó. I unes quantes més, les que no arribaven a tocar la màquina, apuntalaven l'esquena de les vaguistes que tenien més endavant.

—Empenyeu! —van cridar a l'uníson unes quantes dones.

—Amb més força!

El tramvia es va balancejar sobre les rodes de ferro.

—Més! Més, més…

Una, dues i… El vaivé va anar en augment al ritme dels ànims que es donaven entre elles. Al cap d'una estona es va sentir un bram sorgit dels centenars de goles femenines i el vagó va bolcar. L'estrèpit es va confondre amb les estelles, l'esclat metàl·lic i un núvol de pols que va engolir el tramvia i les dones.

Un udol va trencar el relatiu silenci que s'havia fet després que el vagó s'estavellés a terra.

—Salut i revolució!

—Visca l'anarquia!

—Vaga general!

—Morin els capellans!

Més feina i millors jornals. Reduir les jornades extenuants. Posar fi al treball infantil. Abolir el poder de l'Església. Més seguretat. Habitatges dignes. Expulsió dels religiosos. Sanitat. Educació laica. Alimentació assequible… Mil reivindicacions van fer retrunyir la rambla de les Flors de Barcelona per compartir-les amb una massa de gent senzilla i humil, cada vegada més nombrosa, que s'anava congregant i que aplaudia ferventment les dones obreres.

L'Emma i la Montserrat, suades, amb la cara bruta i sutjosa per la pols que havia alçat el vagó en tombar-se, saltaven excitades, ovacionaven les seves companyes i alçaven els braços enfilades al lateral del tramvia.

A en Dalmau se li va posar la pell de gallina així que va veure les dues noies. Valentes! Compromeses! Va recordar totes les ocasions en què, al costat de les mares i les dones dels obrers, havien sortit al carrer a defensar alguna causa. En Dalmau encara no tenia dos anys més que aquelles dues jovenetes, però elles —com si el fet de ser dones els ho exigís— eren més atrevides que ell: insultaven i fins i tot s'encaraven a la Guàrdia Civil. I ara eren allà, dretes dalt d'un tramvia que acabaven de fer caure amb les seves mans. En Dalmau va tremolar, després va alçar el puny i, excitat, es va afegir als crits i a les reivindicacions de la gent.

L'emoció i el fragor, pertorbadors, eixordadors, encara ressonaven a l'interior d'en Dalmau. Pujava pel passeig de Gràcia de Barcelona i es dirigia a la fàbrica de ceràmica on treballava, situada a les Corts, en un camp obert a tocar de la riera de Bargalló. No va arribar a tenir l'oportunitat de parlar amb les noies perquè, un cop assolit l'objectiu, el nerviosisme que va mostrar la Guàrdia Civil va forçar la dissolució del piquet i les mares i els fills es van dispersar en totes direccions. Potser a la Montserrat i a l'Emma se les podia reconèixer fàcilment, va pensar en Dalmau. I tant que sí!, va concloure, i va somriure mentre etzibava una puntada de peu a una fulla caiguda d'un arbre. Qui se'n podia oblidar després de veure-les enfilades al tramvia? No obstant això, s'havien camuflat ràpidament entre les que es trobaven al mercat de la Boqueria o a les Rambles: dones com tantes altres, vestides amb faldilles llargues fins als turmells, davantal i camisa, generalment amb les mànigues arromangades. Les més grans acostumaven a portar el cap cobert amb un mocador, negre en la majoria dels casos; les altres es recollien el cabell en monyos, sense barret. Eren dones radicalment diferents de les que es podien veure deambular pel passeig de Gràcia, riques, elegants.

Cada dia, quan anava o venia per aquella gran artèria de la ciutat, en Dalmau es recreava contemplant aquelles dones altives que passejaven entre les minyones de blanc amb les seves criatures, els cavalls i els carruatges. El pit, el ventre i les natges; deien que aquests eren els tres patrons amb què es mesurava la dona ideal. La moda femenina havia evolucionat amb el modernisme de la mateixa manera que ho havien fet l'arquitectura o altres arts, i havia anat substituint elements medievals, rígids, utilitzats durant la dècada final del segle anterior, per altres que mostraven dones vives, amb les cotilles que ressaltaven les formes naturals del cos femení en una mena de sinuositat prodigiosa: pits enfora; panxa endins, ben premuda, i natgera enfora, sobrepujada, com si en tot moment estigués disposada a atacar. Quan en Dalmau tenia temps, s'asseia en un dels bancs del passeig i prenia apunts al carbonet d'aquelles dones, tot i que en la seva imaginació normalment obviava la indumentària i les dibuixava nues. No es volia limitar al que insinuaven les cotilles i els vestits. Els peus, les cames, els turmells, sobretot els turmells, fins i tot esvelts, amb el tendons tensos com cordes; mans i braços. I els colls! Per què s'havien de fixar només en aquells tres criteris: pit, ventre i natges? Li agradava el nu femení, però malauradament no tenia l'ocasió de treballar amb models sense roba; el mestre Manel Bello l'hi tenia prohibit. Nus masculins, sí; femenins, no. Si ell no ho feia, argüia el mestre, com ho podia fer en Dalmau. I tenint en compte com era la dona del mestre, pensava en Dalmau amb un somriure sorneguer, era comprensible. Burgesa, reaccionària, conservadora i catòlica recalcitrant fins a la punta dels cabells!; tot de virtuts que compartia amb el seu marit. La dona s'aferrava a la moda vella que havia quedat desfasada. Encara feia servir el polissó, una mena de carcassa que es lligava a la cintura perquè les faldilles agafessin volum per darrere.

—Igual que un cargol —es burlava ell quan els ho explicava a la Montserrat i a l'Emma—: el cos va al davant i al cul hi té una mena de closca que carrega tot el dia amunt i avall. No us ho creureu, però a ella soc incapaç d'imaginar-me-la despullada.

Totes dues van riure.

—No li has arrencat mai la closca a un cargol? —li va preguntar la seva germana—. Doncs a aquest llimac li poses cabells en comptes de banyes, i ja tens la teva burgesa en pilota picada, bavejant, com totes.

—Calla! Quin fàstic! —es va queixar l'Emma empenyent la Montserrat—. Però escolta una cosa: per què t'has d'imaginar les dones despullades? —li preguntà a en Dalmau—. Que no en tens prou amb el que tens a casa?

L'última observació la va fer arrossegant les paraules, amb la veu dolça, afalagadora. En Dalmau la va arrambar cap a ell i la va besar als llavis.

—I és clar que en tinc prou —va xiuxiuejar ell.

De fet, excepte l'ús que feia d'amagat de fotografies eròtiques en què estudiava la nuesa femenina que el seu mestre li censurava, l'Emma era l'única que havia posat nua per a ell. La Montserrat, quan se'n va assabentar, també se li havia ofert.

—Com vols que pinti la meva germana despullada? —s'hi va negar ell.

—És un tema artístic, no? —va insistir la Montserrat fent el gest de treure's la camisa, però en Dalmau de seguida l'hi va impedir agafant-li la mà—. M'encanten els dibuixos que li has fet a l'Emma! Se la veu tan… sensual! Tan dona! Sembla una deessa! Ningú no diria que és una cuinera. M'agradaria veure'm com ella, no com la vulgar obrera d'una fàbrica de filatures i estampats.

En Dalmau va tancar els ulls uns segons en veure com la seva germana s'estirava la faldilla de flors que vestia com si se'n volgués desprendre.

—A mi també m'agradaria que em dibuixessis així —afegí la Montserrat.

—I a la mare li agradaria? —la va interrompre ell.

La Montserrat va torçar el llavi superior i va fer que no amb el cap amb una ganyota de resignació.

—No cal que et pinti despullada perquè sàpigues que ets tan guapa com ho és l'Emma —va intentar consolar-la en Dalmau—. Si els enamores a tots! Estan bojos per tu, els tens als teus peus.

Aquell dia, un cop bolcat el tramvia a les Rambles, en Dalmau ja arribava bastant tard a la feina i no tenia temps per recrear-se en la imaginària nuesa de les burgeses que s'exhibien al passeig de Gràcia. Tampoc no en tenia per observar les construccions modernistes que s'anaven aixecant a l'Eixample de Barcelona: la zona extramurs de la ciutat on durant segles havia estat prohibit construir-hi per motius de defensa militar, i que, al segle XIX, amb l'enderrocament de les muralles, s'havia urbanitzat. El mestre Bello renegava d'aquelles construccions modernistes, tot i que ell bé que feia calaix venent ceràmica als constructors.

«Noi —es va excusar el mestre el dia que en Dalmau es va atrevir a plantejar-li aquesta contradicció—, el negoci és el negoci.» El cert era que, tal com passava amb els vestits de les dones, el modernisme havia imposat canvis importants des de l'Exposició Universal de Barcelona de 1888, una deriva difícil d'admetre per a segons quins caràcters conservadors. En l'última dècada del segle XIX, les dones, alliberades del polissó que els donava un aire de cargol, van continuar portant vestits rígids, semblants als medievals. Durant aquella mateixa dècada, els arquitectes havien buscat inspirar-se també en l'estil feudal intentant emular la grandesa de la Catalunya d'aquella època. Domènech i Montaner recuperava tècniques amb materials de la mateixa terra com els maons d'obra vista, i així havia construït el cafè restaurant de l'Exposició de 1888, un imponent castell merletat amb influències orientals, tot i que s'havia permès la llicència de col·locar, al fris exterior, vora cinquanta escuts de ceràmica de color blanc, dels més de cent que tenia previstos, que feien publicitat dels productes que es podrien consumir a l'interior del local: un mariner bevia ginebra; una noia prenia un gelat; una cuinera preparava xocolata…

Al cap de pocs anys, Puig i Cadafalch havia assumit la reconstrucció de la Casa Amatller del passeig de Gràcia amb elements gòtics, trencant simetries i classicismes i guarnint Barcelona amb la seva primera façana colorista. Tal com havia fet Domènech i Montaner amb el cafè restaurant de l'Exposició Universal, Puig i Cadafalch va jugar amb els elements decoratius i, aprofitant les aficions de l'amo de l'edifici, va incloure a la façana multitud d'animals grotescos: un gos, un gat, una guineu, una cabra, un ocell i un llangardaix, com si fossin guardians; una granota que bufa vidre i una altra que brinda amb una copa; una parella de porcs que modelen un gerro; un ase que llegeix un llibre, un altre amb ulleres que se'l mira; un lleó aficionat a la fotografia al costat d'un os amb un paraigua; un conill que fon metall mentre un altre li ofereix aigua, un mico que pica l'enclusa amb un mall.

Aquelles dues obres, entre altres moltes que ja clamaven un canvi, un concepte diferent de l'arquitectura, van ser, segons deia el mestre Dalmau, les precursores de la Casa Calvet del carrer de Casp de Barcelona, en què Gaudí va començar a abandonar la concepció historicista que havia inspirat la seva obra durant la primera època del segle anterior, per desenvolupar noves creacions en què la matèria adquirís moviment. «Moviment, les pedres!», exclamava el mestre Bello amb incredulitat.

«Dones i edificis —li va confessar una vegada a en Dalmau— es desprenen de mica en mica de la seva classe, de la seva altivesa i del seu senyoriu, de la seva història, i es prostitueixen, per convertir-se en serps escorredisses les unes, i en matèria inconsistent els altres.»

L'home es va girar fent escarafalls com si l'univers s'esfondrés. En Dalmau va evitar replicar que a ell li agradaven les serps escorredisses, i que admirava aquells que pretenien que el ferro forjat, la pedra i fins i tot la ceràmica adoptessin moviment. Només un bruixot, un mag, un creador excepcional podia presentar a l'espectador la matèria transformada en fluid!

Un carruatge llarg carregat d'argila va fer tremolar la terra i va foragitar en Dalmau dels seus pensaments. Quatre poderosos perxerons de cap, coll i gropa robustos, amb unes potes grosses i peludes, tiraven el vehicle i havien avançat feixugament fins al seu costat. Va alçar la vista i va trobar-se amb la saga del carro plena fins dalt, retallada contra les dues xemeneies imponents dels forns de la fàbrica. «Manel Bello García. Fàbrica de rajoles.» Aquest era l'anunci en ceràmica blanca i blava que rematava el portal de l'entrada; a partir d'aquí s'obria una zona àmplia amb basses i assecadores, al costat dels magatzems, les oficines i els forns. Es tractava d'una fàbrica de mida mitjana, que feia rajoles seriades, però també s'hi feien peces especials obeint els dissenys dels arquitectes i els mestres d'obres per als edificis que projectaven o per als nombrosos establiments comercials, botigues, farmàcies, hotels, restaurants, entre d'altres, que recorrien a la ceràmica com un dels elements decoratius per excel·lència.

Aquest era l'ofici d'en Dalmau: dibuixar. Crear dissenys propis que després es fabricaven en sèrie i formaven part del catàleg de la casa; també materialitzar i desenvolupar els que imaginaven els mestres d'obres per als seus edificis o establiments i que tot just esbossaven, o, per acabar, executar els models que els grans arquitectes modernistes els portaven perfectament elaborats.

—Perdoni, mestre… —En Dalmau es va presentar al despatx i taller de l'amo, al costat de les oficines de la fàbrica, al primer pis d'un dels edificis que integraven el complex—. Però el barri vell era un caos: manifestacions, càrregues de la policia... —va exagerar—. M'hi he hagut de quedar per la mare i ma germana.

—Hem de cuidar les nostres dones, noi. —El mestre, de negre estricte, auster, com li corresponia, amb una corbata de color verd fosc i un nus desmesurat, va assentir des del darrere de la taula de caoba que ocupava. Les patilles, amples i tofudes, s'arribaven a ajuntar amb el bigoti, també espès, en una tofa de pèl impecablement retallada que deixava el coll i la barbeta sense ni un pèl—. Ens necessiten. Fas bé. Els anarquistes i els llibertaris són els que acabaran enfonsant aquest país! Espero que la Guàrdia Civil els hagi donat una bona allisada. Mà dura! Això és el que necessiten aquesta colla de desagraïts! No t'amoïnis, nano. Ves a treballar.

L'estudi d'en Dalmau era contigu al despatx del mestre. No treballava amb els altres empleats, que ho feien en sales comunes; disposava d'un espai per a ell sol, un lloc relativament ampli on es podia concentrar en la seva feina, que aquell dia se centrava en el disseny d'una sèrie de rajoles amb motius orientals: flors de lotus, nenúfars, crisantems, canyes de bambú, papallones, libèl·lules...

Havia hagut de cursar unes quantes assignatures a l'escola de la Llotja de Barcelona per dominar la tècnica del dibuix floral: les flors naturals, les flors en perfil, les flors en ombra; tant dibuixar-les com pintar-les finalment a l'oli. Dins de les matèries que s'estudiaven a la Llotja, on en Dalmau havia ingressat als deu anys, s'incloïen l'aritmètica, la geometria, el dibuix figuratiu, el dibuix lineal i d'adorn, el dibuix del natural i la pintura, però una de les assignatures més importants era la del dibuix aplicat a les arts i a la fabricació. L'escola havia nascut precisament per a això: per ensenyar art als obrers que ho necessitaven amb l'objectiu que ho apliquessin a la indústria.

A mitjan segle XIX, però, es va començar a donar preferència a les arts pures sobre les aplicades, però sense abandonar les segones, les destinades a fornir la indústria de recursos, i entre les quals, sense cap dubte, hi havia el dibuix floral. Els elements botànics havien estat l'ornament per excel·lència durant el gòtic, i en aquells moments, arran de la recerca de les inspiracions medievals, retornaven en la decoració de teles i vestits, la indústria que movia Catalunya, i, en l'àmbit del modernisme arquitectònic, en rajoles i arrambadors, en mosaics, forjats, fusteria, vidrieria, i en els milers d'escultures de guix que ornamentaven els edificis.

En Dalmau es va posar un guardapols per damunt de la brusa beix que li arribava fins als genolls. Era la seva indumentària habitual juntament amb uns pantalons de llana i lli d'un to fosc indefinit, una gorra i unes sabates de pell negra amb cordons. Tan bon punt va seure davant de l'estesa d'esbossos que tenia damunt de la seva taula de treball i va ordenar els llapis, les veus, les rialles, els crits i l'enrenou propi d'aquella fàbrica en explotació es van esfumar, i val a dir que de vegades el soroll era estrepitós. En Dalmau va posar els cinc sentits en aquells dibuixos japonesos, intentant assimilar la tècnica oriental que prescindia del realisme a la recerca d'una bellesa estilitzada, sense ombres, tan allunyada de criteris occidentals com apreciada en un mercat abocat a la recerca de la diferència, de l'exotisme, de la modernitat.

De la mateixa manera que s'havia abstret de qualsevol soroll, el silenci d'unes instal·lacions ja buides quan Barcelona es va submergir en la nit, el va atrapar immers en la feina. El dinar que li havien pujat se l'havia pres amb l'estómac encongit, com si fos una nosa, i més tard es limitava a contestar amb un simple murmuri a tots els que treien el cap per la porta del taller per acomiadar-se. El mestre, un dels últims d'anar-se'n, no va ser cap excepció, i després de fer espetegar la llengua en un gest que costava de saber si responia a la satisfacció o al disgust, li va girar l'esquena en comprovar que en Dalmau ignorava les seves paraules i no es dignava ni a aixecar la vista dels dibuixos.

Transcorregudes un parell d'hores més, la claror dels bleners dels llums de gas que il·luminaven el taller va anar minvant fins a deixar-lo en la penombra.

—Qui ha apagat el llum? —va protestar en Dalmau—. Qui hi ha?

—Soc jo, en Paco —va contestar el vigilant nocturn obrint la clau de pas perquè el taller es tornés a il·luminar.

La claror va mostrar un vell encongit. Era un bon home, però no hauria hagut de ser allà. El mestre havia prohibit l'accés als tallers, als llocs on hi havia esbossos i projectes, obres a mig fer, tot de material que només podia veure el personal de màxima confiança.

—Què hi fas aquí? —es va estranyar en Dalmau.

—L'amo m'ha demanat que si se't feia massa tard t'enviés cap a casa. —L'home va esgrimir un somriure ensenyant les genives, a la boca ja no hi quedava ni una dent—. La situació a la ciutat és complicada, la gent està molt alterada —va explicar—, i la teva mare deu estar neguitosa.

Potser en Paco tenia raó. En qualsevol cas, la distracció va concedir als seus budells l'oportunitat de remugar de gana, cosa que, afegida al cansament que tot d'una va notar als ulls, li va aconsellar plegar.

—Apaga —va demanar al vigilant alhora que llançava el guardapols al penjador que hi havia en un racó, on va quedar mig penjat d'una màniga—. Què ha passat a la ciutat? —es va interessar mentre tancava l'escriptori.

—La situació s'ha complicat. Els piquets, principalment dones i adolescents, han recorregut la ciutat vella i han llançat pedres contra les fàbriques i els tallers perquè tanquessin. Es veu que al matí han bolcat un tramvia i això els ha esperonat encara més.

En Dalmau va bufar amb força.

—I una cosa semblant ha passat a les grans fàbriques del districte de Sant Martí —va prosseguir el vell—. Han assaltat casernes de la policia. La jovenalla ha aprofitat per fer de les seves i ha cremat algunes oficines d'impostos, possiblement després de robar-hi. Hi ha bastant merder.

Van baixar les escales fins als magatzems de la primera planta. Un cop allà, abans de sortir a l'extens terrer que envoltava les edificacions, on es treballava l'argila, en Dalmau es va acomiadar de dos nens que no devien superar els deu anys i que vivien i dormien a la fàbrica, sobre una manta a terra, a prop de l'escalfor dels forns a l'hivern, i ben lluny a mesura que el temps es feia més clement. Ni tan sols no eren aprenents; servien per a tot: per netejar, per fer encàrrecs, per portar aigua… Tots dos tenien família, o això és el que deien: obrers que treballaven al barri de Sant Martí, el Manchester català, i malvivien enxubats en pisos compartits amb diverses famílies. Sant Martí quedava lluny i el mestre no tenia cap inconvenient que visquessin allà i es guanyessin uns quants cèntims a la fàbrica, només els exigia que els diumenges anessin a missa a la parròquia de Santa Maria del Remei. A les famílies no semblava que els importés gaire que aquella canalla visqués a la fàbrica, ningú no hi havia anat a interessar-s'hi per ells. N'hi havia que estaven en pitjors circumstàncies, va pensar en Dalmau mentre esborrifava els cabells embullats d'un d'ells quan sortia per la porta: un exèrcit de nois, es calculava que en xifra superior als deu mil, «trinxeraires» els anomenaven, malvivien als carrers de Barcelona, pidolant, furtant i dormint al ras, en qualsevol forat on poguessin fer nit; es tractava d'orfes o senzillament de nens abandonats com aquells dos aprenents, les famílies dels quals no podien ni ocupar-se'n ni alimentar-los.

—Bona nit, mestre —el va acomiadar un d'ells. No ho va dir en un to burleta, sinó amb un elogi sincer.

En Dalmau es va girar, va arrufar els llavis, va furgar la butxaca dels pantalons i els va llançar dues monedes de dos cèntims, una per a cadascun.

—Que generós! —Aquesta vegada sí que el va trobar més poca-solta.

—No has trobat les d'un cèntim? —va etzibar-li l'altre noi—. Són aquestes... les més menudes.

—Desagraïts! —va bramar el vigilant.

—Deixa'ls estar —l'instà en Dalmau amb el somriure a la boca—. Aneu amb compte, aviam què feu amb aquests diners —els va seguir la veta—, que encara us empatxareu.

—Espera! —va saltar un d'ells—. Que potser el mestre vol sopar amb nosaltres.

—Avui no, gràcies. Aquesta nit convideu la xicota —els va acabar aconsellant entre rialles abans de dirigir-se a la sortida.

—Amb aquests quatre rals endraparem una espatlla de xai! —va sentir en Dalmau a l'esquena.

—I un vi generós d'Alella!

—Impertinents —va insistir el vigilant.

—No, Paco, no —va oposar-s'hi en Dalmau—. Què més vols d'uns nanos que la família ha abandonat? Ja és molt que es prenguin la vida amb bon humor.

L'altre va callar mentre en Dalmau passava per sota del panell de ceràmica elevat que anunciava la fàbrica de rajoles del mestre Bello, i s'acostumava a la claror d'una lluna brillant que il·luminava uns descampats i uns carrers on encara no havia arribat l'enllumenat públic. Va respirar la fresca de la nit. El silenci era tens, com si els crits dels vaguistes que s'havien manifestat al llarg del dia encara flotessin en l'aire. Des d'on es trobava, en Dalmau va mirar el paisatge que s'estenia fins al mar. Les siluetes de centenars de xemeneies altes es retallaven contra la llum de la lluna. Barcelona era una ciutat industrial, atapeïda de fàbriques, magatzems i tallers de diversa índole. Des del segle XIX s'utilitzava l'energia de vapor en activitats que en altres llocs encara es feien amb la força humana. Aquest tret, afegit a la influència de països veïns com França i un esperit tradicionalment comercial i emprenedor, havia aconseguit que la capital catalana es pogués equiparar a les ciutats europees més avançades. La indústria tèxtil n'era l'activitat principal; la meitat dels obrers de Barcelona hi treballaven. No obstant això, també destacaven unes importants indústries metal·lúrgica, química i alimentària. Al costat d'aquestes, també comptaven amb les de la fusta, la pell i el calçat, el paper o les arts gràfiques, i també hi havia desenes de fàbriques en una ciutat en què la població havia assolit el mig milió de persones. Però si els rics industrials i els burgesos gaudien de la seva situació i se'n vantaven, la realitat del poble planer, de l'assalariat, era ben diferent. Jornades de deu a dotze hores diàries, set dies a la setmana, a canvi d'uns jornals miserables. En els últims trenta anys, els sous havien pujat un trenta per cent mentre que el preu dels aliments ho havia fet un setanta. Cada vegada hi havia més atur; els albergs municipals a les nits estaven saturats, i les cuines de la beneficència repartien diàriament milers de racions. Barcelona, va pensar en Dalmau mentre feia que no amb el cap, era una ciutat terriblement cruel amb els que l'engrandien deixant-hi la vida i la salut, la família i els fills.

La Montserrat no era a casa. L'Emma tampoc. Segur que estaven juntes celebrant l'èxit de la seva protesta, va pensar en Dalmau; o potser en alguna assemblea preparant les accions de l'endemà, somrients, felicitant-se uns i altres. En Dalmau va plantejar-se d'anar a la fonda que hi havia a prop del mercat de Sant Antoni, però al final va concloure que, encara que no estigués tancada per la vaga, l'Emma tampoc no hi estaria treballant.

En Dalmau vivia amb la seva mare a la segona planta d'un edifici vell del carrer de Bertrellans, en ple centre històric de Barcelona, una via estreta que unia el carrer de la Canuda amb el de Santa Anna, que desembocava a l'església homònima, en aquells dies d'ampliació. El pis dels Sala era semblant a tots els que s'amuntegaven en zones com el nucli antic de Barcelona, Sants, Gràcia, Sant Martí... Edificis de quatre o cinc plantes, humides i llòbregues, amb una escala estreta, sense clavegueram, gas ni electricitat, i una aigua potable que depenia d'un dipòsit comunitari per a tots els veïns, situat dalt del terrat. A cada replà, on es compartia la comuna, hi havia diversos pisos, la majoria calcats: un passadís fosc que portava a una cuina menjador, sovint amb ventilació a través d'un celobert, seguida d'una habitació de parets cegues i una tercera amb finestra a l'exterior.

A l'última, la que donava al carrer, en Dalmau va trobar la seva mare, cosint, com sempre, il·luminada amb una espelma trista, que, a aquelles hores, semblava que magnifiqués la foscor més que no pas que aportés claror a la dona que accionava una vegada i una altra, rutinàriament, el pedal de la màquina de cosir que havia adquirit a la casa del senyor Escuder, al carrer d'Avinyó. Devia haver estat tot el dia treballant, segurament més de tretze hores.

—Com es troba, mare? —la va saludar en Dalmau fent-li un petó al front.

—Ja ho veus —va contestar ella.

Ell la va observar una estona, i se li va posar al darrere, amb les mans acariciant-li els avantbraços. En Dalmau va notar la tremolor que la màquina transmetia als braços i a les espatlles de la seva mare, que es bellugaven al compàs de la costura. Amb la mirada posada en la labor, la mare va prémer els llavis en un esbós de somriure, però no va dir res i va continuar treballant, accionant els pedals i fent passar la tela per les agulles. Aquell dia feia colls i punys blancs postissos per a les camises dels homes; això era el que li havia ofert l'intermediari dels grans magatzems on es vendrien. Els punys i els colls blancs postissos eren la feina més mal pagada per a una costurera; després d'una jornada inacabable obtindria al voltant d'una pesseta. Una barra de pa costava quaranta cèntims. L'intermediari li havia promès una partida de pantalons i fins i tot de guants, però aquell dia només tenia colls i punys per a les camises blanques dels rics. La Josefina, que així es deia la mare d'en Dalmau, tampoc no es feia excessives il·lusions que aquell home complís la seva paraula. Potser si es deixava grapejar, les coses canviarien. «No —es va dir a l'últim—, ni parlar-ne.» N'hi havia que s'agenollaven davant d'ell i el masturbaven, o que s'inclinaven amb la faldilla i el davantal per damunt de la cintura i li oferien el cos a pler. I eren més joves i boniques que ella! Les coneixia; fins i tot de vegades sentia com discutien a sota veu, destrossades: a qui li tocava aquell dia? Només podia ser una: l'home tampoc no era un portent del sexe; vessava en un no res i encara se sadollava més ràpidament. La Josefina no les jutjava. No els guardava cap rancor. Tenien fills i passaven gana.

La dona va sospirar. En Dalmau se'n va adonar i li va estrènyer els avantbraços amb delicadesa. La Josefina comptava amb l'ajut del seu fill. La majoria de les costureres, fins i tot les que no ho eren, la miraven amb enveja i murmuraven quan els passava pel costat. Ella se n'adonava i no li agradava; no es considerava diferent de les altres: la vídua pobra d'un obrer anarquista a qui havien condemnat injustament, i que va morir, segons li van comunicar, a causa de les seqüeles de les tortures a les quals havia estat sotmès; una dona que a poc a poc anava perdent la vista i també la respiració; la bronquitis colpia les costureres, quietes hores i hores davant les màquines de cosir, mal alimentades, sempre esgotades i respirant l'aire infecte que emanava del subsol, patint la humitat que els penetrava els ossos, i tot plegat per proveir de punys i colls blancs els burgesos. En Dalmau, en canvi, estava ben considerat i tenia un bon sou treballant per al «rosegaaltars de les rajoles», que era el malnom que li donaven les dones de la casa, l'Emma inclosa. «Deixi aquesta feina, mare», insistia ell. Però la Josefina no volia viure del seu fill. En Dalmau es casaria, tindria les seves necessitats. L'ajudava, sí, molt, fins al punt que no s'havia de sotmetre a la luxúria de l'intermediari de roba. També ajudava la seva germana i fins i tot el més gran, en Tomàs, anarquista com el pare difunt: idealista, llibertari, utòpic, carn de canó com el seu progenitor.

—I la nena? —va preguntar aleshores en Dalmau referint-se afectuosament a la Montserrat, fent-li una última manyaga a la mare abans de seure al llit que compartien les dues dones de la casa, al costat de la màquina de cosir.

—Ves a saber! Suposo que preparant les accions de demà. Abans ha vingut i m'ha explicat que han tombat un tramvia. —En Dalmau va assentir amb el cap—. A la nostra època, els tramvies duien tot de cavalls enganxats. No era gens fàcil tombar-los —va dir fent broma.

—I de l'Emma, se'n sap res?

—Sí. —L'afirmació, llarga, rotunda, va sorprendre en Dalmau. La mare va suavitzar l'expressió—. Venia amb la teva germana. Ha portat menjar en una carmanyola. Un dels teus plats preferits —va afegir picant-li l'ullet—. Després se n'han anat per continuar la lluita.

Bacallà a la llauna. Efectivament era un dels àpats que més li agradaven a en Dalmau, i l'Emma sabia com preparar-l'hi: bacallà dessalat, però tampoc en excés, en aquell punt en què encara conservava el gust de la mar, enfarinat i fregit. Un cop cuit es col·locava a la llauna, una safata de costats alts; en una paella a part, es rossejaven els alls tallats a làmines amb l'oli que havia quedat, i s'hi afegia pebre vermell i vi per evitar que el condiment es cremés i es tornés amargant. Es deixava coure uns quants minuts i tot seguit s'abocava per sobre del bacallà...

La Josefina va escalfar el plat sobre les brases del fogó que tenien encastat a la paret, i el va servir al menjador amb pa i un flascó de vi negre.

En Dalmau no va aconseguir que la mare deixés de treballar ni tan sols després d'haver-se acabat el plat, ni encara que als carrers ressonessin les veus de la gent que fugia dels seus habitatges sòrdids i sortís a prendre la fresca, a xerrar, a passejar, a fumar un cigarret o a compartir un xato de vi.

—Encara tinc molta feina —es va excusar.

I quin dia no en tenia?, va tenir temptacions de replicar-li ell, però aleshores tornarien a la mateixa cançó de sempre: «Deixi aquesta feina, mare» «No la necessita» «Jo li donaré diners» «No li faltarà de res…».

—Fins i tot ens podríem canviar de pis —se li va ocórrer proposar-li una vegada.

—Vaig viure aquí amb ton pare, i aquí em moriré —va replicar ella amb una sequedat inusitada—. Potser per a tu, o per als teus germans, això és… un cau de mala mort —va afegir després amb la veu trencada—, però en aquestes parets hi ha les rialles i les llàgrimes del teu pare; les vostres també, per cert. Dalmau, ni la humitat, ni la pudor, ni la foscor aconseguiran esborrar-me del cap la felicitat que vaig viure aquí amb ell, amb vosaltres. L'empenta per tirar-vos endavant, a tots tres, els afortunats dels cinc fills que vaig parir; el compromís per la lluita obrera, pels desvalguts, per la justícia. Les desgràcies i les penes, que van ser moltes, moltíssimes. Tot això es va forjar aquí, fill, en aquesta cova. Aquesta remor dels pedals i de les agulles de la màquina de cosir que et posa tan nerviós… —La mare va agitar les mans en l'aire—. No et diré que sigui música, però la tinc tan ficada dins meu que em transporta a aquells dies de felicitat amb el teu pare i amb vosaltres, quan éreu petits. I pel que fa a cosir, això ja em surt sol! —Va fer un somriure gutural, poc més que un estossec—. Les meves mans saben què han de fer millor que uns ulls cansats després d'una jornada esgotadora. —Va sospirar—. I mentre elles treballen, la remor de la màquina de cosir em recorda el passat, el teu pare…

En Dalmau va dubtar en el moment que les paraules es van escanyar a la boca de la mare i les llàgrimes li van lliscar per les galtes; amb el cap d'ella arraulit contra el ventre d'ell, la va bressolar com si fos una nena. Al cap d'una estona, en la soledat de la seva habitació, la que no tenia finestres enlloc, amb els sentiments rosegant-lo, a la llum d'una espelma, en Dalmau es va entestar a dibuixar la cara de la seva mare. I un rere l'altre va anar rebregant i estripant els esbossos. No era tan vella perquè reduís la seva vida als records! Per més que s'hi escarrassés, amb el carbonet, i una vegada i una altra intentés dotar els retrats d'un somriure i uns ulls vius, la sensació que li transmetien era sempre la mateixa: la d'una dona trista.

L'endemà al matí, en Dalmau es va trobar damunt la taula del menjador un tros de bacallà a la llauna que la mare li havia amagat la vigília pensant en l'esmorzar. Encara no s'havia fet de dia, però el silenci començava a esquinçar-se al carrer. Es va agençar en un rentamans i, abans de seure i assaborir el bacallà, va obrir un pam la porta de l'altre dormitori, on la mare i la germana encara dormien entre els llençols regirats.

Al carrer hi feia fresca. L'albada començava a treure el nas pel capdamunt dels edificis, com si allà dalt hi hagués un món net i sa diferent de l'enrenou, la penombra, la humitat, la brutícia i la pestilència que assetjaven els veïns del barri vell de Barcelona. No es tractava que la gent menyspreés el seu entorn; ben al contrari, tothom era com la mare d'en Dalmau i estimava el seu lloc d'origen, allà on havia viscut la seva infantesa o havia treballat en la maduresa. No, no era la gent. Era l'Ajuntament, que en els seus informes mèdics es deia que el sòl i el subsòl de Barcelona estaven podrits. Les autoritats asseguraven que el subsòl d'argila retenia l'aigua i, per tant, es trobava en un estat permanent d'humitat; que s'hi filtraven i dipositaven les aigües brutes, les matèries orgàniques en descomposició i les restes fecals; que les condicions del clavegueram eren deplorables, amb fuites i filtracions a tota la xarxa; que la neteja i la recollida d'escombraries era il·lusòria; que no hi havia provisió d'aigua i la que hi havia als pous on s'abastien els barcelonins estava bruta i infecta. El tifus i moltes altres patologies infeccioses s'havien convertit en endèmiques i la morbiditat per aquestes causes era elevadíssima.

I la seva mare no se'n volia anar d'allà!, es va lamentar en Dalmau quan arribava a la plaça de Catalunya, després de deixar enrere l'església de Santa Anna. Es tractava d'un immens solar abandonat on hi havia projectat fer-hi, des de l'Exposició Universal de 1888, la urbanització de la plaça que encara no existia i ja tothom anomenava de Catalunya. Va intentar esquivar el fanguissar i les immundícies que s'amuntegaven arreu, i les va vorejar com va poder fins que es va plantar al costat de l'entrada de la Casa Pons, un edifici magnífic de cinc plantes, neogòtic, majestuós, amb dues torrasses a les cantonades coronades amb cobertes còniques, construït a l'última dècada del segle passat i que havia comptat amb el desenvolupament de les arts industrials, vidrieria, forja, fusteria i fins i tot amb la ceràmica que havia fabricat el mestre d'en Dalmau.

Aquell edifici de l'arquitecte Sagnier, aixecat a la primera illa del passeig de Gràcia, a part de donar el tret de sortida a la cursa modernista de Barcelona, marcava una frontera tan identificable, tan impactant entre dos mons oposats, que en Dalmau sempre s'aturava uns segons al costat d'aquella casa i respirava fondo. Aleshores observava el lloc d'on venia, més avall, on eren la mare i la germana, que ja es devien haver llevat; després mirava cap amunt, cap a l'ampli passeig arbrat que havia de recórrer per arribar a la feina.

Allà sí que hi arribava el sol. I hi brillava. A terra, sobre l'empedrat! I la pudor no era tan repulsiva. De fet, els rics tampoc no havien aconseguit solucionar els problemes del clavegueram, i els pous negres es feien sentir, però com a mínim la brisa n'allunyava les males olors, segurament cap al barri vell, temia en Dalmau. A primera hora del matí encara no hi havia joves burgeses exhibint-se pel passeig. En canvi, sí que hi havia els forners que portaven el pa a les cases; repartidors; minyones, la majoria més fresques i boniques que les seves mestresses, amb un cistell per anar a plaça penjant al braç; treballadors que anaven d'un costat a l'altre; molts paletes; dependents dels comerços de tots dos sexes, i els exèrcits de pobres i indigents que feien cua davant de la porta de servei d'alguna casa gran perquè aquell era el dia de l'almoina.

—Estat de guerra! —El crit d'un minyó que venia diaris el va tornar a la realitat—. Estat de guerra! —va repetir amb tota l'energia que li permetien els pulmons.

En Dalmau es va apropar al vailet.

—Dona-me'n un —li va demanar, com van fer tots els que es van arremolinar al voltant del venedor de diaris.

El minyó, carregat amb els exemplars, els va anar allargant i cobrant sense deixar de cridar per aconseguir més clients:

—El governador civil dona el comandament a l'exèrcit!

En Dalmau va llegir la notícia àvidament. Era veritat! Els crits del venedor van continuar avançant-ne el contingut:

—Incapaç de controlar els avalots obrers, el governador civil cedeix el comandament de la ciutat als militars! El capità general declara l'estat de guerra! Suspeses les garanties i els drets dels ciutadans!

En Dalmau es va allunyar del xivarri que va esclatar arran de l'aparició d'aquella primera edició del diari i, com si els fets volguessin confirmar-li els repetitius crits del vailet, un tramvia va pujar pel passeig de Gràcia escortat per diversos membres d'un destacament de cavalleria de l'exèrcit amb els sabres desenfundats.

Durant el dia encara es van produir algunes batusses aïllades, però davant de les tropes de reforç que havien arribat de diversos punts de Catalunya, la vaga va perdre virulència i l'esperit de lluita va decaure fins que es va imposar la normalitat, sense que per aquest motiu s'alcés l'estat de guerra.

Ja a la fàbrica, en Dalmau es va posar de ple a treballar en els esbossos d'aquelles rajoles amb motius japonesos. Va arribar l'hora de dinar, i després que, un cop més, en Dalmau no contestés les paraules del mestre, l'home va ordenar a un dels aprenents que sacsegés el noi i li digués que l'esperava al pati, al cotxe, per anar a dinar a casa seva. De tant en tant, l'amo el convidava al seu domicili. Vivia al passeig de Gràcia, com a bon industrial adinerat, en un pis immens de sostres altíssims, a tocar del carrer de València. En Dalmau podria haver-hi anat a peu, però al mestre li agradava fer-ho en cotxe de cavalls, al qual pujava i baixava amb el posat de qui està a punt d'enfrontar-se a l'escalinata del Palau Reial de Madrid, i un cop dins s'hi asseia com si ho fes en el restaurant més selecte. L'home va tustar al sostre del carruatge amb el pom de plata del bastó i el vehicle es va posar en marxa.

Encara no havien sortit de la fàbrica quan, un cop més, l'amo va assenyalar la roba que duia en Dalmau, agitant en l'aire una de les mans.

Com sempre, en Dalmau va arronsar les espatlles.

—Et pago un bon sou —li va recalcar—. Podries vestir d'acord amb la teva categoria.

—Perdoni, senyor Bello, però sempre he vestit així, jo. Vostè sap prou bé que vinc de família humil. Jo no em veig com un senyoret.

—Tampoc no es tracta d'això. Però uns bons pantalons, camisa i americana, un barret decent en comptes d'aquesta gorra de… —va tornar a brandar la mà en direcció a la gorra que en Dalmau estrenyia a un costat—…, d'espardenyer, permetria, per exemple, que la meva estimada esposa t'acceptés a taula.

En Dalmau va fer servir l'excusa que sempre li donava quan el mestre insistia en la pobresa de la seva vestimenta i en la possibilitat de menjar amb la seva dona i les dues filles —el fill petit encara ho feia amb la minyona—, i de tant en tant amb mossèn Jacint, un sacerdot escolapi professor a l'Escola Pia de Sant Antoni, a la gran taula de caoba del menjador de casa seva, atesos per criats, la coberteria de plata vorejant uns plats magnífics de porcellana de colors vius, tovallons de lli i una cristalleria fina i tallada que en Dalmau temia que se li esquerdés a les mans només de mirar-la més del compte.

—Senyor, sap prou bé que no estaria a l'altura de les seves expectatives, i encara menys de les de la senyora Cèlia. No la vull pas ofendre. Però la meva educació no és l'adequada —va tornar a dir.

—Ja, és clar… —va cedir el mestre—. Però aquesta roba… —insistí assenyalant-la un cop més—. Fins i tot t'aniria bé per al taller. Ets el segon dibuixant de la fàbrica! El primer darrere meu. Hauries de donar exemple.

Aquella era una altra de les cantarelles del senyor Bello, però com volia que es posés un d'aquells colls? Podia ser un dels que la seva mare havia cosit dies enrere a la llum bruta que entrava per la finestra del pis del carrer de Bertrellans. No. Ell no es posaria mai de la vida aquells colls i punys, ni les camises, americanes i pantalons que havien consumit la vida de la mare! En Dalmau recordava amb tristesa la seva infància al ritme del pedal de la màquina de cosir. De vegades es despertava sobresaltat amb aquell martelleig que l'havia perseguit de petit fins al racó més allunyat de les quatre reduïdes parets on vivien.

—No m'hi trobo còmode, senyor —va replicar en un to tan educat com rotund—. Si em vesteixo d'una altra manera, després no em puc concentrar en la feina. Ho sento.

Sense donar-li l'oportunitat de replicar, en Dalmau va treure el cap per la finestreta i es va dedicar a observar la ciutat. A aquella hora i a l'Eixample, la zona rica per on es movien, l'estat de guerra declarat pel capità general hi havia portat la calma absoluta. Va observar alguns soldats que, despreocupats, gaudien del sol de primavera i de l'anar i venir de les dones en comptes d'estar pendents de la repressió d'una vaga i uns aldarulls inexistents. Va pensar en l'Emma i en la Montserrat: ja devien haver tornat a la feina; una a la fonda i l'altra a la fàbrica. Segur que totes dues estaven enfurismades i decebudes per la intervenció de l'exèrcit. A la nit les veuria, es va dir amb un somriure abans que els arreus del cotxer emmudissin i que les peülles de la parella de cavalls deixessin de repicar a terra; havien arribat davant d'un edifici de pisos del passeig de Gràcia on vivien el mestre i la seva família.

En Dalmau va insistir que el senyor sortís el primer, així no l'hauria d'ajudar a baixar i s'estalviaria que l'home, recolzant-se innecessàriament en el seu braç o elevant la veu, es vantés públicament de les seves atencions, com si fos un criat, en certa manera per castigar-lo per la indumentària. Perquè al cap d'una estona, a l'interior d'aquella espaiosa casa burgesa de sostres alts decorats amb ceràmica, carregada de mobles, quadres, escultures i tota mena d'objectes de decoració, útils o inútils, el senyor canviava d'actitud davant del seu deixeble.

L'afecte que el mestre sentia per en Dalmau no el compartia la senyora Cèlia, la seva dona, que no s'havia amagat mai del menyspreu que sentia pels orígens humils, per no dir revolucionaris, del noi. A la dona poc li importaven les dots per la pintura del fill d'un anarquista sentenciat per assassí. «Segur que hi ha un miler de joves tan preparats com ell, encara que siguin de famílies humils —sermonejava al seu marit—. No tinc res contra els obrers, sempre que siguin catòlics i no ateus com aquest xicot.»

L'acritud excessiva amb què la seva dona tractava en Dalmau no amoïnava el senyor Manel, perquè el cert era que si el convidava a dinar no era per cap altre motiu que per l'interès que tenia per conèixer l'opinió del noi sobre alguna de les feines que no feia a la fàbrica, i sí al taller que mantenia en una de les habitacions del seu domicili. Pintures. Obres que no tenien res a veure amb la ceràmica. Generalment paisatges, tot i que de vegades s'havia atrevit amb l'art sacre, i fins i tot algun retrat. El senyor era un excel·lent pintor reconegut en l'àmbit català i fins i tot espanyol. Compatibilitzava les múltiples activitats culturals i socials que l'ocupaven amb la de professor a l'escola de la Llotja. Va ser allà on va intuir, i més endavant va constatar, les excel·lents qualitats artístiques d'un jove Dalmau, fins al punt que gairebé el va arribar a afillar. Fins i tot el va ajudar econòmicament després que el seu pare s'exiliés i posteriorment morís arran del procés de Montjuïc; una paròdia processal que les autoritats van aprofitar per asfixiar el moviment anarquista arran de l'explosió d'una bomba quan passava la processó del Corpus del 1896 just davant de l'església de Santa Maria del Mar. El fet que el pare d'en Dalmau fos un anarquista revolucionari no va semblar que li importés gaire al senyor Manel, que hi va veure l'oportunitat de treballar per atraure el fill d'un llibertari violent i assassí a la fe i a la doctrina cristianes.

Abans fins i tot que en Dalmau acabés els estudis a la Llotja, el senyor Manel ja l'havia contractat com a aprenent a la fàbrica de rajoles. El seu objectiu: aprendre tot el que pogués sobre la fabricació de les rajoles i, sobretot, sobre com col·locar-les a l'obra. Els industrials no es podien arriscar que uns paletes ineptes malbaratessin una bona feina i que, al final, el constructor responsabilitzés els fabricants de les rajoles dels defectes que poguessin aparèixer en les construccions. Per això, totes les cases importants oferien també la col·locació de les rajoles a l'obra. En Dalmau va viure l'època en què el ciment pòrtland acabava de revolucionar l'adherència de les rajoles. Va aprendre les diferents proporcions pel que feia a l'espessor de la capa de sorra que s'havia d'aplicar segons si es tractava de rajoles de paviment o de paret; com col·locar-les a les escales i el gruix que s'havia de preveure als cantells perquè s'hi poguessin recolzar; com posar-les sobre paviments de fusta, revestint-los amb ciment un cop preparats els taulons. També va aprendre l'estona que les rajoles havien d'estar en remull abans de col·locar-les; com començar sempre pel centre de l'habitació, deixant els retocs per al moment que s'unissin amb les parets. En definitiva, va aprendre tot el que es podia saber sobre la col·locació d'hidràulics i mosaics, fins que, als dinou anys, el noi es va convertir per mèrits propis en el primer dissenyador i dibuixant després del mestre. Evidentment, d'enveges i disputes n'hi va haver, i més en una fàbrica en què a molts treballadors els costava obeir un home jove que ni tan sols vestia americana i barret, i que fins no feia gaire s'agenollava com ells, però en Dalmau aviat va demostrar les seves habilitats i va silenciar les queixes.

La senyora Cèlia el va saludar amb un esbufec i una mirada displicent mentre en Dalmau creuava la sala d'estar seguint les passes del mestre cap a l'estudi.

—Bon dia, senyora —la va complimentar ell, malgrat tot—. Senyoretes —va afegir amb un lleu moviment del cap en direcció a les dues filles del mestre, més joves que ell, potser un any o dos, i que comptaven les hores assegudes amb apatia al costat dels grans finestrals que s'obrien al passeig de Gràcia.

El menut de la casa devia estar al quarto de jugar, va pensar en Dalmau.

La cara de l'Úrsula, la gran de les germanes, va rebre la salutació amb un somriure enigmàtic que va inquietar en Dalmau. No era la primera vegada: aquell somriure, les parpelles lleugerament caigudes, aquell segon de desvergonyiment que es permetia la noia, atenta que no la miressin i la descobrissin, convidaven en Dalmau a molt més que a una simple salutació de qui està de pas per una sala d'estar.

—Dalmau!

El crit del mestre, que ja havia arribat a la porta del seu estudi, va foragitar aquells pensaments.

—Què n'opines? —li preguntà el senyor Manel mentre, amb un gest pompós de la mà, li mostrava la seva última obra—. Tinc pensat oferir-l'hi com a regal al nou bisbe.

«Real, massa real», es va estar de contestar-li en Dalmau. Va callar i va simular estar concentrat en l'obra. No necessitava examinar-la gaire. Era bona... però antiquada, semblant a les pintures fosques que es podien veure a l'interior dels temples. Es tractava d'un paisatge urbà, en el qual destacava una església i dues dones humils en primer pla que s'hi dirigien caminant. Però li faltava llum; aquella llum hereva de l'impressionisme amb què fins i tot molts dels companys del mestre havien acabat jugant en les seves obres. Potser al nou bisbe li agradaria. Tenia un aire nostàlgic. Pocs sentiments més transmetia, aquell quadre, a part de devoció i fervor religiós.

«Què n'opines?» Sempre era el mateix: el seu judici només li causaria problemes. Estava lligat al mestre. No es tractava només de la feina a la fàbrica de ceràmica. Aquell mateix any, al gener, s'havia fet el sorteig dels quintos de Barcelona en edat de dinou anys, la seva quinta, per engreixar les files de l'exèrcit. La sort no l'havia acompanyat i va sortir escollit. Dotze anys lligat a l'exèrcit! Els primers tres de servei actiu, deixat de la mà de Déu en una caserna; tres més de reserva activa i els sis que quedaven en la segona reserva. Una gran dissort per a qualsevol jove, que veia interrompuda la seva formació i la seva vida, la feina, sovint imprescindible, en les malparades economies obreres, com a mínim durant els primers tres anys en actiu. La Josefina, la seva mare, va perdre el món de vista quan va saber la notícia; la Montserrat i l'Emma van clamar contra l'Estat, l'exèrcit, els rics i els capellans; després van plorar, l'Emma desconsoladament perquè s'adonava que perdia el seu xicot. El senyor Manel Bello, però, es va queixar, va deixar anar una imprecació mesurada, com corresponia a un bon cristià, va esbufegar i, després de pensar-s'ho bé, va oferir a en Dalmau deixar-li la quantitat de diners necessària per obtenir la redempció, la fórmula amb què els rics es lliuraven de l'exèrcit i els que no ho eren tant s'endeutaven fins a arruïnar-se: mil cinc-centes pessetes d'or!

En Dalmau en va parlar amb la seva gent. Ho van acceptar, encara que veiessin en el mestre un catòlic recalcitrant, un burgès, un industrial adinerat, tot allò contra el que havien lluitat fins aleshores. El seu pare Tomàs havia mort injustament per allò. El senyor Manel no era sinó l'encarnació d'aquell poder que oprimia els treballadors, que els robava i explotava, i contra el qual s'alçaven ara les noies.

—I tu què hi dius, fill? —va preguntar la Josefina, fent callar les queixes de les altres dues.

En Dalmau va allargar els braços i li ensenyà els palmells de les mans.

—Jo només vull dibuixar, pintar i estar amb vosaltres —va argumentar—. Què hi fa si, per aconseguir-ho, aquest, l'altre o el de més enllà m'ha de deixar mil cinc-centes pessetes per redimir-me de l'exèrcit?

Van signar un contracte de préstec que va preparar l'advocat del senyor Manel. Van seure tots tres en una taula llarga prevista per a reunions més concorregudes. La reunió es va estendre molt més del necessari per signar el document que l'advocat tenia a les mans com si fos un paper sense importància, mentre ell i el mestre xerraven sobre les seves famílies i tota mena de banalitats, aliens a la presència d'en Dalmau. Al final, com si tots dos s'haguessin adonat al mateix temps de l'estona que havien perdut, van posar el punt final a la conversa i es van plantejar signar el préstec. L'advocat fullejava el document i anava assentint a les paraules que havia escrit el passant. «Com sempre. Sí. Això mateix. Exacte», anava remugant.

—Tens sort, noi —va dir l'advocat a en Dalmau, i el va instar amb el dit perquè signés al peu del document—, de tenir un mestre tan generós com el senyor Manel.

En Dalmau li tornaria el préstec a raó de cent pessetes l'any, amb interessos; d'això sí que se'n va assabentar al despatx de l'advocat. Més endavant tampoc no va voler llegir com continuava el contracte que constava de diversos fulls, i després de fer-lo signar a la seva mare, perquè amb dinou anys encara se'l considerava menor d'edat, va guardar la seva còpia a la carpeta dels documents i va deixar preparada la del mestre per lliurar-l'hi l'endemà. Quina importància tenia el que hi constés escrit? Treballava per al senyor Manel, que li pagava bé, i era precisament la persona que li pagava el sou amb qui estava en deute.

I ara havia de criticar el quadre que havia pintat l'home a qui li havia d'agrair no estar reclús en una caserna perduda en un lloc remot d'Espanya? L'obra no li agradava: la trobava fosca i antiquada, no li transmetia cap sensació. Però com li podia dir la seva veritable opinió? Va buscar alguna cosa per dir que no fos del tot mentida.

—Es poden sentir les oracions que surten de la boca de les dues feligreses —va sentenciar en to greu, però en veu fluixeta, com si no volgués interrompre les pregàries de les devotes.

La cara del senyor es va expandir en un somriure beatífic que ni tan sols les seves patilles ni el bigoti tofut van poder ocultar; tot ell es va estarrufar.

Aquell mateix dia, al capvespre, en Dalmau estava distret entre la multitud que es bellugava pel barri de Sant Antoni. Havia demanat a en Paco que l'avisés abans que es fes fosc, i el vell vigilant va gaudir una vegada més tancant la clau dels llums de gas del taller mentre el jove Dalmau estava capficat en la seva feina.

—Què hi ha? —va protestar en Dalmau perquè el destorbaven.

Aleshores se'n va recordar. Va somriure, va llançar el guardapols al penjador i es va dirigir a la fonda on treballava l'Emma, un establiment situat al carrer de Tamarit, molt a prop del mercat. Hi va anar a peu des de la fàbrica del senyor Manel, a les Corts; caminant sense pressa, gairebé en línia recta i en direcció al mar, trigava al voltant de mitja hora. De vegades, quan el sol encara il·luminava Barcelona, desviava el seu camí, feia un tram per la Diagonal i baixava fins a la ciutat vella pel passeig de Gràcia o la rambla de Catalunya, fixant-se en els edificis modernistes i en els rics que hi passejaven. Però al capvespre, com en aquella hora, gaudia més dels barris humils, del moviment constant i de l'escàndol que creaven les fàbriques de mobles i els fusters. Al barri de Sant Antoni, a diferència del que passava al de les Corts, més allunyat del centre de la ciutat, hi havia de tot: sastres, basters, barbers i llauners entre tallers de barreters i abaixadors de pèl de conill, o entre destil·leries, fàbriques de llums i ferreries.

El barri de Sant Antoni tenia ben definits els límits administratius, tot i que comunament abastava una zona força extensa: per l'esquerra, anava de l'enderrocada muralla de Barcelona, a l'altura del portal i la ronda de Sant Antoni, a l'escorxador; pel nord, arribava fins al carrer de Corts, tot i que alguns li posaven el límit més amunt; a sota i a la dreta, arribava fins a l'avinguda del Paral·lel i la plaça de la Universitat. Formava part de l'Eixample de Barcelona perquè s'havia desenvolupat urbanísticament després d'enderrocar les muralles i d'alliberar tots els terrenys que l'envoltaven i en què, per motius militars, no es podia construir.

Però a diferència del passeig de Gràcia, la rambla de Catalunya i carrers adjacents, en què rics i burgesos havien iniciat una competició vanitosa amb l'aixecament de construccions neoclàssiques i ara modernistes, Sant Antoni era un conglomerat d'indústries de tota mena, grans i petites, alternades sense ordre amb edificis de pisos insubstancials i solars encara sense edificar. Els interiors d'illa, que en la concepció urbanística original de Cerdà estaven destinats a jardins i a espais d'oci, havien estat ocupats per tallers i habitatges miserables, que es distribuïen successivament a banda i banda dels corredors que s'endinsaven, des del carrer, als patis centrals.

La gent entrava i sortia dels establiments sense parar, tranquil·la, com si no estiguessin en un estat de guerra que controlaven amb indolència uns quants soldats que passejaven per la zona. Tramvies, carros tirats per mules, cotxes de punt, cavalls i bicicletes es creuaven perillosament aixecant la pols d'unes vies sense empedrar. Els crits i les rialles, i de tant en tant alguna discussió, transitaven pels carrers i es barrejaven amb els milers d'olors que suraven per l'aire: salaons; àcids que gairebé tallaven la respiració: sulfúric o nítric; vernissos; aiguardents; vinagres; adobs; greixos; pells adobades de tota mena d'animals... En Dalmau va notar que la seva sensibilitat s'exacerbava: llum, colors, gent, olors, soroll, xivarri, alegria... Li hauria agradat pintar l'escena allà mateix, captar totes aquelles sensacions i traslladar-les a una tela, confuses, tal com les percebia en aquell moment: flaixos de vida. Quan va arribar a Can Bertran, la fonda on treballava l'Emma, es trobava en un estat tan estrany que no s'atrevia a definir si era agradable o angoixant.

Can Bertran ocupava un edifici d'una sola planta construït amb materials toscos; era un local ampli ocupat per taules disposades en tres fileres que s'estenien sota un sostre que, per dos dels seus costats, acabava descansant sobre columnes per continuar a l'aire lliure, al descampat que afrontava amb la paret d'una fàbrica de sabons. L'establiment estava ple de gent, com sempre, ja que servia menjars econòmics en una zona humil. Per només trenta cèntims, les filles d'en Bertran oferien als comensals plats fins dalt de cigrons amb carn o bacallà, pa i vi. Per uns cèntims més, es podia optar per l'escudella amb la seva carn d'olla.

En Dalmau va recórrer atrafegat el local amb la mirada. No va trobar-hi l'Emma, però sí en Bertran en un racó, atent a tot, controlant. Era un home esprimatxat que refutava la imatge que es pogués tenir vulgarment de les dimensions abdominals dels amos de les fondes. En Bertran el va rebre amb un somriure i, amb un moviment de barbeta, li va indicar la cuina. En Dalmau li va tornar la salutació i se n'hi va anar; gaudia de certes prerrogatives en aquella casa de menjars, no només per ser el xicot de l'Emma, sinó també pel retrat al carbonet que un dia havia fet de la dona d'en Bertran i de les seves dues filles i que, segons assegurava ell, ocupava un lloc principal al menjador de casa seva.

En Dalmau va entrar a la cuina, situada en un dels extrems de l'establiment. Passat algun temps, en Bertran li havia demanat un altre retrat, el seu, i aquest estava penjat allà mateix, a la porta, dominant el lloc en què es comptaven i es guardaven els licors i els diners. Tampoc no va veure l'Emma entre les quatre o cinc persones que es movien frenèticament per la cuina. Semblaven insuficients per atendre la quantitat de plats que se servien al menjador: tres cuines econòmiques de ferro negre, amb quatre fogons concèntrics cadascuna, que funcionaven amb carbó. Gairebé tots els fogons estaven encesos, i sobre aquests, paelles, olles i cassoles, totes de ferro. En un dels racons de la cuina encara hi subsistia un foc a terra i al damunt una gran olla que borbollejava penjada d'uns clemàstecs.

—És a fora, amb els plats —l'informà una de les filles d'en Bertran quan va passar pel seu costat. Tota la família treballava allà.

—No et quedis aquí parat! —li recriminà una segona.

—Ves d'una punyetera vegada amb l'Emma i no emprenyis —li digué aquesta vegada la mare en to imperatiu.

En Dalmau va obeir i va sortir al pati del darrere, on s'amuntegaven el carbó i tota mena de trastos inservibles que en Bertran s'entestava a conservar. Començava a fer-se de nit. El sol deixava enrere un rastre rogent que va fer renéixer en en Dalmau les sensacions amb què havia entrat a l'establiment. Va voler reconèixer l'Emma en una figura a contrallum que li ensenyava l'esquena, inclinada sobre un munt de terra d'escudelles que feia servir per fregar els plats bruts. Al seu costat, dos minyons que aquella nit menjarien les sobralles, l'ajudaven. En Dalmau s'hi va atansar en silenci, la va abraçar per la cintura i arrambà l'entrecuix amb força contra la natgera d'ella.

—Eh! —va cridar l'Emma, incorporant-se bruscament.

En Dalmau no la va deixar anar.

—M'hauria preocupat que no et sorprenguessis —li va xiuxiuejar a l'orella enganxant-se encara més a ella.

—És la meva reacció habitual quan m'ataquen per darrere —es va burlar ella—. Vosaltres continueu fregant! —va advertir als dos minyons que se'ls miraven fent uns ulls com unes taronges.

En Dalmau va refregar el penis erecte contra ella.

—Per què no anem a algun raconet? —li va proposar, besant-li el coll.

—Perquè primer haig d'acabar de fer els plats —l'interrompé ella.

L'Emma es va tornar a inclinar, amb en Dalmau agafat als malucs, insistent, tenaç; va agafar un grapat de terra d'escudelles, que va llençar sobre un plat sutjós i va rascar les restes de menjar fins que es van barrejar amb la terra i es van desenganxar del plat. «Vols parar?! —ordenà a en Dalmau, que ara li buscava els pits amb les mans. Va llençar la terra bruta, amb les engrunes de menjar, a una altra pila. Era una sorra argilosa, suau, abundant a la muntanya de Montjuïc—. Para d'una vegada!», va insistir en notar que li grapejava un pit. Va comprovar que el plat era net i el va esbandir en un gibrell d'aigua.

—I per què no ho continuen aquest parell? —li proposà ell.

—Perquè tan bon punt em girés em pisparien els plats, el gibrell i fins i tot la terra d'escudelles. Espera, que falta poc… si em deixes fer. Això ho entens?

En Dalmau es va quedar arrambat a ella, però va afluixar el braç com si estigués disposat a deixar-la treballar.

—Podries ajudar-me —li recriminà l'Emma.

—Jo? Un artista? —va fer broma ell—. Les meves mans…

—Vols que et digui què tocaran a la nit aquestes mans? —va dir ella amb murrieria.

Amb l'ajuda d'en Dalmau van enllestir la feina aviat i es va acomiadar dels Bertran, pare, dona i filles, sense donar-los l'oportunitat de replicar. Van córrer cap a casa de l'oncle de l'Emma, amb qui ella vivia des que havia quedat òrfena.

—Aquesta nit està de guàrdia a l'escorxador —li va dir a en Dalmau per tranquil·litzar-lo.

—I els teus cosins?

Ella va arronsar les espatlles abans de contestar.

—Si apareixen ho entendran. I, si no ho entenen, ja s'ho faran.

Un pis de lloguer, un dels milers que havien construït els rics a l'Eixample de Barcelona, amb l'objectiu de llogar-los a una massa laboral que no deixava de créixer animada per la immigració que arribava a la gran ciutat buscant millors oportunitats. Es tractava d'edificis fets de maons, «cases d'escaleta», les van anomenar primer —més endavant, «construcció catalana»—, una mena d'obres en què es feia prevaler l'economia, i en què les neulides parets de maons aguantaven blocs de fins a set plantes. Els mestres d'obres que construïen aquelles cases asseguraven que eren les que tenien les parets resistents més primes del món amb relació al pes que suportaven.

Eren edificis jerarquitzats en què la qualitat dels pisos decreixia com més amunt se situaven. A la planta noble, la principal, la més baixa per damunt dels comerços, acostumava a viure-hi el propietari. Sostres alts, una gran tribuna al carrer, grans finestrals… A mesura que els pisos pujaven, anaven perdent superfície, finestres, alçada, balcons, fins que els superiors ja no en tenien, i per descomptat també es detectava una qualitat més pobra en els materials constructius.

El pis de l'oncle de l'Emma era dels elevats, i així i tot era bastant més espaiós i ventilat que els de la part vella de la ciutat. L'Emma va barrar la porta d'un dels dormitoris, el que compartia amb una cosina seva, va encendre unes espelmes i així que va veure en Dalmau el va empènyer. Ell, amb les dues mans al pit de la noia, va trontollar i va caure assegut al llit. Ella s'hi va atansar i se li va plantar al davant, a peu dret. Li va agafar el cap i el va encastar contra el seu pubis.

—On tenim ara tota aquella fogositat? —va preguntar alhora que es refregava contra la seva cara.

En Dalmau es va agenollar davant d'ella, li va alçar el davantal i la faldilla i va ficar el cap per sota. Amb les mans tenallant les natges, va començar a llepar-la, primer el pubis i després la vulva. Amb en Dalmau agenollat i amagat sota la roba d'ella i l'Emma dreta com si estigués sola a l'habitació, va acompanyar el plaer que ell li proporcionava amb les carícies que ella mateixa es va prodigar per tot el cos: panxa, pits, coll… A l'últim, va arribar a l'orgasme amb un crit ofegat.

—Despulla't —va apressar en Dalmau.

Ella també es va acabar de despullar, i va mostrar uns pits grossos i ferms, de mugrons que miraven al cel, ventre pla, cintura estreta i malucs rodons. Era una jove voluptuosa, però espectacularment proporcionada. «Ets de bona fusta», li deia en Dalmau acompanyant les paraules amb una patacada al cul. La feina de l'oncle a l'escorxador i el d'ella a la fonda li havia proporcionat una alimentació que pocs barcelonins, homes i dones, es podien permetre. Com cada vegada que la veia despullada, en Dalmau negava amb el cap, extasiat davant d'una imatge que no acabava de considerar real.

—Ets bonica —la va afalagar—. Molt bonica.

La cara de l'Emma, suada, va rellluir somrient en la penombra que li oferien les espelmes. Ovalada, els ulls grossos i castanys, llavis carnosos, pòmuls una mica prominents i un nas recte, petri, que anunciaven el seu caràcter decidit i independent. Pocs podien equivocar-se davant d'aquella dona.

—Tu tampoc no estàs gens malament —li contestà ella acariciant el penis en erecció—. No deus tenir un preservatiu?

—No —va lamentar en Dalmau.

—Doncs has tingut prou temps per aconseguir-ne un —li va retreure ella mentre l'obligava a estirar-se panxa enlaire al llit. Després es va encamellar damunt d'ell i va manipular el seu penis fins que va notar que la penetrava—. Avisa'm abans no t'escorris —li va demanar en el moment que va començar a moure's rítmicament, al mateix temps que amb les dues mans li pessigava els mugrons—. Et mato si no ho fas.

En Dalmau la va agafar per la cintura per acompanyar-la en el seu vaivé.

—T'estimo —li xiuxiuejà l'Emma amb els ulls tancats, interrompent uns minuts de panteixos i sospirs. Va parlar amb el coll estirat i el cap amunt, forçat, en una posició amb què pretenia augmentar el plaer, sentir-lo encara més dins seu.

—Jo a tu també —li contestà en Dalmau.

—Quant m'estimes? —li preguntà ella abans que un calfred li recorregués tot el cos.

—Tot l'amor del…

L'Emma va gemegar.

—Que mentider —el va acusar després.

—Ah, sí?

En Dalmau va empènyer amb força, com si la volgués trencar. Ella va cridar. Una empenta, dues… No va caldre que l'avisés. Els seus moviments gairebé espasmòdics van alertar l'Emma que estava a punt d'ejacular. Se'n va separar i, de quatre grapes, el va acabar de masturbar amb la boca.

Van acabar tots dos ajaguts al llit, suats i panteixant. En Dalmau va passar el braç per sota del coll de l'Emma i la va estirar cap a ell, fins que ella va fer descansar el cap sobre el seu pit. Després es va entretenir escoltant com la seva respiració accelerada s'asserenava. Emma… Va somriure en recordar que es coneixien des de petits. Sí, ja aleshores, de tant en tant, la seva germana feia broma amb la possibilitat que fossin parella i els posava en un compromís, sobretot a l'Emma, que s'enrojolava i abaixava la mirada. Què més podia voler la Montserrat que el seu estimat germà fos el xicot de la seva millor amiga? Va ser un dia, un instant, un moment precís en què l'Emma va deixar de ser una nena, va deixar de ser l'amiga de la seva germana, o la filla del company del seu pare, per convertir-se en una dona atractiva i sensual, independent, treballadora, forta i intel·ligent. En Dalmau no podia dir exactament quan ni com va passar. Ho havia pensat sovint; tampoc no va ser necessàriament aquell cos exuberant el que va canviar la seva manera de veure l'Emma. Potser va ser una rèplica de les seves, ferma, seca, contundent; o qui sap si una broma o el seu somriure franc, despreocupat, allunyat de qualsevol hipocresia. Potser el fet de veure-la treballant a la fonda, o aquella nit que es va presentar al pis de la seva mare de forma intempestiva i els va sorprendre a tots amb una cassola de conill a la ràbia. «Tothom a taula!», va cridar. O potser era l'atreviment que mostrava als carrers quan exigia els drets dels treballadors. O la seva olor, aquella aroma subtilment d'almesc que una nit va descobrir en ella i que el va impactar amb una intensitat desconcertant; era la mateixa Emma del dia anterior? No, en Dalmau no sabia en quin moment va caure enamorat d'aquella... deessa.

Va arrambar l'Emma, que no va deixar de joguinejar amb els pèls del pit d'ell rinxolant-los amb el dit, abans d'estirar-los-hi sobtadament i arrancar-los-hi. «Bèstia!», la va renyar en Dalmau. Ella?

—Sempre he estat enamorada de tu —li va confessar un dia que van parlar del tema.

—Sempre? Per què? —va intentar aprofundir en Dalmau.

—Era molt petita. Però crec que ja aleshores em va atraure la teva sensibilitat. Recordes els dibuixos que em feies?

En Dalmau va assentir amb el cap.

—En aquell temps no valien gaire... —L'Emma va riure—. Però els guardo tots.

No li havia deixat veure mai aquells dibuixos que deia que guardava.

—Encara te'n penediràs i me'ls prendràs —s'excusava la noia—. Que els artistes sou ben rarots.

En Dalmau va estar una bona estona escoltant els esbufecs de l'Emma després d'arremolinar-li els pèls i d'estirar-n'hi uns quants.

—Tens notícies de la meva germana? —li va preguntar a l'últim.

2

E n Dalmau es va aturar a l'escala estreta, fosca i humida, dos
graons abans d'arribar al replà del pis on vivia la seva mare.
Va parar bé l'orella, incapaç de creure el soroll que li arribava.
No en tenia cap dubte: era el retruc de la màquina de cosir. Eren les
dotze de la nit tocades i la seva mare i la Montserrat normalment ja
dormien; la seva germana havia de matinar per anar a la fàbrica.
Després de fer l'amor un cop més, l'Emma i ell havien sortit a
passejar pel Paral·lel, a fer callar la gana en alguna de tantes para-
detes que s'estenien al llarg de l'avinguda, i a gaudir de l'espectacle
prenent un cafè. Perquè si els rics i burgesos feien servir el passeig
de Gràcia per exhibir-s'hi i deixar-se veure, els obrers, els bohemis,
els immigrants i la gent sense ofici ni benefici, o amb oficis poc re-
comanables, se citaven al Paral·lel, un carrer espectacularment am-
ple —anomenat, en realitat, Marquès del Duero— que tancava l'Ei-
xample pel costat esquerre i que en un dels seus extrems moria al
port. Allà, de forma caòtica, fins i tot envaint la calçada, i al costat
dels tallers, les fàbriques i els magatzems s'amuntegaven barraques
de fusta on es venien tota mena d'articles; atraccions com els cava-
llets i altres tipus d'instal·lacions recreatives; un circ; cafès amb ter-
rasses; fondes; bordells, sales de ball, i uns quants teatres, tot plegat
sota la il·luminació de fanals de gas que oferien una llum càlida,
agradable, gairebé acollidora, en contra dels arcs voltaics de llum
elèctrica instal·lats en alguns carrers de la ciutat que emetien un
esclat intens i empipador per als ulls. La lluita entre el gas i l'electri-
citat, la «llum dels rics», com l'anomenava la gent per la senzilla raó

que s'havia imposat als teatres, als grans restaurants i palaus, la continuava guanyant malgrat tot el primer, que comptava amb més de tretze mil fanals públics instal·lats a Barcelona, davant de les cent cinquanta cases comptades que s'alimentaven del corrent elèctric.

L'Emma i en Dalmau s'havien assegut en una d'aquelles terrasses i, agafats de la mà per damunt de la taula, satisfets, havien xerrat i intercanviat mil rialles, però sobretot havien gaudit del batibull de la gent. Tota aquella bullícia va regirar de sobte l'estómac a en Dalmau en el moment de saltar els dos graons que li faltaven i d'entrar precipitadament a casa la seva mare. La va trobar a la seva habitació a la llum d'una espelma a punt de consumir-se, treballant, movent rítmicament el pedal de la màquina i cosint. La Josefina no va mirar el seu fill, no volia que li veiés els ulls injectats de sang, però va ser en va perquè ell sí que els va arribar a percebre malgrat la penombra.

—Què ha passat, mare? —li va preguntar agenollant-se al seu costat i obligant-la a frenar el peu que trepitjava obsessivament el maleït pedal de ferro forjat—. Què fa desperta tan tard?

—L'han detingut —el va interrompre ella amb la veu trèmula.

—Què…?

—Han detingut la Montserrat.

La Josefina va fer el gest de tornar a la seva feina, però en Dalmau l'hi va impedir, aquesta vegada amb una brusquedat que de seguida va lamentar.

—Vol parar de cosir d'una vegada! —va cridar—. No… Perdoni. —Encara ajupit, va acariciar els cabells fets malbé de la seva mare—. Perdoni —va repetir—. N'està segura? Com ho sap? Qui l'hi ha dit?

—M'ho ha dit una companya de la fàbrica. La Maria del Mar. La coneixes? —va preguntar la Josefina, i en Dalmau va assentir. Alguna vegada havia coincidit amb les amigues de la seva germana—. Ha vingut i…

La Josefina no va poder continuar, un atac de tos l'hi va impedir. En Dalmau va córrer a la cuina a buscar un got d'aigua. Quan va tornar, el peu de la seva mare ja tornava a fer ballar el pedal.

—Deixa'm —li va demanar ella després d'empassar-se un bon

glop—. No sé fer res més. No puc dormir. No puc sortir al carrer a buscar la meva filla. No sé on és. Què vols que faci que no sigui cosir… i plorar? No sé on la tenen —va insistir amb la màquina en funcionament—. El teu pare sí que sabia on era. Al castell. Allà el tenien.

En Dalmau va recular un pas i la va veure envellida. Ja havia patit la detenció del seu marit. Era innocent, li va jurar ell. I ella sabia que deia la veritat. El va anar a visitar. Va suplicar per ell al castell, a la Capitania General, a l'Ajuntament. Es va agenollar i es va humiliar, com moltes altres dones, suplicant una clemència per al marit que no va arribar mai. Els militars van torturar els presos, a alguns com en Tomàs fins a trinxar-li l'ànima; van obtenir confessions forçades, i van ser inexorables amb els judicis i les sentències.

—Han sigut els soldats —va dir de sobte, com si sabés què era el que estava pensant en Dalmau. La justícia militar era molt més dura que la civil—. L'han detingut els soldats.

—L'alliberarem —va dir ell, intentant animar-la.

Un grup de dones no havien respectat l'estat de guerra; mentre els treballadors accedien capcots i en silenci a una de les moltes fàbriques emplaçades al barri de Sant Martí, els havien cridat a la vaga, a continuar amb la lluita, a no afluixar… El batalló que vigilava la zona va ser implacable. Algunes dones van fugir camuflades entre les treballadores, d'altres, com la Montserrat, no ho van aconseguir. Això va ser el que, entre plors, li va acabar explicant la seva mare, repetint les paraules de la Maria del Mar.

En Dalmau caminava de punta a punta de l'habitació. Què havia de…? Què podia fer? Va intentar meditar una solució, però la remor de la màquina de cosir l'hi impedia tenir el cap clar; va tancar els ulls i va serrar les dents abans de tornar a queixar-se. No ho va fer. La flama de l'espelma feia pampallugues i es reflectia al vidre de la finestra. Va acostar-s'hi. Feia negra nit. «On es deuen haver endut la Montserrat?», es va preguntar. Una arcada li omplí la boca de bilis només de pensar en què li podien estar fent aquella colla de soldats amargats. Va enganxar la galta al vidre i va aconseguir retenir el vòmit. La seva mare no el podia veure decaure. «L'alliberarem», va repetir mentre escodrinyava el carrer. La Josefina va deixar de cosir i el va mirar amb un bri d'esperança als ulls, vermells de tant plorar.

«L'hi prometo, mare!», li va assegurar en Dalmau al mateix temps que es fixava en unes ombres que es bellugaven a sota, en la foscor del carrer de Bertrellans. No sabia què fer, i la seva incertesa el va dur a girar-se d'esquena a la seva mare perquè no s'adonés del neguit que reflectia el seu rostre. Ni tan sols sabia on s'havien emportat la Montserrat.

—A la presó, segur.

—Sí. A la d'Amàlia.

—N'esteu segurs? —preguntà en Dalmau a en Tomàs, a la seva companya i a una altra dona que aparentment vivia amb ells en aquell pis del Poble-sec, a tocar del Paral·lel.

En Tomàs arronsà les espatlles.

Al final en Dalmau havia decidir recórrer al seu germà gran. Anarquista. Aquelles vagues les havien impulsat ells, no pas els republicans; era el que li havia dit l'Emma. Durant anys els anarquistes havien intentat alçar les masses obreres de Barcelona, portar-les a la desitjada revolució a través del terrorisme i de la violència, però els treballadors no els van seguir. En canvi, aquells mateixos obrers sí que es van sumar a la possibilitat d'organitzar una vaga general, aquella mena de lluita sí que la van entendre.

—No la tindran retinguda en una caserna —afegí en Tomàs—. Això només els causaria problemes. La deuen haver tancat a la presó d'Amàlia fins que no se celebri el judici. És el que fan habitualment.

—Coneixes gent a la presó que pugui cuidar la Montserrat —inquirí en Dalmau, preocupat— mentre no...?

«Mentre què?», va pensar de sobte. La jutjarien i la condemnarien. Segur.

El seu germà va obrir les mans i va fer que no amb el cap, els llavis arrufats.

—Allà dins hi tenim gent, és clar, però prou problemes tenen. Els anarquistes som l'escòria d'aquest poble, els causants de tots els mals; els revolucionaris; els terroristes... Hi ha instruccions concretes per fer-nos la vida impossible, per putejar-nos; valem menys que un vulgar assassí o un violador de nens. —En Tomàs va aprimar els

48

ulls i va fer l'efecte que s'imaginava el que pensava el seu germà: allò només era conseqüència de les bombes amb què havien aterrit Barcelona—. És la revolució —intentà corregir-lo.

En Dalmau va guardar silenci. Havia conegut poc el seu pare. Era molt jove quan el van empresonar i trobava a faltar haver pogut parlar amb ell com un home, no com un nen. En aquell moment es va adonar que passava el mateix amb el seu germà gran. Només el coneixia com aquella figura idolatrada per un nen que veia en l'actitud del germà la veritat, la força, la lluita contra aquella injustícia que els feia tan diferents dels burgesos acabalats que menjaven pa blanc i carn cada dia. Però el cert és que tampoc no el coneixia. En Tomàs havia abandonat d'hora la casa familiar.

—Dalmau —l'interrompé el germà—. És tard. Acaba de passar la nit aquí, amb nosaltres, i demà al matí l'anem a…

—No puc. Haig de tornar a casa. No vull que la mare es quedi més estona sola. Quedem a trenc d'alba a la presó d'Amàlia, entesos?

Un cop a casa la mare, es va aturar al mateix graó on s'havia quedat aquella mateixa nit per primera vegada: quan en faltaven dos per arribar al replà. En dues hores es faria de dia i a l'edifici es començaven a sentir els sorolls emmandrits dels inquilins que es llevaven, però entre aquests ja no hi havia el de cap màquina de cosir. En Dalmau l'hauria reconegut fins i tot en el punt àlgid d'un temporal. Va entrar al pis sigil·losament. Va encendre una espelma. La mare continuava en la mateixa posició en què ell l'havia deixada abans d'anar-se'n a casa d'en Tomàs: asseguda al tamboret de la màquina de cosir, aliena a tot, fins i tot a la costura; la seva ment, el dolor i el plor eren amb la seva filla Montserrat.

—Mare, vagi-se'n al llit i descansi —li suplicà en Dalmau.

—No puc —replicà ella.

—Descansi, si us plau —insistí ell—. Que em sembla que això anirà per llarg i poca cosa farem aquesta nit. Ha d'estar preparada.

La Josefina va cedir i es va estirar al llit.

—Demà al matí aniré ben d'hora a la presó amb en Tomàs —li xiuxiuejà a cau d'orella.

La mare va fer un plor ofegat com a resposta. En Dalmau li va fer un petó al cap i se'n va anar a la seva habitació sense finestres. Va jeure al llit i va esperar que despertés el nou dia.

El va despertar el renou de la cuina. L'aurora despuntava. Va flairar el cafè i el pa acabat de fer que la mare devia haver anat a comprar.

—Segurament és a la presó d'Amàlia —li comunicà mentre li feia un petó al cap; ella estava de cara a la paret, on tenia el fogó per cuinar, i preparava una truita amb ronyons—. He quedat amb en Tomàs per anar-hi aquest matí.

La Josefina va servir el menjar a la taula, on en Dalmau s'havia assegut.

—Aquesta presó és un cau de maldat, plena de delinqüents. La destrossaran. La teva germana només és una llibertària que vol el bé comú; abolir l'esclavitud de l'obrer perquè els homes tornin a ser lliures, una idealista tan ingènua com ho va ser el teu pare i ho és el teu germà. No sé què li passa a aquesta família! I la teva xicota també! —va exclamar com si se n'acabés d'adonar—. L'Emma és com ells! Compte que no...

—Mare —va intervenir en Dalmau—, si vostè ens portava a les manifestacions quan érem petits. Jo vaig veure com preparava revoltes.

—I per això sé del que parlo. Vaig perdre el marit i ara... —se li va esquerdar la veu—. La meva nena! —va dir plorant.

—La traurem d'allà. —En Dalmau es va afanyar a acabar-se l'esmorzar, com si amb aquell gest ja estigués treballant per la llibertat de la seva germana—. Segur, mare. No plori, dona. No li passarà res.

Es va eixugar els llavis amb el tovalló, es va aixecar i la va abraçar. Cada vegada la trobava més menuda i més fràgil. «No s'amoïni», li xiuxiuejà a l'orella quan el sol començava a treure el nas per damunt de tots aquells edificis malfadats.

—Me n'haig d'anar, mare —va anunciar, i la Josefina assentí—. Miri de calmar-se. Li faré arribar notícies així que pugui.

Va agafar diners dels que tenia amagats, tal com li havia recomanat el seu germà la nit anterior, i va baixar les escales d'una revolada. Li va fer mal deixar la mare en aquell estat, però no es podia entretenir més. En Tomàs ja el devia estar esperant a la porta de la presó.

La presó de Reina Amàlia estava situada al carrer homònim amb la ronda de Sant Pau, a l'altra punta de la ciutat vella, molt a la vora del Paral·lel, on la nit anterior s'havia divertit d'allò més amb l'Emma, i també del mercat de Sant Antoni, i per tant de la fonda on treballava la seva xicota. Des de casa seva, en Dalmau va caminar fins a les Rambles i va buscar el carrer de Sant Pau, per sota del de l'Hospital, que s'endinsava a la zona més llòbrega del Raval de Barcelona. Allà on proliferaven els prostíbuls del carrer de Robadors, les pensions on la gent compartia llit, o simplement un matalàs a terra, i les tavernes on encara es bevia i es cridava al voltant de les taules. I al costat de tot plegat, alguns establiments que s'esforçaven per oferir qualitat i bon servei, com la fonda España; el seu propietari havia apostat pel modernisme i havia encarregat a l'arquitecte Domènech i Montaner la reforma integral de l'edifici. En qualsevol cas, a aquella hora, prostitutes, captaires, borratxos i lladregots es barrejaven amb els obrers que anaven a la feina, els uns intentant esquivar els altres, guaitant de no trepitjar el que dormia a terra embriagat i desllorigat, o d'escapar de la prostituta que havia tingut una nit poc fructífera i s'imaginava que encara era a temps de salvar-la. Els pispes i els delinqüents, fumant recolzats a les parets, els veien desfilar conscients que poca cosa podrien obtenir d'uns homes i unes dones que com a molt portaven al damunt una carmanyola amb quatre retalls de menjar.

En Dalmau va caminar entre tots ells, apressat, amb la sensació que a cada passa que feia li faltava més aire: a l'angoixa que li havia creat la detenció de la seva germana i que li oprimia el pit s'hi afegia el tuf insuportable d'uns carrers sòrdids i putrefactes. Es va sentir marejat fins que va aconseguir arribar a la ronda de Sant Pau, davant de la presó, una zona més àmplia on corria una mica més l'aire i les olors semblava que es diluïssin.

El sol el va encegar en el moment que va intentar trobar en Tomàs. No el va reconèixer entre la gent que s'esperava a la porta de la presó. En Dalmau va alçar la vista per observar l'edifici. Era d'un antic convent que havia estat arrabassat a la congregació dels Paüls en virtut de la desamortització promulgada per l'Estat al segle XIX i havien reconvertit en presó. Una construcció rectangular de quatre plantes flanquejada per un pati per una de les bandes. La capacitat de la presó de Reina Amàlia era de tres-cents presos, però en realitat se n'hi amuntegaven gairebé mil cinc-cents. Homes, dones, nens i vells, sense distincions, com tampoc n'hi havia entre els que efectivament complien condemna i els que esperaven que els jutgessin. Davant l'escassedat de cel·les, els interns es veien obligats a viure als patis, als passadissos o a qualsevol racó on poguessin acomodar-se. El menjar era repugnant, la higiene i l'ordre, totalment inexistents, i les picabaralles, constants. La millor escola de delinqüència. I allà dins, al costat de lladres i assassins, hi havia tancada la Montserrat, una joveneta de divuit anys preciosos, però una anarquista als ulls de les autoritats.

En Dalmau va notar que se li regiraven les entranyes només de pensar-hi.

—És a dins —va sentir que li confirmava en Tomàs darrere seu.

En Dalmau no l'havia vist arribar. No li va preguntar com ho sabia, com era que ja era allà; en comptes d'interessar-se per això li va preguntar si la podia veure.

—Has portat els diners? —va inquirir el seu germà abaixant la veu.

En Dalmau va assentir.

En Tomàs va interrogar amb un cop de barbeta un home que l'acompanyava.

—Ho podem intentar —va afirmar el desconegut—. He vist dos vigilants que conec.

—Josep Maria Fuster —s'avançà en Tomàs al seu germà—, company en la lluita —va afegir amb posat greu—, i també advocat. Ell es pot encarregar del cas de la nena. Malauradament té molta experiència en aquesta mena d'afers.

En Dalmau va mirar en Josep Maria. L'home li va mantenir la mirada amb tanta serenor que el va convèncer de la proposta d'en Tomàs. Com si amb allò acceptés que defensés la Montserrat, va furgar la butxaca i en va treure els diners per pagar-li cinquanta pessetes. L'altre les va comptar i n'hi va tornar quaranta-cinc.

—No podem vantar-nos de tenir molts quartos i tota la pesca. S'aprofitarien de nosaltres. Intentaré tancar-ho per dues o tres pessetes, màxim cinc.

—Si en necessitessis més, m'ho dius —insistí en Dalmau, disposat a fer qualsevol sacrifici per veure la seva germana.

—Per cinc pessetes, aquests miserables serien capaços de deixar-la escapar! —va fer broma l'advocat.

En Tomàs va esbufegar seguint-li la corda i tots dos es van dirigir cap a la porta de la presó, però en Dalmau els va aturar i tornà a oferir diners a en Fuster.

—En tot cas haurem de pagar els teus serveis… —va començar a dir abans que l'altre el tallés.

—No. No cobro per ajudar els companys.

Una munió de gent es concentrava a l'entrada de la presó. Només un barrot de fusta, col·locat com si fos una barrera, contenia la gentada amuntegada al vestíbul. En Tomàs es va aturar al carrer.

—Que no vens? —es va estranyar en Dalmau—. No vols veure la Montserrat?

—Si entro allà dins, germà, potser ja no en surto —va dir com qui fa broma—. Fes-li una abraçada de part meva i digue-li que…, digue-li que sigui valenta. Ah! —va aturar-lo quan ell ja se n'anava—. Dona'm tot el que portis al damunt, que t'escorcollaran.

«Que sigui valenta.» El consell del seu germà li va anar esclatant al cap a mesura que, darrere d'en Josep Maria, a empentes, intentaven apropar-se al barrot. Dones, sobretot dones que volien veure i tenir notícies dels seus familiars presos i que defensaven el seu lloc amb coratge, els impedien el pas. «A fer cua com tothom!», va cridar una d'elles. «Soc advocat», va contestar en Josep Maria sense deixar d'empènyer. «I jo capitana de dracs!», es va sentir per darrere. «Jo, guàrdia civil!», s'hi va sumar una tercera entre les rialles d'unes quantes i les queixes d'unes altres. Semblava impossible arribar fins al barrot. «Per què ha de ser valenta?», es preguntava en Dalmau. Què era el que esperava a la Montserrat allà dins? No avançaven. Un home que també feia cua va estirar la brusa d'en Dalmau perquè reculés. «Tu també ets advocat?», va dir amb ironia. En Dalmau se'n va alliberar amb una plantofada. En Josep Maria continuava per da-

53

vant fins que una dona el va empènyer. L'estira-i-arronsa va cridar l'atenció de dos vigilants que eren darrere la barrera.

—Què coi passa aquí? —va cridar un d'ells.

En Dalmau va veure com en Fuster alçava la mà cap a un dels vigilants, que el va reconèixer.

—Silenci! —ordenà aquesta vegada amb la porra a la mà, brandant-la en direcció on era l'advocat—. Obrin pas! —afegí assenyalant-lo amb insistència.

Homes i dones van fer lloc. En Josep Maria va agafar en Dalmau per l'espatlla i van creuar l'estret passadís que els havien fet. La dona que havia empès l'advocat va escopir quan passava.

—Sempre és així? —va inquirir en Dalmau mentre s'ajupien per passar per sota del barrot.

—És primera hora —va respondre en Josep Maria—. La gent ha d'anar a la feina o a ocupar-se de les seves coses. Després es buida. Queda't aquí —li indicà assenyalant la barrera.

Advocat i vigilant se'n van a un costat. Parlen. Discuteixen. El vigilant fa escarafalls. Després, l'advocat. Un fa que no amb el cap, l'altre també. El vigilant mesura amb la mirada en Dalmau, que aleshores s'adona que du la brusa beix estripada de dalt a baix. Potser és la seva imatge descamisada el que el convenç. Discuteix una mica més, probablement per alguns cèntims. En Josep Maria hi accedeix, l'altre s'hi avé. Intercanvien les monedes i una estoneta més tard en Dalmau ja es troba en una cambra diminuta, humida i pudent, amb una única finestreta al capdamunt, allargada i estreta, només moblada amb una taula i unes cadires amb els respatllers encastats contra les parets. El vigilant l'ha escorcollat minuciosament abans de tancar darrere seu una porta que triga una eternitat a tornar-se a obrir.

«Valenta!» La galta dreta contusionada i l'ull botit a la cara de la Montserrat van justificar el consell d'en Tomàs. La seva germana portava la roba bruta i els cabells esbullats.

—Teniu uns minuts —els va concedir el vigilant abans de tancar la porta.

La Montserrat va prémer els llavis. «Aquí em tens —li va voler dir amb aquell gest—. Tard o d'hora havia de passar. La revolució demana sacrificis.» Aparentava ànims i serenor. No obstant això, quan en Dalmau s'hi va atansar amb els braços oberts per rebre-la, la seva germana es va ensorrar i li va caure al damunt plorant.

—No t'amoïnis —va intentar consolar-la en Dalmau—. Ja tens un bon advocat que s'ocuparà de defensar-te. —Notava el caliu de l'alè de la Montserrat a l'espatlla, les lleugeres convulsions que li produïa el plor. Va haver d'escurar-se el coll perquè la gola li respongués, abans de continuar parlant—: Es diu Josep Maria Fuster. Que el coneixes? En Tomàs diu que és molt bon advocat. Anarquista —afegí a sota veu.

La Montserrat es va alliberar de l'abraçada del seu germà, i en aquella cofurna, es va separar mitja passa d'ell, al mateix temps que inspirava amb força i es netejava el nas amb l'avantbraç.

—Gràcies. —La paraula es va quedar en un xiuxiueig—. Gràcies —va repetir amb més fermesa. Va tornar a inspirar i expirar, dos cops—. Confio que aquest advocat ho faci bé. Tal com estan les coses i pel que m'han avançat aquí dins, el necessitaré.

—A què et refereixes? Què t'han dit?

—Com està la mare? —l'interrompé la Montserrat.

—Doncs molt preocupada, la veritat.

—Cuida-la bé. —Abans que en Dalmau pogués contestar, ella se li va avançar—: I l'Emma?

Els pocs minuts que havia comprat amb aquelles pessetes, la Montserrat els va passar preguntant pels uns i pels altres, evitant contestar les preguntes que el seu germà li volia plantejar. Al final, ell es va molestar.

—Que no vols que parlem de tu?

La Montserrat va intentar somriure i en Dalmau va sentir el dolor a la cara contusionada.

—No vull que et fiquis en tot això —replicà ella—. En Tomàs ja n'està al cas i aquest tal... Josep Maria? —En Dalmau assentí—. Aquest, l'advocat, també. Ells m'ajudaran. En Tomàs pot caure en qualsevol moment; el poden detenir avui mateix. Si jo soc aquí, i temo que m'hi estaré un temps, qui cuidarà la mare? T'has de quedar al marge de tot això, Dalmau. Necessito tenir la seguretat que tu i la mare esteu bé. I vigila l'Emma, que no es fiqui en embolics.

Si no te n'ocupes, si no tinc la certesa que la meva gent està bé, això sí que es convertirà en un veritable infern.

—Però què t'han fet? —va preguntar en Dalmau assenyalant la cara de la seva germana—. Qui t'ha estomacat?

—L'altra n'ha sortit més mal parada —va mentir la Montserrat, que, malgrat tot, esperava l'oportunitat que fos així en la pròxima baralla amb una de les recluses que, tard o d'hora, es produiria.

La porta es va obrir bruscament, amb certa violència, cosa que va sorprendre tots dos germans i va llançar la Montserrat als braços d'en Dalmau.

—S'ha acabat la visita! —va cridar el vigilant traient el cap.

En Dalmau va fer un petó a la seva germana a la galta bona.

—Cuida't. Farem tot el que calgui per treure't d'aquí.

—Per treure una reclusa que ha clavat coces a un soldat i l'ha mossegat i esgarrapat fins que l'ha fet sagnar? —va exclamar mordaçment el vigilant—. Ja pots moure cel i terra —va afegir, i va esclatar a riure.

En Dalmau va interrogar la seva germana davant l'acusació d'aquell idiota; era evident que la Maria del Mar, l'amiga de la Montserrat, li havia estalviat aquella part de la història quan va explicar a la seva mare com havia anat la detenció de la filla. La Montserrat es va limitar a abaixar la vista.

—Fora ja, collons! —els exhortà l'home.

No aconseguia concentrar-se en els dibuixos en què treballava. Tota la inspiració oriental li semblava en aquell moment insulsa: els joncs, la flor de lotus, els nenúfars i les estúpides papallones. Havia arribat tard a la fàbrica, però tampoc l'hi retreien; tots sabien, el senyor Manel el primer, que de vegades continuava treballant fins a la matinada. De vegades l'havia sorprès fins ben entrada la nit abocat als esbossos i als dibuixos. Per això en Dalmau no va tenir cap pressa quan en Tomàs va avenir-se gratament a anar a la fonda; en Dalmau necessitava veure l'Emma i explicar-li el que havia passat; el seu germà volia menjar, com l'advocat, que li va tornar gairebé tres pessetes de les cinc que li havia donat per untar el vigilant.

«No podríem pagar al mateix vigilant perquè cuidi la Montserrat?», li preguntà en Dalmau mentre recuperava els diners. No. Cap funcionari defensaria públicament un anarquista; potser un assassí… «Un assassí potser sí —va manifestar amb cinisme—, però no un anarquista. Correria el perill que el prenguessin com a tal o senzillament que el consideressin partidari de la causa, i que en qualsevol batuda el detinguessin.» I mentre els altres mataven la gana amb una llengua de vedella estofada acompanyada de carxofes, l'Emma es desplomava al pati del darrere en sentir les paraules d'en Dalmau. Ell la va agafar al vol. Ella s'hi va abraçar amb força i es va desfer en plors.

—No pot ser —repetia entre gemec i gemec. De sobte es va separar d'ell, gairebé amb violència—. Puta merda!

En Dalmau va veure com començava a recórrer el pati esquivant trastos, plorant, queixant-se.

—Me cago'n Déu! —va maleir cridant al mateix temps que etzibava un cop de peu a la pila de terra d'escudelles.

En Dalmau s'hi atansà. L'Emma li va picar el pit amb totes dues mans, una vegada, dues… Ell li va permetre buidar la ràbia. Quan ella va afluixar els braços i els va deixar penjant als costats, en Dalmau va tornar a intentar abraçar-la.

—No, no… —s'hi va anar oposant ella a mesura que feia dues passes enrere per evitar els seus braços—. Digue'm què farem. Com la traurem d'allà? Digue'm que no li faran mal! Promet-m'ho.

—Hi ha un advocat… Tenim un advocat. És a dins —va afegir en Dalmau assenyalant l'interior del menjador—, amb en Tomàs. Ell la defensarà.

En Dalmau va haver de seguir l'Emma, que es va dirigir a gambades al menjador, va seure a la taula i va assaltar en Josep Maria Fuster amb preguntes i dubtes que ell va anar responent entre queixalada i queixalada. Com, quan, per què, què li passaria… De sobte, es va produir un moment de silenci que ni tan sols en Tomàs o l'advocat van gosar trencar, i van deixar de mastegar. Tots quatre sabien el motiu d'aquella situació. Faltava una pregunta. En Dalmau no havia gosat plantejar la qüestió a la presó. L'Emma sí que la va formular:

—Quant de temps li caurà?

En Tomàs va amagar la mirada, com si ja n'hagués parlat amb l'advocat.

—Estem en estat de guerra —li va costar contestar—. La Montserrat ha desobeït el ban del capità general, però, a més, pel que expliquen, ha agredit un soldat. Aquest atac a un membre de l'exèrcit suposa l'aplicació directa de la jurisdicció militar, no de la civil. I la justícia militar és extremament dura.

—Quant de temps? —va exigir saber l'Emma.

—No ho sé. I no m'agradaria equivocar-me.

Una cara de dona amb subtils trets orientals, trista, a punt d'esclatar a plorar. Aquesta va ser la figura que inconscientment es va trobar en Dalmau dibuixant dins de tota aquella composició amb influència japonesa. Un rostre pla, sense profunditat i sense ombres, un rostre que representava cadascuna de les tres dones que aquell matí havien plorat als seus braços, les tres que més estimava al món: la seva mare, l'Emma i la seva germana.

—Sembla una dona desesperada —va apuntar una mica més tard el mestre.

—Sí —es limità a contestar en Dalmau.

El mestre Manel esperava unes explicacions que no van arribar.

—No està malament —afegí com si en Dalmau l'hagués instat a entendre-ho—. Aquesta afició europea pel simbolisme i la cultura japonesa em sembla bastant llòbrega. Dibuixos sense perspectiva, sense vida. Aquesta dona a punt de plorar transmet uns sentiments que no aconsegueixen els altres elements de la composició. Què pot aportar a la civilització una cultura que no creu en Jesucrist Nostre Senyor? —El mestre va deixar passar uns segons en silenci—. En tot cas —el va trencar amb un altre to de veu, aquesta vegada apassionat—, aquestes rajoles tindran un èxit rotund, ho veig, ho pressento. Es vendran la mar de bé. A la gent li agraden aquestes coses. Molt bé, molt bé, et felicito.

En Dalmau va observar com sortia del seu estudi un home inflat d'orgull, satisfet de la seva intransigència, entusiasmat pel seu conservadorisme i amb una causa per defensar: l'immobilisme. En Dalmau va pensar en Van Gogh, en Degas, en Manet, mestres... genis! que s'havien vist influïts per l'art japonès. També n'hi havia a Barcelona, com Rusiñol, però, com podia el senyor Manel reconèixer cap mèrit al màxim exponent de la bohèmia barcelonina?

Aquell migdia va anar a dinar a casa seva. Va mentir a la seva mare sobre l'estat de la Montserrat. Ella insistí a saber més coses de la seva filla en el moment que en Dalmau va voler passar pàgina a l'afer. «Digues: com està? L'has vist molt trista?» En Dalmau va haver d'esforçar-se en la mentida mentre la Josefina li cosia la brusa. Després es va excusar amb un petó que va fer callar les altres preguntes, i va tornar a la fàbrica caminant pel passeig de Gràcia, on tocava el sol, que es reflectia als materials de les construccions de rics i burgesos: reixes i forjats; marbres o pedra, i sobretot rajoles, aquella ceràmica de colors que, fruit de l'esperit modernista, anava formant part de mica en mica de les façanes dels edificis. En Dalmau no es va fixar en les poques dones que a aquelles hores transitaven per la zona, tampoc no es va poder concentrar en el nou projecte que l'esperava a la fàbrica; el disseny «japonista» definitiu ja en mans de dones, que, treballant en cadena, traslladaven el dibuix a plantilles de paper tractat amb cera verge, retallant-les d'acord amb els dibuixos i colors que s'havien d'utilitzar. A partir d'aquí les plantilles es col·locaven successivament damunt de la rajola que es pintava en els llocs retallats, fins que s'acabava la composició amb tot el conjunt de rajoles, que tornava a ser cuit fins a arribar a obtenir un reflex metàl·lic. Amb aquest sistema, les rajoles amb la cara trista i a punt de plorar de la dona amb lleus trets orientals es fabricarien en sèrie, en grans quantitats, i s'instal·larien a desenes de cases catalanes i fins i tot en alguna construcció de la resta de l'estat.

A la nit, en Dalmau va anar a veure l'Emma. Més llàgrimes. Més preguntes sense resposta. Es va desviar del camí a casa seva i va passar per davant de la presó de Reina Amàlia: un embalum en la penombra de la qual de tant en tant sortia algun crit queixós que trencava el silenci. Va notar com se li esborronava la pell i va abandonar el lloc. La fortor dels carrers del Raval i la seva gentalla, en aquelles hores acolorides amb burgesos, molts d'ells joves, a la recerca de sexe i diversió, no el va afectar com ho havia fet aquell matí. La ment d'en Dalmau, les seves sensacions i pors s'havien quedat a les portes de la presó. I si un d'aquests udols havia sorgit de la boca de la seva germana?

Va trobar la mare amorrada a la màquina de cosir, condemnada a estar lligada a aquell artefacte maleït, va pensar en Dalmau, tot i que per una vegada se'n va alegrar, ja que la conversa amb ella es va limitar a compartir la falta de notícies abans que la Josefina tornés a concentrar-se en la costura, com si la situació hagués retardat la confecció del nombre de peces que l'intermediari esperava que li lliurés. En Dalmau li va fer un petó i li va demanar que se n'anés a dormir d'hora; ella va contestar amb un somriure irònic. Ell no va poder conciliar el son. Va mig dormir intranquil.

L'endemà a primera hora del matí va anar a despertar en Tomàs. No tenia notícies de la Montserrat. Com podia saber-ne res si no havia passat ni un dia? Tampoc no hi havia novetats de l'advocat. En Dalmau va tornar a passar per davant de la presó de Reina Amàlia i es va trobar amb la mateixa munió de gent del dia anterior. Va continuar cap a la fàbrica, però va evitar la fonda, no fos cas que l'Emma li tornés a preguntar per la Montserrat i que ell no tingués cap resposta. No obstant això, un cop passades dues illes, se'n va penedir i va tornar enrere, sobre les seves passes. Ella va insistir a saber coses, la cara ullerosa i els ulls envermellits. En Dalmau la va besar. Que no entenia que ell tampoc no tenia notícies? Va tornar a besar-la i va haver d'estirar el braç per alliberar-se de la mà amb què ella intentava retenir-lo al costat.

Va treballar en esbossos irrellevants, motius florals: acants i lliris entreteixits. De la casa de la màquina de cosir a la fonda, i d'allà a la fàbrica, sempre passant per la presó, un dia, un altre i un altre… S'assegurava que la mare anés a dormir i controlava que mengés, i besava l'Emma. Van intentar fer l'amor, però va ser un error. El silenci es va instal·lar entre ells. Molts silencis, massa. Va saber que el jutge militar no tenia cap pressa, això li va dir en Tomàs que li havia comunicat en Josep Maria Fuster. El jutge encara no havia interrogat la Montserrat; la seva única declaració es limitava a la que havia fet a la caserna de l'exèrcit on l'havien traslladat un cop detinguda a la fàbrica. La cosa anava per llarg. En Dalmau va dir al seu germà que la volia tornar a veure; a l'Emma l'hi va amagar.

Els crits nocturns, les multituds, l'amuntegament, la misèria i la violència de la qual tothom parlava quan es referia a la presó d'Amàlia havien mentalitzat en Dalmau per retrobar-se amb la mateixa Montserrat que el mateix vigilant i pel mateix preu, poc més de dues pessetes, havia introduït a l'habitació de la taula i les cadires contra la paret. També els va concedir uns pocs minuts, sense precisar-ne quants, com la primera vegada. Tot estava igual: advocat, presó, preu, habitació, vigilant... Però la Montserrat no. En aquesta ocasió no es va separar dels braços del seu germà als quals es va llançar així que va entrar. El seu plor era profund. En Dalmau la va notar molt prima, tenint en compte que només feia deu dies que estava tancada. Duia la roba esgarrinxada, estripada aquí i allà, i feia pudor, de suor rància i de... En Dalmau no va voler identificar aquelles olors. Va intentar consolar-la, estrenyent-la amb suavitat i bressolant-la.

—Tranquil·la. Tot anirà bé. —Ella no deia res—. Com estàs? Com et tracten? —li va preguntar. La Montserrat va continuar en silenci, sanglotant—. La mare i l'Emma estan bé..., preocupades, això sí, però bé. La mare tot el dia que cus, ja saps com és. M'envien molts records, petons i ànims. Hi ha molta gent que em pregunta i s'interessa per tu. —Era cert. Bastantes companyes havien anat a casa de la Montserrat per interessar-se per ella; d'altres havien anat a la fonda perquè fos l'Emma qui els ho expliqués—. Totes estan amb tu, disposades a testificar a favor teu al judici... —va afegir, tot i que en Fuster li havia assegurat que, malgrat aquelles promeses, ningú no hi aniria; la por de rebre represàlies era més gran que l'entrega a la causa—. Et consideren una heroïna —li va dir per animar-la.

En Dalmau va continuar parlant, amb la Montserrat plorant aferrada a ell sense separar-se'n, com si no volgués que la veiés. Els temes, aquells que creia que podien interessar a la seva germana, s'anaven acabant. L'últim que volia era parlar-li de política, o de festes, i d'altra banda li feia por quedar-se en silenci.

—No sé què fer amb la mare. Està aferrada a la màquina de cosir. Només surt al carrer a comprar menjar, a portar els encàrrecs de costura i a recollir més material —va mentir en Dalmau intentant atreure l'atenció de la Montserrat. Era veritat que la mare vivia lligada a la màquina de cosir, com totes les costureres de Barcelona, però tampoc no havia renunciat a aquells moments de descans o d'entreteniment que comportaven un got de vi a la taverna de sota fent safareig amb alguna veïna—. No es distreu; ja no es queda a fer petar la xerrada amb les amigues com abans.

—Dalmau… —l'interrompé la Montserrat de sobte. Van passar uns segons abans que continués—: Traieu-me d'aquí. M'acabaran destrossant. Ho sé. Ho veig a venir.

—Què vols dir?

—Tinc por! —va udolar estrenyent el braç i enfonsant la cara al coll d'ell—. M'apallissen. Em llencen el menjar. Em maltracten i… —No va voler continuar—. Traieu-me d'aquí, si us plau, per l'amor de Déu. Tinc por! No puc dormir!

En Dalmau va mirar al sostre escrostonat amb bigues de fusta corcades. Misèria.

—T'han violat? —es va sentir preguntar ell mateix.

La Montserrat no va contestar.

—Ajuda'm! T'ho suplico —va demanar a l'últim.

—Qui ha sigut? —insistí en Dalmau, amb la veu agafada per la ira.

—Uns quants —va somiquejar ella—. Aquí els presos et venen per menys diners del que cobra una prostituta vella al carrer.

En Dalmau es va quedar sense paraules, la gola travada i l'estómac arronsat, i es va limitar a aguantar mentre la va tenir al davant, i també quan el vigilant els va fer fora de l'habitació. Va aconseguir fer un petó a la seva germana i xiuxiuejar-li, amb la veu trèmula, que la trauria d'allà. Se li va escapar el plor al moment de superar el barrot de l'entrada, i tan bon punt va ser al carrer, va vomitar.

Li tremolaven les cames. L'havien violat! No ho havia negat. Una noia jove i bonica de divuit anys dormint i vivint en aquell cau de perdició. Ni tan sols disposava d'una cel·la per a ella sola, on podria estar tancada i, en certa manera, protegida. No hi havia lloc. Els presos s'amuntegaven. Que fàcil devia ser forçar-la! Va tornar a vomitar només de pensar-hi, però només va treure bilis. Es va trobar caminant en direcció a casa seva i es va aturar abans d'entrar-hi.

La Josefina pressentiria la desgràcia quan li veiés la cara. Es va desviar cap a la plaça de Catalunya. No podia caminar. Les cames, tot el seu cos tremolava davant la imatge de la Montserrat... Sense pensar-s'ho dues vegades va pujar a un òmnibus de rodes petites, amb un gran cartell al sostre que feia publicitat d'una marca de cervesa. El carruatge antic, tirat per dues mules i amb cabuda per a unes quinze persones, cobria el trajecte des de la plaça de Catalunya fins a Gràcia. Des d'allà, va pensar, no li costaria arribar a la fàbrica.

En Dalmau va desembutxacar els cinc cèntims que costava el trajecte, i va buscar un lloc entre la gent senzilla que no podia assumir el preu del tramvia elèctric, molt més onerós, que cobria la mateixa línia, el que venia des del port, el que la Montserrat i l'Emma havien bolcat. Ja quedaven pocs òmnibus tirats per cavalls o muls a la ciutat; durant els últims tres anys, la gran majoria s'havia anat substituint per tramvies elèctrics. Els transports de tracció animal, com aquell de La Catalana, trigaven molt més a arribar al seu destí, eren lents i la gent pujava i baixava on volia, cosa que estava prohibida als elèctrics. En Dalmau va sentir certa serenor en el moment que el carreter va arriar les mules, es va notar una estrebada i les bèsties van començar a pujar pel passeig de Gràcia amb el pas feixuc.

Havia de treure la Montserrat de la presó. Aquell mateix matí, quan en Josep Maria Fuster l'havia acompanyat per subornar el vigilant, s'havia esvaït qualsevol expectativa perquè el procés de la seva germana avancés.

—Ni tan sols hi ha jutge —li va comunicar—. L'han destinat a Madrid i encara no han nomenat el seu substitut. La teva germana estarà en presó preventiva molt de temps.

—Només hi ha un jutge? —es va estranyar en Dalmau.

L'advocat va arronsar les espatlles.

—És així. En aquest país l'exèrcit fa riure, i encara més des que es va perdre la guerra de Cuba.

Era impossible treure la Montserrat de la presó si abans no la jutjaven. Assegut entre un home que es va imaginar que era fuster per la quantitat de serradures que li tacaven la roba, i una dona que transportava dues gallines vives en una cistella, mentre les mules arrossegaven tan lentament el carro que feia la impressió que s'hagués de parar, en Dalmau es va adonar que només coneixia una persona capaç d'ajudar-los: el mestre. El senyor Manel era un personatge amb amics influents als cercles monàrquics, religiosos i, per descomptat, militars. En Dalmau sabia que havia tractat amb el bisbe Morgades, que havia mort al mes de gener, però que també ho feia amb el seu successor, el bisbe Casañas, a qui anava destinat el quadre de les dones que resaven. També era coneguda la relació que l'unia amb el capità general, que sempre el convidava a les seves recepcions, i amb qui alternava en privat, en sopars i festes. En Dalmau l'havia sentit parlar d'ell.

Per un moment va desitjar que les mules s'espavilessin i accelessin el pas, però va aguantar assegut entre el fuster i la dona de les gallines fins a arribar a l'altura de l'avinguda Diagonal, que l'òmnibus va travessar en el seu trajecte cap a Gràcia, i on ell es va acomiadar dels altres passatgers i va saltar de la carraca sense necessitat que s'aturés. Va continuar per la Diagonal caminant a ritme àgil en direcció a la fàbrica de ceràmica, pensant en com enfocaria la qüestió davant del mestre.

No va ser capaç de decidir-se per cap de les opcions que li van desfilar pel cap. La Montserrat era anarquista, i els llibertaris eren els enemics acèrrims de tot bon burgès acabalat. Però també era la seva germana... Què pesaria més en l'ànim del senyor Manel?

—És una bogeria! —va bramar el mestre.

En Dalmau va aguantar l'escridassada a peu dret, davant de la taula del despatx i taller del mestre, la gorra en una mà, al costat, i l'altra mà a l'esquena. Amb independència de la documentació administrativa que s'estenia sobre la taula de fusta treballada, l'estança estava farcida dels projectes del mestre Manel, desordenats en un caos que faria atractiu el taller si no fos per la falta de llum que sempre acompanyava el gust del mestre: rajoles, les que havien tingut més èxit o les que havien fet servir els grans arquitectes a les cases modernistes; mostres d'elements decoratius en fang: florons, ceràmiques amb relleu; multitud d'esbossos, i quadres, molts quadres, alguns pintats per ell, d'altres, regals d'amics o senzillament adquirits.

El mestre es va aixecar bruscament.

—No pot ser! —va tornar a cridar—. És inadmissible!

Van caure uns papers a terra, però el mestre no els va concedir importància. En Dalmau es va ajupir per collir-los i va intentar ordenar-los damunt la taula, conscient que no era el millor moment per abordar el tema de la seva germana Montserrat. Havia entrat al despatx de l'amo disposat a fer-ho, però abans que el pogués saludar, el mestre Manel s'havia esplaiat en els esdeveniments polítics per acabar irat com ho estava ara. Durant els últims dies, en Dalmau havia sentit els venedors de diaris proclamar l'afer pels carrers, però no hi havia parat gaire atenció perquè el seu cap el tenia tothora posat en la Montserrat, la seva mare i l'Emma.

La qüestió era que feia uns quants dies s'havien celebrat eleccions a diputats a Corts a Madrid. En Dalmau no havia anat a votar. Com ja era costum a Espanya i també a Barcelona, una ciutat en què votaven milers de morts, el govern va intentar trucar les eleccions i, en aquest cas, va falsejar les actes perquè guanyés el partit monàrquic, que defensava el rei Alfons XIII i la seva mare, la reina Cristina, regent d'Espanya per la minoria d'edat del seu fill. Amb el que no comptaven els monàrquics era amb l'oposició d'un polític andalús, republicà revolucionari, que acabava d'arribar a la capital catalana i alçava les masses obreres amb discursos encesos: Alejandro Lerroux. Ell va ser qui es va queixar del frau davant de milers de seguidors; va advertir el govern de Madrid que aquella actitud per part dels cacics monàrquics fomentava l'autonomisme a Barcelona i a altres llocs de Catalunya, cosa temuda a la capital, i fins i tot va apostar la vida perquè se l'escoltessin: «acta de diputat o mort», va amenaçar, cosa que va alçar els clams dels milers de persones que el van anar a escoltar.

Els monàrquics van cedir, i es va procedir a un nou recompte de vots al Saló de Sant Jordi de la Diputació de Barcelona, ple a vessar d'espectadors, la majoria dels quals no es va bellugar de la cadira durant les quinze hores que va durar el procés. Molts van menjar allà mateix i n'hi havia algun que, per no perdre el lloc, fins i tot va pixar-se al damunt. Lerroux va estar tota l'estona assegut directament davant del president de la Junta Electoral. De cinc diputats monàrquics i dos de regionalistes electes a través d'un procés fraudulent es va passar, després del nou recompte, a quatre regionalistes, dos republicans —Lerroux va aconseguir la seva acta— i un únic monàrquic.

Per primera vegada des de la Restauració monàrquica, el moviment obrer entrava en política a Espanya. Fins a aquelles eleccions del 1901, els obrers, els humils, només havien estat comparses d'uns fets sempre dirigits per cacics. Existien les manifestacions i les reivindicacions més o menys violentes, les vagues i fins i tot les bombes dels anarquistes, però tot allò només havia estat per al govern i els potentats una incomoditat que superaven d'una manera o altra. Lerroux, amb els seus dos escons a Madrid, obria el camí a l'exercici de la política als obrers, a la seva intervenció en la vida pública.

—I els mateixos republicans que van a Madrid representant Barcelona són els que acaben de fer una manifestació contra l'Església! —es va lamentar el mestre amb les mans esteses davant d'en Dalmau, com si els esdeveniments escapessin a la seva comprensió.

En Dalmau va abaixar la mirada a terra. Ell havia estat en aquella manifestació acompanyant la Montserrat i l'Emma. Prop de deu mil persones a la plaça de toros de la Barceloneta clamant per l'abolició i l'expulsió dels ordes religiosos, exigint la secularització de l'ensenyament i la separació de poders entre l'Església i l'Estat. «Ni una subvenció més!» «Que cobrin per donar la comunió!», cridava la gent.

—Què serà d'aquest país en mans d'aquests anticlericals? —clamava per la seva banda el senyor Manel.

En Dalmau va esbufegar. El mestre es va girar cap a ell.

—Que passa res, noi?

Què hi feia, si l'hi deia ara, aquella nit o l'endemà? El mestre Manel sempre odiaria els revolucionaris.

—Han detingut la meva germana, la Montserrat.

Aquesta vegada va ser el senyor Manel qui va sospirar. Després es va asseure pesadament, com si el món se li ensorrés i es va acariciar el bigoti al punt de trobada amb les patilles.

—Per quin motiu? —va inquirir.

Si buscava el seu ajut, tard o d'hora ho esbrinaria, va concloure en Dalmau.

—Es va encarar a un soldat. —El mestre Manel el va instar a explicar-se amb les mans obertes—. Estava cridant a fer vaga els obrers de la seva fàbrica, i els soldats la van detenir.

—I per si no fos prou que alterés l'ordre públic en estat de guerra, es va encarar a un soldat.

—El va mossegar —li aclarí en Dalmau. El mestre va acotar el cap amb els ulls tancats—. I el va esgarrapar i li va donar puntades de peu.

El mestre assentia, com si ja s'ho imaginés. En aquell moment un empleat va treure el cap per la porta, que s'havia quedat oberta després que entrés en Dalmau, al mateix temps que feia un cop al marc, com si amb allò excusés la intromissió.

—Què? —li va preguntar el mestre.

—Ja ha arribat el seu cotxe, senyor Manel. L'espera al pati.

—Ah —va recordar ell—. Ara vinc. —El mestre va examinar en Dalmau de cap a peus—. I pretens que l'ajudi —va concloure.

—Sí.

—Per què ho hauria de fer? És una… anarquista?

En Dalmau es va quedar quiet i callat.

—Anarquista, sí —es va contestar el mateix senyor Manel—. Una anarquista que crida a la vaga i es baralla amb els soldats; l'autoritat. És una revolucionària que pretén arruïnar…

—És la meva germana —l'interrompé en Dalmau.

El senyor Manel va fer espetegar la llengua i amb la mirada posada en algun dels molts quadres que penjaven de les parets del seu estudi, es va acariciar les patilles i el bigoti durant una estona.

—No hi haig d'intervenir —va dir finalment, es va aixecar i es va dirigir cap a la porta—. Ho sento, noi. Me'n vaig a casa —va continuar parlant—. Estic emprenyat amb tot això que està passant. No es pot treballar en aquestes circumstàncies.

En Dalmau va fer el gest d'interposar-se al seu camí. El mestre se'n va adonar i es va aturar abans.

—Si us plau, mestre. És a la presó d'Amàlia. Tothom sap què passa allà dins. L'han violat! —A en Dalmau li tremolà la veu. El

67

mestre va desviar la mirada—. No crec que ni tan sols una anarquista de divuit anys es mereixi aquesta desgràcia. Si no surt d'aquell cau de delinqüents la mataran. Només té divuit anys, senyor Manel —va insistir—, no tingui en compte els seus errors.

—Errors? —va replicar ràpidament el mestre—. O sigui que tu creus que la teva germana es va equivocar amb la seva actitud? Promovent una vaga? Barallant-se amb un soldat?

—Sí… —va mentir en Dalmau.

—I què vas fer per impedir-ho? —En Dalmau va dubtar. L'altre va intentar aprofitar la indecisió—: Si haguessis pres mesures, això no hauria passat.

—Senyor Manel —l'interrompé en Dalmau—. Assumeixo la meva culpa. El cert és que sempre estic abocat a la feina, vostè ho sap millor que ningú. —Va mirar fixament el mestre, que va aguantar el repte—. I realment des de la mort del meu pare, he descuidat bastant l'atenció que hauria d'haver dedicat a la meva germana petita. Això no l'hi nego. Però és que li estic dient que l'han violat, que l'apallissen i la maltracten. No és prou càstig?

—No ho sé, fill, no ho sé. Només és suficient el càstig diví. No ho sé. —Va fer una passa cap a la porta—. Acompanya'm. Vine a dinar a casa. Si anessis vestit com Déu mana… —va començar a queixar-se una altra vegada—. Ara fins i tot portes apedaçada aquesta brusa imperible! —afegí assenyalant amb la mà l'esparrac que li havien fet al vestíbul de la presó i que la seva mare li havia arranjat.

Aquell dia sí que hi era mossèn Jacint, aquell escolapi que donava classes a l'Escola Pia de Sant Antoni, un col·legi situat al mateix carrer on hi havia la presó, a la ronda de Sant Pau, una mica més amunt, gairebé tocant al mercat, molt a prop per tant també de Can Bertran, la fonda on treballava l'Emma. Es tractava d'un home d'uns trenta anys, culte i afable, molt sensat i més prudent encara. En Dalmau ignorava la relació que el religiós tenia amb el senyor Manel, però era molt freqüent trobar-lo en aquella casa. En Jacint i ell havien parlat diverses vegades d'art, pintura, dibuix… El religiós, va concloure en Dalmau, sempre buscava temes en els quals ell se sentís còmode; no havia intentat mai atraure'l cap a l'Església, o iniciar una conversa sobre el cristianisme. Semblava que respectés el seu ateisme, cosa que no feien l'Emma ni la germana quan en Dalmau parlava del mossèn. «Aquests són els pitjors —sostenia la Montserrat—. Els que fan veure indiferència però a poc a poc et van captant. Ves amb compte», li acabava advertint com si parlés del diable.

En qualsevol cas, aquell matí en Dalmau no va tenir ni temps de saludar el mossèn. Tal com es van trobar amb ell, a la sala d'estar, el mestre Manel va agafar el religiós del braç i se'l va endur cap a l'estudi mentre xiuxiuejava els motius d'aquella conducta. En Dalmau, per la seva banda, es va trobar a peu dret, en aquella sala recarregada de mobles, catifes i tapissos, figures i quadres, i una colossal aranya de vidre, amb la senyora Cèlia i les dues filles observant-lo. Fins i tot el nen petit, atrapat en un silenci incòmode, es va permetre deixar la joguina amb què s'entretenia a una banda i clavar la mirada en en Dalmau. L'Úrsula li ensenyà aquell mig somriure inquietant amb què acostumava a rebre'l i que va esborrar de la cara així que la mare, que havia respost amb displicència la salutació d'en Dalmau, es va girar de nou cap a ella i la germana.

La minyona que havia obert la porta havia desaparegut; les dones no li dedicaven cap atenció, la mare havia tornat a la seva lectura i les altres dues noies cosien, tot i que l'Úrsula ja li havia dirigit una altra mirada de reüll. El senyor Manel i mossèn Jacint, per la seva banda, s'havien tancat a l'estudi. En Dalmau es va preguntar si havia d'anar a la cuina. El mestre tampoc no l'hi havia indicat, però era el que se solia fer: amb les seves maneres i la seva roba, no podia conversar amb els rics, va somriure en Dalmau per dins. En aquell moment es va adonar que tampoc no s'havia assegut mai en un d'aquells sofàs al costat dels finestrals que donaven al passeig de Gràcia, ni tan sols havia tingut l'oportunitat d'acostar-s'hi per veure com passejava la gent, l'espectacle de la ciutat opulenta, des d'aquella tribuna que sobresortia de la façana i penjava sobre l'avinguda; sempre havia estat a la cuina o a l'estudi.

La senyora Cèlia va alçar la mirada del llibre i el va examinar amb la indignació marcada a les faccions, com si en Dalmau estigués envaint la seva intimitat i la dels fills, i va fer dringar una campaneta de vidre amb tanta força que gairebé la va esquerdar.

—Emporta-te'l a la cuina —li ordenà a una minyona que s'havia presentat de seguida.

En Dalmau es va acomiadar amb una subtil inclinació de cap i va seguir la noia.

—Hola, Anna —va saludar a la cuinera, que feinejava en una cuina econòmica de ferro amb uns quants fogons.

La cuinera va girar el cap i va donar una ullada a l'estança. No hi havia ningú: ni la senyora, ni les filles, ni tan sols cap criada que pogués xafardejar amb la senyora Cèlia sobre la simpatia que mostrava per aquell noi, que es negava a vestir bé per evitar menjar a taula amb els senyors. Aleshores va riure. Li faltaven dents, però tot i així el somriure era atractiu en una cara amb les galtes vermelles a causa de l'escalfor i el vapor fumejant de les olles. I gaudia alimentant a qui passés per la seva cuina.

—Seu! —li digué—. De primer, mongeta amb patates i coliflor; de segon, pollastre amb samfaina. Però encara ho haig de cuinar; avui heu arribat massa d'hora.

—Que bo! —va exclamar en Dalmau, tot i que l'afer de la seva germana li havia fet perdre la gana.

Va seure a la vora d'una taula de cuina i, després de treure el carbonet i el quadern de dibuix que sempre duia en una de les butxaques de la brusa, va començar a fer un esbós.

—I per postres, flam —va afegir l'Anna, que li va servir un got de vi negre, fort, del que feia servir per cuinar, abans de tornar als fogons.

Tots dos van continuar callats uns minuts, l'un dibuixant, l'altra controlant de reüll la cocció lenta dels pebrots i les albergínies que acompanyarien el pollastre, mentre, sobre una fusta i mitjançant cops secs i decidits amb una destral de cuina, l'esquarterava.

—Què fas? —va preguntar en Dalmau en sentir espetarrecs, sense aixecar la vista del paper.

—Rostir el pollastre —li contestà la cuinera—. I tu?

«Intentar no perdre la paciència», va pensar en Dalmau mentre gargotejava unes quartilles a l'espera que el senyor Manel li comuniqués la decisió que havia pres respecte de la seva germana.

—Dibuixar —contestà a l'Anna.

—Què dibuixes? —li continuà preguntant ella, d'esquena.

—El pollastre, les albergínies, els pebrots…

La cuinera desvià l'atenció dels fogons, va girar el cap i amb un cop de barbeta l'instà a ensenyar-li els dibuixos. En Dalmau li mostrà les quatre ratlles que havia dibuixat.

—Sempre m'enganyes —va adduir ella.

—Doncs no es deixi enganyar, Anna. No es deixi enganyar.

Tots dos es van girar cap a la porta de la cuina, on s'hi havia plantat l'Úrsula, la filla gran del mestre, que era qui havia parlat.

—Perdoni, senyoreta —s'afanyà a excusar-se la minyona tornant als fogons i al pollastre que encara es rostia a la cassola.

—Què és aquest dibuix que miràveu? —preguntà la noia acostant-se a en Dalmau.

L'Anna no va contestar. Ho va fer en Dalmau:

—Res que tingui importància —va dir, estripant el paper en bocins, que després va arrugar i es va desar a la butxaca.

L'Úrsula va presenciar tot el procés, impertorbable.

—Dalmau —li va dir llavors amb sornegueria—, acompanya'm. El meu pare et vol veure.

Ell es va aixecar bruscament de la cadira per seguir-la. La seva germana, la presó, la violació, la negativa del mestre…, tot se li va tornar a amuntegar al cervell.

L'Úrsula va tancar la porta així que en Dalmau va entrar a l'habitació fins on ell l'havia seguit amb el cap posat en la Montserrat. Va trigar uns segons a acostumar els ulls a l'escassa llum que penetrava des del pati a través d'una finestreta i comprovar que es tractava d'una mena de traster on s'acumulaven atuells, escombres, cubells i articles de neteja.

—Què hi fem aquí? —va preguntar—. No deies que el teu pare em volia veure?

—Et voldrà veure si jo no l'hi impedeixo —va dir l'Úrsula.

En Dalmau va enrigidir el coll i va sacsejar lleugerament el cap en senyal d'estranyesa.

—Sí —el va aplacar ella—, he estat escoltant la conversa del meu pare amb mossèn Jacint… Sé que han tancat la teva germana —es va avançar a dir abans que ell hi intervingués.

—I? —la va animar en Dalmau a continuar.

—El meu pare sempre escolta els meus desitjos, ja ho saps. Podria intercedir per la teva germana, Montserrat es diu, oi? Té la meva edat. És dur que l'hagin forçat. Però, sobretot, pensa que, si incito la meva mare perquè s'hi oposi, el meu pare no bellugarà ni un dit per ella.

—I tot això què em costarà?

—Poc —li contestà la noia, melindrosa. S'atansà a en Dalmau i li fregà els llavis amb els seus—. Ben poc —va repetir separant-se per comprovar la seva reacció.

—No crec que sigui aquesta la forma… —va voler oposar-s'hi en Dalmau fent el gest d'esquivar-la per sortir d'aquell traster.

—Et juro per Déu que si no fas el que et dic la teva germana es podrirà a la presó d'Amàlia!

En Dalmau va veure en l'Úrsula les mateixes faccions dures i amenaçadores de la senyora Cèlia. Havia jurat per Déu! Aquelles paraules, en boca de la filla del senyor Manel, que sancionava juraments i blasfèmies dels seus empleats fins i tot amb l'acomiadament, el van atemorir gairebé encara més que la mirada freda amb què la noia va esperar la seva decisió.

—Això no estaria bé —intentà convèncer-la en Dalmau—. El vostre Déu… —va voler insistir quan ella, segura de la seva rendició, li va agafar una mà i se la va posar al pit, per sobre del vestit. L'Úrsula sospirà—. Jesús… —va començar a explicar-se. L'Úrsula el va besar, aquesta vegada amb força, amb passió, però sense utilitzar la llengua, sense pretendre introduir-l'hi a la boca—. Jesús mantenia… —va continuar ell aprofitant que ella havia separat els llavis per respirar. Què en sabia ell, de Jesús i del que pensava!—. No està bé —es limità a repetir.

L'Úrsula va posar la mà sobre la d'en Dalmau i l'obligà a magrejar-li un pit, sempre per damunt del vestit, com també ho va fer amb l'altra mà del jove, que va portar a l'entrecuix, sempre protegit per la faldilla, els enagos i tota la roba que pogués amagar la seva virtut. La noia sospirà. En acabat, va deixar anar la mà amb què l'obligava a prémer-li el pubis i la va acostar al membre d'ell, erecte. Primer el va palpar per sobre dels pantalons, i després, nerviosa, panteixant, va introduir la mà entre els pantalons i els calçotets d'en

Dalmau, va agafar-li el penis com si es tractés d'un ciri processional, i el va estrènyer. Tot el cos de l'Úrsula va tremolar. En Dalmau esperava el pas següent, que no va arribar. Ella es va mossegar el llavi inferior abans de besar-lo de nou a la boca, de la mateixa manera, sense obrir els llavis, agafada al seu penis, amb la mà quieta, obligant-lo a prémer-li el pit per sobre de la roba i, de tant en tant, a pressionar-li el pubis, que en cap moment va moure voluptuosament, ni tan sols de manera imperceptible.

Van estar així uns quants minuts, que a en Dalmau li van semblar eterns; ella sospirant i besant-lo, com una estàtua; ell pendent dels sorolls que se sentien a la casa. Potser l'Úrsula podria aconseguir que el seu pare els ajudés, però el que era segur és que, si els descobrien allà, el senyor Manel i la seva dona no tindrien contemplacions amb ell.

El neguit per la possibilitat que els enxampessin i la falta de sensualitat, fins i tot el dolor que li començava a produir la masegada d'ella al penis, va fer que aquest se li pansís. La mà de l'Úrsula l'estrenyia i l'alliberava reiteradament, com si intentés reanimar-lo amb aquell massatge gairebé violent.

—Ai! —va exclamar en Dalmau de dolor—. Que me'l destrossaràs.

Ella va desistir de revifar-lo.

—Ja està? Ja s'ha acabat? —va inquirir amb ingenuïtat, extraient la mà dels pantalons d'en Dalmau i separant-se perquè ell deixés de tocar-la—. Això és tot? —va afegir arreglant-se la roba.

En Dalmau no sabia com explicar a aquella noia educada en el pudor, en el temor a Déu i en la culpa davant del pecat, què era fer l'amor, acariciar-se mútuament, buscar el plaer, i encara menys l'explosió de l'orgasme. Ella s'havia llançat, ansiosa per conèixer i trobar un plaer prohibit, segurament era la primera vegada que havia tocat el membre d'un home, però en Dalmau va témer que com més l'hi expliqués, més en voldria i més xantatge li faria amb la situació de la seva germana.

—Tot, tot, tot… no —va contestar ell en conseqüència.

—Què més es fa? —va insistir l'Úrsula.

—Ho vols saber? Despulla't —li exigí en Dalmau.

—No! Impertinent! Com vols que em despulli davant teu?

Va acompanyar les seves paraules amb un gest de la mà despectiu.

—En aquest cas —la va interrompre ell—, et recomano que t'esperis per esbrinar-ho el dia que estiguis amb algú especial davant del qual no t'importi despullar-te.

L'Úrsula va meditar un instant.

—No crec que arribi mai aquesta persona especial —va confessar—. Els meus pares em casaran amb qui ho creguin convenient. I si el meu futur marit és tan religiós com ho són ells, que suposo que sí, dubto que em demani que em despulli.

—Aquell dia fes-ho tu sense que t'ho demani.

—No…

Un soroll al passadís els va alertar.

—Senyoreta Úrsula?

Una minyona la buscava.

—Soc aquí —va contestar ella obrint la porta mentre agafava també un drap.

Va sortir al passadís i va deixar la porta ajustada.

—Ah —va exclamar una joveneta amb còfia i davantal blanc sobre un vestit negre que li anava balder—. La seva senyora mare pregunta per vostè. Vol que l'ajudi en alguna cosa? —afegí assenyalant el drap.

—No —contestà l'altra abruptament—. Són coses meves. Ves a treballar. Vinga! —l'exhortà en veure que dubtava—. Ja pots tornar a la cuina —afegí cap a en Dalmau.

—I la meva germana? —va preguntar ell quan va sortir del traster.

—No t'amoïnis. El meu pare la traurà de la presó, tens la meva paraula. El que no sé és què et demanarà a canvi.

«Què li podem oferir?», va pensar en Dalmau, amb un somriure trist.

—Però m'ho imagino —va afirmar l'Úrsula, que va posar el punt final a la conversa, va llançar el drap dins del traster, i va girar l'esquena a en Dalmau abans de dirigir-se a la sala d'estar.

—Donat un costat, construïu l'hexàgon regular.

Aquest era l'enunciat del problema de geometria que en Dalmau acabava d'exposar en una aula destinada a nens que feien el tercer grau als Escolapis de Sant Antoni de Barcelona, però que ara, de nit, ocupaven mitja dotzena d'obrers joves.

—Si «L» és el costat oposat —va explicar—, es construeix el triangle equilàter...

En Dalmau, conscient de l'atenció que aquells joves posaven per aprendre, dibuixava l'hexàgon traçant circumferències des d'un dels vèrtexs del triangle equilàter en un silenci només trencat pel desplaçament del guix sobre la pissarra. Eren allà per aprendre a dibuixar; abans ho havien fet amb els coneixements bàsics de matemàtiques i geometria. Els va observar un cop construït el polígon. N'hi havia dos que treballaven en la ceràmica, com ell. Un altre en la fusteria i els altres, en el tèxtil, com la majoria dels obrers que assistien a les classes nocturnes que impartien els religiosos, tot i que també n'hi havia que es dedicaven a la vidrieria, a les arts gràfiques, a les catifes i tapisseries, i a qualsevol ofici en què s'hagués de traçar una línia. Aquella mitja dotzena de nois que en Dalmau ensenyava eren més petits que ell; tenien quinze o setze anys, i s'esforçaven igual que els grans per aprofitar unes classes que els oferien els escolapis gratuïtament: saber dibuixar els podia ajudar a progressar en la seva feina.

L'art aplicat en la indústria, amb el dibuix com a instrument idoni per aconseguir-ho. Si en la majoria dels països europeus el desenvolupament i l'interès per les arts industrials es va produir a mitjan segle XIX, a Catalunya, com en altres països avançats, el disseny d'indianes al món del tèxtil es remuntava a la segona meitat del segle XVIII, moment en què les associacions empresarials ja havien constituït escoles gratuïtes de dibuix per ensenyar els seus treballadors. El menestral d'èpoques passades desapareixia, i la industrialització que havia arribat per substituir-lo necessitava crear objectes que, a banda de ser útils, fossin visualment bonics.

—Algun dubte? —preguntà en Dalmau als alumnes. No n'hi va haver cap que aixequés la mà—. Molt bé, ara proveu-ho als vostres quaderns.

Va passejar per l'aula comprovant com resolien el problema. Aquell havia estat part del preu exigit pel mestre per haver ajudat la Montserrat. «El senyor Manel farà tots els possibles per alliberar la teva germana de la presó», li comunicà mossèn Jacint dues hores després que l'Úrsula s'hagués revelat com una joveneta lasciva. En aquell moment, quan els senyors de la casa ja havien dinat, en Dalmau es cruspia l'exquisit pollastre amb samfaina que li havia cuinat l'Anna. El gust del tomàquet, el pebrot i l'albergínia li van esclatar encara amb més força a la boca després de les paraules del sacerdot. Va esbufegar, com si expulsés l'angoixa que l'oprimia feia estona, i va beure un bon glop de vi.

—Gràcies —va dir després.

—M'ha costat convence'l —va al·legar l'escolapi mentre seia a la taula de la cuina. Mossèn Jacint va fer un gest a la cuinera perquè els deixés sols i va continuar parlant—: El mestre Manel no havia intercedit mai per una anarquista declarada. Això ho tens clar, oi? —En Dalmau assentí, el plat deixat de banda, la seva atenció posada ara en els llavis del mossèn, convençut que en aquells moments li anunciaria el preu que li havia augurat l'Úrsula, i disposat a assumir-lo, fos el que fos—. L'hem convençut. L'Úrsula ha plorat imaginant-se com pot ser la vida d'una noia jove en aquell centre penitenciari cruel i miserable. Fins i tot la senyora Cèlia s'ha quedat afectada quan s'ha assabentat que a la teva germana l'havien violada. En definitiva, que el senyor Manel ha cedit i farà tot el que pugui, que és molt —afegí el religiós intentant animar en Dalmau—, perquè deixin anar la teva germana i l'absolguin, o com a molt la sentenciïn a la menor pena possible i no hagi de tornar a la presó.

Passejant per l'aula del col·legi de Sant Antoni, en Dalmau es va estirar els faldons de l'americana que vestia i que l'incomodava. Com a part del preu, va haver d'arraconar la seva brusa beix apedaçada, a més de dedicar dues hores de la setmana, de vuit a nou de la nit, a ensenyar a dibuixar a aquells obrers joves. Mossèn Jacint havia aprofitat per separar els joves d'una classe d'adults. A més, aquella decisió va esvair les reticències que havia tingut en Dalmau de donar classes: «Soc incapaç de parlar en públic —els va sorprendre—, em poso molt nerviós, em tremola la veu i se'm fa un nus a l'estómac…». Ensenyar a sis nois amb qui fins i tot compartia pupitres no tenia res a veure a parlar davant d'una classe integrada per trenta adults, així que després d'algun titubeig, en Dalmau va superar la por escènica i va aconseguir fins i tot sentir-se satisfet de poder ajudar els obrers. Però si aquella labor no l'importunava, sí que li va neguitejar l'altra part del preu que el mestre va establir per ajudar la Montserrat:

—Com pots entendre —va continuar el sacerdot—, el senyor Manel s'abstindrà de qualsevol actuació si no obté un compromís ferm i sincer de rectificar i variar els vostres ideals i creences. Heu d'apropar-vos a Déu Nostre Senyor i abjurar de l'ateisme. La teva germana, i tu també, si és així, heu d'abandonar l'anarquisme o qualsevol altra actitud revolucionària contrària a l'ordre en què han de viure i desenvolupar-se les persones de bé en aquesta societat. Haureu de fer catequesi i aprofitar les classes. Tu als Escolapis, amb mi, la teva germana amb les monges del Bon Pastor. Els senyors tenen molta relació amb l'asil de la travessera de Gràcia.

En Dalmau va fer la promesa. La seva germana? I tant que ho faria. Agraïda, va assegurar al mossèn i al mateix mestre Manel; amb tot, era conscient de quina seria la postura de la Montserrat.

—I per què hauria de moure un dit per mi aquell rosegaaltars? —va inquirir ella a l'interior d'aquella cofurna pudent on només hi havia lloc per a una taula i unes cadires arrambades a la paret—. No ho sé, Dalmau. Sempre hem lluitat contra ells. On quedarien els nostres principis?

—Has de sortir d'aquí —insistí en Dalmau—. T'estan… t'estan violant. Només hauries d'anar a catequesi…

—A catequesi? —va bramar ella—. Mira, Dalmau, en pocs dies m'han forçat i robat la meva virtut en unes quantes…, bastantes ocasions, com si fossin gossos famèlics. —La veu de la Montserrat es va estroncar al mateix temps que la barbeta li tremolava sense control. Va sospirar i es va refer—. En pocs dies han aniquilat aquelles virtuts burgeses de la decència, l'honestedat i la castedat. Què aconseguiria amb la catequesi, vols que t'ho digui? Ja ho saps: sentir-me encara més culpable, com a dona, com a persona pecadora; això és el que em dirien: pecadora! Cap capellà no em tornarà el que ja m'han arrabassat ni em repararà el dolor; en canvi, els meus principis continuen intactes. Són els cabrons fills de puta com el teu mestre els que m'han ficat aquí dins, són ells els que ens exploten, els que ens esclavitzen, els que ens denigren com a persones. Què seria de mi, si, a més d'entregar el meu cos a quatre delinqüents, també vengués el meu esperit a l'Església?

La ira que van traspuar les paraules de la Montserrat van rebotar a l'interior d'aquell cau infecte. Havia admès que la violaven els mateixos delinqüents. En Dalmau va assentir amb una debilitat sobtada, i va deixar de dedicar atenció a la invectiva de la seva germana per fixar-se en el seu estat: anava bruta, més que l'última vegada. Feia pudor, pitjor que l'última vegada, i estava penosament malmesa. La roba, esparracada, li penjava d'unes espatlles esquelètiques, i unes ulleres morades i inflades pugnaven per empresonar uns ulls abans grossos i brillants, sempre expectants, atents, reptadors, i ara petits i lànguids, extraviats en el discurs de l'odi.

—Jo no hi puc fer res més —la va interrompre en Dalmau en un to de rendició—. És l'únic recurs que tinc.

Tots dos germans van estar uns segons en silenci.

—I, a part de buscar la meva conversió, cosa que sap que no aconseguirà mai, com és que aquest burgès fastigós i repugnant... es preocupa per una anarquista? —va preguntar un cop més la Montserrat.

—Per mi —es limità a respondre en Dalmau—. Perquè ets la meva germana i em té estima. O em necessita, no ho sé, i poc m'importa. Jo només vull que surtis d'aquí.

La Montserrat va serrar els llavis ressecs i va fer que no amb el cap:

—Ho sento, germà. No ho faré. No sortiré pagant aquest preu. Prefereixo que em violin aquests morts de gana i morir aquí dins que cedir al xantatge d'aquest burgès rosegaaltars de merda. Respecta la meva decisió.

Com pretenia —es lamentava en Dalmau cada vegada que sospesava aquella afirmació— que respectés una decisió que li suposava la mort? Quina lluita guanyava la Montserrat, morint en una presó infecta? A qui beneficiaria un sacrifici tan ingent?

La van alliberar. Pendent de judici, la data del qual encara no havien fixat les autoritats. Amb la garantia del senyor Manel Bello davant del capità general n'hi va haver prou perquè es considerés que la Montserrat no calia que continués en presó preventiva.

Tan bon punt va veure el seu germà a les oficines dels funcionaris on els havien de lliurar la documentació, la Montserrat el va agafar pel braç i se'l va endur en un lloc prou apartat per poder-li parlar a cau d'orella, més alt, malgrat tot, del que a tots dos els hauria agradat:

—I allò de la catequesi? Ja et vaig dir que no estava disposada a…

En Dalmau la va fer callar amb el moviment d'una mà.

—No l'hauràs de fer. Ja ho he arreglat —li va assegurar en un to contundent.

—Com? —va inquirir la Montserrat.

Ell va pensar que quina importància tenia com ho hagués aconseguit. L'important era que estigués en llibertat.

—He convençut el senyor Manel —li va mentir.

—I el rosegaaltars ha cedit? —es va estranyar ella.

En Dalmau va fer que sí mentre totes les possibilitats que havia sospesat davant la tossuderia de la seva germana se li arremolinaven al cap. Era evident que el mestre Manel perdria els estreps si la Montserrat no assistia a catequesi. Aquell era un dels objectius més importants de la lluita amb què el mestre confiava guanyar-se el cel: convertir l'ateu. Si se sentia enganyat, la tornarien a engarjolar; unes simples paraules amb el capità general serien suficients. Però davant d'aquella realitat, n'existia una altra molt més imperiosa per a en Dalmau: la salut i la vida de la seva germana. No existien principis ideològics en l'univers que justifiquessin les violacions i els maltractaments per part d'un grapat de delinqüents a qui la Montserrat semblava disposada a sotmetre's. «Treu-la d'allà dins!», li havia suplicat la Josefina després de comentar amb ella la situació. Però davant d'aquesta súplica, la mare tampoc no va afegir com burlar després el senyor Manel, i després de la promesa d'en Dalmau que la'n trauria, va tornar a abstreure's en la costura com si ja donés per fet el retorn de la filla. Enganyar la seva germana era senzill per a en Dalmau: estava disposada a creure el que li diguessin. Seria tan fàcil enganyar el mestre Manel?

—El rosegaaltars —contestà en Dalmau— ha cedit. Li deu interessar més la meva feina a la fàbrica que la teva conversió al cristianisme.

I la van alliberar.

Però si bé la Montserrat no va fer més preguntes, en Dalmau notava com a ell sí que se li amuntegaven al cap. Totes les idees que se li ocorrien acabaven en disputa amb el mestre i l'acomiadament, més que probable, de la fàbrica de ceràmica. El senyor Manel descobriria l'incompliment de la seva germana i aleshores es tornaria a ordenar la seva detenció i ell s'hi hauria de barallar. La seva relació s'acabaria, ja que seria impossible treballar per a algú capaç de perjudicar un ésser tan estimat. Només se li ocorria una possibilitat viable, per bé que complicada, terriblement ingrata.

Van passar els dies i en Dalmau complia la seva part del pacte: donava classes de dibuix als obrers i anava a parlar de Déu i els seus misteris amb mossèn Jacint. La Montserrat no feia cap comentari i, mentrestant, a en Dalmau se li acabaven les excuses davant la incompareixença de la seva germana a l'asil de les monges del Bon Pastor. «Està malalta.» «No està preparada.» «Ni tan sols no surt de casa.» «Tot el dia plora.» «No parla, mossèn!», intentava disculpar-la una vegada i una altra davant del religiós.

El mossèn sospirà, abans d'instar-lo que la portés urgentment, si calia l'acompanyaria ell mateix, ja que, en cas contrari, el senyor Manel es retractaria i buscaria la detenció de la noia.

3

L'Emma va estar un instant amb la boca oberta i les mans a mig camí del lloc on les volia dirigir, que ja no sabia on era. Eren ben poques les vegades que es quedava muda, sense resposta, sorpresa. Va reaccionar per fi i va agitar les mans en veure en Dalmau.

—Que t'has tornat boig? —L'Emma va veure que en Dalmau arrufava els llavis i desviava la mirada—. Et vaig advertir que això no funcionaria —va continuar—, que la Montserrat no ho admetria mai, que preferiria continuar a la presó, per més que allà la violessin, abans que anar a classes de catequesi amb unes monges. Ella mateixa t'ho va assegurar! I la teva solució va ser dir-li que no ho havia de fer, que ja estava tot arreglat. Suposo que t'has adonat que no he volgut insistir en com pensaves arreglar-ho, però no em vaig imaginar mai que em vinguessis amb... una proposta com aquesta!

—Ho sento —s'excusà en Dalmau—. Ho sento, amor meu, però que no recordes el que li feien allà dins? —No va continuar. Els ulls vidriosos de l'Emma li van indicar que sí, que ho recordava—. No ploris, si us plau —li pregà amb la veu agafada.

—Que no plori? —va dir amb els ulls negats de llàgrimes—. Com vols que no ho faci?

L'Emma va veure com ell se li acostava amb la intenció d'abraçar-la. Se'n va allunyar i li girà l'esquena. En acabat, tots dos es van quedar quiets i en silenci al pati del darrerè de la fonda, probablement recordant la mateixa escena: el matí que tots dos havien anat a buscar la Montserrat a la presó. L'Emma va esperar al carrer que els germans sortissin.

La van portar a casa. L'Emma va omplir de petons la seva amiga un cop va ser fora, però la Montserrat només va respondre amb una breu abraçada. Va intentar parlar amb ella camí del carrer de Bertrellans. L'amiga només va fer que sí i que no dues vegades, amb cansament, com si aquelles respostes escarides l'esgotessin.

Tot i que ho va dir a sota veu, l'Emma va sentir com en Dalmau proposava a la seva mare portar-la a l'establiment de dutxes del carrer d'Escudellers.

—Per quatre rals es podrà rentar.

La Josefina ni tan sols se'l va escoltar.

—Porta aigua —es limità a ordenar-li.

En Dalmau va obeir i les dues dones es van tancar amb la Montserrat a l'habitació que compartien mare i filla.

L'Emma no va poder desviar la mirada mentre la Josefina despullava la seva filla, que es va deixar fer, ronyosa i pudent, silenciosa i trastocada. Totes dues noies havien comparat moltes vegades els seus cossos, joguinejant, subjugades per la sensualitat que emanava de la seva bellesa, de la seva joventut, de la seva necessitat de viure. Quant de temps havia passat des que havien empresonat la seva amiga? Tres mesos? Potser una mica més?

L'Emma es va tombar. No ho va fer per evitar veure un cos descarnat i ple de blaus, amb els pits penjant com si en aquell temps haguessin exhaurit la seva vitalitat, sinó per vergonya que la Montserrat la veiés a ella, tan esplendorosa. S'havia posat el millor vestit que tenia per anar-la a buscar a la presó, com si es tractés d'una festa, i precisament el tall de roba l'hi havia regalat una amiga d'uns retalls sobrers de la fàbrica on treballava. Després la Josefina es va encarregar de la confecció. «Que burra!», es va insultar. Es va intentar controlar les llàgrimes, d'esquena a totes dues.

—Agafa l'aigua —l'instà la Josefina, després d'escoltar els cops dels artells del seu fill contra la porta—. Dona-li aquesta galleda i que en porti més —va afegir assenyalant un cubell després que l'Emma deixés a terra el rentamans que havia portat en Dalmau.

A partir d'aleshores en Dalmau va anar fent viatges carregat amb aigua, ara el rentamans, ara la galleda. L'Emma va ajudar la Josefina. Ella li donava els draps nets, probablement els que havia de cosir, perquè l'altra rentés la seva filla, amb delicadesa, cantussejant en veu baixa. L'Emma va voler reconèixer aquella cançó de quan eren nenes, de quan el seu pare i el de la Montserrat eren vius, abans del procés de Montjuïc que va portar els dos companys anarquistes a la mort per un delicte que no havien comès. Va taral·lejar en silenci la musiqueta. La Montserrat continuava amb la mirada perduda, de peu dret, nua, estossegant, l'aigua que li relliscava pel cos castigat i formava un bassal sobre les rajoles del dormitori. L'Emma aprofitava els draps bruts per eixugar el mullader. Agenollada, amb la mirada a terra, també va rentar els peus de la seva amiga.

—Emma —la va alliberar la Josefina—, vés amb en Dalmau a comprar un bon remei per a la tos. Compreu també pa del dia i els ingredients per fer una bona escudella: costella de vedella... Tu ja saps què cal. No t'hi miris pels diners —afegí—, la Montserrat ara necessita alimentar-se.

En Dalmau va agafar prou diners i, acompanyat de l'Emma, van sortir a comprar costella de vedella, com la Josefina havia indicat, ben magra. L'Emma escollia: descartava el tall d'algunes peces i demanava el d'altres. «Perquè està mig podrida, tot i que ho emmascaren amb productes de tota mena», va contestar a la pregunta d'en Dalmau. Van comprar també una gallina a octaus, i tota mena de carn de porc: orella, morro, espinada... Espatlla de conill, i peu, cua i coll de xai. Un os de pernil i de vedella. Botifarra negra i blanca. Patates i seques. Llard. Col, api, pastanaga, porro, xirivia i arròs. Ous i julivert. Alls, farina i pa. Tot seguit van entrar a una farmàcia i en Dalmau va demanar la millor medicina per a la tos.

Els van vendre un xarop fet de bromoform i heroïna.

—La combinació del bromoform, que és un sedant —els va explicar el farmacèutic—, i l'heroïna li calmarà la tos. No en tinguin cap dubte! —va afirmar davant de la cara d'incredulitat de l'Emma mentre feia girar el flascó de xarop a les mans.

—Jo sé que hi ha remeis que es fan amb morfina... —va al·legar en Dalmau, també sorprès.

—L'heroïna és un derivat de la morfina. És més eficaç. Ja ho comprovarà.

L'home no es va equivocar. Quan van tornar a casa, la Montserrat dormia, neta, amb la camisa i els llençols blancs. La Josefina al costat, a tocar de la finestra, cosia amb els ulls gairebé tancats. Els accessos de tos que torbaven el son de la Montserrat van desaparèixer així que la seva mare li va donar una bona dosi de xarop. Després, desviant la mirada al seu fill, defugint-lo, es va dirigir a la cuina per preparar l'olla.

—Per què aquesta actitud si...? —va començar a preguntar en Dalmau.

—Se sent responsable... —es va avançar l'Emma abans que acabés la pregunta—. I avergonyida.

—Avergonyida? —l'interrompé en Dalmau, estranyat.

—Sí —afirmà l'Emma amb convicció—. Avergonyida per les atrocitats que ha patit la Montserrat. Avergonyida per aquest cos que va parir ella i que estima més que el seu propi, profanat per una colla de lladres, malparits i fills de puta. Curiós, oi? Les dones som així de burres.

Sí, podien avergonyir-se d'una cosa que no era ni de bon tros culpa d'elles, però tampoc no calia afegir-hi l'obligació de suplantar la Montserrat i anar a les monges del Bon Pastor a rebre catequesi, com li acabava de proposar en Dalmau. L'Emma plorava d'esquena al seu xicot al pati del darrere de la fonda. Per què ho feia? Per la Montserrat o per ella mateixa. La seva amiga s'anava recuperant... físicament, perquè espiritualment la seva consciència semblava haver esborrat de la seva vida els traumes que havia patit a la presó; tot i que eren allà, l'Emma els percebia cada vegada que es trobava amb ella, és a dir, gairebé diàriament. Es quedaven a casa i xerraven, o sortien a passejar, a prendre un cafè o un refresc al Paral·lel si disposaven de cèntims. La Montserrat no tenia feina; a la seva antiga fàbrica no li deixaven posar-hi ni un peu, i als altres tallers on va recórrer tampoc no la van voler contractar. El seu nom havia entrat a les llistes dels indesitjables: les llistes negres. A partir d'això, la lluita de classes, els industrials, la burgesia i sobretot l'Església i el clergat s'havien convertit en veritables obsessions per a ella, com si d'aquesta manera pogués realment oblidar el seu passat recent i el seu present fosc.

Per molt que l'Emma intentés que la conversa amb la seva amiga fos més banal, acabava derivant sempre cap a l'explotació de l'obrer, o la resignació que propugnaven els capellans i amb què ensopien el poble i desviaven l'atenció del veritable culpable de les seves misèries: el capital. Ella estava d'acord amb les seves idees, sempre havia estat així, havien lluitat plegades en manifestacions i vagues, però la vida era alguna cosa més, i de mica en mica, aquella obsessió les va anar allunyant fins que pràcticament es van deixar de veure. La Josefina pregava a l'Emma que fes costat a la seva filla, que estigués amb ella, però la Montserrat havia buscat refugi en el seu germà Tomàs i el moviment anarquista. Després de l'èxit electoral dels republicans, aquell any 1901, va ser el primer en què els anarquistes van gaudir de llibertat a Barcelona. Es van reagrupar, van tornar alguns exiliats, i van començar a traçar els seus projectes. Van aparèixer nous diaris de tendència llibertària, un d'aquests, finançat per Ferrer i Guàrdia i anomenat *La Huelga General*, mostrava explícitament quina era la seva línia d'actuació: la vaga general com a màxima expressió de la lluita de classes.

L'Emma es va mocar, va prémer els llavis i va fer que no amb el cap.

—Ho sento. Perdona'm —va xiuxiuejar en Dalmau posant-li les mans a les espatlles.

—Perdonar-te? —es va queixar ella alliberant-se un cop més del seu contacte—. Com vols que em senti jo ara? Dius que, si no va a l'asil, la tornaran a engarjolar.

Això era el que li havia advertit mossèn Jacint després d'afirmar que el mestre Manel no admetria gaires més excuses ni retards.

—I si no em presto a fer el que volen i ella torna a entrar a la presó? —va continuar l'Emma. En Dalmau va murmurar alguna cosa que no va arribar a entendre's i aleshores ella el va empènyer amb ràbia… En Dalmau va aguantar—. Què passarà aleshores? Serà culpa meva que la tornin a tancar?

—No… —Ell l'entenia, i entenia també la responsabilitat que

estava dipositant sobre les espatlles de la seva xicota, però no se li acudia cap més solució.

—Sí que ho serà! —va rebatre l'Emma—. Sí que ho serà —va repetir, i es va tapar la cara amb les mans i va esclatar en plors un altre cop—. Sí que ho serà —va somicar.

En Dalmau va intentar defensar-se. Tampoc per a ell no era agradable la situació que s'havia creat, ni el favor que li estava demanant a l'Emma.

—No m'ataquis més, si us plau, Emma. Prou! Jo vaig aconseguir la llibertat d'una noia obligada a prostituir-se i violada a la presó. Ella mateixa m'ho va suplicar! La meva mare també m'ho va demanar, i tu. Vaig fer servir l'únic recurs que un desgraciat com jo pot tenir a l'abast. Ja sabia que la meva germana no cediria, per això li vaig mentir, i també al mestre Manel i a mossèn Jacint. I ho tornaria a fer, que ho entens? Tornaria a actuar exactament igual —va concloure amb rotunditat.

—Amb idèntiques conseqüències.

—No —es va afanyar a replicar—, perquè si ho repetís, això que t'estic exposant ara t'ho hauria exposat anteriorment. La Montserrat és la teva amiga, entre vosaltres us dieu germanes. La meva mare és la teva mare. Si quan la Montserrat es negava a sortir de la presó per no anar a catequesi t'hagués demanat ajut perquè jo no tenia cap altra opció per alliberar-la i superar la seva tossuderia, i t'hagués demanat que la suplantessis davant de les monges, hauries deixat que es podrís a la presó?

L'Emma va respirar fondo.

—Ho sento —va afegir en Dalmau eixugant-li amb el dit les llàgrimes que li lliscaven per les galtes. L'Emma s'ho va deixar fer—. Em sap greu haver-t'ho plantejat amb tanta cruesa, però ets l'única que pot ajudar la Montserrat. S'ha tornat boja. Desprèn odi.

L'Emma va observar en Dalmau i va entendre que el seu esperit pugnava entre les tres dones que l'envoltaven. Ella mateixa, la Montserrat i la Josefina. Aquell era l'home que estimava i en aquell moment va fer seves les preocupacions d'ell en tota la seva dimensió. En Dalmau era una bona persona. Es va recriminar la seva duresa i alguna cosa es va regirar al seu interior, amb força, amb insistència.

I tenia raó: si l'hi hagués proposat quan la Montserrat encara estava empresonada, si la llibertat de la seva amiga hagués depès d'ella, l'hauria suplantat, sens dubte.

Un esbós de somriure va aparèixer a la boca de l'Emma. Va agafar en Dalmau de la mà i el va estirar fora del pati.

—Seu —li oferí assenyalant una de les taules que hi havia a l'aire lliure, al solar que feia partió amb la fàbrica de sabons. Amb la nit, la canícula estiuenca s'havia encalmat i una brisa agradable refrescava l'ambient.

L'Emma el va deixar allà i va tornar amb un flascó de vi negre, dos gots i les sobralles de confitura de préssec del vespre. La família Bertran s'afanyava a netejar i a posar en ordre un establiment on en aquell moment només quedaven ocupades mitja dotzena de taules. Ella va seure davant d'en Dalmau i va servir un bon raig de vi als gots. En Dalmau va fer-ne un glop.

—Beu —el va animar amb una ganyota graciosa de la boca.

Ell la va mirar desconcertat.

—Que em vols emborratxar?

—Si et veig riure ja en tinc prou —va dir l'Emma. En Dalmau no va canviar l'expressió—. Si per aconseguir-ho cal que t'emborratxis… —Va assenyalar en Bertran, que feia la caixa del dia—. Disposo de tot el vi que calgui.

—No és moment de fer grans celebracions.

—Tu beu —insistí ella, i es va endur el seu got als llavis per empassar-se'n la meitat. En Dalmau va acabar imitant-la—. Ara acaba-te'l —li proposà tornant-se a avançar.

En Dalmau també s'hi va sumar. Un altre got. Aquesta vegada se'l van beure al mateix temps, després de brindar en l'aire. Un més. Es van acabar el vi.

—Avui ens emborratxarem —va comentar l'Emma a en Bertran a l'hora d'omplir el flascó.

El fondista va assentir amb el cap. Després li va dir que faria fora els romancers que encara xerraven a les taules, que apagaria els llums i que s'encarregués ella de tancar.

—Ja et fies de mi? —va afegir l'Emma amb un somriure.

—No tinc cap més remei.

I va caure un altre flascó. En Dalmau va intentar parlar: del mestre Manel, de mossèn Jacint, de la seva germana, la mare… L'Emma no l'hi va permetre.

—Tu calla i beu —l'exhortava en cada intent d'ell de badar boca—. No vull sentir parlar de res. Emborratxem-nos, Dalmau. Estem sols. Aprofitem-ho. Gaudim del moment. Bevem… i clavem un bon clau.

Feia gairebé un mes que no tenien relacions sexuals. Les últimes que havien tingut, amb l'esperit i la desgràcia de la Montserrat sempre present, flotant entre ells, no van arribar a satisfer ni l'un ni l'altre.

—Vols dir? —va dubtar ell.

—Beu!

Van actuar amb la matusseria pròpia dels beguts. A les fosques, a l'interior de la fonda, ni tan sols no van poder desvestir-se entre ells. Drets, ensopegaven i queien; ajaguts en una manta a terra, van ser incapaços de treure unes peces de roba que semblava que es volguessin enganxar per totes bandes. Van riure.

—Alça el cul! —l'instà ella—. Si no, no et puc treure els pantalons —va barbotejar com si estigués fent un esforç titànic.

—Si ja el tinc aixecat! —va protestar en Dalmau alçant encara més la pelvis.

—Aleshores… què estic estirant?

—L'americana —li aclarí en Dalmau deixant caure el cul a terra amb una rialla—. El coi d'americana!

Van continuar barallant-se amb la roba i sense arribar a despullar-se del tot, l'Emma va aconseguir atrapar el penis d'en Dalmau: flàccid.

—Què és això? —es va queixar.

Amb el dit polze i l'índex d'una mà, va agafar el penis per la pelleringa de la punta, la va estirar i el va agitar com si es tractés d'un drap que s'estigués escorrent a l'aire.

—Eh! —exclamà en Dalmau.

—Vinga! Aixeca't, noia —animà ella directament el membre—. Amunt!

D'alcohol n'hi havia molt, però de joventut i passió encara més, així que el penis va respondre i es va endurir, com la humitat que va xopar l'entrecuix d'ella. Van follar. Ho van fer sense protecció, sense preocupar-se de l'ejaculació que en Dalmau va abocar a l'interior de l'Emma, que li va provocar un orgasme llarg i profund.

Estesa a terra, a sota d'ell, l'Emma va aixecar les cames per damunt dels malucs d'en Dalmau, les va encreuar i les va prémer per acompanyar-lo en el seu èxtasi. Va inspirar fondo, i va somriure mentre ell grunyia i panteixava. Va buscar la seva mirada i el va trobar amb els ulls tancats, les parpelles tenses, serrades amb força. L'estimava. I aleshores va saber que estava descarregant en ella tots els seus problemes i aquesta certesa la va complaure.

Es tractava d'un edifici titànic, imponent, com tots els que construïen els ordes religiosos per damunt de l'avinguda de la Diagonal. Ocupava tota una illa de cases entre la travessera de Gràcia i el carrer de Buenos Aires. Al costat de l'asil de les monges del Bon Pastor, un correccional per a nenes, s'alçava l'asil Duran, el corresponent per a nens delinqüents, també entre la travessera de Gràcia i el carrer de la Granada. Més amunt hi havia el convent de les Dames Negres.

L'Emma sabia que una mica més enllà, seguint la Diagonal, hi havia la fàbrica de ceràmica on treballava en Dalmau. A l'alba va buscar la roba i les sabates velles que tenia, es va vestir intentant ocultar els seus encants, tot i que difícilment ho podia aconseguir amb la calor que amenaçava la jornada i la camisa lleugera que va haver d'escollir, i va acabar enviant la seva cosina Rosa a la fonda per avisar que faria tard.

Les monges del Bon Pastor es dedicaven a evangelitzar les joves extraviades; formulaven un quart vot pel qual es comprometien a salvar les seves ànimes. Les nenes i les noies es dividien en tres categories: les que encara no s'havien viciat; les desemparades que es consideraven recuperables pel Senyor, i les realment extraviades o definitivament perdudes. Es tractava de categories estanques, de manera que a l'interior de l'asil no hi havia cap contacte ni relació entre els diversos grups. A l'asil s'hi allotjaven prop de dues-centes cinquanta nenes i joves. La despesa corresponent a un centenar d'elles els la satisfeia l'Ajuntament de Barcelona, que ja feia anys que havia encarregat a la comunitat religiosa la tasca de gestionar el reformatori i correccional de dones de la ciutat. I les altres despeses es cobrien gràcies a la generositat dels fidels i a les moltes donacions que aconseguien les religioses, entre elles les del piadós Manel Bello.

L'Emma va estirar la cadena que penjava a un costat de la porta reixada, via d'accés als patis que envoltaven l'asil. Una portera va sortir d'una caseta que hi havia al darrere i, a través de la reixa, li va preguntar què volia.

Què volia? No havia arribat a planificar aquells detalls. Era allà per en Dalmau, sí, més per en Dalmau que per la Montserrat. Tot i que per ella també, al capdavall era la seva amiga. Entenia la seva reacció: aquella obsessió per la política. Li havien tacat l'ànima, l'havien destrossat com a dona. Diverses vegades, en el silenci i la foscor de la nit, amb la seva cosina dormint neguitosa al llit que compartien —la Rosa sempre es regirava com si es barallés amb el son—, l'Emma havia intentat posar-se en el lloc de la Montserrat; la volia entendre, potser participar del seu dolor, alleugerir-l'hi. Aleshores, amb el cor encongit, s'imaginava ella mateixa en mans de tots aquells depravats, violant-la, forçant-la a fer tota mena d'actes indignes i humiliants. Sovint se li escapaven les llàgrimes quan recordava el cos brut, prim i arrossinat de la seva amiga. Va arribar a tenir malsons que la despertaven amb el cor accelerat i amarada de suor. Va tenir la sensació d'entendre-la, tant a ella com al seu germà. En Dalmau no havia tingut alternativa; amb tota la bona voluntat s'havia ficat en un embolic sense solució. L'Emma també havia pensat en la Josefina. La dona s'havia comportat com una mare amb ella. No era just que patís més del que ho havia fet fins aleshores.

—Què vols, noia? —l'apressà la portera.

L'Emma va esbufegar mentre l'altra la inspeccionava de dalt a baix.

—Em dic Montserrat —va dir escurant-se la gola—, Montserrat Sala, i vinc de part del senyor Manel Bello, el ceramista, el de la fàbrica de…

—Ho sé —l'interrompé la portera quan l'Emma assenyalava en direcció a la fàbrica de rajoles—. Fa temps que t'esperem —li va recriminar.

Va obrir la porta, la va deixar passar, va tancar i la va comminar a seguir-la fins al gran edifici.

—Així que tu ets l'anarquista.

L'afirmació venia d'una monja de mitjana edat i faccions severes, amb hàbit blanc i toca negra, que la va rebre envoltada d'imatges sagrades, en un despatx sobri, fosc i amb olor de ranci.

—Sí —va contestar ella amb aplom, a peu dret davant de la taula; a l'altre costat seia la monja.

—Sí…, reverenda mare superiora —la corregí l'altra.

L'Emma va trigar un instant a assumir-ho, tot i que sabia que havia d'obeir. Si no ho feia, la seva presència allà no serviria de res.

—Sí…, reverenda mare superiora —va repetir abaixant el to de veu i la mirada en senyal de submissió. Va somriure per dins; si això era el que volien, no les decebria.

—Estàs disposada a aprendre la doctrina cristiana i a resar, estimar, imitar i abraçar Déu Nostre Senyor?

—Sí, reverenda mare superiora.

—Estàs disposada a servir-lo tota la vida i a renunciar a Satanàs i a la seva obra: el pecat, i per tant a viure en el si de la santa mare Església catòlica, romana i apostòlica?

—Sí, reverenda mare superiora —va repetir.

La monja va estar un instant en silenci, examinant l'Emma com si intentés accedir al seus pensaments. Al cap d'una estona, sense fer cap gest, va continuar:

—En aquest asil lluitem contra la corrupció del maligne en les dones, a través de l'ensenyament de les arts i els oficis femenins, a més de la instrucció religiosa. El correcte seria que visquessis aquí com les altres, però el senyor Manel no em va dir que haguessis d'aprendre cap ofici, ni tampoc que haguessis d'entrar interna, cosa que comportaria una despesa afegida. Per tant, vindràs cada nit a…

—Reverenda mare, no… —es va queixar l'Emma.

—Superiora.

—Superiora —va repetir la noia.

—Reverenda mare superiora —insistí la religiosa.

—Reverenda mare superiora —va dir l'Emma, fent esforços per no perdre la paciència.

—Això és, Montserrat. I no m'interrompis quan parlo.

—Però és que a les nits no puc —insistí l'Emma sense fer cap cas de l'advertència. La mare superiora la va interrogar amb la mirada—. Des que…, bé, vaig sortir de la presó i no em van donar feina a cap fàbrica. L'he trobat en una fonda i és de nit, precisament a l'hora que em diu, que és quan hi ha més moviment…

—Servir Déu no té horaris…

—No podria ser als matins? A primera hora? Necessito la feina, reverenda mare superiora. Ajudo la meva mare que és vídua i treballa de cosidora a casa.

—Aprendre un ofici i treballar és imprescindible per seguir el bon camí —va comentar la superiora com si es tractés d'una classe magistral—, aquest és, com he dit, el procediment escollit per aquest orde. No serem nosaltres les que t'impedirem treballar.

Aleshores va interrogar la monja que havia acompanyat l'Emma al despatx un cop la portera l'havia introduït a l'edifici, i que guardava silenci, sense moure's, unes passes enrere. L'altra devia consentir amb un gest, perquè la superiora va accedir.

—Dilluns, dimecres i divendres seràs aquí a les sis en punt del matí. Sor Agnès et donarà les instruccions.

No la va acomiadar. L'Emma va notar com sor Agnès l'agafava del braç i l'estirava en direcció a la porta del despatx.

—Gràcies reverenda mare superiora. —Aquest cop l'Emma la va encertar.

Aquella mateixa nit, a la sortida dels Escolapis, l'Emma va agafar amb tendresa la mà d'en Dalmau en veure com s'esforçava per reprimir les llàgrimes i superar el nus que li escanyava la gola i que no el va deixar parlar fins que va poder gargamellejar un succint «gràcies».

En Bertran, per la seva banda, es va queixar que aquelles tres hores setmanals podien coincidir amb les que utilitzaven per anar a comprar. Diverses vegades a la setmana l'Emma havia d'acompanyar l'amo de la fonda a la plaça. L'Emma tenia els sentits del gust i de l'olfacte exacerbats —en Dalmau hi hauria afegit el del tacte—, cosa que la facultava especialment per reconèixer les mercaderies adulterades, un negoci que proliferava a la Barcelona d'aquells temps. La carn s'emmascarava amb nievelina, un derivat de la sosa, tot i que en aquest cas no hi havia problema, perquè l'oncle de l'Emma, el que treballava a l'escorxador, s'ocupava de subministrar-los-la; era una carn que, segons el tiet Sebastià, provenia d'animals sans, sacrificats sota estricta vigilància veterinària, mai procedent d'animals morts o malalts, com es venien a molts altres comerços de la ciutat. L'Emma no va discutir mai la qualitat de la carn que aportava l'oncle Sebastià, malgrat que de vegades el regust bategués amb força i li despertés el dubte.

El pa, tot i que era més car que en la majoria de les grans ciutats europees, es blanquejava amb sulfat de barita; el sucre molt es barrejava amb pólvores de carbonat de calç; els dolços i la pastisseria s'elaboraven amb sacarina i es carregaven amb guix; el cafè en gra es fabricava artificialment; la xocolata es barrejava amb midó i fins i tot es venia a un preu inferior al que costava el cacau de què suposadament estava feta; la cervesa es clarificava amb perdigons i se substituïa el llúpol per estricnina; el vinagre es fabricava amb àcid acètic i de vegades fins i tot amb sulfúric; a la llet se li afegia aigua i es desnatava abans de vendre, i mil artificis més es feien per obtenir un benefici més alt en el mercat de l'alimentació.

Però entre tots els aliments el que més es falsificava era el vi. Catalunya, com tot Europa, patia la plaga de la fil·loxera, un insecte que el 1901 ja havia exterminat tota la vinya catalana i començava a atacar la valenciana i la d'altres regions d'Espanya. L'escassedat de raïm a Catalunya havia suposat l'auge del vi valencià, principalment, així com d'aquells procedents d'altres llocs on encara no havien arribat els estralls de la plaga.

El preu del vi es va disparar en un país en què constituïa un aliment de primera necessitat, alhora que excitava l'audàcia i l'enginy dels entabanadors, els uns per aigualir-lo i afegir-hi clorur sòdic; els altres, més sofisticats, optaven directament per obtenir vi artificial.

Només necessitaven qualsevol líquid fermentat, aigualit per aconseguir més volum, i barrejat després amb alcohol industrial alemany, barat, fins a tenir el grau buscat. Finalment, el beuratge s'acoloria amb vermell i fucsina. La gent el bevia, i fins i tot n'hi havia que el lloaven. A en Bertran no li feia res servir-lo segons en quines ocasions o segons a quins comensals, sempre que a ell no l'hi cobressin com a bo. Una cinquena part de les mostres de vi que arribaven als laboratoris municipals, estaven sofisticades o adulterades.

I l'Emma era allà per tastar sucres i vins, i evitar que enganyessin el seu amo. També li agradava cuinar. De fet, les filles d'en Bertran li canviaven encantades el seu lloc a la cuina —on havien d'atendre els fogons, preparar els aliments, aguantar l'escalfor, la tensió, les olors i per damunt de tot els crits i les ordres de la seva mare— per la feina de cambrera que l'Emma feia als dominis del pare: el menjador. Després les tres joves assumien les tasques més ingrates, com fregar el terra, els plats i netejar les taules i la cuina.

En Bertran necessitava l'Emma i no va tenir més opció que cedir i acceptar els arguments de la noia; ja anirien a comprar els altres dies.

—Què n'has de fer d'on sigui jo a aquelles hores? —va replicar al seu amo bruscament, tot i que de seguida va rectificar i va buscar la seva complicitat—: Col·laboro amb un ateneu obrer de Gràcia, i a aquella hora és quan arriben els fills petits de les treballadores; m'han demanat que els vagi a donar un cop de mà.

En Bertran va sacsejar el cap, va fer espetegar la llengua i la va amenaçar que hauria de recuperar el temps perdut a la nit.

—Ja! I si vols vaig a dormir amb tu també —va concloure l'Emma—. Dedico més hores al teu negoci que les que demanen a les fàbriques de filatures. Potser no te n'has adonat —va ironitzar—, però els obrers lluiten per jornades de vuit hores; n'hi ha que fins i tot les han aconseguit, els paletes, per exemple, aquest mateix any.

En Bertran va decantar el cap.

—Són temps difícils, Emma, ja ho saps.

Era cert. El Desastre del 1898, com s'anomenava a la derrota que va suposar la pèrdua de les colònies de Cuba i Filipines i, conseqüentment, del mercat ultramarí, va suposar el tancament de moltes fàbriques tèxtils a Catalunya: prop del quaranta per cent dels treballadors del sector es van quedar a l'atur. A més, a la província de Girona, la mecanització introduïda en una indústria rica i artesanal com era el suro, amb més de mil dues-centes fàbriques distribuïdes al llarg de dos-cents municipis, va significar l'acomiadament de prop de deu mil operaris. La majoria dels desocupats, els del tèxtil i els del suro, van emigrar a Barcelona, però, un cop allà, es van trobar que, amb la mecanització de les fàbriques tèxtils que sobrevivien, les empreses substituïen la mà d'obra masculina per la femenina, més hàbil amb la maquinària i molt més barata. A la capital catalana, per tant, s'hi anaven acumulant milers de treballadors sense feina, poc qualificats i la majoria analfabets.

Aquell era el gran enemic d'anarquistes i republicans: la ignorància. «L'obrer té l'obligació d'instruir-se i combatre la ignorància», resava una de les màximes en voga. Els anarquistes van sostenir l'enfrontament entre la raó científica i el teisme per concloure que Déu i l'home eren antagònics. L'Església educava en els valors del conformisme i la resignació retallant d'aquesta manera la llibertat de les persones i la seva capacitat de raciocini. L'educació de l'obrer que el fes lliure i judiciós era imprescindible per aconseguir l'anhelada revolució social.

Va ser una època en què van proliferar les escoles adscrites als ateneus obrers. Per la seva banda, l'anarquista Ferrer i Guàrdia pretenia obrir l'Escola Moderna, en la qual es proposava substituir l'estudi dogmàtic de les ciències naturals per l'estudi raonat. I els republicans, encapçalats per Lerroux, es van abocar a crear escoles a les cases del poble i a les fraternitats, a les quals calia afegir les escoles públiques municipals.

En qualsevol cas, l'educació de la infància i la joventut barcelonines es trobava majoritàriament en mans dels grans ordes religiosos, amb les seves escoles magnífiques i monumentals, que humiliaven aquelles escoles privades ubicades en algun pis d'un edifici, sense instal·lacions ni recursos, i en què un únic mestre impartia classes a una vintena d'alumnes heterogenis, d'edats i coneixements diversos.

Si en Dalmau havia tingut la sort d'estudiar a l'escola de la

Llotja de Barcelona, l'Emma ho havia fet en un ateneu obrer, en el qual li van ensenyar a llegir i a escriure, a comptar i a sumar, a cuinar, a cosir, a brodar i poca cosa més, abans que comencés a treballar, primer a l'escorxador, amb l'oncle, durant poc temps, i després a la fonda d'en Bertran.

Ara, amb les monges del Bon Pastor, en especial amb sor Agnès, no li quedava més opció que reconèixer l'esperit i la dedicació de les religioses per cuidar i ensenyar oficis a aquelles noies, algunes normals, d'altres esgarriades; unes virtuts de les quals ja li havia parlat en Dalmau referint-se als escolapis:

—Cobren a alguns alumnes —li havia explicat—, però això ho fan per poder ensenyar gratuïtament els altres. Hi ha prop de sis-cents estudiants que van als Escolapis gratuïtament, la gran majoria fills d'obrers o treballadors, en qualsevol cas, gent humil que viu aquí, al barri de Sant Antoni o al Raval.

—Però a aquests els ensenyen religió —es va queixar l'Emma.

—Sí, és clar —va respondre ell arronsant les espatlles—. No els ensenyaran a ser anarquistes. Són capellans. Ensenyen religió.

Aquesta era la resposta que li havia donat mossèn Jacint quan en Dalmau li va mostrar la mateixa objecció en les converses que mantenien.

—És clar —va accedir l'Emma.

—Sis-cents nens de famílies humils amb pocs recursos són molts nens, Emma. Els maristes i els salesians també n'acullen amb la mateixa condició —afegí en Dalmau—. No els cobren.

—És clar —va repetir l'Emma. Van callar una estona—. Que ens estem tornant cristians? —va dir fent broma amb una ganyota—. Soc cristiana per la gràcia de Déu —va recitar aleshores amb una seriositat fingida el precepte que sor Agnès li havia ensenyat des del primer dia—. Què vol dir «cristià»? —va continuar elevant la veu—: Home de Crist —va contestar ella mateixa—. Què entens per «home de Crist»? Home que té la fe de Jesucrist, que va professar en el baptisme, i s'ofereix en el seu sant servei.

En Dalmau va etzibar una manotada a l'aire abans d'interrompre-la.

—No. No té res a veure amb això. Però hi ha molts... moltíssims religiosos dedicats a l'ensenyament, a la beneficència i a la sanitat. Ho fan gratuïtament. Pels pobres. S'entreguen a aquesta causa, com ho fa mossèn Jacint. Això se li ha de reconèixer.

—I renegar dels nostres principis proletaris? —l'interrompé ella bruscament—. Els nostres pares van morir defensant aquests ideals! On quedaria la lluita obrera?

Durant els mesos que quedaven de l'any 1901, l'Emma va continuar anant a classes a l'asil de les monges del Bon Pastor. Es llevava abans de l'alba per poder arribar-hi a les sis en punt. La portera li franquejava el pas; ja no l'acompanyava. L'Emma escoltava l'avalot que produïen les internes; de vegades n'havia topat alguna, o les havia vist a les finestres quan s'acostava a l'edifici, però així que hi entrava, sor Agnès, sempre puntual, la portava a una habitació allunyada de sorolls i corredisses per continuar amb el seu procés d'evangelització. Ningú no havia dubtat que fos la germana d'en Dalmau. Tampoc no tenien cap motiu per fer-ho.

—Llegeix —la comminà la monja després de saludar-la i lliurar-li el catecisme.

—Quin és el senyal del cristianisme? —va obeir ella—. La Santa Creu. Les nacions, els regnes i els pobles tenen els seus senyals que els distingeixen. Els cristians som la nació santa, el regne de Jesucrist i el poble de la seva adquisició, i tenim com a distintiu el senyal de la Santa Creu. Aquesta és la gloriosa divisa que des del començament del cristianisme van adoptar els cristians.

—Ho entens? —li va preguntar sor Agnès.

És clar que ho entenia! Però, en canvi, va contestar un sí apocat.

«Repeteix. Repeteix, repeteix, repeteix. Que ho entens? Continua llegint.»

—Per què? Perquè és figura de Crist crucificat, que en ella ens va redimir. Si el poble cristià s'hagués dirigit per la prudència humana, no hauria pres com a distintiu la imatge de Jesucrist crucificat al Calvari, sinó la de Jesucrist glorificat al mont Tabor; però aquest poble que va néixer al peu de la creu i que s'havia d'alimentar dels seus fruits va escollir, guiat d'una prudència divina, aquesta mateixa creu que representant Jesús crucificat li està predicant sempre l'amor immens d'un Déu que mor per salvar-lo.

—Repeteix-ho.

—Repetir, repetir, repetir! Tota l'estona que faig el mateix.

L'Emma va observar que en Dalmau feia una arrufada de nas, com si es compadís d'ella. Percebia que des que s'havia començat a queixar, en Dalmau evitava qualsevol comentari sobre els escolapis. No els lloava, com feia abans, per abocar-se a l'educació dels humils, però tampoc no els criticava, com ella feia amb les monges del Bon Pastor.

Un altre dia, una altra sessió:

—Què vol dir persignar-se? Fer una creu amb el dit índex i l'anular de la mà dreta, des del cap fins als pits i des de l'espatlla esquerra fins a la dreta, invocant la Santíssima Trinitat. En el nom del Pare i del Fill i de l'Esperit Sant, Amén. Després d'haver-nos persignat, fent tres creus sobre aquelles tres parts del nostre cos en què l'ànima exerceix principalment les seves operacions, i armat amb elles per defensar-nos del món, del dimoni i de la carn, ens persignem, fent des del front fins als pits i des de l'espatlla esquerra fins a la dreta, una creu gran que les abraça totes; i així és com si ens acabéssim d'armar per fer les baralles de la nostra salvació sota la protecció de la Santíssima Trinitat, en nom de la qual ens persignem.

—Repeteix-ho.

—És una hora sencera, Josefina. Una hora sencera repetint, aprenent de memòria el catecisme.

La mare d'en Dalmau i la Montserrat havia interromput la costura, però continuava asseguda darrere de la màquina, des d'on agraïa a l'Emma el calvari que patia per la seva filla. L'Emma volia veure la seva amiga, xerrar-hi, encara que fos de política, veure-la, tocar-la, riure. Si era possible, recuperar una amistat que li costava molt cara. El problema era que la Montserrat no apareixia. Continuava amagada amb en Tomàs, en cases d'anarquistes, preparant la revolució. «Ves a saber amb qui conviu! —es queixava aleshores la Josefina—. Ja saps com són els anarquistes. Com em costava controlar en Tomàs.» L'Emma ho sabia: eren bastant promiscus. Defensaven l'amor lliure, el sexe com a exponent de l'instint natural en contraposició a la moral burgesa repressora i a la institució familiar en què la dona ocupava una posició secundària, sempre subjugada, esclavitzada a l'home, asseguraven molts d'ells. La família no és res més que el reflex de l'autoritarisme estatal a un nivell més personal; un petit estat, i com a tal reprovable, amb les seves normes estrictes i la seva moral sexual inhibida. El matrimoni, la monogàmia i la fidelitat, fins i tot la gelosia, només eren instruments repressors de les persones en mans de l'Església i de les autoritats. No feia ni un any, l'estiu anterior, un grupet d'aquests les havien convidat a banyar-se despullades a la platja de la Barceloneta, al capvespre. L'Emma i la Montserrat van discutir la possibilitat. «Jo tinc xicot», va allegar l'Emma. «No l'hi diguis», li aconsellà la seva amiga. Hi van anar, però només a espiar.

—Repeteix amb mi: Quin és el sisè? No faràs accions impures. Què ordena aquest manament? Que siguem nets i casts en pensaments, paraules i obres.

Passejaven per la ronda de Sant Antoni en direcció a la Universitat i en Dalmau li acabava de passar la mà pel darrere, de manera gairebé imperceptible.

—Podríem buscar algun lloc… —li xiuxiuejà a cau d'orella—. Potser a casa del teu oncle.

L'Emma gairebé va deixar anar una riallada quan el va veure aturar-se, girar-se i mirar-la amb els ulls completament oberts després de recitar-li el sisè manament; el tenia fresc en la memòria, aquell mateix matí l'havia repetit una vegada i una altra. No obstant això, no va arribar a riure; se sentia massa aclaparada per la situació.

—Però què et passa ara? —li preguntà en Dalmau, que va intentar abraçar-la.

Ella el va defugir.

—No ens hem de tocar —el va advertir—. Que potser a tu no t'ensenyen els manaments de Déu aquells escolapis? Escolta: la ira es venç retenint el cor. Fàcil, oi? I l'enveja, sufocant-la dins del pit, i aquí de vegades és on ens queda —va sentenciar—. Però la luxúria no es venç així, sinó fugint-ne. —L'Emma va fer un pas enrere per donar més força a les seves paraules—. És tan bruta aquesta passió, que embruta tot el que toca, i perquè no ens embruti, cal que no ens toqui.

—No parles seriosament, oi? —En Dalmau va intentar fer un somriure.

—Del tot.

I el va convidar a continuar passejant, separats, sense que les mans es freguessin.

—Quin final té tota aquesta farsa? —va inquirir ella unes passes més enllà, ja davant de la Universitat de Barcelona, un edifici de façanes i línies sòbries, magnífic per dins segons li havien explicat a ella, format per un cos central i dos laterals, tots dos rematats en torres, i que allotjava la Facultat de Lletres, la de Dret i la de Ciències, a més de l'Escola Superior d'Arquitectura i l'Institut Balmes.

En Dalmau no va saber què contestar. Podien descobrir la impostura de l'Emma o detenir la Montserrat en alguna de les moltes batudes que es feien contra els anarquistes. Ell no podia fer res, però era conscient que, en un cas o l'altre, a més de les conseqüències per a les noies, probablement lleus en el cas de l'Emma per la senzilla suplantació d'una persona, el mestre Manel es venjaria en ell.

—Em batejaran? —va preguntar finalment l'Emma.

—No! —exclamà ell.

—Aleshores?

La resposta va arribar el dia 16 de desembre. Aquell dia, la massa obrera de les principals fàbriques i indústries metal·lúrgiques de Barcelona va declarar la vaga. Foneries de ferro, serrallers, calderers, paletes, courers, llauners i altres oficis relacionats, reclamaven un augment salarial i la reducció d'una hora de la jornada laboral, deixant-la en nou en comptes de deu, per combatre els estralls que causava l'atur i poder contractar, així, un nombre més gran de treballadors.

Els vaguistes es van dividir en piquets de trenta persones aproximadament i es van llançar a recórrer la ciutat per obligar a tancar els díscols. Al cap d'un dia, a primera hora d'un matí tempestuós que anunciava el fred de l'hivern ja proper, la Montserrat es va presentar a la fonda d'en Bertran, que la va veure entrar, la va reconèixer i la va deixar passar, més preocupat pels altres vint-i-nou que assetjaven la porta, cridant consignes i acoquinant la gent.

No va caldre que arribés fins a la cuina; les dones que eren allà van sortir a la sala alertades per l'enrenou. L'Emma es va sorprendre davant de la presència d'una Montserrat molt exaltada. Feia mesos que no veia la seva amiga.

—Vinga, companya! —va animar la Montserrat a l'Emma, amb el puny tancat enlaire, entre les taules—. A la lluita!

Molts dels obrers que eren al local van victorejar la Montserrat. N'hi va haver que es van aixecar bruscament. Plats i copes es van bolcar i van caure a terra. Mitja dotzena dels metal·lúrgics que eren a fora, xops per la pluja, van entrar. En Bertran va suplicar amb la mirada a l'Emma que tragués d'allà la seva amiga. La cridòria de l'interior de la sala va anar augmentant. Un home fort i corpulent va obligar uns quants comensals a aixecar-se de les taules. Un d'ells, el més escarransit però malcarat, s'hi va encarar. La dona d'en Bertran, conscient del perill de la situació, va empènyer l'Emma cap a la seva amiga.

L'Emma va dubtar, però la dona li va pregar sense miraments:

—Ves amb ella o destrossaran el local!

L'escarransit malcarat va sortir disparat per una empenta i va caure amb gran terrabastall sobre una taula. Les rialles es van confondre amb més insults contra capellans i burgesos.

La Montserrat mantenia el puny enlaire, però sense tensió, els ulls mig clucs clavats en l'Emma; no li havia passat inadvertida la seva apatia. Va abaixar el braç.

La dona d'en Bertran la va tornar a empènyer, aquesta vegada amb més força.

L'Emma va fer que no amb el cap en direcció a la seva amiga, separada d'ella per dues taules buides, sense entendre del tot què passava. Aquell mateix matí, abans que toquessin les sis, havia corregut aterrida, amb la ciutat il·luminada intermitentment pels llampecs de la tempesta, cap a l'asil de les monges del Bon Pastor. «Quines virtuts proporcionen els sagraments juntament amb la gràcia? Bàsicament tres, teologals i divines. Quines són? Fe, esperança i caritat.» Era capaç de repetir-ho sense dubtar! Sor Agnès l'hi havia inculcat tot just feia unes hores en una habitació mal il·luminada i freda on l'Emma tremolava perquè tenia la roba xopa enganxada al cos. Tot això ho feia per en Dalmau i la Josefina, però també per la seva amiga, també per ella, i tant que sí!, perquè es pensessin que l'estaven evangelitzant i no la tornessin a tancar. I ara tenia la Montserrat allà, eufòrica, resplendent de vida, que la convidava a apuntar-se a la lluita obrera.

L'Emma encara notava els baixos de les faldilles humits, després d'haver-se eixugat a l'empara del foc de la cuina. Li molestaven. Continuaven fregant-li les cames i recordant-li la correguda que havia hagut de fer fins a l'asil. De què servia tot aquell esforç si després la Montserrat encapçalava els piquets vaguistes? «Fe, esperança i caritat.» Va riure i va fer que no amb el cap.

—No —contestà a la Montserrat.

—T'has aburgesat? —es va burlar l'altra, cosa que va atraure l'expectació dels més propers a elles al menjador.

L'Emma es va assenyalar amb les mans obertes al mateix temps que es mirava amb expressió de menyspreu.

—Vols venir a rentar els plats amb mi? —li va preguntar a tall de resposta—. D'aquí a uns minuts n'hi haurà una pila —va afegir amb un gest que incloïa totes les taules.

—Queda't a fregar! —la menyspreà la Montserrat. Després va tornar a alçar el puny—. Vaga! —va cridar.

Els membres del piquet es van sumar a la crida de la Montserrat i van abandonar tumultuosament el local, i el van deixar en un silenci que es va allargar un instant fins que en Bertran el va tallar:

—Recolliu el que ha caigut a terra! —ordenà a les dones.

La vaga dels metal·lúrgics no va aconseguir doblegar la patronal. Van transcórrer dues setmanes i els carreters, els fusters i els estibadors de carbó del port es van afegir a l'aturada. Els actes violents se succeïen: un patró va rebre a trets el piquet que intentava tancar el seu taller, i hi va haver tres ferits. Els piquets coaccionaven i fins i tot agredien els qui no se sumaven a la convocatòria. A començaments de gener del 1902, la Guàrdia Civil va carregar a cavall contra tres mil obrers, entre els quals moltes dones, reunits en un lloc conegut com la Mina, al costat del riu Besòs. Nombrosos ferits i quaranta detinguts. La filla petita d'un obrer de la metal·lúrgia va morir d'inanició. Els vaguistes no tenien diners per alimentar les seves famílies. El seguici fúnebre va superar les tres mil persones.

A finals de gener, les societats de resistència obrera demanaven a la gent una donació de deu cèntims setmanals per ajudar els vaguistes i els familiars.

La Montserrat, que fins aleshores s'havia abocat en cos i ànima a la lluita, dormint si calia al carrer, vigilant, va començar a tornar a aparèixer per casa de la seva mare. Arribava de nit, a sopar, i després se'n tornava a anar. En Dalmau guanyava un bon sou i a la noia li constava que fins i tot disposava d'estalvis. A casa de la Josefina no hi faltava mai menjar. Primer s'enduia les sobralles per alimentar els companys, però al cap d'uns dies fins i tot s'hi va presentar amb algun d'ells.

En Dalmau intentava no ser en aquells sopars i allargava la feina fins ben entrada la nit. Estava al cas de la insolència que havia tingut la seva germana amb l'Emma, que havia decidit deixar d'anar a l'asil de les monges per ser evangelitzada.

—Que es foti! —va exclamar davant d'en Dalmau referint-se a la Montserrat.

I allò era el que en Dalmau temia que passaria. Mossèn Jacint li va retreure que la seva germana hagués deixat d'anar a catequesi. I el mateix va fer el mestre Manel:

—Vaig donar la meva paraula d'honor al capità general, fill —li advertí—. Si la teva germana no compleix, haurà de tornar al centre penitenciari.

—No li serveix la meva entrega personal? Puc fer molt més, mestre. No en tindria prou? La Montserrat no es troba bé… La presó va ser un mal tràngol i no s'ha recuperat del tot. De vegades… de vegades no vol sortir de casa.

El mestre assentí amb els llavis serrats, no del tot convençut.

De moment, estava sana i estàlvia, va pensar en Dalmau mentre es dirigia a casa seva passada la mitjanit. Semblava que el mestre Manel s'havia empassat les seves excuses, o, com a mínim, les havia acceptat. I si ell no ho denunciava, ni l'exèrcit ni la policia es preocuparien d'anar a detenir la seva germana: problemes més greus es veien obligats a afrontar.

Tan bon punt va obrir la porta de casa seva, l'assaltà el cansament. Li acostumava a passar: ja havia sopat i volia anar-se'n al llit.

En Paco, el porter, li anava a buscar el sopar a una fonda propera, i l'hi pujava al taller, gairebé sempre seguit dels dos marrecs que havien fet de la fàbrica casa seva, per si pescaven res, cosa que sempre passava. Aquella nit, però, va topar la seva mare i la seva germana, que l'esperaven a la primera habitació que trobaves quan obries la porta: la cuina, menjador i sala d'estar.

—És veritat el que la mare m'ha dit? —va inquirir improvisadament la Montserrat, que ni tan sols va saludar el germà.

En Dalmau va esbufegar mentre es treia l'abric.

—Suposo que sí —va contestar seient a la taula on ja eren elles dues—. Si la mare t'ho ha explicat…

—És cert que l'Emma m'ha suplantat davant les monges?

En Dalmau va mirar la Josefina.

—Se m'ha escapat —s'excusà ella—. No podia permetre que continués dubtant dels principis de l'Emma. Era com si l'estigués insultant tota l'estona.

—I no em retracto d'aquests insults, mare! Que em faria cristiana, jo? —va exclamar la Montserrat en el to més despectiu possible.

—No és només això —la interrompé en Dalmau amb un esbufec. Ni tan sols la sorpresa de la trobada i el neguit posterior davant de les paraules de la seva germana havien aconseguit que el seu cos respongués amb força; de fet, que la Montserrat estigués al corrent de tot plegat el va relaxar contundentment—. També jo vaig prometre que em convertiria, i que donaria classes de dibuix amb els capellans, als Escolapis, aquí al costat. —Va assenyalar cap enrere amb el dit polze—. I ho faig. I aguanto els sermons de mossèn Jacint… No és mal home —afegí—, però els aguanto per tu.

—Per mi? —va esclatar la Montserrat—. Tu i l'Emma…, fins i tot la mare!, creieu que ho heu fet per mi? Sotmetre'm al xantatge dels capellans i els burgesos? L'escòria de la societat! Abans m'hauria quedat tancada! Ja t'ho vaig advertir quan m'ho vas proposar a la presó.

En Dalmau la va mirar i no la reconeixia. La ira li encenia la cara; els ulls pretenien traspassar-lo. Tots ells ho havien donat tot per ella, però la seva generositat no era ni tan sols agraïda. La lluita obrera, un odi visceral cap als burgesos i els catòlics encegava la seva germana.

—És possible —sentencià amb gravetat—. Tu em vas demanar que et tragués d'allà dins, te'n recordes?

La Montserrat va fer el gest d'intervenir-hi, però en Dalmau la va aturar posant-li una mà sobre la seva damunt la taula. Aquell gest d'afecte va sorprendre la jove i va permetre continuar a en Dalmau:

—Ho sento, possiblement em vaig equivocar. Segur —va reiterar al mateix temps que s'aixecava i es dirigia cap a la seva cambra—. Bona nit. Ah! —va afegir abans de tancar la porta de la seva habitació—. És probable que et vinguin a detenir una altra vegada. L'Emma ja no va a les monges.

—Doncs que detinguin l'Emma! —va sentir que cridava la Montserrat mentre ell es ficava a la seva habitació sense finestres—. No és ella qui no ha complert? —va udolar, trastornada.

Ni l'una ni l'altra no es van buscar. En Dalmau confessà a l'Emma la discussió que havia tingut amb la seva germana. Buscava en la seva parella la comprensió i l'afecte que li havia negat la Montserrat. Estava convençut d'haver fet el que tocava; la seva germana l'hi havia suplicat amb llàgrimes als ulls, la seva mare l'hi havia exigit i el neguit propi l'hi havia demanat, i l'únic que havia aconseguit havia estat menyspreu.

—Serà desagraïda! —es va queixar l'Emma—. Cada matí que he passat repetint bestieses sobre Déu, la punyetera Verge Maria i tots els sants, i ni tan sols no és capaç de donar les gràcies. I dius que a sobre m'ho retreu?

No obstant això, les dues dones es van trobar.

Les vagues de determinats oficis continuaven, però els del metall no aconseguien les seves reivindicacions. La patronal es mantenia ferma en la seva negativa a cap concessió malgrat les advertències per part d'alguns polítics d'esquerres que allò podia derivar en un bany de sang. La situació es va tornar insostenible i el diumenge 16 de febrer de 1902 es van celebrar a Barcelona més de quaranta mítings solidaris. Només en un, celebrat al Teatre Circ Espanyol, al

Paral·lel, hi van assistir més de tres mil persones i hi havia representades trenta societats obreres.

En totes aquelles reunions els anarquistes van advocar per la vaga general. L'endemà, 17 de febrer, cent mil treballadors van paralitzar Barcelona. Aquell mateix matí es van produir els primers enfrontaments amb la Guàrdia Civil, que van deixar el resultat de diversos morts i ferits. De nou, els piquets formats per dones brandant banderes vermelles van ser els més actius, i van aconseguir el tancament de fàbriques i comerços. Els transports es van aturar, els diaris es van deixar de publicar, l'escorxador va tancar i els vaguistes van impedir l'accés de qualsevol mercaderia a la ciutat. Els militars van assumir tot el comandament, van declarar l'estat de setge, i els soldats van fer seus els carrers armats amb màusers i metralladores. Can Bertran va tancar. I els col·legis. La fàbrica de ceràmica del senyor Manel Bello també, i el mestre i la família, com molts altres burgesos i industrials acabalats, van abandonar Barcelona per refugiar-se a les residències d'estiu al Maresme o a Camprodon. Malgrat el tancament, en Dalmau anava cada dia a la fàbrica. En Paco l'hi obria amb discreció. I, aleshores, dibuixava i pintava, envoltat d'un silenci estremidor i gairebé a les fosques per no cridar l'atenció dels piquets. Dibuixava la seva germana, va fer mil retrats de la Montserrat.

Durant aquells dies, el poble va alçar barricades als carrers amb sacs de sorra, mobles vells, algun carro, llambordes... Al cap de tres dies d'esclatar la vaga, l'Emma s'havia parapetat darrere d'una barricada, aixecada a prop del mercat de Sant Antoni, al costat de centenars de vaguistes; en coneixia molts, del barri, de la fonda, gent que estava farta de les seves condicions laborals. «Burgesos, reflexioneu!», es cridava amb el puny enlaire. Aquesta era la proclama que apareixia als milers de cartells enganxats a les parets de Barcelona.

Plovia i ho feia amb ganes.

El rumor que una unitat de soldats es dirigia cap allà va fer que la gent es dividís: els uns van córrer a reforçar, encara que fos amb la seva presència, la barricada, l'Emma entre ells; els altres es van enretirar fins a una distància que van considerar prudencial des d'on van continuar cridant, tot i que les seves arengues se sentien tenyides per la por. No obstant això, abans que arribessin els soldats ho va fer un piquet de dones anarquistes entre banderes vermelles regalimant, que enarboraven i agitaven amb vigor perquè la tela xopa onegés al vent. L'Emma va localitzar la Montserrat, que encapçalava el grup de llibertàries; se la veia sufocada i alterada, donant ordres, amb la veu rogallosa de tant cridar.

La Montserrat i l'Emma es van trobar darrere de la barricada. Totes dues xopes. La roba enganxada als cossos i els cabells a les cares, i les gotes de la pluja lliscant-los avall.

—Què hi fas aquí? —li va etzibar la Montserrat a la cara—. Estaries millor a l'església resant.

—Si jo no hagués anat a l'església, tu ara no series aquí. Desagraïda.

—No t'haig d'agrair res. No et vaig demanar res, no et dec res. Que no ho entens?

—Que fàcil és dir-ho ara, fora de la presó d'Amàlia. No vas ser tu qui li va demanar al teu germà que et tragués d'allà? No l'hi vas suplicar plorant?

Discutien sense miraments davant del grup de dones que havien acompanyat la Montserrat, que es va veure obligada a reforçar el seu lideratge després de les paraules de l'Emma:

—Vaig entrar a la presó per defensar la mateixa causa per la qual lluitem ara. No vaig estar mai disposada a sortir-ne perquè el meu nom, la meva lluita o els meus ideals s'arrosseguessin de la teva mà o de la del meu germà per un convent, un asil o una església.

Algunes dones van assentir amb murmuris i l'Emma va intentar reconèixer en elles les que les acompanyaven en altres ocasions, però no ho va aconseguir. Totes eren noves, llibertàries aguerrides.

—Em van detenir i empresonar per anarquista —va continuar la Montserrat—. Si hagués mort a la presó ho hauria fet per això, com el meu pare. Orgullosa de les meves conviccions! De la revolució!

Les afirmacions de la Montserrat van arrencar els víctors de les seves companyes. Les banderes vermelles van tornar a onejar. Algú va empènyer l'Emma per allunyar-la del grup, com si fos l'enemic, una renegada que no pogués continuar darrere d'aquella barricada.

La Montserrat la va perseguir amb la mirada i la va assenyalar amb el dit.

—No tenies cap dret a suplantar-me!

L'Emma, ara empesa per més llibertàries, intentava no perdre de vista la Montserrat, espantada davant l'odi i la ràbia que destil·lava la que havia estat la seva millor amiga. I encara ho era, si més no en el cor de l'Emma. Ella l'estimava i no havia tingut mai la intenció de perjudicar-la.

—Ets una traïdora que es doblega i se sotmet als capellans i als burgesos, al capital —va continuar l'altra, sense compassió.

Uns trets van interrompre la diatriba de la Montserrat. Procedien dels terrats, dels franctiradors que havien disposat els vaguistes i que intentaven tocar els soldats que s'apropaven per l'altre extrem del carrer.

—Traïdora! —va tornar a cridar la Montserrat, assenyalant l'Emma.

Els militars van muntar una metralladora davant dels revolucionaris a prou distància perquè les armes velles i obsoletes dels vaguistes no poguessin fer blanc en ells. Un oficial va intimar els rebels perquè desallotgessin la barricada i deixessin lliure el carrer. Les dones anarquistes, ajupides darrere d'aquella palissada tan precària, van enarborar la banderes i les van fer onejar amb passió per damunt dels caps, en clara contestació a les exigències dels soldats.

Un estol de vaguistes que fugia de la barricada i que corria a buscar un lloc segur va arrossegar l'Emma. Ella no volia perdre de vista la Montserrat. Va ensopegar i es va trobar sola al carrer, la majoria de la gent va quedar darrere d'ella, allunyada; les anarquistes amb les banderes vermelles i alguns vaguistes parapetats al davant, i més enllà, els soldats. La Montserrat continuava dreta, d'esquena a la barricada, mirant-la.

L'Emma va obrir els braços, les llàgrimes li lliscaven per les galtes.

Va sonar un altre tret, buit, des d'un dels terrats. Un vell que es resguardava en una porteria va cridar l'atenció a l'Emma i li indicà que corregués a amagar-se amb ell. Dues de les anarquistes, per la seva banda, van instar amb gestos la Montserrat perquè s'ajupís i busqués recer al costat de la barricada. Cap de les dues no va fer cas.

—Germana! —va cridar l'Emma.

—No! —va contestar l'altra, de peu, implacable—. No soc la teva germana!

—T'estimo!

—Amagueu-vos! —va advertir una de les dones.

—A terra! —va cridar l'altra.

Massa tard.

Una ràfega de metralladora va escombrar el carrer. Els trets continuats, que van reverberar a les parets dels edificis, van sonar mil vegades més forts i secs que els dels franctiradors. L'Emma va veure com el cap de la seva amiga se sacsejava violentament cap endavant, com si volgués escapar del cos que el subjectava, mentre la cara li esclatava. Després la Montserrat va caure a terra, inerta, on la seva sang vermella i brillant es va diluir amb els bassals de la pluja.

4

E n Dalmau intentava no separar-se de la seva mare a la vetlla de la Montserrat; tampoc no hauria pogut fer-ho. No volia parlar amb ningú; explicar una altra vegada el que havia passat, tornar a sentir condols, laments i desgràcies, com si el patiment dels altres pogués ser capaç de consolar ni un bri de la pèrdua de la seva germana. El cadàver de la Montserrat era al menjador, de cos present, tot i que la caixa era tancada tant per l'olor que desprenia com per les esquinçades que havia deixat la bala al seu pas per un dels ulls i part del nas. En plena vaga general no havien aconseguit un servei funerari que estigués disposat a dissimular els mals i a maquillar-la perquè la Josefina es pogués acomiadar d'ella. Que irònic!, s'havia repetit en Dalmau.

Allà, a l'interior del pis, també als replans i a la mateixa escala, per molt estreta que fos, fins i tot al carrer, s'hi congregaven en Tomàs i uns quants camarades; la majoria de les dones de les banderes vermelles de la barricada, alguns parents llunyans, veïns, amigues i companyes de la fàbrica. L'ambient era tens: havia corregut la veu entre tots ells que els militars havien matat la Montserrat aprofitant que discutia amb una amiga i que s'havia posat a tret.

«Amb qui?», va preguntar algú. Moltes van xerrar. «Una noia que es diu Emma.» «La xicota del germà.» «És clar que la coneixeu: la seva amiga íntima, la de tota la vida, que eren com germanes.» «Diuen que això va ser l'última cosa que li va dir: "Germana".» «Qui a qui?» Preguntes i respostes, suposicions que van acabar convertint-se en fal·làcies corrien escales amunt i entraven al pis fins a emmudir-se poc abans d'arribar als peus de la Josefina, que, de negre rigorós, seia impertèrrita en una cadira al costat de la caixa que contenia el cadàver de la seva filla i que els seus altres dos fills no li havien permès veure.

«Imprudent!» «Jo vaig empènyer aquella noia perquè se n'anés de la barricada, però ella es va quedar parada al mig del carrer, com si desafiés la Montserrat.» «Jo també la vaig empènyer.» «Allà on era ella no la podien arribar a tocar les bales dels soldats!» «Per allà al darrere diuen que ho va fer expressament.» «Li tenia enveja.» «Qui?» «Aquella noia!» «Filla de puta.»

L'Emma, que havia passat la nit fent la vetlla a casa dels Sala, al costat de la Josefina, en Dalmau i en Tomàs, no va poder entrar-hi quan va tornar d'arreglar-se a casa seva i de posar-se un vestit negre que li havia deixat una veïna per a l'enterrament previst per al matí. Ja no plovia, tot i que el cel gris amenaçava de tornar a descarregar. Barcelona apareixia totalment enfangada, bruta, i els carrers feien més pudor que de costum per la pluja, el claveguerram i els pous negres, que estaven desbordats i l'aigua s'estancava al subsòl.

L'Emma caminava de bracet de la seva cosina Rosa, i totes dues van decidir no donar cap importància als murmuris que sentien quan passaven pel carrer de Bertrellans, on ja hi havia unes quantes persones esperant. Les dues noies es van interrogar amb la mirada. No podia ser, es van dir l'una a l'altra en silenci, segur que ho havien sentit malament... No es podien referir a ella.

—Ens permet? —va haver de demanar la Rosa a una dona que els impedia pujar al segon pis de l'edifici.

A l'escala no hi cabien dues persones de costat; quan es creuaven els veïns, un d'ells havia d'enganxar l'esquena a la paret perquè l'altre pogués passar.

La dona no es va bellugar.

—Perdoni —insistí la Rosa—, hem de pujar. Ens permet?

—No —va remugar la dona.

—És que ella és...

La Rosa va assenyalar l'Emma, que pujava darrere d'ella.

—Ja sabem qui és. La meuca responsable de la mort de la nostra camarada.

Després va escopir en direcció a l'Emma, però l'escopinada va encertar el maluc de la seva cosina.

—Què fa? S'ha tornat...? —va dir l'Emma, atònita.

Dues dones més van treure el cap per davant de la primera abans que l'Emma acabés la pregunta. Totes enfurismades, les cares crispades d'ira. «Fot el camp.» «Ves-te'n.» «No t'hi volem, aquí!» «Assassina!»

Les van escopir, escridassar i insultar. Cada vegada eren més les cares que treien el cap a l'escala. Quan les van intentar agredir, la Rosa va recular, espantada, i totes dues van estar a punt de caure escales avall. Van abandonar l'edifici corrents.

—Fora d'aquí! —van insistir els que s'esperaven al carrer, quan elles ja es pensaven que s'havien salvat de les llibertàries.

—Això que diuen és mentida! —va intentar defensar-se l'Emma, la cara d'un vermell tan encès per la ràbia que sentia com el de les anarquistes que les havien assetjat—. Jo no hauria fet mai mal a la Montserrat. Era la meva amiga.

Si alguns dels que eren al carrer semblaven disposats a escoltar-la, no va passar el mateix amb quatre dones que van aparèixer per la porta disposades a acabar el que s'havia iniciat a l'escala. Sense previ avís, es van abalançar sobre la Rosa i l'Emma i les van començar a apallissar amb cops de mans i peus. No les va ajudar ningú a defensar-se. L'Emma ho va intentar en va, la Rosa també, i van aconseguir tornar-s'hi en algun moment, però quan van veure que sortien més dones de la porteria, van decidir fugir corrent.

L'aldarull produït a les escales i al carrer no es va arribar a sentir al segon pis, on la gent, un cop perduda la circumspecció, xerrava en veu alta mentre esperava el moment de sortir cap al cementiri.

—I ara què fem? —va preguntar la Rosa a la seva cosina.

—No em perdonaria mai que la Josefina hagués de presenciar un conflicte el dia que enterren la seva filla. Val més que ens n'anem.

S'havia passat tota la nit plorant. Patint, preguntant-se una vegada i una altra quina part de culpa tenia ella en la mort de la seva amiga Montserrat. «No hi tenies dret», li havia recriminat. «Traïdora!», l'havia insultat. I l'Emma, amb els ulls oberts i plorosos en el silenci de la nit, intentava excusar-se que ho havia fet per ella, per la Montserrat, però ara tot de dones, llibertàries, lluitadores com ho havia estat la seva amiga, i com ho era ella mateixa, la condemnaven sense miraments. I era veritat que, si ella no hagués estat allà, si no s'hagués quedat plantada al mig del carrer, si no hagués intentat convèncer la Montserrat, aquelles bales no li haurien rebentat el cap. I si no l'hagués suplantat davant de les monges, no haurien discutit mai. No s'hi hauria d'haver ficat. Aquesta afirmació va començar a martellejar-li al cap com si estigués aprenent el catecisme amb les monges: no hi hauria d'haver intervingut.

Però al final, amb un sentiment de culpa tan immens com incontrolable, l'Emma va decidir acomiadar-se de la seva cosina Rosa i de la comitiva d'anarquistes que acompanyaria la Montserrat al cementiri un cop allunyats del carrer de Bertrellans.

—On vas? —li preguntà la Rosa.

Havia de fer una cosa, va contestar ella, per la seva amiga morta. La Rosa va entendre que no li proporcionaria més explicacions i la va deixar marxar en direcció al correccional de les monges del Bon Pastor.

Un cop a la porta, li van dir que sor Agnès estava ocupada fent classe a les internes.

—Doncs vull veure… —va dubtar en el tractament, però no era el moment de barallar-se amb la portera—. A la reverenda mare superiora.

—La reverenda mare superiora té altres compromisos.

—Digui-li que és important, molt important, que porto un missatge urgent del senyor Manel Bello, el de les ceràmiques —l'interrompé l'Emma—, el de les rajoles —va insistir.

—Sí, en aquesta institució tothom sap qui és el senyor Manel. Espera aquí.

—Espero que sigui important —li va dir la mare superiora quan la va rebre en aquell despatx que feia olor de vell, asseguda darrere la taula—. No puc perdre el temps.

—Vinc a apostatar! —va etzibar-li l'Emma.

La religiosa va dissimular la seva sorpresa i va deixar passar uns segons.

—No ho pots fer —va argumentar després.

—És clar que puc! No vull ser cristiana! —L'Emma tenia les galtes enceses—. Soc anarquista! No crec en Déu, ni en la Verge, ni en…

—Filla —va intentar controlar-la la monja davant d'una situació que veia que se li podia escapar de les mans—, no pots apostatar perquè no ets cristiana, no estàs batejada.

El to reposat de la superiora, la raó que li havia proporcionat després que l'Emma recordés aquella paraula que sor Agnès li havia esmentat com un dels seus màxims pecats per a l'Església, «apostatar», la va fer vacil·lar, un segon, i prou. Era el seu discurs!

—No vull tenir res a veure amb vostès —insistí.

—Entesos.

—Vull que estripin el paper on van apuntar les meves dades personals.

—No tenim cap interès a mantenir-lo. El cremarem al foc mentre resem per tu.

—No vull que resin per mi! —exclamà l'Emma.

—Déu ens ensenya…

—Déu no ens ensenya res! Déu no existeix! —va cridar l'Emma a raig amb la pretensió que la sentís tot el correccional—. Déu se l'han inventat vostès, bruixes, per sotmetre totes aquelles dones que tenen allà dins, perquè treballin de franc per a vostès, perquè serveixin les classes benestants i s'aixequin les faldilles i es dobleguin davant dels senyors, perquè no discuteixin ni lluitin contra la misèria…

—La Montserrat ja se n'anava —la va interrompre la superiora, dirigint-se a un grup de monges que s'havien aplegat al costat de la porta del despatx, alertades pels crits. L'Emma va intentar traspassar-la amb els ulls—. Filla —insistí la monja en el tractament afectuós—, o te'n vas ara o et detenim i truquem a la policia. No t'ho passaràs bé. He entès el teu missatge. Vés-te'n amb la pau de Déu.

—Sant tornem-hi amb Déu! —va negar l'Emma amb el cap—. Visca la revolució! —va cridar amb el puny alçat mentre discorria entre les monges—. Aquest és l'enterrament que t'ofereixo. Montserrat, amiga…, germana! —murmurà ja encaminada a la sortida—, el meu particular.

La comitiva va creuar el barri antic i el Raval en direcció al cementiri del sud-oest, el de Montjuïc, carregant un taüt sense crucifix a la tapa. La gent s'enretirava i es treia el barret del cap quan passava; n'hi havia que s'equivocaven… o no, i també es persignaven, un gest que en molts casos recriminaven alguns dels companys del dol. «No era cristiana!», va etzibar un d'ells a una dona. «Reserva't els conjurs per als teus morts!», va cridar una altra a un vell.

En Dalmau caminava darrere del taüt, carregat a les espatlles d'en Tomàs i d'alguns companys, agafant la mare, ara de l'avantbraç, ara de la cintura, per suportar el seu pes; feia la sensació que la Josefina volgués deixar-se caure a terra mentre arrossegava els peus darrere de la seva filla morta. Ell també ho va desitjar: caure allà mateix estès i que el taüt que els precedia fugís de la seva vista, com si així pogués remetre el dolor.

Des que havien sortit de casa, després de la complexa operació de baixar la caixa per les escales, en Dalmau havia buscat l'Emma amb la mirada. No es podia separar de la seva mare. No la va veure. Potser anava al darrere, tot i que no n'entenia la raó. La seva xicota havia de ser allà, al seu costat, com a part de la família. Va preguntar a la seva mare, però ella no li va contestar. Va mirar enrere repetides vegades. Va preguntar a una de les amigues de la seva germana, de la fàbrica, que a mig camí se li va apropar davant la inquietud que mostrava amb aquelles mirades. No hi era, li va comunicar la noia després d'enretirar-se a un costat, deixar passar la comitiva sencera i tornar al capdavant. En Dalmau no va trobar cap motiu que expliqués l'absència de l'Emma, si no era… si no era que li havia passat alguna cosa, una indisposició sobtada. L'havia vist afectada de debò aquella nit en què havien vetllat el cadàver, un cop les autoritats els l'havien lliurat; ni tan sols no havia volgut parlar amb ell. De fet, després de conèixer les circumstàncies en què havia mort la seva germana, només havien intercanviat les paraules imprescindibles per organitzar l'enterrament. L'Emma no parava de plorar, i quan no ho feia, es mantenia en un estat d'introspecció que en Dalmau va voler respectar. Però si s'havia posat malalta… Va prémer els llavis i va brandar amb el cap quan la seva mare va ensopegar i va recordar a qui havia de dedicar l'atenció.

El camí fins al cementiri, a la falda de la muntanya, davant del mar, era llarg. Un cop passades les drassanes, havien de superar una zona d'horts i fer el tomb per una carretera de sorra estreta, entre el mar i el penya-segat —el Morrot, anomenaven aquella zona—, part de la muntanya fins que s'arribava al cementiri. En Dalmau no havia trobat transport per al taüt. Oficialment la vaga ja s'havia acabat; l'aparició de tocadors d'orguenet a l'Eixample es va convertir en l'exemple de la tornada a la normalitat, i a les tonades d'aquells músics de maneta s'hi va afegir la circulació dels tramvies, conduïts i protegits per l'exèrcit, la tornada a la feina dels descarregadors de carbó, l'accés d'aliments a la ciutat i la sortida al carrer dels diaris, l'obsessió del capità general com a símptoma públic de pau social.

Botigues, comerços, fàbriques i indústries es van anar afegint a aquesta tendència. Els treballadors van desistir de la seva postura, perquè no havia deixat de ser això: una actitud, una exhibició de dignitat. No hi va haver cap reivindicació econòmica o laboral du-rant la vaga. Va ser com una festa, i de fet és en el que es va conver-tir el tercer dia, quan els obrers van celebrar el seu triomf amb balls i grans festes. Els de la metal·lúrgia, que havien estat els que havien iniciat la vaga amb les seves demandes, van tornar als seus llocs de treball sense haver obtingut concessions. Una setmana de vaga ge-neral. Les autoritats van elogiar el civisme dels vaguistes! Una set-mana en la qual no es va aconseguir res, tret d'uns quants morts, que segons qui els comptés anaven des d'una dotzena fins a més d'un centenar, a banda de molts ferits i centenars de detinguts.

La vaga va comportar la clausura de les societats obreres i l'estat d'excepció a Barcelona durant més d'un any, així com l'arribada de més tropes i reforços a la policia en previsió de noves aturades; això sí que ho havien demostrat els obrers, la capacitat d'alçar-se en vaga general, potser l'únic que havien aconseguit després d'aquella set-mana de caos. Però si alguna cosa va demostrar realment aquella aturada va ser la separació definitiva del moviment anarquista i la massa obrera; els llibertaris havien fracassat estrepitosament amb una crida que no havia aconseguit res. Els obrers ja no seguirien les consignes dels llibertaris, i encara menys es creurien les seves promeses sobre una societat idíl·lica. No, aquell lideratge en la lluita pels drets del proletariat l'encapçalaven ara els republicans.

El discurs de la decepció i el pessimisme va ser precisament el to que van adoptar les paraules d'en Tomàs abans d'enterrar la seva germana a la fossa comuna del cementiri, a l'espai lliure, separat de la zona destinada als catòlics. En Dalmau va notar al cos les convulsions del plor silenciós de la seva mare; li hauria agradat acompanyar-la en el dolor, però un sentiment més urgent el va dur a ignorar l'arenga dels anarquistes. Fins a quin punt ell era culpable d'aquella mort? Sabia que l'Emma i la Montserrat s'havien discutit a la barricada. L'espetec de les palades de sorra sobre la tapa del taüt li van regirar l'estómac. Va reprimir una arcada. La seva mare el va mirar i ell va mantenir-se ferm. S'havia negat a concedir importància —que el seu germà Tomàs sí que l'hi donava— a la discussió que havien mantingut les dues noies i que va acabar amb un tiroteig que va tocar la Montserrat de ple.

—Insinues que l'Emma va buscar la mort de la Montserrat? —va preguntar en Dalmau al seu germà, tots dos a l'hospital de la Santa Creu, a la porta del dipòsit de cadàvers, esperant que els tornessin el cos de la seva germana.

—El que et dic és que la teva noia va ser una estúpida actuant com ho va fer —va dir en Tomàs.

En Dalmau va obrir les mans en senyal d'impotència. No volia barallar-se amb en Tomàs en moments com aquells.

—Em vas enganyar —va continuar en Tomàs—, com ho vas fer amb la Montserrat, quan vas dir que no calia tota aquella cançoneta de l'evangelització de la nena, i després vas enviar-hi l'Emma…

—T'hauria agradat que la continuessin violant a la presó? —va replicar en Dalmau.

—Qui t'assegurava a tu que no hauria sortit per altres mitjans?! —va arribar a cridar-li just davant del dipòsit—. La gent surt de la presó, Dalmau. No era imprescindible sotmetre's a un pacte amb el diable com el que vas signar tu… en nom de la teva germana.

—La violaven! —insistí ell amb els punys tancats.

—Potser fins i tot hauria sortit abans del que vas aconseguir tu, si el recurs d'en Josep Maria Fuster hagués prosperat. I ho podia haver fet! La presó preventiva no tenia cap sentit. La nena no havia comès cap delicte greu.

—L'havia recorregut? —es va sorprendre en Dalmau.

—Evidentment! Diverses vegades…

—Doncs a mi no me'n va dir res.

—En Josep Maria no vol donar mai esperances a les famílies. Està cansat i dolgut que després, si les coses van mal dades, l'hi retreguin. Vas ser tu qui ens va amagar les teves intencions. Si no ho haguessis fet, potser ella ara encara seria viva.

En Tomàs va insistir, tot i que en aquell moment no li va fer cas. Ara sí. Ara li rosegava la possibilitat que el plantejament del seu germà pogués tenir alguna cosa de certa.

Una altra palada de sorra. I una altra. Dos enterramorts bruts i esdentegats tancaven la tomba mirant de reüll els afligits, sospesant-ne la generositat, les possibilitats de rebre alguna propina. No n'hi va haver.

El comiat del dol va ser un calvari per a la Josefina, que, no obstant això, va aguantar estoicament les encaixades, les condolences, i les consignes i els ànims llibertaris, fins i tot alguna aclamació inoportuna amb el puny tancat al cel en record de la Montserrat. La causa anarquista li havia arrabassat un marit i una filla. Es va assabentar de la mort del seu home, en Tomàs, per les cartes de companys també exiliats, i el va plorar des de la distància, després de jurar al cel el seu compromís amb la lluita obrera, i de cridar a favor de la revolució. Quan la filera de gent ja havia passat per davant d'ella i els seus fills van fer el gest d'emportar-se-la d'allà, la Josefina va alçar el puny al costat del cap, sense superar-lo, i va taral·lejar «La Marsellesa» esforçant-se per aguantar-se dreta davant la fossa on descansava la seva filla, lluitant contra les tremolors que percebia a les cames i als braços, sobretot al que gairebé no aconseguia mantenir alçat. En Dalmau i en Tomàs, i alguns altres que encara no havien encaminat les seves passes cap a la sortida, van guardar silenci; l'emoció eriçava la pell i nuava les goles, incapaces d'afegir-se a l'himne, com si amb la seva intervenció envaïssin la intimitat de mare i filla.

Quan la Josefina va acabar, va deixar caure el braç amb desànim i va assentir en direcció als seus fills. En Dalmau es va negar a deixar que la mare tornés a casa caminant; de fet ell mateix se'n veia incapaç: li fallaven les cames, se sentia cansat, abatut per la mort de la seva germana, que ara, enterrada, se li presentava amb una crueltat que no havia sentit fins aleshores, com un dany irreparable…, un dolor incommensurable que es barrejava amb la inquietud per l'absència de l'Emma. Va proposar que uns quants pugessin a un òmnibus petit, tirat per cavalls, que anava fins a les Rambles. En Tomàs s'hi va negar.

—El carro encara viatja conduït i protegit per l'exèrcit —va al·legar amb menyspreu.

—Millor —va replicar en Dalmau, ja fart de tant recel polític—, no ens costarà diners. Quan el porten els militars és gratuït.

En Bertran havia obert la fonda, però l'Emma no hi era.

—No ho sé —va contestar l'home a les preguntes d'en Dalmau—, em pensava que era amb vosaltres a l'enterrament.

Més tard, no va obtenir cap resposta als crits que va fer al pis de l'oncle. «Emma?», va cridar atansant els llavis a la porta. Silenci. Hi va tornar. No res. On podia ser? En Dalmau era conscient que l'Emma havia passat una nit terrorífica vetllant la seva amiga, sotmesa a un plor i un desconsol constants. «Potser ha buscat la soledat», va pensar mentre tornava a la fonda.

—Si apareix per aquí, faci-m'ho saber amb algun vailet —va demanar a en Bertran.

Tot seguit se'n va anar a la fàbrica de rajoles. Havia deixat la mare asseguda darrere la màquina de cosir.

—Tinc feina —l'havia acomiadat ella.

—No vol que em quedi? —li va preguntar en Dalmau.

—No. Ves a veure què passa amb l'Emma. No et preocupis per mi.

Ell també tenia feina, molta. Barcelona vivia una època molt dura per als obrers i treballadors. L'atur i la pobresa tenallaven gran part de la població. Les institucions de beneficència, la gran majoria en mans de l'Església, no donaven l'abast. Al cap de l'any es repartien milers d'àpats als necessitats, i es recollien i mantenien també milers de persones de qualsevol edat i sexe en asils i cases de caritat. Els estralls que la crisi econòmica causava en la classe treballadora i els desocupats eren funestos.

No obstant això, al costat de tota aquella misèria, s'alçava una classe industrial i burgesa adinerada que pugnava per aparentar, per alçar-se per damunt dels seus adlàters. L'esfondrament de les muralles que encerclaven Barcelona a mitjan segle XIX i que marcaven l'inici de l'espai a partir del qual no es podia construir per raons militars —fins on arribava una bala de canó— va dotar la ciutat d'una immensa superfície verge. L'ordenació de tota aquella àrea la va fer un enginyer militar, Ildefons Cerdà, mitjançant un plantejament amb uns estrictes criteris uniformes —provincià, segons molts arquitectes, intel·lectuals i artistes—, simple i anònim.

Un cop assumit el plantejament de les quadrícules regulars en què Cerdà va dividir l'Eixample, els arquitectes es van rebel·lar: havien de ser els edificis els que destaquessin, els que, de manera monumental, prodigiosa, caracteritzessin aquell nou espai on havien anat a viure els rics. El modernisme, el reflex constructiu del moviment de l'*art nouveau* que es vivia a la totalitat del món occidental, va suposar un nou llenguatge en l'arquitectura de Barcelona.

Aquell any del 1902 hi havia en marxa tres grans projectes a càrrec de dos dels grans arquitectes del modernisme. Domènech i Montaner va assumir el repte de construir el nou Hospital de la Santa Creu i Sant Pau, així com la Casa Lleó Morera, a la mateixa illa del passeig de Gràcia on s'alçava la Casa Amatller, de Puig i Cadafalch, el mateix arquitecte que aquell any iniciava les obres de la Casa Terrades, a la Diagonal, un edifici immens per a tres germanes, que es va acabar rematant amb tres torrasses còniques acabades en punxa. En aquella època, Gaudí, el tercer mestre del modernisme, no treballava a l'Eixample; ho feia al Bellesguard, al Park Güell i a la Sagrada Família.

Però al costat d'aquests tres grans noms hi havia molts altres professionals que també anaven deixant una empremta inesborrable i meravellosa a l'Eixample, que pretenia lluitar contra la vulgaritat a través de l'arquitectura. Vilaseca construïa a la rambla de Catalunya i al carrer de Roger de Llúria; Bassegoda, al carrer de Mallorca; Domènech i Estapé, també a la rambla de Catalunya; el prolífic Sagnier, al carrer de Balmes, a Diputació, a Pau Claris i a la rambla de Catalunya; Romeu, al carrer d'Aribau... I tants d'altres que vivien el modernisme a través d'unes obres que havien de ser el màxim exponent mundial d'un estil màgic.

Tot aquest procés constructiu aportava una càrrega de feina ingent per a la fàbrica de ceràmica del senyor Manel Bello, i en Dalmau Sala, que n'era el primer oficial, era qui s'ocupava de desenvolupar els encàrrecs més importants. La fàbrica havia obert, però el mestre Manel encara no havia tornat del refugi que la família havia buscat a Camprodon.

Intentant allunyar del seu cap l'enterrament del matí, en Dalmau es va posar la bata, va seure i es va inclinar sobre els dibuixos que tenia damunt la taula. Els que mostraven la cara de la Montserrat, els que havia dibuixat durant la vaga general. Els va recollir amb delicadesa, i les llàgrimes que no havien sorgit durant l'enterrament li brollaven ara lliurement dels ulls. Els va enrotllar i els va desar amb molta cura al costat de les altres obres particulars que tenia emmagatzemades al despatx. Va tornar a seure. Va inspirar, es va eixugar les llàgrimes i es va mocar. Va agafar un llapis i va dibuixar sense ganes una figura femenina.

Els havia arribat l'encàrrec d'un arrambador exclusiu en què havien d'aparèixer diverses dones; l'haurien de muntar al tram de l'escala que portava al pis principal d'un edifici en construcció a la rambla de Catalunya. Figures lànguides, estilitzades, vaporoses i transparents que acompanyarien en el seu ascens a qui utilitzés l'escala. Una dona idealitzada, moderna, que trencava amb qualsevol model anterior. «Que diferents de l'Emma... i de la Montserrat!», va pensar en Dalmau. Va traçar una línia, i una altra, i encara una altra. Va començar una altra vegada. No ho va aconseguir. De tant en tant els ulls se li entelaven i la mà li tremolava en ser conscient que no tornaria a veure la seva germana mai més. Quantes vegades li havia fallat! L'hauria d'haver pintat nua tal com ella li havia demanat. Va deixar córrer el record, i la va veure jove i esplendorosa, riallera, alegre. La Montserrat s'hauria agradat, s'hauria delectat del seu cos de dona, però ell no ho havia fet... com tantes altres coses, petiteses aleshores i ara irreparables. Es va esforçar per donar vida a les fades.

Un dels oficials va entrar al taller a buscar carbonets i va donar una ullada als dibuixos.

—Són bons —el va felicitar.

No ho eren, en Dalmau ho sabia: pecaven de mediocritat, eren vulgars.

En Paco li va pujar el dinar. Arròs amb pollastre, que no va tocar fins a mitja tarda, ja fred i grumollós. Tot i així, va beure vi. Va demanar-ne un altre flascó a un dels nens que rondaven per la fàbrica i se'l va acabar. Abans del capvespre, en Bertran li comunicà que l'Emma havia tornat a la feina. Més tard, a la fonda, esperant que l'Emma acabés la jornada, en Dalmau en va prendre uns quants gots més. L'Emma només havia tret el cap per la porta de la cuina abans de tornar a les seves tasques; en Dalmau no hauria estat capaç d'afirmar si l'havia saludat o no.

Per la seva banda, en Bertran li oferia les seves condolences amb una empatia que intentava mitigar servint-li vi al got. Després se n'anava al seu lloc de control i el deixava sol a la seva taula, envoltat d'altres taules ocupades per comensals loquaços que parlaven de la vaga a crits. L'alcohol i la vaga. Els records. Aquella descàrrega de metralladora de la qual els havien parlat. Algú fins i tot va simular l'espetegadissa de les bales en ser disparades. Una tremolor va recórrer el cos d'en Dalmau en pensar que una d'elles havia rebentat la cara de la Montserrat. Això sí que ho havia vist. En Tomàs i ell la van reconèixer al dipòsit, pàl·lida i desfigurada. Va beure i va fer un senyal a en Bertran perquè li'n portés més.

—No has vingut a l'enterrament, què t'ha passat? —etzibà en Dalmau a l'Emma quan va aparèixer a la sala.

La noia es va fixar en el flascó de vi buit.

—Que no ho saps? —va preguntar amb un matís d'incredulitat a la veu.

—No —confessà ell.

Ella va fer una ganyota i va deixar de contestar a unes preguntes que naixien pastoses de la boca d'en Dalmau. Cap dels dos se sentia amb ànims de manyagues ni petons.

—Vens a fer un tomb? —li oferí ell.

L'Emma va arronsar les espatlles; va seguir les passes del noi després d'acomiadar-se d'en Bertran i sortir de l'establiment. Van caminar en silenci, ella embolicada en un mocador negre que la protegia del fred de l'hivern, ell amb l'americana i la gorra de sempre. Amb les mirades perdudes i el cap cot, es van dirigir al Paral·lel, on la gent es barrejava amb els soldats que encara vigilaven que no hi hagués disturbis. Els cafès eren oberts, els venedors ambulants cridaven, i els teatres i els espectacles de varietats tornaven a atraure uns espectadors que durant la setmana s'havien quedat sense diversió.

Van entrar a un cafè bulliciós. No hi havia taules lliures i es van acomodar a la barra entre parroquians que xerraven i bevien. L'Emma va demanar un cafè amb la llet molt molt calenta, i en Dalmau, després d'un moment de dubte, es va inclinar per continuar amb el vi. Semblava que el passeig l'hagués revifat, però s'enganyava. El primer glop d'aquell alcohol disfressat de claret li va caure a l'estómac com una pedra roent i va tornar a emboirar-li la ment i a entorpir-li la parla i els reflexos. L'Emma es va adonar de la seva matusseria, abans fins i tot que es dirigís a ella.

—M'ho penses explicar? —va dir ell—. Et vaig estar buscant després.

En Dalmau va elevar la veu per superar l'enrenou, però ho va fer molt més del necessari. L'home que era al costat de l'Emma, a la barra, es va girar.

—Totes les camarades de la teva germana, fins i tot els veïns que eren al carrer, em van culpar de la seva mort —va dir l'Emma.

Ell va intentar alçar el cap, sorprès, i gairebé es va marejar amb el gest. Va fer un altre glop mentre buscava la resposta. L'Emma es va plantejar si recriminar-li el seu estat o treure'l d'allà, portar-lo a passejar a la fresca, però li reconfortava la tassa de cafè amb la llet bullent que estrenyia amb totes dues mans. No. Si en Dalmau volia beure, era cosa seva.

—No és veritat que la culpa fos teva —va replicar ell, finalment, intentant que l'alcohol no li espatllés la resposta—. Ja ho saps. L'única culpa recau en la meva germana: ella va ser la que va anar a aquella barricada… Nosaltres vam fer el que ens tocava, oi que sí? La vam alliberar i li vam guardar les espatlles. La Montserrat va tenir moltes més opcions a partir d'aquell moment… i va escollir l'equivocada. Per què no m'ho vas dir al funeral en comptes d'anar-te'n? —va preguntar al final, alçant la veu.

Que se n'havien anat, havia dit? Si les havien colpejat, insultat i escopit, les havien fet fora, a ella i a la Rosa. L'Emma va fer que no amb el cap, com si no valgués la pena contestar. Durant una estona, després d'abandonar el correccional de les monges del Bon Pastor, abans que retornés el fibló del retret, s'havia sentit alliberada per haver fet front en nom de la Montserrat a totes aquelles mentides i aquella sonsònia inacabable de dogmes religiosos. No sabia si explicar-ho a en Dalmau, tot i que tenint en compte l'estat etílic en què es trobava, va considerar que era millor no fer-ho. Segur que el senyor Manel, rosegaaltars com era, s'enfurismaria, però a ella no li importava. Ja era hora que en Dalmau abandonés aquell burgès catòlic i reaccionari; segur que la vida li aniria millor per altres rumbs. L'hi explicaria en un altre moment.

—Per què? —En Dalmau la va fer tornar dels seus pensaments.

—Per què, què? —va preguntar ella a la vegada, impacient.

—Per què no em vas dir el que creies sobre els teus sentiments de culpa? Jo…

L'Emma s'ho va repensar un moment.

—Digues el que vulguis, però la culpa hauria sigut meva si l'haguessin tornat a engarjolar per negar-me a anar a les monges. T'ho vaig dir. Però la seva mort també ha estat culpa meva. Si no hagués insistit a parlar amb ella a la barricada, si hagués previst el perill que això comportava… El que és evident és que jo vaig tenir la culpa que els trets la toquessin.

—No!

Aquesta vegada el crit d'en Dalmau no va provocar només que el mateix home de feia una estona es girés, sinó que ho van fer molts més.

—Sí, Dalmau —va afirmar l'Emma, fent cas omís dels curiosos—. Va ser culpa meva.

«També teva», li hauria agradat recriminar-li ella; si en Dalmau no hagués cedit a les exigències del senyor Manel; si ell no li hagués proposat suplantar la Montserrat…

—Vas fer bé —va intentar calmar-la amb la veu pastosa i la mirada tèrbola, fugissera, aliena totalment al dilema que vivia l'Emma en aquell moment—. L'estaven violant. —Aquesta vegada va parlar amb xiuxiuejos, neguitós, intentant evitar que els altres tinguessin constància de la deshonra de la seva germana—. L'estaven violant. Tu la vas veure, la vas netejar…

Després de la tensió d'aquell llarg dia, l'Emma va notar que defallia davant del record de la imatge de la seva amiga despullada, a peu dret a l'habitació, regalimant. Va negar amb el cap, com ho va fer mentre netejava el terra i eixugava els peus de la Montserrat. No, no era només que l'haguessin violat, la qüestió anava més enllà d'això.

—Per què fas que no? —li va preguntar ell després de fer un nou llarg glop de vi.

—No hauríem d'haver intervingut en la vida de la Montserrat.

—Què vols dir? —En Dalmau intentava enfocar la mirada, però el vi li enterbolia la visió.

—Exactament això: que ens n'hauríem hagut de quedar al marge. Ella no ho volia. T'ho va dir…

—La violaven! —va repetir ell, com si no fos capaç de dir res més.

—Ella et va dir que no volia anar-hi, que no estava disposada a sotmetre's a les exigències del teu mestre. Que preferia…

—Morir? —la va interrompre en Dalmau—. Viure com una meuca?

L'Emma va encongir les espatlles i va arrufar els llavis.

—Sí —va decidir replicar amb el rostre de la seva amiga viu en la memòria abans que les bales li rebentessin el cap. Ara ho veia: la decisió, l'entrega, el sacrifici… La lluita! La Montserrat no hauria permès que aquell esperit aburgesat, protector, els arrosseg ués a aquella paròdia—. Preferia morir, sí! —va esclatar l'Emma—. Preferia que la forcessin que no pas que violessin el seu esperit lliure. Preferia…

—Ximpleries! —En Dalmau va estavellar el got de vi a terra i, amb les mans lliures va aferrar l'Emma pels avantbraços i la va sacsejar amb violència. El cafè amb llet va saltar de la tassa i va deixar la noia xopa—. La meva germana no hi tocava!

—Deixa anar la noia! —li ordenà l'home del costat.

A part del cambrer que servia darrere la barra, ja eren uns quants els que s'havien aglutinat al seu voltant.

—La Montserrat sabia prou bé el que feia —va continuar l'Emma, sense compassió ni cap por—. Més que nosaltres.

—Deixa-la anar! —els homes van tornar a exhortar en Dalmau.

—Digue'ls que ens deixin en pau —li va demanar ell, assenyalant els que els envoltaven.

L'Emma es va capbussar en els ulls envermellits d'en Dalmau. Va adonar-se que l'alcohol li silenciava la consciència. «La violaven, la violaven, la violaven», aquesta seria la seva excusa per no anar més enllà.

—Dalmau —li va dir ella amb la veu pausada. Ell la va deixar anar davant del seu to—. Tots dos en som culpables.

—No —s'hi va negar ell—. Si tu vols sentir-te'n responsable, és cosa teva. Jo no. No m'acusis de…! —Va callar davant de la presència de la gent—. No t'atreveixis a culpar-me! —la va amenaçar amb violència, alhora que un parell d'homes de la vora estaven a punt de tirar-se-li al damunt.

—Vas begut. Deixa'm en pau. Ves-te'n. —L'Emma va interrompre la seva intimidació per intentar calmar els ànims dels parroquians que la volien defensar.

—Ben fet, noia! No et perds res —va dir un d'ells.

Algú va riure.

—És un borratxo —va afegir un home ben vestit, que va empènyer en Dalmau cap a la sortida.

—I una merda! —es va regirar ell, intentant agredir l'home amb matusseria.

L'altre ni tan sols no es va molestar a esquivar el cop, que es va quedar curt. Més rialles i befes.

—Dalmau! —va decidir intervenir l'Emma.

—Calla! —En Dalmau, embriagat, va llançar un altre cop de puny, i aquesta vegada sí que la va encertar, però va ser la cara de l'Emma, que s'apropava a ell. Fins i tot borratxo, es va adonar de la transcendència del que acabava de fer i no va poder articular cap paraula.

—No et vull veure més, Dalmau. Oblida't de mi! —va cridar l'Emma, posant-se les mans a la cara.

En Dalmau no va poder replicar. Se li van llançar al damunt, i al segon cop de puny que li van amollar va caure a terra. Van esperar que intentés aixecar-se i el van atonyinar a cops de peu. Després el van obligar a abandonar l'establiment gatejant, entre escopinades, rialles i crits… i les llàgrimes desconsolades de l'Emma.

En Dalmau feia temps que no veia l'Emma. Havia anat a la fonda a disculpar-se pel cop de puny, per haver-se emborratxat, i per haver discutit sobre la responsabilitat en la mort de la seva germana. Havia anat a veure-la perquè l'estimava i la trobava a faltar, però en Bertran no l'hi va permetre.

—No vol saber res de tu —afirmà—. Sempre has estat benvingut en aquesta casa, Dalmau. No em vinguis ara amb problemes.

Va esperar que sortís de la feina, però sempre anava acompanyada. Sabia que de tant en tant anava a xerrar i a fer companyia a la Josefina; i va ser la seva mare qui li va demanar que no la seguís.

—Està molt afectada per la mort de la Montserrat —li va dir la Josefina després d'aixecar-se de la màquina de cosir i creuar fins a la cuina per preparar cafè. En Dalmau va notar cansament en els moviments de la seva mare—. No… no et vol veure. No la molestis, si us plau. Saps que per a mi és com una altra filla. Ja he patit prou, Dalmau. Dona-li temps.

—Però el que va dir… —va començar ell.

—Sé què va dir —el va interrompre la mare—. M'ho ha explicat. Sé què pensa. I sobretot, què sent.

—Em va culpar de la mort de la Montserrat! —La Josefina no va replicar—. Suposo que no hi està d'acord, mare.

—Jo no soc ningú per jutjar, fill, però el sentiment de culpa, com tots els sentiments, és incontrolable, no sap de raons. Ella se sent culpable. El temps li mostrarà unes altres perspectives que avui estan amagades pel dolor. Igualment, ets tu qui ha de sentir-se culpable o no. El que diguin els altres tant és.

En Dalmau ho va intentar una altra vegada, a casa de l'oncle de l'Emma. La seva insistència va acabar topant amb un dels cosins, un que, com el pare, treballava a l'escorxador carregant a les espatlles quarts de bestiar oberts en canal. Ella no el volia veure. Els perquès d'en Dalmau van acabar fent sortir de polleguera el cosí, i va haver de recular dues passes, demanar-li que es calmés i escapar abans no rebés.

Des d'aleshores s'havia abocat a la feina. I no per això va desistir de parlar amb l'Emma. Va buscar la seva cosina, va rondar pels voltants de la fonda, es va apropar a les seves amigues, fins que una tarda va topar de nassos amb ella. La noia el va esquivar. En Dalmau no es va atrevir a aturar-la però li va suplicar uns minuts. «Perdona'm», li va pregar. L'Emma ni tan sols va contestar. La va seguir uns metres amb la mateixa pretensió: aconseguir el seu perdó. No li va treure ni un paraula, ni un sol gest. I des d'aleshores, en Dalmau va anar afluixant i refugiant-se en la feina per trobar-hi la pau que li faltava quan pensava en ella. El que sí que va deixar de fer va ser anar als Escolapis malgrat les súpliques de mossèn Jacint i una mica més de pressió per part del mestre Manel.

—No estic en condicions —es va excusar—, potser més endavant.

—I la catequesi? —es va preocupar el mestre.

En Dalmau no s'ho va pensar.

—La meva germana va ser anarquista i atea des que va néixer. De què li va servir acostar-se a Déu? Va ser precisament llavors que va morir.

El senyor Manel va tenir la temptació de parlar-li de la seva germana, de la Montserrat. Després de tornar a Barcelona un cop finalitzada la vaga, el primer amb què va ensopegar va ser amb una carta de la mare superiora de les monges del Bon Pastor en què li explicava tot el que havia passat amb la Montserrat, ometent reproduir, escrivia la monja, els juraments amb què es va acomiadar la noia. Després una de les minyones de la casa li va notificar la mort a trets darrere d'una barricada. «Quin càstig més gran després de l'insult i la blasfèmia!», va intervenir el mestre Manel alhora que es persignava. Ho va comentar amb mossèn Jacint, que va llegir la carta amb deteniment, i tots dos van decidir no aprofundir en el dolor d'en Dalmau.

—Lamento de tot cor la mort de la teva germana —li va dir el mestre la primera vegada que es van trobar a la fàbrica, quan en Dalmau encara no havia deixat d'anar als Escolapis—. Fes arribar el meu condol a la teva mare i a la família.

I ara era en Dalmau qui posava en dubte la misericòrdia divina. Manel Bello va decidir no discutir. La seva germana ja havia pagat la seva gosadia, i pel que feia a en Dalmau, potser no es convertiria, però l'arrambador de les fades havia estat elogiat per arquitectes i ceramistes, i havia fet créixer la reputació de la seva fàbrica de rajoles. Ja tindria temps d'acostar-lo a l'Església.

En Dalmau va lliurar la feina sense estar-ne gaire convençut. La trobava vulgar, no li transmetia cap sensació especial. A diferència dels dibuixos japonesos, destinats a sèries, l'arrambador era una obra única, de manera que, en comptes d'utilitzar la tècnica de la trepa i de les seves múltiples plantilles de paper encerat, es va fer servir la de l'estergit: un paper amb el dibuix fet per en Dalmau a mida real, perforat en els relleus. Aquest paper es va col·locar damunt de les rajoles i s'hi van escampar pólvores de carbó per sobre perquè el dibuix hi quedés marcat. Després, només calia pintar-les a mà alçada i tornar a posar les peces al forn.

Les rajoles, quan ja estaven en l'última fase de construcció, es van transportar a un edifici de la rambla de Catalunya, un passeig arbrat amb un bulevard central, paral·lel al passeig de Gràcia, que molta gent considerava el carrer més prestigiós de Barcelona. El vestíbul era ampli i d'una alçada que ben bé devia superar els cinc metres, amb unes portalades de ferro forjat i vidre que donaven accés a un pati de carruatges. A partir d'allà, regnava el modernisme que imperava en l'arquitectura de l'època: mosaic a terra i marbre a l'escala que pujava al principal, el pis noble, on vivien els amos de l'edifici. Aquells pisos gairebé sempre estaven dotats d'una tribuna que sobrevolava els carrers just a sobre del portal i que constituïa un mirador privilegiat de l'atrafegada vida ciutadana. A l'arrancada de l'escala, en Dalmau es va fixar en l'escultura de pedra blanca d'una dona de línies senzilles, però no per això menys colpidores, que simbolitzava la volatilitat i donava pas a una magnífica balustrada amb motius florals. Un cop superat el pis principal, l'escala perdia sumptuositat quan arribava als pisos de lloguer, fins a esgotar-la del tot als esgraons de rajola de l'àtic, on vivien els porters. La resta del vestíbul, una exhibició de fustes nobles treballades, en els plafons de les parets, en la cabina del porter, en els cassetonats del sostre; llums de ferro forjat formant filigranes; una gran vidriera de colors que s'alçava entre la caixa de l'escala i el celobert de l'edifici. I entre tot el conjunt, encarat a la balustrada, l'arrambador que havia dissenyat en Dalmau: unes fades etèries que acompanyaven i transportaven el visitant al pis principal. Aquelles dones, de reflexos metàl·lics com a conseqüència de la cocció de les pintures, competien en color i en sensació visual amb tots els altres elements decoratius, alguns dels quals eren obres dels millors mestres en les arts industrials que existien a Barcelona.

En Dalmau es va treure l'americana, es va arremangar i va col·laborar en la col·locació de l'arrambador com si fos un operari més, controlant cada detall, intervenint-hi si calia. Sabia com fer-ho. Després va observar la seva obra un cop instal·lada. Les felicitacions no van aconseguir modificar la seva opinió inicial: els faltava alguna cosa, i segurament no era una qüestió de bellesa ni art, sinó que més aviat li feia la impressió que els seus sentiments, l'atenció, l'amor havien estat sempre allunyats d'aquella obra; que aquella vegada no s'havia produït aquella comunió imprescindible entre creació i artista. La Montserrat, l'Emma, la seva mare fins i tot havien segrestat els seus sentiments i les seves emocions. Això no va impedir que en Dalmau celebrés l'èxit de les fades amb el seu mestre, l'arquitecte, molts professionals més i l'amo de la casa de la rambla de Catalunya que s'estava construint, un industrial relacionat amb la banca, que era el que els pagava a tots, i que també va assumir el compte corresponent al sopar opípar de què van gaudir al restaurant Gran Hotel Continental.

—No portes corbata —li recriminà el senyor Manel donant un cop d'ull a la indumentària d'en Dalmau quan el senyor Jaume Torrado, l'amo de l'edifici, li proposà celebrar l'ocasió al restaurant Continental, un dels preferits de la burgesia barcelonina.

—Seria difícil, mestre —contestà en Dalmau—, la meva camisa no té coll per dur corbata.

—Però sí que portes americana —es va sentir que deia el senyor Jaume al darrere—, suficient perquè ningú no negui l'entrada a l'artífex de l'obra d'art que hem col·locat avui a casa meva. Diuen els grans artistes i arquitectes —afegí posant la mà sobre l'espatlla d'en Dalmau en un gest que a ell li semblà excessiu i una mica incòmode— que el domini del dibuix és la base imprescindible per desenvolupar aquesta mena de feines. Tens dibuixos per ensenyar?

—Sí que en té, sí —va fer el mestre Manel, vantant-se dels dibuixos com si fossin seus.

—Seria interessant veure'ls —manifestà el banquer.

—Quan vostè vulgui —continuà intervenint el senyor Manel en el seu paper de protagonista—. La meva fàbrica i les col·leccions estan a la seva disposició.

Va ser un passeig breu fins a la rambla de Canaletes, on s'ubicava el Gran Hotel Continental fent xamfrà amb la plaça de Catalunya. En Dalmau es va quedar una mica endarrerit del grup i va seguir com per inèrcia aquell animat grup de professionals. Pensava en els dibuixos. I tant que en tenia! Molts! I pintures també. I més d'una vegada s'havia atrevit a treballar trossos d'argila que modelava i feia coure al forn. Totes les peces estaven emmagatzemades al seu taller. El mestre les coneixia i les alabava, i l'animava prometent-li que algun dia exposaria públicament, i es revelaria com l'artista que era i duia a dins. Havia de treballar, l'exhortava: treballar, treballar i treballar. En Dalmau no discutia amb el mestre Manel, però no creia tant en la feina a preu fet, com sovint s'exigia a la fàbrica de ceràmica, sinó en aquelles tasques, per molt dures i complicades que fossin, de vegades simples i senzilles, en què trobava satisfacció.

La vigília, després de comprovar per enèsima vegada l'arrambador que transportarien i instal·larien l'endemà, en Dalmau s'havia tancat al seu taller. Allargava el moment de tornar a casa; no es volia enfrontar al martelleig de la màquina de cosir. Va cridar a en Paco que li anés a buscar alguna menja per sopar. El vell no va contestar, i en lloc seu es va presentar un d'aquells nens que malvivien a la fàbrica.

—Ha hagut de sortir una estona —contestà el minyó a la pregunta d'en Dalmau—. L'ha vingut a buscar la seva germana. Una urgència. Un familiar, em sembla. Estava molt preocupat, l'home.

En Dalmau va observar la cara bruta del marrec, els cabells embullats, encarcarats per la ronya, els ulls apagats, enfonsats. Era menut i escanyolit, com tots els nens mal alimentats del carrer.

—No et moguis d'aquí —li ordenà.

El nen es va quedar quiet. En Dalmau va agafar paper i va començar a dibuixar aquella cara. Va intentar plasmar la seva mirada, la tristesa…, no, potser no era tristesa sinó desencant, desengany, desil·lusió amb la vida, amb el món, amb els homes i amb aquell Déu que el mestre l'obligava a visitar cada diumenge.

Ara, la llum elèctrica del restaurant, ampli, que feia brillar els daurats dels adorns i les pintures de les parets, i que es reflectia en els nombrosos miralls que hi havia al local, va enlluernar en Dalmau i va xocar amb la penombra de la llum de gas amb què havia dibuixat el vailet i en què recreava els seus records. Van seure en una taula llarga; eren més d'una dotzena. Joc de taula de fil, vaixella de porcellana, coberteria de plata, cristalleria fina, cambrers més ben vestits que alguns dels comensals, entre ells en Dalmau, que va acabar assegut a l'extrem oposat de l'espai de la taula on es van acomodar el banquer i el mestre, entre el secretari del senyor Torrado, un home compungit i taciturn, i l'ajudant de l'arquitecte, un estudiant d'arquitectura més gran que en Dalmau, que no s'estava de lloar constantment l'obra del senyor Manel.

En Dalmau es va sentir aclaparat per tot el luxe que l'envoltava, tot i que no tan sorprès com s'havia quedat la nit anterior el minyó a qui havia premiat amb una moneda de deu cèntims després de dibuixar-lo. El nen la va agafar i va fer el tomb a la taula per veure el dibuix d'en Dalmau: uns ulls, només això, uns ulls petits, sense celles ni parpelles… Una línia solitària, corba allà on hi devia haver la barbeta i on acabava, pretenia emmarcar els ulls en un rostre sense gaire definició.

En Dalmau va evitar la conversa que va intentar entaular l'estudiant que tenia assegut a mà dreta, i es va refugiar en la mateixa actitud reservada de qui tenia a l'altre costat. Va mirar el plat que tenia al davant, el tovalló, els coberts de plata, una col·lecció, per què tants?, la cristalleria… La nit anterior el nen havia tancat el puny amb la moneda dins com si tingués por que algú l'hi pogués robar; deu cèntims, un tresor! L'enrenou va esclatar a les orelles d'en Dalmau i el va fer aterrar dels seus records tan aviat com es va servir el primer vi, un Schloss Johannisberg, un blanc alemany que tot just va tastar, amb les conseqüències de l'última borratxera encara vigents, i la cita que havia preparat per aquella mateixa nit aclaparant-lo. *Bisque d'écrevisses à la française*. Una sopa de peix, li va semblar reconèixer a en Dalmau per la flaire del primer plat que es va servir. «Crancs de riu», l'informà el secretari en veure que examinava el contingut de la cullera. Era bona.

«Em tornarà a dibuixar?», li havia preguntat el marrec.

En Dalmau no havia pres mai sopa de crancs de riu. El vailet esperava la resposta amb un somriure a la boca.

«I aquest somriure?», li va preguntar en Dalmau. El menut li va ensenyar el puny on tenia presonera la moneda. En Dalmau s'havia equivocat amb els ulls: ara brillaven. Es va sentir enganyat. Havia enraonat i havia fet broma amb aquell marrec moltes vegades; es deia Pere, si no ho recordava malament… o Maurici? No els diferenciava. «No, no crec que et torni a dibuixar», li va contestar.

El vailet va esborrar el somriure i va fer espetegar la llengua, queixós de la seva sort.

«Vostè el que vol són nens que no riguin per dibuixar-los?», li va preguntar de sobte.

Després de la sopa va venir un *saumon du Rhin* i en Dalmau es va atrevir a beure una mica més de vi blanc. Quan va arribar el moment de fer servir els coberts, va imitar el secretari. La situació política; la vaga general; el descontentament dels obrers; la crisi econòmica; l'ascens dels republicans i la desafecció dels anarquistes, aquells eren els temes de conversa a la taula quan van donar pas al tercer plat: *filet de boeuf à la Richelieu*. Vedella rostida amb vi, porc i tomàquet, tot acompanyat de llegums i verdures, i de vi negre, també francès, Château d'Yquem; els burgesos rics de Barcelona no bevien vins espanyols. «Nens que no reien.» Era allò el que volia?, es va preguntar amb la copa de bordeus a la mà. Li havia contestat que sí. Potser necessitava persones tristes com ell, que compartissin aquelles emocions que ara li esclafaven l'ànim; el món de les fades i de les dones subtils i gràcils feria els seus sentiments.

«Conec molts trinxeraires», li havia proposat el vailet. En Dalmau va fer que sí amb el cap. «Però a mi també em pagarà algun cèntim, oi?» En Dalmau va tornar a assentir.

Més tard, quan el nen va sortir del taller, en Dalmau va estripar el dibuix dels ulls.

De postres, pinya o pastissos que es podien escollir d'un carro daurat que els cambrers van atansar a la taula. Ell en va triar un de xocolata. Xampany Moët et Chandon, vins dolços i licors per a qui en va voler, i cigars havans. En Dalmau en va agafar un i se'l va guardar a la butxaca de l'americana perquè no fumava. També va tastar el xampany i va sentir com li esclataven les bombolles a la boca i contra el paladar. Era una sensació nova, massa fresca, massa múrria per al seu esperit, que va esborrar del tot la imatge d'aquell nen d'ulls tristos que tant l'havia commogut, i que, a estones, li havia sobrevingut al llarg de tota la vetllada.

Vint-i-set pessetes per cobert. El preu del sopar li va rondar al cap durant tot el trajecte des del Continental fins a la fàbrica. Ja s'havia fet de nit i el passeig de Gràcia apareixia il·luminat. Sol durant el dia, llum a la nit, com si es tractés d'un món diferent, d'una ciutat diferent de la que s'estenia més avall de la plaça de Catalunya, bruta, pudent, humida i fosca, sempre fosca. Amb tot, aquella ciutat fosca era la que havia acollit un bon grapat de comensals amb ganes de gresca, ja fos en una taverna on les dones cantessin i ballessin al voltant d'un piano, o directament a un bordell. En Dalmau es va excusar quan algú del grup el convidà a acompanyar-los.

Vint-i-set pessetes. L'hi havia retret el secretari del banquer després d'atendre el seu senyor per pagar el compte. Després d'indicar-li que el que hi havia a la sopa eren crancs i d'algun monosíl·lab aïllat com a resposta de les altres preguntes que li havien fet, allò de les vint-i-set pessetes va ser l'única cosa que va dir aquell home, i ho va fer amb rancor, com si en Dalmau i l'estudiant d'arquitectura, que eren els que l'escoltaven, no tinguessin dret a un dispendi semblant. «Ho arribo a saber —es va burlar l'estudiant— i torno algun plat.» Després va esclafir a riure esperant que en Dalmau s'afegís a la broma, però no ho va fer. Es va limitar a fer una ganyota. Que no era veritat?, va tenir temptacions de replicar. Vint-i-set pessetes representaven nou dies de feina d'un peó. Les més de tres-centes pessetes que li havia costat el convit al banquer sumaven una cinquena part del que el mestre li havia deixat en préstec per lliurar-se d'anar a l'exèrcit. Dotze anys de la seva vida valien cinc vegades el que costava el sopar; no, realment no tenia dret…, però que bo que era tot!

Les pessetes, el record d'aquelles aromes i aquells sabors exquisits i l'Emma, a qui li hauria agradat explicar-li aquell sopar, el van acompanyar al llarg de tot el camí. Ella, que servia menjar a la gent i que s'estimava més la feina de la cuina abans que el tragí de la sala, l'hauria escoltat embadalida, interrompent-lo, preguntant amb interès de tant en tant. «Sopa de cranc de riu! Xampany francès! Dius que pica?», li hauria preguntat. Se li va encongir el cor només de pensar que ja no la tenia al costat. Encara no es podia creure el que havia passat. La situació havia estat dramàtica: la detenció de la Montserrat, les monges, la seva mort; tot allò els havia portat a una tensió insuportable. Però aquella nit se sentia optimista: només calia esperar un temps i hi tornaria a insistir. En Dalmau va somriure, i l'angoixa que li havia oprimit el pit es va esvair davant de la visió de l'Emma i ell passejant agafats de la mà.

Eren quatre vailets. Els va trobar esperant al costat del reixat d'entrada a la fàbrica de rajoles: els dos de la casa i una altra parella. En Paco no els havia deixat entrar, li havien dit. No li va estranyar. Ell tampoc no els ho hauria permès. Els nous: un nen… i una nena? No els distingia.

—Els deixarà passar, Dalmau? —va sentir que li preguntava el vigilant, que acabava d'aparèixer a l'altre costat del reixat.

—Sí —va afirmar després de dubtar un instant.

—Però ja coneix les regles…

—Jo me'n faig responsable, Paco —va afirmar ell.

—Si no li fa res, l'acompanyaré.

—Només en vull un al meu taller. No vull que els altres m'em-prenyin. Distregui'ls vostè per aquí.

Van creuar el pati gran on se situaven les basses i els eixugadors i van arribar als magatzems, la zona on es refugiava en Paco. Dos llums d'oli van permetre a en Dalmau examinar els trinxeraires: esparracats, menuts i desnerits. Un dels nous era una nena, sí. Delfí i Maravilles, els va presentar en Pere o en Maurici. Eren germans, li van dir. En Dalmau va intentar calcular l'edat, però no ho va a acon-seguir. Deu, dotze... vuit?

—Maravilles? —En Dalmau va assenyalar la nena—. Vindràs amb mi a dalt. Els altres...

—Què li farà? —va cridar el germà.

—Només la vol dibuixar, ja t'ho he dit —va dir un dels nois de la casa.

—Sí, només faré això —va ratificar en Dalmau—: dibuixar-la. No et preocupis que no li passarà res...

—No la despullarà, oi? Perquè si no...

—No. I és clar que no! —va respondre en Dalmau, ofès.

—Perquè, si no, ha de pagar molts més diners —va acabar el germà la frase interrompuda.

—Cabró!

El trinxeraire va saltar amb una agilitat sorprenent per esquivar el garrot amb què el vigilant pretenia castigar-lo.

La nena va seguir en Dalmau fins al pis superior.

—Si et fa alguna cosa, tu crida! —l'instà en Delfí, a una distàn-cia prudencial del garrot que en Paco continuava brandant.

En Dalmau va augmentar la llum de gas del seu despatx i va fer lloc perquè la noia pogués posar per a ell. Els ulls de la captaire sal-taven d'un objecte a l'altre: els llapis, els pinzells, els quadres, les ra-joles. La seva mirada s'aturava un segon escàs en cadascun d'ells, com si calculés el seu valor i les possibilitats que tenia de robar-los.

—Posa't allà —li assenyalà en Dalmau, triant el lloc en què la llum era més intensa.

La Maravilles va obeir sense deixar de mirar a tot arreu menys a en Dalmau, que, al contrari de la nena, tenia la vista clavada en ella. Li hauria agradat dir que tenia una cara si més no agradable, però no era així. Era tan prima que se li marcaven els ossos, i els ulls se li enfonsaven en unes conques morades; neguitosos com estaven, en Dalmau no va poder arribar a veure'ls clarament. La crosta d'una ferida relativament grossa es barrejava amb el naixement dels cabells a prop de la templa, uns cabells tallats de qualsevol manera. En Dalmau va respirar fondo i, per un instant, va atraure l'atenció de la Maravilles. Estava bruta. Feia pudor. Vestia amb parracs, molts, els uns sobre els altres, de diverses tonalitats, totes fosques. Els peus els portava recoberts d'esquinçalls de tela embolicats com si fossin unes sabates. Li havia de parlar? Potser era millor dibuixar-la sense conèixer-la, però, no obstant això, la curiositat el va vèncer.

—Quants anys tens?

Ella va contestar sense mirar-lo:

—En Delfí diu que nou, però... —La noia va arronsar les espatlles—. De vegades diu vuit, o deu. És burro.

Assegut davant del cavallet, en Dalmau ja començava a fer el primer esbós sobre una làmina de paper generosa, de prop d'un metre d'alçada per mig d'amplada. Dibuixava al carbonet, amb pastels de colors ja preparats.

—I els teus pares, quina edat diuen...?

Abans que l'altra li clavés la mirada per primera vegada, en Dalmau es va adonar de l'error d'una pregunta feta sense pensar, en un intent per trencar la tensió creada pel recel de la nena.

—Pares? —va replicar ella amb una ironia carregada de tristor.

En Dalmau li va veure els ulls: grossos i foscos en unes còrnies macilentes, solcades aquí i allà per venetes vermelles.

—Que no tens un germà?

—Això diu ell.

En Dalmau, submergit en la seva tasca, va assentir amb el cap i un escarit murmuri.

—Intenta no bellugar-te tant —li pregà.

Li hauria agradat continuar, però al cap d'un parell d'hores i malgrat haver fet nombrosos descansos, la Maravilles havia degenerat en una model nerviosa, frenètica, incontrolable.

Tots els trinxeraires amb els quals va tractar en Dalmau s'assemblaven entre ells: prims, demacrats, recelosos i desconfiats, espontanis i impulsius. Desmemoriats i molt poc intel·ligents, algun d'ells clarament totxos, mandrosos, però, sobretot, egoistes, molt egoistes.

La Maravilles, que va haver de tornar uns quants dies més a l'estudi fins que en Dalmau va posar fi al seu retrat, compartia aquelles característiques, tot i que, potser pel fet de ser dona, potser per tenir-ho encara més difícil que els homes en aquell món de misèria i delinqüència on es movien, comptava amb una intel·ligència desperta que anava molt més enllà dels esporàdics moments de lucidesa dels seus companys d'aventures.

Per això, ja la mateixa primera nit, la Maravilles va desplaçar en Pedro en la seva feina de captar trinxeraires perquè en Dalmau els pintés. En Paco li va explicar després que els quatre nanos havien discutit i que van estar a punt d'estomacar-se fins que la noia va posar fi a la baralla.

—Si arribo a saber que vas dient que busques gent —li advertí a en Pere—, els diré a tots que ens estàs enganyant. —La discussió es va aturar—. I em creuran —va afirmar ella—, ja t'ho asseguro. Tu vius aquí molt calentonet i tranquil, però jo he mamat la merda de tots aquests carrers fastigosos. Saps què fem als que ens enganyen com tu?

En Pere no va dedicar gaire temps a sospesar l'amenaça.

—Molt bé —va cedir—, però ens hauràs de donar una part dels diners.

La nena va esclafir a riure.

—Els diners són meus —va sentenciar.

Ni tan sols el seu germà s'hi va oposar.

Així doncs, va ser la Maravilles qui va presentar a en Dalmau els següents trinxeraires destinats a completar la sèrie de deu retrats que s'havia fixat com a objectiu. El mestre Manel se'n va assabentar i es va plantar, enfurismat, al seu despatx. En Dalmau, després d'assegurar-li que no afectava la seva feina diària, és més, que considerava que el beneficiava perquè li concedia un equilibri i una serenor que no sentia des de la mort de la seva germana —va optar per ometre el tema de la separació de l'Emma per evitar preguntes incòmodes—, li va mostrar el dibuix al carbonet i pastel de la Maravilles.

El senyor Manel va contemplar una bona estona l'obra i, finalment, va assentir amb el cap. Va arrufar la boca entre les grans patilles que confluïen en les puntes del bigoti i va tornar a assentir.

—Li has pres l'ànima a la nena i has sabut pintar-la amb un estil magistral —va afirmar.

Amb el consentiment del senyor Manel, en Dalmau va continuar dibuixant els trinxeraires. Tots van ser com la Maravilles: inconstants, un feix de nervis… o abatuts. Va haver de deixar-ne alguns per inútils després de la primera sessió o al cap d'un parell. Els uns cridaven i saltironejaven, els altres senzillament s'adormien. N'hi va haver que pretenien barallar-se amb en Dalmau; la Maravilles va saltar en la seva defensa, i també els que van intentar robar —el que fos, des d'un senzill esbós, un dibuix, fins a alguna de les bates desades als penjadors, o fins i tot una figureta de fang o una rajola brillant; algun d'ells va aconseguir una peça i va sortir corrent sense ni tan sols esperar la propina per haver posat per a l'artista.

Després molts tornaven, a la nit, i s'amuntegaven al reixat de la fàbrica. En Dalmau els contemplava amb el cor trencat. Hi havia els lladregots. Tornaven! També el que se li havia llançat al damunt, i el que s'havia adormit a terra. I els pertorbats, com si no es recordessin de l'escàndol que havien creat feia un dia, una setmana o un mes. I els amics de tota la colla. Un exèrcit de canalla desnonada a la recerca d'algun rosegó de pa, uns cèntims o un racó a prop dels forns per dormir a recer de la seva escalfor.

Durant uns quants mesos, a les nits, quan acabava la feina amb les rajoles i la ceràmica, en Dalmau va anar robant les ànimes d'aquella mainada expulsada de la humanitat, amb què donava vida a uns fulls de paper que cridaven el seu dolor, les angoixes, la desesperança…, la seva misèria.

Al cap de dos retrats, el mestre Manel va anar diàriament al despatx d'en Dalmau per contemplar el desenvolupament d'aquells dibuixos en negre, amb uns quants, molt pocs, traços pintats en pastel, en composicions que, malgrat certa ambigüitat, indefectiblement submergien els sentiments de l'espectador en l'immens pou de tristesa en què l'artista convivia amb els seus models.

—Es fa difícil sortir d'un forat tan profund —li reconegué el mestre una vegada, bocabadat mentre recuperava la respiració, com si efectivament s'hagués enfonsat en aquell pou.

«Una meravella.» «Fantàstic.» «Una obra d'art.» Un retrat darrere l'altre, els afalacs es multiplicaven a la boca del mestre Manel.

—Farem una exposició; la teva primera exposició pública —va donar per fet un dia, incloent-se ell mateix en el projecte—, al Cercle Artístic de Sant Lluc.

Després n'hi va demanar un parell per ensenyar-los a la institució i així anar aplanant el camí.

El Cercle Artístic de Sant Lluc, als membres del qual anomenaven «els Llucs», havia nascut a Barcelona com un moviment escindit del Cercle Artístic de Barcelona. Els Llucs no estaven d'acord amb l'esperit bohemi que havien portat des de París pintors del prestigi de Ramon Casas o Santiago Rusiñol. Una visió hedonista i irreverent de la vida, molt allunyada de l'esperit catalanista, conservador i catòlic que imperava en la mentalitat dels Llucs.

En Dalmau admirava Casas i Rusiñol, màxims exponents de l'avantguardisme i per tant del modernisme català en la pintura, però no per això prescindia dels artistes i sobretot dels arquitectes que estaven adscrits al cercle dels Llucs, aquell que, a través dels seus propis estatuts fundacionals, vetava el nu femení en les obres dels seus socis: Bassegoda, Sagnier, Puig i Cadafalch i Gaudí, l'arquitecte que infonia moviment a les pedres. Com no es podia considerar modernista Gaudí?

—La diferència —li havia comentat mossèn Jacint en una de les converses que havien mantingut als Escolapis—, és que els Llucs no són radicals com aquests descreguts admiradors del desordre i la llibertat parisenca.

—Aleshores, mossèn —va replicar en Dalmau amb cert vigor—, segons vostè, la Sagrada Família o la Casa Calvet de Gaudí no són avantguardistes i revolucionàries? Els edificis de Puig i Cadafalch o de Domènech i Montaner no són modernistes, encara que no siguin bohemis sinó persones d'ordre?

—El veritable modernisme —va intervenir finalment l'escolapi— es troba en la pietat, en la religiositat amb què els Llucs afronten l'art, no en l'esperit d'aquells que es fan dir modernistes senzillament per renegar de la seva història i els seus costums, i adoptar com a vàlid tot allò que és nou, allò desconegut, sovint sense plantejar-s'ho.

En Dalmau va callar, no tenia ganes de discutir aquella visió gairebé mística de l'art amb algú amb qui dia a dia simpatitzava cada vegada més.

En qualsevol cas, els companys del mestre al Cercle van acceptar amb entusiasme la proposta d'exposar els retrats d'en Dalmau. Es tractava de la visió suggeridora, segons va qualificar un d'ells quan es van mostrar els dibuixos a la Junta del Cercle, de la misèria d'una Barcelona que, d'altra banda, vivia instal·lada en la banalitat i els plaers. Aquella exposició podia remoure algunes consciències.

—Hauries de tornar amb mossèn Jacint —va aprofitar el mestre per insistir després de donar-li la bona notícia—. La teva carrera pot dependre molt d'això. Al Cercle he dit que estaves en procés d'evangelització; si no hagués estat així, dubto que haguessin consentit l'exposició d'un ateu.

En Dalmau es va desempallegar del mestre amb un remuc que sonava a confirmació, però no tenia cap intenció de reiniciar la seva evangelització. Durant els últims mesos la seva vida girava entorn de la feina a la fàbrica de rajoles i als dibuixos que feia a les nits, sempre acompanyat de la Maravillas i el trinxeraire que hagués escollit per a l'ocasió.

Veia poc la seva mare. Arribava de matinada, quan la dona dormia. Després, quan es llevava, intentaven enraonar durant l'esmorzar, però la cadira buida que abans ocupava la Montserrat els silenciava. Va saber que l'Emma la continuava visitant assíduament, potser amb la intenció de substituir la filla perduda. No havia deixat de pensar en l'Emma ni un sol dia, de repassar mentalment la plantofada, la borratxera, el menyspreu i la humiliació, les violentes advertències del cosí... Havia intentat veure-la i desitjava tornar a fer-ho. Percebia que els seus sentiments per ella es refredaven, tot i que de sobte, les fiblades tornaven a revifar el record de la noia. En aquells moments preguntava per ella a la seva mare, que acostumava a defugir parlar-ne. «S'ha de deixar passar el temps», sentenciava la Josefina abans de donar per acabada la conversa i reposar el peu contra el pedal de la màquina de cosir. En Dalmau no sabia mai si ho feia pel record dolorós de la Montserrat o per la seva situació amb l'Emma.

De vegades, als matins, creuava el Raval per passar a la vora de Can Bertran. La multitud de carreters que traginaven al voltant del mercat de Sant Antoni, els carros parats davant de les indústries, els cavalls, els venedors ambulants, els treballadors, els desocupats, els captaires i els trinxeraires que es bellugaven d'una banda a l'altra, la bullícia d'una ciutat viva, semblava que li proporcionessin certa protecció, tot i que insuficient a parer d'en Dalmau, que sempre s'acabava apostant a una distància prudencial de la fonda. De tant en tant, veia l'Emma, sempre atrafegada. En Dalmau tenia dubtes: algun cop s'havia dirigit a la fonda, però al final acabava retrocedint. No s'hi va arribar a acostar mai del tot, perquè quan estava a punt de fer-ho li venien al cap el clatellot i el despectiu «Oblida'm!» amb què ella se n'havia acomiadat. «Imbècil!», va remugar en ple carrer, sense pensar que algú podia sentir-se al·ludit. Va mirar al seu voltant. No, tot i que dos homes continuaven caminant negant amb el cap. Com es penedia ara del comportament que havia tingut! Potser era l'Emma qui no havia oblidat. La mare no li havia dit mai si ella mostrava un mínim interès per ell. Potser es continuava sentint responsable de la mort de la Montserrat i també el culpava a ell. Potser era massa d'hora, potser la seva mare tenia raó i el millor era deixar passar el temps…

Alguna vegada, quan en Dalmau enfilava el camí de la fàbrica, una parella de trinxeraires, un nen i una nena, sortia del seu cau i rondava per la zona.

—Qui era? —va preguntar ella un dia.

—Aquella, l'alta, la guapa, la del vestit de flors i el davantal blanc —va contestar ell, el seu germà.

—N'estàs segur?

—Segur. Així que la veu, corre a ficar-se al portal. No te n'has adonat? —va preguntar en Delfí.

La Maravilles sí que se n'havia adonat, però ho volia sentir en boca del seu germà, assegurar-se'n.

—Si fins i tot tremola —va insistir ell—. Treu una mica el cap quan ella és al pati, i així que la dona entra a la casa, surt de l'amagatall. Si es veu d'una hora lluny! Som-hi —l'exhortà el noi.

I, pràcticament com cada dia, van córrer darrere d'en Dalmau per trobar-se'l com qui no vol la cosa més amunt del barri de Sant Antoni.

—Que em seguiu? —els va preguntar els primers dies.

—Sí —contestava la Maravilles.

I en Dalmau sempre els comprava alguna cosa de menjar en alguna de les parades dels molts venedors ambulants que rondaven la ciutat amb els seus carros i crits.

Un dia, en comptes de sortir a perseguir en Dalmau, la Maravilles va anar fins al pati del darrere de la fonda.

—Una mica de pa, bona dona —va pregar a l'Emma allargant la mà per damunt del muret que tancava l'espai.

—Si vols pa —li contestà l'Emma sense deixar de feinejar—, vine quan hagi passat l'hora de dinar i ajuda'm a rentar els plats, i aleshores te'n donaré.

—Tinc gana —insistí la nena amb una descaradura impròpia de qui demanava almoina.

Aquesta vegada l'Emma sí que la va mirar. La Maravilles va aguantar-li la mirada i també l'examinà. Realment era guapa, bonica i polida. I jove i sana. Una sacsejada d'enveja va tenallar la trinxeraire. Ella tenia uns pits diminuts que es confonien amb les costelles, que li sobresortien; era escassa de cul i tenia el ventre enfonsat… No tenia cap de les corbes sensuals d'aquella dona. Quant de temps feia que no veia la seva cara reflectida en un mirall? No sabia ni tan sols si era guapa. En Delfí li deia que no, que era lletja com un d'aquells peixos xatos que de vegades veien a les peixateries, però que allò al carrer no comptava. I era veritat, allà només valia l'audàcia, la rapidesa, la decisió, l'enginy… La bellesa en una noia només servia perquè s'hi fixessin els altres i la violessin o la prostituïssin, o totes dues coses.

—Podràs aguantar fins al migdia —va repetir l'Emma, traient la Maravilles dels seus pensaments.

—Només un rosegó —va intentar ella.

—Al migdia.

—Si us plau.

—Que no m'has sentit? —va contestar l'Emma, que començava a impacientar-se—. Al migdia.

Al migdia era quan en Dalmau anava a dinar a casa del mestre. Des que s'havia posat en marxa l'exposició dels dibuixos dels trinxeraires, l'hi convidava sovint. Ja tant hi feia la corbata. Menjava a la taula gran, amb la família i mossèn Jacint els dies que el mateix religiós es convidava, que eren molts; de vegades, fins i tot feia la migdiada alhora que el mossèn, en una saleta a part, fosca, mentre el senyor Manel es retirava a fer-la a la seva habitació. De tant en tant compartia taula amb altres comensals: familiars o amics del matrimoni, però eren escasses aquestes cites. La senyora Cèlia ni li dirigia la paraula ni ocultava la seva animadversió. L'Úrsula, la filla gran, va intentar tornar a practicar aquell sexe ingenu i reprimit de la primera vegada, per això va buscar l'excusa d'ensenyar a en Dalmau a utilitzar els coberts i se'l va tornar a emportar al traster. No el va deixar ni parlar; s'hi va abalançar i el besà, li agafà les mans i les dirigí un cop més cap als pits i a l'entrecuix, sempre per sobre de la roba. Després va buscar el seu penis, i allà, mentre la noia s'aferrava al membre erecte d'en Dalmau, gaudint del plaer prohibit, ell va desplaçar la mà que tenia sobre el pit, la va lliscar ràpidament a través de l'escot i va extreure a l'aire un dels pits.

—Què fas?! —va arribar a cridar l'Úrsula apartant-se d'ell amb brusquedat alhora que lluitava per tornar a ficar el pit entre la roba—. Què t'has cregut?

En aquell moment, en Dalmau va fer el gest de pessigar-li l'entrecuix i la noia va fer un salt enrere. Va xocar contra una escombra i una galleda, que van rodolar amb gran terrabastall.

—La meva germana és morta —li va recordar en Dalmau quan ella, atordida i sufocada, obria la porta per escapar del traster—, ja no em pots fer xantatge.

—No em subestimis, terrissaire de mer… —L'Úrsula va reprimir a temps l'insult—. Te'n recordaràs de mi —l'amenaçà abans de tancar amb un cop de porta.

Com a mínim, respecte de l'exposició dels dibuixos d'en Dalmau al Cercle Artístic de Sant Lluc, l'amenaça no va tenir efectes, ja que es va celebrar a la seu social de la institució al carrer de Boters, i va ser tot un èxit. Mossèn Jacint va concedir, amb la seva presència, certa credibilitat a la promesa del mestre Manel sobre el procés d'evangelització d'aquell nou pintor, que va rebre felicitacions, preguntes i persecucions per part dels Llucs, els familiars i el nombrós públic que havia estat convidat a la inauguració. La presentació va anar a càrrec del senyor Manel, a qui acompanyaven dos membres del cercle. En Dalmau no volia parlar en públic i havia demanat al mestre que ho fes per ell. «Em poso molt nerviós —li confessà—. Em tremola la veu i les paraules em queden atrapades a la gola.» «No ets polític», li va dir el mestre, que li va estalviar aquella responsabilitat però no la de passejar-se entre els assistents després del discurs. Homes respectables amb bigoti, amb les puntes encerades alguns, gairebé tots tofuts, com el del senyor Manel, que confluïa a les patilles, i barbes de tota mena: quadrades, a l'estil madrileny; punxegudes; mosques, de vegades simples taques de pèl per sota del llavi inferior... Ells li presentaven les seves dones o les filles, totes ben vestides i perfumades; les mares, enjoiades. En Dalmau es va sentir aclaparat. Responia als uns i, quan no havia acabat d'explicar-se, ja havia d'anar a saludar més enllà; tot plegat mentre una dona li confessava la compassió que li despertaven aquells trinxeraires dels dibuixos, «fills de Déu com nosaltres», afegia gairebé plorant. De cop i volta apareixia algú important i el mestre Manel se l'enduia a banda, però al cap d'una estona la gent el tornava a envoltar.

També hi va acudir la premsa especialitzada, que es va afegir a les lloances. «El pintor d'ànimes», va avançar allà mateix el titular que utilitzaria en l'edició de l'endemà, un dels periodistes, recordant a Dalmau el comentari del senyor Manel i la possible influència que havia exercit el mestre en aquell home que l'havia entrevistat gairebé de la seva mà. «L'idealisme amb què aquest jove pintor retrata la misèria —va manifestar un altre crític davant d'una audiència subjugada— concedeix fins i tot certa honorabilitat als nens que apareixen als quadres.»

Els Llucs estaven eufòrics. En les seves constants trifulgues públiques amb els bohemis, en Dalmau havia arribat per guanyar una batalla. Encara no feia dos anys, la mateixa premsa havia criticat l'obra exhibida a Els Quatre Gats, una cerveseria barcelonina elevada a centre de culte de l'art modern, per un pintor jove: Pablo Ruiz Picasso. Desequilibri en els dibuixos, inexperiència, badades, titubejos... es va dir aleshores de la seva obra. Picasso s'havia convertit per als bohemis en la jove promesa de la pintura i, no obstant això, la seva pròxima exposició al costat de Ramon Casas l'any següent a la Sala Parés, també de Barcelona, ni tan sols va merèixer els comentaris dels periodistes experts en art.

—I a tu et qualifiquen de pintor d'ànimes —el felicità, inflat d'orgull, el mestre Manel.

El grup que envoltava en Dalmau va esclatar en aplaudiments. El pintor no sabia què fer amb les mans ni on fixar la mirada; ho va fer cap a terra, i la va passejar amb rapidesa per homes i dones, assentint, murmurant agraïments, sense saber si havia d'aplaudir ell també. Ho va fer. Va picar de mans quan un parell de persones es van fer a un costat per deixar passar una dona vestida amb una senzillesa extrema: un vestit de tela florejada que, si no hagués aparegut cenyit amb delicadesa a la cintura, no hauria estat res més que una túnica folgada, sense ni tan sols folre, que li penjava sense cap gràcia de les espatlles.

No va caldre que en Dalmau observés les seves cares per percebre el rebuig que la Josefina va despertar en aquells burgesos envanits. Quan ja n'hi havia uns quants que deixaven el grup, en Dalmau va alçar la veu:

—La meva mare —la va presentar agafant-la de l'avantbraç i acostant-la al senyor Manel—. Mare, el meu mestre.

El senyor Manel la va saludar amb elegància i algunes dones que s'havien separat del grup van tornar amb actitud curiosa i un cert interès mesquí per veure de prop la que seria, sens dubte, objecte de xafarderia i befa en les seves tertúlies: la mare de l'artista.

La Josefina, que va fer cas omís dels elogis cap a en Dalmau en què es recreava el senyor Manel, va mirar sense vergonya aquelles dones.

—Ensenya-me'ls —demanà després al seu fill, assenyalant els quadres.

Van passejar per la sala d'exposicions, amb el mestre al costat i les mirades dels altres assistents sobre ells. La Josefina va seguir les explicacions del senyor Manel i d'en Dalmau de bracet del seu fill, orgullosa, sentint-se observada.

En Dalmau va trobar a faltar que no els acompanyés l'Emma. Si fos allà li agafaria la mà, li explicaria els dibuixos, qui era qui, com li havia costat dibuixar-los, què li havia robat un, què li havia cridat l'altre... I ella riuria, i compartirien aquell triomf. Potser ara, un cop feta l'exposició, seria possible el retrobament.

—El que has de vigilar —va xiuxiuejar la Josefina a l'orella d'en Dalmau estroncant-li els pensaments—, és que cap d'aquests burgesos no confongui la teva ànima.

5

L'Emma recorria el menjador amb una safata carregada de plats bruts que acabava de retirar de les taules. Anava a poc a poc, parant atenció, pendent que les muntanyes de gots i plats no fimbressin en excés. No obstant això, quan va passar pel costat d'una taula on seien quatre obrers, un d'ells li etzibà una forta palmellada al cul. La noia va trontollar i la platerada va sortir disparada endavant. Els gots, els plats i les escudelles van estavellar-se a terra amb gran estrèpit i la majoria van acabar esmicolats. L'Emma no es va fixar en el cataclisme; es va posar les mans a les natges i, ruboritzada, es va girar i es dirigí als comensals de la taula.

—Qui ha sigut? —va cridar—. Com goses?

Els homes que estaven asseguts a la taula reien pels descosits. En Bertran va arribar corrents.

—León! —va cridar a l'obrer, un habitual de Can Bertran; treballador en una fàbrica de mobles, un fanfarró busca-raons—. No vull bregues al meu local! Som en un establiment seriós.

—Seriós? —va clamar l'operari, que va desenroscar un paper gran i el va ensenyar a en Bertran.

L'Emma va veure com el seu cap empal·lidia. Després aquell home es va alçar, es va endossar el paper al pit i, estès gairebé fins als genolls, va girar en rodó perquè els altres de les taules també ho poguessin veure. Els xiulets, els aplaudiments i les insolències i grolleries que van brollar de la boca d'aquells obrers barroers que anaven a dinar per uns quants cèntims es van amuntegar a les orelles de l'Emma en reconèixer-se despullada en el dibuix, en actitud provo-

cadora, totalment obscena. Li van tremolar les cames i es va marejar.
El món girava al seu voltant i ella va deixar de sentir el tumult. Es
va desplomar a terra, però un dels homes de la taula d'en León la va
atrapar.

—Despulla't —va cridar algú.

—Les faldilles, aixeca't les faldilles!

L'home que havia impedit que caigués la va subjectar per la
cintura amb una mà, mentre amb l'altra li magrejava els pits amb
lascívia.

—Bravo!

—Ensenya'ns les mamelles! Les de veritat! —va animar l'altre.

En Bertran estava paralitzat. Va ser la seva dona, l'Ester, i una de
les seves filles, atretes per l'escàndol, les que van alliberar l'Emma
de les urpes de l'obrer.

—Emporta-te-la! —va ordenar la mare a la filla—. A la cuina.
Corre!

—No! —van lamentar diversos clients a la vegada.

—Que es despulli com en el quadre.

—Puta!

—Dona'm això —va exigir la cuinera a en León.

—I un rave —es va negar l'altre arrambant el dibuix—. Que jo
m'hi he deixat uns bons cèntims.

—D'on ho has tret? —va reaccionar aleshores en Bertran.

—On l'he comprat, vols dir. Al bordell de la Joana —va cridar
fent escarafalls—. En venien més, molts més, però a mi em va agra-
dar aquest.

I mentre el tornava a exhibir girant en rodó i excitant la parrò-
quia, l'Emma va tenir la sensació de tornar a defallir definitivament
en sentir l'afirmació d'en León, just abans d'entrar a la cuina: no
només n'hi havia més, sinó que els venien en un bordell.

—Ja n'hi ha prou! S'ha acabat —exigí en Bertran—. Això és un
establiment…

—Seriós? —l'interrompé en León creant noves rialles—. Tens
treballant-hi una dona que posa nua a… —L'obrer va haver de
pensar les paraules—. Que posa despullada com una meuca! —va
acabar cridant.

149

—Hi ha d'haver alguna explicació —va adduir l'Ester, que, abans de seguir les passes de l'Emma, va ordenar a l'altra filla que recollís la trencadissa de terra.

No hi havia cap explicació. O si més no, una que pogués haver calmat l'Ester, ella i el marit, amos modestos d'una fonda, però sempre pendents d'arribar a aquell graó, per baix que fos, de la burgesia de la ciutat. Catalans, per tant, i catòlics, per descomptat. «Et vas deixar pintar així? —es va estranyar la dona després que l'Emma assentís a totes les seves preguntes, ajupida a terra, amb el rostre enfonsat entre les mans—. Però quines relacions tenies amb el teu xicot? Ja heu… tingut relacions?»

Les dues filles Bertran escoltaven atentes, bocabadades, el pare també estava pendent, des de la porta de la cuina, controlant al mateix temps la sala.

—Ho sento, ho sento, ho sento… —plorava l'Emma.

Una de les filles va intentar consolar-la i es va ajupir per passar-li el braç per les espatlles. La seva mare la va agafar amb certa violència, la va aixecar i la va obligar a recular unes passes.

—Ho sentim nosaltres, Emma —va dir aleshores—, però hauràs de deixar aquesta casa.

En Bertran va fer un bot. La mirada que li dirigí la dona va ser suficient perquè evités pronunciar-s'hi. Les filles es van mirar estranyades. L'Emma es descobrí la cara i va mirar l'Ester.

—Em fa fora? —va preguntar a poc a poc, atònita.

—Evidentment —va contestar l'altra amb duresa—. Aquí no podem permetre indecències com aquesta. Arregla-li el jornal, Bertran —va afegir dirigint-se on era el seu marit—. Vosaltres ocupeu-vos de la cuina. I tu recull les teves coses i ves a cobrar. Calla —va remugar al costat ja del seu marit, mentre tots dos sortien de la cuina. La clientela s'havia calmat i se sentien els murmuris habituals entre algun crit i de tant en tant una rialla—. Sé que és dur fer-la fora —va continuar la dona—, però no es tracta només d'aquest dibuix… o dels que puguin venir. No t'adones que l'Emma ha desplaçat les teves filles a la cuina? Elles estan més còmodes lluny dels fogons, xerrant amb la gent, fent el ximple i flirtejant. De cambreres sempre en trobarem, millors o pitjors, però bones cuineres, no, i cal

aprofitar l'ocasió. Els hem d'ensenyar tot el que sabem, qui em subs-
tituirà si mai em passa res? Qui es farà càrrec del negoci quan si-
guem vells?

—Però el seu oncle... La carn de l'escorxador... —va dubtar
en Bertran.

—En Sebastià ho entendrà perfectament. Creus que li agradaria
que la gent continués venint per aquí amb els dibuixos per dir puta
a la seva neboda i tocar-li el cul? Ja veurem si no la fa fora ell també
de casa seva.

—És anarquista, gairebé tant com ho va ser el seu germà, i ja
saps com pensa aquesta gent sobre el sexe i totes aquestes llibertats.

—Sí, sí, és clar —va replicar l'Ester amb displicència—. Fins que
els toca rebre a ells. Anarquista o no, se sentirà humiliat per això de
la noia.

En Bertran sospirà, i assentí.

Va sortir per darrere, per una portella que hi havia al muret del pati.
En Bertran no havia descomptat la trencadissa de la liquidació del
seu jornal. L'home, prim, neguitós, va evitar mirar-la als ulls. Va
serrar els llavis i li desitjà sort. Com si li haguessin arrencat part del
seu ésser, de la seva vida, de la seva rutina, l'Emma es va trobar im-
mersa en el batibull d'uns carrers i una gent que no semblava que
tinguessin cap interès en la seva desgràcia. Va esquivar un carro tirat
per una mula vella, ranquejant, i al ritme de molts altres que anaven
i venien, es va allunyar de la fonda. Tot se li feia hostil. No era l'ho-
ra de tornar a casa. Què hi faria allà tancada? L'oncle Sebastià devia
estar dormint després d'una jornada nocturna a l'escorxador. Va
tremolar només de pensar en la idea d'explicar al seu oncle i als seus
cosins la raó d'aquells dibuixos. La Rosa ho sabia; l'hi havia explicat
en la confiança i la intimitat que es basteix en un reduït llit com-
partit. Una suor freda se li arrapà a l'esquena en pensar en el seu
oncle i els seus cosins observant-la despullada. Per què? Per què els
havia venut en Dalmau? Tant l'arribava a odiar? Es va aturar al mig
del carrer, les mans tancades amb força, clavant-se les ungles als
palmells. «Desgraciat!», va dir entre dents. La gent que caminava

darrere d'ella la va haver d'esquivar. Al llarg d'aquell mateix carrer, potser d'algun altre proper, en Dalmau l'havia estalonat demanant-li disculpes. Què es pensava? Que un cop de puny com el que li havia etzibat es podia oblidar com si res no hagués passat? No, ni tan sols atribuint-lo a l'alcohol que havia begut aquella nit. I després hi havia la Montserrat. L'Emma no aconseguia desprendre's del seu sentiment de culpa, i la imatge de la barricada i el crani de la seva amiga rebentat pels trets la perseguia a les nits. Però en Dalmau no volia assumir cap responsabilitat, ni tan sols la derivada d'haver-li plantejat el conflicte de suplantar la seva amiga a la catequesi. «Traïdora!», l'havia insultat la Montserrat abans de morir. En Dalmau hauria d'haver rectificat la seva actitud i insistit mil i una vegades per obtenir el seu perdó, i, en comptes d'això, va desaparèixer després d'uns quants intents ingenus. I ara els dibuixos. No entenia com havien acabat aquells nus en un bordell. La gent l'havia vist despullada, provocativa, luxuriosa. Recordava cada sessió de pintura: l'amor, la passió, la fruïció… Al cap d'una estona de caminar abstreta, amb els ulls vidriosos, es va trobar a poques passes del reixat de la fàbrica de rajoles. Va intentar recordar si en cap moment havia decidit anar-hi conscientment i es va respondre a si mateixa que no.

En Dalmau no hi era, li va contestar un vell esdentegat. Per què el volia veure?, l'interrogà l'home. «Per què?», va pensar ella. Per escopir-li als peus. Per esgarrapar-li la cara i clavar-li un cop de peu als ous. O dos!

—Per res —va contestar a l'últim—. Deixi-ho córrer.

—Està preparant una exposició amb el mestre. Diuen que és molt bona i… —Però l'Emma ja s'allunyava del reixat—. Vols que li digui que has vingut? Com et dius?

L'Emma, d'esquena al vell, va dubtar un instant, i sense ni girar el cap va contestar a la pregunta:

—No, no s'amoïni. No em coneix. Ja tornaré.

I es va dirigir cap a Sant Antoni a través dels mateixos descampats, i dels mateixos carrers sense empedrar i les voreres al costat de les quals s'alçaven cases humils d'un o dos pisos, tallers i vaqueries, o granges de llet de cabra o de burra; els mateixos carrerons per on havia pujat sense adonar-se de res.

—Cabró —va mussitar per sota el nas davant d'una lleteria—. Cabró —va repetir una mica més fort—. Cabró! —va acabar bramant al cel, plantada al bell mig del carrer—. Cabró!

Una vaquera li va recriminar els crits amb un rebuf quan l'animal que munyia es va bellugar amb nerviosisme. Un parell de dones vestides de negre van murmurar assenyalant-la i, per darrere d'elles, amagats entre les cases, la roba estesa i els trastos i les deixalles amuntegades, la Maravilles i el seu germà, en Delfí, van creuar mirades de complicitat. Havia estat fàcil robar del taller d'en Dalmau els dibuixos d'aquella noia que la Maravilles va reconèixer de seguida que la va veure a la fonda. En Dalmau no mantenia cap ordre i quan pintava els trinxeraires entrava en un grau tan fort de concentració que, tret del paper o el carbonet i els pastels que tenia a les mans, la Maravilles li hauria pogut robar fins i tot una sabata, o la camisa que duia posada.

Vendre'ls al bordell de la Joana encara va ser més fàcil. L'encobridora no era, com ja es veia a venir pel seu ofici, una persona culta i sensible, però amb tot va contemplar els dibuixos amb actitud respectuosa, com si descobrís alguna cosa que anés molt més enllà de la lascívia que pretenien originar les fotografies de nus femenins que tant de moda s'havien posat amb la popularitat de les càmeres de retratar. Aquell respecte no els va significar, però, un preu superior, com els va assegurar en Benet, el trinxeraire que els va parlar de la mirada estranya de la puta i en qui la Maravilles havia confiat la missió de vendre els dibuixos.

—I per què no tu o jo? —es va queixar el germà.

—No vull que en Dalmau pugui saber mai que hem sigut nosaltres.

—Per què?

—En Dalmau hi confia, en nosaltres. Potser fins i tot ens ha agafat afecte. Que no ho veus? Ens compra menjar en alguna paradeta i, de tant en tant, ens dona una propina. Està enfadat amb aquella noia, això es veu a primer cop d'ull, però també enamorat. Si no, no l'hauria espiat. I si arregla les coses amb ella, segur que nosaltres li farem nosa.

—Ah. —En Delfí va estar una estona pensant—. I si en Dalmau troba en Benet, i ell li explica que els hi hem donat nosaltres?

La Maravilles va espantar els dubtes amb una ventada de mà a l'aire.

—L'única cosa que pot explicar en Benet són els pocs dies que li queden amb aquesta tos sanguinolenta que l'obliga a escopir gargalls per tots costats.

La Maravilles estava disposada a seguir l'Emma, que, després d'haver insultat a crits en Dalmau i escopit als peus d'una de les vaqueres, havia reprès el camí i s'allunyava carrer avall.

—Deixa que se'n vagi —li proposà en Delfí.

Però la Maravilles no ho pensava fer. Volia saber què era el que passava amb aquella noia. Segur que algun dia li serviria d'alguna cosa... per a bé o per a mal d'en Dalmau.

L'oncle Sebastià ho sabia; havia anat a dinar a Can Bertran quan l'Emma ja se n'havia anat i la ràbia li havia anat augmentant a mesura que esperava que la noia tornés a casa. L'Emma se'l va trobar colèric, agressiu, probablement begut com en donava fe l'ampolla d'anís mig buida que hi havia sobre la taula del menjador i el baf que va exhalar amb les seves primeres paraules.

—Què has fet, desgraciada? —va bramar l'home. L'Emma va recular fins a la porta de la casa. Ell la va seguir, ruixant-li la cara amb gotes de saliva i alcohol mentre cridava—. Tothom t'ha vist despullada! Marrana! Puta! Així t'he educat jo? Què diria ton pare si et veiés?

L'Emma va xocar amb l'esquena contra la porta tancada. El nas de l'oncle Sebastià va quedar a un centímetre del seu; la fortor que procedia de la seva boca i la suor del cos la van marejar. Escoltava la seva respiració; sentia l'escalfor de l'aire que exhalava. Estaven sols a la casa; els seus cosins encara eren a la feina. L'estomacaria. L'Emma va tremolar i va tancar els ulls, temorosa que la forcés, endut per la fúria i l'alcohol, però l'home va parar d'escridassar-la. Van transcórrer uns quants segons i ella va continuar sense poder enfrontar-se amb la visió de la figura de l'oncle. No va poder contenir la tremolor frenètica dels genolls. Estava a punt de caure a terra, quan un so eixordador va ressonar per tota la casa: el cop de puny que l'oncle

Sebastià etzibà a la porta. L'Emma va començar a desplomar-se a terra, amb l'esquena lliscant contra la porta. L'home va etzibar dues puntades de peu just al costat d'ella. La noia va sentir l'espetec de la fusta que es trencava i es va arraulir encara més. L'oncle va tornar a la taula i es va servir una altra copa d'anís.

L'Emma es va quedar asseguda a terra, repenjada a la porta, amb els genolls a l'altura dels pits, les cames protegint-la, encongida. Des d'allà va veure com l'oncle s'acabava la copa d'un glop abans de servir-se'n una altra.

—Demà et buscaré un bon home capaç d'oblidar aquests dibuixos i el teu comportament mesquí, i t'hi casaràs. Serà difícil trobar ningú que accepti que a la seva dona ja l'hagin vist i desitjat la meitat dels homes de Barcelona, però em sembla que sé d'algú que...

—No. —La mateixa Emma es va sorprendre quan es va sentir a ella mateixa—. No em casaré amb ningú.

En Sebastià va beure de la copa, aquesta vegada només va ser un glop, cosa que inexplicablement tranquil·litzà l'Emma.

—T'hauria de clavar una pallissa —la va amenaçar—, però vaig prometre al meu germà que, si depenia de mi, ningú no et faria mal, i m'hi incloc. Si no estàs disposada a obeir-me, te n'hauràs d'anar d'aquesta casa. Ja tens prou edat per fer-ho, o sigui que em considero lliure del compromís que vaig adquirir amb ton pare.

Un cop dites aquelles paraules, una llarga filípica en boca d'un escorxador, l'oncle Sebastià es va deixar caure en una de les cadires de la taula.

—No pateixi, demà mateix... —va dir l'Emma.

—Demà, no. Avui. Ara.

—Però la Rosa... i els cosins... —va balbucejar l'Emma—. M'agradaria acomiadar-me d'ells.

—Doncs els esperes al carrer i te n'acomiades allà.

L'Emma encara portava el farcellet amb les escasses pertinences que havia recollit a la fonda: una escudella, coberts, dos davantals i un tovalló. Ara li tocava fer el mateix en el que havia estat casa seva des que havia mort el pare. Alguns vestits. El de flors, fet amb la tela que li havia regalat la Montserrat. Unes sabates i els dibuixos que en Dalmau li havia fet de petita. Els va estripar tots. Dels seus pares només conservava unes ulleres amb els vidres ratllats, i una estilogràfica amb un tap d'or que havia estat del seu pare i que l'Emma cuidava com un tresor. No se la va voler emportar.

—Faci'm el favor de guardar-me-la, oncle —li va demanar deixant-la damunt la taula i carregada amb el farcell a l'esquena—. Espero venir a buscar-la algun dia, però, si no és així, que se la quedi el cosí gran —va afegir. L'home no va contestar—. Gràcies per tot —va dir a l'últim—. Sàpiga que entenc la seva decisió.

L'Emma es va inclinar per fer-li un petó a la coroneta, com tantes vegades havia fet, però en Sebastià va enretirar el cap.

—Ho sento —reiterà l'Emma dirigint-se a la porta.

—Si no et caso ni et faig fora, ni apareixes en públic amb la cara feta un cromo per les hòsties —va sentir que deia l'oncle quan ja estava a punt de tancar la porta—, la gent creurà que la meva Rosa és igual de promíscua que tu. I això no ho consentiré mai.

L'Emma, amb un peu ja al replà, va assentir amb el cap i va desaparèixer.

La Rosa va plorar quan es van trobar al portal, i ella li va explicar tot el que havia passat.

—Ells no ho entendran —li advertí la Rosa sobre l'actitud dels seus germans, i no s'equivocava. No van trigar gaire a aparèixer, quan l'Emma ja s'acomiadava de la seva cosina.

—Rosa, suposo que tu no has posat per a aquell fill de puta, oi? —va ser la primera reacció d'un d'ells, que va travessar la seva germana amb la mirada, les mans tancades en punys, en tensió.

—Ja t'ho vaig dir —va intervenir l'altre germà—, que això de tolerar que l'Emma es fiqués al llit a casa nostra amb aquest fill de la gran puta no portaria res de bo.

—Em sap greu —s'excusà l'Emma davant dels cosins.

Va acabar fent-los a les galtes el petó que el pare d'ells no li havia permès que li fes al cap. En qualsevol cas, tots dos els van rebre incòmodes, ansiosos per posar fi a aquella reunió que alguns dels veïns que pujaven o baixaven per les escales ja havien observat amb recel. «Que passa res?», els va preguntar un d'ells.

Passaven moltes coses. L'Emma estava pràcticament escurada, només disposava d'unes quantes pessetes entre la liquidació de la feina i el que tenia estalviat. Amb això podria llogar una habitació en alguna casa, però a totes les que coneixia de les seves amigues i que havia repassat amb la Rosa, una a una, li podia passar el mateix que amb l'oncle Sebastià: que esbrinessin allò dels dibuixos i la fessin fora o… La Rosa no gosava dir-ho, i a l'Emma no li va caldre sentir-ho. Es podien aprofitar d'ella prenent-la per una dona fàcil, com a mínim. Només feia unes hores que havia temut que el seu propi oncle la forcés. No l'hi va voler confessar a la seva cosina i es va sentir injusta amb l'home que l'havia acollit a casa seva. Però si era així amb un familiar a qui respectava i en qui confiava, què no havia de témer d'un estrany.

De sobte es va adonar que, llevat de la lluita obrera, de les corredisses davant de la Guàrdia Civil i els crits i insults contra els burgesos, la seva vida havia transcorregut en una relativa calma. Amb la Rosa i els cosins ja a dalt, l'entorn se li va tornar a presentar hostil, tal com li havia passat aquell matí quan va deixar Can Bertran. Estava sola. Necessitava una feina. Necessitava diners. Necessitava una casa seriosa on no la coneguessin i on pogués menjar i dormir. Necessitava refer la vida que se li havia anat escapant de les mans des que havien detingut la Montserrat, i que l'havia abocat a on es trobava ara, sola enmig de la ronda de Sant Antoni, un carrer transitat de gent, mules i carros, el capvespre d'un malaurat dimecres de mitjan juliol del 1902.

Va sentir sonar els dos quarts a la campana de la parròquia de Sant Pau del Camp: dos quarts de vuit. La Rosa li havia dit que havia de ser abans de les vuit a l'asil municipal del Parc. S'hi podia accedir entre les vuit i les deu del vespre, però van convenir que seria millor presentar-s'hi a primera hora, no fos cas que es quedés sense llit i sense sopar. I allà mateix va agafar el tramvia de circumval·lació que envoltava la ciutat vella i que la deixaria a prop de l'asil, a l'altre extrem, al carrer de Sicília. Va aconseguir seure en un banc entre dos soldats, que, amb una cortesia excessiva, una mica impostada, li van fer lloc. No va trigar a entendre-ho: a poc a poc, la van anar comprimint per banda i banda. Aquella seria la seva vida a partir d'aleshores. Va sospirar sonorament i, en acabat, va remenar el cos amb violència i va sacsejar les espatlles.

—M'equivoco o el banc s'ha encongit? —va dir amb sorne-
gueria a una banda i a l'altra, causant els somriures dels altres viat-
gers i la vergonya dels soldats, que es van apartar als costats per obrir
espai.

Al Paral·lel, el tramvia no va deixar de tocar la campana per no
atropellar la multitud que deambulava entre cafès, fondes, venedors
ambulants, teatres, cabarets, cinemes i atraccions. La gent era reti-
cent a apartar-se amb la urgència que pretenia el tramviari, i molt
sovint hi havia accidents, sobretot als carrers estrets. La Guillotina
va ser l'apel·latiu que van rebre els tramvies per la facilitat amb què
segaven el cos i la vida dels barcelonins, tot i que al de circumval·la-
ció també l'anomenaven la Carrossa dels Pobres, ja que eren moltes
les famílies humils que els diumenges hi pujaven per passejar, men-
tre els rics ho feien en els seus carruatges.

L'Emma va baixar del tramvia a l'altura del Parc, una extensió de
terreny que feia dos segles s'havia utilitzat com a fortalesa després
que Barcelona caigués en la guerra de Successió entre els partidaris
de Felip V de Borbó i els de l'arxiduc Carles d'Àustria. A mitjan
segle XIX, el govern va cedir la fortalesa a la ciutat, i les autoritats es
van afanyar a enderrocar les estructures militars que rememoraven
la derrota. Allà s'hi havia celebrat l'Exposició Universal de 1888, i
ara, a la llum del capvespre d'aquell mes de juliol i a la fresca de la
brisa marina, l'Emma es va creuar amb els barcelonins que passeja-
ven distrets per les diferents avingudes: la dels d'àlbers, la dels til·lers
o la dels oms; es recreaven en les zones enjardinades a l'estil anglès,
amb cedres gegants i multitud de magnòlies, o acudien a refrescar-se
a la gran cascada, un monument d'alçada considerable, en semicer-
cle, al qual s'arribava per una avinguda flanquejada per eucaliptus.

Una fiblada d'enveja va sacsejar l'Emma: havia gaudit d'aquell
entorn amb en Dalmau. Havien corregut i rigut, s'havien abraçat i
besat amb passió, i després ella havia descansat ajaguda sobre la ges-
pa d'algun dels molts jardins mentre en Dalmau es perdia en els
seus dibuixos: esbossos dels que passejaven, de vegades burlescos o
satírics, que entretenien l'Emma; de vegades també pintava arbres
o una simple flor. D'això no feia gaire temps i, no obstant això, que
lluny semblava que quedés tot.

Va apressar la marxa per fugir de la nostàlgia, va creuar el parc i va arribar al carrer de Sicília. Allà s'alçava l'asil del Parc, un establiment municipal que disposava de dispensari públic, a més de llits en naus separades per a homes, dones, nens i malalts psiquiàtrics. A més del personal mèdic i administratiu, d'un mestre i dels treballadors subalterns per a la neteja, cuines i altres tasques, l'asil el governaven catorze monges que pertanyien a l'orde de la Sagrada Família, a les quals auxiliava un capellà.

Aquells dies, l'asil l'ocupaven gairebé un centenar de nens, vuitanta homes i quaranta dones, i uns setanta idiotes o dements. La particularitat del refugi radicava en el fet que homes i dones només s'hi podien quedar tres nits, durant les quals els donaven un llit, un plat de sopa al vespre i esmorzar al matí —durant el dia havien de sortir del centre—, i no podien sol·licitar un nou alberg fins que no haguessin passat dos mesos.

L'Emma es va aturar en veure la gent que s'esperava al carrer. Va tenir dubtes i va estar a punt de girar cua, però sabia que no hi havia cap lloc per a ella fora d'allà. Va respirar fondo. N'havia parlat amb la Rosa: necessitava una mica de temps, com a mínim aquells tres dies escassos de refugi a l'asil, per fer una elecció correcta. Es va apropar a la cua que esperava davant dels baixos de l'edifici. No va trigar a adonar-se que aquella filera de persones, algunes ferides, sagnant, un parell de dones que bressolaven entre els braços els cossos tremolosos de nens amb febre, vells incapacitats i diversos borratxos que no es podien aguantar drets, no buscaven un llit per dormir, sinó que pretenien que els atengués l'assistència gratuïta municipal, que tenia instal·lat un dispensari als baixos de l'asil.

Va buscar l'entrada del centre i va donar el seu nom a un administratiu que rebia la gent darrere d'un taulell alt. Aquell era l'únic requisit. Li van indicar el camí cap a la sala de les dones, també a la planta baixa de l'edifici, on s'ubicava l'alberg nocturn. Allà, entre diverses dones que se li havien avançat i que ordenaven les seves pertinences sobre els llits que s'acorruaven en una nau, va trobar dues monges que la van interrogar. Què l'havia portat fins allà? Tenia família? Feina? Què sabia fer? Religió? L'Emma va esquivar les respostes concretes, tret la de la religió, en què, a instàncies d'una

de les monges, les va sorprendre recitant d'una tirada part del cate-
cisme que sor Agnès li havia gravat en la memòria a l'asil del Bon
Pastor. Aquella nit, les monges es van preocupar que li servissin més
ració de sopa de l'habitual. Va poder jeure en un llit per a ella sola,
amb els llençols vells i aspres però nets, des d'on va sentir els roncs,
la tos i els plors de prop de quaranta dones. N'hi havia de mendi-
cants, sí, era fàcil reconèixer-les, però també va veure dones i joves
com ella, persones a qui l'atzar havia portat fins a aquell lloc, i amb
qui, si bé no hi va parlar, els va tornar un esbós de somriure amb el
que pretenien reconèixer-se en la desgràcia. Malgrat tot, malgrat la
multitud que l'envoltava, amb la foscor l'Emma va tenir la sensació
d'encongir-se al llit molt més enllà de la posició fetal en què s'havia
refugiat. Va tocar la seva soledat, ho va poder fer, era com un mur
que s'havia alçat al seu voltant, i va notar com les llàgrimes comen-
çaven a lliscar-li per les galtes. Va intentar evitar-les. Era una dona
forta, sempre l'hi havien dit i ella havia fet ufana d'aquesta condi-
ció. Va lluitar uns minuts contra el plor: va prémer les parpelles i els
llavis, i el cos se li enrigidí, en tensió. Els sanglots sorgien sufocats.

—Deixa't anar, noia —va sentir que li deien des del llit del cos-
tat—. T'anirà bé. A ningú no li importa que ploris ni ningú t'ho
recriminarà. Totes hem passat i continuem passant pel mateix.

L'Emma va intentar recordar la cara de la dona. No va poder.
No li va costar seguir, però, el seu consell, i va plorar com no recor-
dava haver-ho fet, ni tan sols quan va morir el seu pare.

L'endemà les monges li van recomanar una casa seriosa del carrer
de Girona, per damunt del carrer de Corts. Podia dir que hi anava
de part seva. També li van oferir feina com a minyona en una altra
casa, ja que el dia anterior els havia dit que sabia cuinar. O, si no, la
podien recomanar perquè l'admetessin al col·legi de Maria Imma-
culada per al servei domèstic. Allà hi havia més de vuit-centes noies
que aprenien a servir i que després es col·locaven en cases de famí-
lies benestants.

El llit del carrer de Girona li interessava. En canvi, allò de servir
com a minyona en una llar burgesa, per a ella, que era lluitadora

anarquista, quedava lluny de les seves intencions, per més necessitada que estigués. El seu pare es regiraria a la tomba i la Montserrat també, sens dubte. A més, per entrar en aquell col·legi on ensenyaven a cuinar i a servir, i sobretot a obeir la dona de la casa i a Déu per damunt de tot, calia un document de bona conducta emès pel capellà de la parròquia a la qual pertanyia la futura criada. A les monges les havia pogut enganyar amb una mica de catecisme, però no aconseguiria mai res d'un capellà.

—L'hi agraeixo, reverenda mare superiora —s'excusà l'Emma—, però ja he servit en alguna casa, i aquest cos... —Es va mostrar de dalt a baix amb les mans obertes—. Aquest cos m'ha portat molts problemes. Els senyors de les cases..., els fills... M'entenen? —L'entenien—. Creuen que tenen més drets que el de ser atesos a taula. Ho reconec: no em vull convertir en la incitació al pecat. Qui sap si d'aquí a uns quants anys, el dia que hagi perdut la frescor, ja podré treballar en una casa tranquil·lament.

—Prou que ho veig, filla —va afirmar la superiora d'aquella dotzena de monges, que també escrutava l'Emma de dalt a baix.

La casa era modesta però correcta. Com era d'esperar, en ser recomanada per les monges, es tractava del pis d'una vídua piadosa que duia el dol al damunt, que augmentava els ingressos rellogant habitacions que li sobraven. Per tres pessetes al mes, l'Emma podia compartir llit amb la Dora, una noia simpàtica, de tracte agradable i somriure fàcil, delerosa de casar-se per sortir d'aquella habitació en què gairebé no hi cabien si totes dues es posaven dretes alhora. El defecte de la companya d'habitació era que tenia enganxada al cos l'olor de conill. L'Emma el coneixia de la fonda, però la Dora superava aquell tuf amb escreix perquè es dedicava a esquilar pell de conill i es passava tot el dia amb les pells dels animals a les mans. Per més que intentés desfer-se'n, al matí es despertava amb el llit ple de pèls i, durant una bona estona, un cop llevada, la Dora es dedicava a enretirar-los dels cabells embullats de l'Emma mentre es desfeia en excuses. Tampoc hi havia manera de ventilar l'habitació, ja que l'única finestra que tenia donava a un asfixiant pati interior on l'aire fresc no arribava i a sobre s'hi acumulaven les mil olors dels altres pisos que hi donaven, com si estiguessin allà tancats a pressió espe-

rant que algun ingenu els permetés ficar-se a casa seva i empasti-
far-la. D'altra banda, la vídua no aprovava que mantinguessin la
porta de la seva cambra oberta. Seria, segons deia la vella amb una
veu més ferma de l'habitual, com una invitació als homes que òb-
viament excitaria els seus desitjos carnals, cosa que va recalcar amb
un cop de bastó al terra de mosaic hidràulic.

L'Emma no podia obrir la finestra d'aquell cau, i potser de tant
en tant sortia al carrer amb pèls de conill entre els cabells, però no
li va costar trobar en la Dora una amiga a qui s'arraulia a les nits per
tranquil·litzar la seva ansietat i enganyar l'angoixa. Aquella relació
la va animar. La seva situació desesperada la va portar a oblidar en
Dalmau, l'oncle Sebastià, la cosina Rosa, la Josefina i tots els que
l'havien envoltat fins aleshores. Havia pagat un mes per avançat a la
vídua i només disposava de diners per alimentar-se amb frugalitat
durant aquell mateix període. No es va atrevir a comptar les mone-
des, però sabia que era així. Necessitava trobar una feina, i s'hi va
esforçar amb afany des de primera hora del matí sense limitar-se a
la cuina, tot i que les seves primeres temptatives van ser a fondes,
restaurants, cerveseries, cellers i tavernes, totes inútils perquè o bé li
negaven la feina o bé pretenien aprofitar-se d'ella i li oferien una
misèria. La crisi econòmica del moment no tenia clemència i treia
a la llum el pitjor dels qui tenien feina per oferir.

Va provar-ho en botigues de brodats i puntes de coixí, de bar-
rets, de comestibles, i fins i tot de carruatges. Res. Ho va intentar,
infructuosament, en comerços de vanos, paraigües i para-sols; en
xocolateries, sabateries i ganiveteries. Al final va aconseguir que
la contractés un matalasser que tenia un magatzem al carrer de
Bailèn a prop de la plaça de Tetuan, i durant unes nits els pèls
de conill que s'enganxaven a la Dora es van barrejar amb els milers
de fils de llana que va aportar l'Emma. Totes dues reien als matins.
Una esquilava pells de conill, l'altra passava la jornada batent la
llana. Aquesta era la feina de l'Emma: agafar un bastó de freixe
prim de metre i mig de llarg, doblegat en un angle agut a l'extrem
més fi; amb aquesta punta s'enlairava la llana fins que s'anava sepa-
rant i aflonjant, i finalment s'estenia sobre la tela del matalàs i es
cosia, una feina que el matalasser o la seva dona feien indistinta-

ment. Durant alguns dies, l'Emma va viure asfixiada entre muntanyes de llana marronosa que no parava de bastonejar, alçant una polseguera irrespirable, fins que una tarda, abans d'acabar la jornada, ella amb la vista posada en la vara que subjectava enlaire, envoltada de manyocs de llana i núvols de pols davant del pit, el matalasser la va empènyer per l'esquena i la va fer caure de morros sobre el piló de llana que batia.

La Dora li havia preguntat per aquell home i ella li havia contestat que semblava una persona honesta. «No te'n refiïs», li havia advertit, i ella, sense pensar-hi gaire, fent broma, va contestar que normalment tenia un bastó a la mà, així que, si se li acostava, ja sabria el que li esperava. Però i ara? On era la vara? Es va atribolar amb el matalasser al damunt, tots dos submergits en la llana, ell desbocat, lluitant per magrejar-li els pits amb una mà mentre amb l'altra li intentava aixecar les faldilles, al mateix temps que la petonejava i li mossegava el coll, les orelles, les galtes, els llavis.

No podria amb ell. Era un home gros i fort després de tota una vida batent la llana, transportant matalassos d'un lloc a l'altre. L'Emma va intentar trobar una sortida, malgrat que s'ofegava entre els fils de llana. Va buscar el bastó a les palpentes —ja tenia una de les mans de l'home a l'entrecuix— però no el va trobar. No hi era. Les mans només palpaven llana i més llana. Va voler cridar. Va tossir. «I la dona?», es va preguntar. Va intentar desempallegar-se del cos que la tenia presonera, però li va ser impossible. Va cridar, aquesta vegada la gola sí que va respondre, i ell la va bufetejar amb violència, repetidament, més del necessari, ja que la va continuar estomacant quan l'Emma ja havia callat.

—No. Si us plau —va plorar la noia ja rendida—. Si us plau. No, no…

Va notar que el matalasser pugnava per abaixar-se els pantalons, sense separar-se d'ella, reptant damunt del seu cos.

—No, no…

L'Emma va notar el penis erecte ja nu i va intentar defensar-se una vegada més. L'home la va agafar pels canells i li va desplegar els braços formant una creu.

—Si us plau —insistí ella quan tots dos es van mirar als ulls.

—Ja veuràs com t'agrada. —El matalasser va somriure—. T'agradarà tant que en voldràs més.

L'Emma va enfonsar els punys a la llana com si això l'aconseguís calmar, mentre l'home, ara encamellat, maldava per esquinçar-li la camisa i deixar-li els pits al descobert.

—M'ho demanaràs! —afirmava al mateix temps, els ulls vidriosos, la cara encesa—. Voldràs repetir!

Va ser un impuls. Tal com el matalasser va obrir la boca per continuar amb la seva fatxenderia, l'Emma es va incorporar com va poder i li va introduir a la boca una de les boles de llana que espremia en un puny. L'home, sorprès, va atrapar el braç de l'Emma amb la mà i el va enretirar. En aquell moment ella introduí una segona bola amb l'altra mà.

—No! —va insistir l'Emma empenyent la llana amb els dits fins al fons de la gola.

Ell es va defensar. Ella, la ràbia multiplicant les seves forces i la voluntat, va aguantar els embats d'ell ara amb una mà ara amb l'altra, sempre tapant-li la boca, impedint que expulsés la llana. Va rebre cops, pocs, perquè després d'uns segons de baralla rabiosa, el matalasser va començar a patir la falta d'aire i, per fi, es va desplomar. L'Emma el va deixar anar i es va allunyar d'ell tossint entre la llana i la polseguera que havien aixecat. A l'home li van venir arcades i va aconseguir treure's de la boca les boles de llana abans de vomitar. L'Emma continuava distanciant-se d'ell quan va trepitjar el bastó de freixe. El va agafar. El va observar d'esquena a ella i va veure que encara tenia convulsions. Cabró! Li va ficar el bastó entre les cames, imaginant que encara hi devia tenir el membre pansit, i així que l'extrem del bastó el va sobrepassar, el va estirar enrere amb una estrebada. L'udol del matalasser li indicà que la vara s'havia clavat en algun lloc de l'entrecuix. El va deixar anar i es va dirigir cap a la sortida. De passada, es va cobrar de la caixa de la botiga els jornals, més el cost de la camisa esquinçada.

—Temo que això et passarà en qualsevol feina que vagis —va sentenciar la Dora després de sentir un cop més el relat de l'Emma, totes dues al llit—. Ets massa bonica. —Va fer espetegar la llengua—. Si fins i tot jo mateixa, alguna nit, he tingut temptacions...

—Ai, calla! —va cridar l'Emma, allunyant-la en broma.

Jeien totes dues al llit, l'una encarada a l'altra, compartint coixí, alè, escalfor, olors, pèls de conill i fils de llana. Van riure.

—No —va insistir la Dora quan va tornar el silenci—, ho dic de debò...

—Això de les temptacions? —va preguntar l'Emma.

—No, dona, no. Això dels problemes que tens. Si tens un xicot que et ve a buscar a la feina, t'espera rondant per fora, fumant un cigarret, i així que surts et fa un petó i t'agafa del braç com si fossis propietat seva, i això ho veuen tots els que treballen amb tu, i els de la taverna del costat, i fins i tot el babau de la merceria que sempre està tafanejant darrere l'aparador, aleshores et respecten, perquè saben que, si es passen de la ratlla, el teu home anirà a passar-hi comptes. Però tu... —La Dora la va mirar un instant—. Tu ets una bellesa, i no hi ha ningú que et protegeixi. La gent acaba sabent que no tens família, que vius en una habitació compartida i que ni tan sols hi ha cap xicot. Que ningú no està per tu ni pel que et puguin fer.

Tampoc no era del tot certa l'afirmació de la Dora, tot i que l'Emma ho ignorava. La Maravilles i en Delfí la vigilaven de tant en tant. L'havien seguit fins a l'asil del Parc. «Com saps que va allà?», va preguntar el trinxeraire. «Una dona amb un farcell, que se'n va de casa seva i que agafa la carrossa dels pobres, si no té cap lloc on anar va a l'asil del Parc, m'hi jugo el que vulguis.» «I si resulta que sí que té un lloc?» «Aleshores ens costarà més trobar-la», interrompé la Maravilles al seu germà. Van travessar tots dos la ciutat vella a peu. La Maravilles va fer un somriure a en Delfí després de confirmar que ho havia encertat de ple. També van veure com es traslladava al carrer de Girona. I com pentinava infructuosament els carrers de Barcelona buscant feina. Van presenciar com sortia de la matalasseria amb la camisa esquinçada. «Aquest matalasser sempre ha sigut un malparit», va comentar la Maravilles.

—I què hi puc fer jo? —va replicar l'Emma a la seva amiga—. Em disfresso? Em tapo la cara?

—Com una monja, vols dir? No, no és la solució. És més pràctic, i més divertit, que et busquis un xicot.

En Dalmau li va esclatar al pensament com un llamp. No havia deixat de pensar en ell, de manera contradictòria. De vegades li assaltava la nostàlgia dels dies feliços, i aquell amor que creia que havia quedat enrere semblava que li esgarrapés la consciència per reviure amb unes llàgrimes silencioses. No obstant això, majoritàriament eren el menyspreu i la ràbia els que li feien rememorar el noi: els dibuixos d'ella despullada; el torbament per com els havia utilitzat, que encara la feia tremolar; la Montserrat... El cert era que no hi havia insistit prou, i les vegades que ho havia fet, encara era massa aviat, quan la còlera li impedia fins i tot mirar-lo a la cara. Després ell tampoc no va tornar a buscar-la. No insistí a demanar-li perdó, a disculpar-se per la plantofada, a donar-li la raó respecte de la seva responsabilitat en la mort de la Montserrat. I ella no havia pogut demanar-li una explicació pels nus. En Dalmau s'havia amagat, i això era el que més l'havia decebut. Si ja no l'havia anat a trobar, ara seria gairebé impossible que el trobés, perduda com estava en una gran ciutat com Barcelona.

Ja no la buscaria, es va resignar l'Emma. En Dalmau s'havia refugiat en la seva feina. «Dels meus tres fills —li havia dit un dia la Josefina—, el més gran i la petita han heretat el caràcter del seu pare: lluitadors, temeraris; en Dalmau, en canvi, és un artista, bo, molt bo, amb un cor enorme, però un somniador.»

No havia tornat a visitar la Josefina, això sí que li sabia greu. Algun dia l'aniria a veure a casa seva. En canvi, l'Emma sí que tenia notícies d'en Dalmau. En una taverna on de vegades prenien l'esmorzar amb la Dora abans que cadascuna se n'anés a la feina va sentir que havia fet fortuna amb les pintures dels trinxeraires. A les cafeteries i a les tavernes sempre hi havia algú que llegia el diari en veu alta perquè tot el gruix de gent analfabeta estiguessin al dia de l'actualitat. Aquell lector espontani va llegir un dia la crònica de l'exposició del Cercle Artístic de Sant Lluc, i va citar els quadres d'una jove promesa barcelonina, de nom Dalmau Sala, «l'artista que pinta l'ànima dels seus models», va llegir amb èmfasi.

«Les pinta de tristesa», s'havia lamentat l'Emma en aquell moment, alçant la tassa de cafè en una mena de brindis al sol.

No va trobar xicot, tampoc no el buscava ni el pretenia per molt que el discurs de la Dora l'hagués deixat amoïnada. Amb qui sí que es va trobar va ser amb el vell Maties, el proveïdor ocasional de pollastres i gallines de Can Bertran, carregat com sempre amb una cistella d'aus de corral. Va ser un matí a prop del baixador del ferrocarril que comunicava amb Madrid, inaugurat recentment al passeig de Gràcia, entre Aragó i el mateix passeig. Era un edifici modernista alçat al mig del carrer i semblava quedar engolit entre els que el flanquejaven, molt més alts. Per això, la gent el comparava amb un simple urinari públic. En Maties xerrava amb un dels cotxers dels carruatges de cavalls que, en filera a la sortida del baixador, esperaven els passatgers del tren; l'Emma intentava travessar el carrer d'Aragó per aquell punt, ja que la via del tren, en una rasa mig soterrada però a cel obert, dificultava més el pas que els carrers que la creuaven com si fossin ponts.

La noia va intentar esquivar el vell. En Maties no havia aconseguit vendre ni una gallina ni un pollastre a la fonda de Can Bertran. Tal com es presentava amb el cistell de l'aviram a la casa de menjars, en Bertran cridava l'Emma perquè examinés les bèsties. Ella les mirava, les ensumava i les descartava. Amb el temps, el vell s'ho va prendre a broma i de tant en tant apareixia a la fonda i buscava directament l'Emma, a qui perseguia per la cuina i el pati del darrere intentant convèncer-la que portava bona mercaderia. «Aquests són bons», t'ho prometo. En Bertran els deixava fer i reia de la tossuderia d'en Maties i de la tenacitat de l'Emma. «Acaben d'arribar de Galícia, dona'ls un cop d'ull com a mínim.» De vegades l'Emma queia en el parany i s'atansava a ensumar la mercaderia, arronsava el nas, feia cara de pomes agres i es jurava que a ella que no la tornaria a ensarronar. «Que delicada, la senyoreta Emma!», acostumava a recriminar-li en Maties quan renunciava a l'assetjament i prenia un vi amb en Bertran.

L'Emma va accelerar el pas per creuar per davant del baixador del ferrocarril; potser va ser precisament allò, els moviments àgils d'una dona amb presència, el que va fer que els cotxers desviessin la mirada cap a ella com si l'aire càlid i encalmat, pesant, de finals d'estiu, s'hagués esvalotat sobtadament.

—Senyoreta Emma! —va sentir que la cridava el vell.

L'Emma va dubtar. En Maties coneixia en Bertran. Segur que havia tornat a la fonda i sabia tot el que havia passat, fins i tot potser havia vist el dibuix.

—Senyoreta Emma! —va repetir el vell alçant el to de veu.

La gent la va mirar.

—Crec que la criden —li indicà una dona assenyalant amb l'índex l'esquena de l'Emma, que va acabar aturant-se i es va girar.

—Què vols? —li preguntà en un to de cansament.

L'altre no va contestar fins que no va ser al seu costat.

—Ara que ja no estàs amb aquell escarransit d'en Bertran, et volia felicitar, noia. —L'expressió de l'Emma va ser suficient perquè el vell fes primer un somriure, mostrant les poques dents negres que li quedaven, i després es va explicar—. No vas fallar mai. A tot arreu acabo convencent la gent. Uns calerons per sota mà i es fa passar bou per bèstia grossa. Però tu no em vas demanar mai ni cinc.

—Les teves gallines no són bones —es justificà l'Emma.

—Però tampoc no són dolentes —es va defensar ell, fent callar amb una de les mans la rèplica de l'Emma—. No s'ha mort mai ningú ni hi ha hagut malalts per les meves gallines i pollastres. Ben cuinats, ningú no es queixa. Creus que continuaria venent pel carrer si hagués passat res? La gent ja sap que no són de primera qualitat, per això el preu és més econòmic. Qui vendria una gallina bona per la meitat del seu valor?

L'Emma només podia donar-li la raó. D'ençà que havia deixat la fonda i la casa del seu oncle havia hagut d'acceptar aliments que fins aleshores havia rebutjat. «Ves-te'n al Continental, a la Maison Dorée o a qualsevol d'aquests restaurants d'etiqueta si aspires a qualitat de primera. Per què et penses que et dono menjar per sis cèntims», li va retreure un hostaler el dia que l'Emma es va queixar d'unes verdures florides. En aquell moment va tenir temptacions de contestar que hi havia fondes que sí que ho feien, tot i que tampoc no ho podia afirmar de Can Bertran. Sí, ella acompanyava el seu amo a comprar, però el cert era que ho feia per impedir que li ven-

guessin gat per llebre. Moltes vegades l'Emma desconeixia la pro-
cedència dels aliments que bullien o es rostien a la cuina de l'Ester.

—I quan tu no estaves al cas —la va treure dels seus pensaments
el vell Maties—, en Bertran em comprava dues gallines. —L'Emma
va obrir els ulls tant com l'hi van permetre les parpelles i les celles.
El vell va tornar a ensenyar la mitja dotzena de dents negres i tortes
amb un somriure—. T'ho juro!

—No! —va exclamar ella.

—Sí! —la contradigué l'altre.

—Quin cabronàs, en Bertran. Aleshores…. Tot era una panto-
mima? Que vostè em perseguís per la cuina i el pati, que jo m'hi
negués… I tot perquè després el malparit comprés igualment les
gallines.

—No —s'hi va oposar en Maties—. Li hauria regalat les gallines
al teu amo a canvi que em deixés perseguir-te com en aquells dies.
—L'Emma va tornar a sorprendre's—. T'has parat a pensar quantes
jovenetes, guapes com tu, consenten que un vell xaruc i esdentegat
se'ls acosti a menys de tres passes?

L'Emma va fer que no amb el cap.

—Em volia fer la cort?

—No, no, no —assegurà en Maties—. Com volies que fes la
cort a una deessa? Si respiro una mica l'aire que exhales, jo ja estic
content.

L'Emma va inclinar el cap subtilment i va riure.

—Carrincló, però bonic —va acabar reconeixent-li.

—A les deesses els agrada el cafè? —va inquirir en Maties. L'Em-
ma va fer cara d'estranyada—. L'orxata? —Aquesta vegada va rebu-
far sonorament—. Els gelats, doncs?

«Sí senyor», va pensar l'Emma. Els gelats li agradaven.

Era una bogeria, però en Maties la va convèncer. No necessitava
cap xicot que l'anés a buscar ni estar sempre amb mil ulls per si al-
gun desgraciat la intentava violar. I, per una altra banda, des que
havia fugit de la matalasseria, no trobava feina.

—Però tu no em tocaràs el cul, oi? —li va preguntar després de sospesar l'oferta. La cara rebregada del vell es va entristir notòriament—. Suposo que no era aquesta la teva idea! —va exclamar. L'altre va obrir les mans amb ingenuïtat, com si l'Emma li hagués descobert les intencions ocultes—. Ves-te'n a pastar!

—Et juro que no et tocaré mai —va prometre ell abans que ella girés cua.

L'Emma l'examinà de dalt a baix: el vell era un sac d'ossos.

—I jo et juro que com no compleixis la teva paraula, et tallaré els collons i…

—Crec —la interrompé el vell arronsant les espatlles i agitant dramàticament amb pànic les dues mans— que amb això n'hi ha prou per allunyar de mi qualsevol pensament inapropiat.

—Sí, exacte! Millor que els pensaments també els espantis! Perquè com vegi que baveges fantasiejant amb mi, et tallaré…

—Ho sé, ho sé —la va tornar a interrompre ell—. Ni mirar-te!

Així va ser com van tancar l'acord. En Maties li pagaria una tercera part dels beneficis que obtinguessin de cada gallina o pollastre que venguessin.

—Anirem separats? —s'interessà ella.

—Què et penses? Que t'he contractat per la teva bellesa? —va ironitzar el vell—. Fa temps que aquesta cistella pesa massa per a mi —va al·legar mentre la sospesava i l'hi allargava perquè l'agafés—. Anirem plegats, tu amb la cistella i el teu somriure i… —Va voler simular les formes arrodonides del cos de l'Emma amb les mans a l'aire, però va callar davant la barbeta alçada i la mirada que la noia li dirigí—. I jo aportaré l'experiència.

No els va costar treure's del damunt les quatre gallines que duien a la cistella. Dues eren gallegues, de les denominades «primes», tot i que el dia que van arribar a Barcelona eren de les «grasses», es va queixar en Maties; una altra era una gallina russa, també prima, i l'última era de Cartagena. N'hi va haver tres que les van vendre a les mateixes cuineres de les cases dels burgesos rics a qui assaltaven camí del mercat; d'aquesta manera el servei obtenia també algun benefici entre el preu real de l'animal i el d'en Maties, que el vell fixava sempre segons el comprador i que apujava una mica més de la meitat. Per la seva banda, en Maties no tenia cap inconvenient a falsificar un rebut on constava el preu de mercat. «Per una gallina russa de les primes —escrivia amb la mà trèmula en un tros de paper d'estrassa—, tres pessetes. M. Pollastrer.» Ho firmava amb un gargot i l'intercanviava per les dues pessetes que en aquest cas havia fixat per a la gallina.

L'última de les gallines, una altra gallega de les primes que havien estat grasses, la van endossar directament a una senyora ben vestida a qui acompanyava la seva criada, que somreia a en Maties davant les lloances que l'Emma feia de l'animal. Al final la va convèncer mostrant-li els ulls nets i les plomes de la gallina. «Dues pessetes», va dir, però des de darrere en Maties la va corregir:

—Dues pessetes i mitja! I vostè guanya pesseta i mitja, senyora.

Amb aquella venda van posar punt final al matí. En Maties la va convidar a dinar, però ella s'hi va negar, adduint que allò no formava part de la seva feina. En Maties va assentir, tot i que, si bé li va donar la raó, es va permetre recordar-li que encara li quedava molt per aprendre. Aquesta vegada va ser l'Emma qui va assentir. Tenia moltes preguntes per fer. Menjaria amb ell, però en una fonda, no consentia que la portés al seu domicili. Això no li havia ni passat pel cap, al·legà el vell. Es van dirigir a peu cap al Parc, on justament hi havia l'asil que havia acollit l'Emma la primera nit que havia passat fora de la casa de l'oncle Sebastià.

Cap al sud, en una línia circular conformada per les vies de tots els trens i tramvies que transitaven per la zona, el Parc feia frontera amb una zona terriblement caòtica que s'obria al mar. Allà s'hi ubicaven, sense aparent ordre ni concert: l'estació de França, anomenada així pel destí dels trens que sortien d'allà; una plaça de toros, la de la Barceloneta, un barri humil de carrers disposats en un tramat quadricular guanyat al mar; el port i les seves moltes instal·lacions; el dipòsit; la duana; el Pla de Palau; la Llotja de contractació; els molls i els seus magatzems per a les mercaderies; dues fàbriques de gas; un cementiri…

Van dinar en una gran fonda de les anomenades «de taula rodona». Hi havia unes taules immenses, que no tenien necessàriament aquesta forma, a les quals s'anava asseient la gent a mesura que arribava i quedava algun lloc lliure. El menú era el mateix per a tothom, el del dia; el preu també, econòmic, sis cèntims, i amb això compartien el dit d'engrut acumulat a les taules i a terra, el greix que semblava que flotés en l'ambient i unes olors que l'Emma va ser incapaç de reconèixer.

El vell i la seva nova treballadora van trobar un parell de llocs, a banda de mirades desvergonyides, murmuris i algun xiulet o proposta deshonesta, entre desenes de mariners, estibadors, ferroviaris i tota mena d'obrers, gent basta majoritàriament. En Maties va alçar la mà i els va saludar talment com un guerrer victoriós. La queixa de l'Emma es va veure silenciada pels víctors i els aplaudiments, i després cadascú es va dedicar al que els ocupava: menjar, com més millor.

—Per què has saludat?

En Maties li va repetir en certa manera el discurs de la Dora. Li va assegurar que tenia les coses clares, que era conscient que ella no li pertanyia. Tampoc no pretenia mostrar-se com el seu xicot. No obstant això, com que allà hi havia gent que el coneixia i que el respectava, era d'esperar que també ho fessin amb ella.

Els van servir una sopa amb un dit de greix surant.

—Saps quantes gallines i plumífers arriben anualment a Barcelona? —es va llançar a parlar en Maties després que l'Emma es conformés amb la seva explicació. Ella va fer que no amb el cap mentre s'enduia a la boca una cullerada carregada amb un tros d'alguna cosa sòlida—. Quatre milions!

—Això és una pila de gallines —va afirmar ella.

—Sí. I pràcticament totes arriben en tren, i d'aquestes, la gran majoria ho fan a l'estació de França, aquí al darrere—. Va assenyalar cap enrere amb el dit polze.

L'Emma va esperar. Continuava menjant sopa i el que portés a dins. En Maties també ho feia, però, mentre intentava parlar amb la boca plena, el brou se li escapava entre les genives esdentegades.

—D'aquests quatre milions de gallines, prop de vint-i-cinc mil no passen la revisió dels veterinaris. —El vell es va empassar dues cullerades sense parlar, es va eixugar la boca amb la màniga de la jaqueta i va mirar l'Emma fixament a la cara—. Tu creus que hi ha prou veterinaris a Barcelona per controlar quatre milions de gallines que arriben en caixes des de França, Itàlia o Rússia? —va preguntar, alhora que arronsava les espatlles—. La qüestió és que, en matèria de volateria, a Barcelona no hi ha cap escorxador com els que existeixen per a la carn. Les gallines, les oques, els ànecs i les perdius arriben en trens. Quan baixen dels vagons, els veterinaris els donen un cop d'ull. Les que estan bé es destinen a les botigues o als mercats; les que ells creuen que estan malament les internen en un llatzeret que hi ha a prop de l'estació. És un solar deixat de la mà de Déu, on s'amunteguen gàbies que ningú no neteja, i on les aus, si no estan malaltes, aviat es contagien de les que ho estan. —En Maties va tornar a menjar la seva sopa. L'Emma gairebé l'havia acabat—. Ha! —va continuar el vell després d'engolir més cullerades—, els veterinaris tornen als seus amos una part de les gallines, les que s'han curat, cosa que és impossible allà dins. Unes altres moren, és clar, després de viatges com aquests, qui no es moriria, i per acabar n'hi ha uns quants milers més que acaben sacrificades perquè es considera que no és rendible guarir-les i alimentar-les. El cert és que no hi ha ningú disposat a gratar-se la butxaca per fer-ho. Entre tot aquest desconcert és on entrem nosaltres. Uns calerons aquí i allà, i ningú no troba a faltar unes quantes gallines. No hi ha cap control! Mentre les autoritats puguin fer constar als seus informes que han sacrificat no sé quants milers de gallines perquè estaven en mal estat, ningú no se'n preocupa més, i la ciutadania està tranquil·la perquè tenim qui vigila el que mengem.

—Ha! —va fer l'Emma, afegint-se per experiència pròpia a la ironia d'en Maties.

El que la noia s'havia imaginat era poca cosa comparat amb el que es va trobar després quan, en acabat de dinar, en Maties la va portar al llatzeret, ubicat entre les vies del ferrocarril que portava a França per Mataró i el que ho feia per Granollers. Desenes de gàbies apilades sense netejar, infestades d'excrements, en què es comprimien aus que a ella li van semblar totes moribundes. En Maties caminava pels passadissos de terra on s'estenia la rastellera de gàbies, acompanyat d'un ancià tan brut com les gallines que havia de cuidar, i que de tant en tant girava la vista cap a l'Emma amb curiositat. En Maties i aquell home van triar quatre gallines, que van ficar primer en un sac i després van carregar a la cistella que l'Emma transportava.

—Aquestes estan vives —va dir en Maties amb un somriure—. Vigila que no s'escapin.

El vell va pagar al vigilant del llatzeret i va convidar l'Emma a casa seva.

—Només al pati —li va prometre per convèncer-la.

Es tractava dels baixos d'un edifici de dues plantes en un dels carrerons que desembocaven a la plaça de toros de la Barceloneta. En Maties disposava allà d'un petit celobert que compartia amb la casa contigua; ell era l'únic que tenia accés al lloc, de manera que les parets eren plenes de gàbies, netes i immaculades, en algunes de les quals cloquejaven les gallines.

—Tanca les gallines a les gàbies. Cadascuna en una de diferent. Omple d'aigua els abeuradors i posa'ls menjar.

El vell va anar examinant les altres gallines, assentint amb un murmuri de satisfacció en algun cas, espetegant la llengua en senyal de contrarietat en algun altre, i quan tot va estar en ordre i les noves adquisicions van estar acomodades, va treure les monedes que havien cobrat al matí, i van passar comptes.

Gairebé dues pessetes va ser el que li va tocar a l'Emma.

Fora de la casa d'en Maties, la noia va caminar alegrement per la façana marítima de la Barceloneta. Les barques ja havien tornat i s'havia de parar si més no un instant per observar aquell espectacle que durant el dia, amb els pescadors a la mar, no es podia percebre: milers de barques de fusta de totes les mides i de totes les classes s'amuntegaven al moll. Un bosc atapeït de pals desarborats que impedia veure-hi entre ells. Més enllà, els grans vaixells. Sens dubte, va pensar l'Emma abans de tornar a enfilar el camí cap a la casa on compartia habitació amb la Dora, podria creuar el port de punta a punta, sense mullar-se, saltant d'una embarcació a l'altra.

Aquella nit la noia va aportar al llit compartit alguna ploma i una història que apassionà la Dora.

6

En Bertran no es va voler allargar en més explicacions sobre el motiu pel qual havia decidit prescindir dels serveis de l'Emma.

—Mira, noi —li va dir per posar fi a la seva insistència—, si vols saber més coses, hauries de preguntar-l'hi a ella, no trobes?

I això és el que va decidir fer en Dalmau quan es dirigia cap a casa de l'Emma. Aquesta vegada no s'havia amagat per espiar-la i havia entrat a la fonda amb tanta decisió com neguit per la posició que ella pogués adoptar. Volia compartir el seu èxit amb l'Emma, demanar-li perdó. No permetria que el rebutgés com va fer després de la mort de la Montserrat. Estava decidit a agenollar-se al seu pas, a arrossegar-se si calia, a prometre-li el cel…, l'univers sencer! Havia entès que triomfar li servia de ben poc si no tenia al seu costat la persona que estimava.

Els afalacs, les magnífiques crítiques publicades als diaris, el reconeixement; tot plegat havia fet créixer l'amor propi d'en Dalmau. I la vacil·lació amb què fins aleshores havia intentat fer front als seus problemes amb l'Emma s'havia esvaït.

Va pujar els graons de dos en dos i va picar a la porta. Ningú no va respondre, malgrat la seva insistència, així que va baixar al carrer i va esperar al portal, tal com l'Emma havia fet per acomiadar-se dels seus cosins feia poc més d'una setmana. No obstant això, a diferència d'aleshores, no va ser la Rosa qui va aparèixer en primer lloc, sinó que ho van fer els dos germans.

—Hola. Sabeu on…?

En Dalmau no va arribar a formular la pregunta. Un dels cosins de l'Emma li va etzibar un cop de puny a la cara. El germà li'n clavà un altre al ventre després que en Dalmau trontollés. No el van deixar caure a terra quan es va doblegar. L'havien enxampat desprevingut i en Dalmau va ser incapaç de reaccionar davant de l'allau de cops que li van caure al damunt. Recolzat a la façana de l'edifici només es va poder arronsar i cobrir-se el cap i la cara amb les mans i els braços, mentre els germans l'apallissaven al crit de cabró, indecent, proxeneta, satíric, viciós, brivall... Es va formar una rotllana al voltant i la gent mirava sense intervenir-hi. Algú va cridar a viva veu la Guàrdia Municipal. No hi havia cap agent a prop i la caserna més propera quedava lluny, al carrer de Sepúlveda.

—Que algú aturi aquests bèsties! —va exigir a crits una dona.

—L'anem a ajudar? —va proposar en Delfí a la germana.

—Però què dius! —La Maravilles s'hi va negar—. Encara rebrem una bufetada d'aquestes i ens mataran.

Va ser l'arribada providencial de la Rosa la que va posar fi a la pallissa. La jove es va interposar entre en Dalmau i els germans, i els va haver de sacsejar per despertar-los de la ceguera de violència en què havien entrat.

—És un desgraciat que enganya les nenes per pintar-les despullades! —va denunciar un dels germans dirigint-se a la gent—. Ho ha fet amb la nostra cosina.

—I després ven els dibuixos als bordells! —afegí l'altre.

Es van alçar murmuris de desaprovació.

—Ben fet, aleshores! —es va sentir entre la rotllana.

—Els haurien de matar, aquests delinqüents!

Per evitar que el mal no fos pitjor, la Rosa va empènyer en Dalmau cap dins del portal. Els seus germans la van seguir.

—No t'acostis a aquest cabró —li ordenà un d'ells.

Ella intentava interposar-se, però en Dalmau, amb la cara ensangonada i els llavis esberlats, la va allunyar.

—No sé de què parleu —va aconseguir articular.

Els dos germans van fer el gest d'abalançar-s'hi una altra vegada. La Rosa va cridar i en Dalmau va aguantar amb fermesa. Si al carrer l'havien agafat desprotegit, ara no estava disposat a abaixar el cap.

Havien parlat de l'Emma, d'uns nus, de dibuixos i bordells! I ell no entenia res del que li deien.

—Jo no vendria mai de la vida un dibuix de la vostra cosina! —va protestar, furiós i desconcertat.

La Rosa es va tornar a avançar, però sense arribar a protegir en Dalmau amb el seu cos. Els seus germans van frenar.

—La gent els té i els ha comprat en un bordell —va dir un.

—Però tu sí que la vas pintar despullada —l'acusà l'altre.

—Sí —va reconèixer en Dalmau—, però això és art. Ella va voler posar per a mi. I els dibuixos li agradaven. No té res de dolent. Sempre…

—Doncs els han venut a un bordell.

—No entenc res… —En Dalmau va empassar-se la saliva, gairebé segur del que anava a dir—: No. Els tinc jo al meu estudi. No els ha vist mai ningú. Jo no ho hauria permès.

—Has destrossat la vida de l'Emma —li recriminà un dels germans—. La gent la considera una meuca qualsevol.

—On és? —va inquirir en Dalmau amb la veu ferma.

Els germans li van escopir als peus i el van amenaçar de matar-lo si tornava a fer mal a l'Emma, abans de deixar-lo amb la Rosa, que tampoc va poder donar-li notícies de la seva cosina. Des que el seu pare l'havia fet fora de casa, no en sabia res, va reconèixer. En Dalmau no va voler que el curés. Es va eixugar la sang i va agafar un tramvia per arribar com més aviat millor a la fàbrica de rajoles, on el malestar es va tornar en angoixa quan va comprovar que, efectivament, els nus de l'Emma havien desaparegut de les carpetes on guardava els seus treballs. Una suor freda li recorregué el cos fins al punt de provocar-li uns marejos que el van obligar a repenjar-se en la taula de treball.

Qui li havia robat aquells dibuixos? Qui ho hagués fet havia de tenir accés al seu taller. Va pensar en en Paco… No li va semblar viable, si bé la temptació dels diners que devien haver pagat al bordell per aquells quadres podia haver estat molt forta. Va recordar que un dels nens que vivien a la fàbrica li va parlar un dia dels problemes del vigilant amb algun familiar. La necessitat sempre havia estat un esperó, quan no una excusa, per robar. I si no havia estat en Paco, qui podia haver-ho fet? Aconseguir les claus de la seva habitació tampoc no era tan difícil: estaven penjades en uns ganxos dins un armariet a la petita cambra des de la qual l'home vigilava. Però molt sovint el vell estava ocupat en altres tasques. I el que en Dalmau no podia ni plantejar-se en aquells moments era fer públic que li havien robat uns nus de la seva xicota, o més aviat de la que ho havia estat, la que evidentment no tornaria a ser-ho mai després de les humiliacions que devia haver hagut de suportar per culpa seva. L'Emma el devia tenir per un canalla, un miserable que s'havia aprofitat del seu amor i de la seva entrega. En Dalmau sospirà. Una plantofada en un estat d'embriaguesa encara podia passar, però perdonar que hagués venut els seus nus... Els Llucs com el mestre no consentien els nus de dones, i encara menys d'una noia, de la xicota. Si revelava que els hi havien robat, afegiria un problema més als que ja tenia amb el senyor Manel: un cop abandonada l'evangelització dels escolapis i animat per l'exposició de dibuixos, el mestre havia tornat a insistir en la seva conversió. No passava dia que no aprofités per animar-lo a fer-ho. «Tindràs un futur brillant entre els Llucs», presagiava. «Apropa't a Jesús, Ell t'omplirà.» «La llum de Nostre Senyor et guiarà la mà; la teva obra serà espiritualment magnífica.»

Al llarg del dia, en Dalmau va especular sobre la identitat del lladre. Ningú no podia haver furtat els dibuixos mentre ell era a l'estudi; se n'hauria adonat. Però hi havia tanta gent treballant a la fàbrica de rajoles, que si no feia pública l'existència del robatori era impossible assenyalar ningú en concret. Va buscar mirades i va trobar recels que abans no havia percebut; va intentar interpretar actituds, però, a banda de detectar unes relacions en què no s'havia fixat mai, tancat com estava al seu taller, no va detectar-hi res que pogués fonamentar una mínima sospita.

Va tornar a casa ja de nit, decebut pel poc èxit de les seves indagacions. Sota un cel brillant i estrellat, en una nit d'estiu meravellosa, en Dalmau va caminar amb pas feixuc. Una fiblada de dolor li recorria el cos cada vegada que pensava..., que imaginava l'Emma

despullada en postures atrevides, passant de mà en mà, atiant la las-
cívia dels homes a través d'aquells dibuixos en què ell havia abocat
tota la seva destresa, mentre ella s'hi entregava i hi confiava plena-
ment. Ara els podia recordar tots, un a un. I si ell patia amb tanta
intensitat, se li feia encara més difícil sospitar fins a on devia arribar
el dolor de l'Emma després de ser violada la seva intimitat i tacada
la seva honra. Què devia fer? En què devia treballar, ella, ara? No
tenia ningú llevat de l'oncle i els cosins, i a ell i la seva mare, i cap
d'ells no l'estava ajudant.

L'havien atacat per robar-lo, va mentir a la seva mare per justi-
ficar els cops de puny dels cosins de l'Emma. Eren uns quants, va
afegir l'endemà quan va repetir les explicacions al mestre Manel,
assegurant-li que estava bé i que volia treballar. Necessitava fer-ho,
va pensar. No obstant això, al migdia, va rebutjar la invitació del
mestre de dinar a casa seva i va sortir a enfrontar-se a una ciutat que
se li va presentar immensa. Des de les rodalies de la fàbrica, lleuge-
rament elevades sobre el mar, en Dalmau va observar Barcelona: el
port, el barri vell, l'Eixample, les viles que la gran urbs havia anne-
xionat. Tramvies que anaven i venien, trens que creuaven la ciutat:
el de Sarrià que ho feia pel centre del carrer de Balmes; el de
Madrid pel d'Aragó; el de França… Cotxes de cavalls i tartanes.
Bicicletes, a cabassos, i algun automòbil escadusser. Mig milió de
persones vivien, treballaven i es bellugaven sense descans i això crea-
va una confusió i un desconcert insuperables per a qui pretengués
trobar una persona entre totes elles: l'Emma.

Algú n'havia de tenir notícies, algú bé havia de saber on s'allot-
java. Aquell migdia, en Dalmau va recórrer el barri de Sant Antoni:
el mercat, la presó, els Escolapis, on mossèn Jacint insistia que tornés
a les seves classes. Va arribar al Paral·lel, mirant, escrutant els obra-
dors de les botigues, les taules i les barres dels cafès, i qualsevol es-
cletxa de qualsevol negoci per si casualment l'Emma hi treballava.

A partir d'aquell dia, tan bon punt acabava la jornada, al migdia
o a la tarda, es dedicava a buscar l'Emma. Va trobar alguna amiga i
fins i tot les companyes que havia tingut la Montserrat però que
també la coneixien. Una li va dir que li havia semblat veure-la per
l'Eixample, una altra per Sants, però cap no li va aportar informació

que li permetés aproximar-se a ella. Va recórrer mig Barcelona, mirant i remirant, preguntant, apropant-se amb angoixa a les fileres de captaires que pidolaven a la porta dels habitatges particulars, no fos cas que l'Emma es trobés entre ells, o als que feien cua per rebre un plat de sopa als nombrosos asils i cases de la caritat de la ciutat.

Una tarda, quan passejava per un carreró de Gràcia, amb la mirada posada en les botigues i els negocis, el van assaltar la Maravilles i en Delfí. «Ja era hora», li havia dit aquest a la seva germana després de seguir en Dalmau durant dies. «Per què no li diem on és? Potser ens dona un premi.» La Maravilles i el seu germà sabien on vivia i dormia l'Emma, i també la nova feina que tenia amb en Maties i les gallines. «Ens donarà més que un premi —assegurà la nena—. Tu estigues callat, que encara la cagaràs com de costum», va sentenciar.

—Mestre! —el va cridar la trinxeraire.

—Maravilles! —es va sorprendre en Dalmau—. Què hi fas aquí?

—És casa meva. No recorda que vivim al carrer? —va respondre la nena. En Dalmau assentí amb els llavis serrats, com si ho lamentés—. I vostè? Què hi fa?

—Busco una noia —li va sortir gairebé sense pensar.

—Ah —assentí la Maravilles.

Van estar una estona en silenci. Ella esperant que n'hi digués més coses i ell dubtant, sense saber què fer. Aquells nois efectivament vivien als carrers. I eren una bona colla. Si s'entestaven a trobar l'Emma, podien resultar molt eficaços.

—Creus que tu i els teus amics em podríeu ajudar? Per molt que ho intento no aconsegueixo trobar-la.

Va pagar generosament la Maravilles. La noia bé necessitava diners per donar als altres trinxeraires, el va enganyar.

—Més de deu mil començaran a buscar-la!

—Potser no seran tants —va parlar per primera vegada en Delfí.

—I tu què saps, tros de suro? —li replicà ella a l'instant—. Si no saps comptar.

—Però n'hi ha molts que no són amics nostres —insistí ell.

—Per això serveixen els diners, burrot! —El noi volia contestar, però la reacció de la germana el va fulminar—: Calla!

Va passar una setmana i en Paco va avisar en Dalmau que la

Maravilles i el seu germà l'esperaven a la porta de la fàbrica. En Dalmau va deixar tot el que estava fent i va sortir corrents a trobar-los. L'havien trobat. Sí. Emma Tàsies. Així li havia dit que es deia el noi que l'havia reconegut en un forn del carrer de la Princesa, al barri vell. La seva cara era idèntica a la del dibuix que li havia fet arribar en Dalmau, així que no en tenien cap dubte. Van agafar un tramvia per arribar-hi abans. Els altres viatgers van mirar amb menyspreu els nens bruts i malgirbats i se'n van allunyar. La del forn no era l'Emma. El trinxeraire que l'havia descobert, semblant a en Delfí, va insistir que sí que ho era. «Tàsies?» L'altre va arronsar les espatlles davant de la pregunta d'en Dalmau, que va buscar una explicació en la Maravilles. «Com que no sap escriure, potser se li ha oblidat l'altre nom —va intentar excusar-lo—, però s'hi assembla!, o no?» Era guapa; aquesta era la seva única semblança. «No pateixis, mestre. La trobarem —el va animar en Delfí—. Buscarem per tots els racons.»

El van entabanar tres vegades més.

—No es diu Emma Tàsies! —va cridar en Dalmau en l'última engalipada davant d'un torrent d'obreres que sortien de la fàbrica de filatures—. Ni s'assembla en res al dibuix que et vaig donar!

—És clavada, clavada, al dibuix! —va cridar la Maravilles—. I es diu Emma Tàsies —va afegir—. T'ho asseguro. És la que busques. Pregunta-l'hi.

Per un moment en Dalmau va seguir la dona que li havien assenyalat la Maravilles i el seu germà, que li havien assegurat que aquest cop sí, que aquest cop ja l'havien trobat, però es va aturar, va fer que no amb el cap i es va preguntar quina bestiesa estava fent quan es va girar cap a la trinxeraire amb el front arrufat.

—Per què m'enganyes? Que t'he tractat malament, jo?

—No. —Les llàgrimes van brollar dels ulls de la Maravilles. La noieta no plorava mai, no recordava la darrera vegada que ho havia fet de petita, però sabia simular-ho. El seu estil de vida li exigia despertar la compassió i la llàstima—. No t'enganyo —va balbucejar—. Es diu Emma Tàsies. Ella m'ho ha dit. A mi. Aquesta vegada a mi. T'ho prometo! I s'assembla a la del dibuix. És veritat, no t'enganyo... Per què m'havia de dir una mentida?

181

La que sortia de la fàbrica de filatures ni tan sols no era guapa. Era una noia grollera, va pensar en Dalmau quan va tornar al seu taller. Potser era bona persona, una treballadora humil que, com totes les altres, portava marcats a la cara l'esforç i la duresa a què les sotmetien els capatassos dia rere dia, però no s'assemblava gens a l'Emma. En Dalmau va sospirar; li va dir a la Maravilles que deixés estar la cerca. La nena s'hi havia negat i entre plors i sanglots li va prometre que trobaria la seva xicota. En Dalmau sabia que ho havia de fer ell: era impossible que l'Emma hagués desaparegut. Algun dia tindria notícies seves… Continuaria buscant-la, malgrat que dubtava que servís de gran cosa, que ella arribés a perdonar-lo; tot i així, ho havia d'intentar.

Al taller estava de feina fins al capdamunt. La fàbrica rebia comandes per a les cases modernistes que s'estaven construint. Arrambadors com el de les fades. Rajoles de sèrie com aquelles japoneses que havia dissenyat en Dalmau. Però no només això, l'exposició de dibuixos i la seva repercussió als diaris havia posat el seu nom en boca de la gent. Un productor d'oli li va encarregar el disseny d'un cartell publicitari per als seus articles; un fabricant de caramels, el d'una nova caixa. En Dalmau rumiava com fer-ho. Es va apropar als cartells i les obres dels grans modernistes: Casas, Rusiñol, Gual, Utrillo, De Riquer, Llaverias…

El disseny per al fabricant dels caramels el va resoldre amb certa rapidesa: una caixa plana de perfil ondulant i cantells arrodonits, en què apareixien les cares somrients de dos nens amb tirabuixons, tot plegat molt ornamentat i amb molt color. El cartell de l'oli li costava més. Per a desgrat del mestre Manel, va agafar com a referent i model un exemplar de la revista en què s'anunciava un sanatori per a sifilítics del passeig de la Bonanova, una zona allunyada del centre de la ciutat. Aquell anunci l'havia pintat Ramon Casas, bohemi i mestre com n'hi havia pocs.

Cada vegada que mirava aquell cartell, en Dalmau se sentia més petit. A l'anunci hi apareixia una dona que, malgrat tenir una primor malaltissa, continuava mostrant una bellesa que, com la seva vida, s'escapava darrere la mirada perduda en una flor que aguantava a la mà a l'altura dels ulls. La serp negra enredada en un mantó que no arribava a cobrir l'espatlla nua ni part d'un pit, sentenciava qualsevol esperança de cura que pogués tenir l'espectador. Ho deia tot! Una malaltia tan sòrdida com la sífilis s'expressava amb una sensibilitat i un art inigualables. Li costava pensar que pogués aconseguir una cosa semblant. No es tractava d'abocar el dolor per la mort de la Montserrat i la ruptura amb l'Emma en els dibuixos d'uns miserables com els trinxeraires; ara tocava transmetre un altre missatge, l'adient perquè la gent comprés un oli determinat.

I mentre treballava en la ceràmica i de tant en tant tornava a embadalir-se en el cartell de la clínica per a sifilítics amb l'esperança que se li ocorregués alguna cosa que anés més enllà de la simple proposta d'unes dones comprant oli, la presència d'en Dalmau es multiplicava en sopars, festes i reunions. Les invitacions acostumaven a arribar-li a través del senyor Manel i ell hi assistia de la mà del mestre, que també organitzava banquets a casa seva per vantar-se del seu deixeble i empleat. Ell havia estat el seu professor a la Llotja; ell el va recomanar tot i que el pare fos un anarquista condemnat per les bombes de la Processó del Corpus de Barcelona, el 1896; ell li havia ensenyat a la fàbrica els secrets de la ceràmica; ell l'havia salvat de l'exèrcit; ell l'aconsellava; ell havia ajudat la família quan havia passat el trist episodi de la seva germana, pobreta, perquè malgrat la seva lluita revolucionària no es mereixia la mort; ell havia organitzat l'exposició. Ell, ell, ell... Ell el va portar al seu sastre, un jove apegalós, perquè li confeccionés dues americanes i dos pantalons pels quals en Dalmau va pagar un preu que li va semblar exorbitant. Després el va acompanyar a comprar-se un abric i sabates, i camises, i mitjons i roba interior. Allà es va acabar de deixar el que li quedava del racó que havia fet amb els dibuixos dels trinxeraires, meravellosos però poc productius pel preu de sortida que el Cercle Artístic de Sant Lluc havia fixat prèviament. Al cap i a la fi, el que corresponia a un pintor novell, va opinar el mestre, o sigui que calia restar-hi comissions, despeses i mil conceptes que en Dalmau no entenia i va confiar a l'experiència del seu mentor.

El que no va consentir va ser portar barret: continuaria amb la seva gorra. A més, portava camises sense colls ni punys per respecte a la seva mare, aferrada dia i nit a la màquina de cosir. Tampoc no es va posar corbata, tot i que de fet no tenia coll on lligar-la. Amb aquesta fila, en Dalmau es movia en l'entorn dels Llucs vestint més com ho feien els enemics del Cercle, els bohemis, que com ho feien els que el rebien, els seus amfitrions: amb levita o frac negres, ells; amb vestits de seda, enjoiades i enravenades dins les cotilles, les dones.

Una pluja de gotes daurades, denses i espesses, sobre un fons fosc en què apareixien les siluetes de diverses dones, esveltes i sensuals. L'oliaire va estar encantat amb el nou anunci dels seus productes que havia dissenyat en Dalmau i no només li va pagar de bon grat la suma pactada, sinó que, després, va organitzar un sopar a casa seva al qual no va convidar el mestre Manel.

—Entre nosaltres —li parlà amb sinceritat aquella nit—, sé que és el teu mestre i m'imagino que li deus tenir respecte, com ha de ser, i fins i tot afecte, però el trobo una persona excessivament retrògrada per tenir-hi una conversa o passar una vetllada agradable. Les poques vegades que he coincidit amb ell no ho he aconseguit mai. La Verge, Jesucrist, les bombes dels anarquistes, els bohemis, els catalanistes… No sap parlar de res més! Ordre, moral i bons costums. Et demano discreció —afegí.

L'oliaire es deia Francesc Serrano, i el seu domicili, una mansió de tres plantes en un passatge estret i tranquil entre el passeig de Gràcia i la rambla de Catalunya, va resultar per a en Dalmau un dels màxims exponents del modernisme, en què l'arquitectura de sostres alts i decorats amb cassetons i ceràmiques brillants, entre les bigues de fusta vista i els terres de parquet —policromats els uns, amb magnífics mosaics els altres— s'unia al mobiliari i a la decoració dels elements més insòlits.

En Dalmau ho havia sentit a dir d'alguns crítics d'aquell corrent que, per una altra banda, tant l'atreia. Els artistes, els pintors i els escultors, sobretot els bohemis, s'havien rebel·lat contra la burgesia, a qui menyspreaven i ridiculitzaven. Ja no pintaven, escrivien o esculpien el que atreia al públic, sinó que treballaven l'art per l'art i, en comptes d'abonar-se als gustos de la gent, els imposaven. Les obres d'art s'havien transformat en simple mercaderia.

Els arquitectes havien arribat tard a aquell corrent, però, quan ho van fer, s'hi van afegir encara amb més èmfasi que els pintors, si això era possible. No només projectaven i construïen els edificis, sinó que ara dissenyaven aquells treballs que abans es podien haver considerat secundaris i que quedaven a criteri dels mestres artesans: balustrades, reixats, panys, picaportes... Però, a més a més d'ocupar-se d'aquests elements accessoris, també ho feien del mobiliari, de la vaixella, dels gerros i de la resta de la decoració de la casa. Incloïen també tapissos, catifes, vaixella, cristalleria i coberteria... En tot hi intervenia l'arquitecte modernista; n'hi havia que estenien la seva influència fins als vestits de les senyores de la casa.

Els barcelonins rics pretenien així comparar-se amb els europeus decadents que durant el segle anterior havien omplert les seves mansions amb multitud d'objectes exòtics i valuosos, adorns de tota mena, època i procedència amuntegats en entorns gairebé opressius. Però el que al capdavall aconseguien aquells burgesos modernistes era construir una casa completa que els lliuraven gairebé amb el servei inclòs, fruit tota ella no pas de l'esperit culte, intel·lectual, col·leccionista, curiós o fins i tot aventurer dels seus amos, sinó de l'exclusiu gust d'un arquitecte.

Així l'hi van anar ensenyant a en Dalmau la filla de l'oliaire i dues comensals amigues d'ella, que abans de seure a taula li van fer un recorregut per tota la casa, dormitoris inclosos, on els treballs de fusteria en panells, llits, armaris, cadires i taules mostraven un talent semblant al dels grans ebenistes del modernisme: Homar, Puntí, Busquets... Les velles motllures i els relleus del segle XIX s'havien substituït per composicions més lleugeres en què es combinaven els colors clars del freixe, l'amboina o la noguera amb els foscos de la caoba o el roure. La metal·listeria en la lluminària, els vitralls entre la fusteria i sobretot els treballs de marqueteria en làmines de fusta, metalls, nacre o carei, omplien aquell ambient de perfecció. En Dalmau va fer lliscar els dits per damunt dels caps de dona que decoraven en marqueteria el capçal del llit de la filla de l'oliaire.

—Ha de ser meravellós dormir cada dia sota una obra d'art com aquesta —va comentar mentre aprimava els ulls per distingir les diferents capes de fusta que componien aquells dibuixos.

Les noies, d'uns vint anys, van acollir amb esbossos de somriures i mirades de complicitat el comentari, i en Dalmau es va adonar que la frase es podia mal interpretar.

—Em referia a…

—Ja sabem què vol dir —la interrompé una d'elles amb murrieria; tot seguit el va agafar de bracet i el va conduir cap a l'escala que els tornava al menjador.

Aquella nit, després de sopar, i davant la mirada empipada de la filla de l'oliaire, que no entenia per què el seu pare no li permetia sortir de nit i en canvi sí que ho autoritzava al germà gran, en Dalmau va acabar visitant, de la mà d'aquest últim i d'altres joves amb qui es van trobar, dos locals de luxe; en un d'aquests l'encarregat li oferí un corbatí perquè era obligatori entrar amb corbata. En un primer moment va intentar oposar-s'hi, però l'alcohol que ja havia begut, i la insistència d'algunes dones que s'havien anat afegint al grup a mesura que transcorria la vetllada, el van dur a rendir-se i a permetre que fins i tot hi juguessin; que li posessin i traguessin el corbatí una vegada i una altra, girant-lo o redreçant-lo, per després observar-lo amb una mirada crítica, ben bé com si jutgessin un quadre. I quan una donava la seva aprovació, n'apareixia una altra que l'estirava i el desfeia entre rialles, crits i simpàtiques disputes per obtenir el favor d'aquell que els havia estat presentat com un artista jove i prometedor.

A en Dalmau li costava recordar quin camí havia seguit fins que va despertar-se en un pis de la rambla de les Flors, despullat i tombat en un sofà, com també ho estaven dos joves més que dormien sobre el llit amb les cames i els braços estesos. Es va fregar els ulls fins que se li van humitejar i va desaparèixer la sensació que tenia tot de sorreta enganxada a les còrnies. No era capaç de reconèixer els seus companys d'habitació, si més no en aquella posició, i no tenia cap intenció d'aixecar-se per examinar-los amb més deteniment. El cap semblava que li havia d'explotar davant d'un nombre inacabable d'imatges que es reproduïen com si volguessin recordar-li què havia fet i qui era: llums, taules, músics, balls, dones, copes… Tots els elements se li presentaven en tromba com si pretenguessin assaltar a la força el seu cervell. Va canviar de posició: l'estómac se li va regirar.

—Bon dia, artista —el va sorprendre una dona des del darrere.

En Dalmau volia contestar, però les paraules se li van encallar en una gola resseca.

—Ja s'ha despertat el mestre? —es va sentir una veu diferent.

Per l'estança passejaven dues noies mig nues, ocupades a trobar la indumentària que els faltava entre una estesa caòtica de peces de roba, ampolles i tota mena d'objectes.

—Té —li va dir una d'elles a en Dalmau llançant-li uns calçotets.

—Com saps que són els meus...? —va preguntar mentre intentava atrapar-los al vol, en un gest maldestre i frustrat.

—Que com ho sé? —l'interrompé la noia per acabar de formular la pregunta—. Perquè te'ls vaig treure jo —afegí amb un somriure.

En Dalmau va fer un esforç per reanimar-se. Aquell somriure... Un flaix dolorós al cap n'hi va retornar la imatge, ella asseguda cama aquí cama allà damunt d'ell. En aquell moment li van ploure al damunt els pantalons i la camisa. Després l'americana.

—Vols el corbatí? —es burlà la noia amb l'expressió cansada, sostenint, entre l'índex i el dit polze, una tira de tela tan atrotinada com l'aire que es respirava en aquella habitació.

En Dalmau va aprofitar per examinar la dona amb més detall: una cotilla cenyida al tors li mantenia els pits ferms i altius, però ell els va recordar lliures d'aquella peça, caiguts. No s'atreviria a apostar per la seva edat: en qualsevol cas, el seu cos mostrava l'estigma d'una vida en mans dels uns i dels altres. La jove es va adonar de l'interès d'en Dalmau, i va prémer els llavis alhora que arquejava les celles. «Això és el que hi ha», li va voler dir amb aquell gest.

En Dalmau va buscar les altres pertinences, es va vestir i va comprovar que no li quedava ni un cèntim de les pessetes que, per precaució, havia agafat per a aquella nit i que segurament s'havia malgastat en alcohol i dones, i va abandonar aquell edifici vell amb les dues noies.

—No esperes els teus amics? —li preguntà una d'elles.

Al final, s'havia atansat al llit. Si haguessin anat vestits potser encara els hauria reconegut; despullats era incapaç de saber qui eren.

—No —va contestar—. No m'agradaria destorbar-los d'un son tan agradable.

Aquell matí, en Dalmau va passar per casa seva i va respirar amb cert descans quan va comprovar que la seva mare no hi era; va pensar que devia estar comprant o lliurant i recollint material per cosir. Es va rentar, va tenir dubtes d'encendre la cuina per preparar-se un esmorzar més contundent, però s'ho va repensar; a l'últim va menjar un tros de pa dur i mitja ceba, i va sortir en direcció a la fàbrica de rajoles. El contrast entre la penombra, la humitat i l'olor insana dels carrers del barri vell de Barcelona, i el sol de finals d'estiu, encara baix, joguinejant amb les ombres del passeig de Gràcia, anunciant un dia esplèndid per als afortunats que hi vivien i gaudien d'aquell entorn, li va crear, un cop més, una sensació de neguit que li pessigà l'estómac.

Instintivament, va buscar l'Emma entre la gent que es desplaçava d'un lloc a l'altre de l'artèria principal de la ciutat. No la va trobar, ni tampoc es va desviar del seu camí. Aquella nit li havia estat infidel. L'estómac se li arronsà. Tot i que en defensa seva va intentar excusar-se: era una justificació, encara que fos mínima, que s'hagués deixat endur per l'alcohol? Eren prostitutes, insistí com si estigués donant explicacions a un tercer. No hi havia hagut amor, però era la primera vegada que se n'anava al llit amb una altra dona, i això li regirava les entranyes.

No obstant això, aquella sensació de culpabilitat es va anar diluint a mesura que la feina, l'èxit, els reconeixements públics i les festes van envair la vida i la rutina d'en Dalmau. Va dissenyar rajoles, arrambadors i peces de terrissa. Va dibuixar i va pintar: quadres, cartells, algunes vinyetes que li encarregà un diari, i fins i tot dos ex-libris. Va conèixer personalment Ramon Casas, que aquell any havia acabat dotze pintures que decoraven l'anomenada sala de la Rotonda del Cercle del Liceu. Les obres tenien la figura femenina i la seva relació amb la música com a protagonista i motiu respectivament. El talent de Casas es reflectia en una pintura lleugera, diluïda, d'execució ràpida, en una sèrie que els entesos en la matèria no van dubtar de qualificar de zenit de la pintura modernista. També li van presentar Rusiñol, i Picasso, el jove pintor que era poc més gran que ell i del qual n'hi havia parlat el mestre, amb qui va coincidir en un dels seus intermitents viatges a Barcelona.

Però si hi havia un àmbit en què el modernisme feia eclosió era en el de l'arquitectura i la decoració. Europa i Amèrica vivien l'*art nouveau* i les seves varietats, però només Barcelona era capaç de bolcar aquell concepte de manera massiva i unànime en les seves construccions i comerços. La nova situació d'en Dalmau, com a pintor i ceramista de renom, li va permetre accedir a les construccions acompanyant arquitectes, mestres d'obres, ceramistes, fusters, marbristes, ferrers, i tota la cohort que envoltava els veritables artífexs d'aquelles meravelles.

La Casa Lleó Morera i l'Hospital de la Santa Creu i Sant Pau, de Domènech i Montaner. La Casa Terrades, de Puig i Cadafalch. La Torre Bellesguard i el Park Güell, de Gaudí. En Dalmau va tenir accés a totes aquelles obres, fins i tot hi va arribar a treballar, com li agradava fer, quan es tractava de col·locar les rajoles o les ceràmiques del senyor Manel Bello; va escoltar els plantejaments dels grans mestres i, amb el neguit de qui creu que no està preparat, va presenciar com naixia la màgia. Domènech i Gaudí competien en edificis monumentals. El primer afrontava la construcció de l'Hospital de la Santa Creu i Sant Pau, el segon posava tots els esforços en la Sagrada Família. Antoni Gaudí era extremament vanitós, orgullós, místic; l'arquitecte de Déu. Domènech, en canvi, i a pesar del seu caràcter irascible, era un home de seny, culte, un veritable humanista. Puig i Cadafalch, el petit de tots tres, deixeble de Domènech, arquitecte i matemàtic, també era regidor de l'Ajuntament de Barcelona.

I malgrat aquesta competició arquitectònica que, a parer d'en Dalmau, els hauria de buidar d'idees i absorbir-los tota la creativitat que era capaç de generar el seu enginy, els tres grans arquitectes també s'esmerçaven a fer feines menors, en el que es podria considerar la simple decoració d'establiments comercials. Gaudí i Puig i Cadafalch van col·laborar en la decoració d'un dels principals cafès de Barcelona: el Torino, al passeig de Gràcia, inaugurat el setembre d'aquell mateix any, el 1902. Gaudí va dissenyar la sala del fons del restaurant, Puig i Cadafalch, l'entrada. Domènech, per la seva banda, rehabilitava i decorava l'Hotel España amb l'ajut de grans mestres com l'escultor Eusebi Arnau, el marbrista Alfons Juyol i, per damunt de tot, el pintor Ramon Casas, que va il·luminar el menjador de l'establiment amb un mural de sirenes que semblava que flotessin entre els comensals.

Les comandes arribaven amb fluïdesa a la fàbrica de rajoles del senyor Manel, en la qual s'estava al corrent dels projectes dels arquitectes. Domènech pretenia cobrir tots els pavellons del nou gran hospital amb ceràmica. Paviments, parets i sostres es revestirien amb rajoles; les sales dels pacients, amb colors agradables, tranquil·litzadors; els espais exteriors i altres dependències, amb tons més metàl·lics i colors que reflectissin el sol de Barcelona, i formes que busquessin l'art absolut; si a l'interior s'utilitzaven rajoles llises d'un mateix color, amb la qual cosa es garantia la higiene perquè en facilitava la neteja i desinfecció, a l'exterior, als pinacles, als coronaments, a les sortides d'aire i als mateixos revestiments de les façanes i els sostres, s'abandonarien les formes tradicionals, escapant de les línies rígides per fer ondular i surar l'argila cuita. El nou Hospital de la Santa Creu i Sant Pau seria amb tota la seguretat una exhibició de modernisme i un homenatge a la ceràmica i al seu disseny; els seus proveïdors, per tant, tindrien uns bons ingressos garantits.

—No com aquest arrogant d'en Gaudí —es va queixar el mestre a en Dalmau, mentre parlaven de com anaven les coses a la fàbrica.

—Què vol dir? —s'estranyà en Dalmau.

—Doncs que, mentre els uns respecten la nostra feina i ens encarreguen peces i dissenys, i confiem que ho continuïn fent, Gaudí es dedica a recollir la brossa de les fàbriques i els tallers per recobrir les obres amb això que ell anomena trencadís, un mosaic d'esquerdills de ceràmica, vidre i porcellana, encaixats de qualsevol manera.

En Dalmau coneixia aquella tècnica ideada per Gaudí. Li agradava. Aquell batibull de peces de rajoles trencades sorprenia. De vegades neguitejava, però no deixava mai de meravellar: el color, la disposició, fins i tot la possibilitat d'especular d'on procedia una peça o l'altra, en un intent en va per conèixer-ne la història.

—És una tècnica nova, modernista... —En Dalmau va voler defensar el gran arquitecte.

—Fill —va intervenir el mestre Manel—, el trencadís és simplement una variant del zellige, que ja utilitzaven els moros al nostre país fa molts anys. La qüestió és que Gaudí està obsessionat amb l'economia, el seu discurs sempre hi gira al voltant, a l'ús adequat dels recursos, a economitzar. Ha recuperat aquesta tècnica i ha aconseguit que les fàbriques li regalin les sobralles inútils, i així n'abaixa els costos.

Com en altres ocasions, en Dalmau no va voler discutir amb el mestre. Potser el trencadís naixia o no dels moros; moltes de les construccions modernistes es basaven en l'arquitectura i l'ornamentació àrab. El que en tot cas era innegable era que la ceràmica aplicada a les façanes dels edificis, trencada o sencera, estava canviant l'aspecte de l'entorn. La pedra i el totxo, grisos, uniformes, tristos, es convertien, gràcies a un revestiment de rajoles, en façanes lluminoses, innovadores, colpidores, molt més del que ho eren les composicions clàssiques i ensopides que adornaven els passejos de les grans ciutats.

Passaven els mesos i en Dalmau, consagrat a la seva feina després de perdre qualsevol esperança de trobar l'Emma, dissenyava obres i rajoles, pintava i visitava les construccions modernistes, i com més sentia parlar els grans mestres arquitectes i els artesans que, com ell amb la rajola o la ceràmica, feien realitat els somnis d'aquells genis treballant la fusta, el ferro o el vidre, més derivava la seva pintura cap a les propostes del seu ídol Ramon Casas. Va deixar definitivament enrere qualsevol influència del simbolisme dels Llucs, tan arrelat en la pintura del seu mestre, i va intentar captar a través de les pintures la fugacitat del moment, en colors diluïts, en obres exemptes de grans contrastos policroms en què pretenia jugar amb la indefinició en les línies; la realitat, fins i tot la quotidiana, tal com la percebia l'artista en un únic instant. La llum. En Dalmau perseguia aquesta fascinant llum crepuscular: la que cau en el moment que el dia i la nit es barallen entre si per aconseguir la realitat i tot sembla desdibuixar-se.

Però malgrat els èxits que obtenia amb les rajoles i tantes altres feines, en Dalmau amagava els seus quadres, fins i tot al mestre, temorós que poguessin comparar-lo amb els grans i les crítiques destrossessin les seves obres. Necessitava aprendre, absorbir aquelles idees meravelloses del modernisme, impregnar-se de l'esperit del que era nou. Més d'una vegada es va plantejar viatjar a l'estranger, tal com havien fet i feien la majoria dels pintors cèlebres. Disposava d'uns quants diners gràcies als encàrrecs que li feien, però també tenia una mare lligada a una màquina de cosir, i un crèdit considerable que havia de tornar al seu mestre per alliberar-lo d'anar a l'exèrcit, tot i que, en el fons, confiava que el senyor Manel li perdonés aquell deute com gairebé li havia insinuat més d'una vegada, quan els clients mostraven satisfacció i pagaven amb generositat el que ell havia creat.

Poca gent anava a visitar la Josefina d'ençà de la mort de la Montserrat, i l'Emma, després de la ruptura amb en Dalmau, només l'anava a veure de tant en tant. En Tomàs vivia pendent de la lluita obrera, que aspirava a deixar enrere el fracàs de la vaga general de començament d'aquell any. El germà gran d'en Dalmau no havia conviscut mai amb cap altra família que no fos la lluita política i, per tant, no reconeixia com a seva l'obligació de cuidar i atendre la mare; això sempre ho havia fet la Montserrat i, en última instància, en Dalmau, el preferit. Allò no volia dir que algun dia, esporàdic, es presentés al pis del carrer de Bertrellans, però exceptuant aquelles visites gairebé anecdòtiques, només alguna veïna o una vella amiga passava per casa de la Josefina per interessar-se per ella, prendre un cafè, treure-la de la màquina de cosir i xerrar uns minuts.

La companyia que en Dalmau feia a la seva mare tampoc no era gaire considerable, ja que acostumava a dinar a la fàbrica, on en Paco li portava algun plat de la fonda mentre ell continuava treballant, o ho feia a casa del mestre, on la senyora Cèlia i la seva filla Úrsula s'entestaven a molestar-lo amb males cares i menyspreus durant els dinars que el marit i pare, respectivament, pretenia que fossin agradables. Les nits, quan no les dedicava a pintar al seu estudi, en Dalmau les perdia en una taverna o un restaurant en tertúlies d'artistes com ell, alguns de reputats, d'altres de fracassats; escriptors, una minoria llegits pel públic, gairebé tots ells vanitosos, un tret del caràcter que en Dalmau va comprovar que s'intensificava en relació inversa a l'èxit de les seves obres; dramaturgs; poetes; escultors; periodistes; bohemis escurats a l'espera que algú els convidés a un plat de sopa i a un tall de carn, i joves burgesos que se sentien atrets per un món canalla en contrast amb aquell que vivien còmodament a l'empara dels seus pares i les seves fortunes als grans immobles de l'Eixample. De vegades, un cop feta la tertúlia, el grup ja més reduït i entrada la nit, es lliuraven a l'alcohol i a les dones, sovint prostitutes, o sigui que eren poques les vegades que en Dalmau arribava a casa i trobava desperta la mare.

La veia als matins, quan ella deixava la seva feina a casa i li preparava l'esmorzar. Parlaven poc. En Dalmau preveia que rebria si establien conversa, i la Josefina ja estava cansada d'advertir-li que el rumb que estava prenent la seva vida no era el correcte.

—Tinc èxit, mare —replicà ell una vegada—. La gent em coneix… Valoren les meves obres, em conviden i volen estar amb mi.

—Aquest èxit l'hauries de posar al servei dels altres, del poble, dels obrers —l'interrompé ella—, de la lluita.

—Mare… —En Dalmau va intentar esquivar el tema—. Què pretén? Que regali els meus quadres a les societats obreres?

La Josefina no hi va insistir. Estimava el seu fill. Per aquella mateixa raó tampoc no li parlava de les visites de l'Emma. La primera vegada que la va topar va ser un dia que anava a portar els punys de camisa que havia cosit i a recollir nous encàrrecs. La noia no havia volgut pujar a casa. En canvi, sí que van passejar per la ciutat vella, per carrerons on el sol no entrava, humits, bruts i estantissos, les seves veus sovint silenciades pels crits de la gent o la fragor de les fàbriques i els tallers que encara continuaven atrapats en l'atapeït entramat urbà de la Barcelona medieval. L'Emma confessà a la Josefina totes les circumstàncies que l'havien portat a la situació en què es trobava: la suplantació de la Montserrat davant de les monges; la responsabilitat que li atribuïen en la seva mort. «Tranquil·la —li va dir la Josefina—, tu no hi vas tenir res a veure. Tu l'estimaves.» Pel que feia a en Dalmau, li va començar explicant la borratxera i la clatellada, i va acabar amb els nus que s'havien venut al prostíbul. La Josefina feia que no amb el cap i sospirava.

—El que em va fer més mal és que no insistís a disculpar-se, que no fes més per la nostra relació. La primera vegada jo estava massa enrabiada, encara em feia mal la cara! —va exclamar l'Emma. La Josefina la va mirar i va veure un rostre que reflectia dolor—. Després va passar allò dels nus. Com l'hi puc perdonar? —va preguntar, dolguda—. Ara treballo venent gallines amb un vell esdentegat que pobre d'ell que em toqui el cul —va afegir per trencar la tensió que s'havia produït.

Ho va aconseguir, perquè la dona va esbossar un somriure abans de tornar a negar amb el cap.

—En Dalmau ha canviat, filla —va reconèixer—. Temo que s'està convertint en un d'ells, d'aquests contra els que tant hem lluitat. Si cregués en el més enllà, li demanaria a son pare que si us plau el corregís, però no crec en una altra vida, o sigui que pateixo pensant que la del meu marit es va entregar en va, assassinat per uns ideals dels quals son fill acabarà renegant.

L'Emma es va agafar amb força del braç de la Josefina i van continuar caminant una estona en silenci.

—No li parli de mi —li demanà la noia en tombar la cantonada del carrer de Bertrellans.

La Josefina l'hi va prometre que no ho faria i a més ho va complir. Cada vegada que el seu fill esmentava l'Emma, ella canviava de conversa, fins que un dia, davant de la seva insistència, es va veure obligada a utilitzar arguments més contundents:

—Com pots estar pensant en la més mínima relació amb una noia els nus de la qual han corregut per tot Barcelona?

Una suor freda va amarar l'esquena d'en Dalmau en adonar-se que la seva mare ho sabia.

—La van insultar. —La Josefina va interrompre els seus pensaments—. Li van dir puta, i van ser molts, molta gent; n'hauries de ser conscient: la van humiliar i el seu oncle la va fer fora de casa seva, com una gossa.

—I vostè com ho sap, tot això? —li preguntà.

—Fill —va dir la Josefina, cansada—, la gent és cruel. N'hi ha prou que corri la brama perquè tots s'afanyin com hienes a escopir-te-la a la cara. La brega que vas tenir amb els cosins al carrer, el comentaris a Can Bertran, la seva desaparició...

En Dalmau no va insistir.

Per la seva banda, l'Emma va donar a la Josefina l'adreça de la casa on dormia perquè la pogués trobar en cas de necessitat.

—Per a qualsevol cosa, Josefina —va afegir—. No ho dubti ni s'ho pensi dues vegades. El que necessiti. De debò —insistí amb èmfasi—. Ja sap que me l'estimo com una mare —va acabar dient abans de fer-li un petó tendre a la galta i d'empènyer-la amb delicadesa cap al carrer, per evitar així que hagués de veure el dolor que patien totes dues en les llàgrimes que els lliscaven per les galtes.

Conscient, doncs, de quina era la posició de la seva mare sobre el tema, en Dalmau li va amagar el frac, la camisa amb coll i punys, rígids, tots blancs, el corbatí negre i les sabates de xarol que s'havia comprat per assistir al ball que se celebraria a la Maison Dorée, un dels locals de més prestigi de Barcelona, a la plaça de Catalunya. Dos d'aquells burgesos rics a qui agradava afegir-se a les tertúlies dels artistes, Josep Paria i Amadeu Fabra, van intentar convèncer-lo perquè hi assistís, ometent-li, en un principi, l'obligació de vestir de gala. En aquell ball, li van assegurar els joves, no hi hauria les dones amb qui acostumaven a finalitzar les seves nits llicencioses. Allà hi hauria les seves pròpies germanes i moltes de les senyoretes de l'alta societat de Barcelona a qui els seus pares, excepte en ocasions especials com aquella, no deixaven sortir de nit.

—Totes et volen conèixer! —va exclamar l'Amadeu.

—Els hem parlat molt de tu, de la teva feina, de les teves pintures —va afegir en Josep—. Es moren de ganes de xerrar una estona amb tu.

En Dalmau va fer que no amb el cap. No s'imaginava en un ball al costat del mestre, la senyora Cèlia, l'Úrsula i tots els rics i prohoms de Barcelona i les seves famílies.

—Han vist els teus dibuixos als diaris i coneixen els teus cartells —insistí el primer—. La meva germana petita, per exemple, guarda la capseta per a caramels que vas dissenyar com un tresor; ara la fa servir per desar-hi els seus secrets.

En Dalmau no es deixava convèncer: aquella festa no li venia gens de gust.

—Dalmau —va tornar a reprendre la paraula l'Amadeu—, allà

hi haurà els teus clients naturals. Qui et contracta perquè els facis la publicitat? Els industrials. A qui vendràs els teus quadres el dia que decideixis fer-ho? Als obrers? Et convé ser-hi, conèixer aquella gent, establir-hi amistat.

—No sé ballar —va ser tot el que se li va ocórrer dir a en Dalmau, tan afalagat com convençut de la raó d'aquell últim argument.

En aquella època, ja ben entrat l'any 1903, un grup de dones catòliques, evidentment entre elles la senyora Cèlia, havien abanderat la causa contra la blasfèmia. Republicans i anarquistes, gran part de la massa obrera, blasfemava, als carrers i a les tavernes, als tallers i a les fàbriques. I la majoria ho feien no per simple barroeria, de forma irreflexiva, sinó per convicció: juramentaven sabent que d'aquella manera insultaven els catòlics i la seva religió. Aquelles dones, encotillades i vestides de negre rigorós, alarmades perquè Déu, la Verge i els sants no caiguessin ni un minut en la boca bruta de tant sacríleg, es van mobilitzar i van aconseguir prop de dotze mil signatures que van presentar davant de les autoritats perquè s'adoptessin mesures de repressió contra la blasfèmia. Algunes fàbriques van dictar reglaments interns en què es prohibien els juraments, i fins i tot es va acomiadar treballadors per incórrer en una falta greu. La nit que en Dalmau es va posar el frac al taller per no mostrar-se a casa seva se celebrava l'èxit d'aquella iniciativa tan piadosa.

En Dalmau va baixar pel passeig de Gràcia, il·luminat a la nit com no ho estava cap altra avinguda de la ciutat. Caminava incòmode, tant pel vestit de segona mà que s'havia comprat, temorós de la dinerada que s'hauria deixat si hagués anat a la sastreria del senyor Manel o a qualsevol altra, com per les mirades que li dirigien els pobres i necessitats que feien cua davant de les cases riques per rebre les sobralles d'alguna menja, o aquells altres que buscaven un recer per passar-hi la nit, que es presentava freda i inclement. Se li atansà un trinxeraire i li demanà almoina. En Dalmau va arrufar els llavis davant del noi sutjós i escardalenc i li va donar dos cèntims. Feia temps que no veia la Maravilles, va pensar just abans que l'encerclés un grup de quatre trinxeraires més que van reaccionar al reclam de la seva generositat.

—Ja li he donat uns cèntims a un dels vostres. —En Dalmau

se'ls va intentar treure del damunt—. No us puc donar monedes a tots —va afegir, però la canalla el va seguir pel passeig, entorpint-li el pas, pregant-li, estirant-li els faldons del frac—. Prou! —va acabar cridant en Dalmau, nerviós per l'assetjament dels pidolaires—. Voleu que truqui a la Guàrdia Municipal? O al sereno?

Encara no havia acabat la frase que la criaturada va marxar en estampida. En Dalmau es va quedar immòbil, un cop creuat el carrer d'Aragó i les vies del tren que hi corrien, que va superar pel pont del baixador. A la dreta s'alçava la Casa Amatller, una mica més a baix la Lleó Morera, que construïa Domènech i Montaner, i ell acabava d'amenaçar uns pobres nens desvalguts que avisaria la policia. Es va sentir miserable. Tot per vuit cèntims més, dos per cap, quan malgastava els diners en un frac, encara que fos usat. Malgastava el sou en alcohol i dones. La contribució al ball d'aquella nit li havia costat bastants calés i, malgrat tot, tenia el puny estret quan es tractava de donar caritat. Va buscar amb la mirada els nanos, però ja havien fugit. Potser l'estaven mirant, amagats als caus on dormien. Va respirar l'aire de la nit i va dedicar atenció als sorolls que la caracteritzaven: una dona que taral·lejava una cançó en un pis amb la finestra oberta, les ferradures de les peülles d'un cavall sobre l'empedrat, les corredisses dels mateixos trinxeraires quan s'escapaven. Es tractava de sons independents, perceptibles, de vegades diàfans, que no es confonien entre ells com passava durant la bullícia del dia.

Li va costar reprendre el camí, tot i que ho va fer lentament. Tenia la nostàlgia agafada a l'estómac. Aquells sorolls els havia sentit moltes vegades quan buscava l'Emma. Què se n'havia fet, d'ella?, es va preguntar. Tot d'una era molt conscient de fins a quin punt li havia fallat. Feia més d'un any que la Montserrat havia mort. I el mateix temps, per tant, que s'havia trencat la relació amb l'Emma, i ell, resignat, havia permès que el seu record es diluís en festes i feina, fins que en moments com aquell tornava fuetejant-li la consciència. «Així era ella —va confessar a la nit—, temerària i arrauxada.» Per què no havien de ser també els seus records? Un error, dos... La por de ser rebutjat. La supèrbia o la covardia que li va impedir perseguir-la la nit que ella es va negar a contestar les seves disculpes. Ho havia d'haver fet aquella mateixa nit, o l'endemà, o un altre dia. Tot plegat havia posat fi a la felicitat d'en Dalmau, potser fins i tot a la seva joventut.

Amb aquests pensaments es va trobar davant de la Maison Dorée, un cafè restaurant de moda que es trobava a la cantonada de la plaça de Catalunya amb el carrer de Rivadeneyra, un carreró que donava a l'església de Santa Anna, des de la qual, amb dues passes, s'arribava al de Bertrellans, on vivia amb la seva mare. La gent vestida de gala que baixava d'una llarga processó de cotxes de cavalls i els nombrosos curiosos que s'arremolinaven apareixien il·luminats en contrast amb la zona en la penombra. En Dalmau es va obrir pas entre la multitud i es va esmunyir per la porta abans que baixessin els ocupants d'un cotxe de punt. Va mostrar el tiquet que el mestre Manel li havia donat a canvi d'una quantitat que va entendre que es destinava a la beneficència, i es va barrejar amb la gent que ja omplia els dos pisos que, amb el soterrani on s'ubicaven les cuines i els serveis, conformaven un local decorat a l'estil modernista tot i que una mica recarregat, barroc, que disposava de mobles clàssics francesos i pintures murals de cèlebres artistes catalans: De Riquer, Vancells, Urgell i Inglada, Riu i Dòria... En Dalmau les va contemplar entre les fileres de columnes de ferro que acabaven en arcs amb motius florals, i per damunt dels caps de la gent i les columnes de fum de pipes i cigars. No era la primera vegada que era allà. En aquell cafè restaurant s'hi celebraven algunes de les més cèlebres tertúlies de la ciutat —polítiques, artístiques, literàries i fins i tot taurines—, i ell s'hi havia afegit alguna vegada, com a simple oient, incapaç de discutir amb els qui mostraven tenir una extensa cultura.

Va passejar entre els convidats amb una copa de xampany que un cambrer li havia posat a la mà. Allà s'hi havia citat la flor i nata de Barcelona: burgesos i industrials amb les dones i les filles, com li havien anunciat en Josep i l'Amadeu; militars amb uniformes de gala amb unes pitreres que lluïen infinitat de medalles. En Dalmau ironitzà per dins demanant-se si n'hi devia haver cap que premiés la vergonyosa rendició i la pèrdua de Cuba i les Filipines. També hi havia alguns polítics, com l'alcalde de la ciutat, sacerdots, membres del capítol, fins i tot el bisbe, pel que va sentir en passar pel costat d'un grup que parlava de Sa Eminència. I per descomptat, aristòcrates, un munt, personatges rics i monàrquics, que havien estat beneficiats amb els títols de comte, marquès o vescomte a cop de talonari a les taules de restaurants com aquell: uns aristòcrates moderns que rivalitzaven amb els que ostentaven títols nobiliaris arrelats a la història de Catalunya i en les gestes bèl·liques dels seus avantpassats. La senyora Cèlia es fonia en la seva presència, i en Dalmau s'ensumava que la dona hauria estat disposada a sacrificar bona part del seu patrimoni per obtenir alguna d'aquelles distincions. Pel que feia al senyor Manel, el seu mestre, estava més interessat en l'Església i en la seva pintura que no en la societat, tot i que no per això la menystenia. En Dalmau era conscient que ell li devia molt; sí, el seu mestre s'enriquia amb ell, però eren ben pocs els humils que resultaven escollits per abandonar la misèria a què estaven condemnats. I a ell l'havia triat una persona que l'havia tractat, sinó com un pare, sí com un tutor, de vegades estricte, com ho era últimament respecte a les sortides nocturnes d'en Dalmau i l'aspecte deplorable amb què es presentava a la fàbrica.

—Però si els meus treballs continuen sent excel·lents! O no és així? —s'havia encarat en Dalmau amb el seu mestre l'últim matí que aquest li havia recriminat les seves incipients conductes dissolutes.

El senyor Manel es va quedar atònit davant del to i les paraules del seu oficial més ben valorat.

—Sí —s'havia limitat a contestar abans de fer mitja volta i tancar-se al despatx.

Passat el matí, quan en Dalmau va calcular que era l'hora que el mestre plegaria per anar a dinar a casa, el va anar a veure i es disculpà pel seu comportament.

—És una vida nova per a mi, senyor Manel —havia afegit després—, massa captivadora. Potser m'està seduint. Tindré en compte els seus consells, no pateixi.

La música, un vals, el va tornar al moment present. En Dalmau es va distreure una bona estona observant les anades i vingudes de les parelles a la pista de ball. N'hi havia que semblava que flotessin i giravoltaven amb agilitat; d'altres seguien el ritme més aviat amb poca traça. Va comprovar un cop més que l'aptitud no tenia res a veure amb l'edat: n'hi havia de joves i bastant ineptes, i al seu costat, parelles de vells que es bellugaven amb elegància. Quan l'orquestra va atacar una segona peça, en Dalmau va decidir pujar al primer pis, on la gent bevia i xerrava en grups reduïts. Allà hi va trobar en Josep i l'Amadeu, i tants altres joves burgesos a qui coneixia de la nit. I era veritat: amb ells hi eren les germanes i les amigues. Noies espectaculars, amb ganes de divertir-se i conèixer tot allò que els estava vetat a l'interior dels pisos fastuosos on les tenien tancades mentre no arribava un marit que tingués el vistiplau dels grans i es considerés adient per a elles i per als interessos de la família.

En un moment, en Dalmau es va convertir en el centre d'atenció de moltes d'elles, que, esforçant-se per conservar les bones maneres, el van atabalar amb preguntes sobre els seus dibuixos i la seva vida. «Fill d'un anarquista?», va gosar plantejar una, cosa que creà un silenci sobtat que en Dalmau va trencar amb naturalitat.

—Sí —va reconèixer—. El meu pare el van condemnar en el procés de Montjuïc per l'atemptat del Corpus. I va morir.

«El van executar?» «Al garrot vil?» «I vostè, també és anarquista?» Alguns dels joves que estaven amb elles van intentar interrompre la curiositat morbosa de les noies i, mentre els uns i els altres discutien, en Dalmau va veure l'Úrsula de reüll, a poques passes d'un altre grupet, com si estigués més pendent de la conversa del grup on era ell que no pas del que es deia al cercle on era ella. Per un instant, va sospesar la possibilitat que hagués compartit amb alguna d'aquelles amigues la seva primera experiència sexual al traster amb ell.

—Anem a ballar!

La proposta gairebé unànime de les noies el va tornar a la realitat.

—Els anarquistes no en sabem, de ballar —va intentar excusar-se en Dalmau.

—Hauria de deixar estar la política, en reunions com aquesta —li recriminà una d'elles.

—Sí —va dir l'altra—, aquí ballen tots els homes amb dues cames… que no portin sotana.

El van arrossegar al pis de sota entre rialles, i ell va ballar, amb matusseria. El xampany i l'entusiasme de les seves parelles el van enganyar fins a fer-li creure que agafava el ritme dels valsos: «Un, dos, tres; un, dos, tres», li cantaven elles estirant-li el braç i fent-li posar dreta l'esquena per marcar el compàs. En Dalmau es deixava portar per aquella cadència que indefectiblement es descomponia amb una ensopegada o una trepitjada que les noies minimitzaven mossegant-se els llavis. Aquestes noies no s'arrambaven com passava quan festejava amb l'Emma en algun envelat del barri. Aquestes ballaven separades, rectes com un fus, distants i, no obstant això, algunes d'elles irradiaven un desig i una lascívia que torbaven en Dalmau. Les dibuixava despullades en la seva imaginació. El carbonet corria pel paper delineant els contorns joves i virginals. Alguna vegada va arribar a tremolar tot ell. Hauria jurat que elles estaven al cas dels seus pensaments, que fins i tot s'enrojolaven en una mostra de flirteig, que, malgrat la inexperiència, dominaven a la perfecció.

Irene. Així es deia la rossa amb cara angelical, de faccions perfectes, pell blanca sense cap taca, sensiblement més baixa que en Dalmau i de mans i pits menuts. El seu aspecte era tan delicat que a en Dalmau li va fer l'efecte que es tractava d'una joguina que s'havia de tractar amb una delicadesa extrema. Amb ella va ballar més que amb les altres. Amb ella va posar més atenció en les trepitjades. «Amat», li va dir a cau d'orella en Josep un moment que van decidir descansar i sortir a la terrassa del segon pis a prendre la fresca, tots amb una copa de xampany a la mà. «És la filla d'un dels màxims industrials del tèxtil», l'informà perquè tingués més referències. «I diria que li agrades», va afegir amb presses abans que la jove s'aproximés. En Dalmau va xerrar amb la Irene, una mica allunyat dels altres; ella, esplendorosa, sentint-se observada com la vencedora d'una baralla soterrada. Van riure. Van tornar al pis de sota i no es van separar. Van brindar. Van beure i van donar mil voltes a la pista de ball entre una multitud que no van veure, com si només hi fossin ells dos.

En cert moment de la vetllada, un cop va acabar una peça musical, l'orquestra, elevada damunt d'una tarima, es va enretirar a un costat per fer lloc a un grup de senyores, entre elles la senyora Cèlia, que s'hi van enfilar amb més o menys dificultat. Es va demanar silenci; les copes de xampany van dringar pregant atenció a la concurrència. La pista de ball es va atapeir amb els que van baixar del segon pis. Enxubat entre ells, sentint l'escalfor del cos de la Irene, ara sí proper, en Dalmau va calcular que allí hi podia haver perfectament quatre-centes persones, potser més.

—Excel·lentíssim Senyor Capità General —va cantar una d'aquelles senyores vestides de negre—, Eminència —afegí saludant el bisbe amb un imperceptible moviment de cap—, Excel·lentíssim Senyor Alcalde de Barcelona...

La dona va anar esmentant totes les autoritats que hi havia presents a la festa fins que, després de saludar el comú, va agrair la generositat dels barcelonins en una causa tan altruista com la beneficència i la caritat amb els més necessitats, i a continuació es va perdre en una llarga diatriba contra la blasfèmia. En Dalmau va deixar d'escoltar més o menys quan l'oradora saludava els membres del capítol catedralici. Mirava la Irene de reüll; tenia l'expressió seriosa, com si combregués amb tot el que es deia des de la tarima. En Dalmau va especular sobre la seva edat. Devia tenir entre divuit i vint anys. Pel seu aspecte, qualsevol podria dir que no passava dels setze, però allò no encaixava amb el grup d'amigues amb què es movia ni amb les llibertats que es prenia, beure, ballar, amb tota seguretat sota l'observació i la vigilància dels seus pares, que ja devien estar al corrent de la vida d'en Dalmau més que ell mateix. Divuit, va concloure, sense tenir-les totes. El debat intern que tenia sobre l'edat d'aquell àngel va impedir que veiés com l'Úrsula circulava entre la gent i s'apropava a un noi d'aspecte impol·lut malgrat les hores de ball transcorregudes, i parlava amb ell, assenyalant la tarima. El jove va somriure i després assentí. Va parlar el bisbe. Va parlar l'alcalde. I quan semblava que l'acte ja s'acabaria i es reprendria el ball, el jove es va plantar damunt la tarima d'un salt. La gent es va sorprendre i va guardar silenci.

—Senyores i senyors —va dir amb desimboltura, la veu greu i forta—, els joves som conscients de la importància d'aquest acte i dels esforços dels nostres pares i superiors per oferir-nos un món molt més pacífic, just i apuntalat en els principis de la religió catòlica, per això, en representació de tots nosaltres, el gran artista Dalmau Sala s'ha ofert per pujar a aquesta estrada per tal de dirigir-los unes paraules d'agraïment.

En Dalmau no el va sentir: continuava embadalit amb el nas recte de la Irene, potser una mica arromangat, un punt, just el necessari per suavitzar la duresa d'aquelles línies mediterrànies de les dones llatines. I quan anava a fixar-se en els llavis, aquests es van girar cap a ell en un somriure meravellós.

—Que bé! —exclamà la noia—. Que amagat que ho tenies!

En Dalmau li va tornar el somriure i va arronsar les espatlles!

—Què vols dir?

Va callar davant dels aplaudiments dels que l'envoltaven, que van obrir la rotllana fins a deixar-lo al centre. La majoria el felicitaven, sense que ell n'entengués el motiu. El jove de la tarima havia desaparegut amb un altre salt i s'havia esvaït entre la multitud; el seu lloc l'ocupava ara una de les senyores de negre que s'havia avançat fins al marge de la tarima.

—Dalmau Sala! —el va cridar des d'allà—. Pugi, fill, pugi —l'incità agitant endavant i enrere els dits d'una mà—. L'esperem.

—Per què? —va demanar en Dalmau.

—T'has ofert a parlar en nom de tots nosaltres —contestà l'Amadeu, ja al seu costat.

—Una bona tàctica per guanyar-te l'admiració de tota aquesta gent —li xiuxiuejà en Josep—. Et felicito —afegí mentre l'empenyia per l'esquena cap a la tarima, com si es tractés del seu agent o del seu representant.

La gent havia obert un passadís que portava directament a la senyora de negre, que continuava allargant-li la mà. En Dalmau es quedà paralitzat durant uns moments i en Josep va haver de donar-li una segona empenteta. Els congregats l'animaven, la dona de negre el cridava, i ell es va girar per observar la Irene, que li somreia. En Josep, la gent, la senyora de negre, el somriure de la Irene, tot el va arrossegar fins a aquella tarima, on va pujar mentre notava com li tremolaven les cames. No volia parlar en públic.

—Moltes de nosaltres… —va començar la senyora de negre—. Moltes de nosaltres… —va repetir en un intent que tothom callés— vam estar presents en la seva cèlebre exposició dels dibuixos dels trinxeraires al Cercle Artístic de Sant Lluc. Fins i tot n'hi va haver alguna que va adquirir una d'aquestes obres. —Es va girar cap a una dama que havia accedit amb ella a la tarima i que assentí des del darrere, on s'havia reagrupat amb les altres senyores de negre, barrejades amb els músics—. És un honor per a nosaltres comptar avui amb la seva presència aquí, pel seu ajut i el seu suport a la causa contra la blasfèmia. Són vostès, els artistes de renom, els que la gent segueix i imita, els que més exemple de respecte i prudència en la parla han de proporcionar a la societat. Té vostè la paraula —el va convidar la dona, va fer dues passes enrere i es va reunir amb les altres senyores.

«Té vostè la paraula!» En Dalmau no volia tenir la paraula! Parlar en públic no havia estat mai el seu fort. Va sentir que li suaven les mans i l'esquena. Plantat allà, sol, amb una filera de músics i de dones de negre al darrere, centenars de persones que el miraven al davant, atentes, expectants, va sentir que se li regirava l'estómac. Va escurar-se la gola, amb l'única finalitat de guanyar temps, perquè es considerava incapaç d'articular ni un mot. Aleshores va veure com refulgien les medalles dels militars i les joies de les senyores, les sotanes impecables dels capellans i els vestits de seda de les dones; va veure la Irene, els seus ulls verds clavats en ell. Es va sentir avergonyit, ridícul en aquell frac de segona mà que ara va entendre que li anava gran a les espatlles i estret de cintura. Tots s'hi devien estar fixant.

—Vinga! —va sentir que deia algú del públic.

—Llança-t'hi —el va animar algú altre.

No podia. Va tornar a escurar-se el coll. Aquesta vegada va tossir. Fins i tot li tremolava la gola.

—No diu res —es va sentir en to burleta.

El pànic va atrapar els dits d'en Dalmau, que es van crispar entrellaçats per davant del ventre. Les rialles es van barrejar amb el mareig per tot l'alcohol consumit. I allà continuava, com un estaquirot, paralitzat, les gotes de suor que li corrien per les temples.

—Digues alguna cosa, noi —el va animar amb afecte un avi que era a prop de la tarima.

—Un senzill gràcies —li aconsellà un altre home.

—No diu res —repetí el d'abans.

Les rialles van augmentar.

No havia passat ni un minut. Etern. Havia de fer alguna cosa. Però el cos no li responia. Tampoc no volia mirar el públic; allà hi havia la Irene.

—S'ha quedat mut —va dir algú.

—I quiet, com un model.

Va sentir que esclafien a riure.

—Moltes gràcies —va poder dir a l'últim amb la veu trèmula.

Va fer l'efecte que només l'havien sentit l'avi i l'home que li havia donat consell feia un moment. La majoria dels assistents tornava a tancar-se en grupets per fer-la petar. Els cambrers van reaparèixer amb safates carregades de copes de xampany.

—Música! —es va exigir des de la pista.

—Que se'n torni a pintar! —va cridar algú.

En Dalmau va notar tota la ingesta de xampany regirada a l'estómac, com un onatge. En dues ocasions va notar un reflux amarg a la boca. La primera arcada va coincidir amb les burles d'un grup de joves, la següent va ser justament quan la dona de negre l'agafava amb delicadesa de les espatlles per emportar-se'l d'allà. En Dalmau es va girar quan va sentir el contacte de les mans i va vomitar sobre els baixos del vestit i les sabates de la senyora. A la sala es van alçar tota mena de comentaris i mostres de fàstic. Mentre dos cambrers ajudaven la senyora de negre a netejar amb uns tovallons el vòmit del seu vestit de seda i puntes, un altre convidava en Dalmau a abandonar el lloc per la sortida de servei, a través del soterrani, fugint per darrere dels músics. Els va deixar fer.

7

L'Emma i el pollastrer viatjaven en el tren de Sarrià, un ferro-
carril que sortia de la plaça de Catalunya per arribar fins a
aquell petit municipi, encara independent de Barcelona. Un
tram del trajecte passava pel centre del carrer de Balmes i el dividia,
com passava amb moltes altres vies de la ciutat per on circulaven
tramvies i trens. Amb tot, a diferència del que passava amb els tram-
vies, la majoria ja electrificats, alguns encara tirats per cavalls i muls,
el de Sarrià era un veritable ferrocarril amb locomotores de vapor
feixugues que avançaven sorollosament, xiulant i expulsant vapor
i un dens fum negre que embrutava edificis i persones, tot això amb
una irritant regularitat —cada quinze o vint minuts— que deses-
perava els veïns.

I en això, en la gran locomotora que tirava dels vagons, pensava
l'Emma mentre pujaven pel carrer de Balmes. Feia ja molts anys,
quan es va construir l'estació a la Barceloneta per acollir la primera
línia de ferrocarril de tota la Península, que unia la capital catalana
amb Mataró, les dones d'aquell barri van fer córrer la llegenda que
els maquinistes segrestaven nens per utilitzar el seu greix com a lubri-
cant per a les locomotores. Amb un moment de nostàlgia que la va
rosegar per dins, l'Emma va recordar el seu pare quan es burlava d'ella
quan era petita i l'espantava amb aquella contalla. Si hagués estat cert,
el maquinista d'aquella gran locomotora hauria d'haver segrestat
nens a carretades per mantenir-la ben greixada, va pensar, i va riure
amb la imatge en la memòria del dit índex del pare assenyalant una
màquina mentre ella intentava amagar-se darrere de les seves cames.

—Que penses en alguna cosa graciosa? —l'inquirí en Maties.

—No —va contestar l'Emma després de rumiar-hi. No tenia ganes de compartir aquella intimitat amb el pollastraire.

Des de feia uns quants dies se sentia assetjada pel vell esdentegat que, tot i que havia complert la seva promesa i no l'havia tocat, l'acariciava amb aquells ulls enterbolits, els mateixos que ara, després de mirar-la posant en dubte la seva sinceritat, van baixar per l'abric fins al punt on va suposar que li naixien els pits. Era hivern, desembre, i feia fred, molt fred, més encara en aquell vagó desballestat en què es filtraven els corrents d'aire, com si els volguessin recordar que viatjaven en tercera classe, la més baixa. Amb l'esquena ben redreçada en l'incòmode seient de fusta del tren, va alçar el cistell amb les dues oques vives fins que va escudar els pits. El vell va desistir de la luxúria i es va centrar a observar el carrer per la finestra. Ella es va fixar en les oques; les aus eren el motiu que haguessin agafat el tren per baixar a l'estació de la Bonanova, una zona encara sense urbanitzar entre Barcelona i Sarrià, en què hi havia escampades aquí i allà unes torres magnífiques i imponents, envoltades de jardins extensos i ben cuidats. El pollastraire tenia una bona clientela a la Bonanova, que li comprava oques, uns animals pels qual podia arribar a cobrar nou pessetes per peça, molt per damunt del que es pagava per les gallines, els pollastres, els ànecs o les perdius.

Sabia que era només qüestió de temps que el pollastraire li donés un copet allà on no tocava, li abracés la cintura sota una excusa ridícula, o li freguès un pit aprofitant els contactes que irremeiablement es produïen durant la jornada.

—Un bon ventallot! Això és el que li clavaré —li havia promès a la Dora uns tres mesos abans, al cap de pocs dies de treballar amb en Maties—. Li rebentaré una de les poques dents que li queden —afegí després.

—Només és un vell lasciu —va intentar restar-li importància la seva companya de llit.

—Pretens que em deixi magrejar per aquest... sàtir?

La Dora no ho pretenia pas, i fidel a la seva teoria que tota dona necessitava un home que la protegís, es va entestar a presentar a l'Emma els amics del seu xicot: un jove dependent d'una barreteria, massa afable, distret i a sobre prim; l'Emma dubtava que ni tan sols fos capaç de defensar-se a si mateix, i encara menys, per tant, una dona, tot i que va callar els seus recels davant d'una Dora exultant al costat del seu xicot, a qui no parava de prodigar les seves mostres d'afecte.

L'Emma va deixar fer a la seva millor amiga. Havia perdut el contacte amb les amigues del barri de Sant Antoni, fins i tot amb la Rosa i amb les altres dones amb qui anaven a les vagues i a les manifestacions, juntament amb la Montserrat. De tant en tant en topava alguna, i sempre s'acabava preguntant si la conversa havia estat sincera o l'altra tenia el cap ficat en els dibuixos dels seus nus i tot el que devia haver sortit de la boca de la gent a partir de la visió d'aquelles imatges. Es va deixar portar per la Dora, que li va presentar un cosí d'en Joan Manel, que així era com es deia el seu xicot; un company de la barreteria, encara més escarransit que el primer; després, dos amics, un d'ells sense feina a qui van haver de convidar al vi i a la tripa que van prendre en un bar... Persones grises, vulgars, que l'Emma va anar descartant sense concedir-los cap oportunitat.

—Encara estàs enamorada d'en Dalmau —havia afirmat la Dora no feia gaires dies, gairebé com si l'hi retragués en la intimitat del seu llit després que l'Emma hagués rebutjat aquella mateixa nit un nou pretendent: un conductor de tramvia molt més gran que ella amb qui va tenir una conversa limitada al trajecte urbà que feia cada dia, vantant-se'n, com si transportar quatre desgraciats fos com travessar l'oceà capitanejant un veler.

L'Emma va meditar les paraules de la seva amiga. Aleshores gairebé havia passat un any des de la mort de la Montserrat i la seva absurda separació. Era impossible que oblidés en Dalmau, ho sabia, i inconscientment l'acabava comparant amb tots aquells homes que la Dora s'entestava a presentar-li. En Dalmau era... era un geni. Els altres, mediocres. Mil vegades havia somiat el seu futur al costat d'en Dalmau, ell encimbellat al cel dels artistes, admirat, envejat. Ella al seu costat, compartint l'èxit tal com ell li havia promès tantes vegades. Què li proposava la Dora en el lloc d'algú com ell, un tramviari pràcticament calb?

—Aquell geni et va deixar tirada com una puta vella —li etzibà la Dora amb cruesa, tombant-se de costat per donar-li l'esquena al llit, ofesa després que l'Emma li confessés els seus pensaments.

—Tens raó —reconegué l'Emma amb la veu apagada.

L'Emma s'esforçà amb el següent candidat després de rebutjar el tramviari. L'hi havia hagut de prometre a la Dora després que ella es negués a concertar més cites. «De què serveix? —s'havia lamentat la noia—. En Joan Manel i jo ho fem perquè et tenim afecte, i tu reacciones com si fossis la reina de Saba, humiliant-nos.»

Es deia Antoni i era paleta. Devia rondar els vint-i-dos o vint-i-tres anys, va calcular l'Emma. De rostre moderadament atractiu, va decidir pensar ella per no crear-se prejudicis. «No», va acabar resolent. Tenia unes faccions dures, rectes, que contrastaven amb un nas xato, potser d'un cop o d'un accident, unes celles poblades que s'unien al bell mig del front i els cabells negres enrinxolats. Tampoc no era lleig, va intentar consolar-se. Això sí, era gros i fort. Molt fort. L'Emma va observar durant més temps del que aconsellava la discreció les mans d'aquell jove: poderoses, de dits molsuts i barroers, mans aspres fins i tot a primera vista, capaces d'aferrar la soga més basta i estirar-la, capaces potser de donar cops... No era culte, era un paleta, probablement analfabet com tots els de l'ofici, però l'Emma es va veure sorpresa en el moment que l'Antoni es va trobar còmode i es va llançar a parlar del que sí que sabia: la lluita obrera.

Els seus plantejaments eren rudes. L'únic líder que citava era Lerroux, un dels líders republicans radicals. «Els capellans que se'n vagin a la merda!» «Que ens paguin més. Els jornals són miserables.» «Els nens no haurien de treballar. Saps quants accidents infantils he vist a les obres?» «I els diumenges haurien de ser per descansar.» «I les jornades laborals, què me'n dius de les jornades laborals?» Eren al Paral·lel, on es concentrava la gent comuna, a la taula de la terrassa d'una cafeteria de la qual aviat van desaparèixer la Dora i el seu xicot, ja que l'apocat dependent de la barreteria era enemic dels discursos revolucionaris com aquell. L'Emma, però, va escoltar embadalida les paraules de l'Antoni, un reguitzell de consignes gravades en els seus hàbits, en la rutina; unes il·lusions per les quals la seva amiga Montserrat havia perdut la virtut a la presó i la vida als carrers. Ella havia perdut... Amb una ventada a l'aire amb la mà que va sorprendre el seu acompanyant, va desterrar en Dalmau dels seus pensaments i es va concentrar en la veu del paleta: un so ronc, passional, que sense pretendre-ho li va recriminar que des de la mort de qui considerava la seva germana hagués abandonat la lluita dels oprimits contra la burgesia rica i catòlica, i li insuflà uns ànims que feia temps que trobava a faltar, com si al costat d'aquell home la vida tornés a cridar-la per fer alguna cosa important.

La mà del pollastraire per sota del seu colze, instant-la a aixecar-se per baixar del tren, va tornar l'Emma de nou a la realitat. Se'l va treure del damunt amb un cop de cistella i, després de recórrer el vagó, va posar un peu a l'estació a cel obert de la Bonanova. Va seguir en Maties per carrers de terra envoltats de camps. Allà s'alçaven masies, convents, col·legis i grans cases senyorials, totes separades per terrenys cultivats o erms, i que ara, sota l'escalfor del sol d'aquell matí d'hivern, s'anaven desprenent de la boira que els envoltava. Moltes d'aquelles cases, li va explicar el pollastraire, estaven buides en aquella època de l'any perquè eren les residències d'estiu dels rics de Barcelona que encara no s'havien plantejat estiuejar als pobles costaners o més allunyats de la gran ciutat.

Eren veritables palauets davant dels quals l'Emma va sentir que es feia més petita. Les minyones de la clienta a qui en Maties portava les oques no els van deixar passar ni a les cuines; els van atendre a la porta d'entrada del servei. Allà els van pagar les divuit pessetes i els van acomiadar. L'Emma es va quedar enrere, perduda en la contemplació d'aquella casa: columnes, porxades, grans finestrals, marbres, una torrassa des d'on es podia veure el mar, la vista sobrevolant la ciutat. Ella compartia un llit amb la seva amiga Dora, esquiladora de conills i promesa amb l'insuls dependent d'una barreteria; això era tot el que tenia l'Emma en aquesta vida: mig llit arrendat, en una habitació petita i fosca per la qual pràcticament no es podia moure. I, no obstant això, aquells burgesos rics de Barcelona fins i tot tenien tancats palaus sumptuosos a l'espera que la canícula els obligués a buscar la fresca d'una zona una mica més elevada i ventilada.

L'Emma no va fer cap cas de les presses d'en Maties, que s'havia aturat, estranyat, unes passes més enllà. El vell picava a terra amb els peus per lluitar contra el fred que li havia calat els ossos, i la cridava. Ella no va voler escoltar les ordres del pollastraire, que li sortien per la boca amb un baf de vapor. Molts d'aquells casalots pertanyien sens dubte als empresaris que dirigien la indústria a Barcelona, els mateixos que s'havien oposat radicalment a qualsevol reivindicació dels seus assalariats.

L'hi havia explicat l'Antoni. La crisi econòmica castigava la massa obrera. La pujada internacional dels preus del cotó causava estralls en la indústria tèxtil de Catalunya, la que portava el pes de l'economia catalana. La mecanització de les fàbriques furtava els llocs de treball de la gent. Feien fora els homes per substituir-los per dones que cobraven la meitat del jornal. Després de la fracassada i malaurada vaga general de començaments d'aquell any 1902 en què havia mort la Montserrat, la lluita obrera havia continuat, aliena a postulats anarquistes, els grans perdedors, però sí fidels a altres moviments polítics i socials com podria ser el lerrouxisme.

—Et deixo aquí! —li advertí el pollastraire, unes passes més enllà.

La precarietat laboral i sobretot la necessitat permetia els empresaris adoptar posicions intransigents. Molts obrers es veien abocats a actuar com esquirols per ocupar els llocs de treball de companys amb qui s'havien solidaritzat durant la vaga. Morien de gana!

«És injust, és injust, no pot ser», es repetia l'Emma una vegada i una altra.

—No t'ho penso dir més vegades —insistí el vell.

Tanmateix, li havia dit l'Antoni elevant aquella veu ronca, la Borsa de Barcelona pujava, i els financers consideraven que la capital catalana era una ciutat pròspera i interessant per invertir-hi.

—Ja t'ho faràs! Adeu!

La noia sospirà, va tancar els punys amb força i va escopir en direcció al palauet.

—Escanyapobres —va remugar abans de girar en rodó i seguir un Maties que ja enfilava el camí de l'estació—. Algun dia ho pagareu car.

L'Antoni i l'Emma es trobaven en un dels més de quaranta centres republicans escampats per tot Barcelona: una taverna petita el propietari de la qual posava a disposició del partit i on es concentraven homes i dones pendents que comencés el discurs d'un dels líders republicans, mentre el taverner i la seva família servien cafès, vi i cervesa en una quantitat molt superior a la que facturarien qualsevol tarda d'aquell desembre del 1902, perquè si bé l'home cedia el local, no feia el mateix amb les consumicions, que cobrava amb una promptitud exasperant.

L'Emma, encastada contra l'Antoni, els dos a peu dret, ja que les poques cadires del local havien quedat ocupades molt abans que arribessin ells, esperava amb un got de vi negre a la mà, fort i agre, com tots aquells homes que l'envoltaven, que xerraven estentòriament, se saludaven a crits d'un costat a l'altre de la taverna i reien amb més força encara. La gent estava il·lusionada amb les perspectives dels republicans en les properes eleccions a l'Ajuntament de Barcelona, ciutat on la majoria obrera donava el seu suport als radicals de Lerroux.

—Anirem amb el vot en una mà i la pistola en l'altra —va advertir el líder republicà per controlar les irregularitats que poguessin dur a terme les autoritats.

De sobte, la sala va esclatar en aplaudiments, i un jove, un dels protegits de Lerroux, es va enfilar a una tribuna inestable construïda amb quatre fustes en una de les cantonades del local, i va pregar a la gent que fes silenci alçant totes dues mans. L'Emma va respirar la tensió. Aquella gent humil s'havia convertit en un nou protagonista polític. Els anarquistes, que havien tornat al camí del terrorisme amb la col·locació indiscriminada de bombes a la ciutat, havien perdut qualsevol mena d'influència en la massa obrera després de la fracassada vaga general d'aquell mateix any, i el Partit Socialista Obrer, format per homes cultes que es consideraven superiors als treballadors, analfabets la gran majoria, tampoc no va saber aprofitar el moment d'inflexió en què la classe obrera va començar a ser conscient del seu poder.

Tot aquell fervor de lluita, d'indignació contra la injustícia, de compromís de classe que havia aglutinat al voltant seu el partit republicà, va bullir dins l'Emma i va acabar esclatant de manera delirant quan l'orador va criticar aferrissadament el procés de Montjuïc, que havia portat el seu pare a la mort, exigint responsabilitats i reparacions. Les llàgrimes li lliscaven galtes avall en sentir els noms dels torturadors.

—El tinent de la Guàrdia Civil Narciso Portas! —va cridar el jove republicà des de la tarima—. Torturador!

«Sí, era ell.» L'Emma va tremolar. Narciso Portas…! Aquell home havia martiritzat el seu pare i els altres anarquistes detinguts després de l'atemptat del Corpus davant l'església de Santa Maria del Mar. Als calabossos van fer servir fuets, ferros roents, cascos de ferro que deformaven el cap… Ungles arrencades i testicles retorçats. Els homes, derrotats, confessaven uns crims que no havien comès. Era aquell home, sí: Narciso Portas. El seu pare i el d'en Dalmau, tots dos desfigurats, l'hi van confessar a la Josefina durant la visita que li van permetre un cop dictada la seva sentència de mort, després commutada per la d'un desterrament que no van ser capaços de superar. Aleshores l'Emma només tenia dotze anys. L'aspecte del seu pare li va fer por i va córrer a refugiar-se a les faldilles de la mare. Ell ni tan sols va intentar acariciar-la en adonar-se de la cara de pànic de la filla. Una ganyota dibuixant un somriure era tot el record que tenia de la darrera vegada que l'havia vist.

—Malparit! —va cridar l'Emma sumant-se a la cridòria.

L'orador va continuar atacant l'Església, els empresaris, els burgesos. La gent vibrava, insultava. «Lluitar, lluitar, lluitar!», aquesta era la consigna. Va demanar diners per a la casa del poble que Lerroux pretenia construir. La gent es va comprometre. Va demanar voluntaris per treballar per la causa i l'Emma no va encertar a veure cap home o dona que no hagués alçat la mà.

El jove republicà es va inflar de satisfacció i va somriure.

—Vosaltres podeu abaixar les mans —es dirigí amb certa condescendència a una de les dones que eren més a prop d'ell—. Estigueu pendents dels vostres homes.

Algunes rialles van acompanyar el consell. L'Emma va mirar al voltant: la majoria dels homes reia o assentia. Quan l'Antoni va veure que l'Emma el mirava, de seguida va esborrar de la cara el somriure amb què havia acollit aquelles paraules.

—Què dius, cabró? —es va sentir de la boca d'una dona ja gran—. Creus que som inferiors als homes?

—No, no… —va intentar disculpar-se l'altre—. Teniu les vostres funcions, importants, transcendentals: la família. Heu d'educar els fills en els valors republicans; la unitat familiar és imprescindible en la lluita obrera. Socórrer els presos, solidaritzar-se amb els vaguistes i companys necessitats també és a les vostres mans, i…

—I fer-vos una mamada de tant en tant, oi? —l'interrompé una jove alçant el puny cap a ell.

—No… —va intentar fer-se sentir el conferenciant per damunt de les burles i els insults amb què es van embrancar homes i dones. Al cap d'una bona estona ho va aconseguir—. Vull dir…

—Alguna vegada s'ha enfrontat a un regiment a cavall i armat de la Guàrdia Civil? —En el silenci que es va fer a la taverna, l'Emma va esperar que el jove reaccionés a la seva pregunta. L'altre va titubejar—. Jo sí! —va cridar amb totes les seves forces. La gent es va fer a un costat, els uns per poder veure qui era la que parlava així des del darrere, uns altres perquè la presència d'aquella noia acompanyés les paraules—. Jo sí! —va repetir l'Emma, davant d'un passadís obert des d'ella fins a la tarima i el conferenciant—. Des de molt petita. Els he tingut més a prop del que el tinc a vostè ara, armats, els cavalls traient baves i piafant, ells fulminant-nos amb les mirades mentre nosaltres els insultàvem. Moltes vegades he hagut de córrer perquè no m'atrapessin. A ella sí que l'he vist diverses vegades. —L'Emma va intentar trobar la primera dona que s'havia queixat, però no ho va aconseguir—. I a ella, i a ella, i a ella. —Va anar assenyalant les dones que eren a la sala, segura que la majoria d'elles devien haver viscut episodis similars—. A vostè —dirigí el dit índex cap al jove— no l'he vist mai entre totes aquestes dones que hem batallat perquè als nostres homes no els apallissessin ni la Guàrdia Civil ni els soldats en una vaga. —Una forta remor d'assentiments va córrer entre els assistents i l'Emma va esperar que s'apagués—. La meva… —En aquell moment va dubtar. Se li va arronsar l'estómac i se li va fer un nus a la gola mentre tot de records i sensacions esclataven dins seu—. La meva germana va morir a la vaga general. La van assassinar quan s'enfrontava als soldats darrere d'una barricada! I vostè diu que la nostra funció es limita a educar la família i a socórrer els presos?

L'última pregunta li va sortir amb la veu esquinçada. Moltes de les dones reunides ploraven i alguns homes lluitaven per no fer-ho; al seu costat, l'Antoni s'eixugava els ulls. El jove que els havia arengat a lluitar, va saber aprofitar el moment i va començar a aplaudir l'Emma.

—Per totes les dones republicanes! —va cridar, baixant de la tarima, i es va dirigir cap a ella.

Els congregats s'hi van sumar i van esclatar els aplaudiments, victorejant les mares, les germanes, les dones o les amigues. Moltes copes es van alçar en un brindis. Entre l'enrenou, el conferenciant, acompanyat de dos guardaespatlles, havia arribat fins a l'Emma.

—Em dic Joaquín Truchero i et felicito —li va dir allargant-li la mà, que l'Emma va estrènyer—. Un gran discurs. El partit necessita dones com tu. M'acompanyes?

Sense esperar resposta, l'Emma es va veure transportada entre la gent, que l'aplaudia mentre els passava per davant. L'Antoni els seguia. Van entrar en el que devia ser el magatzem de la taverna, i quan anaven a tancar la porta darrere d'ella, l'Antoni ho va impedir.

—Tu no —s'hi oposà en Joaquín—. Necessito parlar amb la companya tots dos sols.

El paleta, una mica intimidat pel to, va cedir i se'n va anar. Però l'Emma no:

—Ell ve amb mi —va replicar, obrint ella mateixa la porta i facilitant l'entrada a l'Antoni.

El jove líder republicà es va conformar i la va convidar a seure sobre una caixa. Ell va fer el mateix. Els guardaespatlles i l'Antoni es van quedar drets.

—Avui ens has donat una lliçó —va iniciar la seva xerrada després d'escurar-se lleument la gola i sense poder evitar donar una ullada a les cames de l'Emma, encreuades per sota d'una faldilla que semblava haver-se quedat massa curta davant de la mirada del jove—. Necessitem dones com tu, que sàpiguen transmetre a les altres aquest esperit…, aquesta passió per la defensa de la lluita obrera.

En Joaquín es va esplaiar apassionadament en un segon discurs, aquesta vegada davant d'una única oient, una dona a qui va examinar amb evident satisfacció, avaluant-la, i a qui va somriure i tocar diverses vegades, com si amb el contacte volgués reforçar les idees que pretenia transmetre-li. L'Emma mirava l'Antoni de reüll, que escoltava amb el front arrufat, amb les celles tofudes tancant-se encara més sobre el pont del nas, el paleta plantat al costat dels dos guardaespatlles d'en Joaquín, tan alts i forts com ell. El jove líder republicà devia tenir pocs anys més que ella. Era atrevit i, veient la seva actitud, va pensar l'Emma, desvergonyit. De paraula fàcil i un somriure que, de vegades, havia arribat a contagiar a l'Emma. Un seductor conscient del seu atractiu i que actuava en conseqüència. Vestia americana, una mica vella, tronada, com si pretengués no destacar entre els obrers que l'escoltaven, aspiració que traïen les seves sabates, que, tot i que estaven brutes, distaven molt de la capacitat adquisitiva de qualsevol obrer. Les devia haver embrutat a dretcient, va sentenciar l'Emma estirant-se les faldilles per tapar encara que fos uns centímetres les cames que tant atreien el seu conferenciant.

En Joaquín Truchero va posar fi a la seva arenga i mentre citava l'Emma al nou local de la Fraternitat Republicana que Lerroux havia establert en un edifici de l'Eixample de Barcelona, al costat de la universitat, es va adonar que gairebé no havia escoltat el que li havia dit aquell jove impulsiu, pendent com ho havia estat del seu propi aspecte, del d'ell, de les reaccions de l'Antoni, del seu contacte amb la mà, els braços, el colze. Una vegada fins i tot s'havia permès tocar-li els cabells. Va intentar recordar què li havia dit, que se l'havia de tallar per tenir l'aspecte d'algú… Quins collons que un home li hagués de dir com s'havia de tallar els cabells! I, així i tot, el fregadís de la seva mà pel coll…

—Emma! Ens n'anem?

L'Emma va despertar de sobte al so de la veu ronca i potent de l'Antoni. A què venia aquell to? Ho va entendre davant la cara sufocada del paleta, i en veure's a si mateixa obnubilada, pensant en el seu tall de cabells, agafada de la mà d'en Joaquín Truchero.

—Sí… —va balbucejar cap a l'Antoni posant fi a la salutació de forma brusca—. És clar… és clar.

—Et veuré aleshores a la Fraternitat? —preguntà en Joaquín.

—On?

L'altre va aixecar el cap, sorprès.

—A la Fraternitat. On hem quedat, no?

—Ah…, sí… Sí.

L'Emma va sortir a la sala encara atapeïda de republicans que bevien i discutien, alguns aferrissadament, per la porta que l'Antoni li aguantava oberta. Per què l'havia trasbalsat tant aquell jove?, va pensar en passar pel costat del paleta.

La relació entre l'Emma i l'Antoni es va esguerrar després d'aquell dia que ella va conèixer en Joaquín Truchero. Ja aquella mateixa nit, després de la conferència, quan passejaven pel Paral·lel, com era habitual aquells dos últims mesos, el paleta es va mostrar una mica adust, pensarós, introvertit. L'Emma el volia entendre. Probablement, el jove líder republicà l'havia tocat més mentre l'alliçonava del que ho havia fet ell al llarg de tots els mesos que feia que es veien. Devia estar gelós, o si més no contrariat, abatut en comparar la seva timidesa i poca destresa amb l'arrogància i galanteria de l'altre. La noia va decidir no fer-ne cas. Ja li passaria. Tampoc no s'havien promès, ni, malgrat el que deia la Dora que declarava un nuviatge a partir de tres trobades consecutives, podia considerar que mantinguessin una relació formal.

No obstant això, la cosa va anar a més quan l'Emma es va presentar a l'edifici de la Fraternitat Republicana. Es tractava, tal com ho va mostrar en Joaquín amb l'orgull de qui havia col·laborat a fer-lo possible, d'un altre lloc de reunió dels republicans, però a diferència dels altres que hi havia a la ciutat, petits, d'una sola estança llòbrega i mal ventilada, o compartits com passava a la taverna on s'havien conegut, aquest era immens. Tenia més de mil cinc-cents socis i disposava de serveis per a ells: el bar i la sala de reunions, una cooperativa de consum, una escola, un consultori jurídic i un altre de mèdic i quirúrgic, com també altres serveis que facilitaven la vida als membres del partit associats a la Fraternitat.

—I ara estem construint la Casa del Poble —es va vantar el jove—. Molt més gran que aquesta!

Anaven en processó. En Joaquín, aquesta vegada ben vestit i amb les sabates cares polides, l'Emma, i altres nois abocats a la política —Lerroux s'havia envoltat de joves d'idees radicals que l'idolatraven i que actuaven per sota del gran home— i, darrere de tots ells, l'Antoni arrossegant els peus. L'Emma va tornar a sentir-se confosa davant de les atencions d'en Joaquín, tot i que en aquest cas intentava que l'Antoni no se n'adonés, objectiu impossible, ja que algunes fins i tot les corejaven els altres, com si l'Emma pertanyés al jove líder. Havien pensat que la seva primera responsabilitat fos fer classes a les obreres que hi anaven a llegir i a escriure, i l'hi van proposar en el moment de mostrar-li una aula.

L'Emma va sentir un vertigen incontrolable en contemplar els pupitres buits, tocar els pots de llapis i donar un cop d'ull als llibres d'exercicis de cal·ligrafia, senzills, bàsics, com els que havia utilitzat de petita. No es veia fent de mestra, però tampoc podia negar que la proposta la il·lusionés.

—Em vas dir que sabies llegir i escriure —li recordà en Joaquín.

«Ah sí?», es va preguntar l'Emma.

—Sí —va reconèixer ella—, però d'això a ser mestra…

—És el teu lloc.

—Jo soc més del carrer. De córrer davant de la Guàrdia Civil. No he ensenyat mai res a ningú.

—Els carrers els tindràs sempre a disposició teva —li assegurà en Joaquín— i, a més, hi seràs al capdavant de totes aquestes obreres que hauràs il·lustrat. Perquè l'important no és només que els ensenyis, sinó que les convencis dels nostres objectius. De la lluita contra l'Església…

L'Emma va ventar l'aire amb un gest de la mà.

—Si són obreres de debò, això ja ho saben —l'interrompé.

—No n'estiguis tan segura.

—Qualsevol obrera sap on és l'enemic!

—No! —la contradigué rotundament en Joaquín—. No les jutgis tal com ho sents tu. Per això t'ofereixo aquest lloc. Hi ha moltes companyes que, malgrat que són obreres i republicanes, continuen tenint tendència a creure en Déu. S'ha de reconèixer: tret d'algunes excepcions, les dones obreres són ignorants i supersticioses —va afirmar. L'Emma hi va voler intervenir, però l'altre l'hi va impedir amb un moviment de la mà—. No ho diem aquí, en aquest coi de país decadent en mans de capellans i aristòcrates; això és el que diuen a França, el mirall en què pretenem mirar-nos. Allà tampoc no deixen votar les dones, precisament per aquest motiu. —El dubte que es va reflectir a la cara de l'Emma va empènyer en Joaquín a insistir en la seva diatriba misògina—: Les dones són dèbils i crèdules, per això són el primer objectiu dels capellans. Això ho sap tothom. Fixa-t'hi bé: sempre que vegis un religiós practicant el proselitisme, comprovaràs que ho fa amb una dona. No els mou només la luxúria, sinó que saben que, si guanyen la dona per a la seva causa, influiran en la vida del marit, fins i tot en el vot, i controlaran l'educació dels fills. Quan una dona es confessa —va sentenciar—, el marit perd tota l'autoritat sobre la muller i la família: ella es posa en mans de Déu a través del seu confessor.

A diferència del primer dia al magatzem de la taverna, l'Emma va pensar seriosament en aquelles paraules. Temps enrere, havia sentit parlar la Josefina d'algunes companyes que, efectivament, traïen la causa i s'acostaven a l'Església. La mare d'en Dalmau i la Montserrat les insultava irada, i sí, les qualificava de crèdules i ignorants, d'idòlatres, de traïdores, una mica com el que acabava de dir aquell jove.

—No t'ho pensis tant —va tornar a intervenir en Joaquín—. Et necessitem. Hem d'instruir les nostres companyes perquè només així es podran alliberar de la influència dels capellans. Ja et guardarem els carrers també, per això no pateixis.

El jove líder republicà es va atansar a l'Emma a mesura que parlava, assetjant-la amb la paraula i la presència.

—Aquestes classes han de ser nocturnes —va murmurar ella com si s'ho digués a si mateixa, resistint aquella proximitat que l'incomodava.

—Quan les dones acaben la feina —va aclarir en Joaquín—. Generalment a última hora de la tarda, però de vegades es poden allargar.

—La meva dispesera no ho permetrà —l'interrompé ella. En Joaquín, l'Antoni i els altres van esperar un aclariment que algú ja sospitava—. Una noia sola tornant de nit: pecat segur. Ja he aconseguit saltar-me alguns resos del rosari, però si arribés sovint de nit, me'n faria fora.

—Canvia de casa —li proposà en Joaquín.

No, no era aquesta la solució. No era aquesta l'actitud que l'Emma esperava d'ell en aquell moment. «Has fallat, estimat fatxenda», va pensar abans de girar bruscament l'esquena a en Joaquín i dirigir-se a l'Antoni.

—Què et sembla?

El paleta es va veure sorprès per la pregunta sobtada i va titubejar.

—Tu creus que podria impartir aquestes classes? —li va preguntar l'Emma.

—I tant que sí! —va reaccionar l'Antoni—. Seràs collonuda!

—Ben dit —va afegir en Joaquín, reclamant una atenció que l'Emma no li va voler proporcionar.

—I la meva dispesera? —li va preguntar a l'Antoni.

Ell va arronsar les espatlles, restant-hi importància.

—Si vols ser la meva xicota… Només en aparença, de mentida —va rectificar com si hagués gosat proposar una barbaritat—. Vull dir… Que no ho seríem, però sí que ho seríem per a la teva dispesera i aleshores ella no s'hi podria negar…

—Et voldria conèixer millor. N'estic segura. Contrastar la teva virtut. Resaries un rosari si et convidés?

Per primera vegada des que havien entrat a la Fraternitat, l'Antoni va somriure.

—En resaria cinc, si cal! —va assegurar.

—Molt bé, doncs, solucionat tema xicot i dispesera —va tornar a intervenir en Joaquín amb un mal dissimulat sarcasme—. Benvinguda a la Fraternitat Republicana. En Romero, el meu ajudant —va continuar assenyalant un noi encara més jove, semblant en aspecte, formes i maneres a ell—, et donarà tots els detalls que necessitis.

Dit això, es va girar i va sortir de l'aula seguit de tota la cort que fins aleshores els havia acompanyat, excepte l'ajudant, l'Antoni i l'Emma, que acariciava amb els tous dels dits la superfície dels pupitres. «Seré mestra!», s'ovacionava a ella mateixa. En Dalmau també havia fet classes als obrers, poques, fins que van disparar a la Montserrat. Se sentia orgullós d'ajudar els obrers joves, per més catòlics que fossin, deia. L'Emma dubtava si se'n sortiria, tot i que en realitat tampoc no era tan difícil. Li va venir al cap quan va ajudar a fer deures un vailet que en Bertran havia contractat com a mosso de cuina feia uns quants anys a la fonda. Li va fer de mestra. I després també n'hi va fer a la filla petita dels Bertran, negada com n'hi ha pocs a l'hora de llegir i escriure, i el seu pare volia que la nena aprengués a anotar i a llegir les comandes. Va ser senzill, fins i tot divertit.

—Ah! —En Joaquín la va tornar a treure dels seus pensaments. Que la perseguia aquell home? Aquesta vegada treia el cap per l'escletxa de la porta de l'aula, a mitja altura, com si fos un nan—. No cal que et recordi que la teva aportació és graciosa…

—Graciosa? —l'interrompé l'Emma mal interpretant el terme—. Que em prens el pèl?

—Vull dir gratuïta, gratis. Això és el que vull dir. Una aportació…

—No m'han pagat mai res per encarar-me a la Guàrdia Civil a les vagues! —li etzibà, farta de la seva supèrbia—. És més… sempre m'hi he deixat uns bons jornals.

—Entesos —va dir l'altre, i es va acomiadar brandant una mà també per l'escletxa com un titella buscant una complicitat que no va aconseguir.

—Espera —li ordenà l'Emma. La mà es va aturar—. La teva feina també és graciosa?

En Romero va fer un bot alhora que la cara d'en Joaquín, que treia la testa ridículament per la porta ajustada, es contreia en un rictus d'irritació.

—Noia —la va reprendre ell dreçant el cap—, no és cosa teva com funciona el partit. Si vols treballar aquí com a mestra d'aquestes obreres analfabetes, endavant; si no, allà tens la porta.

—No s'hauria de dirigir així a l'Emma —li etzibà l'Antoni interposant el seu cos cepat entre l'un i l'altra.

En Joaquín no es va deixar intimidar.

—Parlo com a mi em sembla. Ja ho sabeu: allà teniu la porta si no us interessa.

I, tal com ho va dir, els va deixar sols amb en Romero.

L'Antoni l'acompanyava a casa a la nit, com si en comptes d'haver estat donant classes de lectura en un ateneu republicà, acabessin de passejar pel Paral·lel. I va resar el rosari. Ho va fer en diverses ocasions, a la nit, al costat de la dispesera, la minyona, dos dispesers més, alguns veïns que s'hi afegien de tant en tant, la Dora i, en acabat, l'Emma, que es limitava a balbucejar-lo.

—La meva mare és com aquestes que deia el teu cap —li va explicar l'Antoni la nit que ella es va interessar pel coneixement que tenia de totes aquelles lletanies—. És un sac de bondat i, de tan bona que és, l'enganyen. El meu pare s'enfadava, però ara ja la deixa fer. Quan està borratxo, que és quan es canten les veritats —va revelar a l'Emma com si fos un secret —diu que com a mínim algú resa per la família… per si de cas.

L'Emma va somriure. Si després de conèixer en Joaquín a la conferència de la taverna les relacions amb l'Antoni s'havien refredat per la por que ell tenia de perdre-la i, per què negar-ho?, es preguntava l'Emma cada vegada que hi pensava, per la curiositat que ella va mostrar per aquell personatge, ara s'havien consolidat sobre la base d'un festeig fals, però, en qualsevol cas, d'una farsa que l'Antoni gaudia amb una tosquedat i una ingenuïtat pròpies d'un nen de deu anys. Amb tot, aquells mateixos defectes es caracteritzaven per una bondat de vegades entendridora. Una flor sostinguda amb delicadesa entre els seus dits grossos. Un somriure, una rialla greu i profunda davant de la broma més ingènua. Una mirada commovedora, que resultava discrepant en aquella cara brutal. Una cançó popular. L'Antoni taral·lejava les melodies que l'Emma li havia dit que li agradaven després d'haver passat la tarda al parc o en algun envelat de barri. Cantava malament, molt malament, però ho feia amb un fil de veu, una vegada i una altra mentre passejaven tornant a casa des de la Fraternitat; totes les cançons que ella li havia assenyalat. Aquí era quan el paleta desarmava l'Emma, que es fonia i deixava que els sentiments l'envaïssin d'una torrentada; aleshores desitjava acariciar aquell home robust i ben cossat, la pell castigada i les mans aspres com el paper de vidre, volia agafar-se al seu braç i agitar-lo, fins i tot comprovar si es podia moure del lloc, però se n'estava. Li hauria agradat fer-ho, però potser hauria estat un senyal equívoc cap a l'Antoni. Quan l'Emma entrava en aquella dinàmica de dubtes constants, rebufava i l'expulsava dels seus pensaments. Feia més d'un any que no tenia relacions sexuals amb un home. Moltes nits recordava en Dalmau, i s'acariciava… i deixava de fer-ho. «Aquell geni et va deixar tirada com una puta vella!», li havia obert els ulls la Dora. No, en Dalmau no mereixia que ella assolís aquell moment màgic amb el seu record. En qui podia somiar aleshores? En l'Antoni? Només fantasiejar amb aquell tros d'home damunt d'ella l'espantava, li creava un neguit que trigava a treure's del damunt. Es preguntava si el seu membre devia ser proporcional a la mida del seu magnífic cos. La majoria de les vegades renunciava a masturbar-se; d'altres continuava acariciant-se pensant només en els seus propis dits, en la humitat, i dues vegades, potser tres, es va arrambar a la Dora, fent veure que dormia profundament, pendent de separar-se d'ella abans que li sobrevingués la primera convulsió.

Els dubtes que tenia l'Emma no semblava que afectessin l'Antoni, que es mostrava feliç quedant-se al seu costat, cosa que, d'altra banda, l'amoïnava.

—No sé què vull —va confessar un dia a la Josefina, en qui va trobar la millor amiga i confident. No volia parlar-ne amb la Dora perquè el seu xicot era el millor amic de l'Antoni i, sincerament, la Dora era bastant simple en afers com aquell.

Continuava veient la Josefina, fora de casa seva per por d'ensopegar amb en Dalmau. «No passis pena —li va dir ella un dia—, gairebé no hi posa el peus i, quan ho fa, és de matinada.» De totes maneres, s'estimava més trobar-se amb la bona dona al carrer i convidar-la a un cafè a qualsevol establiment de les Rambles.

—Oblida el meu fill, Emma. Oblida'l —va reiterar quan ella anava a protestar, sobretot per consideració a la mare—. Ja tens edat i, en la teva situació, necessites un home. Pel que em dius, aquest Antoni val molt: et tracta bé i et respecta, això és evident. Qualsevol altre ja t'hauria aixecat les faldilles fa temps. —Totes dues van riure i van fer un glop de cafè, assegudes en una taula: la jove, amb una cistella als peus plena només de plomes de pollastre; la de més edat, amb una altra farcida de roba blanca pendent de cosir—. Filla —li va agafar la mà la Josefina—, si és un bon home, dona-li l'oportunitat, tanca els ulls i entrega-t'hi. Tant és si no és excessivament llest, mira on han acabat tots aquests: el teu pare i el meu Tomàs, assassinats per llegir i saber massa; la Montserrat, què t'haig d'explicar d'ella que tu ja no sàpigues? I pel que fa a en Dalmau…, l'hi vaig advertir, que els burgesos li havien robat l'ànima. La vida consisteix a envellir plegats i a ajudar-se l'un a l'altre i a tirar els fills endavant. Si els homes són molt llestos, acaben desapareixent perquè no accepten tanta injustícia i un dia o altre cauen, o el que és pitjor, si no cauen arriben a la vellesa amargats, farts de la vida i de tothom que els envolta. Un home bo, sa, simple i treballador —va acabar sentenciant la Josefina—, això és el que interessa.

L'Emma va assentir mossegant-se el llavi inferior, com si les paraules de la Josefina li traguessin un pes del damunt, de manera que no va estar preparada pel que va venir després.

—Però la dona tampoc no pot estar per sobre del marit.

—Què vols dir?

—Tu vas a fer classes a les obreres, oi? —va preguntar, i l'Emma va assentir—. El teu home pot sentir-se humiliat.

—No ho sembla.

—De moment —insistí la Josefina.

—I aleshores, què faig?

La Josefina va fer una ganyota.

—Sigues més llesta encara: no demostris que t'agrada fer-ne. Fes-li creure que t'és una càrrega, que preferiries estar amb ell.

Com podia no demostrar-ho?, es va preguntar l'Emma. El cert era que li agradava fer classes, se sentia més plena. Li proporcionava un sentiment de satisfacció tan fort que sortia de la Fraternitat plena d'orgull. Tenia set alumnes, totes dones grans, entre els trenta-cinc i els cinquanta anys. Mestresses de casa amb nens a càrrec. No coincidien mai totes a classe, que eren els dilluns, dimecres i divendres. Sempre existia una obligació ineludible, un nen malalt, una reunió, però no deixaven d'anar-hi; continuaven assistint-hi amb constància i tenacitat. Volien ensenyar als seus fills. Volien ser el seu exemple. La cultura i els coneixements els concedirien la llibertat i el progrés, asseguraven totes i cadascuna d'elles.

—Emma, digue'm Emma, si us plau —va demanar a la Jacinta, una dona que s'havia dirigit a ella com a «Mestra».

En Romero, l'ajudant d'en Joaquín, li havia indicat que no cedís en això, que es fes respectar, però a ella no li importava l'opinió d'en Romero.

Van començar per la «a».

—Tan senzill com això, la a, saps? —L'Antoni va assentir de tornada a casa de l'Emma—. Elles saben quina és la lletra a. Són capaces de pronunciar Emma, i Emma porta una a. Però no saben com s'escriu ni tampoc no saben com enganxar-la a altres lletres per compondre una paraula. Els haig d'ensenyar l'ema. Ema, ema, ema —va articular una vegada i una altra ajuntant i separant els llavis—. E-m-m-a. No en saben.

—Per això hi ets tu —va respondre l'Antoni—. Per ensenya'ls-ho.

Ella va aprofitar el silenci que va acompanyar aquest raonament per inclinar el cap i alçar la mirada per examinar la cara de l'Antoni. Va pensar en el que la Josefina li havia dit: a ell no semblava que li importessin les seves classes.

—Et molesta que faci classes? —li etzibà de cop.

L'Antoni va arrufar el front i es va aturar.

—No. Per què?

—No ho sé. —No va saber com continuar i es va penedir d'haver-ho preguntat.

—Tu saps fer formigó? —va dir l'Antoni. L'Emma va fer que no amb un somriure franc—. I penjar la plomada, en saps?

—La plomada?

—Doncs jo sí. I ho faig molt bé.

L'Emma es va aproximar a ell i el va agafar del braç. Van tornar a caminar; l'Antoni va fer com si res no hagués canviat malgrat que, per primera vegada des que es coneixien, la noia s'agafava de bracet d'ell. Ella, en canvi, tremolava.

—I també sé lletrejar el meu nom —insistí l'Antoni. Ho va demostrar, lletra a lletra—. I escriure'l, evidentment. Pregunta'm el nom que vulguis.

—Doncs... —L'Emma va escurar-se la gola dues vegades—. Doncs si saps penjar la plomada, i lletrejar i escriure paraules, ja saps més que jo.

Aleshores va notar que el paleta s'estarrufava sense perdre el pas.

Es deia que s'havien aplegat més de seixanta mil persones en el primer dinar democràtic que havia organitzat el partit republicà en un turó situat més amunt del barri de Gràcia: el Coll. Era el 15 de febrer, un dia festiu en què el fred d'un hivern agònic es barallava amb el sol de la primavera mediterrània. La gent, l'Emma i l'Antoni, la Dora i el seu xicot, els amics d'ells, havien anat en grup, carregats amb els estris i el menjar per fer un bon arròs a la cassola, fruita, pa i vi, molt de vi, mantes per seure-hi al damunt, fins i tot una lona que volien penjar de les branques dels arbres per refugiar-s'hi a sota. L'Emma s'havia encarregat d'aportar un parell de pollastres per a l'arròs. Li havia costat convèncer en Maties que els n'arreglés el preu, que els els deixés al mateix que a ell li cobrava el seu còmplice al dipòsit d'animals malalts de l'estació de França.

—Aleshores no faré negoci —s'havia queixat el vell—, a més, els he alimentat.

—Són per a mi —li recordà l'Emma—. No has de fer negoci amb mi.

—Si no faig negoci amb tu i tampoc no et puc tocar el cul, per a què em serveixes?

—Per treballar, vell verd, cabró, per treballar com una mula. Per estar tot el dia amunt i avall enganyant la gent amb els teus pollastres i les teves gallines. O és que no me'n faig un tip, de vendre els teus animals?

—Qualsevol podria fer-ho.

L'Emma no va voler discutir. Va agafar els dos pollastres per les potes i els va col·locar davant dels ulls d'en Maties.

—Què? —li va preguntar—. Me'ls vens?

—Què? —va contestar ell, allargant una mà cap a la noia—, em deixes que et toqui les metes?

—Jo? I ara —s'hi va oposar l'Emma, i va alçar els pollastres per damunt de tots dos, mostrant els pits ferms i drets—. Mirant-les ja en tens ben bé prou, com fas cada dia.

—Ensenya-me-les una mica més, doncs —li va demanar amb la veu pastosa—. Treu-te la camisa.

—Si ho fes et posaries massa nerviós. No series capaç ni d'arribar al lavabo.

—Com em coneixes! Algun dia…

—Algun dia qui sap. Au va —va exclamar ella com si es dirigís a un nen, abaixant els pollastres per tornar a interposar-los entre tots dos—, ja n'hi ha prou.

Els hi va pagar amb els diners que havien recollit amb la colla i el va deixar plantat allà sense proposar-li d'acompanyar-los al dinar. «Sàtir», va pensar d'ell mentre caminava pel Parc, allà on es trobava l'asil on havia anat aquell dia llunyà que el seu oncle la va fer fora de casa. Va fer un somriure en adonar-se com de fàcil havia estat convèncer en Maties. Senzillament li havia permès mirar-li els pits, com si aquesta autorització hagués creat un vincle entre tots dos. El vell no havia hagut de fer-ho de reüll, com acostumava a enxampar-lo l'Emma; de vegades, l'insultava, d'altres reia, i majoritàriament no li feia cap cas.

Va esborrar el somriure de la boca tan aviat com la Dora, la dispesera i dues xicotes o amigues dels homes amb què es relacionaven la primera i el seu promès la van rebre a la casa i la van ovacionar per haver aconseguit aquells dos magnífics exemplars a un preu tan assequible. Allà mateix els van tòrcer el coll, els van plomar i els van esquarterar per cuinar-los amb l'arròs.

La muntanya estava plena a vessar. Els focs cremaven aquí i allà, i un seguit interminable de columnes de fum s'alçaven al cel. El partit, amb Lerroux al capdavant, havia organitzat curses de sacs

227

per a nens, balls, cant corals… També es plantava un arbre: el de la llibertat. Els mítings se succeïen per tots els racons, molts d'ells espontanis, alguns serens, d'altres escandalosos, com corresponia a les reunions d'obrers. Quan la gent arribava al Coll, donava menjar i beguda per als companys necessitats; també es recollien donatius, i els més joves es preocupaven d'atendre i donar menjar als avis que no tenien cap més família que aquella: la republicana.

L'ambient era alegre i festiu, i l'esperit de solidaritat entre tants milers de persones flotava com un halo sobre la muntanya, visible des de tot Barcelona; una festa que podien compartir els catalanistes, els conservadors, els catòlics i fins i tot els anarquistes, molts dels quals s'incorporaven a les files d'aquell partit polític republicà que lluitava pels obrers. Després de molt buscar, les noies van trobar els seus homes, que havien matinat per aconseguir un bon lloc —en aquest cas al costat d'un arbre aïllat, perquè la majoria d'aquell terreny feia baixada—, i fer tots els viatges que calia per transportar la llenya necessària i els atuells que pesaven. Les dones portaven els pollastres de l'Emma, trossejats, amb totes les vísceres i la sang en pots, porc, tomàquet trinxat, oli, pa, sèpia, alguns llagostins, anguila, ceba, musclos, mongetes, un pebrot vermell escalivat, safrà torrat, all, sal i pebre.

Eren tots joves. Set parelles. Barreters com en Josep Manel, el xicot de la Dora, o dependents d'alguns altres comerços. Tots havien consultat a les seves mares o parents com es feia aquell arròs, de manera que, quan la cassola va ser al foc, els bons propòsits de cadascun van xocar amb els dels altres. Que si primer anava el pollastre, la sang o l'anguila. «El tomàquet, no?», va apuntar una noia rodoneta que es deia Maria.

—L'Emma ha sigut cuinera —va afirmar la Dora per damunt de les veus dels altres.

Els homes es van separar instantàniament del foc. Les dones van ser més reticents, però la Dora tenia certa ascendència damunt d'elles, de manera que l'Emma hi va poder intervenir; recordava aquell plat, amb congre o ànec, tant hi feia, la cocció era la mateixa.

—S'ha de rostir el pollastre amb el porc, excepte la sang, l'estómac i el fetge.

Les altres van anar obeint les instruccions de l'Emma. Van sofregir el pollastre amb el porc i, abans que estigués al punt, van llançar-hi el tomàquet trinxat a instàncies de l'Emma. Els homes bevien vi i xerraven asseguts sota l'arbre. L'Emma va percebre certa tristor en l'Antoni, que veia que els altres s'aixecaven de tant en tant, abraçaven les seves xicotes, les besaven, els deien galanteries i els deixaven beure dels seus gots. Ell, en canvi...

—Per què no em portes vi a mi? —li recriminà l'Emma.

L'Antoni va somriure i va obeir, es va aixecar de la manta, es va dirigir cap a ella i li oferí el got. L'Emma va beure.

—Gràcies, amor meu —li va dir després, plantant-li un petó a la boca que va fer enrojolar aquell paleta immens. La proximitat de les flames que espetegaven en totes les cares va amagar el sobtat torbament—. Ara —va continuar l'Emma amb el menjar—, s'ha d'afegir crosta de pa en aquest oli ja calent... —va assenyalar el d'una segona cassola diferent a la del sofregit de pollastre—, perquè perdi l'olor i el gust tan fort.

Allà, durant deu minuts, van coure la sèpia i els llagostins. Després hi van afegir l'anguila. Un cop feta, hi van posar la ceba i la van coure a foc lent amb el peix.

—Esperarem que estigui ben sofregit tot per barrejar-ho a la cassola del pollastre —va anunciar l'Emma.

Ningú no va contestar. Un silenci, que va estranyar l'Emma. La Maria, la rodoneta, a l'altre costat del foc, li va fer un gest amb els ulls assenyalant-li cap a l'esquena.

—Què...? —va preguntar mentre es girava.

Els homes s'havien aixecat, i s'havien anat apropant persones dels grups que els envoltaven; alguns focs van quedar abandonats, controlats des de la distància.

Lerroux en persona, amb un front clar sobre una cara allargada amb bigoti de puntes lleugerament rinxolades, vestit de manera impecable, amb en Joaquín Truchero al costat, i tota una comitiva que els envoltava, esperava la reacció de l'Emma.

—No arribarà per a tothom —se li va ocórrer dir a en Truchero assenyalant amb el dit polze enrere, on hi havia l'arròs.

—Doncs a mi m'agradaria tastar-ne una mica. —Va ser Lerroux

qui va parlar, i qui es va separar del grup per apropar-se a l'Emma i oferir-li la mà. Ella es va netejar les seves al davantal abans d'acceptar-la—. Hi ha un bon grup de dones esperant per escoltar el teu discurs.

L'Emma va empal·lidir. Lerroux va intentar no donar-hi importància i va començar a saludar homes i dones.

—Això és el que volies, no?

Aquesta vegada era en Joaquín qui es dirigia a ella. L'Antoni s'hi va apropar, i també ho van fer els escortes que acompanyaven els líders.

—He de fer l'arròs —va intentar excusar-se l'Emma.

—Segur que alguna de les teves companyes sap fer-lo, potser no tan bé com tu, però prou bé. —Lerroux parlava sense deixar de saludar unes persones que allargaven l'encaixada de mans per poder estar més temps amb el seu ídol—. El que no crec és que totes elles siguin capaces de fer un discurs, com tu. Tu parles, i elles cuinen. Oi, senyoretes?

Es va alçar un cor d'afirmacions submises.

—Quan el sofregit del peix estigui a punt —els advertí l'Emma, aparentment més preocupada per l'arròs que pel discurs que havia de fer—, cal barrejar-ho tot a la cassola del pollastre, després quan estigui tot ben daurat…

—S'hi posen els musclos i les mongetes —la interrompé la mateixa Dora.

—Sí, i després…

—L'arròs —van contestar aquesta vegada unes quantes a l'unison. L'Emma les va interrogar amb la mirada.

—I un cop daurat l'arròs, el brou —afegí la Maria, amb una simpàtica ganyota—. Tu a la teva conferència —l'instà.

—Endavant —va aprofitar el moment en Joaquín.

—Aquí? —es va estranyar ella.

—Quin lloc podria ser millor?

Cada vegada s'aplegava més gent a la zona on hi havia en Lerroux amb els seus, ja fos per sota d'ells o enfilats a la muntanya. El líder republicà es va apropar a l'Emma, li va agafar la mà i l'hi va alçar.

—Ciutadans! —va cridar en Lerroux—. Us presento l'Emma

Tàsies, republicana, atea, revolucionària, lluitadora, mestra a la Fraternitat de les vostres dones, d'elles —va afegir assenyalant les alumnes de l'Emma que hi havia darrere d'en Joaquín—. Ara us dirigirà unes paraules.

—No sé què dir —va xiuxiuejar l'Emma a en Lerroux mentre la gent cridava i aplaudia—. No tinc res preparat.

—Millor. Això és el que pretenia. Si ho portes preparat és més fàcil. D'aquesta manera sabré si de veritat ets tan bona com m'informen.

—I si faig el ridícul?

La gent esperava.

—Es riuran de tu —va respondre Lerroux fent-se a un costat i cedint-li la paraula amb la mà estesa.

L'Emma es va adonar que suava. Va respirar fondo. Davant d'ella la Jacinta, entre d'altres, la mirava embadocada, com si fos el seu ídol.

—Pilar! —L'Emma es va llançar i va assenyalar una dona d'uns quaranta anys—, com va la ella? Com la portes? —L'al·ludida va alçar el puny, va prémer els llavis i va fer que no amb el cap com si no la dominés encara. Molts van riure—. I la i? Aquesta la vam aprendre fa temps: la i, la tercera vocal. —Aquesta vegada, la Pilar va assentir—. Una ella amb una i —ara l'Emma es dirigia a tots els presents—, ella, i, ella, i, ella, i, lli, lli…

—Llibertat! —es va sentir que algú deia entre el públic.

L'Emma va fer un salt cap al lloc del qual procedia la veu.

—Sí! Llibertat! —va cridar—. Això és el que estan aconseguint aquestes dones amb el seu esforç per aprendre: la seva llibertat. Deixen de dedicar hores als seus fills i a les seves famílies, que després recuperen a la nit mentre els altres dormen, per poder aprendre a llegir i a escriure. Només el coneixement les farà lliures.

Lerroux reia ostensiblement davant del discurs d'aquell descobriment. En Joaquín sabia triar bé. Davant seu tenia una dona atractiva, guapa i voluptuosa com n'hi havia poques, coses que, de per si, ja eren suficients per fer-la pujar a una estrada i captar l'atenció de la concurrència. Però, a més, era apassionada, vehement i intel·ligent, perquè teixia un discurs brillant i, sobretot, espontani, com el que ara escoltava el líder republicà, complagut.

—Només el coneixement ens permetrà alliberar-nos de les cadenes que ens imposa l'Església —cridava l'Emma—, dels conceptes religiosos que lliguen les ànimes de la gent i les fan sentir culpables i inermes davant d'un destí marcat per la voluntat divina! No ens podem conformar amb aquesta vall de llàgrimes, amb la injustícia, com pretén l'Església, com si fos una prova que, si la superem, ens aportarà beneficis en aquest més enllà que s'entesta a fernos creure que existeix. La vall i les llàgrimes per a ells. Nosaltres volem somriure i que els nostres fills riguin a tort i a dret. Totes aquestes històries són només invencions per defensar la seva existència i els interessos dels burgesos, que són qui els paguen i els sostenen!

L'Emma estava llançada. Estrenyia els punys i cridava davant d'un públic cada vegada més nombrós i entregat. El discurs sorgia fàcilment d'ella; era el mateix que tantes vegades havia sentit en boca del seu pare. Ni tan sols veia el públic que seguia les seves paraules atentament; veia la cara del seu pare davant seu, els llavis que es bellugaven, escopint capellans a cada queixa contra l'Església.

—No ens podem conformar, com pretén l'Església, davant de la injustícia! Hem de lluitar! Dones —va cridar—, no permetrem que ens converteixin en l'instrument de l'Església! La instrucció. L'educació. L'Estat es separa cada vegada més de l'Església com passa als països del nostre voltant, i l'Església utilitza l'educació catòlica per mantenir viva aquesta fe en el seu Déu. No, en tres déus! Un acte de credulitat absurda, que, si no fos per la por que infonen en els seus seguidors, quedaria en un malefici que no aniria més enllà que trobar-se un gat negre al carrer —va dir. La gent va esclafir a riure—. Companys! La cultura ens farà lliures per evitar la superstició amb què pretenen embolcallar la nostra vida els capellans i els mossens i, sobretot, per educar els nostres fills en la virtut, en la llibertat, en la igualtat i en la fraternitat…

Amb el puny alçat, l'Emma va posar fi al discurs i va entonar la primera estrofa de «La Marsellesa»: «*Allons enfants de la Patrie, le jour de gloire est arrivé!*». Lerroux s'hi va afegir entusiasmat, la va agafar de la cintura i va alçar també el puny: «*Contre nous de la tyrannie l'étendard sanglant est levé*», van cantar.

En uns segons, desenes de milers de persones repartides per tota la muntanya del Coll —moltes que se la sabien de memòria malgrat que eren analfabetes, unes altres la taral·lejaven, inventant aquelles paraules que tant els sonaven—, entonaven l'himne que havien assumit com aquell que els portaria la llibertat i la justícia, tal com havia passat al país veí feia més d'un segle.

«*Aux armes, citoyens! Formez vos bataillons! Marchons, marchons! Qu'un sang impur abreuve nos sillons!*»

La crida als ciutadans a empunyar les armes i a marxar contra el tirà va posar la pell de gallina a homes i dones i els va fer saltar les llàgrimes. L'Emma tremolava amb un nus al coll. El clamor es devia sentir a tot Barcelona. N'hi va haver que els va semblar que sentien les sirenes de les fàbriques, les campanes dels tramvies, i les botzines dels vaixells i trens que s'unien al seu clam.

Quan es va acabar l'himne francès, la gent va aplaudir i va aclamar, no pas l'Emma, ni Lerroux, sinó a si mateixos. S'aplaudien els uns als altres, i s'abraçaven i es besaven, conscients que era la força del poble la que havia de trencar totes aquelles barreres, que eren ells els protagonistes d'una història en què sempre els havien negat la participació.

Com passava amb els altres, Lerroux va abraçar l'Emma amb força.

—Fantàstic! Excepcional! —li repetia a cau d'orella. Després es va separar, però sense deixar anar els braços, de manera que tots dos van quedar col·locats cara a cara—. Ja parlarem, companya. T'esperen responsabilitats importants. El meu secretari es posarà en contacte amb tu.

La va deixar anar, li besà la mà, i a l'instant ja estava envoltat dels seus seguidors, el puny alçat en l'aire entre tants altres que s'agitaven al crit de «Llibertat!», desplaçant-se ara cap a un altre míting, cap a una altra cassola, cap a uns altres seguidors fidels.

L'Emma va rebufar i va fer veure que comprovava l'estat del seu vestit, que va posar bé amb palmellades i va estirar; després es va entestar amb els cabells, retardant el moment d'enfrontar-se a tots aquells amics que ara l'envoltaven, l'Antoni entre ells, mig moix.

—Felicitats! Increïble! —es van llançar a dir-li.

—De debò eres tu la que parlava? —li preguntà la Dora, simulant estranyesa de manera exagerada, amb els ulls ben oberts i la veu sincopada—. La que dorm amb mi cada nit?

—Com està l'arròs? —va dir l'Emma en un intent de deslliurar-se dels compliments—. Ningú vigila la cassola! —els va recriminar.

L'arròs, amarat de la flaire de la llenya, va quedar exquisit. En va menjar tothom i fins i tot van repetir, també l'Antoni, que devorava racions dobles. Va córrer el vi, i la conversa, apagada mentre les boques s'havien mantingut plenes, va derivar en acudits i bromes. Van riure. Després de la fruita van aparèixer tres ampolles de licor, una d'anís i dues de ratafia, un licor elaborat a base d'aiguardent o anís, o totes dues coses, amb sucre, nous verdes i herbes aromàtiques, triades al gust de cadascú: menta, marialluïsa i una mica de nou moscada i canyella.

Els licors van ensonyar els joves. La música d'una guitarra els arribava del grup del costat. Els que estaven en parella es van arrambar, alguns es van abraçar i besar amb tendresa; els altres xiuxiuejaven, intentant no trencar la màgia d'aquells moments. L'Emma va mirar l'Antoni, assegut al seu costat sobre la manta i amb un got de ratafia a la mà. Durant un instant, ell no li va tornar la mirada.

—Què tens? —es va preocupar ella. No l'havia vist riure com els altres. No havia intervingut en la conversa. Semblava trist.

Ell va arrufar els llavis. L'Emma es va estranyar. Li havia fet un petó! Per primera vegada. No hauria d'estar content?

—Després… —L'Antoni es va encallar. Va fer una ganyota—. Després del teu…

—Míting? —l'interrompé ella intranquil·la.

—Sí. Míting. És això. Crec…

—Què creus, Antoni? —li preguntà ella, amb impaciència—. Digue-ho d'una vegada!

—Que soc poca cosa per a tu —va aconseguir dir d'una tirada.

—Com?

—Doncs això.

—No diguis bestieses.

—No és cap bestiesa.

L'Emma el va mirar de cap a peus i va sentir una esgarrifança dins seu. Un corrent que li va recórrer el cos amb parsimònia, com si compassés la manera d'actuar d'aquell homenàs que tenia al costat. Se li van negar els ulls. Podia ser que estimés aquell paleta adust i matusser? No hi va voler aprofundir, li va agafar el got de ratafia, va fer-ne un glop llarg, i es va recolzar contra l'Antoni, amb el cap al seu pit.

—Pots respirar —el va animar després de comprovar que ell contenia l'alè.

La Dora tenia instruccions d'excusar l'Emma davant de la dispesera: la malaltia d'una de les seves cosines, la Rosa, sí, tuberculosi o tifus, no ho sabien ben bé, és clar, la lacra de la gent que vivia als barris baixos amb les aigües podrides i l'aire infecte, pobrissons!

A aquella mateixa hora de la nit, l'Emma i l'Antoni vigilaven que no hi hagués cap veí al passadís on ell vivia. Havien hagut d'arribar gairebé fins a Sant Martí, on es concentraven les fàbriques de la ciutat. Allà, al pati interior d'un edifici de cinc pisos, s'alineaven en un dels seus costats quatre casetes d'obra fetes amb materials de pèssima qualitat, baixes, d'una sola planta i coberta plana, de portes petites i una única finestra al pati, que comptaven amb uns escassos vint metres quadrats cadascuna. L'Emma n'havia sentit a parlar: fruit de l'especulació del sòl i de l'alta demanda d'habitatge, s'havien aixecat als patis interiors dels edificis aquelles construccions que en deien «passadissos» o «corredors». Al passadís s'hi accedia des del carrer per l'interior del vestíbul d'un immoble o, fins i tot, per una porta reixada contigua a la casa més baixa de l'edifici, l'anomenada «casa tap».

En el cas de la de l'Antoni, i després de creuar el vestíbul de l'edifici principal, es van trobar en un passadís estret que donava a aquelles quatre casetes que ocupaven pràcticament tot el pati interior, deixant-hi només un mínim marge de superfície per poder accedir-hi. Després d'obrir, l'Antoni va haver d'acotar el cap per passar per sota la porta. A l'interior, una única habitació que servia per a tot: cuina, menjador, dormitori. El lavabo, li va indicar el paleta, era a la primera planta de l'edifici i era comunitari. Tampoc no disposaven d'aigua potable ni llum de gas.

L'Emma va observar el desordre i la brutícia a la casa d'un home que vivia sol.

—Quantes dones has portat aquí?

La pregunta la va fer tal com li havia vingut al pensament. L'expressió d'estupor de l'Antoni, que acabava d'encendre un llum d'oli que amb prou feines si va aconseguir destacar les ombres, la va induir a retractar-se, i quan ja ho anava a fer, se'n va desdir. Quantes dones hi devia haver hagut en la vida del paleta?

—Soc massa bèstia perquè ningú m'estimi —va contestar ell—. Ja ho saps.

Entre la claror titil·lant del llum, l'Emma el va mirar de dalt a baix. Era veritat: era un bèstia. El viatge de tornada del Coll, més d'una hora de camí a peu, li havia fet baixar l'efecte de l'alcohol i l'excitació després del discurs. La tendresa i l'alleujament que havia sentit recolzada al seu pit quedava enrere, a la muntanya. Ella mateixa li havia demanat que li ensenyés casa seva. L'Antoni hauria estat incapaç de citar-la. No obstant això, ara que l'Emma es trobava allà, tancada en aquella habitació lúgubre, els ànims es refredaven. Ella li va donar l'esquena. No va sentir que ell es belluguès. Allò podia ser el principi o el final. Ho havia de decidir. Va empassar-se la saliva. Li feia por el poder d'ell, el volum que feia, la brusquedat, però feia temps que sortien plegats i no li havia fet mai ni una rascadeta.

—Vols dir que soc la primera? —va dir ella a l'últim deixant-se emportar per l'instint.

L'Emma es va girar i es va apropar, no més de dues passes, no hi havia més espai, i va quedar per sota d'un home que balbucejava una resposta inintel·ligible.

—Digue'm que sí —li va demanar la noia—, enganya'm.

—És que jo…

—Aleshores, calla.

L'Emma li va acariciar el pit i el va abraçar. Les seves mans no s'arribaven a tocar darrere l'esquena d'ell. Va percebre l'olor de suor acumulada al llarg del dia; era agra, forta. Desagradable? No podria dir-ho, encara no, podia ser qualsevol cosa. Ell la va abraçar. L'Emma es va quedar quieta, encongida. No sentia res! Cap atracció! Per què? Què fallava? Ell la va agafar pel clatell i li va prémer amb delicadesa el cap contra el seu pit. L'Emma encara notava que els cabells s'embolicaven en les durícies de la mà de l'Antoni. Què li passava? Amb en Dalmau ja hauria notat un corrent humit lliscant per l'entrecuix i ara... Dalmau! La tenia atrapada, continuava segrestada per aquell amor novell. Va inclinar el cap fins que va veure la barbeta de l'Antoni.

—Fes-me un petó —li va demanar.

Va ser ella qui es va decidir a introduir la llengua a la boca de l'Antoni després d'una bona estona fregant-se els llavis mútuament. L'encongia? L'havia encongit? No podia ser! Va riure calladament, sense separar els llavis, després va joguinejar en l'interior de la seva boca i la va buscar, va pressionar, la va fregar amb la seva, fins que ell es va deixar anar, va admetre el joc i va acabar ficant-l'hi tota a la boca.

—Bèstia! —L'Emma es va separar i va començar a tossir.

—Perdona.

—Que no en saps?

—No.

L'Emma va dubtar.

—I... de l'altre tema?

—Això sí.

Va trigar a entendre que a les prostitutes no els agradaven els petons amb llengua.

—Ah. No tens cap malaltia? Estàs net?

—Sí —va assegurar ell—. Sempre vaig amb molt de compte. Me'n va ensenyar el meu pare. Ho vols veure? —va afegir assenyalant-se el penis.

—No, no, no! O sí... —va rectificar—, suposo que l'acabaré veient, no? L'haig de veure —va afegir més per a ella.

Va tornar a oferir-li els llavis. Ell va ser més delicat. Havia posat les mans a la seva cintura, com si tota la seva atenció s'hagués de centrar en aquell petó. L'Emma el va sentir respirar amb certa agitació. Allò la va animar i va clavar les ungles a l'esquena d'ell. Una d'elles es va trencar. Era com de ferro! L'Emma va sentir una necessitat imperiosa de veure-li el tors, el ventre, l'esquena, i li va desbotonar la camisa. Ell continuava besant-la, xuclant-li la boca. Ella es va separar quan va aconseguir treure-li la camisa. Els músculs es confonien amb els cabells embullats i amb la multitud de cicatrius, algunes simples marques, però unes altres dues li creuaven el pit. Va lliscar el dit pel queloide d'una de les cicatrius, barrades de dalt a baix pels punts de sutura amb què li havien tancat la ferida. L'Antoni la deixava fer, panteixant. L'Emma es va abraçar al tors nu i va recolzar la galta al pit d'ell.

—Ets com un toro —va mussitar—. El meu toro.

L'Antoni es va atrevir a baixar els braços fins a les natges de l'Emma. Ella es va arrambar encara més contra ell quan va notar que les hi espremia. Ara sí: va notar la humitat. Volia que la posseís. Es va separar suficientment perquè ell pogués contemplar-la i es va desprendre del seu vestit florejat, que va lliscar pel seu cos com una gasa i va acabar rebregat a terra, als peus. Després es va barallar amb la cotilla fins que va seguir el mateix camí i es va mostrar a l'Antoni despullada, només amb unes calces llargues, els pits grossos i ferms, els mugrons ja erectes, alçats al cel.

—Vine —el va cridar.

Li va agafar les mans i les va portar fins als pits. Ell els va acariciar. Van ser com mil punxades alhora, que van portar l'Emma a sentir una successió de tremolors que la van obligar a arronsar-se. La pell aspra i tallada de les mans de l'Antoni rascava pertot arreu on passava.

—Què et passa? —li va preguntar ell en veure que l'Emma s'arronsava.

—Continua! Tu continua! —l'instà ella.

Aquelles mans punxaven, unes subtils fiblades que sobre la pell fina i delicada dels seus pits i del ventre es quedaven al llindar del dolor, sense superar-lo, sense causar cap mal, creant no obstant un reguitzell de sensacions contradictòries que es barrejaven amb el desig i el recel, confonent-se amb calfreds quan n'hi havia algun de més fort o se n'ajuntaven diversos alhora.

—Anem —va aconseguir dir l'Emma entre dues batzegades.

Tenien el llit a tocar, al costat de la paret. Es va treure les calces llargues mentre caminava cap al llit i gairebé va estar a punt de caure. Ell la va agafar.

—Vigila —li va advertir ell—. No tinguis pressa.

—Sí que en tinc —el va corregir ella abraçant-lo amb força, ja totalment despullada—. Tinc molta pressa. Tinc necessitat de sentir-te dins meu. —Va dubtar un instant—. Tens preservatius?

—No.

Va vacil·lar una altra vegada i va jeure al llit, d'esquena, les cames obertes cap a ell.

—Tant és. Després ja m'acompanyaràs a una de les clíniques de la part vella. Despulla't! —l'apressà quan el va veure aturat davant seu, contemplant-la.

I si l'havia espantat amb tanta urgència?, va arribar a pensar l'Emma. No. No, no, no, va concloure quan l'Antoni va destapar el seu penis erecte, immens, que tremolava enganxat al ventre.

—Oh! —L'exclamació li va néixer de l'ànima—. Mare meva! —va afegir després, quan el paleta ja jeia sobre d'ella—. No em faràs mal, oi?

—No…, és clar que no.

—Promet-m'ho! —li va pregar ella, entre juganera i espantada.

—T'ho juro per Déu!

—Deixa't estar de déus ara! —li etzibà—. I folla'm!

L'Emma es va obrir de cames tant com va poder. Les va alçar i les va encreuar abraçant els malucs de l'Antoni. Mentrestant, ell, apuntalat sobre els colzes per no aixafar-la, començava a introduir el seu membre amb delicadesa.

L'Emma va pensar que la trencaria.

—Així, a poc a poc —va panteixar. Després va riure, estúpidament. Va udolar i es va mossegar el llavi inferior. Era com si l'esquincessin, com si l'estiguessin esquarterant—. A poc a poc! —li va demanar.

Ell va obeir i va continuar amb una lentitud que a l'Emma se li va fer exasperant: esbufegava i li donava cops a l'esquena amb els punys tancats. Al final, va notar com el cos responia i tancava i embolcallava a aquell membre immens que pretenia separar-la en dues peces. Aleshores el dolor va donar pas a una sensació de plaer agradable.

—Ooooh —sospirà.

Aquell panteix va marcar l'inici. L'Antoni va començar a moure's damunt d'ella, rítmicament, sense urgència. L'Emma, agafada amb les cames als malucs d'ell, es va arquejar per sota seu, entregant-s'hi. Ell va continuar, al mateix ritme, cadenciós, gairebé mecànic, cinc, deu minuts. Quinze. L'Emma panteixava, suava, es recargolava. S'estava tornant boja.

—Més! —li exigí.

L'Antoni va fer un somriure, i va forçar la marxa.

L'Emma va udolar.

—Més! —li va demanar després.

Ell va satisfer les seves peticions i ella no va poder contenir un crit de plaer. Després va tancar la boca i va sufocar els seus panteixos. No va resistir i va tornar a udolar en la nit. L'Antoni va continuar. L'Emma va arribar a l'orgasme abans que ell. Volia que s'aturés. Volia separar les cames i estendre els braços, i respirar, però l'Antoni encara va trigar. Quan finalment aquell tros d'home va arribar a l'èxtasi, ella va témer que la destrossés.

Ni tan sols va adonar-se de la brutícia del local. Un primer pis al Raval de Barcelona, ple de putes i d'alguna dona com ella. L'Emma semblava que estigués en trànsit. Havia estat l'Antoni qui havia preguntat per alguna clínica per a les coses de l'amor, «del sexe», el corregí la vella a qui s'havia dirigit. No li va portar la contrària i la dona el va acompanyar a un carreró tan estret que van haver d'ajuntar-se bé per poder passar sense fregar les façanes amb el cos. A l'entrada hi havia un cartell descolorit: «Clínica López. Sífilis. Gonorrea. Herpes. Tota mena d'infeccions i malalties de l'aparell urinari. Dutxes vaginals. Primer pis».

L'Antoni va pagar una mica més del que costava el tractament i va passar per davant de la clientela miserable que s'amuntegava a la sala d'espera.

—Ei, paleta, com tenim aquesta vergassa tan meravellosa? —li va preguntar una dona amb els cabells tenyits de color violeta.

L'Antoni no la va reconèixer, tot i que era evident que ella sí que el coneixia quan va allargar el braç cap a ell, en tensió, amb el

puny tancat i els llavis serrats. Algunes van riure amb una veu roga-
llosa. L'Emma no va semblar que se n'adonés. Superada la sala d'es-
pera, van accedir a una estança petita on els va rebre una infermera
que no ocultava el seu fastigueig en unes faccions rebregades, i que
va estirar l'Emma en una llitera, li va aixecar les faldilles, li va treure
les calces, però es va aturar en el moment que pretenia introduir-li
una mànega a la vagina.

—I el metge? —havia preguntat l'Antoni.

—El metge no s'encarrega d'aquestes coses —va replicar la in-
fermera de mala gana, reptant-lo amb la mirada per saber si desitja-
va o no continuar amb el tractament.

L'Antoni va consultar-ho amb l'Emma.

—Endavant —va dir ella.

L'altra va acabar d'introduir la mànega, que anava connectada a
un aparell de porcellana en forma de vas cilíndric, «l'irrigador», el va
anomenar més tard la infermera, que bombejava aigua amb antisèp-
tic, generalment vinagre, a la vagina i a l'úter de la dona. La infer-
mera va posar l'aparell en marxa i el líquid va començar a bombejar
amb força a l'interior de l'Emma, per sortir pels dos costats del tub
i caure en una palangana que l'altra anava buidant en una galleda.

—M'ho hauran de fer el triple —va fer broma l'Emma en un
moment que la infermera va sortir de l'estança.

L'Antoni va riure. L'Emma va tancar els ulls i va rememorar la
nit. Una, dues fins a tres vegades l'havia portat a l'èxtasi el seu pale-
ta. Tres vegades que va pensar que perdria el senderi. No hauria
imaginat mai, mai de la vida, poder arribar a tant plaer quan rebia
dins seu en Dalmau. No es volia quedar embarassada ara. Feia poc
que es coneixien amb l'Antoni. Li va agafar la mà, aspra com quan
li recorria el cos. I allà mateix, estesa a la llitera, fins i tot va sentir
un pessic de plaer. Encara no volia un fill seu, però el cert era que,
a partir d'aquella nit, les seves relacions havien canviat. Quantes
vegades seria capaç de fer-li sentir tant plaer com aquella nit?

Van acabar la dutxa vaginal, van abandonar el local fastigós i
pudent, i van buscar una taverna per esmorzar. Arengades sobre una
bona llesca de pa acabat de sortir del forn amb un bon raig d'oli;
més torrades, aquestes amb porc i sucre; ous ferrats, botifarra negra,

alls i cebes, pa i vi. Tot això van endrapar l'Emma i l'Antoni, menjant sense parlar, al començament, sadollant la gana que tenien des d'aquell arròs a la cassola que havien menjat gairebé vint-i-quatre hores abans. Un cop amansida la gana, va arribar el moment de les mirades, els somriures o les rialletes còmplices.

—Bravo, Antoni! —L'Emma va imitar el crit que a mitjanit havia ressonat des de la casa del costat.

Ella s'havia quedat immòbil, com si l'estiguessin espiant. «Continua, continua, reina!», la van incitar després, des de la paret veïna, aquesta vegada una veu inconfusible de dona.

—Que feu l'amor tots junts? —li va preguntar a la taverna.

L'Antoni no va saber què contestar; va ocultar la mirada, com si estigués avergonyit. L'Emma li va agafar la mà.

—Em vindràs a buscar aquesta nit a la Fraternitat? —li va preguntar, segura de la resposta.

—És clar que sí.

A partir del dinar que es va organitzar al Coll, l'activitat dels republicans va resultar frenètica. Van crear un nou partit, la Unió Republicana, per poder-se presentar a les eleccions legislatives del mes d'abril. L'Emma va treballar de valent en la seva organització. Malgrat els esforços del govern de Madrid per garantir unes eleccions netes, es preveia un frau electoral massiu a tot Espanya. Els mítings es van succeir durant els mesos que encara faltaven per a la votació. Se celebraven en locals tancats, principalment teatres del Paral·lel, ja que el governador havia prohibit les reunions al carrer. L'Emma va assistir a tots els actes acompanyant Lerroux o els diferents oradors; «la Mestra», l'anomenaven.

Va parlar en la majoria d'aquells mítings. Poc temps, l'estrictament necessari per assegurar-se que les poques dones presents havien de vetllar perquè els vots dels seus marits i els dels fills, pares i de tots els familiars anessin als republicans. La dona no tenia dret a vot, i encara menys la possibilitat de presentar-se a cap càrrec, de manera que, un cop completa aquella missió, la intervenció de la Mestra perdia sentit i se substituïa per homes.

Les seves intervencions eren entusiastes i vehements; li agradava parlar en públic. Li portava el record del seu pare, de vegades d'una manera tan intensa, tan real, que havia de lluitar contra la nostàlgia que intentava afligir-la. Aquella presència, aquell record feia esvair pors o dubtes; l'Emma es dirigia al seu pare, buscava la seva complaença, el seu aplaudiment, la gent tant li feia. En els pocs minuts que li concedien per parlar, aixecava passions a l'auditori. L'educació, l'Església, la monarquia, l'Església, l'Església, l'Església… Els seus caps li havien demanat que en aquells mítings deixés de costat l'atac al capital i a la burgesia perquè dins de la Unió Republicana hi confluïen tota mena de tendències: de dretes, de centre i d'esquerres, unides totes pel rebuig a la monarquia.

L'Emma es va negar a parlar si havia d'evitar l'atac al capital, però Lerroux la va convèncer: «El futur dels països està en mans dels obrers, però primer hem d'esfondrar una estructura podrida i viciada. Hem d'aconseguir que els cacics deixin de controlar les eleccions. Hem d'escalar quotes de poder a poc a poc. Quan ho hàgim aconseguit, haurà arribat el nostre moment».

La monarquia, i l'Església, tan unida a ella, es van convertir en l'objecte de totes les crítiques. De vegades, des de la tribuna, l'Emma temia sentir veus que li recriminessin la mort de la Montserrat; que alguna d'aquelles llibertàries que l'acompanyaven el dia que van cosir a bales la seva amiga s'alcés i l'acusés de la tragèdia. No hi devien ser i, si hi eren, no es van fer notar. Molts dels seus coneguts, fins i tot els que vivien al barri de Sant Antoni, s'apropaven a saludar-la i a felicitar-la. En Dalmau, no. En Dalmau ja no vivia la lluita obrera, li havia confessat la Josefina, ni tampoc podria identificar-la com «la Mestra», en cas que escoltés o llegís sobre aquells mítings. L'Emma sentia pessics d'angoixa només de pensar-hi; després de tot el que havia passat amb en Dalmau, no li hauria disgustat que la veiés allà, enardint la gent, triomfant en la vida. Amb tot, la mà forta i rugosa com el paper de vidre del paleta, que l'ajudava a baixar de la tarima, espantava qualsevol desig de retrobament.

El cert és que en aquelles eleccions hi va tornar a haver fraus massius al llarg del país: compres de vots; rodes de votants; censos falsos; morts que votaven; col·legis electorals amagats; terratinents i propietaris que imposaven el vot als seus empleats i parcers; actes falsificades; carters que no lliuraven les actes dels pobles. Els cacics conservadors continuaven cometent arbitrarietats impunement.

Amb tot, a Barcelona, on Lerroux havia exigit la màxima atenció als seus seguidors i havia arribat a amenaçar les autoritats amb aldarulls si es produïen irregularitats, els republicans van triplicar en vots els regionalistes, i la llista de la Unió Republicana va sortir íntegrament escollida.

Si bé l'aportació de l'Emma a l'escalada dels republicans al poder a la qual es referia Lerroux havia estat coartada per interessos polítics, poc després «la Mestra» va tenir l'oportunitat de venjar-se de la censura i de l'escàs temps que li havien concedit en la campanya electoral i ho va fer en un míting a la plaça de toros de la Barceloneta, molt a prop del llatzeret on compraven els pollastres. Unes quinze mil persones, dotze mil assegudes a les localitats i les altres a l'arena, es van donar cita a la plaça de toros per commemorar l'aniversari del procés de Montjuïc, del qual havien fet causa els republicans, exigint-ne la revisió, l'amnistia dels condemnats i la restitució del seu honor.

L'Emma va presenciar l'espectacle de braus que es feia cada tarda. Hi havia anat alguna vegada per trobar-se amb en Maties als voltants: a l'espera d'una almoina, tot de tolits amb flautes i acordions competien entre ells aviam quin grup tocava més fort i captava l'atenció de l'aficionat. La dissonància atacava les orelles. Malgrat tot, l'Emma va ser generosa amb alguns d'aquells esguerrats i va llançar uns quants cèntims, que tampoc no li sobraven a ella, a la gorra rosegada que tenien a terra.

—Per què els dones diners? —li va preguntar l'Antoni.

—Perquè em portin bona sort...

—Ara ets supersticiosa? —es va burlar ell.

Ella va arronsar les espatlles, però així que va superar els accessos a la plaça de toros es va adonar que necessitaria sort, molta sort. Els milers de persones que inundaven la plaça se li van llançar al damunt; no era un teatre ni un circ tancat, amb uns quants centenars d'espectadors que difícilment arribarien a superar el miler. Allò li va semblar impressionant, aterridor.

—No sé si podré —va confessar al paleta escombrant amb la mirada les grades plenes a vessar.

La resposta de l'Antoni es va perdre entre la cridòria. L'Emma tampoc no hi havia parat atenció. Suava, preocupada, atemorida per la gentada. Els va anar a trobar en Romero, l'ajudant d'en Joaquín Truchero, i els va obrir pas fins a la tribuna que s'alçava al costat de la porta de sortida del toril.

«Per aquí podré escapar», va pensar l'Emma amb ironia mentre la presentaven als altres oradors a qui saludava, mecànicament, sense atendre noms ni converses, més preocupada perquè no descobrissin les seves pors en veure-li les mans que li suaven. Estaven tots asseguts en primera fila, sota la tarima. A l'Antoni l'havia acomodat en Romero unes files enrere, on el públic gairebé estava dret a l'arena de la plaça. Entre tots aquells polítics, l'Emma es va fer petita: se sentia sola. Era una simple venedora de pollastres que, d'altra banda, aconseguia de manera fraudulenta. No havia explicat a ningú de la Fraternitat a què es dedicava ella realment, per més que en Joaquín Truchero insistia a conèixer algun detall més d'aquell «venc menjar» amb què l'Emma s'havia tret del damunt la seva curiositat. Qualsevol dels oradors que estaven a punt d'intervenir, en canvi, eren personatges de prestigi, vestits amb americanes fosques, corbates i bombins, homes seriosos i circumspectes, homes que la doblaven en edat.

L'Emma havia preparat un discurs amb l'ajut i la paciència de l'Antoni, que l'escoltava una vegada i una altra. Ara se li n'havia anat tot del cap. No es recordava ni d'una paraula... Es va regirar amb neguit a la cadira. L'acte havia començat i els crits dels oradors per fer-se sentir en aquella plaça immensa la distreien. Aplaudiments, víctors a un home que alçava el puny a la tribuna i que ja havia acabat el discurs. Quan li tocava a ella? Si com a mínim tingués l'Antoni al seu costat. Va girar el cap i va intentar trobar-lo, però no se'n va sortir. Va mirar per la porta del toril. Per allà podia fugir.

La van cridar. Va pujar a la tribuna. «La Mestra!», la van presentar. El públic la va aplaudir. L'Emma va dubtar un instant. Va mirar al voltant. La gent esperava. Allà, en aquella plaça, si es feia silenci

245

es podia sentir el repic de les peülles dels toros quan envestien. L'Emma va sentir els estossecs d'alguns assistents.

—Al meu pare el van assassinar a Montjuïc!

No havia fet falta que cridés tant com els que havien passat davant d'ella. Va sonar com aquella peülla del toro esgarrapant la sorra. Els que estaven asseguts a l'alber es van aixecar; a les graderies els van imitar, i la gent, a peu dret, la va aplaudir.

Els víctors i el record del seu pare la van fer volar. Va recordar el seu discurs, i va cridar per damunt d'aquella gentada. El govern continuava sense reconèixer les tortures. L'Església, actuant com la Inquisició, havia legitimat moralment aquella injustícia. Com podien dir que no hi havia hagut tortures? Si ella les va veure, de petita, i es va allunyar del seu pare perquè tenia el rostre tan deformat que li feia por. El públic es va quedar amb l'ànim en suspens davant d'aquella confessió. «No el vaig tornar a veure.» Aleshores va callar, la gola travada, incapaç d'afegir ni una paraula, i va esclatar a plorar a la tribuna d'oradors, davant del públic. Sí, ella era l'òrfena d'aquell procés injust! Al començament va intentar ocultar les llàgrimes, després va prémer els llavis i en silenci es va aixecar davant de quinze mil espectadors que van elevar un unànime bram al cel.

—Que se us escolti des del castell! —va cridar un dels líders republicans que va rescatar l'Emma, alhora que assenyalava la muntanya de Montjuïc, que s'alçava per sobre d'ells a l'altre extrem de la costa barcelonina.

—«La Mestra exalta la concurrència —llegia l'endemà al matí en veu alta per a tots els parroquians, un avi a la taverna on l'Emma i l'Antoni s'havien citat per esmorzar, molt a prop de l'obra on ell treballava—. Òrfena d'un anarquista injustament condemnat al procés, l'oradora va embriagar els assistents amb un discurs del tot emotiu que va assolir el seu punt àlgid amb les llàgrimes sentides…».

L'Emma i l'Antoni es van mirar amb afecte per damunt de la taula on seien, compartida amb altres obrers que anaven i venien, pocs dels quals van deixar de fer una bona repassada amb els ulls a la dona que acompanyava el paleta.

—Vas parlar molt bé —la va felicitar en aquell moment l'Antoni.

—Escolteu això! —va cridar el lector, cridant l'atenció dels obrers que omplien el local—. «Mentre els republicans persegueixen la revisió i condemna d'un procés que va avergonyir i humiliar Espanya davant de qualsevol país civilitzat, i que va significar la mort i el desterrament de moltes persones innocents, la rendició i reconeixement dels quals també es pretén, la burgesia, el clero i les autoritats d'aquesta ciutat celebraven un ball, envoltats del luxe habitual amb què insulten el poble empobrit, amb l'objecte de recollir fons en la seva campanya contra la blasfèmia als carrers i tallers...».

—Me cago'n dena! —es va sentir d'una de les taules, crit que va destapar una ràfega d'insults i procacitats anticlericals.

—Bé, bé, bé —va alçar la veu el vell un cop es va calmar l'ambient—. Voleu que llegeixi o no? —va preguntar. L'assentiment va ser general—. Bé... «Carrers i tallers...» —va repetir—. Sí. «A l'acte presidit...».

L'Emma va deixar d'escoltar-se'l fins que la va sobresaltar la citació d'un nom: Dalmau Sala.

—«El jove i reconegut pintor i ceramista —llegia el vell—, que durant tota la vetllada va estar afectuosament acompanyat per la senyoreta Irene Amat, filla d'un dels grans industrials tèxtils de casa nostra, va fer un ridícul flagrant quan va ser incapaç de pronunciar cap paraula després que el convidessin a la tarima per tal d'agrair els esforços d'aquell grup d'abnegades dones que tant bé pretenen per a la societat expulsant el dimoni de les nostres boques. La paradoxa es va produir quan el pintor, en comptes de parlar, va vomitar damunt d'aquestes dames i el van convidar a abandonar el luxós local, i hi ha qui sosté que la víctima del vòmit va perbocar, alhora, certes blasfèmies que van ser mal rebudes per aquell auditori tan piadós».

Nous improperis i rialles van omplir el local.

L'Emma continuava encongida a la cadira. «Burgesos.» «Luxe.» «Afectuosament acompanyat.» «Ridícul.» «Vòmit.» «En realitat, t'han robat l'ànima, Dalmau», va concloure recordant les paraules de la Josefina. Va respirar fondo, una, dues vegades. Va recuperar la posició a la cadira, recta, i es va dirigir a l'Antoni, que menjava tranquil·lament:

—T'estimo, paleta —li va etzibar de cop i volta.

L'altre es va ennuegar amb l'ou i la patata que en aquell moment es ficava a la boca, i va esclatar en un atac de tos.

8

Dues nits abans, la Maravilles i en Delfí deambulaven per la plaça de Catalunya i el carrer de Rivadeneyra pidolant caritat als curiosos que s'aturaven als voltants del cafè restaurant Maison Dorée, enlluernats pels cotxes de cavalls que esperaven la sortida dels seus propietaris. Els trinxeraires no eren els únics: com ells, n'hi havia molts que assaltaven la gent o esperaven qualsevol distracció per furtar-los la bossa. També hi havia captaires que no eren joves, homes i dones malrobats de totes les edats, que, després de demanar caritat a les cases del passeig de Gràcia o de fer un plat de sopa en alguna de les moltes institucions de beneficència a càrrec de l'Església, provaven sort en aquell aplec de rics.

El cert era que només els més atrevits s'apropaven a la porta del temple, protegit per la Guàrdia Civil i la Municipal, ateses les personalitats que hi havia a l'interior, o als cotxes de tir, amb els seus cotxers aparentment distrets, xerrant i fent broma entre ells, però que no dubtaven a fer espetegar el fuet amb habilitat així que algun espavilat els rondava.

La Maravilles acabava de proposar al seu germà que marxessin d'allà i se n'anessin a buscar algun racó per passar-hi la nit, quan un cambrer va aparèixer per la porta de servei acompanyant un jove ben vestit que es deixava arrossegar a batzegades. La trinxeraire va agafar en Delfí del braç i el va frenar.

—Espera —li ordenà.

—No, no, no —es va queixar l'altre en dirigir la mirada al mateix lloc que la seva germana i veure-hi en Dalmau—. Estic cansat, anem a dormir.

—Tu ves-te'n si vols —va replicar la Maravilles.

En Delfí no ho va fer.

En Dalmau va inspirar amb ganes l'aire de la nit i es va enfrontar a totes les mirades reprovadores. La fresca nocturna va ser insuficient per espavilar-lo.

—Es troba bé? —es va interessar el cambrer que havia tingut la consideració d'evitar tractar-lo com un borratxo qualsevol.

—No —va respondre en Dalmau, la llengua pastosa i el regust de vòmit a la boca.

—Vol un cotxe de punt? —li preguntà l'altre fent com si anés a avisar-ne un.

—No… gràcies —va aconseguir articular en Dalmau.

L'home es va acomiadar i va desaparèixer a l'interior del local. En Dalmau va fer com si estigués una estona pensant; les rialles i les burles amb què l'havien acomiadat del Maison Dorée encara li coïen en l'amor propi. L'estómac se li regirà una vegada més i li va venir una arcada. «Burgesos fills de puta», va renegar al mateix temps que es dirigia fent tentines cap a les Rambles. Necessitava beure. La Maravilles i en Delfí el van seguir de petja. Van creuar l'avinguda i es van endinsar al Raval. Després, els trinxeraires van veure que entrava a la primera taverna que va trobar al carrer dels Tallers. La Maravilles es va plantar a fora; en Delfí, després de remugar unes protestes inintel·ligibles, se'n va anar a un portal i s'hi va arrupir amb la intenció d'adormir-s'hi. No va durar-hi ni cinc minuts; una prostituta vella el va treure d'allà amb quatre coces després de tornar d'un servei. Mentrestant, en Dalmau havia ocupat una taula solitària i el taverner ja li havia servit la primera beguda: absenta. La Maravilles coneixia aquell licor verd que podia arribar a crear al·lucinacions; alguna vegada l'havia tastat. Tal com es trobava en Dalmau, no aguantaria dos gots abans de caure inconscient, si més no si els bevia sense diluir-los amb aigua i sucre, com semblava que fes. En Delfí va trobar un altre portal, una mica més enllà. La prostituta vella passejava la mirada de l'un a l'altre.

—Eh! —va cridar a la Maravilles—, aviam si m'espantes la clientela.

—Si són clients teus, no els vindrà de nou —va replicar la trinxeraire.

Dos vianants que passaven pel carrer van riure en sentir la resposta. La prostituta va examinar la Maravelles de cap a peus: bruta i malgirbada, amb capes de roba esparracada per damunt i esquinçalls de tela embolicats als peus com si fossin sabates. Petita, prima, cadavèrica.

—Tens una llengua molt llarga —li recriminà pensant que, vella com era, ni tan sols la podria seguir.

—A diferència de tu, jo no la faig servir per mamar-la als homes.

—Tu mateixa —va conformar-se la vella. Després va fer que no amb el cap i va escopir—. Juro per Déu que algun dia et veuré aquí mateix, mamant-la a un sifilític —sentencià.

La Maravelles va mirar als ulls de la vella prostituta, tèrbols, buits de sentiment, ni tan sols ira, i va callar. En acabat, es va tornar a fixar en el que passava a l'interior de la taverna. Un altre got. El primer se'l devia haver begut en Dalmau d'un sol glop. Una dona, borratxa, pintada com una pepa, de metes immenses escanyades sota d'una cotilla que pugnava per rebentar i amb un gran monyo enravenat damunt del cap, va seure a la seva taula, al seu costat. El taverner li va servir vi sense que en Dalmau hagués demanat cap copa ni acceptat la seva presència. La Maravelles es va empipar i es va apropar a la porta instintivament. El taverner no va ser tan clement com la prostituta: tal com la va veure, va agafar un garrot que tenia damunt del taulell i es dirigí a la trinxeraire, que va fugir cames ajudeu-me perseguida per les riotes de la vella meuca.

—Fot-li, Mateu —incità ella al taverner, que no va arribar a creuar la porta del seu establiment.

Quan la Maravelles es va atrevir a tornar a la porta de la taverna, la dona del monyo ja tenia agafada la mà d'en Dalmau i li parlava, tot i que ell no semblava que li dediqués cap atenció; ella tampoc no podia sentir el que deia. Un altre got d'absenta. La Maravelles va veure com bevia, un glop, dos...

—La «copera» no el deixarà —li va dir a l'esquena la vella. La Maravelles es va girar—. La «copera» —va indicar la prostituta assenyalant amb la barbeta cap a la dona de la taverna—. Els borratxos són la seva especialitat. Per això en Mateu l'admet allà dins; els ploma en un batre d'ulls i en acabat es reparteixen el botí. Si aquell és amic teu... només has d'esperar. Quan li hagin buidat les butxaques, el fotran al carrer.

Com si li fes cas i hagués decidit esperar, la Maravilles va recolzar l'esquena contra la façana de l'edifici des d'on es veia la taverna, justament al costat del portal on esperava els seus clients la vella prostituta, que es va veure sorpresa per la gosadia de la noia d'instal·lar-se tan a prop d'ella.

—Què tens amb aquest? —li preguntà assenyalant amb la barbeta l'interior de la taverna. La trinxeraire no va contestar—. Tant és —va continuar l'altra—, ben aviat no tindràs res a veure.

Aquesta vegada la Maravilles sí que va reaccionar, i es va girar cap a la vella exigint una explicació. L'altra va tornar a assenyalar amb la barbeta, aquesta vegada cap a l'entrada del carrer dels Tallers, on es veien dos homes vestits amb frac i acompanyats per dos criats.

—Mira, ja venen els seus amics —va advertir la prostituta.

Era un home gran i un altre de jove. La Maravilles va reconèixer el de les patilles tofudes que li confluïen al bigoti. Era l'amo de la fàbrica on treballava en Dalmau i on el pintor l'havia dibuixat. Al jove no l'havia vist mai: Amadeu, va sentir que l'anomenava el de les patilles. No van trigar a arribar a la seva altura; van treure el cap per la porta de la taverna i van reconèixer en Dalmau.

—És aquí! —va cridar el mestre als dos criats—. Tu ves a buscar el cotxe, i tu et quedes amb mi —els va organitzar.

Tots dos van obeir. El primer es va girar i va córrer cap a les Rambles i l'altre va entrar a l'establiment amb el senyor Manel. La Maravilles s'hi va atansar aprofitant que el taverner estava pendent d'aquells dos senyors i va veure com la «copera» desapareixia entre les altres taules. Es va preguntar si ja devia haver plomat en Dalmau. El criat i l'Amadeu el van aixecar i el van carregar com si fos un pes mort; en Dalmau no responia. L'altre, el de les patilles, atenia les reclamacions del taverner, que exigia que li paguessin els gots d'absenta servits, més dels que havia consumit en Dalmau, a més d'un flascó sencer de vi.

—No pagui, senyor Manel —li recomanà l'Amadeu—. En aquestes tavernes no fien. Es paga al comptat, got a got.

—Els senyors… —va intentar defensar-se el taverner.

—Escolti'm —l'interrompé el senyor Manel, buscant la bitlletera a l'interior del frac—, m'estranya que, en tan poca estona, aquest jove pugui haver begut tot el que vostè diu, però no l'hi discutiré. Quant li dec?

Mentre el ceramista pagava, la Maravilles va enganxar l'esquena a la paret. El cotxe de cavalls va arribar i es va aturar davant de la porta de la taverna. La trinxeraire va quedar a l'altura de la roda posterior, encaixonada.

—On viu en Dalmau? —va preguntar l'Amadeu.

—Pel barri vell —va contestar el senyor Manel—, però no sé exactament on.

—On el portem, doncs? —va inquirir l'Amadeu sota l'atenta mirada del cotxer des del pescant.

El mestre va meditar una estona.

—A casa meva! —va ordenar a l'últim.

Van carregar com un pes mort en Dalmau al cotxe. Van pujar el senyor Manel i l'Amadeu, els criats ho van fer als estreps posteriors, i el cotxer va arriar els cavalls. La Maravilles es va posar de puntetes perquè la roda no l'esclafés i va seguir el cotxe amb la mirada. Després, en silenci, es va dirigir a les Rambles.

—Eh! —la va cridar la prostituta vella—, que et deixes el noi!

En Dalmau es va deixar caure al llit i va tancar els ulls intentant expulsar el mal de cap que li va esclatar pel simple fet d'incorporar-se. Va sentir veus apagades, fora de l'estança on es trobava. Va començar a recordar: la festa, el ridícul, la taverna, una dona… La memòria se li aturava allà. Va respirar diverses vegades i va obrir els ulls, sense moure's: l'habitació estava pobrament il·luminada a través d'un celobert. Era petita i sòbria. El llit i un rentamans sobre una calaixera petita, i en un racó, una cadira de fusta i boga amb un piló de roba ben doblegada al damunt. La seva? Es va adonar aleshores que anava despullat. No hi havia res més a la cambra. La llum venia d'un pati interior i tot just il·luminava una habitació interior, sense finestres. En Dalmau va decidir incorporar-se, però es va marejar.

El cap es va tornar a convertir en una bomba a punt d'esclatar, cosa que gairebé va passar en el moment que es va obrir la porta i va entrar la llum, l'aire i el soroll, tot de cop i volta. La vida li acabava de donar un cop de puny.

—Ja ha despertat el senyor?

Va trigar a reconèixer la veu i la immensa presència de l'Anna, la cuinera del senyor Manel i la senyora Cèlia. Desconcertat, va pensar que potser era a casa seva.

—Sí —es va avançar l'Anna a la seva pregunta—, has dormit a casa del senyor Manel Bello. Es veu que no sabia on portar-te i si t'hagués deixat sol no hauries pogut fer ni una passa. —Escoltant la cuinera, en Dalmau va recordar la seva nuesa i va fer el gest de tapar-se. L'altra va riure i li assenyalà l'entrecuix, ocult sota el llençol—. Tant presumir d'això i d'allò, i ara resulta que la tens tan escarransida com tots...

—Per l'amor de Déu, Anna! —es va queixar tornant a tancar els ulls—. De qui és l'habitació?

—D'una de les minyones. Han hagut de compartir llit perquè tu poguessis dormir la mona.

La cuinera va esperar.

—Em sap greu —es va disculpar en Dalmau amb la veu ronca—. Quina hora és?

—Les onze tocades. El senyor ha dit que no et molestem. Et portaré un tassó de brou, et revifarà.

I així va ser: tot i que només flairar-lo sentia nàusees, el caldo el va reviscolar i en Dalmau es va llevar, es va rentar amb l'aigua de la ribella i es va vestir amb la roba de la nit anterior. Tot i evitar el frac, que l'Anna tenia penjat en algun racó, es va sentir incòmode; la camisa i els pantalons li picaven, semblava que li esgarrinxessin la pell. Va sortir de l'habitació i es va trobar a la zona de la casa reservada al servei: habitacions per a les minyones, trasters, el rebost i la cuina, on va anar de cap.

No hi va arribar, però. L'Úrsula el va sorprendre a mig camí i el va mirar amb menyspreu. En aquell moment, com si rebés una estocada, en Dalmau va rememorar la calamitosa escena de la vigília. Quan va tenir la noia al davant, va lligar caps.

—Vas ser tu —la va acusar—. Vas ser tu qui va organitzar el discurs. Tu!

—Et vaig avisar, terrissaire —l'interrompé ella secament, assenyalant amb l'índex a l'altura del ventre.

—Tu sabies que tinc aversió a parlar en públic, el teu pare… o mossèn Jacint… Un d'ells t'ho devia comentar.

—No em vas fer cas —insistí l'altra.

—Ets una… —En Dalmau va callar, la indignació no va poder amb la prudència.

—Què? Què és el que soc?

L'Úrsula va canviar radicalment el to de veu: ara era mel·liflu. La jove se li va atansar amb una guspira als ulls.

—Estàs com un llum! —exclamà en Dalmau retrocedint un pas.

L'altra es va aturar.

—T'estimes més continuar amb la guerra?

—Que et bombin! —li etzibà, fart tant d'ella com de la conversa.

No va anar a la cuina. Tampoc no va recollir el frac. No es va acomiadar de l'Anna. Va sortit d'aquella casa amb un cop de porta.

En Dalmau va caminar fins a la fàbrica de rajoles. Va beure aigua d'una font. Feia gairebé vint-i-quatre hores que no havia menjat res, i el brou, i sobretot la discussió amb l'Úrsula, li havien obert la gana, per això es va aturar a una parada d'entrepans. En va demanar un de llonganissa, però quan va anar a pagar es va adonar que estava escurat, no tenia ni un cèntim. La imatge de la dona dels pits grossos i el monyo alzinat que fins aleshores havia tingut en la nebulosa de la borratxera de cop i volta va cobrar vida, i ho va fer tan clarament que en Dalmau fins i tot va poder sentir com el tocava, com el grapejava. Va donar per fet que els diners es devien quedar allà. El venedor se'l va mirar amb recel en veure que buscava i rebuscava a les butxaques, i va enretirar l'entrepà que li allargava.

En Dalmau li contestà arrufant els llavis i les espatlles.

—Me'l canvia per un corbatí? —va intentar fer broma traient la tira rebregada de la butxaca.

El de la parada no es va immutar.

—No —va contestar—. Però per les sabates sí.

—No crec que li vagin bé —es va acomiadar en Dalmau.

A la porta d'entrada de la fàbrica, va encarregar a en Paco que li portés alguna menja per picar al taller; després va alçar el cap, respirà fondo i es va encaminar al despatx del senyor Manel.

—Volia… —va titubejar després de picar a la porta, obrir-la un pam i treure el cap pel badall—. Volia disculpar-me.

—Entra —l'insistí el mestre, indicant-li una de les cadires de cortesia que tenia davant de la taula, ell assegut al darrere.

En Dalmau no tenia ganes de mantenir la conversa que veia a venir, però sabia que no podia eludir-la: la mereixia. Per això va aguantar la mirada del mestre Manel i es va desfer en excuses abans que l'home el comencés a sermonejar.

—Em sap molt de greu el que va passar, de debò… Però vostès prou que sabien que jo no sé parlar en públic —es va defensar en Dalmau tan bon punt es va asseure.

—No haver-ho fet —li replicà el senyor Manel—. Ningú no t'obligava a sortir a pronunciar el discurs.

—Em van animar a fer-ho, em van aplaudir, em van pressionar… —es va justificar ell.

—Anaves ben torrat, fill.

—No era conscient de tot el que havia begut. I després, amb els nervis d'haver de parlar allà dalt, davant de tota aquella gentada… Ho sento molt —va concloure, incapaç de trobar res més a dir.

El silenci es va instal·lar entre tots dos. En Dalmau es va passar la llengua pels llavis encara ressecs. Va acotar el cap, va agafar aire, el va tornar a aixecar i es va adonar que el senyor Manel tenia algunes coses a dir-li.

—Has d'evitar beure en aquests actes. Quantes vegades t'he dit que la imatge és molt important? Anar ben vestit, comportar-se com cal, aquestes coses són les que marquen l'èxit, sí, també per als artistes. Com pot ser que no t'adonessis que no estaves en condicions de fer cap discurs?

—Em van pressionar per pujar a l'estrada… —va dir en Dalmau. «La seva filla, per exemple», li hauria agradat afegir—. Es van burlar de mi, senyor Manel, a consciència. Em van tractar…

—No t'ho miris així… —l'interrompé el mestre.

—… com el que soc. Un obrer, fill d'obrers, que viu al barri vell de la ciutat, i que no es mereix cap consideració ni respecte.

Es va fer un altre silenci, però aquesta vegada cap dels dos no el va trencar. En Dalmau pensava que ja havia dit prou. Per la seva banda, el senyor Manel veia com els seus arguments trontollaven davant la posició del seu deixeble. No podia negar-ho: ell mateix havia vist que la gent l'assenyalava i es mofava d'ell. La mateixa Cèlia s'havia rabejat desvergonyidament de l'escarni del noi!

—Intenta controlar l'alcohol —li repetí, com a últim consell—. Vindràs a dinar a casa? —li va acabar proposant en un to de sentiment de culpa.

En Dalmau es va escudar en tota la feina pendent, tot i que en realitat faria el possible per no tornar a veure aquell escurçó que el mestre tenia per filla. L'Úrsula havia aconseguit humiliar-lo. En Dalmau va anar al seu taller, on havia anat la vigília per canviar-se de roba i evitar que la seva mare el veiés vestit amb un frac i tot el conjunt. Mentre s'afanyava a posar-se la roba de carrer que hi havia deixat, li va venir la imatge de la Irene, la noia angelical amb qui havia ballat i begut. Què devia pensar ara d'ell? Se li va nuar l'estómac en veure's vomitant als peus de la senyora de negre. La Irene no devia voler saber-ne res. Tots devien haver rigut a costa seva, segur; potser encara reien. Va sospirar i va intentar oblidar-ho tot. Es va sentir molt més còmode amb la seva camisa, els pantalons i les sabates velles. S'acabava de cordar la brusa de feina que es posava per treballar al taller, quan en Paco li va pujar el dinar: sopa de col amb pa, i botifarra amb seques saltades amb cansalada. Va pagar el compte que el vell vigilant li va presentar amb els diners que tenia desats al taller. Va tastar la sopa de col. La seva mare en preparava una d'exquisida, amb formatge gratinat que es fonia amb l'escalfor; aquella no duia formatge. La seva mare… Si ella s'assabentés del que havia passat… No havia anat a dormir a casa. No era la primera nit ni seria l'última. Ell li deia que dormia al taller o al pis d'algun amic; ella assentia amb el recel marcat en cadascuna de les seves faccions. De vegades, quan es trobaven a casa, ella intentava establir una conversa sobre els nous costums, «vicis» es va atrevir a qualificar-los un dia, que li estaven consumint rostre i cos, però en Dalmau no li havia donat mai peu a continuar per aquell camí. «Mare, soc prou grandet per saber el que faig.»

La Josefina li preparava l'esmorzar si es despertava a casa i, asseguda a la vora d'ell, desviava la conversa cap a qualsevol tema que no fes empipar en Dalmau i fes que se n'anés davant de la seva insistència. També li donava dinar i sopar, si apareixia a les hores que tocava. «Que bé que cuina la mare», va pensar en Dalmau després de xarrupar una altra cullerada de sopa de col. Va mirar el flascó de vi que acompanyava el menjar i va notar una petita queixa de l'estómac i del cap. Va dubtar si beure'n, però després de prendre dues cullerades de sopa més, se'n va servir i va fer-ne un bon glop. «Entra bé —va pensar—. Molt bé», va concloure al cap de dos gots. Les imatges de la nit anterior se li van aparèixer en cascada al cap: l'Úrsula, la Irene, el mestre, la senyora de negre, el públic atent a un discurs que no arribava, les rialles…, les befes! En un altre racó del cap suraven unes altres ombres: la de la seva mare, la de l'Emma… Va enretirar el dinar a un costat i va agafar el llapis i els papers que tenia escampats damunt la taula. Va examinar un dels esbossos. Aquelles rialles… Va esquinçar el paper. Va ser com una catarsi. En pocs minuts estava capficat en la feina. Dissenyava una col·lecció de rajoles amb motius florals per fabricar en sèrie. A parer d'en Dalmau, la dificultat d'aquella tasca era que ja hi havia molts models amb motius similars. Havien de ser diferents, li havia dit al mestre, calia prescindir de les fulles d'acant, va posar com a exemple, i buscar alguna cosa nova, moderna. El senyor Manel va fer una ganyota en sentir el qualificatiu. «Li agradarà», va prometre en Dalmau.

S'inspirava en els llibres francesos de què disposava el senyor Manel. No entenia l'idioma, però les pàgines estaven farcides de dibuixos amb tots els detalls i amb això ja en tenia prou. Va passar el dia inclinat damunt de la taula de dibuix fent proves i més proves, incloent-hi les flors o parts d'aquestes en dibuixos geomètrics, combinant-los, acolorint-los…, fins que, com sempre, en Paco li va haver d'advertir que era tard. Va deixar les flors i els esbossos i es va fixar en el cavallet amb el quadre que estava pintant protegit amb un llençol. Podia continuar pintant-lo, però no es va sentir amb prou força. Va decidir sortir: per sort, guardava diners al taller, ben amagats, per a casos d'emergència com aquell. Quan va traspassar la porta, es va aturar: no se sentia amb ànims de tornar a casa. Tampoc de buscar l'Amadeu o en Josep o qualsevol d'aquells joves burgesos en algun dels cafès o restaurants on ara devien estat preparant la nit. No estava segur de com el rebrien; s'imaginava que, d'ençà de l'episodi de la nit anterior, ell devia haver estat al centre de les seves converses. Era inevitable: les burles devien haver estat cruels.

Així doncs, va deambular pel barri de Sant Antoni. Dues vegades va passar per davant de la fonda d'en Bertran; el rumor de les converses arribava fins al carrer. La cara de l'Emma es va obrir pas des d'aquell racó del cervell on l'havia confinat. Un lleu mareig, com si els seus sentiments haguessin fugit de sobte del seu cos i l'haguessin deixat buit, el va obligar a aturar-se al carrer. «Imbècil», es va insultar. Havia tingut la felicitat a la punta dels dits i l'havia deixat escapar. L'Emma apareixia de manera recurrent en els seus records. De vegades el portava a una nostàlgia opressiva, que l'encongia i li impedia respirar amb normalitat; d'altres el duia a la ràbia: encara desconeixia qui havia robat els nus, i allò li feia mal i el posava frenètic. Li havia de dir a l'Emma que ell no els havia venut. No se'l creuria, segur que l'odiava, però ell necessitava explicar-l'hi. No obstant això, s'havia fet fonedissa; ni els trinxeraires, que tenien ulls per tota la ciutat, no havien aconseguit trobar-la. Amb l'Emma en la memòria, va decidir entrar en una altra fonda, més humil que Can Bertran. Al cap de dues hores, abandonava el local cantussejant i amb el pas tort; l'acompanyaven l'operari d'una fàbrica de gas i un pouaire amb qui havia compartit taula rodona, escudella amb la seva carn d'olla, diversos flascons de vi i copes d'anís en excés. Tots tres es van perdre pel barri vell. Era l'única manera de difuminar la imatge de l'Emma.

L'ensopegada al Maison Dorée va ser el punt d'inflexió a la vida d'en Dalmau, que va buscar en la nit i l'alcohol un refugi a la seva soledat. Les sospites que tenia sobre com el devien considerar tots aquells burgesos que s'havien rigut d'ell es van veure confirmades pocs dies després en un cafè cantant del Raval, quan va topar-ne alguns, amants del llibertinatge, que presumien de la seva condició i s'exhibien gastant tots els seus diners en locals com més sòrdids millor, abans de tornar a la comoditat i al luxe dels seus palauets i pisos de l'Eixample. Durant un temps, ell mateix havia format part d'aquell espectacle, ara ho feia amb obrers o, senzillament, sol.

Es trobava en un local que quedava darrere de les Drassanes, una taverna de mala mort a la qual s'accedia per un passadís tenebrós que sortia del carrer del Cid. A l'interior, una barra, taules i un escenari diminut des d'on artistes vells i fracassats intentaven cridar l'atenció d'un públic que estava més per les partides de cartes il·legals que es jugaven en un dels racons del cafè, per les dones que passejaven d'una taula a l'altra buscant clients disposats a satisfer una mica de diners, o per la conversa o l'alcohol. La música, per tant, només era un soroll infernal que s'havia de vèncer elevant el to de veu. Barcelona era plena de locals com aquell, on el sexe, el joc i l'alcohol, quan no la morfina o l'opi, atemptaven contra la família i la virtut de la gent, promovent la criminalitat i el vici, a parer i declaració de les autoritats que, malgrat tot, no podien fer res contra caus de vici com aquell.

Devia ser de matinada quan es va presentar el grup de joves rics, amb fracs que revelaven que venien d'algun concert, potser del teatre o d'alguna festa que pretenien allargar a la nit. En Dalmau els va mirar i li va semblar veure que es reien d'ell, que algú l'assenyalava.

Ell seia en una taula heterogènia: tres obrers sense ocupació, del morro fort, possiblement anarquistes, pensava ell; una dona tocada del bolet que algun dia va ser rica i que es feia dir d'una manera diferent cada vegada que la presentaven, i dos bohemis pobres com una rata, artistes sense èxit que, malgrat tot, eren capaços de pontificar sobre qualsevol tema de conversa, la qual cosa generava unes discussions amb els anarquistes que fins i tot espantaven les prostitutes que s'hi apropaven. Diverses ampolles de licor buides, la majoria a càrrec d'en Dalmau, eren el testimoni de tot el que havien ingerit fins aleshores.

En Dalmau observava els burgesos. Més rialles, més converses, descarades, displicents a jutjar per uns gestos que no es prenien la molèstia d'amagar. La ira es va anar encenent en ell a mesura que creuava la mirada amb algun d'ells. Un jove, amb barba i bigoti incipients, es va permetre fins i tot brindar amb ell des de la distància.

—Veniu amb mi? —va preguntar en Dalmau als seus acompanyants.

—A on? —va inquirir un dels anarquistes.

—A donar una pallissa a aquella colla de marietes.

Els tres obrers es van aixecar de la taula abans fins i tot que ho fes en Dalmau. La dona va cridar, nerviosa, i se'ls afegí. Els altres dos no van gosar abandonar les seves cadires. Tots quatre, amb la dona al darrere, es van dirigir cap al grup de burgesos, que eren set o vuit. No els van fer cap pregunta, no hi va haver desafiaments ni increpacions; senzillament s'hi van abalançar sense dir ni una paraula. En Dalmau va fer el mateix, imitant els seus companys.

Els joves no es van apartar. Tampoc no anaven tan beguts com en Dalmau i els seus amics, que aviat van perdre el coratge quan la matusseria dels seus moviments van posar de manifest que l'atac era absurd i precipitat.

En Dalmau no havia participat mai en cap batussa. Va fallar flagrantment en el primer cop de puny que va intentar amollar a un dels seus contrincants, i l'empenta el va portar a caure de morros sobre dos més, que no van fallar en el càstig: dos cops de puny seguits a la panxa i un altre a la cara que el van tombar a terra i ja no se'n va aixecar. Els obrers no van sortir menys mal parats. Animats pels crits i els saltirons de la boja, van encertar alguns cops, però en van rebre molts més, sobretot quan hi van intervenir l'amo i dos pinxos que vigilaven les taules de joc; el primer a bastonades, els altres dos, alts i grossos, imponents, senzillament a cops de puny.

La picabaralla no va durar ni dos minuts. Van expulsar els obrers i la dona a empentes, a en Dalmau el van agafar pels pantalons i l'americana, el van alçar enlaire i el van llançar al carreró, com si fos un sac de deixalla. Els anarquistes el van ajudar a alçar-se, brut, enfangat.

—Continuem en un altre cafè? —va proposar un d'ells quan en Dalmau va aconseguir finalment fermar els dos peus a terra.

La boja va aplaudir d'alegria. En Dalmau va contestar girant en rodó i vomitant tot l'alcohol ingerit.

A aquelles nits de disbauxa que en Dalmau rematava dormint en algun hostal, al taller de la fàbrica, fins i tot al carrer, però dificilment a casa, avergonyit pel que diria la seva mare o, pitjor encara, pel que no diria —de la seva mirada reprovadora, potser del seu plor silenciós—, s'hi va anar sumant el cansament i un esperit, torbat i anguniós, que no va passar desapercebut al senyor Manel: no només per les ulleres, la pal·lidesa i l'aspecte descurat del seu deixeble, sinó per l'escassa qualitat de les seves propostes professionals. El mestre es va assabentar de la batussa al cafè cantant. L'Úrsula, que n'estava al corrent perquè els fets s'havien convertit en el succés que estava en boca de tothom en tertúlies i reunions de joves d'alta estirp, no va trigar a comentar-ho durant un dinar, fent-se la ingènua i la innocent, mostrant-se escandalitzada davant del que, sarcàsticament, qualificà de «murmuris amb tota seguretat falsos i tendenciosos». A tot plegat el mestre hi va afegir el coneixement que tenia sobre en Dalmau, que si bé complia amb la feina de disseny a la fàbrica, havia incomplert els terminis de lliurament de dos projectes que li havia encarregat a part de la seva feina de dibuixant de rajoles: el cartell de les festes patronals d'un barri de Barcelona, i un ex-libris. Finalment, va decidir parlar-hi.

—Passo per un mal moment —es va excusar en Dalmau.

El mestre el va agafar de l'avantbraç i el va atraure cap a ell mentre passejaven per la fàbrica.

—M'agradaria ajudar-te —li oferí—. Crec que si reprenguessis la teva educació religiosa amb mossèn Jacint, Déu et mostraria un camí diferent del que estàs agafant ara.

«Déu!» Era complicat parlar de Déu amb el mestre.

—Senyor Manel, no sé quins són aquests camins que m'ensenyaria el Senyor, només sé que són els seus amics i els fills dels seus amics els que, amb menyspreu i humiliació, m'han abocat als que segueixo ara. Han jugat amb mi. Primer em van animar a entrar al seu cercle i després m'han enfonsat.

—Però… —El mestre no va trobar paraules per expressar-se.

—No —va tallar-lo en Dalmau amb fermesa—. Va ser culpa meva. Vaig ser ingenu. Un imbècil. Això és el que veig reflectit a la cara de la meva mare cada vegada que evitem parlar-ne.

—No et torturis, fill. Ets un mestre. Un geni. Superes tot això, t'ho ben asseguro, però has de rectificar; no continuïs maltractant el teu cos i el teu esperit. Deixa't de laments i treballa, i si a més ho fas de la mà de Jesucrist, millor. Triomfaràs a la vida.

Arran d'aquella conversa breu, el senyor Manel es va entestar a protegir aquell noi a qui havia ajudat a créixer; a més, se sentia en part responsable de la seva situació, per haver-lo promogut, per haver-lo presentat en societat quan segurament encara no estava preparat. A partir d'aquí, la pressió perquè anés a casa seva a dinar i a compartir més moments amb la família Bello va ser tan forta que en Dalmau va acabar cedint malgrat la promesa que s'havia fet de no veure mai més l'Úrsula; de totes maneres, va concloure, li preocupava ben poc el que li pogués fer la noia i, comptat i debatut, probablement la situació seria més incòmoda per a ella que per a ell.

—Els teus pares i el mossèn ja saben que m'has acariciat la polla? —li va dir a cau d'orella quan va tornar al pis del passeig de Gràcia.

—Cap d'ells no et creuria —va contestar ella sense precaucions.

En Dalmau va mirar a banda i banda. No hi havia ningú prou a prop que els pogués sentir.

—Vols que ho provem?

—Només ets un pobre borratxo —va dir ella entre dents però mostrant un somriure encisador—. Un terrissaire que va estar a punt de tocar el cel per caure en el fang com el que és: un gos. Un ressentit amb els que són més que tu. Endavant. Fes-ho.

—Ho faré —afirmà en Dalmau, delerós per deixar en evidència aquella llenguda.

—Sorprèn-me —el reptà ella, sense cap mena de temor.

En Dalmau es va contenir. Era conscient que, després, tant si se'l creien com si no, una acusació com aquella suposaria l'acomiadament de la fàbrica del senyor Manel. I si perdia la feina, la seva vida s'ensorraria sense remissió.

—En Dalmau m'ha dit que us volia explicar una cosa —el va reptar l'Úrsula quan els altres es van atansar al menjador amb la senyora Cèlia al capdavant.

—Ah, sí? —va preguntar mossèn Jacint, agafant en Dalmau del

braç, amb aquella delicadesa vigorosa amb què només sabien fer-ho els mossens.

—No… No, no. Era un acudit. Si vol, que l'expliqui ella.

Mentrestant, tots anaven agafant lloc a taula.

—Filla? —l'instà el senyor Manel després de posar-se el tovalló a la falda.

—No goso, pare —es va excusar la noia simulant vergonya—. És… és una mica atrevit.

—Dalmau! —va saltar la senyora Cèlia—. No et convidem a aquesta casa perquè perverteixis la nostra filla!

—Estimada… —va intervenir el senyor Manel.

—Senyora Cèlia… —va dir alhora el religiós.

L'Úrsula i en Dalmau no es van enfrontar directament, com si no s'atrevissin, però les mirades creuades van generar un flaix a través del qual la noia el desafià una altra vegada, orgullosa, altiva, irreverent… En Dalmau va contenir la respiració. Havia estat extraordinari! Aclaparador! Va tancar els ulls per retenir aquell segon. L'havia de pintar. Havia de poder traslladar aquelles sensacions a una tela. La capacitat de transmetre… Feia temps que no pintava. Encara no havia arribat a destapar el quadre que descansava al cavallet. Va recordar que una vegada havia pintat els ulls d'un dels nois que malvivien a la fàbrica, després va esquinçar la seva obra perquè va arribar a creure que el noi l'havia enganyat. Els ulls de l'Úrsula no mentien: la irreverència era real.

—Què hi dius, noi?

Era mossèn Jacint qui li feia la pregunta. Havia perdut el fil de la conversa.

—Suposo que l'Úrsula ha mal interpretat les meves paraules —va dir intentant defugir el tema.

—Explica'ns l'acudit —va replicar la mare.

—No m'agradaria causar-li a vostè la mateixa impressió, senyora Cèlia. Estic convençut que la seva intel·ligència no la portaria a aquest error —va aprofitar per insultar la seva filla—, però entengui que no vulgui córrer aquest risc.

Els homes van assentir, i si la senyora de la casa esperava una disculpa, no la va tenir.

Preocupat pel seu estat d'ànim, el senyor Manel no li va donar treva. A les invitacions de casa seva hi va afegir l'obligació d'acompanyar-lo a les visites que regularment feia el mestre a clients potencials.

—I la meva feina? —es va queixar en Dalmau—. Els dissenys…

—De moment tenim prou dissenys propis de rajoles per treballar més d'un any si calgués. M'agradaria que coneguessis un altre vessant d'aquest negoci: vendre. Evidentment, jo no m'encarrego de les vendes —va aclarir com si no es volgués rebaixar a aquell nivell—, però és totalment imprescindible mantenir viu el contacte amb els que decideixen a qui compren i a qui no. De què ens serveix elaborar les millors rajoles si després no som capaços de col·locar-les al mercat?

El senyor Manel va esperar la reacció d'en Dalmau, que ho va acceptar sense gaire entusiasme, com si tot el que l'allunyés del seu taller fos una contrarietat. No obstant això, el mestre necessitava en Dalmau perquè s'impliqués més en el negoci, no només en el disseny i en la creativitat. Les seves dues filles no comptaven; uns possibles marits encara menys, ja que l'objectiu era que els que es casessin amb les seves filles aportessin molt més del que elles tenien, mai que haguessin de dependre de la fàbrica del sogre per sobreviure i, pel que feia al petit, a l'hereu, encara li faltaven molts anys per poder ni tan sols apropar-se a una obra. Davant d'aquesta situació i la possibilitat sempre present que al senyor Manel li passés alguna cosa, l'única aposta vàlida era la d'aquell fill d'un anarquista condemnat a mort a qui pràcticament havia afillat.

En Dalmau coneixia les obres modernistes, els seus arquitectes i els seus equips, sobretot molts dels capatassos que en repetides ocasions havien presenciat com ell s'agenollava i treballava en la col·locació de les rajoles i ceràmiques; la gran majoria d'aquells encarregats el tenien per un expert en aquestes tasques. D'altra banda, la fama que havia assolit després de pintar els trinxeraires i de certs treballs excel·lents, ja fos en la ceràmica o en el disseny, i que li havien obert aquelles portes, s'havia esvaït després del paperot que havia fet a la festa de les senyores de negre i la baralla al cafè cantant. No havia fet res per defensar el seu prestigi, per reivindicar el seu nom com a artista, i encara menys per continuar sovintejant aquells que, com bé deia el mestre, decidien a qui comprar i a qui no; la seva deriva personal el va dur a viure les nits i a suportar els dies. Potser el senyor Manel percebia aquella deixadesa, la seva apatia, i pretenia burxar-lo perquè tornés a sentir-se atret per un món al qual, d'altra banda, ell mateix, si no fos per pur interès econòmic, tampoc no s'apropiaria en excés.

Així doncs van tornar a visitar el Park Güell, que Gaudí estava construint. Es tractava d'un solar immens, unes quinze hectàrees, que l'industrial Eusebi Güell, mecenes de Gaudí, pretenia urbanitzar i vendre per parcel·les —seixanta en tenia previstes— perquè hi residissin membres de la burgesia. El parc s'ubicava lluny del centre de la ciutat, més amunt de Gràcia, i el senyor Manel i en Dalmau van endinsar-s'hi en cotxe de cavalls per recórrer-ne els camins; el fabricant de rajoles en un silenci pregon davant l'exhibició creativa que Gaudí els oferia fins i tot en simples avingudes.

El parc havia canviat d'ençà de l'última vegada que en Dalmau l'havia visitat amb el seu mestre. Totes aquelles idees que Gaudí manifestava i que es tenien pels somnis d'un boig il·luminat s'havien anat fent realitat. En Dalmau va demanar al cotxer que s'aturés i va baixar del carruatge per apropar-se als testos de pedra, instal·lats al capdamunt de les columnes irregulars, es podria dir que oscil·lants, com construïdes per un nen, de més de dos metres d'alçada, que s'alineaven a tots dos costats d'un pont. Sense ni tan sols demanar permís al senyor Manel, va deixar el camí i va baixar sota el pont. Es va aturar allà, davant de les columnes inclinades que sostenien la carretera per mitjà de voltes i que formaven un porxo pel qual es podia transitar. Les columnes eren totes diferents, salomòniques les unes, cilíndriques les altres, de diferents seccions, algunes amb reforços, totes construïdes de pedra sense desbastar, rústica. En Dalmau es va empetitir davant del moviment i la crida a la naturalesa que sentia l'observador quan hi deambulava entremig; una perspectiva canviant, inimaginable, diferent des dels diferents angles en què el visitant es podia posicionar.

Va tornar al cotxe amb la sensibilitat exacerbada. Va pujar i es va asseure una altra vegada al costat del mestre, que va ordenar al cotxer que continués i els portés a l'entrada, on esperava trobar Gaudí. Si els camins i ponts l'havien entusiasmat, els dos edificis alçats a tots dos costats de la porta d'entrada li exaltaren l'esperit: la consergeria i la casa del guarda, tots dos de complexes cobertes ondulades, acolorides, sense línies rectes en la composició, amb insòlites asimetries als elements.

Trobarien Antoni Gaudí a la sala hipòstila, els van anunciar a la consergeria.

Més enllà de l'entrada arrencava una escala monumental de dos ramals, separats per una font d'aigua que portava a la sala hipòstila, que al mateix temps suportava la coberta sobre la qual Gaudí havia dissenyat un teatre obert, diàfan, un lloc en què els futurs habitants del parc poguessin desenvolupar tota mena d'activitats. La sala hipòstila estava formada per vuitanta-sis columnes estriades, d'origen dòric, que acabaven en un sostre voltat irregular, com unes onades que corrien a ser cobertes pel trencadís ceràmic que tant utilitzava el genial arquitecte. Els espais entre columnes permetien instal·lar parades de mercat perquè els habitants de la urbanització tinguessin un lloc per anar a comprar sense necessitat de baixar fins a Barcelona.

En aquest lloc es van trobar el ceramista i l'arquitecte, envoltat dels seus ajudants, entre els quals es va barrejar en Dalmau un cop va haver saludat Gaudí. Els dos homes van parlar del Park Güell i de l'obra que culminaria la urbanització: l'església, una capella que es construiria al lloc més elevat del parc, des d'on protegiria els habitants. Si el senyor Manel era devot cristià, Gaudí, l'arquitecte de Déu, ho era tant com ell; un home de missa, confessió i comunió diàries.

—No m'imagino com serà aquesta església després de veure els edificis de l'entrada i la Sagrada Família —va reconèixer el senyor Manel mentre l'arquitecte li assenyalava el lloc exacte, per sobre d'ells, on s'alçaria el temple.

En Dalmau no va arribar a sentir la resposta de Gaudí, que va agafar el mestre Manel del braç i li parlà a cau d'orella, però sí que va veure que tots dos reien i que el seu mestre aprofitava per parlar de l'objecte de la seva visita.

—Confio que en aquesta obra comptis amb mi per a les rajoles i els treballs de ceràmica —li va demanar—. No saps prou com m'agradaria col·laborar en la construcció de la casa de Nostre Senyor.

Gaudí va assentir. Ara bé, segons li havia explicat el senyor Manel quan van ser al cotxe de tornada a Barcelona, l'únic que en realitat havia obtingut aquell dia va ser el compromís de proporcionar-li gratuïtament les restes i els esquerdills de ceràmica de la fàbrica perquè l'arquitecte els aprofités per al trencadís amb què recobria part de les seves obres.

Aquell mateix dia, al tard, encara amb la genialitat de Gaudí marcant-li les sensacions, en Dalmau va enretirar el llençol que cobria el cavallet, va guardar el quadre inacabat al costat dels altres que anava amuntegant al taller, i en va posar un de blanc, com si amb aquest acte fes públic que pretenia afrontar una nova obra. Es va enretirar, va seure a la seva taula, va agafar un full i va començar a esbossar aquells ulls de mirada irreverent que flotaven en el seu record i als quals volia donar vida a través d'aquella tela.

No ho va aconseguir. Va dibuixar i estripar diversos esbossos, alguns dels quals amb tan pocs traços que un espectador ignorant ni tan sols hauria estat capaç d'endevinar l'objectiu de l'artista. I com més pugnava i fracassava, més revivien en la seva memòria les columnes inclinades que sostenien la calçada; les cobertes ondulades dels edificis d'entrada al parc; les finestres irregulars; la imponent sala hipòstila amb el sostre reblert de voltes desiguals… Sí, allà, entre les obres, s'havia sentit alterat, i ara el tenallà una sensació que li pesava a la mà quan havia de dibuixar, que la feia lenta, imprecisa, vulgar.

—Por? —es va preguntar en veu alta—. No puc tenir por. És ridícul!

Va estripar l'últim esbós. «Només estic impressionat. És això. Sí. Tinc el cap a una altra banda. És lògic. És difícil alliberar-se de la impressió que creen els genis.»

Va marxar del taller. Va llançar uns quants cèntims a dos vailets que buscaven l'escalfor dels forns en aquell final d'any fred, s'acomiadà d'en Paco, es va cenyir l'abric, la gorra calada fins a les orelles i va caminar fins al Raval, tan cruel com acollidor, per perdre's un cop més en la nit barcelonina. Un tropell d'imatges li ballava al cap: les senyores de negre; Gaudí; la seva mare; més senyores de negre; el mestre; la Irene, etèria, delicada; l'Úrsula, perversa. I per damunt de totes, l'Emma. Sempre l'Emma... «On ets? Què se n'ha fet de tu?» Dues copes..., potser tres, i totes aquelles visions l'abandonarien, com si volguessin escapar de la borratxera.

L'Anna, la cuinera del senyor Manel, els va premiar aquell dia amb un estofat de vedella: carn de la pota de l'animal tallada a daus i rossejada amb cansalada. Amb el suc que es treia d'aquesta cocció s'hi sofregia la ceba tallada. A tot plegat se li afegia un bon raig de vi blanc i una picada d'all, julivert, sal i pebre. Els dies que en Dalmau menjava a la cuina, li havia captivat la manera com es cuinava aquest plat. Un cop ficat tot a la cassola, es deixava que s'anés coent a foc lent; l'Anna ho tapava amb paper d'estrassa fixat a les parets de la cassola amb pasta de farina i al damunt hi col·locava una cassoleta amb aigua. En Dalmau va preguntar per què hi posava la cassoleta i ella li va contestar alguna cosa del vapor que produïa l'aigua i que queia sobre el paper. En Dalmau insistí a saber per què, i l'altra va arronsar les espatlles: «Perquè sempre s'ha fet així», li contestà.

Amb cassoleta o sense, l'estofat era exquisit. En Dalmau menjava, atenia la conversa del senyor Manel, i suportava els silencis i els murmuris de la senyora Cèlia, sovint més expressius que les paraules del seu marit, convençut com estava que aquella dona l'odiava. La manera com l'escrutava jutjant com anava vestit, sense dissimular, amb cara de fàstic, anunciaven sense equivocació el que opinava d'ell, dels seus orígens, de la seva família. Els comentaris mordaços que aprofitava per llançar a la mínima de canvi, posant en dubte la seva cultura, malauradament escassa llevat del que estigués relacionat amb la ceràmica, el dibuix i determinades arts, eren freqüents.

—Toca vostè cap instrument, Dalmau? —li preguntà un migdia que la conversa a taula va girar entorn del nou programa del Liceu—. Musical, em refereixo —va afegir amb un toc repel·lent.

En Dalmau va pensar una estona, la senyora Cèlia atenta a ell, el mestre amb els ulls gairebé tancats, potser avergonyit, i l'Úrsula exultant davant del repte.

—Ah! Sort que ha especificat que era musical, senyora Cèlia, perquè sovint toco el pedal de la màquina de cosir de la meva mare, que fa un brunzit monòton, tan avorrit com ho són alguns concerts d'aquests on van els entesos —va respondre en Dalmau. La dona es va enrigidir, ofesa. En Dalmau, en canvi, li va seguir donant la satisfacció que ella pretenia—: Els altres, els musicals, no. A casa meva no ha entrat mai cap instrument o aparell que no sigui la màquina de cosir. Érem pobres, sap? No recordo ni una flauta. Tot i que de vegades sí que xiulàvem. Això sí.

Un cop superades aquestes situacions de tensió, en Dalmau aprofitava els moments en què el senyor Manel i la senyora Cèlia es dirigien a l'Úrsula per fixar-se en ella per damunt de la coberteria de plata i cristalleria fina; el rajoler simulava interès quan, en el fons, el que buscava era que el reptés una altra vegada amb la mirada, encara que fos amb la intenció d'avergonyir-lo. Retenia la primera sensació de feia dies, la que el va portar a intentar traslladar aquella supèrbia a un quadre, però cap dels esbossos no el satisfeia. Era conscient que a aquells dibuixos que ara menyspreava els faltava aquell color tènue en què estaven cridats a destacar; la perspectiva d'un quadre; el rostre d'alguna dona que els emmarqués, però el problema de fons era que ni tan sols encertava en el simple esbós, l'objectiu, el motiu central.

El senyor Manel havia continuat sol·licitant la seva presència quan anava a visitar les obres. De la mateixa manera que el va acompanyar al Park Güell de Gaudí, va acudir a la Casa Lleó i Morera que Domènech i Montaner transformava a la mateixa illa del passeig de Gràcia en què Puig i Cadafalch havia reformat la Casa Amatller. En tots dos casos es tractava d'edificis antics construïts a l'empara de la reforma de Cerdà després de l'esfondrament de les muralles de Barcelona, abans que el nou art, el modernisme, arribés a la ciutat. Construccions funcionals, serioses, arquitectònicament correctes, però sense cap circumstància destacable que no fos el seu emplaçament immillorable. Contra aquesta uniformitat i avorrida regularitat urbanística projectada per un enginyer de camins com era Cerdà, que a més havia estat imposat per Madrid, era contra la que s'havien alçat els arquitectes de Barcelona i molts dels propietaris immobiliaris i inversors catalans.

Fins i tot l'Ajuntament va modificar els seus criteris, ja que, després de l'Exposició Universal de 1888, va dictar una nova regulació de les ordenances de l'edificació en què s'assumia la possibilitat que hi hagués elements decoratius a les façanes, als coronaments, a les tribunes… L'austeritat del segle xix va deixar pas al luxe i a l'ornamentació, a la singularitat, de manera que, a l'atzar d'unes indústries que tant enriquien la burgesia com empobrien els seus treballadors, moltes de les persones adinerades van voler reformar aquells edificis monòtons que no arribaven a tenir cinquanta anys per adaptar-los als nous temps, i, per damunt de tot, a aquell corrent de fantasia artística.

Això era el que passava amb la Casa Lleó i Morera en què Domènech i Montaner estava projectant una de les millors obres de la ciutat en arquitectura i decoració, entenent aquesta última no com un àmbit d'actuació independent, un afegit, sinó com a part integrant del mateix edifici. Absort, en Dalmau el va sentir parlar de la comunió de llum, color i formes als interiors de l'obra arquitectònica. I, per aconseguir-ho, comptava amb els millors artistes del moment: Arnau, Juyol, Serra, Rigalt, Bru, Homar. Eren els grans noms i cadascun d'ells treballava en la seva especialitat: mosaics, ceràmiques, escultures, fustes…, tots dirigits i controlats pel gran arquitecte. Domènech i Montaner apostava per un eclecticisme modernista i per la profusió d'elements decoratius en façanes i interiors, però, a diferència de Gaudí, que recargolava pedres, en la seva obra s'advertia un ordre, un seductor equilibri estètic.

No era el mateix que transitar pel passeig de Gràcia, com tantes vegades havia fet en Dalmau al llarg de la seva vida, i contemplar els edificis. Amb aquestes visites, el jove aprofundia en les raons, els motius, la passió amb què aquells mestres, tots, arquitectes i artistes, afrontaven els seus projectes. Domènech i Montaner era un erudit. Un home culte d'una profunda formació que preferia evitar els dinars i sopars per gaudir de la soledat i cultivar la lectura. Polític, escriptor, articulista, historiador, professor, arquitecte, pròcer de la societat catalana; tots aquells mèrits i aquelles qualitats concorrien en una persona que dissenyava amb el mateix entusiasme el detall d'un moble o d'un penell que un desguàs o una xemeneia.

Antoni Gaudí i Lluís Domènech i Montaner. Dos genis. Tots dos fascinants, atrevits, agosarats en la seva obra. L'un explosiu; l'altre equilibrat. L'un superbiós; l'altre serè. Dalmau es comparava amb tots dos, sense trobar virtuts pròpies que es poguessin assemblar a les de cap d'ells. No tenia cultura ni era agosarat. En realitat, només era el fill d'un matrimoni d'anarquistes, de dos obrers, que va tenir la fortuna de destacar en el dibuix i que el seu mestre es fixés en ell i l'apadrinés. Aquell fill de l'anarquisme i de la pobresa, ensuperbit per dos èxits, s'havia atrevit feia poc a flirtejar amb la supèrbia, i la gent rica, a part de no permetre-l'hi, l'havia humiliat en públic. Va esbossar un ull al paper que tenia al davant i el va jutjar sense clemència: era vulgar. Els genis aconseguien mostrar el seu art en l'objecte més insignificant, fins i tot en un picaporta. Va intentar pintar una altra vegada l'ull de l'Úrsula. Una altra vegada. I una altra. Va estripar uns papers, i en va rebregar uns altres.

Va decidir passar a altres objectes: les flors, per exemple, que sempre havia plasmat d'una manera magistral. Aquell dia, no li van agradar. Ni tampoc els cossos que va dibuixar tot seguit. Era com si li haguessin robat la màgia.

—Què són aquestes mirades, terrissaire? —li preguntà l'Úrsula un dia, després de dinar, en un moment en el qual es van quedar tots dos sols.

A la llum de l'aranya que penjava del sostre damunt la taula coberta d'unes estovalles verdoses, prodigiosament brodades amb elements florals i dissenyades pel mateix mestre, refulgien els coberts i les copes, però, com si jugués amb ell, l'Úrsula li havia estat amagant la mirada al llarg de tot el dinar.

En Dalmau va fer els possibles per dissimular el sobresalt i la va mirar de cap a peus: la filla gran del senyor Manel Bello semblava haver-se alliberat de l'influx reaccionari dels seus pares. Lluïa un vestit morat clar, violeta, de faldilla llarga que fregava el terra, tot ell adornat amb brodats i puntes negres gràcils i delicades que multiplicaven per mil els moviments de la noia, com si ella mateixa, obeint els dictats del modernisme, de l'*art nouveau* francès en què es fixava la moda femenina, pretengués ser etèria. El seu tòrax, entallat per una cotilla que escanyava el ventre i elevava els pits, s'alçava sobre la seva cintura de vespa.

—Em continues mirant. —L'Úrsula el va rescatar dels seus pensaments.

La mitja rialla insolent que es va dibuixar als llavis va molestar en Dalmau, però en realitat aquella era l'Úrsula que ell buscava. La volia veure orgullosa, insolent. La necessitava imperiosa.

Amb extrema delicadesa, en Dalmau va fer lliscar un dels seus dits, de dalt a baix, per la cintura de la noia.

Ella va intentar dissimular una esgarrifança. Després va alçar la barbeta i el va reptar amb uns ulls arrogants. En Dalmau va sentir un calfred a l'espinada. Com podia una noia tan jove expressar tanta duresa? L'Úrsula va agafar el dit d'en Dalmau que havia recorregut el perfil del seu ventre, ara quiet en una de les cuixes, i el va posar damunt del pubis. Eren a l'entrada de la saleta de música, a la vista de qualsevol que passés. El va estirar cap a l'interior de la sala i es van refugiar darrere d'una porta. Allà, l'Úrsula va introduir la mà als calçotets d'en Dalmau. Ell li va voler veure els ulls: continuaven sent freds i durs.

En Dalmau va intentar donar-li plaer, encara que fos per damunt d'aquell vestit morat guarnit amb puntes. Volia comprovar si li canviava l'expressió, si es convertia en una jove explosiva, anhelant, però l'Úrsula es va mantenir hieràtica.

—Deixem-ho estar, o trencaràs la joguina —li advertí en Dalmau passat un temps que ella s'havia limitat a acariciar-li el penis erecte, mentre ell no deixava de parar l'orella i mirar al passadís.

L'Úrsula el va travessar un cop més amb la mirada.

—El meu putxinel·li —va apuntar amb decisió—. No n'he trencat mai cap.

Va aconseguir dibuixar els ulls de la noia, però no va ser al seu taller ni a la taula de treball, a les làmines de paper o en un quadre.

Ho va aconseguir al cap de dues nits, borratxo, en un d'aquells antres amagats al racó més sòrdid de la ciutat; un d'aquells en què s'arribava enretirant les deixalles i esquivant cossos estesos a terra. Es va cansar de la companyia, ja que de fet ni tan sols no sabia qui eren. Li va repugnar la vella que, amb l'alè podrit, se li va atansar perquè la convidés a beure. Balbucejava, escopia les paraules; tenia la mà enganxifosa. Li va pagar una copa d'aiguardent amb dàtils confitats, però no va permetre que se li assegués al costat. A la meuca li va importar ben poc i se'n va anar fent tentines en direcció a la taula veïna amb el licor a la mà. La música grinyolava i en Dalmau es va trobar malament. Li molestava l'aire estantís, el fum i la fortor. La respiració se li accelerà i es va endur la mà al pit com si amb aquell gest pogués aturar el cor que li punyia. Allà va notar el quadernet que sempre portava a la butxaca de l'americana i el va treure.

Li va costar fixar la mirada. Va agafar el llapis i amb la poca claror del local, va dibuixar, i va reconèixer l'Úrsula, la seva supèrbia, la irreverència. «Terrissaire!», li cridava aquell ull tot just esbossat. Algú va treure el nas per damunt de la seva espatlla amb curiositat. Ell el va allunyar bruscament i va caure un got a terra. Els vidres i el líquid van esclatar a prop dels peus d'en Dalmau i va esquitxar el curiós. L'home es va queixar, però en Dalmau no era capaç de dedicar-li atenció. «Cambrer! —va cridar ell alçant la mà amb el llapis com si fos una batuta—. Una altra copa!» Va esbossar el contorn de la pupil·la. Era fàcil! Fluïa! Cada petita taca que puntejava a l'interior de l'iris l'insultava. Ella era allà, en una senzilla màcula que no superava un punt. Es va aixecar, amb l'impuls va fer caure la cadira, va agafar la copa i se la va emportar als llavis per empassar-se el licor abans d'anar-se'n. No obstant això, a última hora va rectificar; va deixar el got sobre la taula amb un fort cop, i el contingut va saltar i va regalimar. Es va disculpar amb un murmuri, tot i que no tenia ningú al costat. Va guardar el quadernet i va buscar l'aire fred de la nit. Quan anava a entrar al carreró, va ensopegar sense voler amb un captaire.

—Imbècil! —li va cridar l'home.

En Dalmau va tornar a disculpar-se. Aleshores va sentir la necessitat de tornar a casa seva.

Al matí, després de rentar-se, va seure a la taula de la cuina amb el dibuix a les mans. La seva mare, mentre li servia l'esmorzar, va veure la llibreta, rebregada i amb taques d'humitat, i va fer un posat estrany. En Dalmau no se'n va adonar, estava massa abstret en el dibuix. El que no havia pogut pintar durant dies ho havia aconseguit en un tres i no res sota la inconsciència vaporosa que li proporcionava l'alcohol. El llapis havia volat sense esforços, amb una tècnica tan àgil i lleugera com profunda en el seu contingut.

—Li agrada, mare? —va preguntar mostrant-li el dibuix.

—Com és ella? —va indagar la Josefina després d'agafar el quadern i d'examinar-lo un moment.

—No ho pot endevinar?

—A través de l'esbós d'un ull? —La mare va riure—. Només soc una costurera, fill.

En Dalmau la va mirar. El que ella acabava de dir no era cert. Era molt més que una costurera: era la seva mare, encara que últimament no l'estigués tractant amb l'afecte que es mereixia. Encara no havia acabat aquell pensament quan la Josefina ja estava asseguda darrere de la màquina de cosir. En Dalmau sospirà quan la sonsònia del pedal va inundar l'estança. Va deixar el dibuix damunt la taula. No podia continuar: l'Úrsula s'havia evaporat. No obstant això, ahir a la nit... «Ahir a la nit anaves begut!», es va recriminar.

—Mare —va cridar.

Ella era a l'habitació del costat, al dormitori on aprofitava la poca llum que entrava per la finestra per cosir, va aixecar breument el peu del pedal, com si el convidés a parlar. En Dalmau va aprofitar el moment de silenci i va dir:

—Gràcies per l'esmorzar.

—A tu, Dalmau, per recordar-te de mi i tornar a casa.

—No digui aquestes coses, mare!

—Dalmau, ves amb compte. Ja sé que no m'has de donar explicacions, ets tot un home, però no et deixis portar pel vici; ets jove, tens tota una vida d'èxit al davant, no la desaprofitis com tants i tants desgraciats que no troben ni un motiu per fer el pas següent.

El silenci, fins i tot el de la màquina, es va fer a les dues estances i va ocupar tota la casa. En Dalmau va fer el gest de voler dir alguna cosa, però la Josefina se li va avançar i va començar a treballar un cop més. Ell es va aixecar i es dirigí al dormitori de la seva mare. No cosia. Feia anar el peu amunt i avall sobre el pedal de ferro forjat i plorava amb la roba blanca arrugada a les mans, fora de l'abast de l'agulla.

En Dalmau li acaricià els cabells. La Josefina es va quedar asseguda. Després li agafà el cap i el va estrènyer contra ell. Feia massa temps que no l'agafava així i l'estrenyia contra el seu ventre.

—No plori, sisplau.

—Dalmau —va somiquejar ella—, vaig lluitar molt al costat del teu pare. El vaig perdre, i també la teva germana. —La Josefina va alçar el cap i va recuperar cert aplom—. La vida no ha estat generosa amb mi. En Tomàs acabarà igual qualsevol dia. Només em quedes tu. T'ho prego, no ens fallis. Quin sentit hauria tingut la meva existència, la del teu pare i la de la teva germana, la nostra lluita? Vam aconseguir que estudiessis, que adquirissis aquests coneixements que t'havien de garantir la llibertat, cosa que nosaltres no vam tenir, reclamant els nostres drets amb bombes i revolucions. Utilitza bé la teva llibertat, Dalmau, és l'únic llegat del teu pare.

En Dalmau la va abraçar amb la respiració mig tallada i el cor encongit. Era culpa seva. Feia temps que no li dedicava ni una engruna d'atenció, més enllà de deixar-li algunes monedes sobre la taula de la cuina. Les poques vegades que anava a dormir a casa ho feia a unes hores intempestives i en un estat lamentable. Segur que ella s'adonava de la pudor que feia ell, de la porqueria i l'aspecte d'una roba que rentava cada quinze dies en un dels safarejos públics del port; de l'escàndol que de vegades organitzava per arribar fins al seu dormitori, begut, ensopegant amb els pocs mobles que s'interposaven al seu pas. Potser algú li havia fet algun comentari. A la gent li encantava xafardejar. Què sabia la seva mare dels seus vicis? «Tens tota una vida d'èxit», li havia dit. «Ves amb compte», li havia advertit també.

Aquell dia no va anar a treballar. Va enviar el noi dels encàrrecs a comunicar-ho al senyor Manel amb una propina de dos cèntims i cap excusa per traslladar al mestre, i a mig matí va convèncer la seva mare per sortir de casa. Aviat seria Nadal. A la família d'en

Tomàs Sala no l'havien celebrat mai, però una cosa era ser anarquista i anticlerical, i una altra de ben diferent era mantenir-se al marge de la festa que es vivia a Barcelona.

En Dalmau i la seva mare, ella agafada amb orgull de bracet del seu fill, van passejar per uns carrers de la ciutat vella on s'havien instal·lat multitud de mercats i parades ambulants. Les botigues de sempre apareixien, per la seva banda, engalanades per atraure els compradors que transitaven entre la cridòria dels venedors que oferien els seus productes: a les Rambles es venien torrons i fruites del temps; al carrer de Corts, quincalla. La Josefina va fixar-se ens uns didals i unes tisores. «Que vol que n'hi regali?», li oferí en Dalmau. Ella s'hi va oposar, somrient. A la gran plaça de la Constitució que s'obria entre els magnífics edificis de l'Ajuntament i de la Reial Audiència, que segles abans havia estat del General de Catalunya, s'instal·lava un mercat amb tota mena de figuretes per a pessebres i decoració de Nadal. Mare i fill es van afegir a la gentada que es desplaçava entre les parades amb admiració. La Verge Maria, el nen Jesús, sants, àngels, pastors... Milers de figuretes de fang cuit s'exposaven als barcelonins. En Dalmau hi va reconèixer dissenys i modelatges finament treballats, i es va interessar per l'autor; la seva mare escoltava amb atenció les explicacions del venedor com si presenciés una conferència.

Van tocar les dotze del migdia i en Dalmau es va entestar a convidar la seva mare a dinar. Van anar al carrer de Lancaster, al Raval, entre el de l'Arc del Teatre i el del Comte d'El Asalto, a la taverna del Tall de Bacallà, un local humil especialitzat en aquesta mena de peix, i on per uns cèntims servien un tall de bacallà fregit o en salsa, al gust del comensal, a més de pa i vi.

En acabat van tornar a recórrer els carrers atapeïts de vianants en direcció al passeig de la Indústria, on venien galls dindis vius, i després cap a la rambla de Catalunya, on feien el mateix amb les aus de corral i de caça. La llum del dia s'esmorteïa en una tarda de desembre que es feia fosca i freda. Encara no s'havia encès l'enllumenat públic de la rambla de Catalunya, així que alguns venedors utilitzaven quinqués o espelmes amb què intentaven il·luminar les parades del carrer.

—Comprem un pollastre? —li proposà en Dalmau a la mare, més atent als grans edificis que s'alineaven a banda i banda del passeig que en el mercat que s'estenia rambla amunt.

La pregunta, innocent, va esclatar inesperadament a les orelles de la Josefina. I si l'Emma hi tenia una parada? No era cap ximpleria pensar que el seu cap participés en una fira d'aviram.

—Anem —instà al fill.

En Dalmau se la va mirar amb cara d'estranyesa.

—Què hi ha?

—Estic cansada, fill. Anem cap a casa, sisplau.

La Josefina no el mirava; tenia la vista posada en les ombres, en el formiguer de vianants que els envoltava, escrutant-los. En Dalmau li va seguir la mirada.

—Si vol segui vostè una estona, i jo l'aniré a buscar —insistí sense deixar de fixar-se en les parades.

—Fa fred, Dalmau —l'interrompé ella—. No vull seure. Me'n vull anar a casa.

—D'acord, vostè mana —va cedir en Dalmau.

La Josefina va respirar. No l'hi podia dir, l'hi havia promès a l'Emma: la noia estava embarassada del paleta. L'Emma se n'havia anat a viure amb l'home amb qui mantenia relacions. Feia temps que li havia parlat de l'Antoni, potser sense l'entusiasme amb què la tenia acostumada quan se sincerava amb ella, però no sense un bri d'afecte i d'il·lusió que no li passà inadvertit. Després, li comunicà l'embaràs. Abans que conegués el paleta, i fins i tot després que comencés a festejar-hi, la Josefina havia mantingut l'íntima esperança que l'Emma tornés i fos capaç de redreçar la vida del seu fill. Ho havia pensat moltes vegades, quan l'esperava en va a les nits o el sentia que tornava begut. I aquella possibilitat es refermava davant les ulleres morades amb què el seu fill es despertava l'endemà, en sentir la seva veu rogallosa, segada, o en constatar que es bellugava feixugament, de vegades com si tingués el cos fortament adolorit. En Dalmau necessitava una bona dona al costat. Però la seva il·lusió s'havia esvaït encara no feia un mes, quan l'Emma la va anar a visitar embarassada de mesos. La jove li havia demanat que, a en Dalmau, no n'hi digués res, i la Josefina s'estimava aquella noia;

després de quedar òrfena també de pare, ella l'havia apadrinat com una filla.

—Mare! —En Dalmau la va agafar del braç—. Aquella d'allà no és la…?

La Josefina va forçar la vista. Eren a l'altre costat de la rambla, però sí, ho era. Ja havien passat per allà. Devia haver quedat amagada entre la gentada. «Mala sort!», va pensar. Només quedaven tres o quatre parades per acabar el carrer i justament allà hi havia l'Emma, visiblement embarassada, amb un pollastre penjant de la mà, atenent una parella. Un vell seia al seu costat, damunt d'una caixa de llistons.

—Emma! —va cridar en Dalmau.

La noia es va girar en sentir el seu nom i va veure primer la Josefina, que va obrir els braços en senyal d'impotència, fent-li entendre que la trobada havia estat fortuïta. Tot seguit la mirada va topar amb la d'en Dalmau, que va tornar a cridar el seu nom:

—Emma!

Un grup de gent es va creuar entre ells. En Dalmau va intentar obrir-s'hi pas per dirigir-se a la parada de pollastres. Un avi contra el qual va xocar es va empipar. «Ves amb compte, nano!», li recriminà. En Dalmau no li va fer cas. Dos joves van sortir en defensa del primer i es van encarar amb en Dalmau en comprovar que no cedia. Ell ni tan sols no els va mirar quan es van interposar al seu pas, la vista clavada on havia vist l'Emma, ara la tapava encara més gent que passejava en un sentit o l'altre, s'aturava davant de les caixes dels venedors o comprava provisions per al Nadal. Es va desesperar en perdre-la de vista. «Com a mínim demani disculpes», li exigí un dels homes que el retenien. «Perdó», va admetre ell al mateix temps que intentava desprendre's dels altres. El van deixar anar. Va córrer i va ensopegar amb més gent i, a batzegades, va arribar fins a la parada de pollastres. Només hi era el vell, assegut a la caixa.

—I la noia? —preguntà en Dalmau.

L'home el va mirar des de sota.

—La Cristina? —va preguntar en Maties.

—No, la Cristina, no. L'Emma! Aquesta noia es diu Emma.

El vell li mostrà les cinc dents negres i tortes que li quedaven.

—Perdoni que li porti la contrària —li va dir—, però es diu

Cristina. L'hi ben asseguro. La conec des de fa anys, des que va néixer. És la meva neboda.

—La seva neboda? N'està segur?

—Oi tant.

—I on és ara?

—La coneix?

—A l'Emma, sí. A la... la Cristina, ha dit? No...

—Aleshores, per què l'hi hauria de dir?

—Hauria jurat que era ella —va comentar en Dalmau a la seva mare, que ja s'havia apropat a la parada, on el pollastrer atenia des de la caixa, sense aixecar-se, una dona que preguntava per una de les seves aus.

—Jo també, fill, jo també —va mentir la Josefina.

Aquella nit en Dalmau va tornar a sortir a sopar. De poc va anar que no discutís amb la seva mare a causa de l'Emma. El fet d'haver-la vist, o això continuava creient, va fer que oblidés la cruesa amb què la Josefina havia escapçat els seus desitjos en altres temps. Per què l'havia d'oblidar? Era el que ella sempre li aconsellava.

—Per què? —insistí en Dalmau—. Expliqui-m'ho, mare.

La Josefina va guardar silenci. Per un moment, a la fira d'aviram, havia fantasiejat que en Dalmau i l'Emma tornessin plegats. Immediatament, però, havia assumit la impossibilitat dels seus desitjos. L'Emma estava embarassada i, a més, havia fugit. Semblava una declaració prou evident: no volia ni veure el seu fill. Era la seva decisió i calia respectar-la.

—Ja li vas fer prou mal —va al·legar la Josefina finalment.

—Però mare!

«Tenia tota la raó!», es recriminava en Dalmau mentre sopava l'habitual escudella amb carn d'olla a la taula rodona d'una fonda. Els comensals que seien al costat s'havien anat substituint a mesura que transcorria el temps; de fet, ell tampoc no els donava conversa. S'asseien, a la dreta o a l'esquerra, i li feien preguntes que ell no contestava. N'hi havia que insistien. En va. En Dalmau s'arronsava quan s'imaginava aquelles hienes a què la seva mare es referia explicant-li les seves nits als cafès cantant…, o en alguna casa de barrets o estès al carrer de qualsevol manera. I va beure, perquè el vi i el licor l'ajudaven a enterrar les preocupacions, però el record de l'Emma li va venir al cap. Ell no li volia fer cap mal, com l'havia de perjudicar si sempre l'havia estimat? De sobte es va adonar que aviat faria dos anys de la mort de la Montserrat. Dos anys! I amb aquell record sobtat li'n va venir un altre, més dolorós; havia fallat a les tres dones de la seva vida: la seva mare, la seva germana i la xicota. A l'única que semblava no haver decebut era a aquella trinxeraire, la Maravilles, que de tant en tant se li apareixia en el lloc i el moment més inesperats, ja fos al matí, a la llum radiant que solia il·luminar el passeig de Gràcia, com si els rics haguessin comprat per a ells tot el sol, ja fos a altes hores de la matinada, al carreró més fosc i pudent de la ciutat vella. La Maravilles era capaç de mostrar un somriure en aquell rostre malaltís, demacrat i sutjós. Un somriure que en Dalmau recompensava amb unes monedes. Tenia una imatge borrosa, gairebé lacerant, d'aquella trinxeraire i el seu germà ajudant-lo a caminar en la nit; ni tan sols no recordava a on l'havien portat. Això era tot el que tenia: una arreplegada que li somreia i l'ajudava quan estava begut. Va sospirar. Va mirar l'home que tenia assegut a la dreta i va deduir, per la manera d'anar vestit i per l'estat de la seva brusa, que es tractava d'un obrer, un operari d'alguna fàbrica en què es treballava amb màquines i oli de greixar. Xarrupava sorollosament la sopa. S'havia presentat quan s'havia assegut, això sí que ho recordava, però no el seu nom.

—Jo em dic Dalmau —va anunciar com si no haguessin transcorregut diversos minuts des d'aleshores.

L'home va deixar la cullera a mig camí de la boca, regalimant sobre l'escudella.

—Dalmau —va repetir ell, pensarós—. Arribes tard a la conversa, noi.

I va tornar a xarrupar la sopa.

Aquella nit, lluny de la fonda, entre el fum, la música, els crits i la fortor d'algun tuguri desconegut per més vegades que l'hagués visitat, quan l'alcohol havia ofegat culpes i consciència, va treure el quadernet i va dibuixar l'obrer que engolia la sopa a la seva dreta, aconseguint l'efecte que la cullera tremolés a la mà dibuixada.

Va tornar a la rambla de Catalunya, a la fira d'aviram, l'endemà mateix: al vell esdentegat, assegut a la caixa, l'acompanyava una noia grassa i poc agraciada, que era impossible de confondre amb l'Emma.

Un ull i una cullera. Un obrer. Una casa. Una bagassa. Un escriptor fracassat. Un amic. Una altra casa. Una flor… pansida. Un altre amic. Realment eren amics? Tots aquells dibuixos i molts més van anar omplint les pàgines del quadernet d'en Dalmau al ritme de copes i brindis i records perduts. Va beure més i va arribar el dia que va portar una ampolla d'aiguardent al taller. «Treballo millor», es va excusar a si mateix. I era veritat: la imaginació volava, la creativitat s'exaltava; al cap de dos gots d'aiguardent desapareixien la timidesa i els recels, i no es veia coartat per la personalitat i les obres mestres de genis com Gaudí, Domènech i Montaner, Casas o Nonell.

I quan arribava el migdia i el senyor Manel el convidava a dinar a casa seva, els efectes de l'alcohol havien minvat i es podia comportar amb correcció fins que reincidia amb dues copes de vi amb el dinar. Aleshores al·legava que estava cansat i excusava l'abaltiment que duia al damunt. «És que em costa molt dormir.» «La meva mare està malalta i l'haig de vetllar», mentia. Es va afegir a les migdiades que ja feien el senyor Manel i mossèn Jacint quan aquest últim es presentava a dinar; el mestre la feia a la seva habitació, el religiós en una de les butaques d'una saleta annexa al menjador on ningú entrava a torbar-li el descans i que quedava a la penombra després d'ajustar les persianes. El mossèn no molestava en Dalmau; queia en un son profund així que encreuava les mans damunt la panxa i tancava els ulls. Qui sí que ho feia era l'Úrsula, i en aquells moments que la casa entrava en un estat d'ensopiment —la senyora Cèlia asseguda a la tribuna que sobrevolava el passeig de Gràcia, capcinejant amb una labor que li relliscava de les mans, els altres dormint, el personal descansant—, la noia arrencava en Dalmau del seu descans i l'estirava fins a algun racó en què se sentien sols.

—El meu putxinel·li —li xiuxiuejava l'Úrsula abans d'arrambar-lo contra la paret.

9

L'Emma es va perdre entre la multitud així que va veure en Dalmau i la seva mare. «Agafi el pollastre —urgí a en Maties llançant-li l'animal—, i vostè no em coneix, recordi-ho: no existeixo!» Només amb dues passes ja havia aconseguit confondre's amb la gent; aleshores, ajupida, va treure el nas entre tot de caps i espatlles per veure com arribava en Dalmau a la caixa del venedor de pollastres. Va veure com un feia que no i l'altre l'hi rebatia. La Josefina continuava aturada a l'altre costat de la rambla de Catalunya, amb la mirada ara en el fill, ara en els vianants, evidentment buscant-la. Es va allunyar una mica més i es va acariciar la panxa; la tranquil·litzava. Per què havia fugit? Havia estat un acte reflex, inconscient. Va mirar enrere. En Dalmau no la seguia. Es va aturar al costat del portal d'un edifici i va respirar fondo, sorpresa pel ritme accelerat del cor. Estava convençuda que podia tornar a la parada de pollastres i enfrontar-s'hi, a aquell passat que es pensava que havia deixat definitivament enrere. Sempre havia estat conscient que un dia o altre es trobarien, però cada vegada que aquesta possibilitat li venia al cap, rebutjava considerar-la. I ara, un cop feta realitat, havia corregut a amagar-se.

L'última vegada que havia tingut notícies d'en Dalmau havia estat en aquella taverna on el lector de diaris va parlar del seu incident a la festa del Maison Dorée; els moments que estava amb la Josefina evitaven parlar d'ell. El dia de la taverna va declarar el seu amor al paleta. Aturada davant de la façana de l'edifici, va somriure recordant com s'havia ennuegat l'Antoni; després, amb matusseria, com sempre, com era ell, no va saber què dir, i ella va haver de resoldre els balbucejos del paleta fent-li un petó a la boca que la concurrència va celebrar.

Això havia passat feia mesos, abans que en Dalmau la veiés a la fira d'aviram de Nadal. Després de saber com li anaven les coses a través del diari, tot va ser més fàcil per a l'Emma, que es va acomiadar de la dispesera i es va traslladar a casa de l'Antoni. Quan la dona la va interrogar pel seu futur, va estar a punt de contestar-li que se n'anava amb un home, a viure en pecat, cansada de rosaris, prevencions i culpes, que se n'anava perquè no suportava més estar sempre a l'aguait pendent d'evitar el diable, que aparentment s'amagava amatent a qualsevol racó d'aquella casa, però en comptes d'això l'enganyà dient-li que havia arribat a Barcelona un familiar i que se n'anava a refugiar amb ell. Després la dona va permetre que l'Emma li fes un petó, el primer en tot aquell temps, i l'Emma va notar que li lliscaven per les galtes unes llàgrimes que no eren impostades. Com tampoc no ho eren totes les altres que va vessar la Dora, la seva companya de llit, a qui va abraçar amb força.

—No me'n vaig de la ciutat —la va voler tranquil·litzar.

En acabat va estar a punt de fer broma amb els pèls de conill amb què es despertava cada dia i que havia arribat a odiar, però es va retenir a temps. Les relacions entre la seva amiga i el barreter no anaven per bon camí: havia aparegut algun pèl impertinent d'aquells animals en bombins, barrets de copa i fins i tot en gorres, i no era la primera vegada. Després de la delació per part d'algun company que es feia dir amic seu, el mestre barreter va reprendre en Joan Manuel i l'altre va traslladar el seu malestar a la intimitat amb la Dora. Evitava apropar-s'hi gaire, com si fos una empestada.

—Ja no em fa petons ni em toca —s'havia queixat la noia una d'aquelles nits de confessions entre amigues.

L'Emma li va estar a punt de dir que canviés de xicot, que oblidés algú que preferia els bombins a ella, per més pèls de conill que aportés a la seva convivència; que busqués algú com l'Antoni, afectuós i atent, però un bèstia al llit, un monstre que aportava tanta por com plaer, perquè l'Emma no s'acostumava a tenir a sobre, ni a sota, tanta immensitat desfermada. Es va notar humida només de pensar-hi; la portava a l'èxtasi una vegada i una altra. Hi havia moments que desitjava, gairebé necessitava, que li frenés aquell frenesí: se sentia morir, les forces esvaïdes, incapaç de seguir el seu ritme, de suportar el seu pes, i l'apartava, i ell li preguntava tot preocupat si li havia fet mal. Mal? «No vulguis portar-me més enllà de les estrelles», contestava ella.

—Ets treballadora, seriosa quan cal i jovial de tant en tant; jove i guapa —va decidir replicar aquell dia a la Dora després del record de la seva pròpia felicitat. Per què no havia d'aconsellar a la Dora que ella també la busqués? No li venia de gust lluitar per un sò- mines com el barreter—. Busca algú que no estigui disposat a canviar-te per un barret.

No va servir de res. La Dora va plorar, com ho va fer després, en el comiat. L'Emma li va prometre que no s'oblidaria d'ella, que es veurien amb freqüència, però que havia d'arreglar les coses amb en Joan Manel. Sí. Si allò era el que ella volia… Sí, segur. Sí, sí, sí… Va haver de repetir mil vegades. Després, amb les seves escasses pertinences i un nus a la panxa, va caminar fins al carrer de Trafalgar, on va agafar el tramvia que portava a Sant Andreu. Va baixar a l'altura del Clot i des d'allà, amb un duplicat de les claus que l'Antoni li havia donat, es va dirigir a la nova casa, d'una única estança, però, per a ella, un palau.

Era el mes de maig del 1903. La temperatura era agradable; el cel lluïa un blau intens i el sol brillava, tot i que cap dels seus rajos no penetrava al celobert de l'edifici, on l'Emma es va trobar amb dues dones assegudes sense cap vergonya al passadís on s'acorruaven les quatre casetes. Un munt de nens esvalotats ensopegaven entre ells, tancats en aquell lloc terriblement estret i curt. Era impossible que tots fossin fills seus.

—Ens n'ocupem per uns cèntims —li aclarí una d'aquelles dones, que va deixar a un costat la labor que estava brodant, en veure la seva expressió d'estranyesa—. Em dic Emília. Ella és la Pura —va afegir assenyalant l'altra dona.

—Als matins sempre surts disparada, abans que arribi la canalla —la va sorprendre la que li havia dit que es deia Pura.

L'Emma devia fer una cara tan astorada que totes dues van riure.

—Oooooh! —va panteixar l'Emília, que va tancar els ulls, es va posar la labor al pit i es va encongir com si l'inundés el plaer.

L'Emma es va posar vermella quan es va adonar que la sentien. Eren les que de vegades parlaven a través de les parets! Va intentar alliberar-se d'elles entrant a la casa, però no encertava la clau del pany. La mà li tremolava i un dels nens li estiregassava les faldilles.

—Continua! Sí! Sí! Sí! —afegí la Pura.

—Aquesta cridava més que tu... —li va comentar l'altra assenyalant la seva companya—, la nit que el seu marit la buscava.

—Redeu, quins temps! —es lamentà l'al·ludida, eixugant-se la suor del front.

Totes dues van deixar anar una rialla carregada de nostàlgia.

—No t'emprenyis —insistí una.

—No, dona. Som inofensives.

L'Emma va deixar d'intentar-ho i aleshores la clau va entrar. No la va girar, es va recolzar d'esquena a la porta de la casa de l'Antoni i es va girar cap a elles: dues dones maltractades per la vida.

—En el fons, et tenim enveja —va afirmar l'última.

—No ho saps prou, noieta!

L'Emma va somriure.

—Crido molt? —va preguntar.

—A mi em sembla poc, tenint aquest paleta al damunt...

—Tu continua cridant —l'interrompé l'altra—, a veure si els nostres homes recorden per a què serveix el que els penja entre les cames.

Totes tres van riure. L'Emma es va presentar. Aquella nit va cridar i panteixar sense escrúpols, amb flaixos dels rostres de l'Emília i la Pura barrejats amb el de l'Antoni i els escassos objectes d'aquella ínfima casa. Havia parlat amb elles una bona estona i va arribar a palpar l'enveja que li havien advertit. Una conversa trista disfressada per la ironia i el sarcasme de dues dones fartes de viure. No devien ser tan grans, però se sentien velles, lletges, inútils com a dones.

—Aprofita ara el moment, Emma, amb totes les ganes —li aconsellà l'Emília amb recança, mentre la Pura assentia—, perquè cada vegada que et dones a un home, ell et roba un pessic de la teva joventut i de la teva bellesa per regalar-l'hi un dia a una altra.

Era la seva joventut robada la que en Dalmau entregava a les noies burgeses?, es va preguntar l'Emma quan va sentir l'Antoni que respirava pausadament al seu costat, ocupant pràcticament tot el llit. Va fer espetegar la llengua en la foscor. El primer que farien quan els sobrés una pesseta, va pensar oblidant en Dalmau, seria comprar un llit més ample. No hi cabien tots dos allà: ell dormia espatarrat i ella de costat, al marge. Va esmunyir la mà fins al pit del paleta, va joguinejar uns moments amb els pèls llargs, els va enredar als dit, els va estirar amb força i en va arrencar uns quants. L'Antoni no es va moure ni un dit. Ella sospirà i s'arrambà a ell, empenyent-lo, per no caure a terra.

Va fer amistat amb l'Emília i la Pura. Xerraven i s'ajudaven. La primera estava casada amb un adober i tenia tres fills vius dels sis que havia parit, uns joves que anaven i venien, dormien o no, i apareixien quan tenien gana o es trobaven en un destret. La Pura, per la seva banda, estava amb un treballador d'una fàbrica de paper de la vora. Les dues nenes que els sobrevivien eren menors que els fills de l'Emília i encara s'amuntegaven al costat d'ells a l'habitació que era la seva llar. La quarta de les casetes disposades cara a cara al passadís l'ocupava un vidu brut, vell i malcarat que vivia de trastejar aquí i allà; l'home rellogava l'habitacle a famílies senceres amb qui convivia.

L'any 1903 s'havia desencadenat a Barcelona una important conflictivitat laboral. Tintorers, fusters i forners van lluitar pels seus drets i van aconseguir part de les seves reivindicacions. L'Emma treballava amb el pollastrer, però un cop venuda la poca mercaderia de què disposaven, corria a unir-se a les dones i a la canalla que acompanyaven els seus homes. Els fusters van ser els qui més van trigar a aconseguir un acord. Lluitaven per la jornada de vuit hores, un dret que ja tenien altres oficis com els paletes, i no van dubtar a utilitzar la força en el moment que els patrons els van substituir per esquirols.

Va ser semblant a quan, al costat de la Montserrat, van bolcar el tramvia a les Rambles. En aquest cas es tractava d'un carro que transportava fustes que no portaven el segell adient de la societat obrera dels fusters.

Els guàrdies que acompanyaven el transport van fugir, com el carreter, tan bon punt van topar amb un piquet que els va aturar a l'altura de la cantonada dels carrers de Llúria amb Provença. Amb altres dones, l'Emma va córrer entre els fusters. Uns van desenganxar les mules i les van allunyar del vehicle. L'Emma va aconseguir fer-se un lloc al costat de la caixa del carro, voluminosa i llarga, suficient per carregar-hi tots els taulons. També pesava força. L'Emma va trobar que fins i tot era més pesant que el tramvia, potser perquè no tenia la Montserrat al costat.

—Empenyeu! —va sentir que els animaven.

Algú es va recolzar per darrere d'ella, més alt, els braços per damunt de les seves espatlles.

—Empenyeu més fort! —li va cridar al costat de l'orella aquell home.

Ella obeí. «On ets, germana?», pensava amb els ulls negats, sentint la Montserrat al seu costat. Va udolar de satisfacció i orgull quan el carro va començar a balancejar-se.

—Mira'm! —va cridar al cel quan el carro va bolcar.

Les fustes es van escampar amb gran estrèpit. Els vaguistes van trigar poc a llançar-hi unes teies enceses al damunt i el foc il·luminà el capvespre. Ella va tornar a mirar el cel. La Montserrat no hi era! Ni tampoc a l'infern. No era enlloc perquè la seva vida s'havia acabat, va pensar sense poder evitar les llàgrimes.

—Bravo —la va felicitar l'home que havia empès per darrere d'ella.

L'Emma es va empassar els mocs i va assentir.

Aquella mateixa nit, amb l'Antoni i altres paletes acompanyant part dels vaguistes, es van colar en dues obres de la construcció, com feien molts altres companys per tot Barcelona, i van desmuntar i destrossar els elements de fusteria que hi havia.

—Mestra —va sorprendre l'Emma un home ja gran—, la vols?

I li oferí una destral. Només demanaven treballar vuit hores al dia, i millores salarials per tenir aliment per als seus fills, va pensar ella mentre agafava l'eina pel mànec. Era feixuga. En canvi, els contractistes…, quant guanyaven els contractistes?

—Aaaaaah! —va cridar. I va descarregar la destral sobre el marc de fusta d'una finestra preparat per col·locar-hi el vidre.

I els burgesos que encarregaven o finançaven aquells edificis, quants diners tenien? Estava a punt de cridar una altra vegada per tornar a etzibar una segona destralada, però la fulla de la destral s'havia quedat incrustada a la fusta. Va estirar-la en va. Els homes van esclafir a riure, però abans que l'Emma rondinés, l'Antoni va agafar el mànec amb una mà i la va arrencar.

—Clava-li un altre cop —l'animà donant-l'hi.

No va arribar a fer-ho perquè van alertar que arribava la Guàrdia Civil. Van abandonar l'edifici i la policia els perseguí a la nit. Van córrer en la foscor amb les peülles dels cavalls i els crits dels genets retrunyint darrere dels vaguistes. L'Emma va fugir amb l'Antoni, ben agafada a la seva mà, que no va deixar ni un segon. Van continuar corrent fins i tot quan ja no se sentien els perseguidors. Els altres s'havien dispersat pels carrers de la ciutat. Quan es van quedar sense alè, van abandonar la correguda: es van vinclar endavant i van recolzar les mans sobre els genolls, esbufegant, intentant respirar. Van girar el cap per mirar-se i van esclafir a riure entre estossegades. Eren a prop del mar, i van continuar caminant lentament fins a la platja, en aquells moments solitària.

—Rebel·la't! —va cridar l'Emma assenyalant la lluna, que llambrava sobre un mar negre en calma.

L'Antoni la va abraçar per les espatlles i la va atraure cap a ell, tots dos davant del mar, a peu dret a la sorra, només unes passes més enllà d'on acabava aquell riu de plata que la lluna dibuixava sobre les aigües.

—No pot… —va xiuxiuejar ella—, no pot ser que la lluna visqui al marge de tot el que passa en aquesta ciutat, de tanta injustícia… —va continuar. L'Antoni la va estrènyer—. No hauria de mostrar tanta bellesa quan hi ha infants que moren de gana.

—La bellesa també és per a nosaltres —es va atrevir a replicar l'Antoni—. Això els rics no ens ho podran arrabassar mai.

—I què en fem? Els la donem als nens per menjar?

El paleta va callar. Li va voler fer un petó, però ella li apartà la cara.

Els fusters van aconseguir la seva jornada de vuit hores a canvi que molts vaguistes perdessin la feina. Els patrons ja no comptaven més amb ells i els substituïen pels esquirols que els havien donat suport durant la crisi. Això passava en pràcticament tots els rams de la indústria i dels oficis. Al cap d'uns mesos, després d'una vaga dels operaris d'una companyia de gas, només seixanta treballadors dels més de quatre-cents que l'havien secundat van continuar a l'empresa.

Mentre la seva vida personal s'establia al costat del seu paleta en un entorn feliç si bé socialment convuls, i la seva ocupació laboral continuava lligada al venedor de pollastres, la seva activitat dins del partit republicà, fora del seu suport a vagues, mítings i qualsevol manifestació que defensés els drets dels obrers, havia derivat significativament cap al món de les dones. Continuava amb les classes nocturnes, i els dirigents, encapçalats per Lerroux, havien inclòs la causa de l'educació dels nens, obrers i dones analfabetes com un dels grans objectius del partit, en pugna directa i declarada contra les institucions eclesiàstiques, que, segons ells, pretenien aconseguir el control de la societat per mitjà de les seves grans escoles, i la seducció i l'engany dels seus alumnes amb doctrines deistes.

A partir de la fundació de la Fraternitat en un edifici proper a la Universitat de Barcelona, van anar naixent multitud de fraternitats als diversos barris de la ciutat, no tan importants com la que havia creat Lerroux però sí molt més grans i, per descomptat, més actives que els prop de la mitja dotzena d'antics casinos republicans. Aquestes entitats havien entrat en decadència i la seva activitat es limitava a organitzar enterraments laics, a escarnir l'Església amb motiu de les seves festivitats, i a organitzar un dinar anual per celebrar la Primera República proclamada feia trenta anys, però que amb prou feines havia durat dos anys encara no abans que es restaurés la monarquia borbònica, record del qual vivien alhora que sucumbien amb agonia uns vells nostàlgics.

No obstant això, davant de l'auge i l'èxit electoral dels nous republicans, van créixer centres de fraternitat que havien d'allotjar escoles, cooperatives i consultoris mèdics i jurídics. Al costat de les institucions van proliferar les agrupacions de caràcter social, de cooperació als barris, de defensa, d'hospitalitat.

L'Emma havia triomfat com a mestra i oradora; la seva sinceritat i la seva dialèctica, planera, directa i apassionada, van arribar a commoure unes masses obreres necessitades de dirigents en moments de canvis convulsos. L'èxit la va envoltar de companys gelosos, disposats a perjudicar-la perquè no els fes ombra; ella ho va percebre, però també la va posar en contacte amb altres dones que encapçalaven moviments dedicats a lluitar per l'alliberament de la dona i la plena igualtat en els seus drets. Totes aquestes dones la van buscar a la Fraternitat, i l'Emma les va acollir amb hospitalitat i interès, principalment perquè la majoria de les activistes defensaven la laïcitat de l'Estat, com passava a França, i basaven la seva acció en un anticlericalisme que coincidia amb les seves idees. «Feministes», es deien. No obstant això, no va trigar a adonar-se del gran abisme que s'obria entre elles. Es tractava de dones cultes, viatgeres, petites burgeses algunes d'elles, d'altres mestres o estudiants universitàries, escriptores, i fins i tot una metgessa... Totes rebels, radicals.

Li van parlar de la llibertat de consciència, d'una ètica civil allunyada de postulats religiosos, de la igualtat de sexes i de la fraternitat universal. Dominava la dialèctica, i quan van saber que feia classes a obreres, es van esplaiar en els principis de l'Escola Moderna de Ferrer i Guàrdia, on moltes duien a terme les seves activitats.

—S'ha de fer créixer l'energia espiritual dels nens...

—I respectar-ne la individualitat alliberant els seus potencials espirituals.

—El nen ha d'abandonar qualsevol posició egoista; se'ls ha d'educar en la cooperació.

—Sí, és imprescindible posar la seva individualitat al servei de la col·lectivitat.

«Esperit, individualitat, cooperació...» Si ella només ensenyava a traçar i a enllaçar lletres a dones desafortunades! «La lletra a s'escriu així», deia, i dibuixava a la pissarra el que ella anomenava «la closca» entre dues línies horitzontals, iguals que les que elles tenien als seus quaderns. Tot seguit, traçava una línia de biaix en direcció a la línia superior, d'allà un altre traç recte fins que tocava la inferior, i el tercer traç era una cua, un altre cop cap amunt, en diagonal.

«Tres línies, veieu?», els deia. I ho repetia. I elles la imitaven. Quina potència espiritual hi havia en aquelles indicacions?

—Se'ls ha d'educar en el respecte mutu als drets de l'altre sexe.

—Això…

—Sabeu per què la i porta un punt? —va decidir intervenir l'Emma. Aquelles dones havien de saber qui era ella, els seus orígens humils, tot i que la mateixa roba que duia ja la diferenciava. Potser l'havien sentit parlar alguna vegada: era la del pare anarquista, que havien torturat i matat en el procés de Montjuïc—. És que m'ho ha preguntat una alumna, la Jacinta —va mentir davant de la sorpresa de les feministes—, i no he sabut què dir-li.

Les altres van dubtar.

—Per diferenciar-la —va afirmar una a l'últim.

—De què?

—De la u. Si la i no portés punt, la u només serien dues is juntes.

Aquesta vegada va ser l'Emma qui va pensar.

—I coneixeu alguna paraula que porti dues is juntes? —insistí a l'últim.

Les altres van fer una ganyota. No va obtenir cap resposta.

—Si no existeix cap paraula amb dues is juntes, per què cal diferenciar-la de la u?

—Tampoc no és tan important, això. —Una mestra va ventar l'aire amb la mà—. Només és un punt.

—Ui! Això expliqueu-ho a la Jacinta. És una bona persona, però pesada com n'hi ha poques.

I les va deixar, al·legant que tenia coses a fer i convençuda que allò del feminisme, per molt atractiu que fos, la superava. Probablement, va pensar al cap d'una estona, ja relaxada, aquelles dones no havien tingut la intenció d'humiliar-la, però la seva superioritat intel·lectual era tanta que, encara que no ho volguessin, se situaven per damunt de les altres. I això quan no eren aquestes altres les que es doblegaven inconscientment. O no? O realment els agradava vantar-se del seu coneixement cultural? L'Emma no va saber contestar a la pregunta. El que sí sabia era que els rivals de les feministes no eren les dones, sinó els homes, els mateixos republicans com en Joaquín Truchero, que s'omplien la boca de drets i llibertats, però que temien una dona lliure, una dona que s'allunyés dels seus deures familiars tradicionals i que qüestionés la seva posició de submissió a l'home.

En qualsevol cas, el creixement del nou partit republicà necessitava l'acció de les dones, o sigui que l'objectiu de l'Emma no es va centrar només a fer arribar l'educació a un nombre determinat d'obreres analfabetes, sinó que es va proposar lluitar contra la passivitat femenina. L'Emma havia d'exaltar l'esperit femení, despertar el seu interès per l'educació.

Així la va instruir Joaquín Truchero en una reunió que van mantenir al seu despatx:

—Busca les dones, totes les que se'ns escapen del control del partit. Amb les obreres i les operàries de fàbriques i tallers ja hi tenim contacte; estan al cas de la nostra organització i de la nostra lluita, la viuen com els homes. Què t'haig d'explicar? Ja saps com són: te les trobaràs als mítings, van a les teves classes. Però encara hi ha treballadores lluny del nostre camp d'acció a qui no aconseguim arribar tan fàcilment. —L'Emma va esperar que el jove líder republicà, que havia fet una pausa, continués amb el discurs—. Em refereixo a les obreres de l'agulla —va continuar al·ludint a les que dedicaven la vida a la costura, com la Josefina— i a les minyones que serveixen a les cases, desenes de milers de dones a qui no arriben les organitzacions, els sindicats i les associacions obreres. No estan organitzades, no tenim cap control ni influència sobre elles.

L'Emma va pensar en les paraules d'en Joaquín. Tenia raó: coneixia moltes dones d'aquelles.

—Ja faig classes aquí a la nit —va al·legar—. Això que em proposes no és com anar a un míting de tant en tant. Significaria una tasca constant, diària. No puc deixar la meva feina per dedicar-me al partit. De què viuria?

—Aquí no cobrem. Ja ho saps —va afirmar l'altre, categòric—. De totes maneres... —Darrere la taula on seia, en un despatx petit, en Joaquín l'examinà amb aquella mirada lasciva que tant l'incomodava. Pel que havia dit fins aleshores, l'Emma s'hauria esperat qualsevol proposta inadequada que li reportés alguns diners complementaris, però mai les paraules que va sentir—: Tu treballes venent pollastres i gallines per les cases... —va adduir, i l'Emma no va poder amagar la sorpresa que en Truchero estigués al corrent de la seva ocupació—. Quina gran oportunitat per entrar a les cases burgeses i arribar a tota aquesta massa d'obreres domèstiques, no trobes?

Li va dir que sí, sorpresa, alterada, sense pensar-s'ho. Volia sortir d'allà i evitar preguntes sobre la seva feina com a venedora ambulant de pollastres; a més, necessitava alliberar-se de la seva opressió impúdica, buscar l'aire de l'exterior com si li pogués netejar aquella pàtina de brutícia que havia deixat sobre la seva pell la mirada obscena del jove. Va sospirar en veure's fora del despatx. «També sap com s'ho fa en Maties per aconseguir les gallines?», es va preguntar mentre notava la fresca purificadora. El somriure amb què l'havia acomiadat en Joaquín resultava indesxifrable per a la noia: una mescla de desig i burla, de condescendència i de satisfacció.

En va parlar amb l'Antoni i amb les seves noves amigues del passadís, l'Emília i la Pura, i va decidir afrontar aquell nou repte tal com li havia proposat el republicà: aprofitant el seu accés a les minyones de les cases burgeses. Es calculava que hi havia unes vint mil dones dedicades al servei domèstic a Barcelona, la gran majoria procedents de la mateixa ciutat i del territori català, de pagès i dels pobles. Les edats d'aquelles dones anaven des dels quinze anys fins als cinquanta, tot i que el grup més nombrós era d'edat semblant a la de l'Emma: vint anys. Noies joves que esperaven casar-se algun dia i alliberar-se de servir a les cases dels rics per fer-ho per als seus homes en habitatges miserables, qui sap si compartits, amb lavabos comunitaris, sense aigua potable, sense llum de gas, i sense cap mena de comoditat.

Aquelles noies eren com l'Emma. No vivia ella, també, en un casinyot d'un passadís al costat d'un home bo però pobre? Va concloure que la gran majoria d'aquelles dones devia estar disposada a lluitar, a aprendre, a desprendre's de pressions religioses, de culpes i pecats, per afrontar vides noves en llibertat. No va ser així. Totes es van negar a escoltar-la. S'amagaven, avergonyides, acoquinades, com si el simple fet de parlar de llibertat, de cultura i de drets socials fos una falta. Treballaven més hores que en la indústria: estaven pendents dels seus senyors dia i nit; el servei domèstic estava expressament exclòs de la jornada laboral de dotze hores. No gaudien de festius, com sí que tenien la majoria dels treballadors. La llei del descans dominical encara s'estava debatent al Parlament de Madrid, havia sentit l'Emma a la Fraternitat; tota una paradoxa per a una anticlerical com ella: les normes religioses que des de l'edat mitjana exigien el descans el dia del Senyor havien estat derogades el segle anterior, però aquella mateixa societat no n'havia promulgat cap que establís festius per als assalariats.

Les criades no estaven incloses en cap dels preceptes laborals que, per mal o per bé, regulaven les relacions entre empresaris i treballadors; no disposaven de cap protecció. Ni sindicats obrers ni partits polítics es preocupaven de les criades. Ningú no feia res per a elles! L'Emma no va trigar a entendre que en Joaquín li havia encarregat una tasca impossible. No existia cap organització que agrupés totes aquelles dones. Accedien a la seva feina mitjançant les recomanacions entre senyores benestants —«és una bona noia, neta, de fiar»— quan no era per la intermediació de l'Església, sempre present, que disposava d'escoles on les joves aprenien a servir, a obeir i a témer Déu, com el col·legi de Maria Immaculada, amb prop de mil alumnes, aquell on les monges de la Sagrada Família li havien proposat d'anar el dia que es va refugiar a l'asil del Parc després que l'oncle Sebastià la fes fora de casa.

Es deien Mari Cruz, Cristina, Coloma, Estel·la, Susanna, Violant, Remei…

A una l'havia forçat el senyor de la casa. «Però m'ha donat cinc pessetes, i em va demanar perdó! El senyor Marcel·lí en persona! A mi. Em va demanar perdó, a mi…»

—No parlis tant amb les minyones —li recriminava en Maties.

—Hi parlaré tant com vulgui.

«I no el penses denunciar?», s'exaltà l'Emma davant d'aquella nena de disset anys, de cara rodona, fresca com una rosa, com també ho eren les formes d'un cos jove. «Va ser culpa meva —va declarar ella—. El vaig seduir, tot i que va ser sense voler —va aclarir ràpidament—. El senyor Marcel·lí és un home… Amb les seves debilitats…» L'Emma va esperar, impacient, ja amb la mosca al nas pel que

sabia que vindria després: «Això és el que em va dir mossèn Joan».
Ho havia encertat. «El bon cristià sap perdonar!», va alçar la veu la
jove en el moment que l'Emma va fer una ganyota i li girà l'esquena.

No les havia de jutjar, es va retreure mentre rentava la roba de
l'Antoni i la seva en un safareig a prop del rec Comtal: un antic
aqüeducte romà convertit en canal de reg que naixia al riu Besòs
i que discorria per darrere de l'església de Santa Maria del Mar.
El safareig era, com la gran majoria dels que hi havia a Barcelona,
un negoci privat en què el propietari llogava piques per rentar i
proporcionava sabó. Es tractava d'una mena de bassa rectangular,
d'obra, amb més de mig centenar de banques, totes ocupades
per dones que, colze a colze, rentaven, xerraven, cridaven, reien
o cantaven mentre ficaven les mans en aigua gelada i fregaven
les peces sobre uns taulells inclinats de fusta estriada. En llocs
com aquell es reunien, obligades, la gran majoria de les dones de
Barcelona de cases que no disposaven d'aigua corrent i, per tant,
tampoc de safareig. «Són ignorants», li va dir la dona que rentava
al seu costat, després que l'Emma hagués comentat el seu fracàs
amb les minyones. «A més, tenen por —replicà ella—. Els he ar-
ribat a dir que jo els podia ensenyar a llegir i a escriure.» On i
quan volien que ho fes?, es queixaven les que hi mostraven algun
interès. No sortien mai de casa dels senyors i, si tenien una tarda
lliure, festejaven amb els seus xicots en un banc del parc o anaven
al Paral·lel, i quan disposaven d'alguns diners, a part dels que es-
talviaven per a l'aixovar que aportarien als seus matrimonis, se'ls
gastaven.

«Has anat mai al cine? —li preguntà una d'aquelles noies de
poble. No, l'Emma no hi havia anat mai. L'altra va somriure amb
murrieria—. El bisbe i els capellans condemnen els cines perquè
són a les fosques i t'hi pots fer petons.»

«Només petons? No has fet mai…?» L'Emma no sabia ni com
plantejar-ho. «Què?», l'instà la noia a continuar. «No t'ha tocat mai?»,
va preguntar l'Emma finalment, retractant-se de les seves intencions
inicials de parlar d'una bona refregada.

—A aquesta no li tornem a vendre una gallina —li va retreure
en Maties, després que la minyona, tan empipada com avergonyida,

els fes fora de mala manera, amenaçant-los d'avisar la senyora, «o la policia!», va cridar mentre baixaven per l'escala.

—No, la policia, no! Ves a la parròquia! —replicà l'Emma també cridant-la sense fer cap cas de les queixes d'en Maties—. Queixa't al mossèn i que sigui ell qui et fiqui mà! Serà la mà de Déu!

No aconseguia captar-les. Els seus propis xicots: obrers, botiguers, filadors, adobadors o teixidors, molts dels quals republicans, alguns fins i tot simpatitzants anarquistes, l'hi vetaven. «És millor que aprenguis a cosir i a cuinar —li van explicar a l'Emma que els demanaven—, coses de la casa, dona, això és el que importa, coses de la mainada.»

Després de les vagues dels primers mesos de l'any, al juny es va encruelir la lluita laboral. Els descarregadors del carbó van aturar l'activitat i els patrons els van substituir per esquirols. Arran d'aquest fet s'hi van sumar els carreters, que van córrer la mateixa sort. Sabaters, torners, serradors van augmentar la conflictivitat laboral. Per això, quan a meitat de juny els paletes van decidir anar a la vaga per reclamar millores salarials, es van trobar amb una ciutat militaritzada.

Més de trenta mil treballadors, catorze mil dels quals eren paletes, van viure la vaga de l'estiu del 1903. Va ser un salt qualitatiu per a l'Emma. Els paletes, ja fossin oficials o peons, eren el col·lectiu que més recorria a la violència en la defensa de les seves reivindicacions. Els piquets eren habituals, i els grups més petits, que passaven desapercebuts per a la policia però que actuaven amb tanta o més duresa, es multiplicaven. L'Emma va acompanyar el seu paleta a clausurar obres. Els esquirols s'acoquinaven davant dels vaguistes; havien repartit llenya i fins i tot algun esquirol d'ells havia mort. Però la Guàrdia Civil i els regiments militars que havien anat arribant a Barcelona actuaven amb tanta duresa com ells. Les càrregues de cavalleria, amb els sables dels guàrdies colpejant la gent, se succeïen, i van començar a aparèixer les armes, com en la vaga general de feia gairebé un any i mig, en què havia mort la Montserrat.

L'Antoni i l'Emma van viure un d'aquells intercanvis de trets entre vaguistes i forces de l'ordre al voltant d'una obra. El paleta va obligar la noia a protegir-se darrere d'una muntanya de sacs de sorra.

—Avui és l'últim dia que m'acompanyes —li va dir alçant la veu per fer-se sentir entre els crits i els insults dels companys.

—Ha! —L'Emma va riure—. No ha nascut l'home...

—Tens raó —l'interrompé ell, agafant-li el rostre amb aquelles mans poderoses i espatllades—. No ha nascut —va repetir—, però... jo vull que neixi.

L'Emma va vacil·lar un segon, després va captar-ho i va empallidir abans que la ràbia la fes enrojolar: aquelles bruixes! Li havien promès que no dirien res! No havien pres precaucions quan feien l'amor, i l'Emma no estava disposada a fer-se més dutxes vaginals. Com no s'havia de quedar embarassada d'aquell vigor convertit en home? Però no el volia preocupar més en un moment en què ni treballava ni cobrava jornals. De moment, mentre no fos evident, no calia explicar-l'hi; ho faria quan tot s'hagués solucionat; però l'Emília i la Pura no van trigar ni quatre dies a interpretar els senyals d'un embaràs que l'Emma va acabar confessant.

—Males putes! Em van prometre que no dirien res.

L'Antoni li va demanar que callés posant-se un dit als llavis.

—No t'has d'arriscar —insistí.

Quan va tornar a casa, l'Emma va recórrer el passadís esquivant els nens, però sense mirar les dues amigues, com sempre assegudes a les cadires, amb les mans ocupades apedaçant encàrrecs de roba. Elles van fer veure que tampoc no la veien, immerses en les seves tasques. L'Emma va obrir la porta i, quan anava a entrar, es va girar i van parlar totes tres a la vegada. Cap d'elles no va acabar la frase:

—Us vaig demanar que no diguéssiu res!

—Et podrien disparar!

—La teva mare no t'hauria permès anar-hi!

Totes tres es van mirar. Fins i tot va semblar que la canalla es calmava instants abans que una rere l'altra somriguessin.

Era el primer dilluns del mes d'agost, un dia que el sol d'estiu semblava no voler lliurar la ciutat a la nit, i l'Emma parlava amb diverses

298

dones al safareig. L'hi havia indicat la dona que rentava al costat d'ella a l'establiment del rec Comtal després de sentir el poc èxit que havia tingut amb les criades: «Moltes bugaderes d'Horta venen els dilluns a buscar la roba de les cases riques de l'Eixample. Són una altra mena de dones. Dures. Independents».

Tot Barcelona coneixia les bugaderes que els dilluns i divendres recorrien la ciutat amb voluminosos farcells de roba carregats a les espatlles. A començament de setmana recollien la roba bruta; a final, la tornaven neta perquè els diumenges els burgesos poguessin canviar-se de roba interior.

Els paletes continuaven en vaga i ella havia treballat tot el dia amb el venedor de pollastres. Necessitaven diners per al lloguer i per al menjar, però en Maties tampoc no disposava de més gallines per vendre. «És que no n'hi ha més», li respongué després d'escoltar les seves súpliques. L'Antoni va continuar sense permetre que l'acompanyés, de manera que un cop acabades les existències d'animals i fins que arribés la nit i anés a fer les classes de lletres i números els dies que tocava, l'Emma necessitava dedicar-se a alguna causa; la casa li queia al damunt, no podia netejar més, no havia de cuinar, i la canalla que corria a càrrec de la Pura i l'Emília la treien de polleguera. Per això se n'havia anat a veure les bugaderes.

—Sempre és bo aprendre els números i saber llegir —va dir una d'elles davant de l'hostal, la més gran de les sis dones que en aquell moment esperaven l'arribada de les altres, i que va intervenir en veure el gest de menyspreu d'una nena davant de les propostes de l'Emma—. Si no sabem llegir i tampoc sumar, al final les senyores ens enganyen amb la bugada i els diners, i no guanyem el mateix.

La nena va canviar d'actitud, les altres es van acostar per escoltar bé el que els havia de dir l'Emma, i ella va sentir un calfred en adonar-se de l'interès que aquelles dones humils tenien per aprendre. Sí. Tal com li havien dit, eren molt diferents de les minyones.

El municipi d'Horta quedava per sobre de Barcelona, en una vall amb un gran nombre de rieres i mines d'aigua, que els seus veïns van saber aprofitar per oferir a la gran ciutat i als burgesos, rics o no, la possibilitat de rentar-los la roba a preus assequibles. Escassejaven els edificis amb aigua corrent, tant com els que haguessin previst la instal·lació d'un safareig, tot i comptar amb aquest servei. Les dones d'Horta sí que ho havien fet i van convertir el seu poble, aleshores en procés d'annexió a Barcelona, en una gran bugaderia que controlaven elles mateixes. Centenars de dones, algunes propietàries dels seus negocis, d'altres familiars contractades, moltes simples assalariades, rentaven tota la setmana, de sol a sol o fins i tot a les nits, i els dilluns i divendres recorrien prop de set quilòmetres fins a arribar a la ciutat, a peu, amb la roba carregada en carros si els podien pagar; després les repartien o les recollien per les cases carregant-se els farcells al coll o al cap. Establien el seu punt de reunió a la plaça de la catedral, en un hostal a prop de la casa dels Canonges, justament on l'Emma parlava amb elles en aquell moment, i un cop ja hi eren totes tornaven plegades cap a Horta.

L'Emma va mirar les desenes de carros junyits a mules que esperaven els farcells de roba bruta que s'anaven amuntegant a les caixes a mesura que les dones tornaven a la plaça de la catedral carregades amb les comandes. Tot seguit va mirar com se n'anaven, exhaustes després d'un dur dia de feina recorrent la ciutat. Els esperaven set quilòmetres de pujada i probablement començarien aquella mateixa nit a separar la roba per famílies. Eren dues-centes, potser tres-centes dones o més, que avançaven en fileres llargues i desordenades, entre desenes de carros carregats de roba, a qui els ciutadans obrien pas. Davant d'aquest èxode, l'Emma va tenir la sensació que Barcelona es buidava. Un dia pujaria també ella a Horta a concretar la seva proposta; això era el que havien convingut amb la dona gran.

La vaga de paletes continuava el dia que l'Emma va decidir anar a veure la Josefina. Feia temps que no la visitava. La va esperar a l'hora que sabia que acostumava a anar a portar les seves labors, a buscar-ne alguna de nova i, en el seu cas, a comprar alguna cosa de menjar. La va abordar al carrer. Es van saludar com si es saludessin mare i filla, i al cap d'una estona de passejar, l'Emma li anuncià el seu embaràs. Cap de les dues no va poder reprimir les llàgrimes. Després van parlar de l'Antoni, de la casa del passadís, del fill que vindria... L'Emma es va sincerar i li confessà els seus somnis: tenir fills, molta feina i sobretot lluitar i lluitar pels drets dels obrers i de les dones. «I el matrimoni?», s'interessà la Josefina. La jove va arronsar les espatlles; no n'havien parlat. «Doncs no ho deixis de banda —li aconsellà—, que es comprometi.» Van evitar esmentar en Dalmau, tot i que va flotar entre elles al llarg de la trobada, en què l'Emma li va acabar preguntant per les obreres de l'agulla: creia que anirien a les escoles republicanes? La mare d'en Dalmau va rememorar amb nostàlgia els dies que ella també havia lluitat per objectius com aquell. L'educació s'alçava com un dels més importants, i ella mateixa era producte d'aquest afany: filla d'obrers sense qualificació, analfabeta, havia après els números i les lletres ja casada, amb els fills al ventre; no obstant això, l'exili i la mort del seu marit van estroncar il·lusions i esperances, i van lligar la Josefina a l'agulla i al fil, per lluitar exclusivament per la seva família. Després en Dalmau li regalà la màquina de cosir…

—No crec que aconsegueixis gaire cosa entre les costureres —va assegurar, a pesar de tot—. Ja saps que fins i tot treballem il·luminades per espelmes, de nit, per uns jornals miserables. Ni n'hi haurà cap que tingui temps… ni forces. Entre camisa i camisa, entre puny i puny, han d'atendre la seva prole, el marit, la casa: àpats, neteja. Som esclaves, Emma, i les esclaves es queden en la ignorància. Les minyones viuen millor que nosaltres! Elles disposen d'habitació i menjar a la casa dels seus senyors.

Tampoc no hi havia cap sindicat que protegís les costureres. No tenien cap organització que les agrupés i representés. Disperses, sense cap identitat comuna i incapaces de lluitar unides, es trobaven a mercè de la voluntat d'intermediaris i industrials, que les explotaven i en fixaven els preus i les condicions laborals com els plaïa.

Amb tot, van desfer el camí i la Josefina la va acompanyar fins a la vora del local on l'intermediari repartia la roba per cosir, i la rebia ja enllestida.

—Que no sàpiguen que t'he portat jo —li va pregar a la noia assenyalant-li des de la distància el lloc exacte—. Em quedaria sense feina.

La cautela…, fins i tot la por en boca de qui l'Emma havia admirat per la seva honestedat, la seva fortalesa i la seva tenacitat, es van convertir en el guió de les converses que va mantenir amb dues costureres.

Una va riure amb sarcasme. «Estudiar? Que estàs de broma?» La segona, prima i ullerosa, demacrada, anava a contestar-li, però un accés de tos l'hi va impedir. Després li va costar parlar, com si la respiració i la paraula no anessin a la una. Bronquitis, tuberculosi? L'Emma sabia que aquelles dues eren les principals malalties que assolaven les obreres de l'agulla, assegudes hores i hores en ambients infectes com els que s'alçaven del subsol putrefacte de Barcelona. Aquella noia envellida va esbossar un somriure colpidorament trist. «M'agradaria, però tinc pressa», li va dir abans d'allunyar-se fent passets breus i lents per un carreró ben fosc del barri vell. Quan ja només va ser un esbós en la distància, es va aturar i es va canviar de braç el cove que carregava feixugament amb la roba per cosir.

L'Emma no la va tornar a veure. La resta del dia no va poder esborrar del pensament el somriure desconsolat d'aquella costurera. La va imaginar amb els fills; segur que en tenia. Ells la consumien, i també el marit. Qui sap si també una mare, o un sogre vell, o algun familiar invàlid o malalt; n'hi havia molts que havien de malviure la seva agonia de la mà de la caritat i de les atencions d'algun parent. Que abnegades! I ella que les intentava convèncer perquè estudiessin. Va fer que no amb el cap i es va aturar abans d'entrar a l'aula de la Fraternitat on ja l'esperaven algunes de les seves alumnes. Feia bé? Quin dret tenia ella a interferir en la vida d'aquelles persones, a fantasiejar amb un camí meravellós que la realitat, cruel, els impedia transitar?

Va obrir la porta i els aplaudiments de la seva mitja dotzena d'alumnes, totes dretes, la van sobresaltar.

—Què…?

—Felicitats! —van cridar les dones a l'uníson.

Damunt de la taula hi havia un paquet embolicat amb una tela.

—És per a mi? —va preguntar l'Emma apropant-s'hi.

Unes van contestar que sí, d'altres van assentir amb el cap, totes il·lusionades, radiants. Ella el va obrir. Roba de nadó. De lli. Blanca. Delicada. Una camisa i un faldar. Feien una olor dolça i fresca, d'alguna planta aromàtica, d'espígol, li va semblar. Se li van escapar les llàgrimes. Les seves alumnes no disposaven de gaires més recursos que les cosidores o les bugaderes. Les llàgrimes li van permetre treure el garbuix de sentiments viscuts aquell dia: la Josefina, l'esclat d'alegria i els petons amb què va intentar ocultar un desencís reprimit quan va sentir que l'Emma tindria un fill d'un altre home que no era en Dalmau. La noia ho havia notat, sí, de la mateixa manera que havia sentit la presència opressora d'en Dalmau sobre seu. Comunicar-li l'embaràs a la Josefina comportava una mena de ruptura definitiva amb el seu passat. Després es va enfrontar a la realitat d'altres dones: les cosidores. La que va riure amb tristesa davant la seva proposta i la que va veure la seva resposta interrompuda per la tos. No havia volgut intentar-ho amb més dones. El dubte i l'angoixa l'havien acompanyat fins a la Fraternitat, i ara rebia un regal que li va fer flaquejar les cames. Es va abraçar a les seves alumnes i va plorar.

Hi havia zones al municipi d'Horta que no eren sinó un fangar perfumat: una barrija-barreja de terra i aigua ensabonada. No hi havia clavegueram i les bugaderes desaiguaven als carrers. Malgrat que l'Antoni li havia demanat que agafés un tramvia per arribar fins a Horta, i que ella li prometés que així ho faria després d'acceptar de la seva mà uns cèntims que va imaginar que eren els estalvis del paleta, va decidir pujar caminant; es trobava bé, forta i sana, i des del Clot, on ells vivien, tampoc no hi havia tanta distància.

Un cop a Horta va preguntar per la Montserrat, que així es deia la bugadera vella que havia parlat a favor seu davant de l'hostal. El nom li va rememorar la seva amiga, la germana que havia perdut sense que arribessin a perdonar-se. Una fiblada de culpa se li instal·là a l'estómac: la Montserrat havia mort, i ella era feliç.

La bugadera va acompanyar l'Emma a buscar les seves companyes més velles, les mestresses del negoci, per les cases baixes, de dues plantes com a molt, la majoria emblanquinades, amb patis, horts i grans safarejos. L'Emma va constatar la duresa d'aquella feina: començava a les quatre de la matinada i passaven pena per tenir-la enllestida a la nit. Va veure com rentaven la roba blanca i la de color en piles diferents. «La més bruta a part», li van dir. «Generalment, els bolquers dels nens», va afegir una altra assenyalant amb la barbeta cap a un ventre inflat. En altres cases emblanquinaven la roba, prèviament rentada, amb aigua calenta, lleixiu i cendra de fusta, i en altres ja l'estenien en terrats, horts o al camp al llarg del qual hi havia les cases del poble disseminades.

Es van reunir al costat del safareig gran i l'Emma els va parlar de la importància de l'educació i dels drets de les dones, obviant les implicacions anticlericals. Elles tenien els seus negocis, i les que no els tenien, compartien els projectes i els principis de les primeres; en certa manera, havien superat l'atàvica submissió a l'home, als marits i als pares, però l'Emma tampoc no podia saber si s'havien alliberat de Déu i dels seus representants a la terra. Va trobar una audiència predisposada i va prometre que el partit s'ocuparia que a Horta, ja fos en un ateneu o en una fraternitat, poguessin accedir a l'ensenyament, convençuda que el temps aniria segregant les que estaven disposades a forjar el seu destí de les que el confiaven als designis divins.

Al cap de gairebé tres mesos d'aturada, els paletes van perdre el pols de la vaga; no van aconseguir cap de les reivindicacions i es van veure forçats a tornar a la feina. També van fracassar els treballadors del gas i els dels tramvies, entre altres oficis. Les patronals van mantenir una ferma oposició a la lluita obrera. La Guàrdia Civil i l'exèrcit van reprimir amb duresa les mobilitzacions. Les autoritats van reclutar un batalló d'enginyers de l'exèrcit per substituir els vaguistes en aquells serveis indispensables en la vida diària de la gent, però potser el més contundent va ser l'oposició del governador civil de Barcelona, que va amenaçar d'aturar i processar per sedició, sota la temuda jurisdicció militar que tant de mal havia fet en processos com el de Montjuïc, els treballadors que van iniciar una vaga que no tenia a veure amb un objectiu econòmic, la qual cosa va posar el punt final a les aturades solidàries entre oficis i a qualsevol altre intent de vaga general. Tot plegat no va desembocar només en el desengany de molts treballadors, que es van reincorporar a les seves feines, arrossegant els altres, sinó al desmantellament del poder sindical i de les estructures amb què els assalariats comptaven per a la defensa dels seus drets.

L'Emma va tancar amb força els punys i els llavis per no cridar i caure en el plor després de rebre la notícia per part de l'Antoni. La cosa no es quedava allà: el paleta havia estat un dels caps visibles de les revoltes obreres i els contractistes ara evitaven donar-li feina.

—No em faltarà feina —assegurà, malgrat tot, a l'Emma.

No li'n faltaria, és clar que no, però l'Emma sabia la mena de feines a què podria optar a partir d'aquell moment: obres sense cap mesura de seguretat. D'altres, il·legals. Jornades interminables. Treballs perillosos per a uns salaris ridículs i insignificants que els altres rebutjaven.

—A mi tampoc no me'n faltarà —va prometre ella.

—Tu t'has d'ocupar del nen. Has de…

—Jo valc tant com tu! —es va rebel·lar l'Emma.

—No —la va contradir l'Antoni—. Vals molt més. Cuida't…, sisplau.

Tanmateix, no va ser capaç de trobar cap feina complementària a la venda de pollastres amb en Maties. Estava disposada a deixar les seves activitats polítiques: els mítings, les classes nocturnes i els esforços per convèncer les dones que acudissin a les escoles republicanes. Tal com va prometre, va aconseguir de Joaquín Truchero una mestra que anava a Horta a fer classes a les bugaderes que ho volguessin. Ella mateixa hi va ser el dia que van inaugurar l'aula en un ateneu, a la segona o la tercera filera, per darrere de totes les personalitats del partit que van anar a l'acte. No li va importar; allà, al costat d'altres noies, hi havia la nena que li havia fet una ganyota a la porta de l'hostal de la plaça de la Catedral. Va continuar treballant, en aquest cas amb les planxadores. Si la majoria de les bugaderes professionals eren de fora de Barcelona; les planxadores, en canvi, tenien els seus establiments a la ciutat, a l'Eixample mateix, allà on vivien els rics. Era també una feina dura, en què les dones utilitzaven durant hores unes planxes massisses de ferro forjat que escalfaven amb la brasa del carbó, i estava tan mal pagada com la de les bugaderes, però amb una diferència transcendental que va interessar a l'Emma: les planxadores es consideraven mal pagades per la competència que els feien des de diversos convents, en què les monges utilitzaven les dones i les nenes que hi tenien acollides per planxar i rebentar preus, atesa la mà d'obra barata que feien servir.

Aquella era una de les causes per les quals els republicans i els anarquistes abanderaven l'anticlericalisme: la competència deslleial que en certs oficis se'ls feia des de convents i monestirs.

Però ni tan sols en cap d'aquests convents no hauria trobat feina l'Emma; se li notava l'embaràs i la rebutjaven sense contemplacions. Ho va intentar aquí i allà. Fins i tot es va reunir amb la Dora per veure si podria anar a esquilar pèl de conill. «L'última embarassada que va treballar amb nosaltres —li advertí la seva amiga negant enèrgicament amb el cap—, va avortar un nen… pelut!» La noia continuava tenint relació amb el barreter, li va explicar després, però abans de trobar-se amb ell es treia tota la roba a l'habitació i, despullada, espolsava bé tota la roba, es raspallava mil vegades els cabells que a més cobria amb un mocador, i se sotmetia a una minuciosa inspecció abans de sortir al portal on ell l'esperava.

—Ni un pèl! —va afegir després d'explicar amb gestos irats tot el que havia de fer per veure el seu xicot—. De debò, si en troba un en un bombí o en una gorra, no serà pas meu.

—No seria més pràctic que fos ell qui s'espolsés els pèls abans d'anar a la barreteria?

L'altra va esbufegar abans de contestar:

—Sí, però com que soc jo qui porto els pèls diu que… si tinc intenció de continuar amb ell, ja sé el que em toca.

Aquest era l'estat d'ànim que tenia l'Emma el Nadal del 1903 quan es va instal·lar al costat del venedor de pollastres a la fira d'aviram de la rambla de Catalunya. En aquell moment no va pensar mai que la Josefina i en Dalmau passejarien per allà i la descobririen. Va intentar explicar-ho a en Maties després que mare i fill desapareguessin i passés una bona estona, però van acabar discutint.

—A mi se me'n fum que aquest paio hagués estat el teu xicot! Jo el que vull és que treballis, i en comptes d'això, darrerament

306

l'únic que fas és crear problemes amb tot aquest embolic de les escoles i l'ensenyança. I a sobre, quan més vendes hi ha, que és per Nadal, i al mateix preu que els altres, em deixes tirat mitja tarda.

—No ha estat mitja tarda!

—Tant és. Ni un minut més!

Dues dones examinaven els pollastres.

—No puc tornar —va anunciar l'Emma en veu baixa per no espantar les compradores, convençuda que en Dalmau tornaria. Ho pressentia… Ho sabia!—. Esperarem que acabi la fira, entesos?

—No esperarem res, noieta —l'amenaça el vell sense cap mena de precaució—. Si demà no ets aquí a primera hora, a mi ja m'has vist prou.

Les dones van deixar d'interessar-se per la mercaderia i van dedicar atenció, descaradament, a la disputa.

—No estic parlant de demà —replicà l'Emma—. Em refereixo a ara mateix. Me n'haig d'anar i no podré tornar a la fira.

—Si te'n vas, no cal que tornis, ni a la fira ni després.

—Maties, sisplau.

—No.

—Paga'm la meva part d'avui —li exigí l'Emma, enfadada.

L'home va remenar dins la bossa i li donà els diners sense ni tan sols mirar-la. Tot seguit va fer el gest de dirigir-se a les clientes.

—Senyores —es va avançar l'Emma—, jo de vostès no compraria aquestes gallines, estan malaltes. Per què no els expliques d'on les treus? —va interrogar a l'últim el vell abans de girar-li l'esquena.

Es va penedir d'aquella reacció mil i una vegades abans d'arribar a casa. No era el moment de rebel·lar-se. L'Antoni treballava molt per sobre de les vuit hores que tant els havia costat aconseguir als paletes i no cobrava ni la meitat del que li pagaven abans per una jornada normal. Tornava esgotat, decebut. L'Emma percebia que aquell homenot, agradable per naturalesa, s'havia d'esforçar ara per esbossar un somriure; l'Antoni no sabia dissimular. I ella ni tan sols imaginava com podria explicar-li que havia perdut la seva feina per evitar un antic xicot de qui tampoc li havia parlat, ella, que exaltava els obrers als mítings. Ella, que li havia preguntat a una minyona si el seu promès la tocava. Però havia tingut por, un pànic incontrolable. «Mira que ets estúpida!», es va insultar. Necessitaven aquells diners per menjar. El lloguer de la caseta del passadís s'emportava gairebé tots els quartos que guanyaven. L'Emília i la Pura l'ajudaven a disfressar les patates i les bledes, a enganyar la vista i el sabor, li deien. «Les mateixes patates d'ahir; un plat diferent el d'avui.»

—Això sí que és crear coses noves —exclamà amb sarcasme una d'elles agitant els braços enlaire—, no el que fa Gaudí a la Sagrada Família. M'agradaria veure com s'ho fa aquell boig per combatre la fam d'un nen que fa una setmana que s'alimenta del mateix pa dur i de les mateixes patates.

Aquella nit l'Emma no va revelar res al paleta; el va rebre afectuosament, es mostrà sol·lícita, i li oferí una sopa de patates i ceba que va aconseguir cuinar amb un os de vaca rebullit d'una altra sopa anterior que havia fet la Pura per a la seva família. Donava poc gust, possiblement cap, però veure'l surar a l'olla aixecava els ànims, la va convèncer la seva amiga en el moment d'entregar-l'hi. L'endemà arreglaria les coses amb en Maties. Es disculparia. I si en Dalmau apareixia per la fira de pollastres, li parlaria de l'Antoni, i del seu fill, i de la felicitat al costat d'un home com aquell.

Es va presentar a casa del venedor de pollastres a la matinada, quan el sol pugnava per filtrar-se entre un bromós i atapeït ambient humit. Feia molt de fred i l'alè de l'Emma es convertia en bafarades. L'abric, que gairebé no li tancava per damunt de la panxa, era totalment insuficient per protegir-la de la inclemència del temps; potser després, quan el sol il·luminés, li faria servei. En Maties li va oferir recer en una casa que disposava d'una estufa de carbó. L'Emma va trigar a recuperar-se.

—Perdona'm —li va dir abans fins i tot de treure's la bufanda—. Perdona'm. Estava alterada. En el meu estat…

En Maties la deixava parlar. Li oferí un cafè amb llet. Ell bevia anís, i assentia, com si l'entengués.

L'Emma va continuar disculpant-se:

—Aquell noi era un xicot que vaig tenir… I no estava preparada per parlar-hi.

Uns cops a la porta de la casa van interrompre el discurs. En

Maties es va alçar i va fer passar una noia grassa, tan enfredorida com l'Emma.

—Et presento la Roser —li va dir agafant de la mà la nouvinguda i fent-la passar a dins.

—Hola —la saludà l'Emma amb un mal presagi, que es va veure confirmat així que l'altra va fer un crit histèric i s'espolsà la mà del vell, que li havia pessigat el cul.

—Maties! —el va renyar la noia amb falsa vergonya.

L'Emma va dubtar un instant. Es pensava que havia controlat la lascívia d'aquell vell xaruc, es pensava que el tenia lligat al seu desig, però ara apareixia una noia grassa que es deixava tocar el cul. Va respirar fondo i va redreçar el cos. No ho pensava consentir! Però aleshores va veure la seva panxa d'embarassada i la matusseria li va pesar més que la seva angoixa per perdre la feina.

—Cabró! —es va acomiadar passant pel mig de tots dos, empenyent-los amb ràbia.

10

—M estre, mestre…
Quan va sentir que el cridaven, en Dalmau es va aturar al pont que creuava per sobre la línia del ferrocarril que travessava Barcelona pel carrer d'Aragó. Uns quants metres per sota, encaixonats entre uns murs de contenció sòlids, circulaven els trens. La Maravilles i el seu germà, els dos trinxeraires que entraven i sortien de la seva vida, havien aparegut davant d'ell com per art d'encantament. En Dalmau els va examinar tal com havia fet tantes vegades; no s'acostumaria mai a la dimensió de misèria i brutícia que portaven al damunt.

—Ja l'he trobat! —va exclamar la noia.

En Dalmau va fer que no amb el cap. Venia de dinar a casa del senyor Manel i havia begut. Després, mentre els altres feien una becaina en una cambra o l'altra, l'Úrsula se li havia tirat al damunt. Aquesta vegada es van refugiar en un quarto dels mals endreços ubicat a la terrassa extensíssima que donava al celobert per darrere de l'edifici. Des d'allà, per una escala accessòria, s'arribava a una zona complexa d'instal·lacions comunes de l'immoble, a les rebotigues de la planta baixa, i a una porta de servei petita que anava a parar directament al carrer.

L'Úrsula va fregar el seu membre erecte, com sempre feia. En Dalmau havia aconseguit que evités la brusquedat, i quan ejaculava, ella emetia una exclamació de fàstic i apartava la mà per no tacar-se. Ell no quedava mai plenament satisfet.

—Quant de temps seràs capaç de mantenir-te en la teva renúncia al plaer que el teu cos et demana cada vegada que em toques?

—Terrissaire impertinent i cregut.

Eren els mateixos insults de sempre, però el to havia perdut acritud, i fins i tot la seva mirada, la que havia consternat en Dalmau perquè no la podia reflectir en una tela, s'endolcia de tant en tant.

Ell li va prémer el pitram, per damunt del vestit i dels brodats que li guarnien l'escot, segons la noia es deixava.

—Que no t'agrada? —li va preguntar en Dalmau. L'Úrsula no va contestar—. Sí, oi? Doncs no et pots ni imaginar com t'agradaria si et mossegués el mugró.

—Calla, porc!

Però en Dalmau notava que, quan es trobaven sols —cada vegada més sovint—, l'Úrsula feia un petit pas endavant; tancava els ulls i s'abandonava a un plaer que, tal com s'entrava a casa del senyor Manel Bello i la seva dona Cèlia, se substituïa per la culpa i el pecat, com si al visitant li arranquessin l'alegre capa que portava del carrer i el vestissin amb una altra, fosca, negra, pesant. I en Dalmau no podia negar que gaudia amb aquell joc; era conscient que algun dia l'Úrsula se li entregaria i els ulls suplicarien. Fantasiejava amb aquell moment i aquells ulls que imaginava indefensos, submisos, humits, excitats, suplicants.

Amb el record d'aquella sensació, dolça i desafiadora alhora, es va tancar l'abric per protegir-se del fred d'un dia ennuvolat del mes de febrer d'aquell any de 1904, i va tornar a fixar-se en la Maravilles.

—Què has trobat? —va preguntar distret a la noia, furgant ja la seva butxaca, buscant-hi uns cèntims per aviar els trinxeraires.

—Aquella noia que buscaves. L'Emma...

—Tàsies —la va ajudar en Dalmau, tot d'una despert.

—Aquesta.

—Maravilles —la va reprendre ell després d'uns moments en què va recordar les vegades que l'havia enganyat per obtenir uns quants cèntims—, quantes vegades m'has dit el mateix i...

—Aquesta vegada, sí! —l'interrompé la captaire, acostant-s'hi.

Va passar un tren per sota i en Dalmau no va poder sentir el que la trinxeraire deia; el sotragueig i el xerric van rebotar als murs de contenció i es van elevar fins a ells i els edificis propers com si sorgissin d'una veritable caixa de ressonància. No obstant això, s'ho va poder imaginar davant de la intervenció d'en Delfí, a qui la Maravilles assenyalava instant-lo a parlar.

—Sí que l'hem trobat —va corroborar l'altre.

«Què ha de dir el noi, sempre sotmès a les ordres de la seva germana?», va pensar en Dalmau. Malgrat tot, va cedir, perquè al cap i a la fi va pensar que tampoc no perdia res per intentar-ho una altra vegada.

—Si no ho heu encertat —va cedir sense gaires expectatives—, us prometo que no us penso donar ni un cèntim més.

—I si ho hem encertat? —el va desafiar la Maravilles.

—Us recompensaré.

La trinxeraire va reprimir un somriure; no volia que en Dalmau pogués imaginar fins a quin punt havien jugat amb ell. En canvi va assentir amb seriositat, com si efectivament arrisqués les seves almoines a la possibilitat d'un nou error. Però la contingència no existia, senzillament perquè sempre havia sabut on era l'Emma. Es pensava que li havia perdut la pista el dia que va desaparèixer de la casa on compartia llit amb la Dora, però la va localitzar amb el venedor de pollastres i la va seguir fins a la Fraternitat Republicana i després a la casa del paleta. De tant en tant, el dia que les seves malifetes els portaven fins a les rodalies d'on es podia trobar l'Emma, es preocupava de renovar les seves notícies. Al capdavall, quina diferència hi havia entre dormir a prop de les cases riques de l'Eixample, que fer-ho en aquell barri en què vivien l'Emma i el paleta? En un lloc o l'altre s'havien de refugiar en un portal fins que algú els en feia fora a cops de peu en plena nit, de vegades un veí, de vegades algú més fort que ells i que els robava l'aixopluc. Va deduir que l'Emma havia perdut la feina amb el venedor de pollastres perquè va veure el vell amb una altra noia. No sabia a què es dedicava, si és que treballava, però sí que continuava vivint amb el paleta. «I per què ara sí que l'hi diem?», li va preguntar en Delfí després que ella li revelés els seus plans. «No veus que està embarassada de mesos?», replicà la Maravilles. L'altre va assentir. «Per això. Com vols que el mestre vulgui una dona que està embarassada d'un altre?» Que què hi guanyava ella?, es va demanar la trinxeraire després que el seu germà l'hi preguntés. «Diners», li contestà bruscament només perquè l'altre callés, però la pregunta era allà: què hi sortia guanyant que no fossin diners? Res. Ja no es podria apropar a en Dalmau si no era per demanar-li almoina, o si el rajoler anava begut, fent tentines, i queia a terra en plena nit. Aleshores, quan en Delfí es distreia, sí que el tocava: li acariciava les galtes i li passava la mà pels cabells. Ell balbucejava incoherències, i sovint vomitava i es recuperava. De vegades, apareixia una prostituta o algun lladregot que els apartava a manotades per robar en Dalmau. Però ell poques vegades portava diners després de recórrer els tuguris de la nit, tot i que una vegada li van prendre les sabates, i una altra, la gorra i l'abric. Ella no hi guanyava res, en efecte, però volia que en Dalmau veiés aquella dona a qui tant semblava que estimés amb aquella panxa enorme que li havia fet el paleta. A més, era la mateixa que un dia li va negar un rosegó de pa: s'ho mereixia.

En Dalmau va tremolar tan bon punt va veure l'Emma, sotjant-la darrere d'un arbre amb els trinxeraires, apostat davant d'on la Maravilles li havia assegurat que vivia: un edifici degradat, fosc, de renda barata, construït perquè els obrers hi visquessin amuntegats, com es desprenia de la cridòria que s'escapava de cadascun dels pisos, com una macabra caixa de música. En Dalmau es va esgarrifar en veure aquell ventre que semblava que estigués a punt d'esclatar, però no tant per la seva mida sinó per l'aspecte de l'Emma, amb la roba esquinçada i una cara demacrada i trista. Tot en ella clamava desgràcia i mala fortuna.

—T'ho he dit! —es vantà la Maravilles—. Ara va a portar el dinar a l'obra on treballa el seu marit. És paleta. Ho fa cada dia. Veus aquella escudella i el pa?

En Dalmau assentí estúpidament, paralitzat per una barreja de tristesa i sorpresa. Va notar una flamarada que semblava que li volgués devorar les vísceres alhora que dues llàgrimes li lliscaven per les galtes: aquella no era la noia amb qui havia compartit amor, il·lusions, alegries i moments de plaer irrepetibles; la que havia pintat nua amb gran delit. Es va estremir en veure-la caminar sense gràcia, pesadament, com un ànec, amb les cames obertes pel pes i el volum que suportaven.

—La seguim? —proposà la Maravilles.

En Dalmau va fer que no amb el cap, ocultant les llàgrimes. Seguir-la només el portaria fins a aquell marit a qui li portava el menjar, i no el volia conèixer encara que sentís un impuls contrari. Mentre ell vacil·lava, l'Emma s'allunyava. Devia passar fred amb aquell abric ratat i obert que li penjava a banda i banda de la panxa, insuficient per abraçar-li la cintura. En Dalmau va sentir el fred: el notava instal·lat a les entranyes, una sensació que s'havia abalançat sobre ell en veure l'Emma. Per un moment es va preguntar què portava al ventre, si un nen o una nena, i immediatament es va maleir. Quina importància tenia el sexe del fill del paleta? Ell l'havia deixat escapar: no havia insistit quan era el moment; no l'hi va pregar prou. Després no es va atrevir a fer res per recuperar-la i el dia que es va decidir i va entrar a Can Bertran preguntant per ella després de l'exposició dels dibuixos dels trinxeraires, com si l'amor hagués hagut d'esperar el seu èxit, l'Emma ja no hi era.

Per la manera que tenia l'Emma de balancejar-se, la va poder reconèixer encara en la distància. L'horitzó gris i fosc cap a on s'encaminava augmentà la seva angoixa i la tristesa. El cel pesava. Tot l'oprimia. Va buscar recolzament amb la mà, marejat, al tronc de l'arbre. Va agafar aire amb la boca, notava que n'hi faltava i se sentia enfebrat. Tremolava, espantat. Com havia permès que l'Emma acabés en aquell estat?

Aquella tarda no va anar a treballar. Va pagar generosament la Maravilles i el seu germà, a qui va enviar a la fàbrica amb l'encàrrec que digués que havia anat a les obres de la Casa Lleó i Morera. El senyor Manel ho celebraria, ja que Domènech i Montaner continuava amb obres magnífiques que requerien gran quantitat de ceràmica. Ell, per la seva banda, va recórrer les tavernes del Raval, amb la imatge de l'Emma que el perseguia, demacrada, caminant com un ànec, grassa, però sempre la tenia al davant. A mitja tarda es va lliurar a una meuca; havia de fugir de l'Emma.

—Para, para! —va cridar quan l'altra, ja despullada, va intentar excitar-lo amb les mans. El penis continuava flàccid—. Deixa'm!

Encara veia caminar l'Emma amb aquell vaivé de dona a punt de parir, dirigint-se a un horitzó gris, caminant cap al seu marit.

—Pren això —va sentir que li deia la puta.

En Dalmau estava estirat al catre d'una habitació que feia pudor. Li va semblar que a fora plovia. Les gotes repicaven sobre un sostre metàl·lic que hi devia haver al celobert on donava la finestra de l'habitació i componien una simfonia lúgubre. La prostituta, una d'aquelles dones que amagava l'edat darrere les empremtes de la seva professió, vestida amb una bata blava descolorida, va seure al marge del llit, que va protestar amb un grinyol eixordador. La dona tenia una xeringa a la mà. En Dalmau sabia què hi havia a dins: morfina. Molts en consumien, tots en deien meravelles.

—Dona'm el braç —li demanà ella. En Dalmau va vacil·lar—. Oblidaràs totes les penes que no et deixen viure —li prometé.

Ell va allargar el braç. L'Emma continuava allà, al lluny, torturant-lo. Va notar una punxada al bíceps i, al cap d'un instant, el van assaltar les nàusees i una sequedat rugosa se li instal·là a la boca. La dona va intentar tranquil·litzar-lo mentre es regirava al llit, suat, amb arcades constants i la bilis esclatant-li a la gola.

—Tranquil —li xiuxiuejava a l'orella mentre l'acariciava—. Passarà ràpid. Tranquil. Respira… Tranquil.

Al cap d'una estona, el malestar va afluixar i, a poc a poc, en Dalmau va recuperar la calma. Les gotes sobre el sostre metàl·lic van deixar de repicar impertinents i amenaçadores per sonar compassades i cadencioses. La puta li va semblar atractiva: una ballarina jove que es despullava amb una sensualitat extrema. La bata blava va surar en l'aire, lleugera, etèria, abans de caure a terra, de la mateixa manera que ell flotava al llit. No va sentir el que deia la dona i, no obstant això, parlava; va percebre les seves paraules en l'aire, a frec de pell, afectuoses i melindroses primer, exigents després.

En Dalmau es va despertar al llit, a casa seva. No recordava res… Com hi havia arribat? La bata blava, la dona, el sexe i el camí de tornada se li van anar mostrant lentament, com si ell mateix dibuixés aquells successos en un quadre i la tela anés guanyant color.

El cor li bategà amb força i es va endur les dues mans al pit: li feia mal. Va estar quiet patint aquell dolor punyent. No obstant això, l'angoixa es va esvair al cap de pocs minuts. Es va tocar el braç, on una minúscula crosta deixava constància de la punxada. La va gratar. Morfina. Va esperar una estona per si tornava la sensació d'angoixa i el dolor, però no. Es trobava bé. Va seure al llit amb recel, li feia por marejar-se. Fins i tot aquella sensació va desaparèixer, així que es va aixecar i va allargar les mans davant d'ell per convèncer-se. Va acompanyar aquesta acció amb un saltiró i quatre passes. «Collonut!», va exclamar interiorment. No havia tingut temps de beure gaire licor, només una mica de vi, i tenia el cap clar, més que mai. «Potser tenen raó aquests que canten les meravelles de la morfina», va pensar abans que el record de l'Emma, el motiu pel qual l'havia consumit, li esclatés a la cara.

—Mare! —va cridar sortint de l'habitació.

La Josefina li preparà un bon esmorzar: pa sec, cansalada i un bol de llet, sense cafè; no en tenia, es va excusar. També va deixar de costat la màquina de cosir i va seure al seu costat, contenta perquè veia que menjava; no acostumava a tenir tanta gana els dies que dormia a casa. A més, parlava amb la veu serena en comptes de tossir i escurar-se la gola per expulsar els miasmes de la nit.

—Ahir vaig veure l'Emma —va confessar entre cullerada i cullerada. La Josefina va notar que l'estómac se li arronsava—. Està embarassada, gairebé a punt de parir, diria. I en un estat realment deplorable. Em sembla que aniré a oferir-li ajuda, potser diners.

—No!

En Dalmau va retrocedir un pas i va xocar contra alguna cosa que va estar a punt de fer-lo caure. La seva mare li havia dit el mateix: «No!». Una advertència que va obviar en rodó. L'Emma només l'havia deixat entrar en aquell casinyot exigu, els ulls encara oberts de bat a bat, la parla balbucejant, quan els nens que corrien pel passadís se li van tirar al damunt davant la curiositat aclaparadora de les dues dones assegudes que els cuidaven. «No cometis aquest error —li havia aconsellat la seva mare—. L'Emma és orgullosa. No ho acceptarà.» I ho va encertar: l'Emma es va recuperar de la sorpresa de la seva visita i va aixecar la barbeta. En Dalmau va somriure. Ella no.

—Què vols?

Les seves primeres paraules van ser més dures que una clatellada. «Si dius que el seu estat és tan deplorable l'últim que voldrà l'Emma serà que la vegis», li advertí la Josefina. L'Emma va intentar ocultar la bata esquinçada amb què es bellugava per la casa amb un xal que portava a les espatlles. De poc va servir. Va alçar encara més la barbeta, pretenent amb el gest que en Dalmau no abaixés la vista als peus, embolicats amb uns mitjons vells de l'Antoni que els feien immensos. Els nens els envoltaven.

—Passa —li oferí de mala gana.

«L'únic que en trauràs serà humiliar-la.» Però ell havia discutit aferrissadament els arguments de la Josefina. Havia passat prou temps, al·legà. I si ja estava amb un altre... «Per què? —li havia preguntat la mare—. Deixa-la. Oblida't d'ella.» Només la volia ajudar, insistí ell, per l'amor que s'havien professat, per l'estima que encara li tenia. L'Emma ja hauria oblidat els problemes que van tenir. Segur. «Fill —sentencià la dona—, el dolor i la ira, com molts altres sentiments, no s'obliden, només s'arraconen, i reneixen amb tanta o més força amb una simple guspira capaç de tornar-los a encendre.»

—Com estàs? —preguntà en Dalmau a l'Emma.

Ella va riure amb sarcasme assenyalant-se la panxa i la casa.

—Que no ho veus? Has vingut per a això? Per riure't de com estic i com visc? No en vas tenir prou arrossegant-me despullada per Barcelona amb els teus dibuixos?

—No va ser culpa meva. No vaig tenir res a veure amb els dibuixos... —va intentar excusar-se en Dalmau abans que l'Emma l'interrompés.

—Això és veritat, la culpa va ser meva, per deixar que em dibuixessis...

—Vull dir que me'ls van robar.

—... i per confiar en tu —va concloure l'Emma.

En Dalmau se sentia desarmat.

—No… Jo… Et vull ajudar. M'he assabentat que… Daixò… No res, que creia que et podria donar una mica de diners. M'han dit que…

—No sé què t'han dit, però no necessito res teu.

—Hi insisteixo. M'agradaria…

L'Emma el va interrompre aleshores amb la negativa que la mare ja li havia advertit: «No!».

El que la Josefina no havia tingut oportunitat d'advertit al seu fill era que si una dona amb el caràcter de l'Emma se sentia ferida i humiliada, abans de plorar, abans de mostrar-se vulnerable, es regiraria com una lleona. La dona havia compadit en Dalmau mentre cosia.

Ell no havia escoltat els seus consells i l'Emma ara el maltractaria.

—Emma —insistí en Dalmau recuperant el pas que abans havia perdut. Ella, en canvi, no es va moure; es va quedar quieta, el cap alt, desafiant-lo—. Sempre t'he estimat. No… Mai no et vaig voler fer mal! T'estimo. Encara t'estimo. —L'Emma el deixava parlar—. Podríem tornar a… —En Dalmau desvià la mirada cap a la panxa de la noia i va entendre l'abast de la bestiesa que estava a punt de dir. Va obrir els braços en un gest de disculpa—. Vaig ser ben imbècil de no insistir, de no perseguir-te, de no agenollar-me davant teu. Vam tenir problemes. L'alcohol… La mort de la Montserrat… Ho hauríem pogut arreglar. Ens estimàvem prou per superar-ho tot, i jo… M'has de creure: encara t'estimo.

—Cabró! —l'insultà l'Emma; el mateix que li havia cridat davant d'una vaqueria després que en Bertran l'acomiadés de la fonda, quan es va plantar a la fàbrica de rajoles i no hi va trobar en Dalmau—. Cabró! —va repetir amb ràbia, estrenyent els punys, pugnant perquè el dolor li rebentés a la boca i no als ulls amb un mar de llàgrimes.

Des del dia que l'havien acomiadat de la fonda pels nus, tot s'havia precipitat i la seva vida s'havia esfondrat. Sí, estimava l'Antoni i aquell fill que havia de néixer, però malvivien. Passaven gana! El paleta s'aprimava perquè ella pogués alimentar una criatura a qui no podien oferir cap futur. Embarassada, no aconseguia trobar cap feina. Hi va haver qui es va compadir d'ella: «Què saps fer, noia?».

«Cuinar», hauria pogut contestar, o vendre gallines malaltes robades al llatzeret i fer discursos revolucionaris a les dones perquè reneguin dels capellans, de l'Església i, si convé, fins i tot dels seus homes. Prenyada i inexperta, ni tan sols qui estigués disposada a ajudar-la es va atrevir a oferir-li feina. L'Emma havia acabat recorrent a la Fraternitat Republicana i trucant a la porta d'en Joaquín Truchero. El jove polític continuava prosperant de la mà de Lerroux, el líder indiscutible del proletariat català.

—Què vols? —li preguntà a tall de salutació des de darrere de l'escriptori, només alçant un segon la mirada dels papers que llegia, sense convidar-la a seure.

L'hostilitat amb què en Truchero va rebre l'Emma havia anat creixent al mateix ritme que ho va fer la seva panxa, de la mateixa manera que la luxúria amb què abans la mirava s'havia convertit en això: un escàs segon d'atenció abans de menysprear la seva presència i tornar a submergir-se en la documentació que examinava en aquells moments.

—Què vols? —va repetir el jove davant del silenci de l'Emma.

—Necessito feina —contestà ella amb tot l'aplom que va arreplegar.

—Mig Barcelona necessita feina. —Amb aquestes paraules, en Joaquín Truchero va afrontar la mirada amb la de l'Emma, que va pressentir a l'instant la duresa amb què continuaria el seu discurs—: Però la gran majoria d'aquesta mitja Barcelona està formada per homes que han de mantenir les seves famílies, les dones i els fills. Contracten dones a baix preu per substituir els homes a les fàbriques a mesura que es van mecanitzant, i els nens moren de gana. És el teu home qui, després d'haver-te deixat prenyada, t'hauria de mantenir... O no és prou home per fer-ho?

L'Emma va ser incapaç de replicar. La decisió amb què havia entrat i havia expressat aquella primera frase s'havia ensorrat, i va passar el que tant havia temut: se li van escapar les llàgrimes. Ella, que havia plorat tan poc a la seva vida, queia ara en el plor davant del problema més trivial, la complicació més fútil. «No t'amoïnis —va intentar tranquil·litzar-la l'Emília al passadís de les cases—, ja és normal que les embarassades plorin per tot; sembla que en el moment que més reivindiquem la nostra naturalesa de dona, que és quan tenim fills, és també quan menys traça tenim, estem més febles i no n'encertem ni una. Com vols que després ens respectin tota aquesta colla de malparits que l'única cosa que saben fer és vantar-se d'un tros de carn que se'ls posa dur de tant en tant… I mai el temps suficient?»

—No aconseguiràs res amb aquestes llàgrimes —la va portar un altre cop a la realitat en Joaquín Truchero—. Veig que la gran Mestra és una ploranera com tantes dones, que només sap queixar-se. Jo ja l'hi vaig advertir, a en Lerroux i als altres —li etzibà.

L'Emma va continuar sense reaccionar, com si aquell pes que li penjava del ventre la mantingués paralitzada, físicament i anímicament. I plorava, immòbil, a peu dret. No ho podia impedir!

—Emma, ja no et queden arguments per continuar enredant la gent —va continuar en Truchero—. A hores d'ara, tothom sap que el teu pare va morir a Montjuïc; tots saben de sobres que la que tu anomenes «germana» també va caure a la vaga general de fa dos anys, i tots s'han cansat de córrer amb tu i les altres dones i un grapat de nens davant de la Guàrdia Civil. Ja n'hi ha prou. S'ha acabat. Ara actua com aquestes dones, com aquestes a qui els fas classe. Aprèn d'elles. No ploren. Els seus homes treballen i elles fan el que calgui. T'imagines que totes vinguessin a la Fraternitat quan tenen problemes?

Després d'aquella filípica, en Joaquín Truchero havia tornat a centrar-se en els papers i donava així per acabada la conversa. L'Emma s'havia quedat un moment al mateix lloc, fins que li va girar l'esquena i va sortir de l'estança en silenci.

I ara apareixia en Dalmau a casa seva, en aquella habitació miserable, i ho feia amb una descàrrega de vanitat, refregant-li els diners a la cara, menyspreant-la amb la seva almoina…

L'Emma va tremolar, ja l'havien humiliat prou.

—Cabró! —va repetir.

—Calma't —li va demanar en Dalmau, allargant el braç per agafar-la pel colze.

Ella es va espolsar el contacte amb un moviment violent.

—Fot el camp, desgraciat! —va cridar—. No et vull tornar a

veure en la puta vida —va continuar cridant-li a l'esquena mentre
en Dalmau marxava intentant no ensopegar amb els nens que cor-
rien pel passadís—. Oblida't de mi! No existeixo per a tu. En mala
hora ens vam conèixer! Malparit! No et vull veure...!

L'Emma el va seguir fins a la porta i després fins al carrer, cri-
dant, insultant-lo. En Dalmau es va girar i ho va tornar a intentar:

—T'estimava i t'est...

—Ves-te'n a la merda! Tant de bo et moris amb els teus diners i
les teves putes burgeses! Cabró...!

—Emma —li cridà l'atenció la Pura, que l'havia seguit. Ella es
va girar sufocada, irada cap a l'altra, com si hagués de continuar la
diatriba—. Ja no hi és, filla —s'avançà la dona—. Calma't. Ja se n'ha
anat —afegí assenyalant l'esquena d'en Dalmau.

La Josefina va accelerar el pedal de la màquina de cosir; el trepitjava
àvidament. En Dalmau era ben ingenu. Podia ser un geni; dibuixa-
va i pintava com a tal, però en sabia ben poc, de la vida. Tenia un
bon cor, també, tot i que influenciable. No era un lluitador. No li
aniria bé aquella visita. No. Pretenia recuperar l'Emma, aquella era
la veritat. Fins i tot embarassada d'un altre! Quina bogeria! Ell ho
havia negat. L'afecte..., l'amor sentit en un passat, havia intentat
justificar-se. Mentida! Ella era la seva mare, i li havia vist les segones
intencions tan clarament com si les hagués anunciat com ho feien
aquells homes que es penjaven cartells del coll fins als peus, per
davant i per darrere, i els passejaven pels carrers de Barcelona. En
Dalmau vivia en un món fantàstic, el d'un artista acostumat a fer
realitat els seus somnis plasmant-los en teles o en peces de ceràmica.
La Josefina va desplaçar malament el puny de camisa que cosia en
aquell moment. Va voler rectificar i el fil se li va encallar. Li va cos-
tar aturar la màquina i van continuar unes quantes puntades més.
Acabava d'esguerrar una peça. Es va posar les mans a la cara i va
plorar. Com també ho feia l'Emma, sola a casa, abatuda al llit, les
mans i els braços protegint la panxa del perill desconegut. Com en
Dalmau, que caminava anhelant qualsevol ajut que l'ajudés a obli-
dar. No s'hauria imaginat mai aquell comportament, una reacció

tan irada per molt que la seva mare l'hi hagués advertit. Aquella no era la seva Emma. Havia canviat. La misèria, l'embaràs, segurament aquell paleta… potser la maltractava. Sí, devia ser això; es notava. L'Emma estava amargada i qualsevol esperança que pogués tenir en Dalmau, encara que fos de comptar amb la seva amistat, d'assolir un perdó que necessitava, s'havien esvaït. Sí, necessitava ajut per poder oblidar.

I el va trobar aquella nit, després d'intentar en va idear algun nou model de rajola que calmés els requeriments del senyor Manel. No ho va aconseguir malgrat que havia acompanyat els seus esforços amb bones dosis d'aiguardent; els seus pensaments estaven amb l'Emma, enredats en la tristesa i la desgràcia que destil·lava el seu aspecte, i la seva creativitat havia quedat enterrada sota el rancor amb què l'havia tractat, com larvada per no molestar la noia, encara que estigués lluny, encara que ignorés l'obra d'en Dalmau. Ni tan sols no va parar per sopar; un cafè cantant enclavat en una de les desenes de carrerons de la Barcelona vella va satisfer els seus desitjos. Com a molts altres antres, s'hi consumia morfina, de tant en tant algú fumava una xixa d'opi, i també es consumia heroïna, un opiaci més modern que molts metges receptaven per curar l'addicció a la morfina. D'aquí el nom que li havia posat l'empresa farmacèutica alemanya que la comercialitzava: heroïna, que segons deien no era tan addictiva com la morfina, tot i que, pel que havia sentit dir en Dalmau, no semblava que substituir una droga per una altra comportés cap benefici per a l'addicte.

La morfina no estava tan estesa per Barcelona com ho podia estar a París, Londres, Berlín o a moltes de les grans ciutats americanes, però es consumia amb tanta regularitat que era habitual que als informes mèdics que feien públics els metges municipals es consignessin diligències per intoxicacions morfíniques. Al principi, en Dalmau havia pensat dirigir-se a una drogueria i comprar una ampolleta de morfina; sabia que els adroguers venien tots aquells productes relativament barats, però s'ho va replantejar per la inexperiència i la possibilitat que un error en la dosi o a l'hora d'utilitzar-la li poguessin causar algun mal. Per aquest motiu va acabar decidint anar al Cielo Negro; segur que allà hi trobaria l'Adolfo López, un poeta que escrivia versos al dictat de la morfina, submergit en aquell estat de placidesa i creativitat que tantes vegades havia convidat en Dalmau a sumar-s'hi.

El poeta es qualificava de modernista; no havia tingut mai diners per pagar-se les consumicions del cafè cantant, tot i que de morfina normalment no n'hi faltava. En Dalmau sentia certa admiració per aquell home de cabells esclarissats i llargs, grisos i bruts, de levita rosegada, camisa i corbata que havien cedit el color a les llànties, i bombí deforme.

—Fill —havia pontificat el poeta una vegada que en Dalmau va seure a la seva taula, la de sempre, la del racó al costat de la tarima—, això del modernisme en la literatura és una cosa bastant senzilla: es tracta d'agafar un munt de paraules estranyes, sonores i complicades, d'aquestes que la gent normal no domina, i ajuntar-les. «Opalescent!», per exemple. Què et sembla? —En Dalmau va somriure com si fos una broma—. Doncs aleshores parles de l'opalescència de…, sempre és millor que sigui alguna cosa que no pot tenir color: la brisa, per exemple. «Murmurava la brisa opalescent…» —va posar com a exemple—, i després atribuir a coses inanimades adjectius que mai no se'ls podrien aplicar: «… entre els arcbotants cansats dels palaus de l'Arcàdia…» —va cantar com si estigués ja component.

—Això no té cap sentit —li va dir en Dalmau.

—I això quina importància té? És una simple qüestió d'estètica. Això és el que es busca: la bellesa. No es tracta de transmetre idees. Això era abans. Ara el que es busca… —el poeta va agitar les mans en l'aire— és la bellesa… fins i tot en la mort. L'única cosa que importa és això: l'art. L'art per l'art. No existeix institució, ni territori, ni autoritat, ni sentiment, que ens imposi ni una sola lletra.

En Dalmau ho havia pensat en el silenci que es produïa quan l'altre desapareixia després de punxar-se amb la seva agulla rovellada. Que potser no passava una cosa semblant amb aquesta arquitectura que l'impactava tant? Una barreja indescriptible d'estils arquitectònics en alguns casos, aquest eclecticisme de Domènech i Montaner o de Puig i Cadafalch, com si es tractés de triar paraules complexes i sonores i ajuntar-les, o pintar de colors el vent, un petó o un somriure, empresa tan fantàstica com l'entossudiment de Gaudí per dotar de moviment les pedres. L'art per l'art; aquella era l'actitud que tant repudiava el senyor Manel. L'art havia de tenir un objectiu, assegurava el mestre: enfortir el país, defensar el catolicisme. Per als reaccionaris era impossible entendre un art que busqués l'esperit en si mateix i no en valors aliens.

«No es pot petrificar l'art», anunciava el poeta a en Dalmau. I en cada ocasió en què seien junts, un amb un got de licor, l'altre amb la seva morfina; un, vell i bohemi, fracassat; l'altre jove, en un moment àlgid de creativitat; tots dos melancòlics, s'unien en una comunió espiritual que acostumava a acabar amb els dos homes agafats, fent tentines al llarg dels carrers oberts en la nit.

En Dalmau havia pintat un retrat del poeta, i l'home, orgullós i agraït, l'havia clavat a la paret de darrere la seva taula, la de la cantonada, al costat de la tarima, aquella on es va dirigir en Dalmau el dia que l'Emma li havia abocat tota la seva ràbia. A l'escenari, una jove vestida amb un vestit groc i grans pics negres, adornat amb farbalans a les faldilles, els cabells recollits amb una pinta i unes castanyoles a totes dues mans, pugnava per captar l'atenció d'un públic que xerrava, reia, jugava, bevia i cridava, indiferent a l'art flamenc que la ballarina pretenia transmetre al ritme d'una guitarra i les cobles d'un *cantaor* de veu rogallosa.

Al costat del poeta, dues dones i un gitano de cabells llargs i negres, i barba poblada, que es presentava com a oncle de la nena que ballava. «Mala gent», li havien advertit alguna nit a en Dalmau, que ara arrossegava una cadira des d'una altra taula per seure.

—Hola —va saludar quan va ser al costat de l'Adolfo.

El poeta va riure i li va donar uns copets a la cuixa amb afecte. El gitano va respondre amb un grunyit; probablement era l'únic del local que estava pendent del futur de la ballarina que talonejava tarima aquí i allà. Les dones ni tan sols s'havien adonat que havia arribat el rajoler: viatjaven amb la mirada perduda. L'Adolfo va aixecar la mà per cridar al cambrer, però en Dalmau l'hi va abaixar.

—No —li va dir—. Avui no vull alcohol.

No van caldre més explicacions.

—Estaves destinat —va revelar el vell ensenyant les dents corcades, una de les quals semblava que li ballés a les genives com ho feia la gitaneta de groc—. Els genis com tu no poden conformar-se amb un món de sensacions limitades. Veuràs que allà —va afegir donant un copet a la xeringa que tenia damunt la taula— tot és infinit.

Aquella nit en Dalmau va aprendre a punxar-se. En realitat, era senzill clavar l'agulla a la cama o al braç. Podia fer-ho a la vena, però era més complicat. Millor clavar-se l'agulla directament a la cuixa, a través dels pantalons. Una injecció com a màxim.

—Equival a aquest volum. —El poeta li va ensenyar la xeringa—. Jo de tu, no superaria aquesta injecció diària, si és que recorres a la morfina cada dia, que tampoc no cal —li va explicar després—. Si et mantens en aquest consum, assoliràs el que es diu el punt de l'opi. Gaudiràs de la droga sense caure en la intoxicació crònica ni en els trastorns que desencadena l'abstinència, un risc que has de tenir present.

De l'única cosa que era conscient en Dalmau era que volia oblidar aquella Emma que l'havia estat martiritzant tot el dia. Quan es va veure amb la xeringa a la mà, com un ganivet, va vacil·lar.

—No cal que la clavis amb força, com si volguessis matar algú, tot i que una mica d'ímpetu sí que el necessites—, li aconsellà el poeta després de preparar-li la injecció i indicar-li on s'havia de punxar: pel costat, a la cuixa.

I en Dalmau se la va clavar. Va menysprear el dolor amb les dents serrades. Després va injectar el líquid i va esperar en silenci que fes efecte i el transportés a un univers en què l'Emma no existís.

Si l'alcohol l'havia ajudat a deixar-se estar de complexos i havia contribuït que recuperés el domini en els dibuixos i les pintures, la morfina va guiar la mà d'en Dalmau cap a la genialitat. Les formes, els colors, les ombres, l'esperit, l'impacte vital que sorgia del quadre… En Dalmau allargava les jornades laborals i, després de treballar en la ceràmica o en els diferents encàrrecs comercials que li feien, pintava en la tranquil·litat de la fàbrica en silenci. De vegades l'enxampava l'alba allà mateix, abatut en una cadira, fins i tot a terra, després que la seva energia i la voràgine creativa minvés al ritme amb què ho feien els efectes de la droga.

S'havia retrobat amb la pintura i no li costava veure reflectides en la seva obra aquelles qualitats que fins feia un temps tan envejava dels grans mestres del modernisme. De mica en mica, els quadres s'anaven acumulant al taller: alguns aparentment inacabats, simples estudis, de concepció agosarada; d'altres acabats, la majoria lúgubres, foscos, resultat dels apunts que prenia en les seves sortides nocturnes als cafès concert, als teatres i als prostíbuls, tan diferents d'aquells nus de dones que havia esbossat als seus quaderns. Aquells que volia entreveure en les noies que gaudien del sol i que els rics havien comprat per als seus pisos del passeig de Gràcia tres anys abans.

També va aprendre a entendre els edificis modernistes als quals continuava anant assíduament, unes vegades per lliurar o supervisar com col·locaven les peces ceràmiques que subministrava la fàbrica del mestre Manel, unes altres per mantenir el contacte amb arquitectes i mestres d'obres per tal d'aconseguir noves comandes. La construcció començava a patir una terrible crisi econòmica qui estava deixant a l'atur paletes, fusters, guixaires, ferrers i tots els que vivien dels oficis que hi estaven relacionats, però això passava en edificis econòmics, en les obres vulgars. A Barcelona, els rics cada vegada eren més rics i s'alçaven monuments destinats a immortalitzar-los mentre els humils morien de gana.

Domènech i Montaner continuava construint la Casa Lleó i Morera a la mateixa illa que la Casa Amatller, al costat de la qual l'industrial del tèxtil Josep Batlló havia contractat Gaudí perquè també reformés un edifici antic. Les bastides ja cobrien la façana d'una edificació que, segons els comentaris que arribaven a orelles d'en Dalmau, estava destinada a convertir-se en el palau de la fantasia. Tres edificis en una mateixa illa, a la mateixa façana del passeig de Gràcia. Els tres arquitectes insígnia del modernisme. Tots tres diferents. Tots tres uns genis.

A més de la Casa Batlló, que tot just es començava a construir, Gaudí continuava treballant amb el Park Güell, la Torre del Bellesguard i la Sagrada Família. Puig i Cadafalch construïa la Casa Terrades, a la Diagonal, i el palau del baró de Quadras, al mateix carrer, a escassa distància de l'altra. I Domènech i Montaner aixecava la Casa Lleó i Morera, i l'Hospital de la Santa Creu i Sant Pau. Totes eren obres magnífiques, i en Dalmau, que anava de l'una a l'altra, s'extasiava amb cada detall que aquells mags del disseny hi anaven afegint: coronaments, tribunes, gàrgoles, columnes, estàtues, fustes, rajoles, mosaics, ferros, vitralls... El jove pintor i ceramista vivia una època d'exacerbació de la sensibilitat. Estava convençut que controlava aquell punt de l'opi que li havia dit l'Adolfo López. Havia comprat una xeringa amb agulla de plata que anava amb un estoig de níquel, adquiria la morfina en una drogueria de la ciutat vella, a la plaça Reial, a prop de l'Ajuntament, i només s'injectava en el moment de pintar, de crear una obra, fins i tot les que esperava el senyor Manel o els mateixos clients. Fins aleshores, no havia superat mai la dosi que el vell poeta li havia recomanat.

Després, quan no estava sota els efectes de la droga, l'única possibilitat de controlar-la, d'acariciar la capsa de níquel a la butxaca sense extreure-la per més que el seu cos reclamés una altra punxada, saber-se superior a una força devoradora de tal magnitud, l'inclinava cap a una actitud orgullosa i en certa manera arrogant. Bevia poc; potser un aiguardent o dos quan l'Emma li apareixia a la consciència per recriminar-li una altra vegada la seva desgràcia, tot i que el fet d'haver deixat enrere les borratxeres perpètues li havia aportat un equilibri i una serenor de les quals feia temps que no gaudia.

El senyor Manel es mostrava gratament satisfet amb la seva feina i amb la nova disposició del seu deixeble davant la vida. Mossèn Jacint el felicitava, i fins i tot la senyora Cèlia es va permetre dedicar-li algun somriure escadusser en dues ocasions. I entre aquells burgesos que el tenien en consideració hi havia l'Úrsula; les relacions amb ella s'havien anat consolidant. En Dalmau consentia que el consideres el seu putxinel·li, com ella es vantava sovint; al cap i a la fi, només era un joc. Lluny quedava ja la humiliació a la festa de les senyores de negre, i fins i tot aquell anhel per pertànyer a una classe social que no li corresponia. De vegades pensava com hauria estat la seva vida al costat de la Irene Amat, la rosseta hereva de l'imperi tèxtil. No aconseguia imaginar-s'ho. No obstant això, sí que estava obsessionat amb aquella noia de mirada turbulenta de qui esperava una humiliació que sabia que arribaria. Ella, per la seva banda, intentava mantenir-se altiva, petulant, dominant el seu putxinel·li, tancant el seu esperit al pecat i experimentant amb ell el que mai no s'atreviria a proposar ni tan sols a un dels seus iguals. L'arrossegava d'una banda a l'altra de la casa, un pis immens amb moltes habitacions, principals i de servei, armaris més grans que algunes de les estances on vivien els obrers, trasters, una cambra freda i fins i tot una capella; un habitatge de passadissos llarguíssims que anaven des de la façana que donava al passeig de Gràcia fins a l'oposada que s'obria al pati interior de l'illa, i d'allà a la coberta de la construcció que formava aquella terrassa immensa i enjardinada que disposava d'un quarto dels mals endreços on acostumaven a gaudir de més intimitat. No obstant això, per arribar fins allà dalt calia travessar la terrassa, a la vista indiscreta de qui pogués haver-hi darrere dels vitralls que componien la façana posterior de l'edifici.

Cada vegada que s'amagaven, en Dalmau intentava portar l'Úrsula a un nivell superior. En una ocasió, mentre la noia el magrejava i el besava sense entregar-se, en Dalmau va notar que els llavis de l'Úrsula s'aturaven un segon afegit sobre els seus. Va provar-ho amb la llengua i els va llepar. L'Úrsula es va deixar fer. En Dalmau va repetir i ella va obrir la boca una mica, amb timidesa, suficient perquè ell li introduís la llengua. «Quin fàstic!», es va queixar aquell dia, però la següent vegada va obrir la boca amb desig. Al cap d'una setmana, en Dalmau va arribar a acariciar-li directament, sense blondes ni sedes ni cotilles pel mig, un mugró excitat. L'Úrsula es va quedar immòbil, esperant. «Que reses?», li va preguntar ell just abans de proporcionar-li una dolça pessigada que la va fer gemegar de plaer.

Aquella mateixa setmana, en Dalmau havia repetit injecció en un mateix dia. Treballava en unes rajoles i no acabava d'encertar-ho, no n'estava satisfet, i això li creava angoixa i neguit. «No passarà res», es va dir palpant la capsa de níquel a la butxaca de la bata. Només era un error, una ensopegada, però quan va arribar el moment que l'Úrsula va sentir una descàrrega elèctrica que li recorregué tot el cos i la va posar en tensió, alerta, després que ell li toqués els pits i li llepés els mugrons, en Dalmau ja es punxava assíduament dos cops al dia.

Un vespre, després d'un sopar amb convidats, tots dos amagats al traster de la terrassa, on van poder accedir a l'empara de les ombres i la foscor darrere els vitralls, una falta de llum que els assegurava d'alguna manera que ningú no els observava, es van abraçar i magrejar fins que en Dalmau va ejacular.

—Podria sortir per aquí —va proposar ell—. M'estalviaria tornar al pis i acomiadar-me.

—I jo podria fer-ho amb tu —el sorprengué l'Úrsula.

—Sortir amb mi al carrer? Tots dos sols? Sense que no ens controli ningú?

—Sí.

—Això és una bogeria, Úrsula.

—Que no ho és, també, el que estem fent? Espera'm aquí —li ordenà deixant-lo amb la paraula a la boca.

Van gaudir de la nit del Paral·lel, la dels obrers, en Dalmau vestit com qualsevol d'ells, amb la seva americana, la camisa sense coll ni corbata i la gorra; l'Úrsula disfressada amb roba vella d'antigues criades que havia anat quedant a la casa i que, com que no era de ningú en concret, estava a disposició del personal del servei les comptades vegades que sortien a festejar amb els seus pretendents. A un vestit marró fosc, tan arrossinat com anodí, i a unes sabates negres rosegades de mig taló, l'Úrsula hi afegí un barret que li cobria mitja cara.

—Podries coincidir amb ta mare i no et reconeixeria pas —va afirmar en Dalmau així que la va veure.

No va ser una nit comptada, i en les repetides ocasions que van fugir del pis del passeig de Gràcia, quan l'Úrsula simulava dormir a la seva habitació, es van dirigir al Paral·lel, on van ballar barrejats amb la gent a locals concorreguts; van anar al teatre, i fins i tot al cinema; van passejar entre les barraques de fira i de circ que s'havien instal·lat en aquella via de disbauxa i perdició, especialment entre les que hi havia al voltant del Teatre Circ Espanyol. Van presenciar combats de boxa i van veure figures de cera; faquirs que treien foc i es travessaven el cos amb espases, homes forçuts, contorsionistes, gossos ensinistrats, mags i ventrílocs. L'Úrsula va esborrar el somriure perenne que il·luminava la seva cara davant de la visió dels éssers deformats que també s'exhibien a les barraques: dones barbudes o amb quatre cames; homes amb dos troncs i dos caps o amb cames i peus gegantins, com elefants; uns altres amb els ossos tan fins com agulles; nenes que caminaven com els gossos, de quatre grapes...

En Dalmau es veia obligat a restringir aquelles sortides nocturnes que l'Úrsula li pregava cada vegada que anava a dinar. Algun dia la descobririen; entrarien a la seva cambra i s'adonarien que a sota de les mantes només hi havia coixins.

—I la teva germana —va preguntar en Dalmau—, no s'ensuma res?

—L'última vegada que la meva germana va entrar a la meva habitació va sortir-ne plorant amb la marca del llom d'un llibre gravat a la galta. S'ho pensarà dos cops abans de tornar-hi. Jo no entro al seu dormitori, ella no ha d'entrar al meu.

—I els teus pares?

—Quan surto de casa, ells ja s'han retirat a les seves estances. El meu pare no entraria mai a la meva habitació, abans l'hi demanaria a la mare, i ella... Podria cremar-se la casa abans de sortir al passadís sense anar vestida, pentinada i arreglada convenientment.

—El servei no dirà res? —insistí en Dalmau, preocupat.

—El servei no es mou de la seva zona —replicà l'Úrsula amb menyspreu—. Ningú no ens descobrirà. No podem anar més amb compte: prenem mesures, vigilem que no hi sigui el sereno..., fins i tot tenim les dues claus.

Era veritat. Ho feien tot amb molta discreció, fins al punt que la clau que obria la porta del petit quarto que anava a parar a l'escala per on s'escapaven, la continuaven deixant a dins d'aquella cambra, perquè, si algú hi anava, l'hi trobés, amb la porta tancada, que ells s'encarregaven d'obstruir amb una altra còpia de la clau que amagaven en una ranura que hi havia sota un dels graons. Tot i així, en Dalmau tenia greus problemes per negar-se a la voluntat de la noia. Cada migdia que ell anava a la casa del senyor Manel, l'Úrsula hi insistia amb el mateix afany amb què buscava sexe.

—A la nit —li deia ell—. Aquesta nit vindré, i passarem una bona estona al nostre traster i després anirem al Paral·lel.

I aleshores els ulls de l'Úrsula guspirejaven. Continuava anomenant-lo «el meu putxinel·li», però enrere quedava l'arrogància amb què l'havia tractat fins aleshores. En Dalmau ja no esperava aquella humiliació amb què havia somiat. L'Úrsula era una altra dona: alegre, disposada, entregada, i en Dalmau s'hi trobava bé, amb ella.

Aquella nit la filla del mestre va arribar al seu primer orgasme a l'interior del traster. En Dalmau la va masturbar per damunt de la roba interior, xopa per sota les faldilles alçades. Ella va reprimir els gemecs mentre els dits del noi li acariciaven la vulva. «Oh!», repetia. Va intentar separar-se d'ell, penedida, però en Dalmau no la va deixar anar. Els gemecs d'ella van continuar. L'Úrsula es vinclava endavant, agafant-se la panxa, fent batzegades; gemegava i panteixava i emmudia. Va ser incapaç de reprimir del tot un crit de plaer, que va sonar com l'udol d'un gat en la foscor i el silenci de l'immens pati d'illa, quan va conèixer l'èxtasi per primera vegada.

—Déu del cel —va xiuxiuejar després—, què ha estat això? —I es va amagar de la mirada d'en Dalmau, com si se sentís culpable—. Ningú no m'havia parlat de… —va dir a la seva esquena—. Bufa! No m'imaginava que el meu cos pogués arribar a sentir amb tanta intensitat. Cap de les meves amigues no coneix aquesta bogeria.

—Els l'ensenyem? —va fer broma ell.

—Mai no he compartit les meves joguines —replicà ella agençant-se.

Poc després, l'Úrsula ballava amb fluïdesa, rient, entre desenes de parelles que es movien en una de les moltes sales del Paral·lel.

No obstant això, en aquell temps en Dalmau ja havia començat a caure a les urpes de la morfina. Les punxades perdien eficàcia: l'eufòria durava menys estona; la creativitat es distreia. I entre dosi i dosi, tremolava, tenia calfreds i nàusees, febre; li costava respirar i li feien mal les cames i l'esquena. Per això va decidir augmentar les dosis, doblant el nombre d'injeccions. D'aquesta manera compartia amb la droga no només la pintura i la seva feina a la fàbrica, sinó tota la seva vida, incloent-hi les visites a arquitectes i mestres d'obres. En Dalmau es presentava serè i calmat sota els efectes de l'opiaci, però amb la sensibilitat exaltada fins al punt que sentia que els edificis li queien al damunt, les rajoles l'enlluernaven, les superfícies vidriades de la ceràmica llambregaven destacant-ne els colors; aquí i allà un reflex blau, vermell, groc... li cridava l'atenció d'una manera ininterrompuda, i ell es rendia a aquell martelleig sensitiu amb plaer, satisfet perquè algunes d'aquelles peces havien estat idea seva. Però si la ceràmica li colpejava els sentits, les decoracions profuses el confonien, i les formes ondulades de façanes i cobertes, escales i baranes, el marejaven com si ell mateix hi llisqués al damunt sense parar. Aquell estil de construir, decorar, pintar i fins i tot escriure, aquell afany per impactar en les persones, ja fos encorbant ferros on fins aleshores havien estat rectes, ja fos recargolant les paraules per atrevir-se a acolorar Déu, creava una angoixa en en Dalmau que només era capaç de combatre superant aquell apogeu de màgia.

I això ho resolia pintant. Ho feia cada dia amb més passió, amb més atreviment. Ocultava les seves obres al senyor Manel —les desava en una gran carpeta que cada vegada era més plena—, i amb la ceràmica intentava reprimir aquells impulsos que el portaven a jugar amb la llum, amb els colors i amb unes figures més lànguides i etèries, per no espantar el seu mestre.

Aquell dia el senyor Manel li va comunicar que havia d'anar amb la seva dona a un dinar a casa d'algú important per a una celebració, i ell no hi va dedicar cap atenció.

—Ves tu a dinar a casa —li va pregar—. Hi haurà mossèn Jacint, però ja saps que les nenes no li fan gaire cas; li prenen el pèl. Potser si hi ets tu, es comportaran millor.

Tal com el mestre li havia assenyalat, davant l'absència dels pares, mossèn Jacint va passar a ocupar el lloc de cap de família, i l'escolapi, lliure de la mirada reprovadora de la senyora Cèlia, va aprofitar per beure molt més vi del que s'atrevia a prendre sotmès a aquella vigilància. Ni tan sols no va arribar a la saleta on feia la migdiada; es va adormir a la mateixa taula, sobre el plat buit de les postres. La germana de l'Úrsula va riure i va sortir del menjador amb el caganiu de la família. Una de les minyones va entrar-hi a desparar la taula i a oferir cafès, però l'Úrsula li va demanar silenci, es va endur el dit índex als llavis i li va assenyalar amb un moviment de cap el religiós, que dormia.

—De moment deixeu-lo —va dir a sota veu—. No entreu més, ja us avisaré quan es desperti —va ordenar. La minyona va sortir del menjador de puntetes i aquesta vegada va ser l'Úrsula qui va riure en direcció a en Dalmau—. I si ens enganya? —va plantejar.

—Dorm com un angelet —va sentenciar en Dalmau, rialler.

Tot seguit va servir una copa de vi a la noia. Tret d'algunes celebracions, l'Úrsula de vegades bevia mitja copa de vi diluïda en aigua en presència del seu pare, en una mena d'acte de rebel·lia de tots dos contra la mare, que es queixava i deixava anar algun esbufec de protesta. «Jesucrist bevia vi —la va fer callar un dia el senyor Manel—, i va escollir el vi per oferir-nos una part del seu sacrifici.» «La teva filla no és Jesucrist —replicà la senyora Cèlia—. Només és una nena i el vi li pot fer perdre el sentit… I, de retruc, la virtut i la decència —afegí amb el front arrufat.»

En Dalmau no havia viscut aquella conversa, però sí que, tal com la senyora Cèlia havia advertit al seu marit, va veure com els ulls de l'Úrsula feien pampallugues al cap de dos glops comptats d'aquella primera copa. Mossèn Jacint continuava roncant, sense mostrar cap incomoditat per quedar-se adormit a la cadira del menjador. En Dalmau va servir dues copes més de vi i, mentre la noia bevia la seva, ell va esbossar al quadernet una caricatura del mossèn que va fer que l'Úrsula s'ennuegués i esclatés a tossir tan aviat com va mostrar-li la pàgina per sobre la taula. El religiós només es va regirar una mica abans de tornar a roncar. En Dalmau va assenyalar la noia i va començar a fer gargots en un nou full. L'Úrsula es va servir ella mateixa una altra copa.

—Ui! —va exclamar després de vessar un reguerol de gotes de vi sobre les estovalles roses adomassades i abans de fer un generós glop de vi.

No s'havia acabat aquesta copa quan en Dalmau li va mostrar la seva cara dibuixada al quadernet. Les espatlles, a diferència de com vestia l'Úrsula en aquell moment, apareixien nues; per sota de la línia que formaven amb el naixement del coll no hi havia res. Ella va obrir les mans en senyal d'incomprensió.

—Falta tot! —es va queixar.

—Però jo no ho veig —va al·legar ell.

L'Úrsula va beure més i va simular confusió en retreure la barbeta, encongir el coll i mirar-se el vestit que li cobria els pits.

—És tot aquí sota —va balbucejar.

—Sí, però amagat.

En Dalmau va servir dues copes més.

—Uuuui —va cantar ella passant el dit per damunt de les estovalles esperant que caiguessin aquelles últimes gotes impertinents del decantador de vidre treballat.

Van brindar entre somriures mentre mossèn Jacint, aliè a tot, continuava roncant.

—Vols que et dibuixi així, ocultant la teva bellesa? —Després de totes les vegades que ella l'havia utilitzat com la seva joguina, a l'Úrsula ja només li quedava superar dos reptes: entregar la seva virginitat, una virtut que defensava amb tenacitat, i mostrar-se despullada davant d'en Dalmau més enllà del que es pogués entreveure mentre ell l'acariciava—. No et vols veure com la deessa que ets?

I la sorpresa se la va endur en Dalmau quan l'Úrsula va fer lliscar un dels tirants pel braç i va forçar el vestit fins a deixar un dels pits en l'aire. En Dalmau va mirar cap al mossèn, assegut a tocar de la noia. Ella se'n va adonar i els ulls se li incendiaren.

—Som-hi —l'instà col·locant-se la roba al seu lloc.

Va escurar amb un sol glop el vi de l'enèsima copa i va estirar en Dalmau cap a l'estudi del seu pare. Tan bon punt van creuar el llindar de la porta, l'Úrsula va intentar obrir-la amb la clau, però no l'encertava i al final va haver de fer-ho en Dalmau.

—No sé si aquest és el lloc adequat... —va plantejar ell, en contemplar la quantitat de teles amb imatges de sants, esglésies i escenes bíbliques que els envoltaven.

La noia li seguí la mirada.

—Ha! —va exclamar l'Úrsula de cop i volta. Es va situar al costat del quadre d'una marededeu alletant el nen Jesús i es va alçar els pits amb les mans—. Veus? És el mateix. —Va riure—. No ens hem de preoc..., preocccccc...

—Preocupar —la va ajudar ell.

334

—Això, sí.

En Dalmau va buscar un full de paper en blanc, de grans dimensions, i el va disposar damunt d'un quadre que ja descansava en un cavallet, tapant l'esbós d'algun màrtir gairebé esquarterat que el mestre devia estar pintant. Tot seguit va disposar tot el necessari per dibuixar la noia al carbonet, potser un toc de pastel. Tenien poc temps i tampoc no havia fet cap estudi de la model més enllà de l'esbós que acabava de dibuixar al quadernet.

—Ajuda'm amb la cotilla —va sentir que li demanava l'Úrsula, asseguda a terra, embolicada en la seva pròpia roba.

—Ara vinc —contestà ell.

Va buscar la capsa de níquel a la butxaca, en va treure la xeringa, la va carregar de l'ampolleta que també duia a l'americana, i es va punxar a la cama sense que la noia no tingués ni temps de girar el cap i veure'l.

Després va haver de lluitar amb la cotilla, amb el vestit, amb travetes i botonets, a més d'una Úrsula borratxa que no col·laborava gens. Al final la noia es va quedar vestida amb una única camisa de lli transparent. En Dalmau va seure en una butaca baixa, blana i còmode, i des d'allà la va observar. Ella es va aixecar de terra agafant-se a la pota d'una taula, es va treure aquella última peça amb dificultats i va tremolar visiblement en presentar-se davant d'en Dalmau totalment nua.

Ell també es va aixecar i va passar al costat d'ella per dirigir-se al cavallet.

—Ets preciosa —va voler adular-la. Li acaricià una galta amb el revers dels dits. Després també va fregar, amb el dors de la mà, un dels mugrons de la noia, que va reaccionar i es va endurir. En Dalmau se separà d'ella i l'observà nua per primera vegada: jove i excitant, però el seu objectiu era pintar-la, potser després gaudirien del plaer que l'Úrsula havia descobert dies enrere—. Bé —va afegir un cop va ser davant d'una làmina en blanc, amb el carbonet a la mà dreta—. Mou-te.

L'Úrsula el va mirar espantada.

—Què vols que faci? —balbucejà alçant i bellugant airosament els braços enlaire. Els va aturar i va riure estúpidament de la seva broma.

—Vull que et mostris com la deessa que ets —li demanà en Dalmau—. Que em captivis amb la teva sensualitat. Que em facis patir perquè no et puc tocar...

«Vull que l'aire es fongui quan frega el teu cos; que les olors s'esvaeixin davant del desig que emana de l'entrecuix.» «Vull que el temps s'aturi per fi, rendit a l'eternitat de la teva bellesa.» «Vull...» En Dalmau dubtava de si s'estava dirigint a aquella noia que s'entestava a complaure'l amb postures forçades, a l'estil de les models grolleres de les postals pornogràfiques que es venien als carrers, o si estava parlant amb l'Emma, com feia uns quants anys, quan la dibuixava. La morfina el traïa en aquells moments i li feia rememorar l'Emma.

—Vull que la nit s'il·lumini perquè l'univers sencer contempli la reina de la passió.

L'Úrsula es va quedar quieta, intentant entendre el que en Dalmau li demanava. Aquelles mateixes paraules, però, van crear en el seu dia que l'Emma alcés la vista al cel i reptés les infinites estrelles arquejant l'esquena i acariciant-se per exhibir-se, jove, bonica, immortal: la reina de la passió. L'Emma... En Dalmau va sentir fred, i va tremolar. Els efectes de la morfina desapareixien més aviat que mai. Era com si el record de l'Emma hagués absorbit la droga en un instant, i el mateix feia amb el cor, els sentiments, com si li recriminés que busqués en una altra el que havia estat seu i només seu. En Dalmau va tornar a regirar les butxaques.

—Què més...? Què vols que faci? —li preguntà l'Úrsula amb la veu pastosa—. No t'agrada?

En Dalmau no li dedicà atenció. De sobte, va sentir la urgència d'escapar. Va omplir la xeringa fins que la morfina va sobreeixir i es va tornar a punxar a la cama. L'Úrsula se'l mirava, abstreta en els seus moviments. En Dalmau es va adonar que la dosi havia estat excessiva i va haver de buscar un lloc on seure, a la butaqueta. Allà, amb els ulls tancats, va esperar que les nàusees passessin. I mentre pugnava per allunyar l'Emma dels seus records, l'Úrsula es va atansar a la xeringa que havia quedat damunt de la taula, al costat de l'ampolleta. «Morfina», va poder llegir malgrat l'estat d'embriaguesa. Un remei innocu, va pensar. La seva mare l'utilitzava aquells

336

dies que plorava postrada al llit, queixant-se perquè es pensava que es moria pels terribles mals d'esquena que patia esporàdicament. La senyora Cèlia també tenia una xeringa; l'hi havia donat el doctor Ramírez, el metge de família. L'Úrsula hi era present el dia que va ensenyar la seva mare a fer-la servir per no haver d'anar a casa d'ell cada vegada que l'assetgés el dolor. «Escolta bé les explicacions del doctor, filla —havia instat la senyora Cèlia a l'Úrsula—, per si mai necessito que m'ajudis.» I alguna vegada sí que ho va necessitar. En alguna ocasió l'Úrsula havia tingut temptacions d'injectar-se les gotes que quedaven a la xeringa... Era molt fàcil. Va agafar la xeringa d'en Dalmau, la va omplir fins dalt, al màxim, com ho havia vist fer a ell, i, sense vacil·lar, se la va clavar a la cuixa i s'injectà lentament la droga.

En Dalmau va utilitzar diverses làmines de paper que substituïa amb urgència sobre el quadre del màrtir esquarterat que pintava el mestre. Dibuixava compulsivament. Davant seu, l'Úrsula tremolava, panteixava, suava, queia a terra i s'arrossegava de quatre grapes fins que aconseguia aixecar-se. La noia patia: no podia respirar, l'aire no li arribava als pulmons. Va intentar parlar. No ho va aconseguir i va demanar ajut allargant un braç tremolós. L'Úrsula no va arribar a distingir nítidament aquell pintor que la dibuixava frenèticament. Qui era? Què hi feia allà? Un Dalmau superat per la morfina, per la seva banda, tampoc no va ser capaç d'interpretar la peremptorietat i la transcendència dels gestos de la noia.

En canvi, va contemplar la suor que amarava el cos de l'Úrsula com la brillantor que acompanyava les deesses. Va veure que tremolava, sí, de passió continguda, i va panteixar amb ella perquè l'univers sencer li feia l'amor. «Continua així», l'esperonava. «Bé, molt bé!», va exclamar quan ella va caure de quatre grapes. La va dibuixar. «La reina de les bèsties!» «Continua. Busca'm. Mira'm.» Aquells ulls que el van hipnotitzar, i que no va aconseguir plasmar fins que l'alcohol li marcà el camí, no van aconseguir ara fer-li arribar el missatge de mort que s'anava fixant a les pupil·les de la noia. I en el seu lloc, el desmai que va provocar en l'Úrsula la falta d'aire, l'apatia, la immobilitat, va quedar reflectida en els dibuixos d'en Dalmau, com la mostra més gran de sensualitat i voluptuositat a què podia accedir una dona que es recargolava a terra agonitzant, amb la mirada perduda, buida, arraulida, tremolant, abraçant-se...

El carbonet va pintar en negre l'agonia de la jove despullada, estesa als peus d'en Dalmau, i va continuar fent-ho durant molta estona després que l'últim alè sorgís com un fil prim que es va trencar per separar-la dels vius.

—Magnífic —mussitava en Dalmau procurant que les seves paraules no trenquessin el traç màgic del carbonet sobre el paper—. Sí. Fantàstic!

La porta es va rebentar a la tercera envestida i es va obrir amb un cruixit que va trencar el silenci tètric que regnava a l'interior de l'estudi del senyor Manel. El mestre va ser el primer a entrar-hi. Darrere hi anava mossèn Jacint, persignant-se, i la senyora Cèlia, cridant histèrica en veure el cos de la seva filla nu i desmanegat a terra. El personal del servei es va amuntegar al llindar de la porta espanyada sense gosar entrar; una de les minyones va tapar els ulls del fill petit del matrimoni, l'altra ho va intentar sense èxit amb la germana de l'Úrsula.

En Dalmau seia en aquella butaca baixa i còmoda, trastocat, amb la mirada fixa en un punt indeterminat i envoltat d'un escampall de dibuixos a terra. El mestre va mirar la filla i després a ell.

—Què has fet, desgraciat? —va exclamar abans d'agenollar-se al costat del cos de la noia i buscar-li el pols al canell.

—És viva? —va preguntar amb un fil de veu la senyora Cèlia.

—No ho sé —contestà l'espòs—. Què sé jo! —Va deixar el canell i li va donar uns copets a les galtes—. Filla, per l'amor de Déu, respon! Úrsula!

—És viva? —insistí la senyora Cèlia, immòbil, dreta al costat del cos de la filla.

—Com vols que ho sàpiga? —va esclatar el mestre—. No noto res. Úrsula! —Li va sacsejar la cara—. No sé què haig de notar!

—El pols —intervingué mossèn Jacint.

—No ho sé. No el trobo... No sé si ho faig bé. No sé si el busco al lloc que toca. I si fos molt feble?

—Aneu a buscar un metge! —va ordenar el religiós als que s'amuntegaven a la porta.

—Ja l'han anat a buscar, mossèn.

—Belluga-la, Manel —l'instà la dona—, belluga-la, a veure si recupera el...

El mestre va sacsejar la seva filla, que va acabar mostrant una nuesa íntegra. La senyora Cèlia li va tapar els pits, com si fossin els seus els que haguessin estat exposats; després va examinar l'estudi, va trobar el que buscava i va cobrir el cos de la filla amb un llençol dels que utilitzava el seu marit per protegir les pintures. No la cobria del tot. La dona, d'una manera maquinal, va abaixar el llençol d'una estrebada per ocultar-li les cames, però aleshores va deixar enlaire les espatlles i uns pits incipients. I quan va fer el tomb a la noia i va estirar el llençol en el sentit contrari per tapar-li les espatlles, les cuixes van aparèixer per sota. Semblava que es dirigís a repetir l'operació, però en canvi va esclatar a plorar.

Mossèn Jacint es va agenollar al costat del cap de la noia, i amb el crucifix alçat en una mà, va començar a resar.

—I els sants olis? —va fer la mare entre plors—. No li hauria d'administrar l'últim sagrament?

—Un cop morta ja no es pot —va interrompre el religiós les seves oracions per contestar a la senyora Cèlia.

—I qui diu que sigui morta? No ho sé, si és morta! —va cridar el senyor Manel arrancant-se un manyoc de pèls de la patilla que s'ajuntava amb el bigoti espès—. No soc metge. I si encara li queda un bri de vida? Qui ens assegura que la meva filla no és viva?

—Doncs si no ho sabem —insistí la senyora Cèlia—, administri-li els sants olis, mossèn.

—No els tinc aquí —es va queixar l'altre.

—Doncs corri a buscar-los!

En aquell moment i sense intercanviar cap paraula, l'Anna, la cuinera, es va agenollar amb dificultat sobre els dos homes i va col·locar un mirallet net per sota del nas de l'Úrsula. La majoria dels presents va contenir la respiració que ells mateixos esperaven que entelés el mirall. Va transcórrer algun minut, molta més estona de la que una persona podria aguantar sense respirar, i el mirall no es va entelar. La cuinera va fer que no amb el cap i va lliurar el mirall al senyor Manel a tall de prova de la mort de la filla. Li va costar alçar-se de terra, obesa, entre els dos homes, davant del cadàver de la jove. Ningú no va fer res per ajudar-la. Va respirar fondo quan ho va aconseguir, i inconscientment va anar a recolzar-se en un dels braços de la butaca on en Dalmau encara seia inconscient de tot el que l'envoltava.

—Desgraciat! —li escopí.

Una de les minyones va anar a buscar un altre llençol i va acabar de cobrir el cos de l'Úrsula. Mossèn Jacint continuava resant i la senyora Cèlia plorava agafada a una veïna que ja s'havia presentat a la casa en sentir l'enrenou i els crits. El senyor Manel es va girar per mirar en Dalmau i va observar l'entorn; es va fixar en els dibuixos.

—Reculli'ls! —va escridassar a una de les criades.

Després va veure la morfina. Va aixecar l'ampolleta i va tancar els ulls abans de llançar-la amb força contra la paret i rebentar-la.

—Fill de puta. —Va engrapar en Dalmau per la camisa i el va alçar de la butaca. No va aconseguir aixecar-lo i mantenir-lo davant de la seva cara com pretenia: era un pes mort—. Què li has fet a la meva filla, desgraciat?

Posseït per la ràbia, amb les galtes enceses i escopint les paraules, el senyor Manel va intentar mantenir en Dalmau vertical amb una sola mà per poder-li estomacar la cara amb l'altra. La camisa es va estripar i el jove va relliscar, es va donar un cop contra el braç de la butaca i va caure a terra. Només va gemegar.

—Bastard fastigós! —l'insultà el mestre mentre li clavava cops de peu a la panxa—. Canalla! Heretge! Com he pogut confiar en tu? Et mataré!

I li etzibà una altra puntada de peu, i moltes més. Algú va intentar impedir-ho, potser un altre veí que acabava d'arribar, però una dona l'agafà per l'espatlla i ho va impedir. Un cop feta aquesta excepció, ningú no va reaccionar, i van permetre aquella pallissa a un Dalmau, que es va arronsar instintivament i es va tapar el cap, fins que el senyor Manel, derrotat, es va posar les mans a la cara i va caure de genolls.

Van traslladar en Dalmau a la caserna de la Guàrdia Municipal del carrer de Rosselló, on el van empresonar un cop els serveis d'assistència de l'Ajuntament de la ciutat es van endur el cadàver de l'Úrsula a l'hospital de la Santa Creu, i es presentessin la policia i el jutge, amb un metge forense, a alçar l'atestat corresponent. Els curiosos congregats al carrer es van allunyar respectuosament per deixar pas a la llitera. Després van arremolinar-se al voltant dels agents que empenyien un Dalmau emmanillat, que, si bé semblava una mica més despert, era evident que continuava sota els efectes de la sobredosi de morfina que s'havia injectat.

—Per què el tenen tancat?

La pregunta, apocada, tímida, havia sorgit de la boca de la Josefina, que seia a la punta d'un pedrís encastat a la paret de la caserna, la que quedava davant dels escriptoris dels agents. L'ambient estava carregat de fum de tabac i de suor de les desenes de persones que hi passaven. El soroll era constant, com una remor que no s'hagués d'interrompre mai; entraven els uns i sortien els altres, i l'enrenou no s'aturava. Malgrat el xivarri, en Tomàs va sentir la pregunta de la seva mare. No era la primera vegada que l'hi feia des que a la tarda, ja feia unes quantes hores, s'havia assegut en aquell pedrís per quedar-se amb l'esquena dreçada, impertèrrita, com si amb aquella postura reclamés un dret que els policies estaven obligats a concedir-li.

—Ja l'hi he dit, mare —contestà el fill intentant fer-ho amb dolcesa—. En Dalmau no ha fet res de dolent. Tard o d'hora l'alliberaran.

—Aleshores, per què triguen tant?

«Perquè són uns fills de la gran puta», va estar temptat de contestar-li, com també ho havia estat les anteriors vegades que la Josefina li havia preguntat el mateix. Ella ho sabia. Havia lluitat, havia conegut la supèrbia dels poderosos. Però un cop més la va observar allà asseguda, a la punta del pedrís, bellugant les mans sobre la falda com si cosís.

—És la paperassa, mare. No trigaran —afegí acariciant-li els cabells.

No podien tardar. Algú que havia presenciat la detenció d'en

341

Dalmau al passeig de Gràcia i que el coneixia havia difós la notícia, que, de tan dolenta que era, va arribar a les orelles de la Josefina en menys d'una hora. La dona va anar de seguida a buscar en Tomàs, el germà gran, l'anarquista, que va tornar a buscar l'ajuda de l'advocat Fuster. Encara no havia passat una hora i mitja que tots tres ja estaven a la caserna del carrer de Rosselló. En Tomàs i la seva mare van seure al pedrís; en Fuster va començar a anar d'un funcionari a l'altre, interrogant-los, exigint, somrient als uns i fingint seriositat als altres.

—Haig d'anar als jutjats —els va dir a l'últim—. Allà és on es porten totes les diligències.

—Quanta estona hi seràs? —va preguntar en Tomàs.

—No ho sé. Hauré de mirar què és el que tenen, i els exàmens que han fet al cadàver, i les proves, i tot i tot…

L'advocat, de cabells curts i blancs, havia tingut l'oportunitat de comprovar totes les diligències, serioses, urgents i escrupoloses, que, atesa la personalitat de la morta i el seu pare, s'havien fet per part del jutjat i dels òrgans que hi tenia adscrits.

—No trigaran, senyora Josefina —va afegir-s'hi el lletrat un cop va ser a la caserna, entrada ja la nit i seient al seu costat per acompanyar-la—. El seu fill —va repetir un cop més— no ha comès cap delicte, i ells ho saben. El metge forense ha examinat detingudament el cadàver de la noia i no ha trobat cap senyal de violència ni maltractament. No hi ha blaus, no hi ha marques, ni ferides. Fins i tot ha mort verge. Tampoc hi ha cap signe que hagués estat forçada. La causa de mort per asfíxia és habitual en aquesta mena de situacions i la punxada de morfina a la cama és notòria i evident. En Dalmau no ha fet res de dolent. I posat el cas que hagués estat ell qui l'hagués punxat, això no constitueix cap delicte. La noia anava beguda i, pel que sembla, es va injectar una quantitat de droga important; alguna cosa va fallar en la seva naturalesa. No és la primera vegada. El jutge ja ha decretat la llibertat d'en Dalmau: n'he vist la resolució.

—Aleshores, per què no el deixen anar? —mussità la Josefina.

Al cap d'una hora més d'espera van entendre la raó de la tardança. El senyor Manel, demacrat, ullerós i amb la roba rebregada, es va presentar a la caserna del carrer de Rosselló. L'acompanyaven dos oficials de la Guàrdia Civil, militars, aliens a la Guàrdia Municipal. Va travessar l'entrada amb pas ferm, sense mirar ningú, va dirigir-se a la zona dels escriptoris i va desaparèixer darrere d'una porta.

—A on va? —preguntà en Tomàs a en Fuster.

L'advocat va moure el cap en senyal d'incomprensió, i no va trigar ni un minut a inquirir a un policia que era allà per atendre el públic.

—A on va aquell home? —va preguntar en Fuster. L'altre va arronsar les espatlles—. Vull veure el meu client ara mateix —exigí.

—No pot —va dir el guàrdia en to rotund.

—Tinc dret a veure el meu client. Aquells dos guàrdies civils i el pare de la noia morta deuen ser amb ell...

—No necessàriament.

—El vull veure ara mateix!

En Fuster no va fer cap cas de la nova negativa per part del policia i va intentar superar la zona per creuar la porta. Dos agents se li van llançar al damunt i el van immobilitzar. El lletrat no va barallar-s'hi.

—Soc advocat! —va cridar—. I exigeixo veure el meu client.

Cap dels dos policies no va afluixar la presa.

—Escoltin... —En Tomàs se'ls va apropar abaixant la veu—. Vostès saben qui soc, oi? —A la pregunta, un d'ells va assentir, els altres no—. Em dic Tomàs Sala. Fa temps que estic net i per això gaudeixo de llibertat, però els juro per tots aquests sants en què creuen vostès que, com no ens acompanyin a la cel·la on és el meu germà i el posin de seguida en llibertat, no pararé fins que aquesta caserna voli pels aires amb vostès a dins. De fet, ja hi ha alguns companys fora, esperant les meves instruccions —va mentir, tot i que sí que era cert que diversos anarquistes s'havien presentat davant de la caserna per saber què havia passat.

Els dos policies que no sabien qui era en Tomàs van interrogar amb la mirada el tercer, que va reaccionar i va deixar anar l'advocat.

—Darrere de vostès —els instà aquesta vegada, un cop lliure i després d'agençar-se la roba.

Van arribar justament quan els dos agents de la Guàrdia Civil arrossegaven en Dalmau per un passadís des de la cel·la comuna.

—A on el porten? —va cridar en Fuster corrent per interceptar-los.

—Què pretenen fer amb ell? —va afegir en Tomàs.

Els guàrdies civils van vacil·lar mentre els tres policies de la caserna de Rosselló es quedaven a l'expectativa.

—L'anem a interrogar —va al·legar amb insolència un dels guàrdies civils.

—No hi ha cap motiu per fer-ho —replicà l'advocat Fuster—. El jutge n'ha ordenat la llibertat sense càrrecs. —En sentir-ho, un d'ells va fer el gest de replicar—. Immediatament! —exigí l'advocat.

Un dels agents va deixar anar el braç d'en Dalmau, va agafar en Fuster pel coll i el va estavellar contra la paret; l'advocat va obrir la boca per agafar aire.

—Tant és un com tres, imbècil! —va escridassar-lo el guàrdia civil.

—No sortiran vius d'aquí, malparits! —els amenaçà en Tomàs.

En Fuster va intentar mantenir la calma quan el guàrdia civil va afluixar la pressió a la gola.

—Ara també maten els advocats? S'adonen què voldria dir això? Tots els lletrats de Barcelona, republicans o monàrquics, de dretes o d'esquerres, se'ls llançarien al damunt.

Es va fer un silenci entre els presents en aquell passadís fosc i pudent. Només la respiració agitada d'en Dalmau, que tremolava i alternava el pes d'un peu a l'altre en un ball constant, trencava la tensió.

—Es faran responsables vostès d'aquesta tragèdia? —insistí l'advocat dirigint-se ara als tres guàrdies municipals de la caserna. Dos d'ells van fer que no amb el cap, el tercer va ocultar la mirada—. Marxem, aleshores —sentencià en Fuster estirant un dels braços d'en Dalmau.

No va aconseguir emportar-se'l. El senyor Manel l'hi va impedir agafant-lo de l'altre braç.

—Et mataré —li escopí a la cara, sacsejant-lo—. Pagaràs pel que has fet a la meva filla. Juro per Déu que no pararé fins a veure't mort, a tu i a tots els teus.

—Ja pot començar per mi, beat fastigós —el reptà en Tomàs empenyent-lo.

Els guàrdies civils es van regirar, en Tomàs i en Fuster també. Els policies de Rosselló es van interposar entre els dos grups.

—Marxin —van exigir a en Tomàs.

L'advocat no s'ho va pensar dues vegades i va empènyer els germans al llarg del passadís mentre els policies formaven una barrera davant dels agents de la Guàrdia Civil. La Josefina va saltar del pedrís en veure aparèixer el seu fill. Va intentar abraçar-lo, però en Dalmau la va rebutjar. Amb la claror de la planta baixa, se li veien els ulls inflamats, injectats de sang, la roba bruta i estripada; suava a raig i estava pàl·lid, amb tots els músculs en tensió, a punt de rebentar.

—Les meves coses! —va cridar, sense fer cap cas de la seva mare, ni del germà ni de l'advocat—. On són les meves coses?

—Ara les vaig a buscar —s'oferí en Fuster.

—Ves cap a fora, germà —li oferí en Tomàs agafant-lo pel colze. En Dalmau va rebutjar el seu ajut amb un gest brusc.

—Fill, sisplau —li suplicà la mare.

—Les meves coses! —insistí en Dalmau deixant els altres i dirigint-se on era en Fuster, que parlava amb un policia.

—Té abstinència —comentà en Tomàs a la Josefina—. Opi, morfina...? Vostè en sabia res, mare?

—Per què les mares ho hem de saber tot? I tu, que ho sabies, Tomàs?

—Hi havia una ampolleta de morfina! —es va sentir cridar en Dalmau davant de l'escriptori de la policia, regirant inútilment els seus efectes personals—. On és? Qui la té?

—La meva filla, la té. —Era el senyor Manel qui parlava, ja al pis superior—. Aquesta ampolleta que tant busques és la que li ha causat la mort.

En Dalmau va ser incapaç de mirar el mestre a la cara. En canvi, va agafar els seus efectes personals de qualsevol manera i se'ls va posar a les butxaques. Va arreplegar l'abric i la gorra, i va abandonar ràpidament la caserna, sense acomiadar-se de ningú.

—Fill... —va intentar aturar-lo la Josefina inútilment.

Cap dels tres no va seguir en Dalmau un cop va sortir de la caserna del carrer de Rosselló.

—En el seu estat, no val la pena intentar res. No farà cas a ningú fins que aconsegueixi punxar-se —va argumentar en Tomàs.

—I després? —xiuxiuejà la Josefina, com si no s'atrevís a preguntar-ho en veu alta.

En aquell moment, el senyor Manel i els dos guàrdies civils van discórrer per davant d'ell en direcció a la sortida.

—L'acompanyo en el sentiment —aprofità la Josefina per donar les condolences al mestre Manel.

—Vostè? —va preguntar l'altre amb sornegueria, aturant-se davant de la dona—. Ha estat el seu fill qui…

—No —l'interrompé ella—. Ha estat vostè —afegí. El mestre arrufà les celles—. Sí, ha estat vostè el que amb les seves adulacions i els seus interessos ha permès que un bon nano es torcés. Vostès, els rics, disposen de les persones a la seva voluntat, se n'aprofiten, les maregen i després es queixen. Potser vostè ha perdut una filla, i em sap greu de debò, però, què m'ha deixat a mi? Un espantall que vagarà per la misèria fins que mori tirat en qualsevol racó.

—Això és el que espero i desitjo, senyora —sentencià el senyor Manel Bello.

11

L'havien apallissat tantes vegades que el dolor s'havia arribat a convertir en una sensació, si no agradable, sí que essencial en la seva vida. El que la Maravilles no controlava era la gana; la necessitat de menjar alguna cosa, encara que fos un crostó florit, la feia embogir. El fred la portava a arraulir-se al recer d'una cantonada, quieta, tremolosa, rendida a la possibilitat de no tornar a obrir els ulls l'endemà. Sensacions com l'amor o el plaer no existien en la vida d'una trinxeraire que vagava pels carrers des que tenia ús de la raó. El dolor, però, l'acompanyava com una cosa que sempre havia viscut amb ella, ara més agut, ara menys… En Delfí deia que el seu pare l'havia apallissat així que va néixer, que poques hores després de ser al món ja tenia uns quants blaus.

—Què has de saber tu si ets més petit que jo, imbècil? —va replicar ella després de pensar un instant.

—I a tu qui t'ha dit que jo soc més petit que tu?

Ningú, aquella era la veritat. La Maravilles no s'atrevia ni tan sols a defensar que ella i en Delfí fossin germans. No tenien cap record de la infància que els relacionés. El cert és que tampoc no els tenia d'ella mateixa. De vegades, se li manifestaven com flaixos: cares desdibuixades, molta gent, molts nens, pidolaires; entorns pudents; fam i misèria; fred; crits i plors, i molt dolor. I un dia al carrer, demanant almoina, quan els va aturar un policia, en Delfí va dir que era el seu germà, o potser va ser ella qui ho va fer.

—És clar que soc més gran que tu! —es va voler imposar—. Que ets burro? Que no ho veus?

El nano se la va mirar de cap a peus. Tots dos, com tots els nens del carrer, només acumulaven roba vella i brutícia; pel que feia a la resta, tots ells eren producte de la desnutrició i les malalties: escardalencs, menuts, alguns gairebé nans, de cossos esquelètics i cares pàl·lides i xuclades.

—Qui et va defensar ahir a la nit? —insistí en Delfí—, eh?, eh? Qui va ser? Si no fos més gran que tu, t'hauria defensat? Com vols que el més petit defensi el més gran? Sempre és al revés. Reconeixe-ho!

Van continuar caminant entre la gent. La majoria els evitava, però també hi havia qui els amenaçava d'apartar-los del camí. La Maravilles i en Delfí, com tots els trinxeraires, percebien aquests últims i els esquivaven; era una de les primeres lliçons que aprenien els nens del carrer: si no aprenies a burlar aquests desaprensius, et queien clatellots i bufetades, com si fossis un gos que es podia insultar, apallissar i escopir. Més tard els germans es van separar per deixar pas a un carretó de dues rodes carregat de palla tirat per un home. Sí, en Delfí havia sortit a defensar-la, tot i que poc importava que ho hagués fet: el primer clatellot li havia trencat el cor mentre li capgirava el cap; els altres cops no li podien fer més mal. En Delfí s'havia interposat abans que li etzibés el segon clatellot, potser el que li va girar la cara, potser el que hauria aconseguit que les seves ferides es cicatritzessin com corresponia a una desgraciada com ella, sense dret a pensar en el cor si no era que fallava. En Delfí havia rebut aquell segon cop de puny. Estava destinat a la Maravilles i li hauria anat bé. El dolor curava, el dolor els mantenia vius i alerta; el dolor els recordava qui eren.

—No necessitava que em defensessis —recriminà aleshores al seu germà.

—Doncs no ho tornaré a fer. —Aquesta vegada van canviar de vorera per no topar un policia que venia en la seva direcció—. Però continuo sent més gran que tu —insistí en Delfí, un cop superat el perill—. A on anem?

—Vull anar a veure aquella mala puta.

En Delfí va esbufegar. No va dir res. Sabia que no aconseguiria que la Maravilles canviés d'opinió. En Dalmau, el seu Dalmau, l'havia bufetejat. Sí, la nit anterior l'havien trobat vagant pels carrers del Raval, sol, nerviós, suat. En Delfí l'hi havia advertit a la seva germana: «No hi vagis. No t'hi acostis. Li falta la dosi». Es tractava d'un drogoaddicte perillós. «No ho facis, Maravilles», va encertar a dir-li quan ella es va alliberar de la seva mà i es dirigí cap a en Dalmau.

El rajoler li va dir que era una puta, una bagassa que li havia destrossat la vida ensenyant-li on era l'Emma, portant-lo fins a casa seva per trobar-la embarassada d'un altre home. Per què ho havia fet, si ho sabia? Havia caigut en la morfina per culpa de la Maravilles, només per culpa d'ella, si no l'hagués portat…

—Tens morfina? —li preguntà entre insult i insult. La Maravilles va fer que no—. I diners per comprar-ne? —va inquirir—. Tampoc. I tu? —afegí adreçant-se a en Delfí, que va recular negant amb el cap—. Mala pècora —tornà a dirigir-se a la Maravilles—. M'has arrossegat a la misèria! Qui t'havia demanat que la busquessis? Ja l'havia oblidat! I Sabies que estava embarassada d'un altre!

Aleshores el cos se li va sacsejar per l'abstinència, i la tremolor es va convertir en convulsions que semblava que l'havien d'estimbar a terra, però en comptes d'això, el van portar a pegar amb força la cara de la Maravilles. En Delfí va córrer i es va interposar entre tots dos; el següent cop va ser per a ell.

—M'heu destrossat la vida —va escopir en Dalmau, com si aquells rampells violents l'haguessin extenuat—. T'odio, noia. No has fet res més que portar-me desgràcies. Des que et vaig pintar, la meva vida ha estat un calvari. More't! No et vull veure mai més.

La Maravilles no va plorar, va romandre encongida en un portal, arrambada a en Delfí, la resta de la nit. El dolor li recordava que no ho havia de fer, que l'havien parit sense llàgrimes, de la mateixa manera que n'hi havia que naixien sense un braç o una cama.

—Per què vols veure la puta aquella? —li preguntà el germà, quan, després que es fes de dia, ella li va proposar d'anar a veure l'Emma.

—En Dalmau no sap què diu —l'excusà la Maravilles—. Estava drogat. Però aquella filla de puta sí que sap el que fa, i l'ha enfonsat.

—No és problema nostre, Maravilles. U: no viurà gaire; morirà

349

aviat, ho saps. I si no és així, el mataran el dia que intenti robar alguna cosa per comprar droga, o l'engarjolaran, cosa que serà pitjor. I dos: tant hi fa, no? Per què no els deixem estar tots dos?

—En Dalmau morirà? —es plantejà la trinxeraire—. Segur —va acabar contestant-se—. Qui et diu que no moriré jo abans? O tu? Demà mateix: el tifus o la tuberculosi, la verola... o una ganivetada. Que no ho vivim cada dia? Recordes aquell que li deien el Pelut? —va dir la Maravilles. En Delfí va assentir. Ell ja se n'havia assabentat, però va deixar que la seva germana continués—: Va morir ahir. I el dia abans aquella puteta que es refugiava al nostre costat, ho recordes? —També la recordava en Delfí, sí—. I l'anterior... —No va continuar—. Demà podem ser nosaltres, Delfí. Jo vull veure aquella puta per qui en Dalmau plora; haver conegut el mestre és l'única cosa bonica que m'ha passat a la vida. Només la vull veure —va puntualitzar. L'altre va deixar anar mitja rialla d'incredulitat—. No vinguis, si no vols.

—Està embarassada —va apuntar en Delfí com si així pogués fer que la seva germana releguués qualsevol mala intenció que tingués respecte de l'Emma.

—Ja deu haver parit.

I així era. L'Emma transportava el seu nadó lligat al pit amb un farcell gran que cobria completament la menuda. Portava el menjar per a l'Antoni, a l'obra on la Maravilles sabia que treballava el paleta, un edifici de cinc pisos que estaven construint en un carreró del barri de Sant Pere. Allà era gairebé impossible moure's. Les bastides envaïen part del carrer, força estret. La gent intentava circular-hi esquivant el material amuntegat per a l'obra, totxos, sacs de sorra, posts de fusta... Uns cridaven, els altres es queixaven i de tant en tant algú feia broma. I allà hi havia l'Emma, com altres dones, esperant que el capatàs posés el punt final a la jornada matutina i els paletes que treballaven en la construcció baixessin de les bastides.

—I ara? —va preguntar en Delfí a la seva germana, tots dos aturats només dues passes més enllà, a la vora d'una casa ruïnosa a l'altre costat del carrer, davant de la que estaven construint.

«Ara?», va pensar la nena amb la mirada clavada en l'Emma. Podia tocar-la.

—Surt d'aquí, sangonera! —va sentir que li cridaven des del darrere.

Es va girar i va topar un carro de quatre rodes que transportava fustes per a la construcció. Un perxeró gros tirava del vehicle, nerviós pels crits i les fuetades del carreter, necessaris per circular per aquells carrerons del barri vell.

«Ara veuràs», va pensar la Maravilles, i en comptes d'allunyar-se per deixar passar el carro, va fer veure que ensopegava just quan passava el perxeró, al qual va espantar agitant en l'aire les mil robes amb què es cobria, com si pretengués evitar caure-hi al davant.

La reacció va ser immediata: el cavall es va espantar i va saltar amb violència cap al costat oposat, allà on es trobaven l'Emma i les altres dones, que van fugir aterrides davant de l'animal.

La Maravilles va veure que totes fugien saltant sobre els pots de menjar, el pa i les botes de vi; va fer mitja volta i va riure triomfadora mirant el seu germà, imitant les dones, corrent sobre el lloc i brandant els braços fent broma, com si estigués espantada, quan un fort terrabastall li cridà l'atenció: no només el cavall s'havia arrambat a la paret oposada, creant la fugida de les dones dels paletes, sinó que el carro havia seguit la mateixa trajectòria i una de les rodes havia xocat contra les fustes que apuntalaven la bastida per davant de la façana de l'obra.

El carreter va sentir un primer cruixit, va percebre el perill i, en comptes de lluitar amb el cavall, va saltar del carro per evitar que li caigués l'obra al damunt. El perxeró, sense el control de l'amo i amb la roda encallada en un dels pals de fusta, va utilitzar totes les seves forces per alliberar-se, però l'única cosa que va aconseguir va ser que la bastida trontollés; els cubells, l'aigua, la sorra i les fustes li van caure al damunt, cosa que encara el va fer embogir més. L'animal va estirar tant com va poder, ajudat per la seva immensa gropa i unes potes robustes com troncs. Aquesta vegada va arrossegar la bastida sencera, l'obra de la façana que apuntalava i, de retruc, els paletes que hi treballaven, que van caure des d'uns quants metres d'altura en un mar de runa, ferralla, posts de fusta i maons.

Encara no s'havia aixecat la pols que s'acumulava al carreró i el cavall perxeró continuava espeternegant estès a terra, ferit, lligat al carro, quan les dones dels paletes es van llançar a la recerca dels seus marits. Poc després que el cavall renillés i se sumés als gemecs dels ferits i els crits de les dones, les campanes de l'església de Sant Pere de les Puelles van començar a repicar en senyal d'alarma: ràpidament, reiteradament.

L'Emma ni veia res ni podia respirar. «Ves amb compte amb les coces del cavall!», va sentir que algú li advertia. Va protegir amb el cos la Júlia, la seva filla, i va intentar allunyar-se del lloc en què se sentien els repics dels cascos del cavall picant a terra i a la runa. Al carreró estret, com si fos un embut, semblava que la pols en suspensió no hagués de desaparèixer mai.

—Antoni! —va cridar. Va xocar amb algú, una altra dona.

—Ramon! —cridava l'altra.

—Antoni!

Immòbil sobre les fustes, no va sentir cap rèplica. El seu esgarip es va barrejar amb molts d'altres, i, a poc a poc, amb els gemecs de dolor dels ferits, els crits de la gent que anava apareixent, els renills aguts que feia el perxeró i el ressò de les campanes de Sant Pere. Van arribar més cavalls: la policia. La pols va començar a esvair-se i la visió de l'escena va millorar. Estaven tots bruts. L'Emma va embolcallar encara més la nena amb el mocador. No se la sentia, però la notava viva; la sentia bategar contra el pit. Algú, un policia, va començar a donar ordres, però ningú no li va fer cas. La gent aixecava posts de fusta i runa intentant alliberar els paletes que s'hi havien quedat atrapats. Algunes dones ajudaven; d'altres, com l'Emma, estaven quietes, amb la respiració continguda, mirant aquí i allà, fins que aconseguien reconèixer l'home que buscaven. De sobte el va veure: l'arrossegaven dos homes que l'estiraven dels braços com si fos un ninot. Ella va saltar per damunt de dos posts de fusta i va estar a punt d'ensopegar.

—Aneu amb compte! —els recriminà.

Tots dos es van aturar. No van deixar anar l'Antoni, que es va quedar mig penjant.

—Senyora… —va començar a dir un d'ells.

—Guàrdia! —va cridar l'altre.

Algú, des del darrere, la va agafar de les espatlles.

—És mort —li mussità mentre els altres dos continuaven estirant el cadàver.

L'Emma el va observar, gros i fort. No hi havia sang. No presentava cap ferida. Com volien que un home tan ben cossat morís?

—No —va replicar amb un fil de veu.

El policia la va agafar per les espatlles encara amb més força mentre acabaven de treure el cos de l'Antoni i el col·locaven contra la façana de la casa del davant, al costat d'un altre mort i un parell de ferits asseguts contra la paret. Aleshores la va deixar anar. L'Emma es va girar.

—No —va repetir quan el va veure.

El guàrdia va arrufar la boca.

L'Emma es va agenollar al costat del cadàver de l'Antoni mentre continuaven les tasques de desenrunament. Amb la mà esquerra, per damunt del mocador, agafava el cap de la seva nena; amb la dreta acariciava els cabells esbullats de l'Antoni. No podia creure que fos mort. Li va clavar uns copets a la galta, intentant fer-lo reaccionar. Un metge jove del dispensari municipal del Parc, el servei més proper de la zona, s'agenollà al seu costat.

—Ho comprovarem —li va dir amb dolcesa buscant el pols de l'home en un dels canells—. Em sap greu —sentencià, quan, després d'una estona d'engany, va considerar que l'Emma estaria més disposada a acceptar el tràgic diagnòstic.

A partir d'aquí, la successió dels fets es va confondre en la ment de l'Emma. Va plorar. Ho va fer sobre el cadàver del seu paleta, imponent tot i ser mort, agafant la Júlia amb totes les seves forces. Van intentar aixecar-la, però ella s'hi oposà. «S'han d'endur els morts i els ferits, senyora», va sentir que li deien. Va deixar d'oposar resistència i el metge jove la va ajudar a aixecar-se i, sense bellugar-se, va veure com carregaven el seu Antoni a una tartana. «A l'hospital de la Santa Creu», van contestar a la pregunta que li va sortir esquinçada de la gola. Tot i que ella necessitava tocar-lo una altra vegada, no l'hi van deixar: portaven un altre ferit.

—Primer, vagi-se'n a casa —li van aconsellar—. Un dipòsit de cadàvers no és un lloc per a un nadó.

Algú la va abraçar, una dona.

—On vius? —li va preguntar.

L'Emma va tartamudejar. Dues bones samaritanes es van oferir a acompanyar-la.

—I l'escudella amb el dinar, i la bota de vi? —se li va ocórrer preguntar a l'Emma després de confessar que ni tan sols portava els deu cèntims que costava el tramvia.

Les dones la van tranquil·litzar: buscarien l'escudella i la bota de vi, li van assegurar; a més van pagar el tramvia de la seva butxaca.

Un cop al passadís del celobert on donaven els casinyots, l'Emília i la Pura immediatament es van fer càrrec de la situació. L'Emma continuava coberta de pols, els cabells empastats de terra, com la roba. Només a la cara, les llàgrimes havien obert uns reguerols nets. Gairebé li van haver d'arrabassar la filla. Sense deixar de vigilar la canalla, la van posar a dormir. La van netejar i li van oferir un brou que no va tastar. Qui sí va mamar va ser la Júlia. «És una dona forta», es van dir totes dues en silenci a la vista de la llet que no havia perdut. Però cap de les dues no hauria pogut assegurar fins quan duraria aquella fortalesa.

El municipi es va encarregar de l'enterrament després de comprovar la falta de recursos de l'Emma. Ho va fer ràpidament, en menys de quaranta-vuit hores perquè eren al mes d'agost del 1904 i la calor no afluixava. Malgrat les presses, l'Emma es va veure sorpresa per la presència de gairebé una dotzena de persones. A les altres dues víctimes de l'esfondrament no les van inhumar al recinte lliure, sinó al catòlic, on van anar els representants de la propietat de les obres. Ella no havia tingut temps de comunicar a ningú la seva desgràcia. Tampoc no tenia a qui dir-l'hi: l'hi hauria pogut explicar a la Dora, però estava segura que el barreter no l'hauria deixat anar-hi, no fos cas que es taqués. I pel que feia a la Josefina… Feia temps que no la veia, des que en Dalmau s'havia presentat aquell dia amb la intenció d'ajudar-la. A més, només la Josefina podia haver dit al seu fill on vivia ella, o amb qui ho feia, o, si no, li devia haver donat algun detall per localitzar-la. De manera que l'Emma no podia evitar guardar sentiments contradictoris cap a la mare d'en Dalmau. L'Emília i la Pura no hi havien pogut anar; elles ja havien fet prou. I tampoc no coneixia la família de l'Antoni; sabia que hi havia una mare i un parell de germanes amb qui no tenia relació i que vivien en un poble dels afores de Barcelona. «El dia del casament te les presentaré», li prometria sempre ell, però tal com els anaven les coses, l'enllaç es retardava una vegada i una altra.

No obstant això, allà hi havia alguns d'aquells companys que havien corregut al costat d'ells en l'última vaga de la construcció. «Visca la República!», va cridar un d'ells amb el braç alçat quan els enterramorts van baixar el fèretre de l'Antoni a la fossa comuna. «Això li hauria agradat», va pensar l'Emma dibuixant mig somriure als llavis. Ningú no va atacar l'Església, potser per respecte al dolor de les famílies que uns metres més enllà enterraven els seus éssers estimats.

I la gran sorpresa va ser la presència d'en Joaquín Truchero, aquesta vegada amb les sabates netes i lluents, acompanyat d'en Romero, el seu ajudant. D'ençà que havia tingut la nena i les coses anaven mal dades, l'Emma ja no anava a fer classes nocturnes.

—Et faig arribar el condol de tot el partit i del meu. —En Truchero li allargà la mà quan l'Antoni ja havia desaparegut sota terra i els assistents s'acomiadaven.

—Gràcies —li contestà ella atansant-li la mà dreta mentre amb l'altra agafava la nena, protegida al costat del pit, embolcallada amb un mocador gran—. Truchero... —el va cridar ella quan l'altre ja se n'anava. El líder jove es va girar—. Necessito feina.

—Ja en vam parlar, d'això, Emma. Ja saps quina és la meva resposta.

—El meu company, el pare de la meva filla, ha mort per ser a les llistes dels maleïts...

La majoria dels que havien anat a l'enterrament envoltaven ara l'Emma i els dos funcionaris del partit.

—Jo també hi soc des de l'última vaga; m'hi van incloure amb l'Antoni —va al·legar un dels homes.

—Doncs jo me'n vaig deslliurar —va apuntar un altre.

—L'Antoni va morir perquè va haver de treballar per pocs diners i en unes condicions laborals poc segures —va seguir l'Emma—, i tot això va passar per fer cas al partit i lluitar pels drets dels treballadors.

—Són molts els que lluiten, molts els que estan sense feina i molts els que en pateixen les conseqüències —va dir en Truchero.

—No sembla que tu siguis un d'ells —l'increpà un dels paletes.

L'Emma va tornar a mirar les sabates lluents d'en Truchero; el jove potser s'havia equivocat enllustrant-les.

—Segur que d'aquests n'hi ha molts —va afegir un altre per socórrer l'Emma—, però l'Antoni ha mort, i deixa una dona sense recursos i una criatura de mesos, i és d'ella de qui estem parlant.

—A les fraternitats la podran ajudar.

—No vull que m'ajudin. Vull feina. —La veu de l'Emma s'havia endurit—. Si no hi podeu fer res, no serviu als obrers i encara menys als que lluiten per vosaltres.

—El partit no està per atendre-us un a un.

—Digues a Lerroux —l'amenaçà l'Emma— que o bé m'aconsegueix una feina decent, o tornaré a buscar les dones i a fer mítings, però aquesta vegada per desenganyar-les d'aquesta revolució de la qual tant us ompliu la boca.

L'Emma i en Truchero van enfrontar les mirades. El sol queia a plom i fins i tot els enterramorts estaven pendents de la situació. L'Emma va serrar les mandíbules i va cloure els punys com feia en els moments en què s'enfrontava a la Guàrdia Civil, amb la Montserrat al costat, quan uns i altres es desafiaven; aleshores els republicans es reduïen a un grup de nostàlgics vells. Elles sí; elles hi eren, des de petites, i aguantaven les mirades carregades d'odi d'uns policies ressentits a qui no permetien carregar contra les dones i els nens. En Truchero no comptava ni tan sols amb les detencions dels guàrdies, només era un jove radical i servil, i això jugava en contra seva, cosa que va demostrar al cap d'uns segons, quan va assentir amb el cap, cedint a la pressió.

—Soc cuinera —li recordà l'Emma quan l'altre ja marxava.

En Romero ni tan sols no s'atreví a oferir-li la mà; es va acomiadar d'ella tocant-se l'ala del bombí.

Però aquella actitud no li va servir quan després es dirigí a l'obra, acompanyada tan sols per dos amics de l'Antoni. Malgrat el temps passat, la runa encara estava amuntegada a un costat i deixava l'espai just per permetre el trànsit pel carreró; uns paletes s'afanyaven per acabar d'apuntalar la construcció. Hi havia força gent: operaris, constructors, funcionaris i molts tafaners. L'Emma va preguntar pel capatàs a un home que semblava el vigilant.

—Per què el vol veure? —s'interessà ell.

—Perquè el pare de la meva filla va morir aquí fa dos dies.

L'Emma va recórrer el terra amb la mirada, com si li volgués indicar el lloc exacte on havia mort l'Antoni, però abans que alcés el cap, el vigilant ja havia anat a trobar un home que controlava de prop les labors d'apuntalament i que va canviar la seva atenció en sentir les paraules que l'altre li va dir a l'orella. En un moment era al costat de l'Emma, amb la gorra rebregada entre les mans.

—Em sap greu —li va dir—. Què hi feu vosaltres aquí? —va afegir dirigint-se a la parella de paletes que feien costat a l'Emma, i a qui era evident que coneixia.

—Venim de l'enterrament d'un company —contestà de males maneres un d'ells—. Un que també va ser amic teu abans que et dediquessis a contractar esquirols i a explotar els obrers.

—Parles de l'Antoni? —va preguntar el capatàs, tot i que en el fons sabia la resposta; no havia reconegut l'Emma, que va assentir. L'home sospirà—. Li vaig advertir que no era aquest el camí…

—El camí de defensar els drets dels treballadors? —va saltar l'Emma.

—El camí d'alimentar els seus —replicà l'encarregat—, però tampoc no vull discutir amb tu —va intentar escapolir-se.

En aquell moment ja s'hi havien aplegat més persones.

—Què vol? —va inquirir directament a l'Emma un home ben vestit, de negre rigorós, camisa blanca, corbata de colors i una barba poblada i ben cuidada.

—El senyor José Sancho —el presentà el capatàs—, l'amo de l'edifici.

—El meu… —«El meu… què?», acabava sempre preguntant-se l'Emma. No havien arribat a casar-se—. El pare de la meva filla va morir fa dos dies en aquesta obra.

—El meu sentit condol —l'interrompé el burgès.

—Volia reclamar la indemnització que pugui correspondre a l'òrfena per l'accident.

El propietari i el capatàs van fer cara de sorpresa. Els dos paletes amics de l'Antoni que acompanyaven l'Emma li donaven suport en silenci, tot i que ja li havien advertit de camí a l'obra que no li pagarien ni un ral.

«Vull sentir-ho en boca seva», s'entestà ella. I així va ser:

—No li correspon cap indemnització, senyora —li negà el propietari.

—Però…

—L'accident —va intervenir el capatàs— no es va produir com a conseqüència dels treballs en l'obra, ni de negligència o falta de seguretat per part de la propietat. Nosaltres no tenim cap culpa que un cavall desbocat es llancés contra la bastida.

—L'Antoni tampoc no la va tenir! —va exclamar l'Emma.

—Ja, això és veritat —reconegué l'home—. Per això es tracta d'un cas de força major, ho entén? Ningú no n'ha tingut la culpa… Excepte si vol reclamar contra el carreter, però aquest també ho ha perdut tot: carro i cavall. Ni tan sols recuperaria els diners que gastés en advocats i procuradors.

—El pare de la meva filla treballava per a vostès —insistí ella.

—Si vol anar als jutjats —va intentar posar fi a la conversa el propietari davant de la gent que s'anava concentrant al lloc—, hi té tot el dret.

—Vostès… —L'Emma va assenyalar amb l'índex el burgès. Escopia les paraules—: vostès són l'escòria del món. Deixen vídues i orfes només per guanyar més diners. Aquesta bastida era fràgil i inestable. Quatre taulons de fusta mal posats enmig d'un carrer, sense cap protecció. Només els interessa estalviar diners.

—Ningú no va obligar l'Antoni a treballar en aquesta obra —va dir el capatàs—. Es tractava d'un paleta expert. Si fos cert el que diu, hauria rebutjat la feina.

El cinisme amb què el capatàs va deixar anar la frase, sabent prou bé que la gana i la necessitat era el que arrossegava els homes a acceptar aquelles condicions precàries, exasperà l'Emma.

—Fill de puta! —L'Emma es va abraonar contra ell.

L'home va recular, si bé no va caldre que ho fes gaire, perquè l'Emma es va aturar quan va recordar que carregava amb la nena a coll.

—Gossos fastigosos! —va insultar aleshores a tots els presents—. Miserables!

Un policia que vigilava l'obra es va dirigir cap a ella. El burgès va fer un gest negatiu amb el cap.

—Aquesta dona està molt alterada —va intervenir—. És ben normal, ateses les circumstàncies. No li tindrem en compte els insults. Se li devia algun jornal al pare de la seva filla? —va preguntar al capatàs.

L'Emma, enrabiada, encesa, la mandíbula serrada, els va mirar tots, un a un, aturant-se en el policia, que s'ho mirava expectant. La ràbia la impulsava a actuar, però la raó es va imposar: què passaria amb la nena si l'arrestaven a ella? Va escopir a terra i va fer el gest de fugir d'allà fins i tot renunciant a les quatre monedes que li oferien. «Necessites aquests diners», li van dir a sota veu els amics de l'Antoni. Va acabar davant del burgès, d'aquell home amb levita negra i barba endreçada, intentant no allargar la mà, esperant aquelles pessetes que l'altre comptava amb parsimònia. Al final ho va haver de fer. La mà no va acompanyar la seva voluntat, i va tremolar.

Abans que se n'anés, es va atansar a una dona que li donà una bota de vi, neta i greixada.

—L'escudella no la trobem —confessà. L'Emma se li va abraçar—. Sigues forta —li va dir a cau d'orella—. La teva filla et necessita. No cedeixis. Moltes hem passat per això.

Si no hagués existit aquell cavall, li van explicar en acabat els paletes, ja de camí a casa, tampoc no li haurien pagat. Dreta llei, ho haurien de fer: existia una normativa des de feia poc més de quatre anys que ho establia, però els jutges continuaven exigint la concurrència d'alguna mena de culpa per part de l'empresari, i això era molt difícil de provar sobretot quan els mateixos companys de l'accidentat acostumaven a negar-se a declarar contra el seu patró per por de perdre la feina.

Netejava plats i tasses amb la terra d'escudelles de Montjuïc, tal com feia a la fonda de Can Bertran. Fregava el terra i les taules del cafè restaurant de la Fraternitat Republicana, els llums, les portes i els coberts. Netejar i fregar; aquella va ser la feina que en Truchero li va buscar. Va reprendre les classes amb les obreres tres nits a la setmana. El temps s'escolava d'ençà de la mort de l'Antoni, i la gent que aleshores es va abocar a ella, alguna amb generositat, havia tornat a les seves rutines i a les seves pròpies desgràcies. L'Emma plorava de nit, i mentre el record de l'Antoni se li escapava entre les llàgrimes, els problemes creixien, com si la tornada a la vida hagués decidit mostrar-se fins i tot més cruel del que ella ja preveia.

Amb les tres pessetes que guanyava de jornal diari no n'hi havia prou per aconseguir l'alimentació d'ella i de la seva filla i pagar el lloguer d'aquell cau indecent al passadís. Havia aconseguit aguantar dos mesos, però l'amo de l'edifici, un altre burgès enriquit a costa dels humils, ja li havia enviat l'administrador, un vell calb i prim que feia pudor i tremolava, que, sense cap consideració pel fet que estigués donant de mamar a la Júlia, la va amenaçar amb el desnonament immediat, tret que... La mirada carregada de luxúria que va inundar aquells ulls vidriosos va ensorrar l'Emma. Li faltava el seu home, el seu paleta, i fins i tot un vell tronat pretenia aprofitar-se de la seva necessitat. Tornava a aquella vida: la del matalasser i el venedor de pollastres.

—Vagi-se'n a prendre...! —Va callar i rectificà a temps—. De quin termini estem parlant? —va inquirir aixecant-se del llit, allunyant la Júlia prou perquè aquell porc li veiés part de la pitrera.

—No ho sé... —L'administrador se li atansà—. Quant necessitaries?

L'Emma va deixar la nena al llit i es va girar cap al vell amb els pits ja totalment al descobert, els mugrons erectes, plens a vessar d'una llet que es negava a deixar d'emanar. Al sàtir se li escapà la bava entre la comissura dels llavis. Va allargar la mà per tocar el pit jove de l'Emma, i ella li etzibà una puntada de peu a l'entrecuix. L'home va udolar de dolor i es va endur les mans als testicles, i l'Emma li tornà a etzibar puntades de peu. I una tercera vegada, fins que va caure a terra, doblegat.

—De moment em concediràs un mes més, oi? —va dir l'Emma. L'altre no va contestar—. Oi? —insistí deixant-se caure de genolls sobre el tors del vell, que semblava cruixir com si s'hagués trencat.

—Sí —va dir estossegant.

El va obligar a signar un rebut, com si l'Emma hagués pagat un mes més. Ho va fer amb la navalla de l'Antoni pressionant-li els ronyons; l'hi havien donat al dipòsit de cadàvers de l'hospital, amb tots els altres efectes personals. El paleta feia servir aquella navalla per a tot, des de tallar el pa i punxar les patates que l'Emma li portava per dinar, fins a joguinejar amb ella i tallar trossos de fusta que no s'assemblaven mai a la idea inicial que pretenia esculpir. L'Emma sempre reia i es burlava d'ell quan veia el resultat final.

—No té validesa res que hagi estat signat sota coacció. —El vell la va fer tornar a la realitat.

L'Emma el va agullonar amb la punta de la navalla. «L'hauria de dur sempre al damunt», es va jurar en aquell moment.

—Però sí que tindria validesa si m'ho haguessis signat després de tocar-me el cony, és això el que vols dir? —Ara va pressionar la navalla encara més, fins que va notar com se li clavava a la carn i el vell es recargolava de dolor—. Quan hagi passat aquest mes, vine a mirar-me l'altre pit.

Ara s'apropava aquell dia, i no tenia diners. Pràcticament tot s'ho gastava en menjar; s'havia d'alimentar bé perquè la llet fluís i la seva filla creixés sana. Necessitava roba per a la Júlia de cara a l'hivern, encara que fos usada, a més d'espelmes, carbó i pagar algun bitllet de tramvia el dia que es veia incapaç de recórrer mig Barcelona a peu per arribar a la feina. L'única facilitat era que deixava la nena a la guarderia de la Fraternitat, on la cuidaven i on acudia per donar-li de mamar cada vegada que l'avisaven.

Havia tornat a utilitzar la navalla de l'Antoni un dia que l'encarregat del cafè li recriminà per enèsima vegada les seves constants anades i vingudes. Aquesta vegada l'home la va atacar amb més acritud, amb més violència, potser perquè havia begut més del compte.

—No pot ser! Aquestes anades i vingudes no poden ser! Deixes la neteja penjada i ens quedem sense copes, ni vasos ni…

L'Emma se li atansà.

—Em sap greu —es va voler excusar.

A partir d'aquí es van interrompre l'un a l'altre:

—No n'hi ha prou…

—Ja saps que tinc una filla…

—Doncs que se n'ocupi una altra!

—Li haig de donar el pit.

—Busca't una dida…

L'home va mal interpretar la distància que havia retallat l'Emma. La tenia tan a prop que la podia tocar. La pudor d'aiguardent era insuportable per a la noia.

—No puc pagar una dida —va dir entre dents.

—Doncs aleshores ho hauràs de compensar d'una altra manera… —li insinuà ell.

L'home va callar en notar la punta de la navalla agullonant-li els testicles. Va recular, però l'Emma va pressionar més. L'altre va continuar caminant enrere, els braços gairebé alçats, fins a xocar d'esquena contra la paret. L'Emma no va cedir.

—Et castraré com tornis a ficar-te amb mi o amb la meva filla. Ho has entès?

No obstant això, l'Emma estava segura que l'administrador no cauria en el mateix engany que ja l'havia portat a regalar-li un mes més de lloguer. Aquell dia, l'Emma no tenia classe nocturna i sabia que li quedava una possibilitat. De la Fraternitat, al costat de la Universitat de Barcelona, es dirigí al barri de Sant Antoni, allà on havia viscut amb el seu oncle Sebastià i els cosins. Era a dues passes, tot i que es tractava d'un camí i d'una zona que havia intentat evitar des del dia que l'havien fet fora de la casa.

La porta era oberta, així que hi va trucar i hi va entrar sense esperar resposta. Estaven tots sopant: l'oncle, la Rosa i els dos cosins. Van trigar a reaccionar, fins que la cosina es va aixecar i va córrer a abraçar-la. L'Emma va permetre que se li escapessin les llàgrimes.

—Poseu un plat més a taula —ordenà la Rosa.

—No… —intentà rebutjar l'Emma.

Els altres no es van bellugar.

—No m'ha sentit, pare? —va cridar la Rosa.

L'Emma només volia recuperar l'estilogràfica amb el tap d'or que pertanyia al seu pare; segur que, amb els diners que en tragués, podria pagar un mes de lloguer, potser dos, però va acabar menjant una bona sopa amb verdures i carn en abundància, com corresponia a un treballador de l'escorxador, mentre la Rosa jugava amb la Júlia, asseguda cama ací cama allà a la seva falda.

L'Antoni, el seu marit, sí, s'havia casat, va decidir explicar, havia mort en un accident. Era paleta. «L'accident del cavall que va embogir i va ensorrar tota la bastida?» «El mateix», ratificà a un dels seus cosins després de la pregunta. El rictus de desaprovació amb què l'havia acollit el seu oncle Sebastià es va suavitzar en escoltar-la, i fins i tot es va permetre agafar una de les manetes de la Júlia, al seu costat a la taula. Ella va intentar no explicar gaire cosa més. Treballava a la Fraternitat, tot i que ja no participava als mítings republicans. Les dones tenien poques coses a dir i, pel que semblava, ella ja hi havia aportat tot el que podia. L'oncle Sebastià va anar a buscar l'estilogràfica, abans fins i tot d'acabar-se el plat.

—Per què no l'hi vas regalar al teu marit quan us vau casar? —va inquirir com qui no vol res abans de seure una altra vegada i d'endur-se una altra cullerada a la boca.

La ploma havia quedat damunt la taula delicadament embolicada en una gasa.

«Per què no l'hi vaig regalar?», es va plantejar l'Emma mentre fins i tot la seva filla semblava que esperés la resposta.

—Perquè no sabia escriure —va resoldre la qüestió—. No volia posar-lo en evidència.

L'oncle Sebastià va acabar-se el sopar i se'n va anar de casa. Tenia torn de nit. Va dubtar abans d'apropar-se a la taula per acomiadar-se.

—Ens tornaràs a venir a veure? —li preguntà.

Va ser l'Emma qui es va aixecar i li va fer un petó per damunt del front. Ell esbossà un somriure.

Més tard, els dos germans van sortir a prendre una copa, de manera que l'Emma i la Rosa es van quedar soles i assegudes al llit que tant temps havien compartit, plorant i rient, amb la Júlia profundament adormida entre totes dues, i es van explicar tot el que els havia passat d'ençà del dia que es van separar.

Per la seva cosina va tenir notícies d'en Dalmau. Estava desaparegut. N'hi havia que deien que l'havien vist aquí o allà, tot i que tots coincidien que sempre anava begut o drogat, com un captaire més dels que es bellugaven a l'ombra de la nit.

—I la Josefina? —va preguntar l'Emma.

—Mil anys més vella, però no perd el bon caràcter. De vegades me la trobo —va recordar la Rosa—. Diuen que un dia va aparèixer en Dalmau i es va emportar totes les coses de valor que hi havia a la casa. Diuen també… Tot i que no sé si creure-m'ho…

—Què? —l'instà l'Emma a parlar.

—Diuen que va maltractar la seva mare. Que ella el va intentar aturar, calmar-lo, parlar-hi, però… —La Rosa va callar. L'Emma va recordar la clatellada que li havia clavat a ella mateixa, al cafè del Paral·lel—. No ho sé, cadascú explica una cosa diferent, ja saps com és això. En qualsevol cas, sense l'ajut econòmic que li proporciona-va el fill, la Josefina s'ha vist obligada a rellogar l'habitació d'en Dalmau a una família que acaba d'arribar d'un poble de Lleida: un matrimoni amb dos fills menuts.

Tot i que ja s'havia fet de nit quan es va acomiadar de la seva cosina, l'Emma va caminar fins al carrer de Bertrellans. Si perdia l'últim tramvia podria refugiar-se a la Fraternitat per evitar la qui-lometrada que havia de caminar fins a casa seva; sempre hi havia algú que dormia amagat en algun racó i no seria la primera vegada que ella ho fes. Eren molts els empleats que, sense recursos, dor-mien sobre els taulells de les botigues on treballaven i fins i tot hi arribaven a viure. Entre els sorolls de la nit, l'Emma va sentir el so-tragueig de la màquina de cosir abans fins i tot d'endevinar l'espel-ma que titil·lava i il·luminava tènuement la Josefina per treballar, i que ni tan sols arribava a donar llum a l'ampit de la finestra de la seva habitació. No es podia creure el que li havia explicat la Rosa, no aconseguia imaginar-se un Dalmau drogat i desaparegut. Durant la conversa amb la seva cosina, la xerradissa constant d'ella li havia impedit fer-se càrrec de la transcendència de la situació, però tal com va sortir a la nit, tal com es va endinsar a la ciutat vella i la fortor i la humitat dels seus carrers la van assaltar, la culpa i els re-cords li tenallaren els pensaments. «I si s'ha mort?», es va preguntar. Un calfred s'afegí a l'angoixa que li generava l'entorn. Va abrigallar la seva filla. L'última vegada que havia vist en Dalmau l'havia insul-tat, menyspreat. Ni tan sols va creure ni una paraula de l'explicació que ell li va donar sobre el robatori dels nus. Un obrer que fumava recolzat a la façana de l'edifici li va llançar quatre floretes. L'Emma va palpar la navalla. Tampoc no li podia fer res, a aquell home, però els crits que faria ella ressonarien al carreró i algú l'ajudaria, o no? Va accelerar el pas i va mirar l'obrer abans d'introduir-se al portal fosc de casa la Josefina: ell continuava recolzat a la paret.

Les va sentir ja des de l'escala: gallines. Després de treballar amb el venedor de pollastres, reconeixeria aquell tuf fins al moment exacte anterior a la seva mort, quan els sentits ja haurien d'haver abandonat la persona. Pel que semblava, els inquilins de la Josefina havien ocupat el replà exigu que s'obria davant de les diverses portes dels pisos, perquè allà jugaven dos nens petits gairebé despullats i s'amuntegaven dues gàbies amb dues gallines cadascuna. No era seva, no havia estat mai casa seva per molt que en una època pensés que algun dia ho seria, i, tot i així, es va sentir envaïda en la seva intimitat quan va treure el cap per la porta i va veure dos pagesos acabats d'arribar del camp, bruts i pudents, asseguts a la taula de la cuina. La navalla de l'Antoni semblava una joguina al costat de la que descansava damunt la taula a tocar d'una llesca de pa sec.

No va fer cap cop al marc de la porta, ni tan sols va escurar la gola per cridar l'atenció d'aquells dos, senzillament va entrar, sense saludar.

—He vingut a veure la Josefina —va anunciar dirigint-se directament al seu dormitori.

Els altres tampoc no es van sobresaltar.

El soroll de la màquina de cosir es va aturar abans que l'Emma, aquesta vegada sí, piqués a la porta amb els artells de la mà. La Josefina la va rebre amb els braços oberts i llàgrimes als ulls, com si l'hagués estat esperant des de feia molt de temps.

Es va emportar el bressol de la Júlia, la roba personal i la de llit, dos plats i dos gots, coberts, la navalla, la ploma i la nina de drap de la filla. Tampoc no hi cabia res més a casa de la Josefina. Va aconseguir que el repartidor de gel de la Fraternitat li transportés el bressol i els altres articles en la seva tartana a canvi de l'abric vell de l'Antoni que fins aleshores havia conservat com a manta per a la

Júlia a les nits. El poc que li quedava, després d'anar venent objectes i després de permetre que la Pura i l'Emília escollissin un record, ho va liquidar a un baratador per unes pessetes que li anirien molt bé ara que començava a refermar aquell hivern del 1905.

L'Emma no sabria dir si l'hi hauria arribat a demanar, però quan la Josefina l'hi va oferir, es pensava que es desmaiaria allà mateix: «Veniu a viure amb mi». Va ser com si tota la tensió acumulada des de la mort de l'Antoni se li n'anés pels porus de la pell. No va plorar, no podia plorar més després que una i l'altra s'haguessin esplaiat en les seves desgràcies. «No era ell, no era ell, no ho era», excusà la Josefina al seu fill quan va confessar a l'Emma que sí, que la nit que va entrar a robar a la casa l'havia agredit. Després de la proposta, l'Emma es va deixar caure al llit on en aquells moments seia amb la Josefina mentre parlaven.

—Això és un sí? —li preguntà la Josefina. L'Emma va assentir amb el cap, fregant la cara a la vànova—. Li diré a aquesta família que se n'ha d'anar i ocuparàs l'habitació d'en Dalmau.

La Josefina ja li havia comentat que no creia que en Dalmau tornés mai. El seu germà Tomàs havia utilitzat tots els seus contactes del món anarquista per intentar localitzar-lo: va tenir constància de la seva deriva i del descens a l'infern. «Sembla que és on s'ha installat —va mussitar la dona amb els ulls negats—, al costat del diable.» Després no van aconseguir trobar-lo. De sobte, ningú més va donar notícies d'ell; havia desaparegut de la ciutat. «Deu ser mort —va dir la Josefina entre plors—. El deuen haver recollit dels carrers, indocumentat, com un més d'aquests captaires que hi acaben.» L'Emma la va abraçar mentre la Josefina es desfeia en un plor reiterat, espasmòdic. «No l'he pogut enterrar», repetia una vegada i una altra. La jove es va veure arrossegada pel dolor i la tristesa de la dona i va notar que li lliscaven les llàgrimes per les galtes. «No haig de plorar per ell», es va retreure. En Dalmau no s'ho mereixia. Però la mort... Això tampoc no l'hi hauria desitjat mai.

—No perdi l'esperança, Josefina —va xiuxiuejar—. En Dalmau em va venir a veure, sap? —va comentar després—. Ho va fer per oferir-me diners.

—Li vaig advertir que no ho fes.

L'Emma va vacil·lar un instant, però si pensava viure en aquella casa, ho havia de saber:

—Per què li va dir on vivia?

—No ho vaig fer pas.

—I aleshores, com va arribar fins a mi? —va preguntar l'Emma, sorpresa.

—No ho sé, Emma. No sé com et va trobar.

Va passar un instant, en què la dona es va deixar portar pel dolor i l'Emma per la intriga de com havia arribat en Dalmau fins a la seva porta.

«En qualsevol cas —va haver de reconèixer al final—, una simple coincidència hauria estat suficient.»

—I els rellogats? —va preguntar aleshores la jove per arrancar la Josefina de la tristesa mentre assenyalava la cuina—. Creu que se n'aniran?

—Els tornaré els diners —va afirmar ella després de sospirar i posa fi al plor—. Són mala gent. Els nens... Bah, només són nens, uns belluguets com tots, i ella és una desgraciada que tot el dia rep llenya. Són molt rústics, unes bèsties i uns bacons. Ara bé, ell, l'Anastasi, és perillós. Qui me'ls va recomanar em va enganyar i em vaig equivocar a l'hora de jutjar-los. El dia que aquell animal s'excedeix amb la beguda, tremolo tancada a la meva habitació. Se n'ha d'anar. Entre tu i jo tirarem endavant.

—I si no accepten els diners?

No els van acceptar. L'Anastasi va estampar un cop tan fort a la taula de la cuina que fins i tot les gallines van deixar de cloquejar a les gàbies i els nens van treure el nas des del replà.

—Fa uns quants dies et vaig pagar el mes sencer, i penso estar-me aquí tot el mes —va udolar el pagès—. No tinc temps per començar a buscar una altra casa, haig de trobar una feina.

—Doncs no sembla que t'hi escarrassis gaire —replicà la Josefina. L'Anastasi la va travessar amb la mirada. L'Emma s'arrambà a ella per fer causa comuna davant de l'home—. Sempre t'estàs allà assegut, o a la taverna de sota —li recriminà.

—M'has de dir tu el que haig de fer?

—Doncs sí...

—Escoltin… —El repartidor de gel, que esperava instruccions sobre on havia de deixar el bressol de la nena, va interrompre la discussió—. Què faig amb això?

—Deixi'l al replà, amb les gallines —ordenà l'Anastasi.

—Al meu dormitori —el corregí la Josefina. L'Emma, sorpresa, la interrogà amb la mirada—. Serà només un mes —la tranquil·litzà l'altra—. Entre l'armari i els peus del llit, que compartirem aquest temps, hi cap el bressol.

—I el dia que et cansis de la vella, pots venir amb mi —va riure l'altre.

La Remei, la dona de l'Anastasi, també asseguda a la taula, ni tan sols va fer una ganyota.

—Abans… em suïcido.

La mà de la Josefina, a l'avantbraç de l'Emma, la va fer callar.

El dormitori de la Josefina va acabar ple com un ou, tant que era gairebé impossible caminar-hi. El llit estava enganxat en un racó perquè, així, al costat de la finestra, hi cabessin la màquina de cosir, la banqueta, els cabassos i els estris necessaris per a la roba i la costura. Al peu del llit hi havia un armari de fusta, amb un mirall picat penjat de l'interior d'una de les portes, i va ser on l'Emma va guardar la seva roba i la de la Júlia, no sense abans adonar-se que allà també hi havia la d'en Dalmau, que la Josefina devia haver tret de l'habitació que ara ocupaven l'Anastasi i la seva família. A la noia se li encongí el cor en fregar aquelles peces amb la mà, perquè les hi havia vist posades quan festejaven i ara el més probable és que fos mort. El problema era que, un cop enquibit el bressol, les portes de l'armari no es podien obrir.

—No t'amoïnis, l'haurem de bellugar per obrir-lo —li va dir la Josefina, ja asseguda darrere de la màquina, disposada a tornar a treballar. Entre el llit, el bressol, l'armari, la màquina i els estris, a l'habitació només quedava lloc per a una tauleta i un rentamans amb aigua—. Vigila amb aquest home —va advertir la Josefina a l'Emma—. I tanca la porta amb clau.

L'Emma li va ensenyar la navalla mentre obeïa. La Josefina va evitar comentaris i va trepitjar el pedal de la màquina de cosir. L'Emma va seure a la cantonada del llit que donava a la paret i es va posar la nena al pit. Després es va desvestir fins que es va quedar només amb la camisa, es va arrossegar pel llit de quatre grapes fins a arribar a la Josefina, i li va fer un petó a la galta.

—No treballi tant —li suplicà.

—Ja saps que soc de dormir poc —contestà ella.

L'última cosa que va pensar l'Emma abans de conciliar el son va ser les vegades que tant ella com en Dalmau s'havien queixat de la remor monòtona i exasperant de la màquina de cosir que torbava la puresa de les seves promeses d'amor i les rialles ingènues, per la necessitat econòmica que implicava l'ús constant de l'aparell, i sobretot per la misèria que s'obtenia després d'una jornada de catorze hores de feina. Aquella nit, però, va trobar en la remor del pedal i els repics de l'agulla avançant sobre la roba blanca la cançó de bressol necessària per agafar el son.

L'Emma i la Josefina comptaven els dies que faltaven perquè l'Anastasi i la seva família marxessin del pis del carrer de Bertrellans, un habitatge que s'havia convertit en un lloc opressiu, fins i tot perillós per a l'Emma. La Remei, com tampoc l'Anastasi, no aconseguia aquella feina promesa que feia somiar els pagesos fins al punt d'abandonar les seves terres i emigrar a la ciutat. La crisi econòmica ja afectava multitud d'oficis i feines. Més d'un vint per cent de les dones que treballaven en el ram del tèxtil s'havien quedat a l'atur. En la construcció, els percentatges eren tràgics: el cinquanta per cent dels fusters no tenien cap ocupació i, no obstant això, a les fàbriques de Barcelona treballaven més de vint-i-dos mil nens. La Remei era basta, inculta, analfabeta, incapaç de servir la burgesia, i no tenia cap ofici que la pogués ajudar a optar a un lloc de treball. Però l'Anastasi encara era pitjor que la dona; l'Emma l'havia vist per la Fraternitat, acompanyant com un pinxo pelacanyes els grups republicans. Era dels que protegia les espatlles als líders, o bé dels que s'encarregaven d'estendre el pànic ciutadà i boicotejar manifestacions o esdeveniments contraris a les seves idees.

Perquè la violència havia tornat a Barcelona. L'any anterior, el 1904, els anarquistes havien renunciat al compromís adquirit després del fracàs de la vaga general del 1902, i havien tornat a omplir de bombes els carrers de la ciutat; si Lerroux prometia la revolució als obrers, els llibertaris no es quedarien enrere. Els activistes de partits polítics i sindicats anaven armats amb pistoles, i les batusses eren el pa de cada dia, fins al punt que les associacions de comerciants sol·licitaven permís a les institucions per a la creació d'una policia privada que solucionés la ineficàcia de la municipal. Mentrestant, pràcticament totes les poques vagues que les societats obreres s'atrevien a afrontar en una situació com aquella fracassaven. El 1904, les aturades es van reduir en un seixanta per cent respecte a l'any anterior, i la gran majoria es van veure frustrades per la intransigència dels patrons, que fins i tot es negaven taxativament a complir el descans dominical obligatori regulat per llei el març de l'any anterior.

Davant d'aquesta situació, i excepte quan cridaven l'Anastasi a una acció concreta o decidia anar a emborratxar-se a alguna taverna, perquè semblava que aquelles activitats li aportaven uns bons calerons, els dos pagesos i els fills que la Josefina havia qualificat tan benèvolament de «belluguets», deixaven passar les hores de manera gairebé impúdica asseguts a la taula de la cuina, els pares escridassant-se fins que l'Anastasi acabava la disputa amb una palmellada a la taula, que de vegades arribava a l'espatlla o a la galta de la Remei, perquè els nanos preveien l'esclat de violència del seu pare amb més exactitud que la d'un mariner avesat a predir la tempesta, i fugien cames ajudeu-me.

—Ja busques un nou pis? —s'interessava la Josefina a mesura que passaven els dies.

L'Anastasi contestava unes vegades i remugava unes altres. «No s'amoïni», li recriminà una vegada. «Hi ha moltes cases que ens acolliran; la gent necessita els diners», va etzibar un altre dia. «Me n'aniré quan canvïi la meva dona per aquesta noia que li escalfa el llit», va riure en l'última ocasió, fent un gest amb el cap cap a l'Emma, com si la convidés a entrar al dormitori que havia estat d'en Dalmau.

Tot i que la ràbia l'hi reclamava, l'Emma no va replicar aquell merdós i va abaixar la mirada per evitar provocar-lo. Aquella era la promesa que la Josefina li havia arrencat: silenci. «No t'hi encaris», li ordenà. I això era el que feia: esquivar-lo quan el tenia davant;

cobrir-se amb tota mena de roba per evitar les seves mirades; tancar-se al dormitori de la Josefina; callar, callar i callar fins i tot amb la Remei, a qui li hauria agradat encoratjar a l'oposició, a enfrontar-se al seu marit, a lluitar contra la submissió. «No ho facis —la va convèncer la Josefina—. T'indigna tant com a mi, però ja queda poc, nena. Uns quants dies i se n'aniran.»

I aquell dia s'acostava sense que l'Anastasi ni la seva família haguessin fet res per buscar un altre lloc on discutir al voltant d'una taula de cuina, amb els nens corrent per la casa i les gallines al replà. Era primera hora del matí i la Josefina compartia amb la Remei el fogó encastat a la paret; totes dues preparaven l'esmorzar. L'Emma havia donat el pit a la seva filla i s'acabava de rentar amb l'aigua del rentamans. Els nens entraven i sortien al replà. L'Anastasi passejava en roba interior per la cuina gratant-se el cap, la panxa, el cul i els testicles, quan de sobte tres homes van ocupar el forat de la porta oberta.

—Dalmau Sala? —va preguntar un d'ells agitant uns papers que portava a la mà.

La Josefina es va girar.

—No hi és —va aconseguir contestar—. Que en saben res, d'ell? —va inquirir amb les mans avançades cap a aquells tres desconeguts, com si demanés almoina.

—Qui és vostè? —va preguntar l'home.

—La seva mare.

—I vostès? —va preguntar l'Emma, ja darrere de la Josefina, amb la nena en braços, avançant-se a la següent pregunta de l'home.

—Soc l'oficial de l'escrivania del jutjat de primera instància de les Drassanes —va contestar amb displicència. Tot seguit va assenyalar els homes que l'acompanyaven—. I ells són els algutzirs i els ordenances —va afegir indicant encara més enrere, cap al replà i l'escala.

—En Dalmau! —va exclamar la Josefina abalançant-se als funcionaris judicials—. Què li ha passat?

—No sabem res del seu fill —la va interrompre l'oficial mentre permetia que els algutzirs s'interposessin en el camí de la Josefina—. Diu vostè que no és aquí?

En sentir-ho la Josefina es va aturar. L'Anastasi s'havia allunyat amb discreció així que va saber que eren funcionaris judicials. La Remei continuava fent l'esmorzar que els nens li exigien, aliens a tot, i l'Emma va notar un estrany pessigolleig que no presagiava res de bo.

—On és? —repetí l'home.

—En Dalmau? —va inquirir la Josefina amb ingenuïtat.

—Per descomptat, en Dalmau Sala.

—No ho sé. Fa temps que no sabem on para el meu fill…, si és que és viu.

L'oficial i els algutzirs van passejar la mirada pels presents, aturant-se en l'Anastasi.

—Qui és vostè? —va preguntar un d'ells.

—Un rellogat —contestà la Josefina.

—Anastasi Jové —va respondre l'altre al mateix temps—. Volen la meva cèdula?

—Sí —l'instà l'oficial—. Bé. En Dalmau Sala no hi és i vostè diu que és la seva mare… —Va consultar els papers que portava—. La Josefina Port, és així?

—Sí.

L'Emma es va atansar a la Josefina. El pessigolleig augmentava.

—Bé. Això també li incumbeix. Tingui. —L'oficial li va allargar uns papers, que la Josefina va agafar com si cremessin—. Es tracta d'una demanda que el senyor Manel Bello ha formulat contra vostès dos, Dalmau Sala i Josefina Port —va concretar—. Els reclama la quantitat de… —L'home va intentar calcular la xifra allà mateix—. No ho sé exactament, però ronda l'equivalent de mil dues-centes pessetes en or, més els interessos.

—Com? —va dir mig plorant la Josefina.

—Doncs ja ho ha sentit. El senyor Bello li reclama mil dues-centes pessetes.

—A ella, a la mare? —va intervenir l'Emma.

—Sí. A ella també. —Aquest cop va ser l'oficial qui va donar un cop d'ull als papers—. Senyora —va cridar—, aquí diu que vostè va signar un contracte pel qual el senyor Bello feia un préstec al seu fill de mil cinc-centes pessetes d'or per quedar exempt de fer el servei militar. No és així?

—Sí —va haver de reconèixer la Josefina—, però...

—Però res —la interrompé l'altre—. S'han deixat de pagar les quotes de cent pessetes anuals i el contracte ha vençut. Venim a embargar.

—Les gallines són meves —va etzibar en aquell moment l'Anastasi.

—Té vostè contracte de subarrendament? —li preguntà l'oficial.

—No. Jo només li pago a ella una quantitat mensual.

—Aleshores tot el que hi ha a la casa, en principi, pertany a la inquilina —el va fer callar l'altre amb una manotada a l'aire—. Discuteixi-ho vostè amb el jutge. Comenceu —ordenà als algutzirs, que van deixar passar diversos ordenances que esperaven al replà.

Gallines; navalles, totes dues, la gran de l'Anastasi i la petita de l'Emma; la ploma amb el tap d'or del pare de l'Emma; quadres i alguns dibuixos d'en Dalmau emmarcats; figuretes de vidre; un vestit i unes sabates gairebé noves de l'Anastasi que s'acabava de comprar per a la feina i de les quals presumia com si fos un marquès, i una bossa amb bastants diners que van trobar a sota del matalàs: els que havia portat del poble de Lleida després de liquidar una miserable propietat rural que suposava més suor que beneficis, a més del que havia anat guanyant com a perdonavides a Barcelona, prop de quatre-centes pessetes en total.

—Això és meu! —va bramar l'Anastasi mirant els dos algutzirs i els ordenances que els acompanyaven, com si sospesés la possibilitat d'agafar la bossa i fugir. «Ni ho intentis», va llegir en el pensament del funcionari—. És meu —insistí aleshores l'Anastasi.

—Expliqui-ho al jutge —va repetir l'oficial amb certa sornegueria, ja assegut a la taula de la cuina, amb les monedes disposades en muntanyetes davant d'ell per anotar-ne la quantitat exacta a la nota de béns embargats.

I mentre els fills de l'Anastasi es barallaven a dentegades amb els ordenances perquè no s'emportessin les gallines, els dos algutzirs van creuar l'estança i van passar per davant de la Josefina carregant la banqueta, els coves amb la roba blanca i la magnífica màquina de cosir adquirida a casa del senyor Escuder, al carrer d'Avinyó.

L'Emma, amb la Júlia en un braç, es va haver d'afanyar per atrapar la Josefina abans no fos massa tard; tot d'una estava pàl·lida, amb la boca oberta però incapaç d'emetre cap so. L'Emma la va subjectar abans que es desplomés en veure passar per davant seu la seva màquina de cosir en mans d'aquells malànimes.

Només havia estat a la fàbrica de rajoles la vegada que hi va anar per insultar en Dalmau perquè havia venut els nus que havia dibuixat d'ella. Aquell dia no hi va arribar a entrar, i aquest tampoc no l'hi van permetre després que en Paco informés el senyor Manel que el volia veure una noia que havia estat la xicota d'en Dalmau.

—Què vol? —li havia preguntat el vigilant.

—Un tema personal.

En Paco havia fet que no amb el cap, de la mateixa manera que negava quan va tornar a la caseta de l'entrada per comunicar a l'Emma la negativa del senyor Manel.

—Puc esperar —va proposar ella—. Demà va bé? —insistí davant del constant moviment de cap per part del vigilant.

—No et rebrà, noia. No t'hi escarrassis.

Com volia que no s'hi escarrassés? El senyor Manel els havia portat a la ruïna. Tret dels llits, la roba de cada dia i el mobiliari i els estris de cuina i menjar, la casa havia quedat buida, i ni de bon tros cobria el deute. La Josefina s'havia quedat trastornada. Si l'addicció a la droga i la desaparició d'en Dalmau ja l'havien commogut, el fet que uns estranys violessin la seva intimitat, el lloc on va compartir vida amb el seu marit, on va criar els seus fills, el seu refugi, li va crear un trasbals que l'Emma no va saber controlar. La Josefina buscava la màquina de cosir i quan no la trobava al costat del llit, on havia de ser, on havia estat durant tants anys, feia que no amb el cap i murmurava com si no ho entengués, i sortia a la cuina, i al replà, i tornava al dormitori aparentment convençuda que hi trobaria la màquina. Però la màquina no hi era.

—M'esperaré aquí —va dir l'Emma al vigilant recolzant-se a l'exterior del reixat d'entrada a la fàbrica de rajoles.

—Fes el que vulguis, però no aconseguiràs res, noia —va replicar l'altre.

Ho havia d'aconseguir. Què hi guanyava, el senyor Manel, perjudicant una senyora com la Josefina? Ella també havia perdut el fill. L'hi havien robat, s'havia lamentat més d'una vegada a l'Emma; aquells burgesos havien doblegat l'ànima d'en Dalmau, i ell, ingenu, havia caigut en la supèrbia, en la riquesa i finalment en el vici.

Per la seva banda, l'Anastasi havia seguit els funcionaris fins als jutjats de les Drassanes i ja havia buscat un advocat que lluités per recuperar les seves pertinences com a sotsarrendatari, tot i que tenia més aviat mala peça al teler, els comentà l'advocat Josep Maria Fuster, després que es presentés a casa de la Josefina una altra vegada de la mà d'en Tomàs, llegís la demanda que havien notificat els funcionaris i escoltés en boca d'una Josefina alterada i balbucejant que, efectivament, havia signat aquell contracte que deslliurava en Dalmau del servei militar.

L'Emma pensava en totes aquestes coses, i també en la fúria que l'Anastasi desfermaria quan tornés del jutjat. De sobte, però, es va obrir la porta reixada de la fàbrica de rajoles i el cotxe de cavalls que normalment la traspassava a un trot còmode ho va fer aquesta vegada al galop, si bé no va córrer prou perquè l'Emma no arribés a entreveure l'home de patilles grosses i tofudes que hi viatjava a l'interior i que li va retenir la mirada. Va córrer darrere del cotxe, però l'única cosa que va aconseguir va ser empassar-se la polseguera i rebre l'impacte de la pluja de pedretes que li llançaven les rodes.

L'Emma es va maleir els ossos. Era tard i no podia perdre més temps. Havia implorat aquell permís a la feina que tenia a la Fraternitat; la Júlia volia mamar i el seu cap devia estar exigint a crits gots i tasses nets. No es podia arriscar a perdre aquell jornal, ja que tot apuntava que de moment els seus diners serien els únics que entrarien a la casa de la Josefina, perquè el perdonavides, que probablement continuaria protegint els uns i extorsionant els altres, encara que fos sense vestit elegant i sabates pràcticament noves, ja els havia advertit que ell i la seva família no es mourien d'allà i que no pensava pagar ni un cèntim fins que no recuperés el que li pertanyia. El problema, pensava l'Emma mentre refeia el camí de la fàbrica de rajoles fins a la Fraternitat, seria com aconseguirien pagar elles el lloguer principal.

Va esllomar-se treballant el que quedava del dia. Sovint pensava en la Josefina i en la dura vida d'aquella pobra dona. Havia perdut el marit i la filla, la Montserrat, per la causa obrera; havia perdut el seu fill Dalmau per tot el contrari, perquè els burgesos li havien doblegat l'ànima, i ara li arrabassaven tot el que tenia. Era imprescindible que parlés amb el senyor Manel; si tan bon catòlic era com deien, hauria de ser compassiu. Era evident que a la fàbrica no hi aconseguiria entrar, i tampoc sabia exactament on vivia. En algun edifici del passeig de Gràcia, li havia comentat diverses vegades en Dalmau, en un pis de sostres altíssims i que donava a una terrassa immensa al pati d'illa, amb infinitat d'habitacions, quadres, llums, plata i mil coses. Però l'Emma no sabia on exactament. Tot i que el que sí que sabia era a qui podia recórrer.

—Voldria veure mossèn Jacint.

Tot i que pràcticament ja era de nit, als Escolapis de la ronda de Sant Antoni s'hi continuaven fent classes, com en les fraternitats o els ateneus. En aquell mateix lloc les havia donat en Dalmau, mentre ella suplantava la Montserrat i aprenia catecisme al correccional de les monges del Bon Pastor. Prèviament, l'Emma va anar a deixar la Júlia al carrer de Bertrellans amb la Josefina, a qui també va portar alguna cosa de menjar, i després va anar als Escolapis i es va presentar al porter com la xicota d'en Dalmau Sala. L'home va dir que el coneixia, de quan feia classes allà, i la va fer esperar en una habitació llòbrega i fosca, com semblava que eren totes les dels religiosos, presidida per un Crist crucificat, amb una taula de fusta i diverses cadires al voltant.

—Tu deus ser…

L'Emma l'havia vist entrar per la porta amb la sotana negra. El religiós no li oferí la mà.

—Emma Tàsies. Vaig ser la xicota d'en Dalmau… Dalmau Sala.

—Ja, ja —la va interrompre mossèn Jacint—. Sé qui és. I què hi fas aquí?

L'Emma es va llançar a explicar les raons que l'havien dut a recórrer a ell. Mossèn Jacint la va escoltar impertèrrit fins que la noia va comentar que feia molt de temps que ningú no sabia res d'en Dalmau i que el donaven per mort.

—N'esteu segurs? —va preguntar.

—No. És impossible tenir aquesta certesa. Però algú l'hauria vist, si no. La seva mare el dona per mort, i ara… Com li he dit, li han pres l'únic mitjà de vida amb què comptava. És vídua i no té cap ajuda. També morirà.

—I tu vols que el senyor Manel li torni la màquina de cosir?

—Sí —va dir l'Emma—. Miri, mossèn, sé el que va passar entre en Dalmau i la filla del senyor Manel i el tràgic desenllaç, però sé també que el senyor Manel és un bon cristià, i que els bons cristians, tot i injuriats, han de perdonar i no conservar ni rancor, ni odi, ni desig de venjança. —L'Emma havia preparat aquella part del discurs des que va decidir anar a veure el religiós, el qual es va alçar a la cadira davant d'aquells raonaments—. No creu vostè que les poques pessetes que el senyor Manel aconseguirà recuperar d'aquella màquina de cosir vella només serviran com a venjança i per descarregar l'odi en la mare d'en Dalmau?

—Tindràs l'oportunitat de preguntar-l'hi tu mateixa.

Va ser l'endemà. «Si no m'hi deixa anar, li ben juro que li tallo els collons!», va haver d'imposar-se l'Emma al cap del cafè de la Fraternitat, tot i que ja no tenia la navalla, perquè li concedís un nou permís. Mossèn Jacint li havia fet arribar l'encàrrec que el senyor Manel la rebria abans de dinar, a casa seva, i li comunicava l'adreça.

Ho havia d'aconseguir: la Josefina es consumia per moments.

La van fer pujar al principal per l'escala de servei, i allà va haver d'esperar dreta, més de mitja hora, fins que la mateixa criada que l'havia mirat amb un deix de menyspreu li havia obert la porta, la va acompanyar ara a la zona noble. En Dalmau no havia exagerat en descriure la magnificència i les riqueses que adornaven aquella casa. «Ves amb compte de no tocar ni trencar res», es va permetre advertir-li la minyona.

La van rebre a la sala principal, el senyor Manel, vestit d'un dol rigorós, i mossèn Jacint, tots dos asseguts, cadascun en un sofà. Ni la van saludar ni la van convidar a seure.

—O sigui que creus que haig de perdonar —va ser el primer

que va dir el mestre, amb ella dreta davant de tots dos i amb la minyona a l'esquena— i no venjar-me en la mare de qui va matar la meva filla?

—Ell no la va matar —va adduir l'Emma.

—Has vingut a discutir això?

—No, no he vingut a discutir això —rectificà l'Emma—. I sí, crec que no hauria de buscar vostè la venjança en la mare d'en Dalmau. És una dona que morirà si no disposa d'aquesta màquina; només sap cosir i, tal com està la feina a la nostra ciutat, no podrà subsistir sense. —Va agafar aire i es va empassar l'orgull—. Imploro la seva caritat, senyor Manel.

—Parles de caritat, virtut cristiana com n'hi ha poques! —va exclamar l'altre—, i mossèn Jacint m'ha comentat les raons que vas argüir ahir...

El mestre va deixar la frase en l'aire.

—Sí —es va veure obligada a respondre l'Emma.

—Però ets revolucionària, anarquista o republicana. Ara estan tots barrejats! —es va queixar amb menyspreu—. Com pot ser que busquis arguments cristians per defensar les teves pretensions?

—Vostè acceptaria raonaments estrictament socials? —Al moment va entendre que s'havia tornat a equivocar. Va buscar l'ajuda en el religiós. No la va trobar—. Vull dir...

—Sé què vols dir —l'interrompé el senyor Manel—: a les raons que exalteu en vagues, aldarulls i manifestacions. Les conec i les pateixo. Però, en qualsevol cas, del que m'adono és que els revolucionaris feu servir uns o altres arguments segons bufa el vent. D'això se'n diu hipocresia.

—No he vingut a insultar-lo.

—Però sí que ho fas. Et burles de les meves creences, de la meva religió...

—Pretenc ser respectuosa amb els altres. No és la meva intenció burlar-me de ningú.

—Sí que ho és —intervingué el senyor Manel—. Us passeu el dia blasfemant, acusant l'Església i els creients de tots els mals. Però després no dubteu a apel·lar conceptes com la caritat cristiana per aconseguir el que us interessa. No ho veu així, mossèn?

Mossèn Jacint assentí sense dir res.

—Sou uns falsaris —continuà el senyor Manel—. No teniu ni honor ni vergonya i preteneu que accedim a les vostres súpliques invocant el nom d'un Déu en què ni tan sols creieu.

L'Emma va aguantar aquella dura diatriba, empassant-se l'orgull que l'empenyia a defensar la seva causa, la dels obrers, i a reivindicar la dignitat que hi havia en ella.

—Potser… —intervingué mossèn Jacint—, potser el senyor Manel se sentirà més benèvol si li diguessis on para en Dalmau…

—Jo això no ho sé, mossèn —va replicar l'Emma.

—No saben mai res! —es mofà el senyor Manel—. Sempre demanen i demanen sense donar res a canvi. Són uns paràsits que s'aprofiten de les nostres fàbriques i que ni tan sols no agraeixen que els donem l'oportunitat de treballar. On seríeu sense aquests patrons a qui tant critiqueu? Què seria de gent com tu, desgraciada, si en aquesta ciutat no hi hagués cap lloc on et donessin feina? Ja t'ho dic jo: acabaràs al carrer, venent el teu cos i el de la teva filla, perquè no tens ni moral, ni decència, ni temor de Déu… En Dalmau és escòria i, si tu vas anar amb ell, és que deus ser de la mateixa mena… Escòria!

A l'Emma li van fallar els genolls. Les paraules del senyor Manel els hi havien colpejat com si es tractés d'una barra de ferro. Va trontollar, es va recolzar en una tauleta i va fer caure una gerra, que es va esmicolar a terra. No es va bellugar ningú a l'estança. Tot d'una el món se li va ensorrar. L'angoixa va ser tan forta que no va poder impedir que les llàgrimes li lliscessin per les galtes, allà mateix, davant del senyor Manel i del mossèn. No va fer res per amagar la seva dissort; els altres tampoc no van fer res per consolar-la i es van mantenir ferms, amb l'esquena recta com un pal al sofà.

—I què volen que faci? —va dir somiquejant.

Cap dels dos no va contestar. L'Emma parlava entre sanglots, amb les mans entrellaçades amb força davant la panxa.

—Volen que els supliqui?

Es va agenollar a terra. Una esquerdill de la gerra se li clavà al genoll dret, que va començar a sagnar i a tacar la catifa. Mossèn Jacint es va aixecar com si volgués tancar d'una vegada el tema.

—No —la va aturar el senyor Manel—. No volem que ens supliquis a nosaltres, noia. Agenolla't davant de Déu i suplica-li a Ell —va afegir assenyalant un Crist crucificat que penjava a la paret.

L'Emma va acotar el cap, la barbeta contra el pit i potser hauria obeït si no hagués vist als llavis del senyor Bello un somriure burleta, condescendent. Va saber que el seu gest no serviria de res, que aquell home no cediria mai perquè estava encegat per un odi immens.

—Prou! —va cridar, posant-se dreta, sense fer cap cas al genoll, que sagnava profusament—. No em penso agenollar més. Ni davant seu ni davant de Déu. Ja ho vaig fer en el passat... —Va començar a riure, i amb el riure va tornar la força, la dignitat—. Vostès es creuen molt llestos, però no saben res. Es pensaven que la Montserrat, la germana d'en Dalmau, assistia als seus estúpids resos, com una ovella esgarriada, però ella no hi va anar mai. Vaig ser jo, sí, jo, qui va suplantar la germana d'en Dalmau. No saben com ens en fotem de les monges! Volen que els reciti el parenostre? Encara me'n recordo...

—Fora! Fuig d'aquí, blasfema —va cridar el senyor Manel—. T'hauríem de prendre la filla, puta, abans que la venguis a qualsevol macarró. Vols que li tornem a aquella vella la màquina de cosir? Doncs torna al convent del Bon Pastor, demana perdó a les monges que vas enganyar; ingressa-hi i dona'ns la teva filla. Li buscarem una bona casa, lluny d'una perduda mentidera com tu.

—No! —va cridar—. No permetré que s'apropin a la meva filla. Lluitaré contra vostès i la meva filla serà al meu costat. I si cal, morirem juntes.

SEGONA
PART

12

L'anomenaven Pequín perquè es tractava d'un suburbi que havien creat a finals del segle XIX emigrants xinesos o filipins —la gent en debatia l'origen—, però en qualsevol cas orientals, que havien arribat a Barcelona des de Cuba o Filipines durant les guerres que hi va haver en aquestes illes sota el domini espanyol i que van acabar amb la derrota d'Espanya en el conflicte contra els Estats Units. Entre el Poblenou i la desembocadura de la riera d'Horta, a tocar del port i de la Barceloneta, un nombre indeterminat de gent desemparada i sense recursos va trobar una estreta franja de platja on establir-se que se situava entre el mar i la via del tren que portava a França per la línia de Mataró.

I allà mateix, a primera línia de mar, sense cap mena de servei i al baterell dels temporals marins que regularment devastaven la zona, es van aixecar un conjunt de barraques construïdes amb fustes, fang, canyes, teles i qualsevol altre element capaç d'oferir un mínim refugi. Amb el temps, molts d'aquells orientals van ser desplaçats per immigrants que desembarcaven a Barcelona i no tenien cap lloc on viure, de manera que el barri de Pequín es va convertir en una barreja de gent i races, pescadors i buscavides, jornalers i venedors de tot i més, fins i tot de sexe, sovint infantil, econòmic, que atreia tota mena de depravats.

Era a Pequín on la Maravilles i en Delfí venien els objectes que pispaven. Don Ricardo conservava trets orientals en un rostre morè, herència d'una àvia cubana negra. L'home, que s'havia casat amb una catalana, vivia amb ella en una barraca de fusta reblerta de nens, fins a cinc fills, animals i tota mena d'andròmines i articles. Don Ricardo, obès, sempre estava assegut, cobert amb una manta al costat d'una estufa de ferro, probablement l'única que devia existir a tot Pequín, el fum de la qual s'escapava per les escletxes del tub que s'elevava fins a la teulada com una xemeneia; l'aire, per tant, era irrespirable i creava un ambient opressiu a l'interior de la barraca. La Maravilles estava convençuda que l'home dormia allà mateix, en aquell sofà tronat on rebia els clients. No l'havia vist mai dret.

Aquell dia, però, la trinxeraire havia aconseguit que el receptador s'aixequés i que la immensa papada que acostumava a descansar flàccida sota el coll es tensés al voltant de tota la mandíbula.

—T'ho vaig dir —va murmurar en Delfí a la seva germana a sota veu després que ella anunciés la seva proposta—. L'has fet enfadar.

Ella no li va fer cas.

—M'estàs venent aquest paio? —es va estranyar Don Ricardo assenyalant en Dalmau, a qui en Delfí intentava mantenir dret—. Deixa'l anar! —ordenà al noi. En Dalmau va caure a terra així que en Delfí obeí—. Però si és mort —li recriminà aleshores a la Maravilles.

—Encara no —al·legà ella.

—Però gairebé.

Un gosset rater, de morro llarg, va ensumar en Dalmau, estès a terra, inconscient.

—Si es mor, no te'l cobro —va proposar la noia sense escrúpols.

—Però et penses que pagaré un cèntim per aquesta pelleringa? M'han venut dones, nens, nenes, algun invertit, però això... Què li passa? La droga, oi?

—Morfina.

—No té remei. Amb la morfina no hi ha res a fer.

—Aquest no hi porta gaire temps enganxat —li explicà la Maravilles—. Uns quants mesos. No deu estar tan fotut per dins.

—I què vols que en faci? Quin seria el tracte?

—Tu el tens per aquí. Si es mor, res.

—Qui em tornaria els diners del menjar que li hagi donat fins que es mori?

—Això va a compte teu —l'interrompé l'altra.

Don Ricardo va aprimar els ulls orientals. Aquella trinxeraire li agradava. Portava bons productes i era atrevida. En una Barcelona en què la fam i la misèria amenaçaven la majoria de la població, i amb un exèrcit de trinxeraires, captaires i escurabutxaques recorrent-la de punta a punta, era difícil obtenir botins substanciosos: alguna cartera de tant en tant; roba; articles de les botigues, però la Maravilles havia arribat a presentar-se amb un ruc, i en una altra ocasió amb el tricorni i el sable d'un guàrdia civil que Don Ricardo no havia posat a la venda i guardava com un trofeu. Ara se li presentava amb un drogoaddicte moribund.

—I si viu? —va voler saber el delinqüent.

—És un gran dibuixant —va contestar ella—. Quant et costen aquestes targetes amb les dones despullades? —va preguntar la Maravilles assenyalant una muntanyeta de postals pornogràfiques que hi havia damunt d'una taula, entre uns binocles i dues tasses de cafè escrostonades—. Ell te les farà de franc. I el que tu li demanis. Pintaria despullada la dona que li diguessis. Potser fins i tot faria un gran retrat teu —el va temptar estenent els braços.

—I tu què en treus? —va preguntar Don Ricardo després de rumiar-hi una estona.

—Sé que ets generós.

Don Ricardo etzibà una rialla.

—Jo? Tant t'interessa aquest morfinòman? —la va descobrir.

En Delfí, que fins aleshores havia estat més pendent del gos i dels nens que rondaven en Dalmau, va fer que no amb el cap, com si també li hagués advertit que l'home ventrellut li veuria les intencions.

—No siguis burro! —s'arriscà la Maravilles, insultant l'altre—. Només és un negoci. Si t'interessa, perfecte; si no, el llancem allà —va afegir assenyalant la platja— i que se l'emporti el mar.

—Entesos. Me'l quedo.

La Maravilles va reprimir deixar anar en un esbufec tot l'aire que havia retingut als pulmons mentre l'obès no es decidia. Vendre-li en Dalmau era l'única solució que se li havia ocorregut després d'haver-se'l trobat moribund en un carrer del Raval. El mateix dia que l'Emma extorsionava l'administrador del casinyot de l'Antoni, i aconseguia retardar un mes el greu problema d'habitatge d'ella i de la seva filla amb quatre puntades de peu, dos trinxeraires carregaven en Dalmau a força de braços i el transportaven a la que seria la seva nova llar: Pequín. «Morirà? —es va preguntar la Maravilles en notar la flonjor de tots els músculs d'en Dalmau—. Segurament sí», es va contestar a si mateixa. Amb tot, no podia fer res més per ell. Els serveis municipals ni tan sols el recollien. Quan el trobaven estès a terra li donaven uns copets amb el peu per comprovar si era mort i, a la mínima que es bellugava, l'ignoraven.

No hi havia cap tractament per als morfinòmans, tot i que tampoc no n'hi havia per a molts alcohòlics que portaven als dispensaris, però després de dues tasses de brou calent i unes quantes hores de son, uns tornaven als carrers fins i tot jurant que no tornarien a beure, promesa de la qual renegaven a la porta de la primera taverna, mentre que els altres, els drogoaddictes, patien tràgics episodis d'abstinència davant dels quals els sanitaris no hi podien fer res. Els hospitals no admetien els addictes a la droga perquè no els consideraven malalts; els asils i centres de beneficència tampoc no els volien, de manera que als dispensaris se'ls havia de tractar amb algun substitutiu: alcohol —els metges dels rics recomanaven xampany, però allà els donaven el que tinguessin a mà—, o qualsevol altre medicament a la composició del qual hi hagués morfina o heroïna com els xarops per a la tos. Després, ja reanimats, els deixaven anar sabent que tard o d'hora tornarien. Els rics del xampany, per la seva banda, recorrien a sanatoris, generalment situats al sud de França, on es curaven per recaure en el vici així que sortien per la porta, però els desheretats com en Dalmau només podien allargar l'agonia robant o pidolant, esperant que els arribés la mort.

—Tu —va sentir la Maravilles que ordenava Don Ricardo a un dels esbirros que sempre el rondaven—, ocupa't d'aquest. Que begui alguna cosa. Aigua no, coi! —li recriminà en veure que agafava una gerra—. Vi, anís o aiguardent! El que sigui fins que es desperti. Després intenta que mengi una mica.

La Maravilles va observar en Dalmau, estès al mateix lloc on havia caigut de mans d'en Delfí. El gos rater el vigilava. Poc s'as-

semblava aquella desfeta humana a l'artista que havia triomfat amb
els dibuixos dels trinxeraires o amb la ceràmica. Vestia com qualse-
vol rodamon, amb capes de roba esparracada i destrossada sobrepo-
sada l'una a l'altra, i retalls i fulls de diari lligats amb cordills que li
feien de sabates. Barbut. Brut. Blanc. Demacrat. A la trinxeraire li va
semblar que el veia reaccionar després que l'esbirro de Don Ricar-
do li introduís una mica d'anís a la boca. En Dalmau va arribar a
obrir els ulls, i la Maravilles es va amagar darrere d'una mampara
negra amb la laca clivellada, que temps enrere havia mostrat delicats
adorns orientals. Des d'allà el va continuar observant, aliena al fet
que l'obès no la perdia de vista, i el va empènyer mentalment ser-
rant les dents i estrenyent els punys quan en Dalmau va intentar
posar-se dret. Els seus esforços no van tenir cap recompensa: el noi
no ho va aconseguir.

—Ho faré per tu, Maravilles —li va tornar a reclamar l'atenció
la veu de Don Ricardo—. Si viu, pintarà el quadre que m'has pro-
posat, i després te'l tornaré o el deixaré marxar, el que tu diguis,
però me'n deuràs una… I serà el que et demani. Tracte fet?

—Només si ell es cura —li exigí l'altra.

Don Ricardo va arronsar les espatlles i va allargar els braços amb
les mans obertes en senyal d'ignorància.

—Ningú no pot assegurar el camí que triarà un drogoaddicte.
No em demanis l'impossible.

—Tracte fet —va consentir malgrat tot la Maravilles després de
rumiar-hi uns segons.

Don Ricardo assentí amb el cap i la papada se li va menjar mit-
ja mandíbula inferior.

—Fica'l al mar i que desperti d'una puta vegada —ordenà des-
prés al seu esbirro.

—Així és com el penses curar? —va mostrar la seva sorpresa la
Maravilles.

—No ho sé. No soc metge —li contestà l'altre—, però és el que
faig amb els borratxos, i funciona. De totes maneres, tranquil·la,
noia: el quisso se li ha apropat, i creu-me, aquest animal no s'acosta
a res que faci pudor de mort.

La Maravilles va sortir de la barraca per presenciar com arrossegaven en Dalmau a la platja. Era la tardor de l'any 1904, i la mar, una mica esbravada, apareixia grisa sota un celatge encapotat. La Maravilles va tremolar amb la simple brisa carregada de sorra que li arremolinava els esparracs. L'home va empènyer en Dalmau cap a l'aigua, però ell no va voler mullar-se, i un cop l'aigua freda li va arribar als genolls, es va aturar; l'altre es va limitar a escridassar-lo i a fer gestos perquè s'endinsés al mar. En Dalmau no va fer cas i es va quedar quiet, encongit davant de les onades que l'esquitxaven i li arribaven a les cames. La trinxeraire va fer mitja volta i va fer un senyal a en Delfí perquè la seguís.

—I què faràs quan Don Ricardo et torni en Dalmau? —li preguntà el seu germà ja lluny de les barraques de Pequín—. Li podríem haver tret diners al panxut aquell.

Ella va arronsar les espatlles.

No existien gaires mètodes clínics per curar l'addicció a la morfina, ja que la substitució de la droga per algun altre tòxic, com l'alcohol, ja fos de manera brusca o instantània, al llarg d'alguns dies, ja fos seguint una teràpia més lenta, acostumava a afegir-se a la vigilància estricta de l'addicte i, en el cas dels que s'ho podien permetre, en la realització d'activitats tant físiques com psíquiques.

Don Ricardo, òbviament, va optar pel mètode brusc.

—Com sàpiga jo que algú proporciona al pintor un mil·ligram de morfina o alguna cosa semblant, li tallo els ous —va advertir als seus familiars i subordinats—. Doneu-li alcohol, i així que es pugui aguantar dret, a treballar. Que no tingui la possibilitat de pensar.

I així ho van fer. El que quedava d'en Dalmau, un jove barbut amb grenyes, esquelètic i malgirbat, el van instal·lar i encadenar per un turmell a una cofurna sense porta que s'obria entre dues barraques, a la sorra, amb dues caixes com a únic mobiliari i la protecció d'una manta per afrontar el fred. El rater es va quedar a fora, al costat de dos gossos d'altres races.

—Ep! Vigileu-lo bé —els ordenà l'esbirro de Don Ricardo.

I així ho va fer la canilla, ben ensinistrada en tasques com aquella. Sempre hi havia algun gos a la vora d'en Dalmau.

Tancat, va patir atacs d'angoixa desencadenats per l'abstinència de la morfina. Diarrees i vòmits que ningú no netejava i que quedaven allà mateix; espasmes musculars, dolors insofribles… Cridava, s'esgarrapava i picava les fustes de la barraca amb peus i punys, si no amb el cap. Un munt de nens mig despullats, que acostumaven a burlar-se d'ell tirant-li escopinades i llançant-li escombraries, cridaven i l'incitaven a fer-se més mal quan arribava al paroxisme. En aquests moments acostumava a aparèixer algú de l'entorn de Don Ricardo i li oferia alguna cosa de beure.

—Morfina! —es va atrevir a exigir a crits en una d'aquestes ocasions—. Vull morfina!

L'esbirro, que havia acudit amb un got d'anís, va deixar l'aiguardent damunt d'una caixa i etzibà un clatellot a en Dalmau que el va fer rebotar contra la paret.

Els nens que no havien fugit malgrat l'arribada d'aquell home, van riure i van aplaudir.

—Ets mort, imbècil —l'insultà l'esbirro—. No sé per què l'amo malgasta esforços amb tu—. A continuació, en comptes de deixar-li l'anís, va agafar el got i li'n va llançar el contingut a la cara—. Llepa'l, si vols.

En Dalmau va intentar respondre, però només va aconseguir balbucejar unes paraules inintel·ligibles. Allò volia dir que encara no era mort.

L'alimentaven. Deixes de peix fètides, verdura del bullit i algun rosegó de pa. A Pequín hi abundaven els pescadors. I l'alcohol el reanimava de vegades; aleshores era capaç d'ordenar certs pensaments i fins i tot recordava: l'Emma, l'Úrsula, el mestre, la mare… Per bé que en aquells moments de lucidesa no entenia la seva situació, allà, entre barraques, encadenat.

—Pertanys a Don Ricardo —li respongué un dels seus homes el dia que en Dalmau va aconseguir plantejar la pregunta, amb dificultat perquè li costava parlar.

Generalment, durant els breus períodes que no era presoner de l'angoixa, la febre o la simple bogeria, balbucejava unes paraules que se li encallaven entre la boca llagada i els llavis ressecs.

—Jo no… —va voler replicar abans que l'altre l'agafés pel coll.

—Tu sí. Tu només ets escòria i no et mereixes el pa que et donen. Hauries d'estar agraït. Que ho has entès? Pertanys a Don Ricardo, accepta-ho. O t'estimes més morir?

En Dalmau no va contestar. Aquell mateix dia, com li passava gairebé tots els dies, va tornar al buit immens on s'enfonsava el seu esperit, en les profunditats d'un avenc fosc on només l'avidesa per tornar-se a punxar li aportava una mica de llum. I quan va arribar la nit aquesta lluminària es va anar fent més i més intensa al ritme de les seves tremolors. Amb la morfina com a únic desig, res no el retenia en aquell lloc. Havia de tornar a la ciutat i pidolar, robar…, matar si calia per aconseguir una dosi de droga. Va agafar una pedra de les que llançaven els nens i, amb l'abstinència que li ennuvolava qualsevol precaució, va començar a picar sobre la fusta on estava encastada l'argolla de la qual penjava la cadena que el mantenia lligat. A la dringadissa metàl·lica que va retrunyir en la nit, s'hi van afegir els lladrucs dels gossos.

—Don Ricardo! El pintor intenta fugir! —es va sentir des d'una barraca.

Al cap d'uns minuts, un dels esbirros es va presentar a la cofurna i allunyà els quissos a coces. En Dalmau va continuar picant sobre les fustes, obcecat, sense adonar-se de la presència de l'home, que, amb indolència, com si fos una molèstia, va acabar amollant-li dues plantofades i una puntada de peu a l'estómac que li va tallar la respiració i el va deixar arronsat a terra.

—Prou xivarri! —li va dir l'esbirro com si parlés amb un nen—. Que la gent vol dormir.

—L'amo diu que, si tens forces per intentar fugir, també en tindràs per treballar —li van comunicar l'endemà al matí.

Aleshores en Dalmau va saber què significava ser propietat de Don Ricardo. A partir de l'endemà va haver de col·laborar en totes les tasques necessàries per mantenir el magatzem i la barraca del traficant, i les dels seus esbirros. Als matins, abans de sortir, li donaven prou alcohol perquè iniciés la jornada en condicions, sempre acompanyat per un dels sicaris que controlaven que no fugís.

Gairebé cada dia el van utilitzar per recórrer les platges a la recerca de fustes o qualsevol deixalla que hi hagués portat el mar;

l'estufa de Don Ricardo utilitzava carbó, però els altres s'escalfaven amb fogueres.

—Inútil! —l'insultà una de les dones, potser la mossa d'algun esbirro, a qui acompanyava garbellant cada pam de sorra de la platja quan a en Dalmau se li va escapar de la vista una branca seca mig soterrada—. Recull-la!

—Perdó —va arribar a excusar-se en Dalmau. Ell mateix es va sorprendre de la seva excusa, neta i clara—. Perdó —va repetir per convèncer-se del que havia dit, mentre s'ajupia per recollir el que finalment va ser un branquilló ridícul.

—El perdó te'l guardes per a les esglésies —replicà la dona, i li va donar dues empentes com si el volgués despertar—. Aquí vens a treballar, no a resar.

Aquella dona només el va empènyer. Un altre dia va acompanyar l'esposa del traficant fins a una barca que acabava de tornar del mar.

—Té —li van cridar des de l'embarcació, ja embarrancada a la platja—, l'encàrrec de Don Ricardo!

La galleda va relliscar de les mans d'en Dalmau pel pes, i els peixos van quedar escampats a la sorra. El pescador li clavà una primera plantofada que el va fer caure a terra, i en Dalmau va perdre de vista els dos peixos que batien la cua frenèticament sobre la sorra com si volguessin reptar fins al mar i fugir. Tampoc ell va poder fugir dels pescadors, que s'hi van acarnissar atonyinant-lo amb puntades de peu a l'estómac.

—Tu continua pensant en la droga! —cridava el mariner mentre s'hi rabejava—. Paràsit fastigós! Hauríeu de ser tots morts.

Davant de la passivitat de l'esbirro que en cada moment l'acompanyava, continuaven els cops i els insults. Alguna vegada, quan l'atacaven les convulsions per l'abstinència i cridava exigint morfina, tornaven a llançar-lo al mar, mentre els nens reien, se'n burlaven, i algun d'ells, entre els gossos que saltaven per damunt de les onades, fins i tot el seguia i s'introduïa a la vora del mar per esquitxar-lo encara més, llençant-li aigua amb les mans fent cassoleta. Ningú no semblava concedir el més petit valor a la seva vida: es podia morir. Això era el que en Dalmau sentia que deien: «A Don Ricardo no li importa. Si no es mor, es curarà». Hi havia vegades que el tornaven inconscient de la feina. Es va posar malalt i va patir episodis de febre; aleshores l'embolicaven amb roba i continuaven amb l'alcohol, la verdura i el peix podrit. Un dels dies que l'acabaven de portar d'haver estat treballant a la platja, van aparèixer la Maravilles i el seu germà, i es van apropar a la cofurna.

En Dalmau no els va ni reconèixer. Va desplomar-se de cansament sobre la manta i es va encongir en posició fetal.

—No l'acabaràs matant? —li preguntà la trinxeraire a Don Ricardo—. No té prou força per a tanta feina.

—Al contrari, noia. És imprescindible que faci coses, que es bellugui, que treballi, que s'oblidi de la droga. Només d'aquesta manera arribarà a pintar el meu quadre i te'l podré tornar. Si en la travessia es mor, mala sort.

La Maravilles va fer que sí amb el cap.

El treball va anar augmentant amb el pas dels dies: anar a rebre els pescadors; transportar llenya, aigua, roba... Qualsevol tasca servia. També es van encruelir les condicions amb què el tractaven. Disminuí l'alcohol, fins a tal punt que en Dalmau va arribar a suplicar-ne un glop com abans ho feia en el cas de la morfina.

—More't! —li contestaven.

Ja feia gairebé tres mesos que el tenien reclòs a Pequín, i va començar a sentir rancor quan l'estomacaven, fins que un dia es va defensar d'un pescador que cridant-li «Apa, apa!» li envestia el cul amb el peu perquè s'afanyés carregat amb el cubell. En Dalmau va fer unes passes més ràpidament pel simple impuls dels cops que rebia, després va deixar caure el cubell a la sorra i es va regirar contra aquell home que l'havia maltractat mil vegades d'ençà que havia arribat a Pequín. I malgrat el seu atreviment, el pescador va aconseguir fer-ho una altra vegada: l'odi incipient d'en Dalmau no va trobar forces en un cos malaltís incapaç de plantar batalla.

També l'assaltà la gana; una sensació que li regirà la consciència, perquè va ser com renéixer. Ja no es conformava amb empassar-se la gasòfia que li servien cada dia i va reclamar, sense èxit, aliments en condicions. Don Ricardo va donar l'ordre que continuessin amb el peix mig podrit, les verdures i els rosegons de pa. Amb tot, la boca va començar a fer-li salivera, encara que fos recordant els potatges i els àpats de què havia gaudit en la vida, i les llagues i ferides a la boca i als llavis se li van anar curant. Va millorar en la parla, que va guanyar fluïdesa, i en la visió… I en la comprensió. «Què collons hi foto aquí?», es preguntava constantment. El desig de la morfina i l'alcohol continuava, però ja no patia els terribles accessos de bogeria, ni les febres ni les convulsions. A mesura que l'hivern d'aquell any del 1905 anava declinant i el sol del Mediterrani guanyava en lluminositat i calor, els dies van deixar de ser un infern en què la ment d'en Dalmau vagava sense cap contacte amb la realitat. Un somriure, al cel llis, al mar, o fins i tot al quisso rater que continuava vigilant-lo, al costat d'un bri d'il·lusió que li va tornar la lluminositat als ulls, es van alçar com els pilars sobre els quals va recuperar les ganes de viure.

—Vull veure Don Ricardo —va demanar un matí a un dels esbirros que li va portar l'esmorzar.

En Dalmau no coneixia personalment aquell que es feia dir amo d'ell. Sabia que vivia a la barraca veïna. Sentia entrar i sortir molta gent, a totes hores; li arribaven discussions i fins i tot crits, però no l'havia vist mai.

—Tens feina —li contestà l'altre, sense concedir-li cap importància.

Insistí que el volia veure al llarg dels dies fins que, un matí, quan creia que el portarien a treballar, el va introduir a la barraca.

—O sigui que tu ets el meu pintor?

En Dalmau va trigar un instant a acostumar la vista a la penombra i el fum de l'estufa que surava a l'estança. Quan ho va aconseguir se sorprengué de la multitud d'objectes amuntegats. Era com si es trobés en un basar i al centre, al costat de l'estufa de ferro que generava el fum, s'hi trobés qui deia ser Don Ricardo: obès, assegut a la seva butaca i cobert amb una manta. També hi havia una parella d'esbirros, i dos o tres nens, en els quals va reconèixer-ne alguns dels que es burlaven d'ell, però que no li van dedicar cap atenció. Allà només comptava la presència de Don Ricardo.

En Dalmau va vacil·lar. La imatge d'aquell home era tan estranya que es va quedar sense paraules.

—Què vols? —insistí l'altre.

—Per què diuen que soc propietat teva? —va encertar a plantejar.

—Perquè és així —contestà Don Ricardo.

En Dalmau es va limitar a obrir una mà i a mostrar el palmell com si aquell signe mostrés més desaprovació que qualsevol paraula.

—Et van portar mort i et vaig salvar la vida. Em pertanys.

—Però...

—Et podria matar aquí mateix —l'interrompé l'altre—. Ningú no et trobaria a faltar. Ningú no reclamaria el teu cadàver. La gent es pensa que ets mort.

En Dalmau, dret davant de Don Ricardo, va arrufar les celles i va acotar el cap. Probablement aquell obès, apoltronat a la seva butaca i tapat amb una manta com si fos una vella, tenia raó: no el trobaria a faltar ningú. Li va venir de sobte, com un llamp, el record del dia que va assaltar la casa de la seva mare i la va saquejar per comprar droga. Crits, insults, les mans trèmules, la recerca obsessiva de diners, d'objectes per vendre... I tot i així intuïa que se li escapava alguna cosa, com si aquelles imatges que li bombardejaven el cervell no fossin completes i li ocultessin una realitat que, no obstant això, era capaç d'arronsar-li l'estómac en una sensació d'angoixa que feia temps que no patia. I l'Emma? La recordava casada amb un paleta de qui n'esperava un fill. No li quedava ningú, ni tan sols les persones amb qui havia treballat. Després de dilapidar els diners que tenia estalviats i amagats a casa de la mare, i de malbaratar tot el que havia robat, que era poc, ja que era ben poc el que tenia, es va presentar a la fàbrica de rajoles buscant-hi les seves coses —esbossos, quadres, el guardapols— amb la intenció de vendre'ls per aconseguir alguna dosi. No quedava res del que era seu, li va comunicar en Paco amb cara de pocs amics i la veu abrupta. Aquell vell a qui havia dit «amic» el mirava directament a la cara, recriminant-li la mort de l'Úrsula, mostrant-li el seu rebuig per allò en què s'havia convertit. Era prerrogativa dels vells no amagar els sentiments, a diferència del que feien en Pere i en Maurici, els dos nois que encara vivien a la fàbrica i que, com molts altres des dels finestrals, observaven l'escena dissimuladament.

394

«Cremades. —El vell escopia les paraules—. Als forns.» Això era el que li havia ordenat el senyor Manel que digués si apareixia en Dalmau. El vigilant va anar més enllà. Ell mateix les havia cremat, va assegurar, mentre movia en l'aire uns dits que eren tot pelleringues, simulant com el fum s'enfilava. «I els drets de la noia?», li replicà en el moment que en Dalmau es va queixar que haguessin disposat de les seves pertinences. Després el vell el va increpar i li va cridar «assassí», amb una veu que es va anar apagant mentre li donava l'esquena.

«Assassí. Ho havia estat?», es va preguntar en Dalmau aixecant la mirada cap a Don Ricardo, que l'escrutava amb els ulls mig orientals. En el seu moment, la morfina li havia permès esquivar respostes i culpes, però ara, que gaudia de certa serenor aconseguida a cops de garrot, li van venir tots els dubtes. Malgrat el seu caràcter esquerp i altiu, l'Úrsula només era una noia ingènua, que es delia per conèixer unes experiències que la seva família, la seva societat i l'Església li ocultaven. Va recordar la seva indescriptible emoció quan va tenir el primer orgasme i l'univers sencer es va obrir als seus plaers. Si aquella tarda no hagués estat drogat, l'Úrsula no hauria mort.

—Per què no em mates? —La pregunta li va sorgir inconscientment: potser aquella seria la solució a una vida fracassada en què només havia aconseguit fer patir els seus.

Després de proposar-l'hi, en Dalmau es va sentir més relaxat que mai, fins que va arribar la resposta de l'obès:

—Perquè m'has de pintar un quadre. Un que ocupi aquell forat de la paret —va afegir assenyalant un espai buit i de dimensions considerables per a un retrat—. Quan l'hauràs acabat, podràs anar-te'n amb la Maravilles.

—La Maravilles?

—És ella qui et va portar aquí. I aquest va ser el pacte que vaig fer amb la captaire.

En Dalmau no s'imaginava anant a cap lloc que no fossin una altra vegada els carrers, amb més motiu de la mà d'una trinxeraire.

—Amb el menjar que em dones és impossible que pinti cap retrat —se li va ocórrer dir de cop i volta.

En Dalmau va allargar el braç amb la mà i els dits oberts, el palmell cap per avall, i no va haver d'esforçar-se ni a dissimular, perquè del canell cap endavant, tot li tremolava.

S'havia de remuntar a la seva època d'estudiant a la Llotja per trobar alguna pintura que nasqués de la seva mà semblant a la que acabava d'oferir a l'obès. Era un bunyol. No obstant això, a Don Ricardo li va encantar, així com a la riuada de veïns que un dia rere l'altre s'havien presentat a la barraca per, xiuxiuejant darrere d'en Dalmau, comprovar el progrés dels esbossos i després les pinzellades que anaven plasmant un cacic hieràtic a la seva butaca, sempre tapat amb la manta. Si ja era el primer veí a Pequín que tenia una estufa de ferro, ara hi afegiria un retrat, que encara era més difícil d'aconseguir.

En Dalmau va observar el quadre: era tan realista que es podia agafar com una gran fotografia, però amb una definició cromàtica encara no assolida per aquella tècnica moderna. Aquell dia el penjarien a la paret de fusta de la barraca, de manera que Don Ricardo havia convidat alguns veïns, entre ells els que havien maltractat en Dalmau, a qui ell no dedicà cap atenció especial, centrat com estava en el retrat: ni un bri d'art, de sentiment; es tractava de l'exclusiu reflex de la realitat sense cap mena d'interpretació ni aportació personal de l'artista. En Dalmau no havia arribat ni a apropar-se a l'ànima o a l'esperit d'aquell home, del lloc on vivia ni de la gent que l'envoltava.

Se n'havia adonat en dibuixar-lo i pintar-lo, amb la mà relativament ferma després que Don Ricardo hagués variat la seva situació personal a les barraques. Menjava bé, millor que ningú, tot i que continuava dormint encadenat a la cofurna i vigilat pels quissos, si bé disposava de roba de llit i d'un coixí. També li havien proporcionat algunes peces de vestir velles, però en bon estat, sabates i fins i tot una gorra.

—Els pòtols entren i surten de casa meva en dos segons, només per vendre'm el seu botí —va explicar Don Ricardo el dia que l'hi va donar—, però si t'haig de tenir a prop, pintant-me, no et vull veure així —afegí assenyalant els seus parracs com si volgués excusar la seva generositat—. A més, qui es creu que un desgraciat pugui pintar el meu retrat?

Per primera vegada des que havia arribat a Pequín, es va rentar a consciència amb l'aigua que havia anat afegint a un rentamans un irat esbirro sota les ordres de Don Ricardo. Després, el mateix home va aconseguir un barber del mateix barri de barraques que li va igualar la barba que li queia per la barbeta fins a tapar-li la gola; dos o tres tisorades ràpides que la van deixar recta, però que no van poder fer res per evitar que continués mostrant un aspecte esclaris-sat i pobre. El mateix barber, un cop finalitzada la tasca, va anar darrere en Dalmau per fer el mateix amb els cabells, que va tallar expeditivament deixant-los llargs arran de les espatlles.

Els víctors i aplaudiments van ressonar a la barraca en el mo-ment que el retrat, pel simple fet d'estar penjat, va passar a conver-tir-se en un element inherent a l'habitatge. Don Ricardo s'havia aixecat per presenciar l'acte, destapant aquelles cames que mantenia sempre ocultes sota la manta: dos pilars que en Dalmau s'havia ima-ginat de carn tova sota els pantalons que vestia, una cuixa embotida contra l'altra per damunt dels genolls, per obrir-se en un angle per sota d'aquestes, com si els tous de les cames s'haguessin anat sepa-rant perquè no resistien el pes que suportaven. En qualsevol cas, Don Ricardo no va durar gaire a peu dret, ja que va tornar al seu tron i a la seva flassada tan aviat com va comprovar que el quadre s'aguantava a la paret penjat amb dos claus. I mentre els convidats s'aplegaven al seu voltant i el felicitaven, en Dalmau, amb la mirada fixa en el retrat, va notar que els traços, les formes i els colors li martellejaven els ulls.

Aquella era una sensació que l'havia acompanyat al llarg de tot el mes de feina. Fins i tot el marró pàl·lid amb què havia pintat les carns del net de la cubana li grinyolava. I no era pas per falta de recursos, ja que Don Ricardo va complir amb totes les exigències de material que en Dalmau va plantejar. Alcohol o morfina; això era el que li faltava. Uns bons glops d'absenta li haurien suavitzat la ment i el pinzell, i una injecció hauria aconseguit que aquells ulls, ara inexpressius, transmetessin vida i emocions, com va passar amb els de l'Úrsula, que van sorgir artísticament de la mà de l'alcohol.

Don Ricardo li oferia vi a les hores d'esmorzar, dinar i sopar. En Dalmau no el va tastar. Els banys al mar, les pallisses, les febrades, l'angoixa constant i la follia viscuda durant els últims tres mesos el van allunyar d'aquells simples gots d'alcohol. Els desitjava, de la mateixa manera que hi havia moments que anhelava uns mil·ligrams de morfina, però alguna cosa havia canviat en ell. Feia temps que no la tastava i ara es veia capaç d'aplacar la seva avidesa; li feien més por els carrers, la soledat, la immundícia i la fam, que el pànic que abans patia per prescindir de la droga, fins i tot encara que s'arrisqués, com va concloure després de contemplar el retrat i girar-se, a perdre el do de pintar, el seu art, aquella genialitat de la qual havia arribat a creure's dotat i que el va apropar als grans mestres de la Barcelona del modernisme.

Ho havia intentat. Durant el dia es preguntava si no devia ser el model, aquell home gras, l'entorn o el fet de veure's obligat a pintar per recuperar la llibertat perduda el que li retreia l'esperit, el motiu que silenciava la màgia que l'havia acompanyat fins a caure estès als carrers, però a les nits, quan, sol i a la claror d'una espelma, intentava crear alguna altra obra tan senzilla com dibuixar al carbonet el quisso rater ajagut a l'entrada de la cofurna, i no aconseguia fer-ho, es va convèncer que la malaptesa no tenia res a veure amb aquella barraca ni amb la misèria que l'envoltava. Havia perdut l'ànima.

—Don Ricardo… —En Dalmau es va esmunyir entre la gent concentrada—. Entenc que està satisfet amb la feina.

—Sí. Molt. Te'n vas? —va preguntar l'al·ludit. En Dalmau va assentir—. Té. —L'home el va aturar; havia obert la mà i un esbirro hi va deixar caure un grapat de monedes—. Això t'ajudarà uns quants dies. Per cert, la Maravilles és fora; l'he fet cridar —va afegir.

En Dalmau li allargà la mà després de guardar-se les monedes i Don Ricardo l'hi va estrènyer abans de continuar:

—I si no et trobes a gust a la ciutat, ja saps on tens el teu barri.

En Dalmau va deixar anar un somriure sardònic.

—Amb tots aquests? —va preguntar passejant la mirada per alguns d'aquells esbirros que l'havien apallissat una vegada i una altra, pel pescador que li etzibà puntades de peu mentre estava estirat a terra, pel paio que li clavà una coça al cul, per aquell altre que…

—No siguis injust. Tots aquests —va dir Don Ricardo interrompent el seu escrutini— són els que t'han alliberat del teu vici. Veurem si ara ets capaç d'aguantar. Pocs surten de la merda en què estaves ficat tu.

—Encara els hauré de donar les gràcies? —va continuar en Dalmau amb sarcasme.

—Doncs ho hauries de fer —va contestar l'obès amb seriositat.

El to d'aquell home va fer que s'ho rumiés. Potser tenia raó. Havien estat durs amb ell, però aquells cops i les rebolcades al mar quan es posava frenètic havien fet que, de mica en mica, oblidés la seva angoixa, fins que li va fer més mal l'esforç i el maltractament que la manca de la droga.

—Gràcies a tothom —va cedir abans de sortir de la barraca.

A fora l'esperaven la Maravillas i en Delfí, entre un grup de curiosos que no havien estat convidats a la celebració. En Dalmau es va apropar als trinxeraires, els va cridar i tots tres junts es van allunyar dels altres, en direcció a la platja.

—Com està, mestre? —el saludà la noia.

En Dalmau la va mirar. Al llarg del mes que havia trigat a pintar el retrat, el seu aspecte havia millorat gràcies al bon menjar, però la trinxeraire continuava igual d'esparracada, bruta i cadavèrica com sempre.

—M'ha dit Don Ricardo que vosaltres em vau trobar al carrer i em vau portar aquí.

—Sí —va contestar la Maravillas—. Et fèiem mort.

—Gràcies, doncs.

—Només això? —La noia va arrufar les celles.

En Dalmau va remugar.

—He vist com et pagava el panxut —li recriminà en Delfí.

—Sí, però… —En Dalmau va assentir i va treure les monedes que Don Ricardo li acabava de lliurar—. Quant en voleu?

—Quant costa la teva vida? —li preguntà la Maravillas.

Ell va abocar les monedes a la mà oberta de la noia.

—Estem en pau, ara?

—Sí —va contestar l'altra—. Fins a la pròxima.

—Quina pròxima? —va inquirir en Dalmau.

Famèlica, bruta i esparracada, pudent, desvalguda, l'ombra espectral que acompanyava la Maravilles va tornar a transportar en Dalmau als carrers enfangats per on s'havia arrossegat. La cara de la trinxeraire —els ulls enfonsats a les conques morades, els llavis ressecs i tallats, les crostes al front i a les galtes— es va quedar inexpressiva. En Dalmau va buscar la seva mirada: buida, morta, i va entendre el que li volia dir.

—No hi haurà una altra vegada —va afirmar—. No tornaré a caure en aquella trampa.

La Maravilles va arrufar els llavis i va empènyer el seu germà un cop més cap a la línia de barraques que conformaven la barriada de Pequín.

A l'asil del Parc li donarien un llit, esmorzar i una sopa a la nit durant tres dies com a màxim. Va ser el primer lloc on se li va ocórrer anar després de seguir la línia del tren que portava fins a l'estació de França, a unes passes del centre benèfic. El recepcionista del pavelló d'homes que admetia els acollits no el va identificar fins que va pronunciar el seu nom, «Dalmau Sala», i, tot i així, va trigar un instant a reconèixer en aquell jove de barba esclarissada i cabells llargs, vestit amb roba vella, però net, el drogoaddicte que tantes nits havia acabat al dispensari annex a l'asil.

L'home li anava a dir alguna cosa, però va decidir callar; n'hi havia molts que semblava que es rehabilitaven i després requeien en el vici al cap de poc temps. No volia tornar a equivocar-se i il·lusionar-se amb la sort d'algun d'aquells necessitats que buscaven suport en la caritat: la ciutat era dura i tenia la lliçó apresa després d'anys d'experiència. «Dalmau Sala», va anotar l'home al llibre de registre.

—Professió? —va preguntar després amb la veu cansada.

—Ceramista —va afirmar en Dalmau amb la veu ferma.

Hi havia estat pensant al llarg del camí des de Pequín. Deixant de banda el disseny de peces i la pintura, l'única cosa que sabia fer era treballar la ceràmica i col·locar-la a l'obra. Com havia comprovat mentre pintava el retrat de Don Ricardo, la seva capacitat creativa havia desaparegut i, en qualsevol cas, el de dissenyador en una fàbrica de ceràmica era un lloc de treball impossible d'aconseguir. Era del tot absurd presentar-se a alguna de les fàbriques que hi havia a Barcelona pretenent que el contractessin com a tal. Amb tot, el que ningú no li podia discutir era la seva experiència en la installació de la ceràmica a l'obra; era una tasca que feia d'ençà que va entrar a treballar per al senyor Manel Bello. Els paletes, més avesats a treballar en una altra mena de materials, des del totxo fins a la pedra, sovint no dedicaven prou atenció a la col·locació de les peces de ceràmica: les rajoles s'havien de tractar amb delicadesa, gairebé amb afecte. De fàbriques, n'hi havia poques; de feines per a dissenyadors, encara menys, però, en canvi, d'obres n'hi havia prou perquè en Dalmau trobés una ocupació satisfactòria.

Amb aquesta idea es va barrejar amb els prop de cinquanta homes, mendicants o obrers desocupats, que no arribaven a omplir els llits de la institució benèfica; el temps agradable de la primavera mediterrània permetia als altres necessitats com ell passar la nit al ras, o potser era que molts d'ells ja havien esgotat les tres nits que se'ls concedia a l'asil abans que passessin els dos mesos necessaris per tornar a sol·licitar-hi refugi. En Dalmau disposava d'aquells tres dies per trobar una feina que li permetés llogar una habitació, potser un simple llit, i aprofitar aquella oportunitat que, a través de trinxeraires i lladres, la vida li havia concedit. Es va prendre la sopa que van servir les monges, al costat d'homes que la xarrupaven sorollosament, àvidament, atents, mirant de reüll els que s'asseien als costats, protegint el menjar. Va agafar el vi aiguàlit i l'hi va cedir al de la dreta. Havien estat moltes les ocasions que, a mesura que avançava el retrat de Don Ricardo i s'apropava la seva llibertat, s'havia plantejat tornar amb la seva mare. Al ritme de la seva pintura, en Dalmau va anar descobrint què va passar aquella nit que va irrompre en aquella casa que ara preveia com una alternativa. Pinzellada a pinzellada, la seva consciència va anar recuperant un episodi que ell mateix havia enfonsat en l'oblit. I va acabar veient la seva mare ajaguda a terra, amb els llavis sagnant després que... que ell... Una successió d'arcades doloroses li van omplir la boca de bilis, fins que va haver de treure el cap de l'habitació per vomitar la seva desesperació davant d'una realitat que des d'aquell moment no havia deixat de torturar-lo. No. Després d'haver estomacat la seva mare..., sí, estomacat, no s'atrevia a presentar-se davant seu. Treballaria com qualsevol obrer, aliè a quimeres, a il·lusions i a esperances impròpies dels humils, i potser algun dia, s'atreviria a demanar-li perdó. Desconeixia si la seva mare l'hi concediria. Pensar en ella era reviure la seva condició miserable, no hi havia res pitjor que un fill que maltractava qui li havia donat la vida, l'afecte, les cures i les atencions. Potser hauria de viure la resta dels seus dies sense aquell perdó.

Agraït al catre, per dur que fos —fins i tot li va complaure sentir-lo grinyolar cada vegada que es bellugava i s'afegia al concert de rumors, queixes i estossecs que sonava al dormitori—, va planificar el recorregut que emprendria l'endemà a l'hora de buscar feina. Coneixia molta gent: ceramistes, capatassos, constructors... Què se'n devia haver fet, de la seva mare? Va regirar-se al llit. Com es devia haver espavilat sense la seva aportació econòmica? En Dalmau es va estirar d'esquena i es va quedar quiet, mirant un sostre que intuïa en les ombres. La seva mare li apareixia una vegada i una altra en els seus pensaments. No podia retardar el contacte amb ella fins que... Tingués una feina? S'hagués establert? El temps devia haver esborrat el mal que li havia causat? Havia de saber com estava! Només pensar en la seva mare, caminant amb el cove de la roba blanca, se li va fer un nus a la gola. Es va remoure al llit. «Hi haurà molts constructors que em voldran contractar», va pensar ell, i aquella confiança va ser el millor sedant de tots.

Es va llevar serè i fresc a l'alba. Feia molt de temps que no se sentia tan viu, tan disposat. Va esmorzar, poc, i la insatisfacció es va esvair al mateix instant que va posar un peu al carrer de Sicília. El sol, encara molt baix, anunciava la seva intenció d'acompanyar-lo. No tenia ni un cèntim, ho havia donat tot a la Maravilles i al seu germà. Va respirar fondo i es dirigí al passeig de Gràcia, on els rics semblava que haguessin comprat el sol.

Pel camí, va deixar enrere algunes obres modernistes en construcció, en què les arts aplicades, i amb elles la ceràmica, s'utilitzava com un recurs exuberant que en bona mesura caracteritzava aquell nou estil no només de construir, sinó fins i tot d'afrontar la vida. En

Dalmau les coneixia per haver-hi estat mentre treballava per al senyor Manel: la casa de Modest Andreu al carrer d'Alí Bei, de l'arquitecte Telm Fernández; la de Francesc Burés, al carrer d'Ausiàs Marc, que aixecava el mestre d'obres Berenguer, el més íntim i imprescindible dels col·laboradors de Gaudí, i que va aconseguir reunir al vestíbul i al pis noble de l'edifici un dels màxims exponents del modernisme; la Casa Mulleras, de l'arquitecte Sagnier, al passeig de Gràcia, com la de Malagrida, que Codina començava a construir. Des d'allà, evitant carros de mà o tirats per mules, tramvies, donzelles, mossos dels forns que portaven pa a les cases, minyones i treballadors que es dirigien amb presses als seus llocs de treball, entre els plàtans que ombrejaven l'avinguda, en Dalmau va poder veure la Casa Lleó i Morera, a l'illa següent. La façana era principalment de pedra i amb grans finestrals, cosa que alleugeria la profusió d'uns elements decoratius que, si no hagués estat així, es podrien haver considerat excessius, recarregats. En Dalmau sabia que, a l'interior, el mestre arquitecte utilitzava la ceràmica; no obstant això, aquelles obres ja devien estar acabades.

Va continuar uns metres més enllà, va superar la Casa Amatller, de Puig i Cadafalch, i, contigua a aquesta, va topar la Casa Batlló, que estava construint Gaudí sobre el que Dalmau va recordar com un edifici anodí, vulgar, de línies rectes i balcons regulars, nascut a l'empara de la febre constructora de l'Eixample de Barcelona i de l'urbanisme avorrit i uniforme que Ildefons Cerdà havia proposat; un model, una visió de ciutat i un convencionalisme que els genis modernistes desafiaven.

En Dalmau va contemplar la Casa Batlló darrere dels plàtans en flor i la bastida que cobria la façana, i va pensar que havia perdut molt temps amb la droga i la seva dràstica rehabilitació a Pequín. Era evident que aquell edifici, ja definit en les seves línies i formes quan en Dalmau treballava per al senyor Manel, s'alçava ara sobre la Casa Amatller amb què limitava, com si la volgués devorar. El coronament triangular esgraonat i rectilini que fins aleshores havia sobresortit, imponent, sobre els terrats de les dues cases contigües a la del xocolater Amatller, es veia ara superat pel llom ondulant d'un drac que coronava el de la Casa Batlló. I la façana, que si bé en el primer immoble es mostrava a través de rígids motius geomètrics, en la de la casa veïna, la de Gaudí, s'havia convertit en un perfil sinuós, a la recerca d'aquell moviment que l'arquitecte perseguia en les seves obres i que havia aconseguit a còpia de repicar a mà el mur original per fer que deixés de ser un pany de paret rectangular.

I tota aquesta construcció, el llom del drac i la façana, s'havia de recobrir de ceràmica. El drac mitjançant peces en forma d'escates tornassolades sobreposades; la façana, amb el famós trencadís que tant utilitzava el geni, en aquest cas de vidres de colors i peces de ceràmica rodones per emular la superfície d'un llac, amb les seves ondulacions i els seus nenúfars. Un veritable homenatge al vidre, a la porcellana i a la ceràmica, que a la Casa Batlló substituiria la pedra o el totxo per convertir-se en la veritable pell de l'edifici.

—Ho puc provar jo, Joan?

En Dalmau s'havia apropat a la bastida de fusta que cobria la façana, on a primera hora del matí se citaven els paletes, i va fer la pregunta a l'esquena del capatàs, en Joan Soler, un senyor calb, ja gran però fort, que s'esforçava per amagar la coixesa fruit d'un accident. L'home es va girar en sentir el seu nom de pila; es coneixien, havien coincidit en diverses obres al llarg dels anys i qualsevol dels dos podria dir sense por de caure en l'error que la relació que van establir va assolir certa amistat. L'home va semblar que li reconeixia la veu, però va trigar a fer-ho amb el jove prim i barbut que l'interrogava també amb els ulls.

—Ets tu? —li preguntà al seu torn. En Dalmau va assentir. L'altre va esbufegar—. Em… Van dir… —No va voler continuar—. La gent et feia mort.

—I ho vaig estar.

—A què es deu la visita?

En Dalmau va assenyalar una caixa de fusta de grans dimensions on s'amuntegaven fragments de vidres de colors, un dels materials amb què Gaudí treballava el seu famós trencadís. Sabia quin era el mètode del mestre: demanava als paletes que triessin trossos de ceràmica, o en aquest cas de vidre, per colors, per tons de cada color, per formes, per mides, i que cadascú les distribuís en senalles, cadascú les seves; després, ell mateix les examinava i jutjava la sensibilitat dels seus treballadors. Els que havien estat capaços d'encertar la varietat, les formes, els colors i les tonalitats serien els que s'encarregarien, sota la seva supervisió o la dels seus ajudants, de compondre el trencadís.

—M'agradaria provar de treballar amb els vidres.

—Vols treballar de paleta? —es va estranyar el capatàs—. Estàs massa preparat per treballar d'això.

—No, Joan —l'interrompé en Dalmau al mateix temps que feia que no amb el cap—. Això és el que vull fer. Necessito treballar. Les he passat magres, i no tinc ni per menjar ni on dormir —va confessar—. No sé llançar una plomada ni aixecar una paret, però saps prou bé que, en qüestió de ceràmica, soc un expert.

—Per mi estàs contractat. Ens faràs molt servei, aquí el vidre i la ceràmica són un element essencial. Només l'hi haig de dir al...

—Joan —l'interrompé en Dalmau—. M'estimaria més que com menys gent sàpiga qui soc, millor. No tinc gaire cosa de què enorgullir-me.

El capatàs li avançà dos jornals perquè superés les necessitats urgents, després que Josep Maria Jujol, col·laborador de Gaudí, furgués la senalla d'en Dalmau, n'analitzés els vidres triats, li fes diverses preguntes sobre la tècnica de col·locació de la ceràmica, que en Dalmau va contestar amb el cap cot, i l'escollís com un dels que acompanyaria els que ja treballaven al trencadís de la Casa Batlló.

A partir d'aquell matí en Dalmau va començar a formar part d'una obra que uns altres creaven i dirigien. Ell havia de cobrir amb petits trossos de vidres de colors trencats tota la façana d'un edifici, per sobre de les tribunes de finestres irregulars sostingudes per columnes esprimatxades, i que per la seva forma peculiar acabarien donant a la construcció el sobrenom de «la casa dels Ossos».

Va tenir la sensació que el cor se li activava al final de la jornada. Fins aleshores li havia bategat a un ritme lent i pausat amb què es componia un mosaic abstracte i ondulant de vidres de colors. Ara, a mesura que baixava pel passeig de Gràcia en direcció a la ciutat vella, la respiració i el pols se li dispararen. Es va aturar i va inspirar fondo a la plaça de Catalunya, a la intersecció dels dos carrers grans que la creuaven en aspa, un des d'on ell venia fins a les Rambles, i l'altre des del Portal de l'Àngel fins a la rambla de Catalunya. Va continuar pel carrer de Rivadeneyra, on hi havia el Maison Dorée, el restaurant on va ser la riota de tothom i on va començar la seva decadència personal, va superar les obres de la nova església de Santa Anna, el claustre i l'església vella, i va arribar a l'embocadura del carrer de Bertrellans, on vivia la seva mare. Un carreter li va cridar que s'apartés, però en Dalmau es va quedar immòbil, sense gosar posar un peu en aquell carreró, en el qual, si s'obria de braços, gairebé es podien tocar amb els dits les façanes d'un costat i de l'altre; accedir a aquell espai tan opressiu, amb els edificis alçant-se per damunt d'un mateix, barrant l'entrada del sol i impedint que l'aire circulés, era ben bé com entrar a casa seva. El carreter va insistir amb les presses. En Dalmau va reaccionar i arrambà l'esquena en una de les parets d'una edificació del carrer de Santa Anna, molt més ampla. Després va tornar a mirar. Allà el coneixia tothom: el matrimoni que regentava una merceria, tot i que potser ja era el fill qui portava les regnes del negoci. Amb ell havia jugat mil vegades al carrer, de petit. També el podien reconèixer el fuster, el forner o el barber, a més del taverner i tants d'altres... Va tenir por que el seu nom rebotés d'un mur a l'altre, com ho feien els crits i fins i tot les simples converses de la gent, però no el va cridar ningú. Potser la roba vella d'obrer que duia posada, el cos escardalenc, la barba i els cabells llargs, encara esclarissats, amagaven el Dalmau que aquella gent coneixia; potser era senzillament la seva apatia i la melancolia que emanava de tot ell el que confonia els seus antics veïns.

Va deambular per la zona amb la mirada sempre posada en l'embocadura del carrer de la seva infància. Les obres de l'església nova de Santa Anna, el trànsit constant de feligresos i mendicants buscant l'ajut dels barcelonins, que utilitzaven aquell camí per endinsar-se a la ciutat vella, o dels alumnes nocturns que anaven a les classes que es feien als claustres superiors de l'església, tot plegat va permetre que en Dalmau es pogués barrejar entre tots ells, anar i venir tantes vegades com va voler, però en cap d'elles no es va atrevir a endinsar-se al carrer de Bertrellans i pujar fins al pis de la seva mare. No suportava el record d'haver-la agredit; tancava els ulls i negava amb el cap quan hi pensava. Potser ella el perdonaria, però la vergonya li impedia implorar la seva generositat. Com podia haver estat capaç de fer una cosa com aquella?

La Voladora. Així s'anomenava la taverna, tan estreta que entre les taules enganxades a la paret i la barra només hi cabia una persona a peu dret. El terra i les parets estaven llardosos i una fortor de vinagre s'escapava per la mateixa porta per on havia passat en Dalmau diversos cops recordant la infinitat de vegades en què, al llarg de la seva infància i la seva joventut, hi havia anat a comprar vi de garrafa. En David, així es deia el taverner. Un home afable i conversador. El dubte, la mesquinesa, la infàmia que sentia sobre seu, van recordar al seu cos com resolia aquells dilemes mesos enrere. En Dalmau va tremolar, un espasme que no va poder contenir, i es va trobar observant la porta de La Voladora. Dos, tres gots de vi, i tot hauria passat; no el perseguiria cap culpa. Potser només un, només un, seria suficient perquè li donés la valentia que ara li faltava per pujar a casa la seva mare i demanar-li perdó. Va fer un pas cap a la porta, però es va aturar abans d'entrar. No podia. No ho havia de fer. «No tornaré a caure en aquella trampa», havia promès feia tot just un dia a la trinxeraire que li havia salvat la vida. Els banys al mar, els cops dels pescadors, els lladrucs dels gossos, les burles dels nens… Va estrènyer els punys, va fer mitja volta i es va dirigir amb el pas ferm cap a la casa on havia nascut.

—Dalmau? —Ell es va girar en sentir aquella veu inesperada. Era l'Emma! El cor li va fer un sotrac en veure-la—. Ets tu? —inquirí ella apropant-s'hi una passa per examinar-lo de prop, amb la sorpresa marcada als ulls—. Et… et fèiem mort —va anunciar abans de recular, bruscament, com si tot d'una l'haguessin assaltat els records—. Què hi fas aquí? —va preguntar fredament.

Se la veia cansada, però continuava sent guapa i arrogant. Exhalava sensualitat. Fins i tot entre la gent i el tuf dels carrers, en Dalmau va tenir la sensació de reconèixer la bona olor de l'Emma, aquella que desprenia la panxa d'ella quan ell hi recolzava el cap… I la llepava. Va esbossar un somriure. La sorpresa inicial estava donant pas a moltes altres emocions que, per un moment, el van deixar sense parla. S'alegrava tant de veure-la que era capaç de suportar qualsevol cosa que li volgués dir, qualsevol acusació que sortís d'aquella dona a qui no havia oblidat mai.

—Què et passa? —el va fer aterrar l'Emma de males maneres d'aquella mena de trànsit en què semblava que havia caigut.

En Dalmau va esborrar el seu somriure i, com si es tractés d'una plantofada, la brusquedat de l'actitud de l'Emma també va esborrar aquelles sensacions agradables, nostàlgiques, que tot just havien brollat a la seva ànima, per recordar-li que el cos d'ella, els seus anhels, el seu amor, pertanyien ara a un altre home.

Dues persones van passar entre tots dos, aturats a l'entrada del carrer de Bertrellans i, com si s'hagués obert un camí, una corrua de gent els va seguir i van trencar amb el seu pas el fràgil llaç que encara els pogués unir.

—Vinc a veure la meva mare —va contestar ell, seriós, en un moment en què no passava ningú—. Necessito el seu perdó.

—Cabró! —l'insultà l'Emma.

—Aviam com parlem! —li recriminà un home que es dirigia a l'església.

—Vagi-se'n a la merda! —replicà l'Emma.

L'individu va fer el gest de girar-se; ella li plantà cara abans que en Dalmau pogués reaccionar, i l'altre es va estimar més evitar problemes i va continuar el seu camí. En Dalmau va percebre l'agressivitat exagerada de l'Emma, com si la seva aparició hagués desencadenat aquella ràbia.

—Vens a demanar perdó? —va continuar ella, en el mateix to, ja dirigint-se a en Dalmau—. Per què, exactament? La vas maltractar, li vas pegar i li vas robar tot el que tenia. Vas desaparèixer i va patir la teva mort sense funeral i sense enterrament, i per si no fos prou, el rosegaaltars fill de la gran puta, el teu amo i senyor, s'ha querellat contra ella pels diners que tu li devies per lliurar-te d'anar a l'exèrcit, i s'ha emportat l'única cosa que vas deixar en aquella casa: la màquina de cosir; aquella màquina sorollosa que li permetia pagar el lloguer, menjar i sentir-se una persona independent.

L'Emma va observar la vergonya en la cara d'en Dalmau un cop acabada la seva allisada. Si bé no s'havien mogut, ja no transitava ningú entre tots dos; era com si la tensió hagués creat una mena de barrera que la gent no gosava traspassar.

—Per què vens a demanar-li perdó? —insistí la jove, burxant en el penediment d'en Dalmau.

—Vinc a demanar-li perdó per tot —es recuperà ell—. Si cal, em disculparé per haver nascut.

I davant la sorpresa de l'Emma, en Dalmau la va deixar enrere i enfilà el carrer de Bertrellans, en la penombra, tot i que encara era de dia. En Dalmau va esbufegar i va alçar el cap buscant-hi el sol. No el va trobar; allà no hi era. Aquella era la vida que els corresponia a ells: foscor i fredor.

—Ara estàs serè, o com a mínim ho sembles, però quan trigaràs a tornar a emborratxar-te o a punxar-te després de la disculpa? —li preguntà l'Emma, encalçant-lo—. Una setmana? Un mes?

—Ets cruel —li recriminà en Dalmau sense girar-se.

—No, Dalmau, no. No ho soc. He patit veient la Josefina… Vivim amb ella —va aclarir.

Aquesta vegada, en Dalmau va vacil·lar malgrat el pas decidit.

—Viviu aquí? —va preguntar aturant-se, desconcertat—. Per què?

—L'he vist patir molt per tu —insistí l'Emma sense fer cap cas de la pregunta—, massa. I si recaus? I si tornes a la droga? És habitual, molt habitual.

—Qui sou els que viviu amb la meva mare? —insistí ell, pensant en el paleta. «També viu amb la meva mare?», es va preguntar amb amargor.

—La meva filla Júlia i jo. L'Antoni… és mort —es va veure obligada a aclarir.

—Em sap greu —mussità en Dalmau, penedit de la gelosia que havia sentit feia tot just uns segons.

—I si recaus? —inquirí l'Emma, menyspreant el seu condol—. Què li oferiràs a la teva mare?

En Dalmau va mirar cap a l'entrada de casa seva, a dos metres d'allà, abans d'enfrontar-s'hi:

—Res, Emma —li contestà—. No li oferiré res perquè no tinc res. Soc una deixalla a qui dos arreplegats amb més dignitat que jo van recollir moribund del carrer. Només busco el seu perdó. Ni tan sols, com bé dius —va afegir pensant que havia anat d'un pèl que no entrés a La Voladora i demanés un got de vi—, no li puc garantir que no torni a caure en el vici.

L'Emma no va contestar. Alguna cosa en les paraules d'ell la van commoure més que si hagués pronunciat unes promeses diferents. En Dalmau va superar aquells dos metres, va traspassar el portal i va pujar l'escala, estreta, humida i de graons escantonats. L'Emma es va quedar enrere, al carrer, torbada per un manyoc de sensacions contradictòries: no podia evitar la ràbia i alhora tampoc no podia negar que estava contenta de veure'l. Saber que era viu, que era allà. Va reaccionar al cap d'uns segons i va córrer darrere d'ell. La porta de la casa estava oberta de bat a bat, i al replà jugaven eixelebradament els fills de l'Anastasi i la Remei.

—Són rellogats, ocupen la teva habitació. —L'Emma va considerar que calia avisar-lo i havia pujat a atrapar-lo.

Un cop advertit, en Dalmau va entrar i va saludar amb un moviment de cap la dona que esbajocava pèsols asseguda a la taula de la cuina. No va voler inspeccionar l'estança. Se'n va anar fins a l'habitació de la seva mare, oberta, va respirar fondo, va picar dues vegades al marc de la porta i hi va entrar.

La Josefina seia en una cadira mig desballestada situada al lloc on abans hi havia la màquina de cosir. Ara cosia a mà, a poc a poc, amb els braços lleugerament alçats cap a la finestra, intentant captar la llum que li proporcionava el cul d'una espelma de parafina que cremava sobre un cartró a l'ampit. En Dalmau no va poder impedir que la mirada se li desviés cap a un bressol encaixonat entre el llit i l'armari on dormia una nena. Quan va tornar a mirar la seva mare, la dona havia deixat la tela que cosia sobre la falda i tremolava, alhora que somreia obertament. El somriure va traslladar en Dalmau a la seva infància: era el mateix somriure amb què el rebia de petit, i l'abraçava, i li esborrifava els cabells i li feia pessigolles per acabar preguntant-li com li havia anat el dia.

—Fill! —va exclamar la Josefina—. Ho sabia, ho sabia. Sabia que no eres mort.

El somriure va passar a llàgrimes. En Dalmau no es va atrevir a respondre als seus braços allargats i es va quedar al llindar de la porta. Darrere hi tenia l'Emma.

—Ho sento, mare —va aconseguir arrencar a la gola nuada—. Sento tot el mal que li he fet. De debò que em sap greu.

Va ser la Josefina qui es va aixecar, amb decisió, eixugant-se les llàgrimes amb el braç, i va creuar amb dues passes el dormitori fins que va abraçar en Dalmau.

—No m'ho mereixo, mare.

Ella l'agafava del tors i, amb el cap recolzat contra el pit, xiuxiuejava, com si resés. En Dalmau va tenir la sensació d'escoltar el nom del seu pare, Tomàs, diverses vegades. I «Gràcies», moltes més.

—Perdoni'm, mare —insistí ell.

—No s'ha de perdonar res, Dalmau —va dir ella—. Ets el meu fill. Saber que ets viu... I que estàs sa —va afegir separant-se una mica d'ell per agafar-li els braços i sacsejar-lo com si amb aquell gest volgués ratificar les seves paraules— és l'alegria més gran que he tingut en ma vida. Tot queda enrere, Dalmau. Les mares no recordem les ofenses d'aquells que hem parit; sempre formaràs part de mi.

En Dalmau va tenir una esgarrifança que li va recórrer tot el cos després de sentir aquella confessió. Ell, que havia arribat a dubtar del perdó, que no s'atrevia a suplicar-lo, que s'amagava... No existia el rancor entre una mare i un fill, això explicava la senzillesa i la sinceritat de la posició de la Josefina, però tot i així...

—Però li vaig pegar. Necessito que em perdoni, mare, que m'ho digui. Necessito sentir-ho.

—Aquí l'únic que ha de perdonar soc jo!

En Dalmau va girar el cap a temps per veure com un home corpulent i barroer enretirava amb violència l'Emma, que va quedar darrere d'ell, atrapada al passadís.

—Qui és aquest?

En Dalmau no va poder continuar. Inesperadament, l'home li va clavar una plantofada a la cara. Tret de l'Emma, els altres eren en un espai ínfim: entre el llit, el bressol, la paret i la porta.

—Anastasi!

El crit va sorgir de l'Emma. En Dalmau va allunyar la seva mare, però no va poder evitar rebre una nova clatellada. Aleshores va ser ell qui va amollar un cop de puny que va encertar de ple la cara de l'Anastasi. De la boca d'aquell homenot va sortir un bram que es va imposar als crits de l'Emma, de la Josefina i fins i tot del plor de la nena que s'havia despertat sobresaltada. Al mateix temps, la bèstia d'home es va tirar enrere amb força fins a impactar contra la paret del passadís que donava a l'habitació de la Josefina i esclafar-hi l'Emma. La jove es va donar un cop a l'esquena i al cap, i va caure a terra, malgirbada. En Dalmau, colèric, es va abraonar contra l'Anastasi amb tots dos punys per davant. No ho va encertar. L'altre va desviar els seus cops amb uns avantbraços que a en Dalmau li van semblar unes barres de ferro, i tot d'una es va veure agafat del coll, amb una mà que l'hi atrapava pràcticament tot i que va començar a escanyar-lo fins que el va deixar sense respiració. I així el va arrossegar fins a la cuina, on el va fer seure a la taula en la qual la seva dona continuava esbajocant pèsols.

—Aleshores tu deus ser el famós Dalmau, el morfinòman mort —va començar a dir mentre seia a l'altre costat de la taula, davant d'ell—. M'equivoco?

—Sí —va contestar en Dalmau amb la veu agafada. Va tossir, encara li costava respirar—. Soc jo.

La dona recollia amb pressa els pèsols, per posar-los en un lloc segur després de l'esclat de violència del seu marit; els fills del matrimoni, bruts i mocosos, feien costat al seu pare, mentre la Josefina s'havia col·locat darrere el fill, i l'Emma, dolguda, bressolava la Júlia en braços intentant que callés.

—Per culpa teva —va continuar l'Anastasi, assenyalant en Dalmau— he perdut molts diners, més de quatre-centes pessetes, els meus estalvis. La meva navalla, el vestit nou, tot el que tenia. Calcula unes vuit-centes pessetes.

—Per què? —inquirí en Dalmau, estranyat—. Què hi tinc jo a veure…?

—Quan els del jutjat van venir a embargar aquesta casa, pel teu deute, també es van emportar les meves coses.

—El contracte que vas firmar amb el senyor Manel perquè t'alliberés de l'exèrcit —va considerar necessari explicar-li la Josefina, que no sabia que ja ho havia fet l'Emma.

—Ja —va assentir en Dalmau.

—Ja… I ara què? —El cop que esperava la Remei va caure com una maça sobre la taula. Només quedaven per recollir uns quants pèsols, que van saltar per l'aire. L'Anastasi va travessar en Dalmau amb la mirada—. Com penses tornar-m'ho?

—No tinc res.

—Sí —el va corregir l'home allargant l'última vocal—. Sí que tens alguna cosa: una mare i aquesta d'allà —va afegir assenyalant l'Emma—. Alguna cosa deu tenir a veure amb tu.

—Però elles no tenen culpa de res.

—T'asseguro que elles pagaran per tu, si no arregles el problema. M'has entès? Trigaria bastant poc a recuperar-los si vengués la noia. Ho entens? És més arriscat per a mi, però no dubtaré a fer-ho si algú no em torna el que és meu.

L'Emma va mirar l'Anastasi amb l'odi marcat al front arrufat. Eren moltes les vegades que l'havia amenaçat de fer-ho, de prostituir-la, de vendre-la a algun proxeneta. L'hi va advertir tant que un dia que l'Emma es va trobar a la Fraternitat amb aquells dos amics de l'Antoni que l'havien acompanyat al funeral els va explicar el seu problema. Van ser quatre paletes els que un dia van esperar l'Anastasi a la porta de la casa del carrer de Bertrellans. La conversa va durar l'estona estrictament necessària perquè el bèstia prengués nota de les funestes conseqüències que hi hauria per a ell i la seva família si l'Emma desapareixia o patia qualsevol desgràcia. A partir d'aquí, els últims dos mesos en aquella casa els havia viscut en un equilibri precari, en una tensió insofrible. L'Emma no se'n podia anar, tampoc no tenia cap lloc per fugir, tot i que el que més li preocupava era deixar la Josefina en mans d'un energumen que es negava a marxar i, en qualsevol cas, la dona no estava disposada a abandonar casa seva. Així l'hi havia dit: «Filla, d'aquí només en sortiré de panxa enlaire». Tot i això, l'Anastasi continuava amenaçant-la, i ella pressentia que aquell home era capaç de qualsevol maldat, per molt que quatre paletes amb els seus propis problemes haguessin intentat atemorir-lo un dia al portal de la casa.

—I ara espavila't i ves a buscar els meus diners —exigí l'Anastasi a en Dalmau assenyalant amb el dit polze girat la porta de la casa, darrere seu— i no tornis per aquí si no és amb els calés. Que no m'has sentit? —va cridar en veure que l'altre vacil·lava.

—No seràs tu qui m'ordeni què haig de fer o no a casa meva.

L'Anastasi es va aixecar bruscament. En Dalmau també.

—Fill... —li va pregar la Josefina, que temia les conseqüències.

—Fes cas a la teva mare —va remugar el mala bèstia.

La Josefina va implorar amb la mirada. En Dalmau va cedir, se li va apropar i aquesta vegada va ser ell qui la va abraçar.

—Perdoni'm per tots els problemes que li he causat.

—Tens el meu perdó, Dalmau.

—Vinga! Fora! —l'apressà l'Anastasi.

—Em sap greu —li va dir a l'Emma en passar pel seu costat.

Li hauria agradat parlar amb ella, explicar-se, disculpar-se també, mil vegades, però va percebre en aquella dona valenta, ara més aguerrida en la vida que la jove que va deixar enrere feia uns quants anys, la desconfiança i potser molt d'aquest rancor que no va arribar a fer forat en la seva mare. L'Emma mantenia en braços la seva filla com si s'aferrés a un escut, com si fos el sentit de la seva vida, la seva llum.

—Ens veurem? —inquirí en Dalmau a l'últim.

—Visc aquí —contestà ella amb certa acritud.

—Però que no et vegi jo en aquesta casa —va intervenir l'Anastasi— sense els calés que em deus.

En Dalmau ni tan sols va mirar el mala bèstia; va esguardar l'Emma, buscant en ella la guspira dels sentiments que un dia els van unir.

L'Emma no l'hi va concedir.

13

Aquella nit, l'Emma va veure com la Josefina somreia mentre esmicolava un rosegó de pa, del qual es ficava alguna engruna a la boca, poques, i la majoria anaven a la de la Júlia, xopades de llet. Aquella nit la va sentir cantussejar i tot, quan ho feia. Sopaven tard, quan havien acabat de menjar l'Anastasi i la seva família, amb l'esperança que s'haguessin dissipat, o confós amb la fortor dels carrers i les cases, les aromes dels menjars que la Remei preparava per als seus. Tan bon punt es feia fosc, el perdonavides no trigava a sortir de casa per anar a treballar en algun antre de vigilant, o simplement a beure; la seva dona recollia les cassoles, desava zelosament les sobralles del menjar, si en quedaven, i es retirava. Amb anterioritat, una vegada tips, els dos salvatges que el matrimoni rellogat tenia per fills es feien fonedissos per les escales i els replans, on cridaven, corrien i es barallaven fins que queien morts de cansament; de vegades tornaven a casa, i de vegades l'Anastasi o algun veí els trobava adormits en un racó.

La Josefina i l'Emma esperaven que la Remei tanqués la porta del seu dormitori per seure amb la nena a la taula de la cuina. El cas és que no acabava mai de desaparèixer del tot la flaire dels menjars anteriors, que les perseguia fins al llit en forma de malson, recordant a totes dues dones, nit rere nit, el destret en què es trobaven. No tenien prou diners. Cosint a mà, la Josefina no arribava a cobrar ni una desena part del que guanyava abans que li prenguessin la màquina, i l'Emma continuava cobrant les tres míseres pessetes de jornal que li pagaven al centre republicà. Robava menjar a la Fraternitat i es barallava per les restes que quedaven als platets dels clients. L'ajuda solidària que el partit distribuïa a través de les associacions s'esgotava en els obrers i les famílies que ni tan sols treballaven. La crisi econòmica s'agreujava; la tecnologia aplicada als processos industrials deixava sense feina milers de persones; la immigració del camp havia portat a Barcelona una massa obrera ingent sense qualificar, que s'oferia a treballar per uns sous cada vegada més baixos, i la gent es posava malalta, i fins i tot es moria de gana. La Josefina i l'Emma havien de fer front al lloguer del pis del carrer de Bertrellans; l'Anastasi no hi contribuïa amb l'excusa dels diners que el jutjat li havia pres per culpa seva, i elles, quan comptaven les monedes que dia a dia esgarrapaven al pa i a la roba per poder pagar al propietari, tremolaven espantades davant la simple possibilitat d'acabar rondant pels carrers amb la petita Júlia a coll.

Per fi, el dia que acabaven d'aplegar les vint-i-cinc pessetes que els costava la casa respiraven tranquil·les. «Un mes més», es deien en silenci. Amb els ingressos restants ben just si podien malviure: llet aigualida i sense nata; verdures i llegums passats, pa sec i carns d'aquelles que l'Emma sabia que havien estat adulterades —un parell de vegades va demanar socors a l'oncle Sebastià, que li va procurar carn barata de certa qualitat de mal grat, ja que així ell perdia el guany que n'hauria tret venent-la a d'altres a un preu més alt; la seva cosina, la Rosa, també la va ajudar moltes vegades d'amagat del seu pare, però la seva família també patia la crisi, i eren moltes boques per alimentar—, i tot això sempre amb la incertesa i l'angoixa que poguessin agafar una malaltia, el cas de la nena era el més preocupant, o tenir un accident o un imprevist al qual no poguessin fer front.

Malgrat tot, aquella nit la Josefina somreia. «Ha trobat feina en una obra important al passeig de Gràcia», havia explicat a l'Emma abans de sopar, estant totes dues al dormitori, assegudes al llit i amb la Júlia voltant de quatre grapes entre elles, esperant el seu torn mentre l'Anastasi i els seus fills cridaven i discutien tot sopant. «Mira què m'ha donat —va afegir i, talment com si fos un tresor, va obrir la mà i li va ensenyar unes quantes monedes que tenia al palmell—. Ens ajudarà. Ha promès que ens ajudarà.» L'Emma va rememorar el moment en què l'esquena d'en Dalmau es va perdre al replà fosc: la Josefina va reaccionar, com si les amenaces de l'Anastasi haguessin deixat de ressonar per tota la casa, dins del seu cap, i fins i tot en el seu ànim, i la seva voluntat, ara ja lliure d'aquell segrest a què les sotmetia el perdonavides mitjançant la violència, va córrer darrere seu.

—Dalmau! —es va sentir a l'escala—. Espera't, fill!

Quan va tornar, poc més d'una hora després, l'Emma es va veure obligada a foragitar tots els pensaments amb què havia estat especulant des de la reaparició d'en Dalmau davant la voràgine d'emocions que assaltaven la Josefina. La dona reia i plorava, tot barbotejant.

—Ho sabia —va asseverar una vegada i una altra—, sabia que en Dalmau era viu. —La Josefina va agafar la mà a l'Emma i després la va abraçar—. Està bé. I no pren drogues ni alcohol —li va dir a cau d'orella, sanglotant.

«Li va pegar!», es va estremir l'Emma. I li va robar el poc que tenia. «I si recau?», es va preguntar, perquè sabia que això era el que solia passar: la gran majoria requeien en la droga. No l'hi podia dir! Així que es va limitar a assentir i tornar-li l'abraçada.

—Treballa. Diu que només va a treballar a les obres. Que ja no pinta. Millor, que no pinti! Va ser la pintura, el que el va fer anar a mal borràs. Tota aquella gent que tenia al voltant el van fer canviar.

Ara la Josefina s'havia separat una mica de l'Emma, però la tenia agafada pels braços mentre continuava parlant del seu fill, exultant i esperançada. «La pintura també m'ha destrossat a mi», es va plànyer l'Emma per a si mateixa. Aquells nus que van córrer de mà en mà a la fonda de Can Bertran, i després... on més devien haver circulat? Va sentir una punxada a l'estómac, com cada vegada que s'imaginava desitjada per homes bruts i lascius davant d'aquelles poses tan summament sensuals en què en Dalmau l'havia retratat. Només era una nena, ingènua i enamorada.

—Se'n sortirà! —va pronosticar la Josefina, compartint aquell desig amb l'Emma.

—És clar que sí —la va animar la noia, guardant-se l'escepticisme—. I tant.

«La Josefina li devia haver explicat res d'ella durant l'hora que havien estat enraonant?» «Li devia haver preguntat res, ell?» L'Emma va recordar la mirada entre afligida i curiosa amb què en Dalmau s'havia acomiadat.

—Diu que li agradaria enraonar amb tu. Arreglar les coses —va afegir llavors la Josefina, com si li endevinés els pensaments.

—Josefina... —va saltar l'Emma, per aclarir la situació.

—No t'amoïnis. Ja li he dit que no. Et va fer molt mal, i tu no ets la seva mare, no has de perdonar-lo sense condicions.

L'Emma va visualitzar mare i fill junts, xerrant, reconciliats.

—Si vol que me'n vagi perquè ell pugui tornar aquí amb vostè... —li va proposar.

—Em moriria, si em prenguessis aquesta nena. —La Josefina va somriure i va amanyagar la menuda, que jugava amb un retall de roba sobre el llit—. No, filla —va afirmar tota seriosa—. En Dalmau es recuperarà... Hi confio i ho desitjo, però sigui el que sigui el que li ofereixi el destí, el seu lloc ja no és aquest.

La Josefina va deixar passar un instant en silenci. L'Emma havia vingut a substituir la seva família, i havia ocupat el lloc de la seva filla morta, va reconèixer arronsant els llavis, i la Júlia... Què en podia dir, de la nena? En Dalmau era un home, lliure, sense lligams. Era ell el qui havia de trobar el seu lloc fora d'aquella casa. No permetria que l'Emma i la Júlia sortissin perjudicades sense motiu.

—Aquesta llar —va dir en veu alta, continuant el fil dels pensaments— és la que ens correspon a nosaltres, i el nostre objectiu no ha de ser altre que tenir cura d'aquesta preciositat. Que en Dalmau ens ajudi a tirar endavant és el seu deure; haurem de tenir molta sort, si volem resoldre el problema de l'Anastasi. No m'imagino pas com ens en podrem desempallegar... —Va brandar el cap abans de canviar d'estat d'ànim radicalment, obligant-se a mostrar-se alegre altra vegada—. A més, tampoc no m'imagino dormint amb ell en aquest llit —va dir de broma.

«No ens podrà ajudar pas gaire, en Dalmau, si amb el jornal de paleta també ha de cobrir les seves necessitats», va pensar la jove, encara que va callar per no desanimar-la.

Aquella nit, havent sopat, quan la Josefina ja respirava tranquil·lament al llit, l'Emma es va incorporar, procurant no trencar-li el son. No podia adormir-se, amb les idees que li saltaven sense control d'en Dalmau a la Josefina, de la droga als nus, a l'Antoni i altra vegada a en Dalmau, a les seves il·lusions compartides, al seu amor..., a la

Montserrat. Tenia la sensació que pararia boja! A més, la possibilitat, la qüestió que realment l'angoixava, treia el cap tímidament per darrere de cada una d'aquelles imatges que la mantenien desperta: l'havia de perdonar? De cap manera! Potser davant la convicció que ell s'havia mort com a conseqüència de la morfina, l'Emma havia aconseguit enterrar odis i rancúnies, i els records d'aleshores ençà s'havien perfilat a partir de retalls de felicitat, però ara que sabia que era viu, dubtava entre tornar a l'odi o perdonar-lo. Va sacsejar el cap com si volgués allunyar d'ella qualsevol pensament.

—Tu ets l'única raó de la meva vida —va xiuxiuejar llavors per sobre de la barana del bressol on la Júlia dormia.

També havia costat que la nena s'adormís. Ella ho atribuïa a la tensió que havien viscut aquell dia; la Josefina, quan l'hi havia pres de les mans per bressolar-la, va dissentir. «No menja prou ni prou bé», va afirmar. Els neguits que fins llavors l'havien escomès es van esvair davant de la possibilitat apuntada per la Josefina. Necessitaven més menjar, més recursos per criar la seva filla, i li semblava que sabia on els podria aconseguir. Va escoltar la respiració de la Júlia en plena nit, tranquil·la, pausada, i llavors la va acaronar una estona, i el neguit que uns i altres li havien provocat es va anar dissipant al ritme amb què el tou dels seus dits passava suaument per sobre de la delicada pell de la seva filla.

—Tu ho ets tot per a mi —va repetir abans de tornar a estirar-se al costat de la Josefina.

Les dues dones, amb la nena, van sortir de casa d'hora; les campanes de Santa Anna acabaven d'anunciar les sis del matí. Així com elles sopaven després de l'Anastasi i la seva família, a l'hora d'esmorzar els torns eren a l'inrevés: primer menjaven elles, mentre el pinxo recuperava el son perdut la nit abans. Es van acomiadar al carrer. La Josefina va fer pessigolles a la Júlia, que, després de retorçar-se al coll de la seva mare, la va premiar amb una riallada tan meravellosa que fins i tot va alegrar l'ambient d'aquell carreró endormiscat. L'Emma es va dirigir a la Fraternitat i la Josefina anava a veure l'intermediari de la roba blanca. Portava poques labors, i sabia que només n'hi donarien uns quants cèntims, no més. La costura era l'ofici més mal pagat de Barcelona: centenars de dones treballaven de franc als convents, on estaven recloses, i les monges rebentaven els preus, però si a sobre es cosia a mà, era impossible treure'n un jornal decent. El cistell de la Josefina, que abans de vegades anava ple fins dalt de peces molt elaborades, ara es gronxava, lleuger, al seu braç.

L'intermediari no la va sorprendre. Una misèria. A més, va rebutjar un coll mal cosit d'una camisa. Des que no tenia màquina, l'home repassava escrupolosament les labors de la Josefina. «No tens bé la vista ni les mans», deia per justificar aquell rigor desmesurat. De vegades ella l'hi discutia, però aquell dia no: tenia el cap a Santa Anna, on es proposava d'anar després de desar-se, sense ni tan sols comptar-los, els cèntims que l'intermediari li havia donat.

—Com saps que no t'he enganyat? —li va preguntar l'altre, davant del que ell interpretava com una mostra de displicència.

—Ens has estat enganyant a totes tota la vida —li va engaltar la Josefina—. Vols dir que ara et vindrà d'uns cèntims més o menys?

Sense esperar resposta, es va girar en rodó i es va encaminar a l'església de Santa Anna.

—Busco mossèn Pere —va anunciar al capellà que ocupava la planta baixa de l'edifici de la rectoria, a tocar de l'exquisit i gràcil claustre gòtic, quadrat, de deu arcades a cada costat.

La rectoria i el claustre s'interposaven entre l'església antiga, una part de la qual es remuntava al segle XII, i la nova, que estaven construint en aquella època, més gran, en un intent d'emular les esglésies de Santa Maria del Pi i de Betlem, i que s'allargava fins a les Rambles. L'entrada s'havia previst pel carrer de Rivadeneyra.

El capellà al qual la Josefina es va adreçar la va inspeccionar de cap a peus abans de respondre-li. Ell no feia de porter; era allà per ocupar-se de les urgències dels malalts. Fos com fos, no li va suposar cap molèstia informar aquella dona a qui no havia vist mai a l'església.

—Mossèn Pere és força vell. Està jubilat. Ja no atén les parroquianes, encara que no crec que tu ho siguis.

—Soc amiga de mossèn Pere —va replicar la Josefina, evitant qualsevol referència a la seva condició de feligresa.

—No sabia que mossèn Pere…

—Si us plau, doni-li l'encàrrec que ha vingut la Josefina Port, la… la mare d'aquella nena que va salvar d'un pervertit. Ell ja sabrà qui soc.

El capellà va atendre la petició de la Josefina: va enviar un escolanet amb l'encàrrec; mossèn Pere era estimat i respectat a Santa Anna, i el religiós, encara escèptic, no es va voler arriscar a acomiadar una dona que, efectivament, pogués ser amiga seva. «El trobaràs al claustre», li va anunciar al cap d'uns minuts, quan el nen va tornar corrent, esbufegant fort.

La Josefina el va veure dret, repenjat en un bastó, al fons d'una de les galeries. Se n'hi va anar, dubtant de si mantenir el posat seriós que havia adoptat des que havia entrat al recinte del temple. Al final, a un parell de passes d'aquell capellà que li semblava molt més vell del que el recordava, va esbossar un somriure.

—Mossèn —el va saludar.

—Josefina —es va limitar a respondre ell.

El religiós la va convidar a passejar al seu costat, seguint el claustre quadrangular. La primavera es copsava a les plantes i als arbres, pocs en aquell espai exigu, quatre o cinc, però florits en tota la seva esplendor. Durant uns minuts van caminar en silenci, fins que el mossèn va aclarir allò que en aquell moment calculava la Josefina.

—Nou anys.

—Sí —va confirmar ella.

Era el temps que havia transcorregut d'ençà que el 7 de juny del 1896 la processó de Corpus que havia sortit de l'església de Santa Maria del Mar va patir un atac amb bomba. Hi van morir dotze persones i mig centenar van resultar ferides. La vida de la Josefina es va esfondrar arran de la detenció d'en Tomàs i de gairebé tots els seus companys anarquistes que la podien haver ajudat. En Tomàs fill tenia setze anys, en Dalmau, catorze, i la Montserrat, dotze, i la Josefina es va trobar sense diners, sense amics, sense intermediaris que li proporcionessin roba per cosir i tractada com una dona menyspreable per bona part de la societat que l'envoltava. Els seus fills van respondre. En Dalmau fins i tot es va plantejar de deixar els estudis a la Llotja. La Josefina va dubtar, però llavors el senyor Manel el va contractar a la seva fàbrica. La Montserrat també va aconseguir feina al tèxtil, i en Tomàs ja estava emplat al taller d'un llauner. Tanmateix, a banda del sou d'en Tomàs, els altres dos jornals eren molt minsos, propis de nens, destinats a complementar els ingressos dels pares, i no a mantenir una família.

Fou mossèn Pere qui, en aquelles dates, va presenciar des de fora de Santa Anna que un home obès, relativament ben vestit, donava un entrepà de cansalada a una nena que en aquell moment girava cap al carrer de Bertrellans. La nena se li va atansar, l'home en va partir un bocí i la nena hi va clavar mossegada àvidament, tement que allò no fos veritat, i que l'hi poguessin prendre. L'home en va partir un altre tros i la va temptar, li va parlar amb veu dolça i es va anar endinsant en un portal fosc d'un edifici. La nena no va dubtar ni un instant. Es va engolir sense mastegar el mos que ja tenia a la boca i va fer el gest de seguir-lo cap a l'interior. Aleshores la mà del capellà va engrapar el bocí que, com si fos un esquer, sobresortia del portal i el va estirar fins a arrencar-lo de les mans de l'home que estava amagat a l'ombra.

El pervertit va sortir, sorprès, i en topar amb la cara encesa del religiós va fer un crit i va intentar escapar-se, però mossèn Pere el subjectava pel braç i el va aturar. Alguns curiosos es van començar a apinyar al voltant de la parella. El capellà va cridar la nena, li va donar el tros que acabava d'agafar i, després de prendre a l'home el que restava de l'entrepà, també l'hi va donar.

—Segur que ella el necessita més que tu, oi que sí? —va etzibar al depravat—. A fe de món que et sobra greix... I males intencions. —L'altre va gemegar i va adoptar un posat penedit. Mossèn Pere no li va consentir aquella astúcia, el va sacsejar i el va escridassar davant d'un grup de veïns que anava creixent en nombre—. Que ni se t'acudeixi atansar-te a aquesta església ni als carrers del voltant! Fixeu-vos-hi bé! —va advertir a la gent que l'encerclaven, molts d'ells parroquians coneguts—. No és altra cosa que un brètol amb intencions de forçar nenes innocents com ella. —Va assenyalar amb la barbeta la Montserrat, que, sense adonar-se de res, estava absorta cruspint-se l'entrepà de cansalada—. Si el torneu a veure per aquí, feu-lo fora a puntades de peu!

—No caldrà que el tornem a veure! —va cridar un dels presents, abraonant-se contra l'obès.

La gent el van seguir i el van empaitar pel carrer de Bertrellans entre cops de puny, puntades de peu, insults i escopinades.

Va ser mossèn Pere qui va acompanyar la Montserrat a casa seva, i qui va enraonar amb la Josefina. Li va explicar el que havia passat;

ella es va posar a tremolar, imaginant que algú pogués haver violat la seva filla en un portal fosc, humit i pudent, i, un cop recuperada la serenitat, va prometre que prendria mesures. Ja havia parlat a la nena dels homes dolents, li va assegurar, però hi insistiria més.

—Té gana —l'havia avisat el mossèn.

—I qui no? —havia respost ella.

—L'Església ajuda les famílies en la seva situació. Tenim recursos.

—Vostè no em coneix —el va interrompre la Josefina.

—Sí —la va sorprendre el religiós—. Ets la dona d'un dels anarquistes detinguts per la bomba de Corpus.

—Aleshores, què hi fa, aquí, amb mi? —va inquirir ella, astorada.

—No crec que el teu marit en fos responsable. No crec que ni tan sols ho fessin els anarquistes. La bomba va esclatar a la cua del seguici, no a la capçalera, on desfilaven les autoritats. Per què haurien de matar ciutadans humils? —La Josefina va assentir. Aquests eren els arguments que utilitzaven els anarquistes. Ningú no havia reivindicat l'atemptat—. De tota manera… —va continuar el capellà—, encara que ell hi hagués pres part, tots som fills de Déu.

—Els anarquistes no creiem en Déu. No podem ser fills seus —va oposar la dona amb un cert to sorneguer.

—Però passeu gana, igual que els que sí que hi creuen.

En sentir-ho, la Josefina va assentir, i va rumiar un moment.

—Mossèn —va dir després amb veu serena—, el meu marit és pres a Montjuïc, i l'estan torturant amb cruveltat. Probablement el condemnaran a mort. Ell no va posar la bomba, però sí que sempre ha lluitat contra l'Església. Vostè creu que jo, la seva dona, em podria aprofitar de la seva caritat mentre ell alça la bandera llibertària darrere dels murs d'aquell maleït castell, encara que li vagi la vida?

Mossèn Pere va assentir amb un gest de comprensió.

—Si canvies de parer o algun dia em necessites, no dubtis a venir a veure'm —li va proposar, abans d'encaminar-se cap a la porta.

—Gràcies pel que ha fet per la meva filla, pare —li va agrair ella, que el va acompanyar fins al replà—. I també per la proposta d'ajuda —li va reconèixer, quan ell ja baixava les escales.

El fet cert és que l'endemà, un dels intermediaris de roba blanca que ja l'havia despatxat més d'una vegada, i a qui la Josefina va anar a suplicar un cop més, li va omplir el cove fins dalt de tot, sense explicacions de cap mena. Ella no va preguntar, però en silenci va pensar en aquell home que havia anat a casa seva el dia abans. Aquell dia va treballar gairebé les vint-i-quatre hores, com si hagués de recuperar el temps perdut. Cosint a mà des de l'albada amb l'escassa llum del sol que es negava a escolar-se entre els edificis amuntegats dels pobres i de nit amb la que li proporcionaven les puntes d'espelma de parafina el preu de les quals regatejava enèrgicament amb els drapaires que venien articles usats pels carrers.

—La Montserrat es va morir —va dir ara la Josefina a mossèn Pere, com si reprengués l'interès del capellà per la nena a qui havia defensat nou anys enrere.

—Sí, ho sé —la va sorprendre el religiós—. La teva filla era molt coneguda en aquest barri —es va explicar. Tots dos van guardar silenci un instant—. Vaig resar per ella —va confessar tot seguit.

La Josefina va arronsar les espatlles.

—Mossèn, no creiem en una vida en el més enllà. No serveix de res resar per algú que ha mort.

—Bé... —va admetre l'altre mostrant-li uns ulls vidriosos, ja cansats—, si la Montserrat no existeix en un més enllà, no li haurà fet nosa que resi per ella, i si realment existeix, no li haurà anat malament, no creus?

La Josefina es va permetre de somriure.

—Si fos com vostès prediquen, la meva filla seria a l'infern.

—Déu és clement. Tant com per ajudar-te a tu, també —va afegir el sacerdot, donant-li peu perquè revelés el motiu d'una visita que no podia pretendre altra cosa que demanar-li ajut.

La seva neta, la Júlia passava gana, li va explicar la Josefina, arrogant-se aquest parentiu. Tenia tot just un any, i estava desnodrida. Es posaria malalta o, com a molt, creixeria esquifida com la majoria dels fills dels obrers. Ella tornava a cosir a mà, i la mare de la nena guanyava una misèria. No tenien diners i necessitaven ajuda, sí. Estaria disposada a complir les exigències que l'Església plantejava per accedir a la beneficència de Santa Anna?, li va plantejar el capellà. La Josefina va assentir amb el cap; faria el que calgués, lliuraria la seva ànima al diable, si existís, per tal d'aconseguir aliments per a la petita. Això no obstant, no va dir res, conscient que el que mossèn Pere li podia demanar era l'únic que no estava disposada a fer.

—T'ajudaré —li va prometre mossèn Pere—, perquè, si no, mai no compliries els requisits que es demanen en aquesta parròquia.

—Vostè sap que no em convertiré —el va avisar la Josefina—. Per què ho fa, doncs?

—Perquè, deixant de banda les vostres opinions sobre l'Església, el Senyor vol que tu, com tants d'altres, sigueu conscients que nosaltres, els seus vicaris a la Terra, els seus sacerdots, som bones persones.

Mossèn Pere va inscriure la Josefina al padró de pobres de la parròquia i va convèncer la Junta de Beneficència, que s'encarregava d'examinar els necessitats, de la idoneïtat de la dona per rebre ajuda atès que no es tractava d'un problema de ganduleria ni de mendicitat, casos que la parròquia rebutjava, sinó que aquella dona era una obrera que, treballant en la costura, no arribava a cobrir les seves necessitats ni les d'una neta petita que tenia a càrrec seu, va mentir el religiós, evitant de parlar de la mare.

Fet això, mossèn Pere va lliurar a la Josefina una targeta a l'anvers de la qual constava el seu nom i l'adreça, mentre que al davant s'hi indicaven les obligacions que la titular assumia per rebre l'ajuda. La Josefina les va llegir amb deteniment abans de signar. «No blasfemar ni armar escàndols.» Dins seu van ressonar els insults que tant en Tomàs com la Montserrat havien proferit contra l'Església; ella mateixa havia insultat i atacat sense pietat les dones crèdules que es posaven en mans de capellans i religiosos, i l'Emma també ho havia fet amb vehemència tota la seva vida, i ara encara amb més rancúnia i més fúria, si era possible, després de la humiliació patida en l'última trobada amb el senyor Manel. Els seus morts només la molestarien les nits que no podia agafar el son, però l'Emma..., com reaccionaria quan sabés el que havia fet? La Júlia necessitava menjar!, es va excusar abans de saltar al segon compromís que s'establia a la targeta: «No freqüentar cases de begudes, de joc ni similars». Una exigència vana, ja que ella no hi anava. En tercer lloc s'obligava a «respectar els capellans i altres autoritats» i, per acabar, s'havia de «portar com una persona honrada i cristiana». Notant que mossèn Pere l'observava, la Josefina va rellegir en silenci el que li semblava la sentència de mort dels seus ideals, de la seva lluita, de tot allò en què creia juntament amb la seva família.

En el moment que va alçar la mirada de la targeta, amb els ulls humits i les llàgrimes pugnant per brollar, mossèn Pere va desviar la seva, com si no volgués presenciar la humiliació d'una dona honesta i coherent amb els seus principis, que ara es veia obligada a rebaixar-se per l'amor que professava per aquella neta que passava gana.

—Tant te l'estimes? —li va preguntar en un murmuri el religiós, atrevint-se a mirar-la, ara.

Les llàgrimes ja queien lliurement pel rostre de la Josefina, que va intentar contestar, sense aconseguir articular les paraules, així que es va escurar la gola.

—Amb tota l'ànima —va poder dir al final—. Necessito veure-la riure. La Júlia té dret a viure feliç i contenta, com la nena que és. Em moriria, si li passés res.

Mossèn Pere va assentir, conscient que sols un sentiment tan intens podia portar una anarquista com la Josefina a renunciar a les seves creences. «Signa», la va instar, tement que una reacció visceral no la'n fes desistir i la nena no rebés l'ajuda que tant necessitava. La Josefina va respirar fondo diverses vegades, va prémer els llavis i, després d'assentir en agraïment envers al capellà, va signar la targeta amb el pols ben ferm, tant com ho era la culpa que sentia davant la memòria del seu home i de la seva filla per aquella traïció.

Amb aquest document, la Josefina s'havia de presentar cada divendres a les dotze del matí a l'església, als claustres superiors de la parròquia, on després de passar el rosari i escoltar el sermó del capellà juntament amb gairebé un centenar més de pobres admesos a Santa Anna, rebria un val per bescanviar a les botigues del barri per un pa de tres lliures de primera qualitat, mongetes i arròs. En ocasions assenyalades també es repartien vals per a carn, carn de gallina i llet.

El primer divendres que la Josefina es va reunir amb un centenar més d'indigents al segon pis del claustre de l'església de Santa Anna, entatxonada allà dins, amb la fortor de suor, alcohol i brutícia escometent-li els sentits, tots impacients esperant que el capellà enllestís les eternes admonicions, la dona va córrer amb els vals a canviar-los per pa i verdures a les botigues, i aquella nit, quan l'Emma li va preguntar pel menjar, fent escarafalls d'incredulitat, ella es va limitar a atansar-li la targeta per sobre de la taula.

—Què vol dir això? —va prorrompre la jove, enrabiada, després de donar-hi una simple ullada—. Portar-se com una cristiana i respectar…!

Però va callar. La Josefina ni tan sols la mirava. Animava la Júlia amb tota mena de ximpleries i pallassades a menjar l'espès puré de mongetes tendres amb arròs i pa que havia preparat. «Aquesta nena bonica —cantussejava— creixerà forta i sana, i serà la més guapa i la més llesta del barri».

—Menja, vida meva —va insistir a la petita, peixent-li una altra cullerada sense girar-se cap a la seva mare expressament, per no haver de veure-la plorant.

La Josefina havia renunciat a tota una vida de lluita, alhora que havia traït la memòria del seu marit i de la Montserrat, tots dos assassinats per defensar uns principis que ella sempre havia assumit com a propis. S'havia lliurat a l'Església, als capellans. I tot per alimentar la seva nena, la seva filla!

—Segueixo sense creure en Déu —va confessar a l'Emma amb un somriure aquella nit, després de deixar la nena al bressol, saciada, i acomodar-se al costat de la finestra, on va encendre una espelma per continuar cosint.

—N'estic segura —va replicar l'altra, ja estirada al llit; a l'estança tampoc no hi havia espai per a res més—, però acceptem l'almoina de l'Església, ens humiliem davant seu. Les obligacions que consten en aquesta targeta…! Sempre hem mantingut que aquest era el primer pas per caure a les seves xarxes.

La Josefina va parar de cosir i es va quedar en silenci uns segons.

—És veritat —va reconèixer al cap d'un moment.

—Disculpi'm —li va demanar l'Emma a l'instant girant-se cap a ella des del llit—. No tinc dret a recriminar-li res. Li agraeixo…

—Vivim temps molt difícils, filla —la va interrompre la Josefina—. Saps què? No em sap greu haver-ho fet. El somriure d'aquesta nena està per sobre de qualsevol sacrifici.

«Sacrifici.» L'Emma va fer veure que dormia, s'estava ben quieta i respirava amb calma, malgrat que aquella paraula no parava de ressonar-li dins del cap fins a atordir-la: sacrifici. La Josefina li havia assenyalat el camí, enormement allunyat de la commiseració que sentia fins ara. No n'hi havia prou de conformar-se. No n'hi havia prou de plànyer-se de la situació o de la fortuna. S'havia de lluitar. Enganyar, si calia. Havien d'utilitzar totes les armes que tinguessin a l'abast. Va obrir un ull i, entre les pestanyes, va observar a contrallum la Josefina cosint amb l'escassa claror de l'espelma.

—Gràcies —va xiuxiuejar.

—A vosaltres —va respondre la Josefina, sense desviar l'atenció de la labor que cosia—. Sense la vostra estima no hauria superat la pèrdua d'en Dalmau.

L'endemà, l'Emma era al passadís on s'obria la porta del despatx d'en Joaquín Truchero esperant que ell mateix o el seu ajudant, en Romero, amb qui ja havia enraonat, la fessin passar. La Fraternitat bullia d'activitat, i d'homes que anaven i venien, que llegien, alguns en veu alta per als altres, o que, enfervorits, discutien de política.

Va ser el mateix líder republicà qui va atendre l'Emma. Va obrir la porta del despatx, que es badava cap endins i, esbossant un somriure, amb una mà posada sobre el pom i l'altra amb el palmell obert, la va convidar a passar. Ho va fer sense apartar-se, ocupant, doncs, la meitat de l'espai que quedava sota la llinda amb la suposada excusa d'aguantar-li la porta oberta. L'Emma es va haver de posar de costat per passar-li pel davant i, així i tot, els pits van tocar lleument en Truchero, que va eixamplar el somriure.

—Feia temps que no enraonàvem —va comentar el jove després de saludar-la i convidar-la a seure en una de les dues cadires situades davant de l'escriptori.

L'Emma es va asseure i va quedar sorpresa en veure que ell es limitava a repenjar-se de natges a la vora de la taula, amb les cames una mica estirades cap a les d'ella. Ara no podia moure les seves sense tocar una mica les d'ell. Des d'allà, des de la posició de domini que li atorgava aquella altura sobre la jove i enmig d'un silenci que pretenia dissimular amb una estúpida mímica facial —arrufant els llavis, assentint i somrient—, la va escrutar com si examinés un objecte tret a subhasta. Instintivament, ella va procurar amagar les mans, amb la pell enrogida i tallada de tant rentar plats i tasses, però no va poder. No sabia què fer-ne ni on amagar-les. En Truchero ho va clissar i es va redreçar encara més en aquella postura arrogant, com si es complagués en la incomoditat de la noia. L'Emma patia per si, amb la tensió, li sortia llet dels pits; encara complementava l'alimentació de la nena amb l'alletament. Mans de criada, llet a la camisa…, que lluny que estava d'aquella jove captivadora que enardia la gent amb els seus discursos!

—M'arriben notícies de tu per mitjà del teu cap —va començar a dir ell.

Ella no l'escoltava. Dissimuladament, es va mirar les mans i es va sentir lletja. Com devia portar els cabells? No s'atrevia a tocar-se'ls. I la roba? D'ençà que s'havia mort l'Antoni gairebé no havia parat gens d'atenció al seu aspecte. La Júlia, la Josefina, l'Anastasi, la necessitat, la gana…

—Què volies? —va acabar el discurs en Truchero.

Ella no estava pel que deia, i es va fer un silenci entre tots dos. L'altre va moure les mans, animant-la.

—Què? —va fer l'Emma.

—Deia que què vols. Per què m'has vingut a veure?

Si tan lletja estava, va rumiar ella, com és que aquell home la mirava d'aquella manera? Tot el seu ésser vessava luxúria. Es va tornar a mirar les mans, ara sense dissimular, les va obrir i girar per sobre del ventre. Va fer espetegar la llengua, tot fent que no amb el cap.

—No són mans de burgesa —es va plànyer.

—No —va corroborar ell—, són les mans d'una obrera, una treballadora —va afegir amb orgull, com si estigués a punt d'encetar un míting.

L'Emma es va posar dreta. Igualava en Truchero en alçada. Potser no tenia unes mans boniques, però en aquell instant, sabent-se desitjada, va sentir el seu cos per primera vegada en molt de temps, un cos nou d'ençà que havia nascut la Júlia, ferm i voluptuós. Li va baixar una esgarrifança per l'esquena, que li va excitar uns impulsos arraconats des de la mort de l'Antoni. No desitjava en Truchero… O sí? Feia temps que només gaudia del sexe ella sola i en silenci, de pressa, gairebé sense plaer. No hi volia aprofundir, ara, però en tot cas, va intuir que el podia dominar, que aconseguiria doblegar aquell home a la seva voluntat, i que li faria satisfer els seus desitjos.

—D'una obrera, sí. —Els seus cossos estaven atrapats entre la taula, on ell encara estava repenjat, i la cadira d'on l'Emma s'havia aixecat. Es flairaven—. Una obrera que està cansada d'un sou de tres pessetes al dia...

—Això tindria solució —la va interrompre l'altre amb una veu melosa, posant-li una mà a la cintura.

Ella va somriure de tan ridícul que resultava aquell to en un home que l'arma que més emprava era l'energia de la seva veu. En Truchero va mal interpretar aquell somriure i va fer baixar la mà cap a la natja d'ella. L'Emma ja s'ho veia venir, era evident i, malgrat tot, va haver de reprimir una lleu esgarrifança.

—Què vols? —va preguntar ell, engrapant-li fort el cul.

—Vull feina de cuinera a la Casa del Poble —va exigir ella—, amb un bon sou.

—Encara no està acabada —va al·legar ell, excitat i panteixant—. T'hauries d'esperar.

L'Emma li va agafar la mà i se la va treure del cul amb ulls sorneguers.

—En aquest cas, tu també t'hauràs d'esperar.

—Però...

L'Emma es va separar del jove, esquivant la cadira.

—Segur que hi ha moltes coses per preparar, encara que la cuina no estigui oberta. Diuen que falta un any, si fa no fa, oi?

—Correcte —va confirmar en Truchero—, però ja hi ha gent que se n'ocupa: mestres d'obres, proveïdors... No hi ha prou feina per pagar un sou d'aquesta categoria. Per què no aspires a alguna cosa més senzilla?

L'Emma li va fer un somriure burleta, va estirar el coll i va alçar la barbeta amb seguretat, com advertint a en Truchero que el que digués podia contrariar les seves expectatives. Els seus pits, generosos i turgents, sobresortien per damunt d'un ventre pla i uns malucs arrodonits que emmarcaven un pubis d'on el republicà no apartava els ulls. Es va sentir poderosa, enormement poderosa.

—Això és el que vull —va afirmar—. Si no hi ha prou feina a l'obra de la cuina de la Casa del Poble, posa'm a treballar en altres feines. Sé que el partit està preparant revoltes. —Ell va tenir un ensurt—. Ho sap tothom que volta per aquí fora! —li va etzibar ella abans de continuar—. Sempre necessitareu gent que organitzi, que controli i que ajudi, i saps que els companys em tenen en consideració d'ençà dels mítings i les classes que vaig fer per a obreres. Tu em pagues un bon sou per totes dues feines i jo no et decebré en l'una ni en l'altra. Sé cuinar bé, és la meva feina, i pel que fa a l'activisme… ja em coneixes.

En Truchero se li va atansar un pas, i l'Emma en va recular un altre. Ell es va aturar.

—Això que em demanes… —va començar a dir, procurant assossegar la respiració.

—Si tu no n'ets capaç, em puc adreçar a altres líders del partit. Molts em van oferir ajuda, quan feia mítings —el va amenaçar—. I val a dir que es mostraven molt afectuosos.

Pel cap d'en Truchero van desfilar noms i imatges de camarades, alguns amics, altres no, que no dubtarien ni un segon a satisfer l'Emma.

—Ja miraré a veure què hi puc fer —es va comprometre llavors.

—No —es va sorprendre l'Emma, replicant-li—, no miris què pots fer, fes-ho!

La jove el va premiar amb un somriure suggeridor a tall de comiat i va sortir del despatx deixant-lo desconcertat. Tan bon punt va tancar la porta, els genolls li van tremolar, i de poc que no cau. Es va repenjar a la paret i va enfilar pel passadís a correcuita, allunyant-se de la possibilitat que en Truchero obrís la porta i la veiés en aquell estat. Va tombar una cantonada i, ja fora de perill, es va deixar anar a la paret, marejada, tremolant. Què havia fet? S'havia comportat com una vulgar prostituta, igual que la grossa fastigosa que li havia pres la feina amb el gallinaire perquè havia permès que li pessigués el cul. En Truchero també ho havia fet! No, es va esmenar al mateix temps que picava fort a la paret amb el palmell. No era una puta. Va pensar en la Júlia; era hora de donar-li el pit. Va respirar fondo, unes quantes vegades, i es va encaminar a la guarderia de la Fraternitat. «Sacrifici», es va repetir uns quants cops. No, no s'havia venut, com ho feien les putes. Ella, senzillament, s'havia immolat per la seva filla, per la Josefina. Què podia oferir si no el seu cos? Els seus encants eren les úniques armes que tenia per lluitar. I què era el cos? Quina importància tenia el sexe per a qui no el considerava un pecat?

En Dalmau ni tan sols va aprofitar les tres nits a què tenia dret a l'asil del Parc, i al tercer dia es va traslladar a un alberg per a obrers que l'Ajuntament havia inaugurat a finals de l'any 1904 al carrer del Cid, al Raval. En Joan, el capatàs, li havia aconseguit una plaça a l'establiment, dotat amb setanta-cinc llits pels quals els hostes desemborsaven quinze cèntims per nit. L'alberg estava destinat exclusivament a obrers, i l'obligació de pagament, ni que fos una quantitat ínfima, gairebé simbòlica, com eren aquells quinze cèntims, n'allunyava els captaires i desemparats. Els obrers tenien dret a llit, dos llençols, dues flassades a l'hivern i tovalloles, ja que disposaven de lavabos amb sabó i, fins i tot, un servei de banys gratuït. A l'alberg s'hi podia entrar des de les set fins a les nou del vespre, quan un metge comprovava la salut dels hostes, i l'hora de sortida era de sis a vuit del matí.

A diferència de l'asil del Parc, on es barrejaven tota mena de persones necessitades, amb el conseqüent rebombori, disputes i baralles, a l'alberg del Cid els obrers hi anaven per descansar i poder afrontar la jornada següent amb prou forces. Hi imperava un cert ordre que ells mateixos imposaven i, sobretot, el silenci que calia per poder agafar el son una vegada s'apagaven els llums.

No gaire lluny de l'alberg, en un carreró que sortia del mateix carrer del Cid, hi havia la taverna immunda on en Dalmau, acompanyat d'un exèrcit de quatre anarquistes i una boja, tots borratxos, s'havien llançat sobre un grup de burgesos joves que es burlaven d'ell després de l'escàndol del Maison Dorée. En Dalmau va reviure la pallissa que aquells joves sans i forts li havien clavat. «Imbècil!», es va dir. També allà, al centre del Raval, va tornar a les flaires i l'ambient del carrer de Bertrellans. Humitat i clavegueres trencades. Fortor. Terra i terres empestats. Mainada pàl·lida i escanyolida, desnodrida…, trista. Tos crònica i estossecs forçats, gairebé agònics, que en el silenci nocturn sorgien de desenes de cambres pregonant la tuberculosi: la mort.

Ja la primera nit, entre les discussions dels veïns que s'escolaven per les finestres obertes i els roncs dels obrers, en Dalmau va sentir insomne aquells macabres recitals tísics. Igual com les pudors, eren els mateixos sorolls que inundaven el carrer de Bertrellans des que era petit. Ara bé, en aquells anys ell feia cas omís de fresses i batusses, i dormia bé, mentre que ara estava despert, donant voltes a com podia resoldre el problema amb el pinxo que reclamava un deute de vuit-centes pessetes a la seva mare. La Josefina l'hi havia confirmat en la conversa que van mantenir fora de la casa. No sabia quina quantitat, va reconèixer, però efectivament a l'Anastasi li havien embargat tot el que tenia: una bossa amb diners, tots els béns... i quatre gallines, el va sorprendre afegint amb una riallada. El fet que la mare el perdonés era un consol, per a en Dalmau, però aquella situació l'angoixava: era impossible aconseguir aquella suma. I les amenaces que el pagès havia llançat a l'Emma... A l'Emma! La seva mare li havia aconsellat que, si la volia recuperar, s'esperés, deixés passar el temps, demostrés que era un home de bé, no un drogoaddicte, i treballés fins que li pogués oferir un futur. Malgrat tot, ell va preguntar, preguntar i preguntar. «Deixa-la en pau! —li va engegar la Josefina, farta de sentir-lo—. Si hi insisteixes, només faràs que t'avorreixi.»

I entre les amenaces del perdonavides, les estretors de la mare i la renúncia obligada que ella li havia exigit envers l'Emma, un darrer motiu de neguit se sumava a aquells moments en què el turmentava l'angoixa: el senyor Manel. Havia humiliat l'Emma. El malparit havia permès que la noia es postrés davant seu, amb el genoll sagnant, i que li supliqués, tal com li havia explicat la seva mare amb llàgrimes als ulls. També s'havia mostrat cruel amb ella. Al ric ceramista no li calia per a res embargar la màquina de cosir ni els objectes de la casa. Certament, en Dalmau no havia arribat a amortitzar el crèdit que el senyor Manel li havia concedit per deslliurar-se de l'exèrcit, però per aquell Déu amb què tots els beats s'omplien la boca podia jurar que els beneficis que la seva feina havia proporcionat al mestre multiplicaven per mil el deute pendent. L'havia explotat!, com feien tots els burgesos i industrials rics amb els menys afavorits. Ho havia fet tant que fins i tot li va arribar a insinuar que li perdonaria el deute. Quina culpa tenien elles de la mort de l'Úrsula? Cap. Podia entendre que el senyor Manel l'odiés a ell com a causant d'aquella desgràcia, però actuar tan cruelment amb les persones que ell s'estimava només era una mostra de la mesquinesa que s'amagava rere aquella pàtina de caritat cristiana amb què es disfressaven els rosegaaltars. El seu antic mestre havia causat mals i perjudicis a la seva família, els havia maltractat i portat a la ruïna, i això el cremava per dins i el feia estar neguitós i ressentit, i cada vegada que el ceramista se li esmunyia entre els seus pensaments, l'odi creixia i esclatava dins seu.

En Dalmau no bevia. Evitava dinar i sopar a les fondes, que tot i ser assequibles eren més cares que les cases de beneficència. Anava al menjador d'obrers de Santa Madrona, al carrer de Calàbria, al costat del Paral·lel, on les Filles de la Caritat de Sant Vicenç de Paül regentaven un restaurant a preus encara més barats. Allà sopava en silenci i frugalment, estalviant fins a l'últim cèntim per donar-lo a la mare; després comprava el que menjaria per esmorzar i per dinar l'endemà a peu d'obra, ho guardava en una cassola, baixava pel Parallel, fent cas omís de la bullícia i l'animació, arribava al carrer del Cid i, després de saludar el metge —que com que el coneixia ja no l'examinava— i els altres obrers que ja eren allà dins, se n'anava al llit. De vegades, però, continuava passejant fins al port i es perdia en la contemplació dels vaixells amarrats o ancorats que l'omplien a vessar amb els centenars de pals drets dirigits cap al cel, ballant al so d'una simfonia diferent, com si es barallessin entre ells per expressar la seva personalitat.

Aquells vaixells de fusta de tota mena i tota mida que, aparentment desemparats, responien a l'impuls de les onades i els vents que bufaven al port, cada qual a la seva sort, recordaven a en Dalmau les peces que conformaven el mural de vidre de la Casa Batlló: totes diferents, vidres i rajoles, cada una formant part imprescindible d'una obra mestra que componia alguna cosa similar a aquell espectacle fascinant de pals en moviment, que guanyaven presència a mesura que es feia fosc i la vista de l'horitzó només es veia torbada per un exèrcit d'agulles negres que gratàven el cel.

La feina en aquella obra màgica i les estones que es trobava amb la mare per donar-li els diners que havia estalviat del jornal constituïen els dos moments en què en Dalmau sentia certa felicitat. Les corbes i la lluïssor gairebé encegadora de les rajoles grosses que serien les escates del drac, que ell admirava quasi amb reverència, conscient de l'art que constituïa el seu disseny i la seva fabricació, com també la feina de col·locar-les amb cura i delicadesa donant-los una aparença diversa malgrat que les peces fossin iguals, el distreien de les preocupacions, igual com ho aconseguia el somriure i l'agraïment de la Josefina quan rebia la seva ajuda. En aquells moment xerraven, i ella li parlava de l'Emma, fins que la realitat, impertinent, li tornava a recordar el perdonavides i les seves amenaces.

Havia de fer-hi alguna cosa, per resoldre aquella situació sorgida arran de la venjança del mestre en les persones de la Josefina i l'Emma. Enfilat al capdamunt de la bastida, amb el passeig de Gràcia i els burgesos als peus, més a prop del sol dels rics i d'una brisa que des del mar portava totes les olors d'aquella ciutat tan injusta amb els humils, en Dalmau veia l'edifici on vivien el senyor Manel i la seva família, una illa de cases més enllà, al mateix passeig de Gràcia, a l'altura del carrer de València, la següent una vegada es travessava el pont que superava les vies del tren. Era tard. En Joan, el capatàs, va anunciar la fi de la jornada, i els companys d'en Dalmau van començar a baixar per la bastida precipitadament.

—No baixes? —li va preguntar en Demetri, un company que es va haver de penjar al buit per evitar en Dalmau, que estava ajupit sobre una fusta.

Necessitava pensar, tranquil, sol, en silenci.

—No —va respondre, alhora que l'ajudava a tornar a posar un peu sobre la fusta—. Hi ha dues o tres escates d'aquestes —va afegir assenyalant unes rajoles d'un color blau lluent que s'anava degradant sobre el llom del drac per convertir-se en verd, vermell o ocre, totes iguals, de la mateixa forma i mida, corbades, superposades— que no han quedat ben agafades a l'obra —va mentir, acompanyant l'engany amb un moviment per pitjar l'última escata que havia col·locat ancorada amb uns ganxos a una base diferent a cada peça, amb la qual cosa Gaudí corregia la sinuositat i l'ondulació del llom del

435

drac—, i em fa por que no saltin i s'emportin més peces darrere seu. Les he d'aguantar una mica més i esperar una estona; no em fa res quedar-me.

En Demetri, membre actiu de la Societat Obrera de Paletes de Barcelona, malgrat que d'ençà de la vaga general del 1902 i amb la crisi econòmica els sindicats com aquell havien perdut gairebé tota representativitat, va arrufar les celles i el front abans de respondre:

—D'acord, però vull que tinguis en compte que ens ha costat penes i treballs aconseguir una jornada de vuit hores. Hi va haver companys que van morir o van veure morir de gana els seus fills petits. Això serà una excepció, però tu compleix la jornada. Ara no engeguis a rodar el que hem aconseguit. Encara que no et faci res treballar més hores, aquí s'acaba quan hem complert l'horari, ho has entès?

En Dalmau va assentir i li va demanar que, un cop a baix, comuniqués el problema al capatàs, i va insistir que no es preocupessin, que se n'aniria de l'obra tan bon punt estigués segur que les escates estaven ben agafades. I, sense esperar una resposta que li va arribar en forma de gruny, va fer veure que posava tota l'atenció en aquelles rajoles que suposadament ballaven.

Al cap de poca estona l'obra va quedar deserta, i una mica més tard, el passeig de Gràcia es va anar buidant de senyors i senyores que caminaven, cotxes de cavalls i venedors ambulants. Les botigues van tancar i els captaries que perseguien la gent suplicant caritat es van situar ara davant dels portals de les cases riques per ocupar un bon lloc per a quan els criats repartissin les sobres dels àpats dels seus amos. En Dalmau va presenciar el declivi de l'artèria més important de la ciutat, amagat dalt de tot de la bastida que envoltava la Casa Batlló, des d'on gaudia d'una perspectiva privilegiada.

Els fanals del passeig es van començar a encendre, igual que els llums de l'interior de les cases i els pisos de la gran avinguda, abans i tot que s'hagués fet fosc del tot. En Dalmau es va sentir agredit, com si hagués de prendre partit en la lluita entre la resplendor rogenca del sol que es ponia i la lluïssor blanca dels llums de gas; dos mons oposats, l'un natural i l'altre artificial. Va apostar pel sol, capaç de jugar amb la foscor que va assolar Barcelona després de pondre's del tot. Va dirigir l'esguard cap a la casa del mestre. La tribuna voladissa sobre el passeig de Gràcia, allà des d'on la senyora Cecília i les seves filles estaven a l'aguait de tot el que passava al passeig, al mateix temps que es deixaven veure, cofoies, per sobre de la gentada, estava il·luminada. En Dalmau va prémer els llavis i va brandar el cap pensant en l'Úrsula. Van començar malament, molt malament, però de mica en mica es van anar... Agafant estima? S'estimaven? L'Úrsula no havia estat una mala persona; era capriciosa, com solen ser les filles consentides dels burgesos rics, però potser no havia estat dolenta. I sí, certament, l'Úrsula s'havia mort per culpa seva; de vegades, a la nit, la noia se li presentava en somnis per recordar-l'hi. Tanmateix, el dia que va morir, intentava excusar-se en Dalmau, ell estava drogat i la morfina li entelava el cap. Ell no li havia proporcionat la droga aquella tarda, i durant les seves relacions mai no li havia donat morfina. Malgrat tot, de tant en tant, l'Úrsula se li feia present per atiar uns remordiments dels quals en Dalmau no aconseguia desfer-se.

Al contrari, el seu pare, el senyor Manel, que sempre havia tingut la consideració d'en Dalmau, al final es va comportar d'una manera cruel i mesquina amb l'Emma i la Josefina. No es mereixia que li tingués gaire respecte. Si el feia responsable de la mort de la seva filla, la seva desaparició i suposat traspàs haurien d'haver posat punt final al succés luctuós. En comptes d'això, i ja pensant que era mort, el senyor Manel s'havia llançat sobre un parell de dones indefenses com un vulgar carronyaire.

Amb la mort de l'Úrsula al cap, en Dalmau va repassar aquells dies i va concloure que mai no havia arribat a plantejar-se si entre ells hi havia res més profund que el sexe o les escapades nocturnes al Paral·lel. Les escapades nocturnes! Una idea li va repicar al cap i va anar agafant cos durant les hores en què va estar amagat a la bastida, mentre es repetia que el senyor Manel no mereixia gens de respecte després de venjar-se en l'Emma i la Josefina. Més tard, quan els llums de cases i pisos es van afegir al sol i es van apagar, va baixar sense fer soroll, no sense haver comprovat abans que el recorregut del sereno que vigilava la zona l'havia dut a la part més allunyada, des d'on el va sentir cantar l'hora a crits: «La una de la matinada!».

Va travessar el pont del tren sobre el carrer d'Aragó i es va encaminar a l'edifici del qui havia estat el seu mestre. Va topar algunes persones que no es van fixar en ell, i al cap d'unes passes era davant de la porta de servei, petita, que donava a les portes de darrere de les botigues de la planta baixa, a alguns serveis comuns, i a aquella escala que pujava fins a la cambra dels mals endreços i les eines de la immensa terrassa de què gaudia el senyor Manel. Va inspirar fondo, al moment de fer girar la maneta de ferro forjat de la porta. Hauria d'estar tancada per impedir que la gent es colés per aquell passadís, ja que més enllà l'accés no era permès als vianants, però en Dalmau sabia que sovint la porta era oberta. Hi havia empleats de les botigues que sortien més tard, i que no tenien clau per tancar; fins i tot recordava una noia que vivia a la mateixa botiga on treballava, un establiment dedicat a la venda de teles cares, i que n'entrava i en sortia com si allò fos casa seva. El porter de l'edifici, que juntament amb la seva família ocupava un pis diminut a l'àtic, no estava disposat a trencar el descans per baixar cada dos per tres a comprovar si la porta de servei al carrer estava tancada.

I no ho estava, com va comprovar en Dalmau en fer girar la maneta. Va tancar darrere seu i es va dirigir a la porta que donava a l'escala que pujava a la petita cambra. Havia passat força temps d'ençà de la mort de l'Úrsula, però tret d'alguna incidència especial, no hi havia cap motiu perquè ningú s'hagués fixat que faltava el duplicat de la clau que, efectivament, era al forat que hi havia sota un dels esglaons, on la van deixar el dia de l'última escapada al Paral·lel. Amb la clau a la mà, en Dalmau va dubtar: obrir aquella porta significava violar el domicili del seu antic mestre, encara que la imatge de l'Emma agenollada suplicant ajuda li va venir al cap i li va fer esvair tots els dubtes. La va ficar al pany, va obrir, va tornar a tancar i va enfilar escales amunt. Un instant després era al pati que servia de terrassa al senyor Manel. Les façanes interiors de les cases de l'illa s'alçaven sobre seu, encaixonant-lo sota un trosset d'aquell mateix cel estelat que feia una estona havia contemplat, infinit des de dalt de la bastida, com si cada vegada que s'atansava al senyor Manel, perdés una mica de llibertat. Va caminar amb pas decidit cap a l'edifici, per donar sensació de normalitat a qualsevol que pogués estar mirant des de les finestres de les cases que envoltaven el pati, per bé que hi va veure pocs llums encesos, i encara menys moviment a dins dels habitatges.

La façana corresponent al pis del senyor Manel que donava a la terrassa constituïa una galeria construïda amb fusta en tota la longitud i fins a l'altura dels malucs d'un home i d'allà cap amunt, suportava una meravellosa vidriera on s'alternaven nimfes etèries gaudint d'incomptables elements vegetals. La vidriera, una obra d'art, s'havia creat seguint les tècniques modernistes: el joc de llums i colors no era resultat de la pintura sobre el vidre, sinó que es creava mitjançant la combinació de fragments d'aquest material de diferents tons, de manera que l'emplomat perdia el caràcter de simple suport per convertir-se en un element estètic de notable relleu. Amb la foscor, en Dalmau només va poder intuir les figures, però recordava com si el tingués gravat a la retina l'impressionant joc de llums i colors que es produïa quan el sol l'il·luminava.

Tots els grans arquitectes modernistes feien ús de les vidrieres: Domènech i Montaner havia evolucionat des dels vitralls gòtics amb motius historicistes del cafè restaurant de l'Exposició Universal de 1888 fins a l'esplendor estilística, jugant amb la llum, el color i la textura del vidre als vitralls de la galeria de la Casa Lleó Morera, amb galls, gallines, ànecs i ocells en un entorn de verdor que es perdia en un fons de muntanyes blaves. Puig i Cadafalch continuava una mica aferrat a l'historicisme, i Gaudí, a qui recriminaven no haver concedit gaire importància als vitralls en algunes de les seves obres, ara els emprava a la Casa Batlló de manera magistral, canalitzant-ne els efectes lluminosos, fins i tot sobre la ceràmica, per crear una sensació de moviment en les pedres.

La clau d'una de les portes de la galeria continuava amagada, igual com ho estava la d'accés a les escales, a sota de la cornisa que coronava el mur perimetral de la terrassa. Era evident que ni el senyor Manel ni la seva dona no havien sospitat res de les sortides nocturnes de l'Úrsula, i ningú s'havia preocupat per aquells duplicats. En Dalmau va respirar el silenci i la quietud de la casa una vegada va haver tancat la porta de la galeria. La coneixia perfectament. L'estança següent era el menjador. El va travessar amb compte, en la penombra que creaven alguns llums encara encesos dins la casa; sabia quins eren: les espelmes de la capella, que la família no apagava mai.

Damunt la taula del menjador descansaven dos canelobres de

plata grans, d'aspecte pesant. En Dalmau no va saber calcular si per aquelles peces li donarien les vuit-centes pessetes que necessitava per liquidar el deute de l'Anastasi, més el que pogués quedar per pagar del seu propi deute al jutjat, atès que la màquina de cosir i els objectes embargats a la seva mare i destinats a ser venuts en subhasta pública no arribarien a cobrir l'import reclamat. Es proposava dirigir-se a Pequín per negociar amb Don Ricardo. Si deixava de banda tots els degenerats amb qui arran de la seva addicció a la morfina havia tractat en la seva davallada als inferns, i que no volia tornar a veure mai més, no coneixia ningú al mercat negre a qui es pogués adreçar per vendre un objecte robat. Malgrat tot, era conscient de la duresa amb què Don Ricardo regatejava els preus: ho havia presenciat mentre li pintava el retrat. Era un home sense escrúpols a qui poc importaven les circumstàncies dels qui volien fer negocis amb ell. En Dalmau va ser testimoni de veritables espolis, per bé que en aquelles situacions, considerant que el que venia era tan lladre com el qui comprava, no li va importar gaire que per un collaret de maragdes es pagués menys del que li havia valgut a ell un frac de segona mà.

Don Ricardo no seria gaire més generós amb ell, de manera que va descartar els canelobres. Necessitava un objecte d'un valor molt superior a la quantitat que ell havia de menester. Va rumiar uns moments, els imprescindibles per adonar-se que aquella resplendor titil·lant que trencava la foscor d'aquella llar era la solució al seu dilema. El senyor Manel no solia fer ostentació de les seves riqueses, i això que en tenia, i moltes. Potser es vantava d'alguns quadres de pintors religiosos que adornaven casa seva, però més pel seu valor artístic i per l'admiració que professava pels autors que no pas pel preu que n'havia pagat. Ara bé, a casa seva hi havia un objecte del qual Manel Bello no podia deixar de sentir-se orgullós: un reliquiari de plata massissa en forma de creu amb nombroses pedres precioses encastades: diamants, robins, safirs i maragdes. Al centre dels braços de la creu s'obria el receptacle rodó recobert amb quars transparent, a l'interior del qual, segons deia el senyor Manel, reposaven les relíquies de sant Innocenci. En Dalmau es va dirigir a la capella. La casa continuava en silenci, encara que de tant en tant algun soroll el trencava de forma intempestiva: un estossec, un espetec d'una fusta, un crit d'algun borratxo al carrer… Quan ho sentia, en Dalmau s'atura-va, sense saber ben bé per què. Què faria si algú el trobava allà parat? Després, quan la casa recuperava la calma, ell reprenia les passes cap a la llum. «Incalculable!», va recordar que li havia dit el mestre un dia que en Dalmau li havia preguntat pel valor d'aquella obra d'art quan ell l'hi va ensenyar sense permetre-li tocar-la.

«Té més de mil anys», li va assegurar en una altra ocasió. «El bisbe me l'ha demanat per a la catedral», en va presumir en un dinar davant de tota la família. «Li he promès que el tindré en compte en el meu testament.» Només en Dalmau va clissar el tic de ràbia que per un segon, o potser dos, va contraure el rostre de la senyora Cè-lia quan es va assabentar del destí del reliquiari.

Pesava. Força. I era més gran del que en Dalmau recordava. Era un objecte sagrat. Va bufar i es va dir que Déu no existia. Allà ma-teix, a la capella, va fer servir uns draps brodats blancs que eren a sobre de l'altar per embolicar-hi la creu. La va agafar i es va girar per fugir. Era la primera vegada a la seva vida que robava alguna cosa, però el senyor Manel els havia humiliat i arruïnat. Amb aquesta creu, l'assumpte quedaria saldat. Va sortir i, a la penombra del passa-dís, va percebre com ressaltava el color blanc; més ressaltaria, doncs, en la foscor de la nit, va comprendre abans de continuar. Així que va tornar enrere, va deixar la creu i va obrir un armari on hi havia pen-jades les casulles que feia servir el capellà, mossèn Jacint generalment, per oficiar la missa. En va trobar una de color negre, i va vestir-hi la creu. En sortir de la capella es veié enfrontat novament a la quietud i el silenci. La casa feia bona olor: de ceres i perfums. Va inspirar fondo. La claror que emetien les espelmes amb prou feines si arriba-va a il·luminar els altíssims sostres enteixinats. El possible sentiment de culpa pel delicte que ara cometia es va esfumar davant la riquesa que es palpava en aquella casa. Una màquina de cosir i quatre es-tris que totes les persones que vivien allà haurien rebutjat. Aquell era el dany que el senyor Manel havia volgut infligir a la seva mare, perquè a ell ja el donaven per mort, i l'embargament dels béns de l'Anastasi tan sols havia estat una casualitat. El fet cert era que l'únic de valor que hi havia a casa de la Josefina era la màquina de cosir.

Va escopir en direcció a la capella; l'Església i els seus adeptes, laics o religiosos, tan sols li havien causat problemes, a ell, a la seva família i als qui estimava. Tot seguit es va dirigir a la terrassa sense adoptar les precaucions que havia pres en entrar. Caminava de pressa, fent cas omís dels cruixits de la nit, fins que, al passadís de les habitacions principals, on dormien els membres de la família, un soroll metàl·lic continuat va retrunyir en el silenci i ell va fer un bot i va anar a parar d'esquena a una de les parets. Va dubtar de si sortir corrent, però amb la creu als braços li costaria i despertaria tots els habitants de la casa. No es decidia; quan ja començava a suar, el soroll metàl·lic es va transformar de mica en mica en el raig d'un líquid. En Dalmau va expulsar l'aire que havia retingut als pulmons: el senyor Manel estava orinant en un petit orinal. Va somriure i va continuar fins a la terrassa, amb la sensació que la pixada del mestre havia fet tremolar tot l'edifici fins als fonaments.

No li va costar gaire sortir de la casa ni baixar fins a la planta baixa; amb el propòsit de desfer-se'n, es va endur les claus duplicades que feia servir amb l'Úrsula per escapar-se. La porta de servei al passeig de Gràcia continuava oberta i, després de treure-hi el nas i comprovar que el sereno no rondava per allà, va intentar confondre's amb les façanes i es va encaminar en direcció al port. Devien ser les dues de la matinada, i quedava molta nit encara, prou per arribar al barri de Pequín i esperar que es fes clar, quan Don Ricardo l'atendria. Avançava amb compte, atent a serenos i policies, apartant-se dels portals a l'interior dels quals hi podia haver algun captaire amagat. Els carrers estaven gairebé deserts, i els vianants procuraven no trobar-se; ningú no volia tenir una mala topada. Malgrat tot, un parell d'indigents borratxos li van barrar el pas i el van seguir un bon tros, un per cada costat, demanant-li diners, i preguntant-li què portava amagat sota aquella flassada negra, intentant tocar-la i estirant-li la jaqueta perquè s'aturés. Al final, el silenci d'en Dalmau els va fer empipar, i en lloc de caminar al seu costat se li van plantar al davant, impedint-li continuar. Ell es va veure reflectit en aquells dos desventurats que s'embarbussaven i escopien l'alcohol artificial i barat amb què els enverinaven cada nit. Havia passat pel mateix. Devia haver encalçat algun vianant, també? No se'n recordava, però podria molt ben ser. El que sí que sabia del cert era que aquells dos no aguantarien drets ni una empenta de no res.

—Do… Dona'ns això! Negre. Això… negre… que portes —va dir un, embarbussant-se, agafant una de les puntes de la casulla.

Mentre el borratxo estirava la tela, en Dalmau va fer girar la creu i li va etzibar un cop a la barbeta amb el braç més llarg. No li va voler picar gaire fort, però, així i tot, l'home va fer tentines cap enrere i va caure d'esquena a terra.

—Tu també en vols? —va preguntar a l'altre, que es va apartar d'ell i es va afanyar a tocar el dos amb pas insegur, deixant el seu company estès al bell mig del carrer.

«Així és la nit», va rememorar en Dalmau abans de continuar. Havia estat molt més fàcil del que s'havia temut mentre aquells dos l'importunaven. La creu era com una arma. En realitat… en Dalmau va canviar la manera com portava el reliquiari i el va agafar com si fos una escopeta amagada a sota de la casulla negra. La poca visibilitat va aconsellar a d'altres noctàmbuls, aquests sí més malfactors que borratxos, sobretot quan ja s'anava acostant a Pequín, de no atansar-se a aquell tipus que caminava amb pas ferm, sense fer cas de possibles perills, amb un objecte que semblava una escopeta.

La fila de barraques davant del mar dormia tranquil·la. El primer que el va rebre va ser el gos rater, que curiosament no el va bordar. A l'instant, un esbirro va treure el cap de la barraca de Don Ricardo.

—Què hi fas aquí, pintor? —va inquirir quan se li va haver acostumat la vista a la foscor.

—He de veure Don Ricardo.

—A aquestes hores? Que no hi toques? Què portes aquí? —va afegir, assenyalant la creu—. Una escopeta?

—Si fa no fa. El puc esperar? —va preguntar en Dalmau fent un gest amb el cap en direcció al recambró sense portes on va viure l'agonia de la seva curació.

L'esbirro va somriure.

—Ets a casa teva —hi va accedir.

L'Emma es va arranjar la roba interior, va procurar allisar-se el vestit passant-s'hi la mà a correcuita, i després es va arreglar els cabells.

En Truchero, amb la bragueta dels pantalons ja cordada, li va allargar una pinta que es va treure de la butxaca interior de l'americana. Ella la va rebutjar i tan sols es va sacsejar la cabellera amb els dits. Havia estat una trobada ràpida, gairebé urgent, com les altres dues que havia tingut amb el jove republicà: sempre al seu despatx, amb la porta barrada per dins, i després d'enviar en Romero a complir algun encàrrec que mai no donava per enllestit abans de comprovar que l'accés tornava a ser franc; ells fornicant en un sofà vell de dues places situat a tocar d'una paret, solitari, absurd, sense altra funció aparent que la d'acollir-los en els seus jocs amorosos.

—Ets preciosa —la va adular en Truchero, alhora que, amb un sol dit, estirat, li acaronava un dels pits per sobre de la roba—. Una deessa: Atena, Cíbele… Hispània!

—Deixa't de rucades, Joaquín —li va recriminar ella apartant-li el dit. L'altre va reaccionar amb una ganyota semblant a les que fan els nens petits abans d'arrencar a plorar—. Ja n'hi ha prou per avui —va fer, dirigint-se cap a la porta.

—En vull més. —Va intentar aturar-la a mig camí.

—Necessito anar al lavabo —es va excusar l'Emma en to decidit—. No et preocupis, que segur que ens tornarem a veure —va dir amb sorneguería.

Es va netejar la vagina tan bé com va poder. En Truchero no volia fer servir preservatius: «Et vull notar, sentir, vull tocar el teu interior sense que s'interposi res entre nosaltres —adduïa—, i aquesta caputxa…». No tardaria gaire a convèncer-lo i obligar-lo, va celebrar l'Emma. Ho va saber el primer dia que se li va lliurar, en el moment en què se li va mostrar del tot nua, al despatx. Ell ho va exigir, però quan l'Emma es va alçar sobre si mateixa, orgullosa del seu cos, el rostre del republicà es va desmuntar i ella va presenciar com queien, l'una rere l'altra, totes les màscares rere les quals ell s'ocultava per fatxendejar amb la vanitat i l'arrogància que mostrava en el tracte diari. En Truchero la va acariciar com ho hauria fet un nen, amb devoció més que amb luxúria, i li va recórrer el cos tocant-la amb delicadesa, fins que de sobte tot va anar de pressa, com si el jove dirigent s'hagués despertat d'un son i s'hagués adonat que d'un moment a l'altre es podia presentar algun dels líders del partit al despatx.

Aquell dia l'Emma va acabar al mateix lavabo on ara es netejava. No havia estat tan traumàtic com s'afigurava. No va sentir cap mena de culpa, ni tan sols fàstic; en Truchero era un jove sa, net i fins i tot atractiu, encara que la veritat és que ella estava segura, convençuda, que ho havia de fer després de la postura que havia adoptat la Josefina davant l'Església, perquè, per si no n'hi havia prou amb aquella mostra d'entrega i amor, una nit, al cap de dues setmanes, en Dalmau es va presentar a casa de la seva mare acompanyat de l'advocat Fuster, amb les vuit-centes pessetes que l'Anastasi els reclamava, i cinc-centes més per tancar definitivament als jutjats el deute contret amb el senyor Manel.

«D'on has tret aquest dineral? Què has fet, fill?», l'interrogava la Josefina xiuxiuejant a l'entrada del dormitori, al passadís, apartats de les negociacions que el lletrat mantenia amb l'Anastasi, tots dos asseguts a la taula del menjador, perquè sortís de casa seva i signés uns documents pels quals reconeixia no gaudir de cap crèdit sobre la Josefina i en Dalmau. «Res, mare —es va entestar ell a sostenir una vegada i una altra—. No pateixi.»

L'Emma assistia a la conversa des de dins de l'habitació, amb la Júlia a coll, com si fos un escut protector, com si la presència d'en Dalmau suposés un atac. Sens dubte havia canviat. Tenia gairebé dos anys més que ella, és a dir que en devia tenir uns vint-i-tres, però semblava que en tingués deu més pel cap baix. Duia la mateixa roba vella que portava el dia que va reaparèixer per sorpresa després d'haver-lo donat per mort, i estava tan prim com aleshores, o potser més, li va semblar a l'Emma. Encara duia els cabells llargs, i també la barba, que li penjava esclarissada i desfilada per sota de la barbeta, i malgrat que se'l veia net —l'Emma sabia per boca de la Josefina que a l'alberg hi havia banys—, tant la seva mirada com el seu cos traspuaven una sensació de tristor i d'abandonament que va fer que la noia s'estrenyés més la nena sobre el pit.

Va censurar la postura d'en Dalmau, que es continuava negant a satisfer la curiositat d'una Josefina per la imaginació de la qual ella sabia que desfilaven desenes d'hipòtesis sobre l'origen d'aquells diners, i cap de bona.

—Per què no ens vols dir d'on has tret aquestes mil tres-centes pessetes? —va interrompre bruscament la discussió entre mare i fill.

A en Dalmau se li van il·luminar els ulls pel simple motiu que l'Emma li hagués adreçat la paraula.

Havia robat. En Dalmau els va explicar les circumstàncies del robatori, i va acabar admetent que li feia pànic la idea que l'Anastasi arribés a complir les amenaces proferides contra l'Emma. «Em sé defensar jo sola!», va replicar ella sense pensar, provocant fins i tot una ganyota d'indignació en la Josefina.

—Gràcies, en qualsevol cas —va acabar concedint.

Per això, el dia que l'Emma es va despullar davant d'en Truchero per primera vegada, l'actitud de la Josefina i del seu fill van atenuar els sentiments de repulsió i de vergonya que l'assaltaven a mesura que es desprenia de la roba, escrutada amb lascívia per un home amb la respiració accelerada, ara continguda. En Dalmau havia robat per ella, va pensar mentre es treia les mitges davant d'en Truchero. Va continuar amb el vestit de flors que duia, fresc, lleuger, i després amb la roba interior. Les mans li suaven i li tremolaven. Li faltava treure's la cotilla per quedar-se despullada del tot. En Truchero li havia promès tres-centes pessetes al mes, el salari mínim que cobrava un cuiner de segona amb la manutenció inclosa, per una feina a la Casa del Poble. Tres-centes pessetes al mes! I les cobraria des d'aquell mateix dia, va afegir; el dia que es despullaria, va callar ella. Ajudaria en el disseny i les obres de la cuina fins que la inauguressin i l'obrissin als companys, i mentrestant, com que no hi havia gaire feina, la van designar l'enllaç entre els escamots de joves bàrbars republicans que es dedicaven a l'activisme als carrers i els líders del partit. S'ocupava de transmetre les ordres, propostes i queixes entre uns i altres.

Va tancar els ulls pensant en la Júlia i en el futur que li podria oferir amb aquells diners mentre es treia la cotilla amb una poca traça que li hauria agradat poder evitar. En el moment que va deixar caure aquella peça de roba a terra, l'humit i calorós estiu de Barcelona se'ls tirava al damunt, però l'Emma va sentir un corrent glaçat que la va fer estremir en mostrar-se del tot nua. Va respirar fondo un parell de vegades i va obrir els ulls amb l'impuls de la sentència de la Josefina: «El somriure d'aquesta nena està per sobre de qualsevol sacrifici».

14

E l robatori del reliquiari de sant Innocenci va tenir una reper-
cussió excepcional a Barcelona. L'alcalde, el capità general i
fins i tot el cardenal i el bisbe de la ciutat es van interessar
personalment per l'afer i el van convertir en la missió prioritària de
les forces de seguretat municipals. Des de dalt de tot de la bastida
que cobria el llom ondulant i lluent del drac que coronava la Casa
Batlló, en Dalmau contemplava els moviments dels policies, els pe-
riodistes, els tafaners i els cotxes de cavalls que anaven i venien a
casa del senyor Manel.

—Què deu passar-hi? —va preguntar un dels paletes.

—Ni idea —va respondre ell.

L'endemà, la noticia sortia publicada a tots els diaris de la ciu-
tat. Els conservadors, com *El Diario de Barcelona*, *El Correo Catalán*,
La Vanguardia o *El Noticiero Universal*, qualificaven l'espoli en una
franja d'opinió que es movia entre el simple robatori per motius
econòmics fins a l'insult a la comunitat cristiana a través d'un sa-
crilegi intolerable. Per la seva banda, la premsa republicana, com *El
Diluvio* o *La Publicidad*, l'òrgan de difusió de Lerroux, el més im-
placable i cruent en la seva campanya anticlerical, *La Campana de
Gràcia* o *L'Esquella de la Torratxa* es burlaven del robatori amb tota
mena d'articles satírics i vinyetes sarcàstiques, en algunes de les
quals es podia veure el fantasma de sant Innocenci entrant d'ama-
gat a casa del mestre, el qual, després de sobrevolar el llit on dormia
la senyora Cèlia, recuperava els seus ossos i fugia deixant darrere seu
un riu de riallades que sobresaltaven i despertaven el matrimoni, o

una família esprimatxada i morta de fam que feia servir les relíquies per donar gust a una olla amb aigua bullent en la qual només flotaven quatre peles de patata. En el que sí que van coincidir tots, conservadors, regionalistes, liberals o republicans, va ser a ressaltar la quantiosa recompensa que havia ofert públicament el cèlebre industrial ceramista Manel Bello per recuperar la creu i les relíquies: deu mil pessetes d'or, unes monedes que ja no s'encunyaven i que la gent atresorava, entre ells la senyora Cèlia, que va recriminar al seu marit la recompensa que havia ofert, i més tenint en compte que aquells objectes acabarien sent llegats a la catedral després de la seva mort.

—Lliuraria el meu patrimoni íntegre, incloent-hi la fàbrica i tot, per poder recuperar les relíquies de sant Innocenci —va replicar el senyor Manel en un to tan seriós que va fer acoquinar la seva dona.

La pressió de les autoritats va donar lloc a la mobilització de la Guàrdia Civil i la Guàrdia Municipal, que van dur a terme batudes indiscriminades a totes les cases on els constava que es venien objectes robats. D'altra banda, els diners promesos van excitar tots aquells que traficaven a Barcelona o que mantenien contactes amb l'hampa, des dels grans traficants fins a simples quincallaires. Es van disparar els rumors i una munió de brètols van anar a fer cua a les portes de casa del senyor Manel assegurant que tenien indicis i pistes que permetrien recuperar les relíquies. Moltes esglésies van organitzar rogatives públiques per la ràpida aparició de les restes de sant Innocenci sanes i estàlvies, sense haver estat profanades, alhora que endevines, magues i bruixes oferien els seus serveis al senyor Manel o eren entrevistades als diaris, on defensaven tota mena de teories sobre el robatori, cada una més estrafolària que l'altra, des de dir que altres sants havien pres com a ostatge sant Innocenci a causa de lluites de poder intestines al més enllà, fins a una suposada aliança entre el sant i el dimoni per la qual aquest hauria enterrat les relíquies en algun lloc de la ciutat i sobre les quals creixeria un arbre maleït que enfonsaria les arrels directament fins a l'infern. En les tensions per aconseguir el poder al cel cap ciutadà no s'hi va poder immiscir, però hi va haver qui es va dedicar a excavar allà on clissava que havien remenat el terra recentment tot cercant aquells bocins d'os que tanta adversitat havien de portar a Barcelona, si, efectivament, se segellava el pacte demoníac.

Barcelona en pes discutia i especulava entorn de les relíquies. A les tavernes i les fondes s'escoltava amb atenció el qui llegia els diaris en veu alta; a l'alberg del carrer del Cid, el robatori va ser tema de conversa durant diverses nits, i qui més qui menys tenia la seva pròpia opinió sobre el tema. Mentrestant, des del seu punt privilegiat d'observació, en Dalmau veia amb neguit les baralles a les portes de casa del senyor Manel, el desplegament de policies i les conseqüències imprevisibles del seu delicte. Com era habitual en ell, Don Ricardo, escarxofat a la butaca, amb les cames tapades sota una flassada malgrat la calidesa del temps, havia regatejat sense clemència el preu de la creu.

—És una peça molt difícil de col·locar —es queixà—. Qui ha de voler els ossos d'un sant, si no és l'Església? I com l'he de vendre a l'Església? Em detindran.

—I tota la plata i les pedres precioses que du encastades? —va inquirir en Dalmau.

—Quantes en vols veure, de pedres d'aquestes? —El tractant obès va furgar feixugament en una de les butxaques i en va treure uns quants diamants en brut—. De gemmes sense treballar en sobren, pintor. Avui la gent vol joies modernistes. Tu hi entens en això, oi? Pedres precioses brillants i ben tallades, encastades en or, en figures de dones, a les ales d'una libèl·lula o a la cua d'un paó.

Don Ricardo va alçar enlaire amb sornegueria aquelles mans molsudes, tot movent-les per burlar-se de la nova moda, mentre en Dalmau efectivament recordava les joies creades per Lluís Masriera, en què el disseny predominava fins i tot per sobre de les gemmes i els altres materials preciosos, sempre cercant el valor artístic de la peça. El nou estil modernista, seguidor de l'*art nouveau* encapçalat per l'orfebre francès René Lalique, es nodria del naturalisme i el simbolisme, i es basava en el color, la pedreria variada, l'ús de perles i marfil i, sobretot, de l'esmalt translúcid, i tot plegat, generalment, muntat en or. Fauna exòtica, flors, ocells, rèptils, cignes, cigonyes, insectes, dracs i animals fantàstics, o la figura femenina estilitzada, etèria i delicada: fades i princeses, però a diferència de l'ús que en podien fer altres orfebres com els francesos, a Barcelona mai no la presentaven nua, seguint els preceptes dels artistes catòlics adscrits al cercle dels Llucs, al qual pertanyia Masriera, argenter, excel·lent pintor, escriptor, director de teatre, escenògraf i actor, un intel·lectual culte, artista complet, igual que els grans arquitectes o els pintors modernistes.

En Dalmau va visionar totes aquelles joies mentalment i les va comparar amb la tosca creu de plata treballada que ara estava repenjada contra una mampara, amb uns simples clots on estaven encastats els robins i les altres gemmes sense treballar. Al seu rostre s'hi va reflectir la decepció, i en aquell moment el tractant obès va saber que la victòria era seva.

—Et faré un favor, pintor —va cridar l'atenció d'en Dalmau, llavors—. Quina quantitat has de menester?

Des del seu bastió al capdamunt de la Casa Batlló, en Dalmau es va preguntar si la policia devia haver detingut Don Ricardo i, en cas que sí, si l'home el delataria. Va alçar la vista al cel, atès que l'estómac se li va encongir i li va provocar un lleu mareig que no podia permetre's estant enfilat en un tauló a sobre del llom del drac de Gaudí.

Don Ricardo no havia estat detingut. L'home tenia prou policies i autoritats subornades per escapar-se'n, però sí que va rebre'n una visita, obligada, atès que era un dels principals traficants de Barcelona. Deu mil pessetes en or van atiar la seva cobdícia. Si restava les mil tres-centes en bitllets de cent pessetes, gastats i matxucats, pagades a en Dalmau, el benefici en un breu lapse de temps era espectacular.

—Jo no tinc res a veure amb aquest afer —va adduir a la parella de policies que eren drets davant de la butaca—. Vostès ja saben que el meu negoci és net, que no compro mai mercaderia de procedència... dubtosa.

El rictus que va aparèixer al rostre d'aquells dos funcionaris que suportaven la humiliació d'escoltar a peu dret un delinqüent escarxofat al mig d'una barraca miserable, bastida directament damunt la sorra de la platja i plena com un ou d'objectes robats, va ser prou expressiu perquè Don Ricardo fingís que se sentia ofès i que hi insistís.

—Que potser en dubten? Puc acreditar que soc propietari de tot el que veuen.

—D'acord, d'acord —el va interrompre un dels policies, un que duia un cigarret penjat permanentment als llavis, encès o apagat, cosa que no semblava importar-li gaire—. Aleshores, com sap això de la creu?

—Jo sé moltes coses —va replicar el tractant amb duresa—. Sé coses fins i tot de vostè —va dir assenyalant el policia que l'havia tallat—. Vol que les hi expliqui? —L'altre va fer que no amb el cap—. Doncs també estic informat sobre la creu, i la podria recuperar de mans de qui l'ha robada.

L'endemà, d'amagat, amb discreció a fi d'evitar la premsa i no pressionar el traficant obès, com li havien recomanat els policies que hi havien enraonat i que van tornar a Pequín per acompanyar-lo, el mateix senyor Manel Bello es va desplaçar amb un cotxe de punt i es va personar a la barraca situada davant del mar.

—Deixi'ns parlar a nosaltres —va repetir al senyor Manel el policia del cigarret, mentre entraven a la barraca i esquivaven els mobles, objectes, tota mena de trastos, gossos que lladraven i nens que corrien per dins.

Uns quants esbirros, apostats entre l'aparent desordre, vigilaven els qui acabaven d'arribar.

Don Ricardo els va rebre com sempre: assegut a la butaca, amb la flassada sobre les cames i embolcallat amb el fum que perdia la xemeneia de la calefacció, que aquell matí havia posat tan forta com podia per crear un ambient hostil, atesa l'agradable temperatura que regnava aquell dia assolellat a la costa mediterrània.

—Bon dia, Don Ricardo —el va saludar el policia que acabava d'enraonar amb el mestre, i que es va convertir en el portaveu del grup—, li presento el senyor Manel Bello, el ciutadà a qui han robat la creu de la qual vostè potser sap alguna cosa.

El traficant va fer un gest amb el cap en direcció al senyor Manel, que es fregava els ulls a causa de la coïssor que li feia el fum.

—Diuen que està disposat a pagar deu mil pessetes en or per

recuperar aquella creu? —li va preguntar Don Ricardo, que ho volia sentir de boca del mateix mestre, sense preocupar-se gens de veure'l tan incòmode.

—Així és —va afirmar el senyor Manel.

—Una actitud que l'honra —el va afalagar el traficant—. No tota la gent, per molt religiosa que sigui…

—Abreugem —el va interrompre el policia, conscient de la mala estona que estava passant el mestre—. Quin procediment planteja per tornar aquesta relíquia?

—Jo no torno res. La tornaria el qui l'ha robada. Jo només faria de mitjancer per bona voluntat. No estaria bé que Barcelona perdés unes relíquies tan importants com aquestes —va ironitzar.

—I? —va insistir el policia.

—Doncs m'imagino que la persona que ara té la creu o algú en qui aquesta persona confia la podria dipositar en alguna església, a Santa Maria del Mar, per exemple, a prop del mar, com aquestes barraques, i quan els capellans d'aquella església confirmessin que tenen les relíquies, el senyor —va concretar fent un gest cap al senyor Manel—, que estaria amb vostès i els meus homes en un altre indret, lliuraria els diners perquè jo els fes arribar a aquella persona.

—Li sembla bé? —va inquirir el policia, adreçant-se al mestre.

—Vostès són els professionals —s'hi va conformar l'home, una mica recuperat, malgrat que tenia els ulls irritats, injectats de sang.

—Quan ho faríem? —va preguntar el policia.

—Quan vostès vulguin. Jo ja n'he parlat amb…

—En Dalmau!

El crit va esclatar a la barraca. Policies i traficants es van girar cap al mestre, que estava quiet amb la mirada clavada en el quadre de l'obès que hi havia penjat a la paret de darrere seu.

—En Dalmau —va repetir el senyor Manel, atansant-se al traficant fins a encarar-s'hi.

Els diversos esbirros que controlaven la trobada van tancar de seguida el cercle entorn dels visitants i el seu cap, uns quants amb la mà ja a l'esquena, cercant l'arma. Alguns objectes van caure a terra,

452

creant encara més desconcert, i els gossos es van posar a bordar una altra vegada.

—Quiets. Tranquils —van intentar calmar els ànims els policies, ensenyant les mans obertes.

Els sequaços de Don Ricardo es van aturar en sec en sentir l'ordre, i els que tenien les mans al darrere les van mantenir amagades.

—Què vol dir, senyor Bello? —el va interrogar el policia que fins llavors havia portat la iniciativa.

—Doncs això —va etzibar el senyor Manel, esverat, assenyalant el quadre amb un dit tremolós—, que aquest retrat l'ha pintat en Dalmau Sala, l'aprenent que va... Assassinar la meva filla Úrsula! Deu ser viu, deu estar amagat. Les ha robades ell, les relíquies de sant Innocenci. Ara lligo caps!

—És veritat? —va intervenir l'altre policia.

—Veritat? El què? —va inquirir tranquil·lament Don Ricardo, que es va arrepapar encara més a la butaca, distingint-se amb aquesta actitud de l'esverament del mestre—. Aquest quadre el va pintar un rodamon que em va demanar ajuda.

—En Dalmau! És la seva signatura! —el va interrompre el senyor Manel.

—Ignoro si es deia Dalmau o Pere. Jo li deia «pintor», simplement. Per aquí no preguntem gaire pels noms, oi que no, nois? —Alguns esbirros van assentir, i d'altres es van posar a riure—. El paio necessitava diners, i jo n'hi vaig donar a canvi del retrat. És bo, oi?

El traficant va fer el gest de tombar-se per admirar el quadre, però el coll no se li va girar prou i va renunciar a l'intent mentre maleïa entre dents aquell rosegaaltars perquè havia reconegut l'autor del retrat. Va decidir no arriscar-se ara a tornar les relíquies a fi que ningú no el pogués relacionar amb el robatori. Seria més laboriós i arriscat, però a qualsevol altre país, a França o a Itàlia, per exemple, en trauria més diners del que oferia aquell missaire de les patilles—. Si aquell pintor —va continuar dient— és el que ha robat les relíquies o no, jo no l'hi sabria pas dir, però el que sí que els diré és que en aquest cas a mi no em necessiten per a res. S'hauran d'aclarir amb... Com ha dit que es diu? Això: amb en Dalmau —va afegir quan un dels policies li va apuntar el nom.

—Aquest tal Dalmau és el que havia de tornar la creu a través seu? —va inquirir el policia del cigarret.

—No.

—Però si no sabia com es deia… —el va voler ensarronar l'altre policia.

—Però sé que no era el meu pintor —es va defensar el traficant amb un somriure—. Jo diria que si ha estat el pintor qui ha robat les relíquies, se les hauran d'haver amb ell.

—Aleshores… el qui els hi va oferir perquè fes de mitjancer en la devolució…?

Don Ricardo va arronsar les espatlles. El mestre seguia la conversa de l'un a l'altre, sense deixar de mirar el retrat de reüll.

—L'home es deu haver equivocat. És una mica gran.

—Ja… —se'n va burlar un dels policies.

—I té idea d'on pot ser aquest tal Dalmau, el seu pintor…? —va demanar l'altre.

—Aquí tampoc no preguntem d'on ve la gent ni a on va —ara el to de veu de Don Ricardo va ser tallant—. Bé, sembla que no tenim res més a dir-nos. Si no els interessa cap peça. —El traficant els va oferir la mercaderia estenent una mà endavant, es va esperar tot just un segon i, davant del silenci del mestre i dels policies, els va acomiadar—: És una llàstima que no haguem pogut fer negocis. Tu —va ordenar a un dels esbirros—, acompanya'ls.

—Així doncs… —va reaccionar el senyor Manel—, i les relíquies de sant Innocenci?

—Demani-les a aquest tal…

—Dalmau —el va ajudar ara un dels seus homes en notar que el seu cap vacil·lava.

—Aquest. Un plaer, senyors.

El senyor Manel va dubtar abans de sortir de la barraca, però els policies, atents als esbirros del traficant, li van assenyalar la porta amb gest imperiós.

—Ha perdut definitivament les relíquies —li va comunicar el del cigarret tan bon punt van ser fora.

—Què vol dir?

—Que ha parlat més del compte, senyor Bello —li va retreure.

—Les ha robat en Dalmau! —va exclamar el senyor Manel, alhora que concloïa que el molt canalla era viu, quan ell l'havia donat per mort.

—És possible. I les ha venut al gros. És evident que es coneixen. Per això mateix no apareixeran mai per aquí. El traficant no permetrà que ningú el relacioni amb en Dalmau, si no és pel retrat.

—Doncs... doncs escorcollin la barraca! Facin venir la Guàrdia Civil! Trobin sant Innocenci!

—Es pensa que aquest lladre té la creu aquí? No la trobaria ni tot l'exèrcit.

—Parlaré amb el capità general!

Cap dels policies no va badar boca, mentre el mestre continuava cridant i pujava al cotxe de cavalls que els esperava. En aquell moment, a l'interior de la barraca, Don Ricardo enraonava amb els seus homes.

—Busqueu aquella trinxeraire, la Maravilles, i digueu-li que avisi el pintor que el van a buscar. Aquell xicot em cau bé. El retrat és molt bo. I, per si de cas, encara que no crec que s'atreveixin a venir a Pequín, emporteu-vos d'aquí tot el que ens pugui incriminar. Haurem d'esperar un quant temps, fins que tots aquests beats s'hagin oblidat de les relíquies i enterrin aquest sant Innocenci d'una vegada per sempre. Que ja seria hora, collons!

Don Ricardo va riure del seu propi acudit abans d'alçar i moure la mà per indicar als seus homes que anessin per feina.

—Et busca la gent de Don Ricardo.

El missatge va arribar a la Maravilles el mateix dia que el traficant en va donar l'ordre. No importava gaire a quin lloc de Barcelona es trobés la noia; existien certes persones al món de la delinqüència, un d'ells Don Ricardo, els requeriments del qual cremaven a la boca de lladres, estafadors, pidolaires i trinxeraires. Sols entre aquests darrers hi havia prop de deu mil nens i nenes que rondaven pels carrers.

La Maravilles i en Delfí van córrer a Pequín, van escoltar Don Ricardo i van tornar a Barcelona abans que el capatàs de les obres de la Casa Batlló donés per acabada la jornada. La Maravilles sabia que hi treballava en Dalmau. També sabia on dormia i on menjava, i el pitjor de tot: on vivia la puta que s'havia casat amb el paleta. La trinxeraire no el volia matar —en realitat, no s'havia aturat mai a pensar per quin motiu havia espantat aquell perxeró—, però quan va succeir l'accident, la Maravilles va suposar que l'Emma desapareixeria de la vida d'en Dalmau i, en comptes d'això, la molt porca s'havia colat a casa de la seva mare. I ell l'havia vista, i tornava a parlar-li, i ja no hi havia cap paleta que l'hi pogués impedir.

—Tu el vas matar —se'n burlava en Delfí.

El seu germà li va dir i repetir mil cops que es tragués del cap d'una vegada el pintor i tot el que l'envoltava, i durant una temporada la Maravilles ho va fer i no es va atansar més a en Dalmau, per bé que el continuava vigilant. Ara l'esperava a la cantonada del passeig de Gràcia amb el carrer de la Diputació, al xamfrà de la Casa Lleó i Morera de Domènech i Montaner, per on passava en Dalmau en aquella rutina diària que el portava al menjador per a obrers de Santa Madrona.

—No tinc més diners —va avisar en Dalmau la parella de trinxeraires tan bon punt va veure que se li atansaven.

Llavors es va quedar confós. No feia gaire, de l'última vegada que s'havien trobat: el dia que se'n va anar de Pequín, i tanmateix aquella canalla no creixien, al contrari, fins i tot li va fer l'efecte que encara s'enxiquien a causa de la misèria, i que com més anava, més escanyolits, bruts, prims i xuclats estaven.

—Tinc un encàrrec de Don Ricardo —va anunciar la Maravilles quan va ser al seu costat.

La trinxeraire li va explicar la visita del mestre i dels dos policies a Pequín. «Dos policies!», va recalcar el seu germà. A en Dalmau allò no el va sorprendre: Don Ricardo no deixaria escapar la recompensa de deu mil pessetes en or.

—I li ha donat la creu?

—Quina creu? Com vols que l'hi doni? Si Don Ricardo no té aquella creu que busca el teu mestre.

—Ja no és el meu mestre.

—Però ho era.

456

Ell va fer un esbufec: no servia de res discutir amb una trinxe-raire.

—Així, quin encàrrec m'has de donar?

—Doncs que el teu mestre ha vist el retrat que vas fer a Don Ricardo i de seguida s'ha posat a cridar com un boig que eres tu qui li havia robat la creu.

En Dalmau va notar una onada de suor freda que se li escampa-va per tot el cos.

—Don Ricardo diu que vagis amb compte, que et buscaran.

En Dalmau es va pensar que la conversa acabava aquí, es va aco-miadar i va agrair a la Maravilles el missatge. Va fer esclafir la llen-gua quan li va repetir que no tenia diners per donar-los, i just quan feia el gest de continuar endavant, la noia va afegir un altre adverti-ment:

—També m'ha dit que tinguis la boca tancada. Que t'aprecia, però que si xerres més del compte, les passaràs més magres que amb la droga. Ho entens? —li va preguntar. Ell va assentir—. Ho has entès?

—A què treu cap, tant insistir? —va replicar ell.

—Don Ricardo m'ha dit que ho fes, que m'assegurés bé que haguessis entès el missatge.

—Digue-li que sí, que ho he entès perfectament, i que no passi ànsia: no tindrà cap problema.

Aquella nit li va costar agafar el son a l'alberg. Amb l'ajuda del seu germà Tomàs i de l'advocat Fuster, havia pres alguna mesura per evitar que el poguessin acusar del delicte que tots dos el van obligar a confessar després que els demanés ajuda amb el document que necessitava per liquidar el deute de l'Anastasi.

—Qui em podria relacionar amb el robatori? —va plantejar en veu alta en Dalmau—. No em va veure ningú.

—Sovint, les proves que apareixen durant la investigació dels delictes provenen de simples coincidències o de les situacions més insòlites que et puguis imaginar —li va respondre l'advocat.

Si el detenien per algun motiu, van concloure tots tres, no po-dria justificar on havia dormit la nit del robatori; a l'alberg portaven un control estricte dels hostes. Per això, un cop resolt el tema de l'Anastasi, i quan el pagès va haver sortit de casa de la Josefina juntament amb la seva família, es van dirigir a una fonda, on la gent dormia fins i tot a terra, els llits calents es compartien i no hi havia ni un moment en què no estiguessin ocupats, de vegades per prostitutes que es venien entre els nombrosos clients. La mestressa de la fonda, l'Emília, una vella amiga dels anarquistes, no els va demanar gaires explicacions quan en Tomàs va assenyalar el seu germà, que era al seu costat, i li va suggerir que aquella nit havia dormit al seu establiment.

—Sap què, senyor policia? —va dir la dona de broma—. Sap per què estic segura que aquell home va dormir aquí? —La vella, encartonada, va fer una pausa que va servir perquè en Tomàs i l'advocat es miressin i fessin un somriure; la coneixien bé—. Perquè ho va fer amb mi! —va afirmar amb una simpàtica nota de luxúria en unes ganyotes que li van desfer totes les arrugues, com si se li esquerdessin—. Que potser no t'agradaria? —va escometre a en Dalmau, veient la cara que feia.

—Sí, és clar —el va ajudar en Tomàs.

—Sí, sí —es va veure obligat a repetir ell, davant la mirada que li va llançar el seu germà.

—Ah! —va dir la mestressa de la fonda, com si li perdonés aquella falta de decisió.

Els faltava trobar una raó plausible per la qual en Dalmau hagués dormit en una fonda pudent, en lloc d'anar a l'alberg amb banys per als obrers, va comentar en Fuster, ja al carrer, després d'haver donat un grapat de monedes a la mestressa.

—Això és fàcil —va contestar en Dalmau—. Em vaig haver de quedar fins més tard a l'obra. Quan en vaig sortir ja passaven de les nou de la nit, i no vaig poder anar a l'alberg perquè no permeten entrar-hi a partir de les nou.

—Algú podria testificar que et vas quedar a l'obra fins més tard? —va inquirir el lletrat.

—Sí, i tant —va afirmar ell.

—I aquell perdonavides a qui vau pagar vuit-centes pessetes —va intervenir en Tomàs—, no podria delatar en Dalmau? És una mica sospitós que just el dia abans que en Dalmau li tornés els diners, algú hagués robat les relíquies del senyor Bello, el mateix que li havia embargat els béns.

—Sí que podria —va respondre en Fuster—. Ara bé, el document que li vaig fer signar no incloïa cap pagament ni cap quantitat; simplement hi deia que renunciava a qualsevol crèdit en contra de la Josefina o en Dalmau perquè reconeixia que no havia estat culpa seva l'embargament i tot això. A través d'aquell pinxo ningú no podria relacionar les quantitats; ni tan sols hi ha cap mena de constància d'un pagament. Quant a la resta, és a dir, les cinc-centes pessetes per liquidar definitivament el deute al jutjat, vaig pensar el mateix que tu. Aquells diners anirien a parar a en Bello, de manera que aquest sí que al·legaria aquesta casualitat, la del pagament d'en Dalmau o de la mare d'una quantitat important per a uns treballadors, just al moment que li han robat la punyetera creu. Seria revelador.

—Així què? —el va acuitar en Tomàs.

—Tinc els diners guardats. Els jutjats són terriblement lents. Trigaran molt a subhastar els béns i les gallines, que a aquestes altures ja es deuen haver mort o se les deu haver menjat algú —va dir de broma—, i, per tant, encara queda molt fins que es conegui la quantitat definitiva del deute. Ja hi haurà temps per pagar, fins i tot mitjançant uns pagaments a terminis d'import baix, com si ens costés pagar-ho. D'aquesta manera ningú no podrà sospitar.

Malgrat aquelles prevencions, el matí va enxampar en Dalmau arrossegant les cames i l'esperit en direcció a la Casa Batlló després de l'insuportable entreson en què havia passat la nit, fent voltes i voltes al catre, mig endormiscat uns minuts i despertant-se de seguida, suant i atribolat. Es feia de dia, i al passeig de Gràcia la vida començava a néixer amb el soroll i l'enrenou de criades i empleats, pidolaires i venedors ambulants i traginers amb els carros i les mules, alguns amb presses, anant amunt i avall, altres movent-se amb parsimònia, com si s'esperessin a despertar-se amb el dia. Els crits dels carboners i dels forners rivalitzaven amb els grinyols dels tramvies que circulaven plens a vessar de passatgers, alguns enfilats al sostre. I a això s'hi sumava el terrabastall del tren de Madrid, que ja circulava, una mica més enllà, pel forat del carrer d'Aragó.

I entre tot aquell brogit a en Dalmau li va semblar sentir... No! No podia ser! La veu aguda d'un d'aquells infants que venien diaris a les cantonades dels carrers li va barrinar el cap i li va baixar fins a les plantes dels peus, deixant al seu pas un desassossec que el va marejar i el va obligar a buscar suport en un dels plataners.

—Descobert el lladre de les relíquies! —Repenjat a l'arbre, en Dalmau va sentir de nou els crits del nen. Com més fort cridés, com més exagerés els titulars, més diaris vendria, i just aquell marrec, el que estava en una de les cantonades amb més afluència de possibles lectors de Barcelona, sabia com cridar l'atenció—. El ceramista Manel Bello denuncia a la policia el seu aprenent: Dalmau Sala!

En Dalmau va tremolar veient com al nen li prenien els diaris de les mans. Es va sentir observat. Va donar una ullada al seu voltant: res. Potser alguna mirada perduda, indiferent. «La policia busca el lladre!» Es va redreçar i es va separar un pas de l'arbre, simulant estar tranquil. «El ceramista Bello ofereix una recompensa de cent pessetes per a qualsevol informació que porti al seu parador.»

—Fill de puta! —va mormolar en Dalmau davant de la nova proclama—, fill de puta! Cabró fastigós!

Lladre? Si el senyor Manel no s'hagués venjat en la seva mare, ell no s'hauria vist obligat a robar-li res. Només hauria recuperat les mil tres-centes pessetes perquè la seva mare i l'Emma visquessin en pau, sense la violència i les amenaces constants de l'Anastasi, i amb l'embargament judicial pagat del tot, inclosos interessos i costes, quan l'advocat Fuster acabés de pagar aquelles cinc-centes pessetes. Ell, per la seva banda, amb la seva feina, considerava que havia tornat amb escreix el préstec que li havia fet el senyor Manel per deslliurar-se del servei militar; el molt cabró ho hauria d'haver tingut en compte, això: les seves creacions l'havien fet molt més ric del que ho era abans. No podia ser, doncs, una simple qüestió de diners. Era una venjança personal, baixa i miserable per part d'un burgès benestant en una costurera humil i ja gran, com la seva mare. Però malgrat tots aquests arguments que en Dalmau espigolava mentalment, la gent continuava comprant diaris. Molts li passaven pel costat, sense parar esment en la seva presència, absorts en la notícia o discutint. Li va semblar veure un dibuix de la seva cara de mida gran, al mig de la portada. Al mestre no li devia haver costat gaire retratar-lo; hi tenia traça. Va procurar calmar-se: era quasi impossible que amb l'aspecte que tenia ara el reconeguessin. Però què passaria amb aquells amb qui havia tingut contacte recentment? Els paletes de la Casa Batlló, els obrers de l'alberg i els del menjador de santa Madrona, el personal de l'asil del Parc... Cap no l'havia relacionat amb el Dalmau Sala que treballava al taller del senyor Manel Bello, però ara el coneixien. Per cent pessetes, molts ja devien ser a les casernes de la policia. Havien sentit la notícia a les tavernes i a les fondes de boca dels que sabien llegir. Maleït fos el dia que va pintar el retrat del traficant! Si el senyor Manel no l'hagués reconegut, mai no s'hauria arribat a imaginar que era ell qui li havia robat la creu, ja que encara estaria convençut que s'havia mort.

En Dalmau va sentir les campanes de les esglésies que tocaven les set del matí. Feia tard a l'obra. Va riure amb ironia envers si mateix quan va adonar-se que ara ja era igual. No es podia presentar a treballar, encara que s'hi va atansar, com si aquella casa revolucionària en estil i concepció el pogués acollir, però amb la precaució d'entrar-hi pel costat contrari al passeig de Gràcia. A les portes del baixador modernista del tren que s'alçava al carrer d'Aragó, sols un edifici per sobre de la Casa Batlló, uns quants nens carregats de diaris, que esquivaven els cotxes de cavalls i els seus cotxers, barrejats entre venedors, vagabunds i viatgers, competien entre ells a crits, cada un més clamorós i estrident que l'altre per atreure i robar un client al del costat. «Dalmau Sala.» «Relíquies.» «Lladre.» «Policia.» Tenien prevista la coartada per a la nit del robatori, però davant dels brams dels venedors, que impactaven en en Dalmau talment com si fossin bales, tota ella li va semblar ingènua, ridícula. Qui donaria crèdit al conte d'una nit de passió entre ell i una vella encarcarada i eixuta? De sobte se li va ensorrar tota la confiança, l'estómac se li va encongir i, instintivament, es va arrambar tant com va poder a la paret de l'edifici, i es va quedar esparverat, blanc i arronsat, veient l'escena que tenia lloc a l'altre costat del passeig, on el capatàs i uns quants paletes deliberaven amb dos guàrdies municipals.

Va saber que l'havien delatat. Un xicot que havia estat company

461

seu, el recordava, en Genari, va assenyalar enlaire, cap al llom del drac, sens dubte explicant als guàrdies on treballava. Ingènuament, en Dalmau va desviar la mirada cap al capdamunt de la bastida. En Genari mai no li havia semblat mala persona; potser no havia estat ell, el delator.

—Si et quedes aquí, t'arrestaran de seguida. Sembles un mort, rígid i ben blanc, que algú ha deixat repenjat a la paret perquè els de l'Ajuntament el fiquin dins d'una caixa de pi —va dir rient la Maravilles. La trinxeraire estava plantada davant d'en Dalmau, bruta com sempre. Ell no li havia sentit dir mai una frase tan llarga. No recordava que hagués arribat a encadenar mai tantes paraules seguides. La va veure neguitosa. Li volia preguntar pel seu germà Delfí, inseparable, però ella se li va avançar—: Vine, segueix-me. T'amagaré fins que decideixis què vols fer.

—A Pequín? —va inquirir en Dalmau.

—Allà no et volen ni veure. Val més que no t'hi atansis. Segueix-me —va insistir, i el va acuitar amb gestos imperatius.

Els guàrdies municipals continuaven discutint amb el capatàs i els altres paletes. En Dalmau va seguir les passes de la trinxeraire; seria la segona vegada que el salvava, o potser més, pensant en totes aquelles nits que va arribar a caure al carrer, drogat, i que ni tan sols recordava. Van trencar cap a la dreta pel carrer d'Aragó, caminant per l'espai estret que s'obria entre el mur de contenció del túnel a cel obert per on circulava el tren i les façanes de les cases.

—On anem? —li va preguntar en Dalmau des de darrere, caminant en fila.

—A un lloc segur. No et preocupis.

Van superar diverses illes de cases, i a la cantonada del carrer del Bruc, mentre en Dalmau mirava a l'esquerra, cap al mercat i l'església de la Concepció, va aparèixer un grup de guàrdies municipals que estaven amagats darrere de l'últim edifici, i se li van abraonar violentament. En Dalmau no va tenir la més petita oportunitat de reaccionar.

—Dalmau Sala! —va sentir de boca d'un que li va clavar un cop a l'estómac amb la punta de la porra.

—Quedes detingut —el va informar un altre, que va aprofitar

462

que en Dalmau es doblegava del mal, amb la respiració tallada, per estirar-li els cabells cap enrere i emmanillar-lo amb les mans a l'esquena.

Van transcórrer escassos segons, i quan en Dalmau va poder recuperar la respiració, es va trobar emmanillat i escortat per un parell de guàrdies que el subjectaven pels braços. No entenia què havia passat. Els guàrdies havien sortit de darrere de la cantonada, com si l'esperessin, i això només podia significar...

—M'has traït! —va recriminar a la Maravilles, que estava un xic apartada de la batussa.

La noia va arrufar els llavis i va arronsar les espatlles, aquest segon gest quasi imperceptible a sota de les diverses capes de roba i retalls lligats que la cobrien, i que desentonaven amb els vestits lleugers i de colors vius que començaven a omplir la ciutat.

—Al final t'haurien detingut —es va excusar la trinxeraire—. Ho va dir en Delfí. Només havien d'esperar que anessis a veure la teva mare o la puta aquella...

En Dalmau es va girar tan bruscament en sentir l'insult envers l'Emma que va estar a punt de desfer-se dels guàrdies, els quals van respondre augmentant la força amb què ara gairebé l'arrossegaven cap a la caserna de la Concepció.

—Saps que t'haurien detingut —va continuar dient-li la Maravilles, intentant seguir el pas dels guàrdies—. En Delfí diu que és el que hauria passat.

L'últim que va sentir en Dalmau després que l'obliguessin a entrar a empentes a la caserna va ser la Maravilles reclamant les cent pessetes de recompensa.

—T'hauràs d'esperar que arribi el ceramista —li va cridar un dels policies—. Ja han anat a avisar-lo.

—Han detingut el paio que va robar la creu amb aquells ossos.

El comentari el va fer un xicot de no més de setze anys que s'acabava d'unir al grup de joves bàrbars que s'esperaven al carrer, davant d'una església els parroquians de la qual volien assetjar en el moment que entressin al temple. L'Emma gairebé no va sentir les respostes que es van atropellar a les boques de la quinzena d'activistes de carrer que conformaven l'escamot. «Llàstima.» «Els tenia ben posats, el paio.» «Tant de bo hagi profanat aquells ossos.» «És el que hauríem de fer tots: robar les putes creus de tota la ciutat.» «Uf, n'hi ha que són molt grosses!» Aquella queixa va suscitar algunes rialles, més bromes, burles i insults a l'Església i els religiosos.

—On està detingut? —va preguntar l'Emma enmig d'aquella cridòria, que es va apagar en gran mesura davant l'interès que va mostrar la noia.

Molts se li van girar de cara. En el poc temps que feia que era allà d'ençà que havia deixat el cafè de la Fraternitat, esperant que obrissin la Casa del Poble i les cuines, una obra que controlava gairebé a diari, l'Emma havia superat el paper de simple enllaç per convertir-se en una de les dirigents dels joves bàrbars. No li va costar: la Mestra no va tenir cap problema a ser reconeguda com a líder dins d'aquells escamots radicals dels barris obrers d'entre setze i vint-i-cinc anys, que Lerroux utilitzava com a milícia contra els grups opositors i l'Església. La majoria l'havien escoltat amb passió en els multitudinaris mítings republicans; els més joves, i algun de no tan jove, en van quedar encisats: guapa, voluptuosa, ardent, lluitadora, oradora, òrfena d'una víctima de Montjuïc, màrtir ella mateixa... Molts la van convertir en objecte de les seves fantasies, de manera que tan bon punt la veien entrar a les tavernes i les fraternitats on es reunien, un bon nombre d'ells es rendien incondicionalment als seus desitjos.

—No tinc intenció d'ocupar els vostres llocs —va dir per tranquil·litzar els capitans que fins llavors dirigien aquelles guerrilles urbanes—; considereu-me un enllaç amb els caps.

Des de llavors els havia acompanyat com una més quan anaven a rebentar multitud de casaments, batejos i funerals catòlics, irrompent en esglésies i cementiris, insultant i vexant els capellans, alhora que cridaven els ciutadans a revoltar-se contra la religió.

—Aquell capellà —cridava l'Emma, assenyalant l'oficiant i adreçant-se al nuvi, tan empipat com espantat davant de la irrupció en el seu casament d'un grup d'energúmens— coneixerà els pecats de la teva dona i tu ni te n'assabentaràs! I la perdonarà a canvi de quatre oracions… I potser una mamada al mateix confessionari! I tu no sabràs mai si t'ha estat infidel, o si ha hagut de robar o prostituir-se pel pa dels seus fills, perquè no en parlareu, perquè no hi haurà confiança entre vosaltres, perquè els teus problemes i els seus es ventilaran a l'església, a la teva esquena, davant la gran mentida que és aquell déu i els seus sequaços, no davant teu, que ets el seu company i hauries de ser el seu puntal. No ho entens?

Aleshores arribava la policia i s'escapaven abans que els detinguessin, després d'haver llançat canelobres, trinxat les flors i la decoració, i proferit quatre blasfèmies. Celebraven graellades de carn al costat de les esglésies algun dels molts dies de dejuni preceptiu, muntaven processons civils per Setmana Santa, i també anaven als mítings dels partidaris polítics de l'oposició o a les reunions de les societats conservadores, i s'hi colaven per boicotejar-los. Allò era més perillós, ja que els altres es defensaven, de manera que hi solien anar en grups nombrosos. Aleshores entraven en escena bastons, navalles i, fins i tot, alguna pistola, motiu pel qual l'Emma va exigir a en Truchero que li lliurés una de les armes d'un arsenal que havia arribat de França. «No em tornaràs a posar una mà a sobre fins que no tingui una d'aquelles pistoles», el va amenaçar, a tall d'ultimàtum. Ell no va trigar a cobrar-se el preu al cap de pocs dies, una vegada li va haver donat una Browning semiautomàtica model 1903 fabricada a Bèlgica, que l'Emma no havia arribat mai a disparar, malgrat que ell prou que n'hi havia ensenyat, però sempre la portava a sobre durant les ràtzies violentes amb els joves bàrbars, fins que la Josefina se'n va assabentar i l'hi va impedir, al·legant que si la feia servir o si la detenien i la portava, el delicte seria molt més greu.

—És a la caserna de la Concepció —va respondre el xicot que havia donat la notícia de la detenció d'en Dalmau.

L'Emma va sospirar i es va acomiadar dels joves brandant el cap.

—On vas?

—Què penses fer?

Les preguntes es van succeir.

—No ho sé —va contestar ella—. Aniré a la caserna. No ho sé, però en tot cas, això no és assumpte vostre… Vull dir… —va corre-

gir el to de veu— que no és un assumpte del partit, ni té res a veu-
re amb els nostres objectius.

—És amic teu, el detingut? —va inquirir un de la colla.

L'Emma va fer que sí amb el cap.

—Va ser el meu xicot —va afegir després—. Vam tenir tanta
relació que ara visc a casa de la seva mare.

—No seria la primera vegada que ajudem un amic fora de les
hores de feina —va deixar anar un tercer, provocant un cor de ria-
llades, i fins i tot algun comentari breu que rememorava aquelles
accions. «Te'n recordes…?», es va sentir de boca de més d'un.

—Us ho agraeixo, però insisteixo que no us voldria causar pro-
blemes per un assumpte personal.

—És un tipus que ha robat una creu amb relíquies a un dels prin-
cipals rosegaaltars de la ciutat —va intervenir en Vicenç, el jove capi-
tà de l'escamot—, i que ara està detingut a la caserna que els burgesos
rics fan servir per coartar les llibertats dels obrers. Per què dius que és
un assumpte particular? Església, sants, policia, burgesos… No tenim
altres enemics! A aquest amic teu li hauríem de fer un monument per
un robatori que tant ha fotut els catòlics. T'hi acompanyem!

L'Emma no va creure convenient defensar la suposada innocèn-
cia d'en Dalmau davant d'uns companys que, durant l'instant que
va trigar a prendre aquella decisió, es van afegir exaltats a les parau-
les del seu capità.

—No sé si li haurem de fer un monument —va dir quan ja
l'empenyien de camí a la caserna, superats els dubtes sobre l'autoria
d'en Dalmau, que va decidir oblidar i deixar com estaven—, però
el que sé del cert és que si el poguéssim alliberar, seria ell qui pin-
taria quadres per a la Casa del Poble.

—Això és el que vols? Alliberar-lo de la caserna de la Concep-
ció? —li va preguntar en Vicenç, que caminava al seu costat.

—Sí. No ho sé… Suposo —va dubtar la noia.

—Seria el lloc indicat, perquè una vegada l'hagin traslladat a la
presó Model o a Montjuïc, ja serà impossible fer-ho.

El record de Montjuïc i de les tortures que havia patit el seu
pare van fer tremolar l'Emma. En Vicenç aparentment va entendre
els seus temors quan ella es va endarrerir, com confosa.

466

—Sí —li va dir—, allà li pot passar qualsevol cosa, al teu amic.

—L'hem de treure d'allà —va asseverar l'Emma amb contundència, refent-se.

—A dins de la caserna —va apuntar en Vicenç— no hi deu haver més de cinc guàrdies.

L'Emma va assentir. Coneixia els números: la guàrdia municipal de Barcelona estava formada per gairebé un miler d'efectius que treballaven per torns de vuit hores, cosa que deixava cada torn amb un personal de poc més de tres-cents guàrdies, els quals, a la seva vegada, es repartien entre les vint-i-tres casernes qui hi havia disseminades per la ciutat. Això significava una mitjana de deu guàrdies per caserna. Si a aquests deu es restaven els que devien estar de servei recorrent a cavall o a peu els carrers i controlant els barris, i els malalts, preveure que la guarnició que hi havia a l'interior pogués ser de cinc efectius semblava força probable.

—Nosaltres som molts més —es va vantar en Vicenç, alhora que cridava un parell de joves, que se li van atansar, van escoltar amb atenció les seves instruccions i van sortir corrent del grup.

El capitost d'aquell contingent de joves bàrbars va continuar donant ordres a uns i altres fins que van arribar a la caserna de la Concepció, on els membres del grup es van distribuir pels carrers tal com els havia indicat en Vicenç, que no volia que la policia s'adonés de la seva presència fins que els dos primers no haguessin assaltat l'església de la Concepció, ubicada just a l'illa de cases contigua.

L'Emma i en Vicenç, apostats al muret que protegia el subterrani per on circulava el tren a Madrid, davant de la caserna, van esperar observant-lo: era un gran edifici municipal que compartia l'alcaldia de barri amb les dependències de la caserna de la Guàrdia. L'immoble, de tres pisos, havia estat construït a finals del segle anterior seguint les tendències medievals que tan en vigor estaven en aquell moment. El portal estava format per tres arcades que ocupaven tota la línia de la façana. Un sol policia, més atent al que passava a dins que a fora, al carrer, estava repenjat en una de les reixes, d'esquena a ells.

A la fi va arribar un sagristà corrent i es va adreçar al guàrdia que era al costat de les reixes, a qui va parlar atropelladament, gesticulant i assenyalant tota l'estona en direcció a l'església de la Concepció.

—Sembla que els nostres han fet bé la feina —va xiuxiuejar en Vicenç a l'Emma.

—I ara? —va preguntar ella.

—Espera't.

Al cap d'un instant dos policies van sortir de la caserna per seguir el sagristà.

—Ja n'hi ha menys —va mussitar en Vicenç.

Va indicar als altres joves bàrbars que tiressin el pla endavant, i l'Emma va veure que tres d'ells entraven a dins, confonent-se amb els ciutadans que feien gestions administratives a les oficines municipals. El guàrdia de la porta ja ni tan sols vigilava, anava amunt i avall, de la porta a les dependències policials i tornava. No els va costar gaire als tres xicots agafar una paperera, que van omplir amb un parell de lligalls de paper, la van amagar rere una columna i hi van calar foc. Al cap de pocs segons allò ja produïa una fumera considerable. Dos dels joves van sortir de darrere de la columna cridant «Foc!», mentre l'altre el continuava alimentant amb més paper.

—No s'encendrà tot l'edifici? —va preguntar l'Emma.

—No —la va tranquil·litzar en Vicenç alhora que feia un senyal a la resta dels joves perquè hi entressin—. Només és una paperera que es pot apagar amb un cubell d'aigua, i és en un lloc on no hi ha altres objectes que es puguin encendre. La idea és produir molt fum i fer estendre el pànic, no es tracta de causar cap mortaldat.

I el pànic, tal com havia previst el capitost, va arribar en cosa de segons. Els joves cridaven com si estiguessin aterrits, instigant la gent a fugir. El fum s'anava estenent. Es van multiplicar les corredisses, les empentes i els crits de por. Els guàrdies van sortir de la caserna, situada a l'ala de l'edifici oposat a les oficines, i van trobar un caos absolut. Just en aquell moment, una desena de joves bàrbars es van esquitllar cap a l'interior de les dependències policials. En Vicenç tenia raó: entre les sortides d'uns i altres, allà dins només hi quedaven dos policies que vigilaven un home emmanillat amb ferides a la cara, que li sagnaven, al qual tenien assegut darrere d'una taula. Al seu costat hi havia un altre home vestit de negre, de patilles grosses i espesses que se li ajuntaven amb el bigoti.

Els joves van aprofitar l'efecte sorpresa. Uns quants es van abalançar sobre els policies i el senyor Manel fins que tots tres van anar a parar a terra. Els altres van agafar en Dalmau a pes de braços i se'l van endur a fora. Al cap d'uns segons, després d'esquivar funcionaris i curiosos que des de fora veien com el fum ja s'escampava, tots corrien pel carrer d'Aragó en direcció al parc. Entre la munió de gent, el senyor Manel exigia a crits als guàrdies que perseguissin els assaltants, però els agents estaven més interessats a comprovar els danys que havia patit l'edifici, amb el foc ja apagat, que no a empaitar una colla de revolucionaris.

El senyor Manel no parava de cridar amb el braç alçat enlaire i una mirada furibunda, un cop perdut el rastre d'en Dalmau. La seva obsessió li va impedir adonar-se que un parell de trinxeraires li pispaven la cartera i el rellotge que duia penjat d'una cadena a l'armilla, i s'escapolien entre la gernació, convençuts que el botí era superior a les cent pessetes que el ceramista, amb males maneres, s'havia negat a pagar-los.

15

En Dalmau va sentir el diagnòstic del metge que havien fet cridar. Estava rabiós pel dolor que sentia perquè la seva mare havia impedit que li subministressin un calmant que contingués morfina. «És millor que pateixi —s'hi va oposar la dona— que no pas que se li desperti el gust de la droga.» Tenia una dent trencada pel mig i dues que li ballaven a les genives. «Aguantaran —pronosticà el doctor—. No puc descartar alguna lesió a la mandíbula, el temps ho dirà, tot i que jo diria que no. Sí que té contusions més o menys considerables —va dir mentre observava el septe nasal trencat—, però es recuperarà sense cap problema.»

El metge li va recomanar que descansés i va rondinar brandant les mans davant de tota la gent que es concentrava al pis, indicant que era impossible que el seu pacient descansés amb tant d'enrenou, així que els uns i els altres van traslladar en Dalmau al que havia estat el seu llit, que l'Emma li va cedir tornant amb la Júlia al de la Josefina. Allà, en la foscor i el silenci, que de mica en mica es van anar apoderant de la casa, i en l'absoluta quietud que intentava mantenir per evitar les fiblades de dolor, van esclatar les emocions. L'havien torturat perquè volien saber on eren les relíquies de sant Innocenci, amb el senyor Manel sempre present fins que el caos desfermat amb l'incendi havia envaït l'edifici. Però ell no va confessar. Els ventallots i els cops de puny li van rememorar els que havia rebut a la barriada de Pequín, i li feia més por la fúria de Don Ricardo que la d'aquells policies. Aleshores li va venir al pensament la Maravilles; un dia el recollia al carrer i el rescatava d'una mort pràcticament segura, i un altre l'entregava a les autoritats. També el va enganyar quan ell li donava diners perquè busqués l'Emma, n'estava convençut. Aquella trinxeraire era imprevisible, com tota la patuleia de pidolaires morts de gana i analfabets que eren incapaços d'actuar amb coherència. No n'hi havia cap que fos de fiar.

Estirat al llit, en Dalmau va reviure el xivarri que havien causat aquells joves bàrbars a la caserna. Després el van treure d'allà, atordit i malferit, i el van obligar a córrer. Aleshores reconegué l'Emma al seu costat. Va intentar parlar-hi, però s'havia quedat sense alè. Un cop a casa, algú li explicà que l'Emma havia organitzat tota aquella ràtzia per alliberar-lo. Davant d'aquesta revelació, la sang li va córrer rabent per les venes, colpejant rítmicament les zones lesionades del cos. Va notar com li bombejava al nas trencat, a la boca, a les contusions de la cara, un dolor sord i persistent que es va sumar al que va sentir quan l'Emma va entrar a la casa i se li va esvair qualsevol il·lusió.

La va entreveure amb els joves bàrbars que entraven i sortien del pis, ple de gom a gom, veïns i curiosos que s'hi colaven a la descarada; fins i tot hi havia el jutge de guàrdia, que s'hi havia presentat de la mà de l'advocat Fuster. L'Emma es bellugava entre tots acompanyada de qui en Dalmau va saber després que es tractava d'un líder republicà: altiu, jove i ben plantat, probablement atractiu per a les dones, que l'agafava de la mà o de la cintura, la magrejava, la petonejava, o li xiuxiuejava cosetes a l'orella i després reia estúpidament amb els presents. Al cap d'una estona, un cop saludats els uns i els altres, es van acostar on ell seia, i l'Emma l'hi va presentar: «Et presento en Joaquín Truchero —va anunciar—. El meu cap.»

—Dona, potser soc una mica més que el teu cap! —va fer broma l'al·ludit, alhora que li donava un copet al cul amb el palmell de la mà.

L'Emma no es va queixar; va aguantar impertèrrita.

La Josefina va fer una ganyota.

El bombeig que en Dalmau sentia a les ferides es va aturar en sec. No va sentir el que li deia en Truchero. Va mantenir els ulls clavats en l'Emma, que va aguantar la seva mirada acusadora amb la mateixa fredor que havia demostrat moments abans amb el republicà.

—És cert? —va sentir en Dalmau que li preguntava en Joaquín Truchero.

«Què?» «A què es referia?»

—No sé de què… —va fer en Dalmau.

—L'Emma m'ha dit que ens pintaràs uns quadres per a la Casa del Poble —l'interrompé en Truchero davant del desconcert evident d'en Dalmau—. Moltes gràcies.

En Vicenç, el capitost dels joves bàrbars, que s'havia acostat en sentir allò dels quadres, també hi va intervenir:

—L'Emma ens ho va prometre si t'alliberàvem.

En Dalmau va tornar a mirar l'Emma, que va arrufar els llavis com si li demanés que ratifiqués la promesa. Acabava de veure com li tocaven el cul, i totes les seves expectatives s'havien esfondrat amb la mateixa rapidesa amb què havien renascut. No obstant això, no va ser capaç de contradir-la en públic, de deixar-la com una mentidera fins i tot davant d'aquell bavós que la magrejava, de manera que va assentir.

Aquella mateixa nit, ajagut al llit, immòbil, en Dalmau va decidir abandonar al més aviat possible aquella casa: dos dies, com a molt tres; no es veia amb ànims de compartir espais amb l'Emma, passar-hi arran, sentir-la parlar, respirar-ne l'olor…

Mentre es recuperava de la pallissa, el jutge va interrogar en Demetri, el paleta de la societat obrera que sabia que en Dalmau havia estat a l'obra la nit del robatori a la casa del senyor Manel. També va interrogar en Joan Soler, el capatàs, que va ratificar la declaració del seu empleat. Un cop va haver declarat, en Joan va aprofitar per anar a visitar en Dalmau i comunicar-li amb recança que a la Casa Batlló ja no hi tenia feina. La qüestió era que en Gaudí, l'arquitecte de Déu, més devot fins i tot que el Totpoderós, no s'ho havia pensat dues vegades quan va sentir per boca del senyor Manel la història del robatori de les relíquies de sant Innocenci i les sospites que queien sobre el seu antic protegit, de manera que va ordenar-ne el comiat sense dubtar-ho ni un segon. «Em sap molt de greu», li havia dit el capatàs. En Dalmau se'l va creure. El mateix que el jutge va haver de fer amb l'Emília, la mestressa de l'hostal, a qui també havia cridat a declarar.

—Vol dir que van compartir...? —El jutge va estendre els dits índexs de les mans i els va colpejar repetidament de costat, com si no gosés repetir el que la dona li acabava d'explicar.

—Això mateix —va saltar la vella anarquista. En Fuster va refugiar la mirada en un dels racons del despatx judicial; sabia què vindria a continuació—. El llit. Vam compartir el llit; no n'hi havia cap més lliure. Junts, senyor jutge. I al noi li va agradar, ja ho crec que sí. Jo ja soc vella i eixuta per... perquè algú em munti com un salvatge... —va dir. El jutge li va demanar silenci amb un gest, no obstant això ella va continuar amb el seu paper—: però encara tinc traça perquè un home s'ho passi bé.

L'Emília va tancar una de les mans deixant un forat al mig i la va fer anar amunt i avall, tal com ho faria per masturbar un home.

—Ja n'hi ha prou! —va bramar el magistrat.

No hi havia cap prova que apuntés en Dalmau Sala com a lladre de les relíquies, va concloure el jutge. La simple coincidència que hagués pintat un retrat de qui després s'havia ofert als agents de la policia per ajudar-los a obtenir la devolució del crucifix ni demostrava ni comportava cap relació amb el robatori. A més, era estrany que no s'hagués utilitzat la força per irrompre a la casa. El senyor Manel va reconèixer que en Dalmau no havia disposat mai de les claus del seu pis. Ningú no recordava que hi hagués duplicats, de manera que el jutge s'inclinava a pensar que el robatori era obra de professionals més que d'un home de les condicions d'en Dalmau. Finalment, per les proves practicades s'arribava a la conclusió que en Dalmau havia passat tota la nit al pis de l'Emília, per tant no procedia imposar cap mesura contra ell. Pel que feia al maltractament que en Dalmau havia rebut a la caserna, els guàrdies municipals van defensar per unanimitat que el detingut havia intentat escapar, que havia reaccionat contra ells amb violència i l'havien hagut de reduir per la força.

I tot va quedar en allò, fins i tot per als assaltants bàrbars a qui ningú no es va atrevir a denunciar, ni tan sols els policies, per les possibles represàlies. L'únic que bramava i es queixava era el senyor

Manel Bello, que continuava convençut que en Dalmau li havia robat el seu bé més preuat i que es va tornar a venjar en la mare de qui havia estat el seu protegit, aconseguint que li enretiressin l'ajut que li proporcionava l'Església. El primer divendres després que el senyor Manel reconegués l'autor del quadre que penjava darrere de l'obès de Pequín, a la Josefina li van impedir l'accés al claustre de Santa Anna, allà on els donaven cupons per al pa, l'arròs i les mongetes. La dona ni tan sols va replicar quan el mossèn li va exigir amb males maneres que li tornés la targeta de pobra, intentant humiliar-la davant del centenar de desvalguts que anaven a buscar-hi caritat.

—Has mentit, miserable! —l'increpà—. Tu no ets cristiana. Ets una anarquista, una atea, una sacrílega.

—Sí. Soc tot això —va reconèixer ella estripant el carnet de cristiana pobra.

L'habitació que en Dalmau havia llogat al carrer de Sepúlveda, al barri de Sant Antoni, en un edifici de renda construït a la catalana a finals del segle anterior, era àmplia i assolellada, orientada al sud-est. En Dalmau no havia tingut mai tant d'espai per a ell sol, i encara menys amb finestra al carrer. Un llit amb un matalàs tou, un armari, una taula d'estudi amb una cadira, una altra on reposava un aiguamans que la senyora Magdalena, la dispesera, sempre mantenia ple d'aigua clara, formaven el mobiliari al qual en Dalmau havia afegit un cavallet en el qual encara no havia gosat posar cap tela.

Quan va marxar de casa la seva mare, al cap d'una setmana encara no, amb el nas tort i la dent trencada, amb una barba incipient entre les crostes, però prou recuperat, l'Emma li va recordar el compromís que tenia de pintar uns quadres per a la Casa del Poble.

—Ja no pinto —va afirmar ell; ara no li calia guardar les formes, estaven en família.

—Doncs hauràs de recuperar aquesta pràctica —va replicar ella amb el posat seriós—. És el que vaig prometre a la gent que et va salvar... i que tu vas ratificar.

—M'havien estomacat —es va excusar en Dalmau malgrat que

tenia molt present el moment a què es referia ella—. No recordo el que dius. A més, no crec que pugui pintar res —insistí ell en defensa seva.

—Com que no pots? —intervingué la mare quan no s'ho esperava cap dels dos—. Abans ho feies. Pintaves bé, molt bé. Et van donar un premi! Treballa i pinta.

Els dies que en Dalmau va estar convalescent, en Joan, el capatàs de les obres de la Casa Batlló, el va anar a visitar dues vegades, en una d'elles per recomanar-li que provés sort al taller d'un mosaïcista italià que col·laborava amb els grans arquitectes del moment i que aquells dies ho feia per a Domènech i Montaner a les noves obres del Palau de la Música Catalana, amb la primera pedra ja posada: el 23 d'abril, dia de Sant Jordi, patró de Catalunya.

—Sé que l'italià busca gent com tu, amb les teves qualitats. Ha acceptat una feina important i necessita mans. Ets una bona persona —s'avançà a la mirada interrogadora d'en Dalmau—. Ningú no t'acusa de res, no crec que tinguis problemes en aquest sentit.

En Dalmau coneixia l'italià, només hi havia un mosaïcista a Barcelona amb taller propi, prou bo per col·laborar amb Domènech i Montaner i els altres arquitectes modernistes: Mario Maragliano. Amb tot, en aquell moment no va donar gaire importància al consell del capatàs; la sang li bullia només de pensar en les mans agafades de l'Emma i en Truchero.

La Josefina era conscient que el seu fill havia d'oblidar l'Emma i se'n va convèncer mentre cosia: havia de passar pàgina amb ella i per fer-ho havia de tornar a triomfar, a trobar-se a si mateix en el que l'apassionava, en contra del que fins aleshores havia pensat de la pintura i de la desgràcia que havia suposat per a la vida d'en Dalmau. No podia continuar sent un obrer mediocre amb l'únic objectiu a la vida de reparar els errors comesos de resultes de l'alcohol i la morfina. Com a mínim ho havia d'intentar!

—Pinta! —l'exhortà la Josefina el dia que en Dalmau, amb presses per allunyar-se de l'Emma, s'havia acomiadat de casa la seva mare per traslladar-se a la nova habitació de dispesa.

No obstant això, cap dels esbossos no satisfeia en Dalmau, i els dibuixos s'amuntegaven sobre la taula d'estudi.

«Pinta!» L'exigència de la seva mare el perseguia cada vegada que descartava un nou esbós. No podia: no hi havia cap treball que el complagués prou. Feia dibuixos vulgars; ni tan sols els imaginava traslladats a un quadre. Era una sensació semblant a la viscuda aquells dies que intentava fixar en un simple paper la mirada altiva de l'Úrsula. En aquells moments ho havia solucionat; potser una punxadeta... o potser només una copa d'absenta seria suficient per recuperar aquella voràgine creativa. «Un vinet!», es plantejava sovint. Quan les temptacions l'assaltaven, tancava els punys i es picava les cuixes suplicant al dolor que l'arrossegués una altra vegada als carrers, com el miserable que havia estat, o que el transportés a Pequín, a la barraca on va viure aquella humiliació tan gran abans de superar el vici. «Quan trigaràs a tornar a emborratxar-te o a punxar-te després de la disculpa?», li havia preguntat l'Emma el dia que es van trobar quan feia poc que havia sortit de l'infern.

Amb el repte que li feia tremolar les mans, en Dalmau agafava un altre full i s'entestava a fer-hi uns traços, que veia toscos, sense que aconseguís foragitar mai del tot la imatge de l'Emma.

—Oblida-la, fill —li aconsellà també la seva mare el dia que va marxar de casa.

Ho havia de fer. Enrere quedaven les relacions de joventut. L'Emma l'havia abandonat, encara que potser va ser ell qui ho va provocar. Però quina importància tenia ara tot plegat? Després es va embolicar amb el paleta, amb qui va tenir la Júlia, i ara semblava que fos més que una simple treballadora per a aquell republicà arrogant que li picava el cul com si en fes una proclama. Va estripar en mil bocins l'enèsim full de paper i va fer cap a casa la seva mare encara que ja fos de nit.

—Jo no em vaig comprometre mai a pintar res per a la Casa del Poble dels republicans.

Ho va etzibar després d'una salutació freda a totes dues dones, que, al costat de la nena, sopaven plàcidament al pis del carrer de Bertrellans. La porta era oberta, com sempre, de manera que el replà de l'escala semblava una extensió del pis. L'Emma va fer un bot. La Josefina va inclinar el cap, més intrigada que sorpresa.

—No, això és veritat —va reconèixer l'Emma girant-se en rodó, sense aixecar el cul de la cadira, tot i enfrontar-se a en Dalmau, que estava dret a un pas d'elles—. Ho vaig fer jo en nom teu. Ho vaig haver de fer perquè t'alliberessin. Te'n recordes? T'havien tancat i et torturaven.

—I t'ho agraeixo —l'interrompé en Dalmau—. Però això no vol dir que hagi de pintar tres quadres.

—Que desagraït, aleshores —va replicar l'Emma amb gravetat.

En Dalmau es va sentir molest amb l'acritud de la noia. Sí, l'havia alliberat, però si l'havien fet presoner havia estat per ajudar-les, a la seva mare i a ella, a la petita Júlia, per treure'ls del damunt l'amenaça de l'Anastasi. Ell tenia tota la culpa del que havia passat. Ell era el que s'havia salvat d'anar a l'exèrcit per caure després en la droga i despertar la ira del senyor Manel amb la mort de l'Úrsula. Ningú no era culpable del que els havia passat, però tampoc no semblava just que l'Emma no li reconegués cap mèrit. Ella, que continuava vivint a la casa, amb la seva mare!

—Em van tancar perquè us vaig ajudar —li etzibà—. Per robar la creu i alliberar-vos de l'Anastasi.

—Jo no et vaig demanar que ho fessis.

—Doncs estem en paus: jo tampoc no et vaig demanar que m'alliberessis —li va retreure. L'Emma va fer una ganyota—. Les nostres relacions sempre han estat carregades de malentesos.

No va esperar cap resposta; va fer un petó a la seva mare, aclaparada per la duresa de la disputa, i es va permetre robar-li un bocí de carn que tenia al plat.

—Que bona —va comentar mentre esborrifava els cabells a la Júlia.

La nena va respondre amb una rialla cristal·lina capaç d'eliminar qualsevol tensió. En Dalmau no va deixar temps perquè això passés: es va acomiadar per confondre's en la penombra del replà. L'estómac, contret des que havia pres la decisió d'enfrontar-se a l'Emma, s'havia distès de cop. La fam l'envestí i una explosió de saliva li esclatà a la boca. Encara arribava a temps de sopar al Restaurant d'Obrers de Santa Madrona, un menjador social.

Tots els antics racons del barri de Sant Antoni per on transitava camí del taller del mestre italià, i que fins aleshores s'havia estimat més esquivar perquè li portaven records dolorosos i inquietants, es van convertir a partir d'aquella nit en senzilles referències sense cap més connotació que la d'una història ja superada al costat de l'Emma: Can Bertran, que prosperava com a fonda, sempre atapeïda d'obrers. Un dia hi hauria d'anar a dinar i així seria la prova definitiva de la catarsi que estava vivint. El col·legi dels Escolapis. La presó d'Amàlia. L'immoble on vivia l'Emma amb l'oncle i els cosins. El mercat de Sant Antoni, on havien mort la Montserrat.

El taller de Mario Maragliano era a l'Eixample de Barcelona, als baixos d'un edifici del carrer de Girona, per sobre del carrer de la Diputació, i s'estenia per gran part de l'interior d'illa. A diferència de la fàbrica de ceràmica d'en Manel Bello, el taller de l'italià era de caire més artesanal, amb un forn d'estil àrab, de cúpula voltada però de gran capacitat, alimentat amb llenya i amb la caldera soterrada, de manera que la cambra de cocció quedava a nivell del terra del pati interior, que compartia espai amb assecadores, basses, magatzem i piles d'argila, tot atapeït en un mateix solar i distribuït una mica anàrquicament. Al taller hi treballaven una vintena de persones, moltes de les quals, com en Dalmau, ho feien a la planta baixa, a les taules de dibuix i composició.

Maragliano, un home d'uns quaranta anys que havia après l'ofici a Gènova, des d'on es va traslladar a Barcelona ja amb el reconeixement i la consideració de mestre en mosaics romans i bizantins, coneixia en Dalmau. Havia vist l'obra que havia fet amb el senyor Manel i apreciava els seus treballs en ceràmica; per tant, no va tenir cap dubte a contractar-lo. El primer dia van xerrar una bona estona, el genovès amb el deix d'aquella sonoritat gairebé musical de la seva llengua mare, però van evitar parlar de política ni van esmentar l'episodi d'en Dalmau amb la Guàrdia Municipal.

—L'Església i els Llucs tenen una gran influència en el mercat —va dir el mestre, com si així excusés aquella omissió.

—Em consta —ratificà per la seva banda en Dalmau, amb l'esbós d'un somriure als llavis encara botits i morats.

El mosaïcista treballava en força obres, tant a Barcelona com fora —tenia obert taller a Madrid— i amb Domènech i Montaner ho havia fet a la Casa Lleó i Morera, i ara al Palau de la Música Catalana al costat d'un altre dels grans mosaïcistes de l'època: Lluís Bru. Maragliano era conscient de la capacitat i la bona feina que podia desenvolupar el seu nou ceramista i l'equiparava amb els primers oficials, però no el va voler elevar per damunt dels treballadors de què ja disposava. A més, en Dalmau, que sens dubte dominava el dibuix i la ceràmica, encara s'havia de familiaritzar amb una altra de les arts que distingien el taller de l'italià: el mosaic.

—Llàstima que no sigui l'Hospital de la Santa Creu i Sant Pau —va comentar en Dalmau referint-se a l'obra que també dirigia Domènech i Montaner a Barcelona—. Allà hi ha molta més feina per a un taller com el seu.

—Sí —va reconèixer l'italià—. L'hospital és certament una gran obra, immensa, però el Palau... Saps quina superfície ocupa l'hospital? —En Dalmau va fer que no amb el cap—. Més de tres-cents mil metres quadrats. En Lluís s'està lluint als pavellons, pot fer-ho amb una obra magna que certament dona molta feina als artistes com nosaltres. Ara bé, saps quina superfície ocupa el Palau de la Música? —No va caldre que en Dalmau tornés a dir que no; el seu gest va ser suficient—. No arriba als mil cinc-cents metres quadrats, i això en una parcel·la irregular, enclavada entre carrerons d'un dels barris més antics de la ciutat. Ni tan sols tindrà perspectiva, enxubat com ho estarà entre edificacions. Si des de les finestres de l'edifici del davant gairebé es podria tocar la façana! El vianant es trobarà de morros amb el Palau! Tres-cents mil metres contra mil cinc-cents. I en aquests mil cinc-cents, deficients, mal disposats, Domènech i Montaner pretén recollir l'esperit de la música a través de l'arquitectura; vol exterioritzar la tradició catalana dels cants corals que promou l'Orfeó, que a la vegada és la institució popular impulsora de l'obra; també vol assolir el cim del modernisme, que en l'arquitectura d'aquesta ciutat es troba en el seu zenit si bé en altres llocs ja l'han superat unes altres tendències artístiques, però, sobretot, vol oferir un espai al poble en què la gent senzilla i humil gaudeixi i visqui la música; d'aquí també la seva ubicació. Conec els plans de l'arquitecte. Potser l'hospital és una obra colossal, sí, serà una meravella, però mira bé el que et dic: la posteritat recordarà Domènech i Montaner pel Palau de la Música, i nosaltres hi haurem col·laborat.

Colze a colze amb els altres treballadors, assegut amb ells en taules llargues, cobert amb un guardapols blau esblaimat que li anava balder, però que li va transmetre una serenor semblant a la que sentia al capdamunt del llom del drac de la Casa Batlló, en Dalmau va començar a treballar en la fabricació i el tall, tècnica que desconeixia completament, de les tessel·les de ceràmica que recobririen les columnes, sostres i façanes del Palau obeint els dissenys del mateix Domènech, a l'espera que poguessin muntar-se en obra, compaginant els seus treballs amb els de la construcció sense que mosaïcistes i paletes es fessin nosa. Veient els plànols i els dissenys, no va trigar a entendre que, a diferència de la Casa Lleó i Morera, i fins i tot del nou hospital, tal com va comentar Maragliano, Domènech i Montaner tenia prevista una efusió de peces de ceràmica, mosaics i trencadís, que al costat de les aportacions d'altres arts industrials, escultura, ebenisteria, vidrieria o forja, crearien un edifici únic al món.

I, de la mateixa manera que compartia taula de treball amb el personal del taller, en Dalmau també va començar a compartir amb ells oci i diversió. Comptava amb un bon jornal i per tant disposava de diners; no tenia cap obligació tret del seu propi manteniment, que continuava sent frugal, el pagament de l'habitació, i uns diners que anava estalviant per comprar una nova màquina de cosir a la seva mare, que s'havia negat que la continués ajudant econòmicament.

—L'Emma té un bon sou —li va dir—, ens arriba per a totes tres, i jo encara faig alguns calerons cosint. Aprofita-ho i arregla la teva vida, fill.

No li va voler dir a la Josefina l'esforç que feia per estalviar la quantitat suficient per comprar aquella màquina de cosir. Un company del taller de mosaics li aconsellà que anés al Mont de Pietat a demanar un préstec per adquirir-la sense haver d'esperar, però quan va saber qui eren les persones que dirigien la institució va desistir-hi per no topar-hi els amics del senyor Manel. També es va plantejar demanar un préstec a qualsevol persona de tota la mà de gent que s'anunciava als diaris oferint diners, però allò implicava subscriure préstecs usurers que de vegades arribaven a pujar fins al deu per cent diari de la quantitat que li deixarien. En Dalmau no volia caure en aquell cercle viciós que atrapava gran part dels obrers pressionats per la necessitat. Ja estava bé estalviar mes a mes, va concloure.

I, mentrestant, en Dalmau sentia riure i tornava a riure. Va gaudir d'activitats senzilles, populars: festes que s'organitzaven a barris amb diversitat d'espectacles al carrer; envelats públics on es ballava amb alegria; trobades a tavernes, bromes, discussions i partides de daus o de cartes en què, per ignorància, en Dalmau no s'atrevia a jugar o a apostar; de tant en tant anava al cinema, al circ, al teatre o al frontó. Va redescobrir la ciutat de la seva infància: concursos d'hípica al parc; exposicions de flors i plantes; concerts de bandes civils i militars a diferents punts de la ciutat; cors populars; concursos de balls regionals; processons, comparses, fogueres, i una cosa que no havia vist de petit: curses de cotxes. A Barcelona hi havia aleshores gairebé dos-cents vehicles que, de sobte, retrunyien pels carrers i deixaven al seu pas una estela de fum blavós i pudent, quan no algun ferit que no havia tingut l'oportunitat d'allunyar-se a temps.

Alguns d'aquests cotxes van ser els que van competir en el rècord del quilòmetre en línia recta, al costat de bicicletes i motocicletes, a més a més de corredors a peu, al carrer de les Corts, entre els carrers d'Entença i Muntaner, animats per una banda de música i multitud de persones al llarg del recorregut, entre els quals hi havia en Dalmau, alguns dels seus companys de taller i altres amics. L'automòbil vencedor va culminar el recorregut en cinquanta-un segons, una marca només trenta segons per sota de la bicicleta guanyadora en la seva competició, i molt per damunt de la motocicleta que es va endur el premi en la seva categoria.

Els diumenges, un cop ja havia passat una bona estona amb els amics, en Dalmau havia agafat el costum de convidar a dinar la seva mare i, amb ella agafada de bracet, passejaven fins a la fonda que haguessin triat. Mentre degustaven el menú, xerraven i s'explicaven tot allò de què no havien parlat en els anys de vida d'en Dalmau.

El diumenge 26 d'abril de 1906, Lerroux inaugurava la planta baixa de la Casa del Poble, un edifici, encara en obres, situat a la cantonada dels carrers d'Aragó i de Casanova. La zona més important d'aquella planta es corresponia amb una gran sala amb un escenari i dues galeries dobles a banda i banda, que estava destinada a fer-hi tota mena de mítings polítics dels republicans, representacions teatrals i audicions, i, amb caràcter general, es feia servir de restaurant.

L'Emma feia una setmana que hi treballava sense descans, només parava dues hores a les nits. Els dos primers dies els va aprofitar per anar corrents a veure la Júlia, el tercer dia ja va avisar la Josefina que fins que no aconseguissin posar en marxa aquell monstre, li seria difícil tornar; com a mínim allà buscava un racó per jeure i aprofitava la poca estona que tenia per descansar. Netejar, comprar gènere, ordenar i comprovar la vaixella, els coberts i els gots, les paelles, els pots i les olles; ocupar-se de la llenya i el carbó per a les cuines de ferro i de la terra d'escudelles. En definitiva, posar-ho tot en marxa. L'Emma no va decebre en Fèlix, el cap de cuina, com no ho havia fet durant l'època que, per indicació d'en Truchero, havia col·laborat en la construcció de la casa; recordava bé el seu aprenentatge i les experiències a Can Bertran. Per sota d'en Fèlix, dos cuiners de primera en dirigien quatre de segona, entre els quals hi havia l'Emma i una altra dona, l'Engràcia, uns deu anys més gran que ella. Tots ells, al seu torn, podien donar ordres a un exèrcit de mossos de cuina i cambrers. Les cuines eren grans, amb molts fogons, en consonància amb la grandària de la sala, on podien seure perfectament cinc-cents obrers, a qui s'havia de servir com calia, comensals, com van arribar a comprovar l'Emma i els seus companys, que se sentien amos i senyors del local, de manera que exigien el que no s'haurien atrevit a demanar en una fonda. Molts d'ells havien col·laborat de franc a aixecar l'edifici després de les seves respectives jornades de feina, i la resta n'eren socis, allò era casa seva: La Casa del Poble! «Els obrers tindran aquí un baluard dels seus drets», anuncià Lerroux al discurs d'inauguració, i oi tant si els exigien.

El banquet d'aquell 26 d'abril es va servir en una sala plena de punta a punta, decorada amb garlandes i banderes espanyoles i franceses, i amenitzada pel Cor del Poble, que va interpretar cançons catalanes i espanyoles, a més de «La Marsellesa», l'himne revolucionari que es va victorejar amb passió i que es va haver de repetir diverses vegades. El dinar va ser el típic de les festes tradicionals que es menjava a les cases catalanes que s'ho podien permetre: canelons, xató, pollastre rostit i fricandó; crema catalana i mató, de postres; aigua i vi negre amb els àpats principals, per passar després al vi bo i els dolços, i als licors i els cafès. L'Emma va tenir certa curiositat per si hi apareixia en Maties, el dels pollastres, però el negoci era massa gran per intentar col·locar la seva reduïda mercaderia de baixa qualitat; en qualsevol cas, li hauria agradat veure qui acompanyava en aquell moment el vell esdentegat.

En Fèlix li encarregà que s'ocupés de preparar el xató, una amanida típica de la costa catalana que feia relativament poc que era coneguda des de mitjan del segle anterior, i de la qual s'atribuïen la paternitat Sitges, Vilanova i la Geltrú i el Vendrell. Els ingredients bàsics eren l'escarola, la tonyina i el bacallà esqueixats i dessalats, les anxoves i les olives negres. Tot plegat s'amania amb una salsa feta amb nyores, ametlles i avellanes torrades, pa, all, sal, oli d'oliva i vinagre. Fins aquí tots els pares del xató semblava que coincidissin, tret d'alguna discrepància respecte a la fruita seca, però les discussions a la cuina de la Casa del Poble van arribar a ser gairebé virulentes quan cadascun dels cuiners, inclosos els de segona, va voler dir-hi la seva i ho va fer sobre els altres aliments i condiments que s'havien d'incloure a la salsa.

—Bitxo —va dir un—. Ha de portar bitxo.

—Què dius, ara! Això mai —va replicar un altre.

—I el pa s'ha de fregir —va apuntar el primer.

—No… —el van contradir—. S'ha de torrar.

I fins i tot n'hi va haver un tercer que va insistir que s'havia d'utilitzar només la molla del pa amarada de vinagre. Cebes, tomàquets escalivats i més anxoves a la salsa.

Amb el bacallà i la tonyina dessalats prèviament, l'Emma s'esperava al costat dels morters per afegir definitivament els components de la salsa i que els mossos de cuina comencessin a picar-los. No es coneixia amb detall aquell plat i era divertit sentir-los defensar aferrissadament les seves postures: sobre el xató existia una veritable disputa entre els pretesos creadors i no hi havia taula que, després d'una bona amanida com aquella, i després d'alabar-la educadament, no esmentés amb subtilesa què hi faltava… o què hi sobrava. I no cal dir que, com en tota controvèrsia, en alguns casos els ànims s'encenien. I en aquest punt es trobaven a la cuina quan en Fèlix li picà l'ullet.

—Xató a l'estil de la Casa del Poble! —va cridar l'Emma fent callar tothom—. Vinga, tothom fora del meu taulell! Jo decidiré.

Ho va fer, memoritzant bé les seves decisions per a pròximes ocasions, tot i que sempre vigilava de reüll els altres, que es queixaven ostensiblement o feien un somriure segons la tria d'ella. L'Emma es va divertir a costa d'ells, sospesant els ingredients que havien estat objecte de discussió per considerar-los una estona i, en acabat, descartar-los o incloure'ls a la salsa.

El xató va agradar. Molt, com els canelons i tot l'àpat. Lerroux va demanar als cuiners i mossos de cuina que sortissin a la sala per felicitar-los i dedicar-los l'aplaudiment de mig miler de comensals. L'Emma i algun dels altres havien tret el nas durant el banquet, sobretot quan una coral d'estudiants valencians va tornar a cantar «La Marsellesa». Com sempre, a l'Emma se li va posar la pell de gallina en sentir amb passió l'himne de la llibertat i la revolució.

En aquest cas, però, l'equip que comandava en Fèlix es va esmunyir entre les taules per arribar com més a prop millor de Lerroux i els seus col·laboradors. El polític va lloar a viva veu el menjar, va proposar un brindis, i la gent es va aixecar per alçar les copes per ells. Just davant d'ella, dues taules més enllà, l'Emma es va fixar en en Joaquín Truchero. Darrerament es veien poc, cosa que va estranyar l'Emma, i durant l'última setmana, arran de la inauguració, ni tan sols ho havien fet. Ara ho entenia, en Truchero havia trobat una altra companyia: una rosseta prima, pàl·lida, etèria, estil fada, amb un vestit de tirants que li penjava lànguidament d'unes espatlles escardalenques, i que no brindava cap als cuiners sinó cap al seu acompanyant; els braços de tots dos, que subjectaven les copes, estaven entrellaçats, i després de beure es van fer un llarg petó a la boca completament aliens a l'homenatge dedicat als cuiners.

Entre els clams i els aplaudiments que van seguir al brindis, l'Emma va tremolar de ràbia. No n'hi havia dit res! Devia fer més d'un any de la seva relació i sabia que en Truchero havia mantingut contacte amb altres dones. Però no li havia importat. Tampoc no li despertava cap gelosia aquella rossa esllanguida, però aquella presentació pública no era sinó una clatellada al seu orgull i, el més important, la mostra visible que acabava de perdre la persona que li donava suport dins el partit i en les seves estructures, i això sí que l'amoïnava.

—Com acostuma a passar, ets l'última de saber que ja no ets la puteta d'aquell penques —li va dir a cau d'orella l'Engràcia, sense amagar la satisfacció en el to de veu—. A què atribueixes, sinó, tanta rialleta, interès en el teu plat, i picadetes d'ull a la cuina? De debò creus que a cap d'ells els importa una merda el xató que facis o deixis de fer? Pràcticament tots estan pendents de veure qui és el primer que et clava un bon clau en algun racó.

L'Emma es va girar virulentament cap a l'Engràcia, però la dona no va donar cap importància a aquell gest irat.

—Benvinguda al grup de les repudiades —va afegir.

—Repudiada?

—Que no veus com et miren tots? —Per un moment, entre aplaudiments i crits, l'Emma va tenir la sensació de veure que requeien sobre ella les mirades de molts dels presents; va sentir-se torbada—. Sense rancúnies —la desperta l'Engràcia—, totes hem passat per situacions semblants.

—Jo només volia treballar per un jornal digne.

L'Engràcia es va posar a riure.

—No saps quantes obreres compaginen les feines amb la prostitució per treure's un sobresou. Els seus marits ho saben, i, si no ho saben, s'ho imaginen, però en qualsevol cas, ho toleren. No saps que hi ha un prostíbul on totes les putes treballen de dia de carnisseres? És el nostre destí, noia. No et lamentis. Aprofita-ho tu que encara pots. Tanca els ulls, prem el cul… i després et rentes bé i te n'oblides.

Totes dues es van mirar. Els aplaudiments s'havien acabat: la gent xerrava a peu dret i posava el punt final al banquet. En Truchero reia i magrejava sense cap vergonya la jove rossa, tal com li havia fet a ella en nombroses ocasions. Va sentir fàstic de si mateixa en veure's reflectida en aquella noia.

—No te'ls miris amb aquesta cara —li aconsellà l'Engràcia—. No val la pena. Ja has aconseguit el que volies: una feina i un jornal. Sense rancúnies —va repetir—, entesos? Ens hem d'ajudar entre totes.

L'Emma va assentir, pensativa, i va estrènyer la mà que li oferia la companya.

L'Emma es va lliurar a la feina més que cap dels seus companys. No va tornar a parlar amb en Truchero, tot i que la Fraternitat propera a la Universitat es va traslladar a la Casa del Poble, i de tant en tant es trobaven. La Josefina es va convertir en una veritable àvia per a la Júlia, de qui tenia cura i a qui portava amunt i avall.

—No cusi tant —li demanà l'Emma—. Amb el que jo guanyo ens arriba per viure a totes tres. Gaudeixi de la nena; ella l'adora.

D'altra banda, quan podia s'afegia a la lluita obrera i anticlerical. Barcelona continuava vivint una crisi que destrossava les famílies i estenia les malalties i la mort entre els necessitats. La falta de feina continuava a l'alça en tots els oficis. Aquell mateix mes d'abril en què Lerroux es vanagloriava d'inaugurar la Casa del Poble, un terratrèmol sacsejava la ciutat californiana de San Francisco i n'esfondrava gran part dels edificis. Quan es va saber la notícia, els efectes devastadors del terratrèmol i els incendis posteriors, es va formar una cua interminable de paletes i fusters a la porta del consolat dels Estats Units per emigrar-hi a la recerca de feina.

L'1 de maig, els anarquistes van proposar una vaga general per reivindicar les vuit hores de jornada laboral que la gran majoria dels sectors havien aconseguit. «Cada dos obrers que aturin l'activitat un cop complertes les vuit hores, en comptes de les dotze que treballen, crearan un lloc de treball per a un company desocupat», defensaven els llibertaris, que tenien preparats actes terroristes per a aquell dia. Ni l'argument va fer forat en uns obrers envoltats d'esquirols que ambicionaven els seus llocs de feina, ni els treballadors es van afegir a l'aturada ni es va produir cap atemptat. La vaga va resultar un fracàs i els anarquistes es van veure abocats a un ostracisme polític pitjor que el que havien viscut després de la vaga general del 1902.

Sempre quedava la lluita contra l'Església. I els joves bàrbars. I els mítings polítics en què s'enfrontaven els uns amb els altres. Però l'Emma percebia que la seva situació personal no era la mateixa que feia dues setmanes encara no, quan els bàrbars l'aclamaven i la respectaven gairebé amb veneració. Ara, n'hi havia que se li insinuaven descaradament, se li acostaven i s'hi refregaven. En alguna escaramussa va arribar a notar com li tocaven el cul, o com l'agafaven d'on fos a la mínima que podien. A les cuines de la Casa del Poble no era diferent. Se sentia assetjada. Així que es girava enxampava algun mosso, cambrer o cuiner amb els ulls injectats de desig clavats als pits, als malucs o a les natges. Es tapava tant com podia, però no aconseguia ocultar el seu cos voluptuós.

—Hauràs de triar —la va sorprendre una nit l'Engràcia.

Les dues dones vivien a prop i feien el camí a casa plegades.

—Què vols dir?

—Que mentre no tinguis un home, t'assetjaran. I segur que hi haurà algú que anirà més enllà. I a partir d'això…

L'Emma va recordar aquell mateix consell, potser no tan alarmista, en boca de la Dora, la seva companya de llit abans d'anar-se'n a viure amb l'Antoni. Es devia haver acabat casant amb el barreter? «Mala peça al teler tenia la Dora amb els pèls de conill», va pensar amb un somriure.

—De què rius? —li va preguntar l'Engràcia—. Jo de tu no riuria. No saps què expliquen de tu?

—A què et refereixes?

—Que entre el que explicava en Truchero, omplint-se la boca parlant de tu, entre el que s'han imaginat els altres i el que hi han anat afegint tots plegats a mesura que la bola es feia més i més grossa, ets com una deessa de l'amor, llibertina, accessible, fàcil, oberta a qualsevol experiència per immunda que sigui. No saps quants homes diuen que han estat amb tu.

—Estúpids! —els insultà l'Emma, burlant-se'n, tot i que no podia evitar sentir un ram de còlera que li regirà l'estómac.

—Sí, però a tota aquesta colla d'estúpids els agrada presumir de les seves conquestes, reals o fictícies. Tu, mentre vas estar amb en Truchero, vas ser intocable, però ell encara no havia fet el primer

487

petó a aquesta rossa esquelètica amb qui es passeja ara, que ja corria el rumor que t'havien muntat dos paios.

La bilis, amarga, corrosiva, s'instal·là a la boca de l'Emma. Va intentar que l'Engràcia no s'adonés del malestar que li havien provocat aquelles paraules. Era conscient que entregant-se a en Truchero havia donat peu a tots aquells comentaris. Ho havia pensat mil vegades en la foscor de la nit, però sempre arribava a la mateixa conclusió: havia de tirar endavant, mantenir la seva filla, i si per aconseguir-ho havia d'utilitzar el seu cos, ho faria. Amb tot, no podia evitar el dolor i la humiliació d'estar en boca de tothom, com una meuca qualsevol.

—I tu, com t'ho fas? —li preguntà a l'Engràcia.

La dona, ja superats els trenta anys, encara feia gala de certs encants, potser una mica passats —els parts, la feina dura, el marit—, però atractius per a tota aquella trepa que, a casa seva, tan sols esperaven trobar el llast del cansament, les poques ganes de viure, la desídia i la indiferència.

—En Manel... —va contestar deixant caure el nom.

—Sí.

L'Emma va alçar el cap.

—Un dels primers cuiners.

—Ho sé.

—És casat, millor per a mi, però una mamada aquí, un clau de tant en tant, una cosa ràpida, un pim pam, sense necessitat de treure'm la faldilla, i feina feta. Ja no se m'acosta ningú.

L'Emma va recordar el venedor de pollastres i aquell matalasser de qui finalment va aconseguir fugir. I l'administrador de la casa del passadís, on vivien la Pura i l'Emília. Realment, la convivència amb el paleta li havia proporcionat tranquil·litat i, ho havia de reconèixer, també la relació amb en Truchero. Quina merda era tot plegat en aquell món d'homes!

—Lluito al costat dels joves bàrbars —va deixar anar de cop i volta—. Em barallo pel partit. Rebento manifestacions i mítings; ho faig amb violència, arriscant la meva integritat. He aconseguit una bona feina. No pot ser que per mantenir-la m'hagi d'entregar a un altre fill de puta. Necessito aquesta feina, Engràcia. La meva filla..., la Josefina, la seva àvia… Aquest treball és el que ens assegura el pa —es va lamentar poc abans que se separessin els seus camins, una cap al carrer de Bertrellans, l'altra en direcció al mar, al carrer dels Escudellers, on vivia—. Els homes són tots plegats uns malparits.

L'Engràcia es va aturar. L'Emma també.

—No. No tots són així. N'hi ha que són bons, però és un grup reduït. Avui dia, com t'he dit, tu ets un trofeu: guapa, atractiva, jove, sola… i, segons expliquen, una gran amant. Molts d'aquests mossos que et miren no s'atrevirien a posar-te la mà al damunt, però això no vol dir que no ho desitgin. Ara bé, hi ha molts altres homes que són arrogants, canalles, que han de demostrar constantment la seva masculinitat i el poder. Homes! Sembla que l'univers només es bellugui al compàs de tota aquesta tropa de cabrons, com si hi insuflessin potència amb els seus panteixos i ejaculacions. Si et pares a pensar-hi, en aquesta ciutat les nenes es comencen a prostituir als deu anys. N'hi ha a carretades. Ho demostra la gran quantitat que acaben a cases d'acollida, però és que, a més, totes ho sabem, no és cap secret. Quina mena d'animal pot follar amb criatures que tot just els creixen els pits?

—Homes —va xiuxiuejar l'Emma en la nit.

—Saps quants judicis s'han fet a Barcelona per violació de dones l'any passat? M'ho va explicar un funcionari dels jutjats del partit. Tu quants diries?

—Doncs no ho sé. Hi ha violacions cada dia.

—Un! Un únic judici per violació d'una dona. En una ciutat com Barcelona, on les nenes es prostitueixen amb deu anys. Un únic judici per violació! Aquest és el nostre destí, Emma, el que han ideat per a nosaltres tots aquests homes que ens dirigeixen i que ni tan sols no ens permeten votar. Un únic judici! Pensa-hi bé.

Els mals presagis de l'Engràcia no van trigar a complir-se. L'altre cuiner de primera, de nom Expedito, un home obès, sempre suat, repulsiu, va aprofitar el seu rang per apropar-se a ella en un moment en què es trobaven sols en un dels patis que donaven a la cuina. La va atacar per darrere, encastant-li la panxa a l'esquena i abraçant-la fins a tocar-li els pits amb les mans. L'Emma es va regirar. «Quieta —li ordenava l'altre mentre forcejava amb ella per tenir-la ben agafada—. Quieta… fera.»

—Deixa'm anar, fill de puta!

L'Emma no aconseguia alliberar-se del braç d'aquell home corpulent. Només podia cridar, demanar ajut.

—Algú t'ha de domesticar, lleona —li escopia a l'orella en aquell moment l'Expedito. Mentrestant, amb la mà li premia encara més el pit, i amb l'altra li recorria el ventre—. Vull que em facis el mateix que li feies a en Truchero quan eres la seva puta; vull que facis tot el que diuen que fas tan bé.

El crit d'auxili es va encallar a la gola de l'Emma. Ho va tenir clar: allà només era una puta, l'amant d'en Truchero i la bagassa imaginària d'un grapat de fanfarrons.

Era el mateix que pensaven aquells bàrbars que abans la reverenciaven. Qui l'ajudaria? El cuiner ja li clavava els dits a l'entrecuix, panteixant, del tot equivocat perquè concebia les cabòries de l'Emma com si se li hagués entregat.

—Així m'agrada. Aquesta ha de ser l'actitud d'una puta —va xiuxiuejar intentant apujar-li les faldilles, confiat.

L'Emma va notar la seva presència al darrere, però no el penis perquè la panxa n'impedia el contacte amb les natges. El que sí li arribava era l'alè sufocat de l'home just al clatell. No s'ho va pensar dues vegades. Va abaixar el cap per agafar impuls i el va aixecar amb totes les forces que li va proporcionar la ràbia que esclatava dins seu.

Un cop sec, violent. Un esclafit: el nas de l'Expedito que s'havia rebentat. L'Emma es va alliberar de l'home, que tossia i sagnava com un porc. Va escopir a terra i, tremolant, insensible al seu propi dolor a la part posterior del cap, va buscar refugi al rebost de la carn.

D'ençà d'aquell dia, les mirades lascives es van transformar en gèlides i fugisseres. Ningú no la va tornar a molestar i, no obstant això, l'Emma vivia en una tensió permanent, angoixada, en un ambient d'espera; conscients tots que alguna cosa havia de passar. Es bellugava amb recel, sempre alerta. Caminava pels carrers apressadament, girant-se per comprovar que no la seguia ningú encara que els carrers fossin transitats. No aconseguia aclucar l'ull. Va parlar amb l'Engràcia.

—Tu has pres la teva decisió —li contestà la cuinera.

—No ens havíem d'ajudar entre totes? —inquirí l'Emma, sorpresa per la fredor de la resposta.

—I ho vaig fer. Et vaig advertir del que passaria. Tu has començat la guerra. No m'hi emboliquis, tinc un marit mig sonat i fills que haig d'alimentar.

L'Emma l'hi va explicar tot a la Josefina.

—Ens en sortirem, filla —l'animà la dona després d'aconsellar-li que no cedís—. Que tu i jo n'hem vist de tots colors.

La Josefina no li va retreure la relació que tenia amb en Truchero. «Els homes són com les bèsties», va sentenciar abans de començar a recordar experiències, pròpies algunes, tan desconegudes com sorprenents per a l'Emma, quan no alienes. «Però de què viurem?», va pensar l'Emma davant d'aquell discurs. De les quatre peces de roba blanca que la Josefina cosia a mà? Del jornal d'en Dalmau, si acceptaven que els donés alguna cosa? «A més, encara que canviés de feina, em respectarien?» Li va costar fer un somriure a la Josefina quan la dona va haver acabat de parlar.

—Ho arreglaré —li va prometre l'Emma—. M'he entregat al partit. No m'ho poden fer, això!

La primera vegada van ser uns macarrons a la italiana. Als obrers els agradaven molt i era un plat consistent i que alimentava. L'Emma s'hi va aplicar. Va bullir la pasta i la va reservar, en aigua freda. Després va fer la salsa: ceba i petits daus de pernil salat sofregits amb llard i una fulla de llorer. Quan va veure que la ceba començava a rossejar-se, hi va afegir els alls i tomàquet ben triturat, i al cap d'uns quants minuts hi afegí un bon raig de brou. Després d'uns minuts més de cocció, va abocar la salsa als macarrons. Un cop preparats, va servir les primeres comandes que van arribar de la sala als plats, i les va escalfar al forn cobertes amb una ració generosa de formatge ratllat.

Treballava preparant noves racions de macarrons amb el seu corresponent formatge, quan el cap dels cambrers va entrar a la cuina escridassant-la:

—Això és repugnant! —I va llançar els tres primers plats que s'havien servit sobre el taulell on treballava l'Emma—. Què collons hi has posat, noia?

L'Emma va arronsar les espatlles amb la mirada clavada en els plats i els macarrons escampats per damunt de la seva zona de treball. Els havia tastat i eren exquisits.

—Això no hi ha qui s'ho mengi! —insistí l'altre—. Una mica més i m'emporto una cleca.

—Què passa? —va intervenir en Fèlix, que havia vingut al costat de l'Emma.

—Tasta això —li va dir el cambrer amb expressió de fàstic.

Ho van fer a la vegada l'Emma i el cap de cuina. Tots dos van escopir els macarrons alhora: estaven rancis, com podrits.

—Algú... —L'Emma va pentinar amb la mirada la cuina. Alguns l'hi van aguantar, com l'Expedito, amb el somriure contingut; uns altres la van evitar—. Algú hi ha llançat alguna cosa...

—Qui i per què? —inquirí en Fèlix.

L'Emma no va gosar contestar. «Quan ho deuen haver fet?», pensava. Una simple ampolleta de qualsevol producte corrosiu a l'olla, la bilis dels animals que extreien a l'escorxador, en un moment en què ella estava despistada.

—No acusis sense proves, noia —va sentir que li recriminava en Fèlix—. Això és responsabilitat teva, i de ningú més. El llard devia estar ranci i ni te n'has adonat.

—Estava bé —replicà ella.

El cap de cuines va fer com si l'espantés amb una de les mans.

—Traieu aquest plat del menú! —va cridar a ningú en particular—. I a tu —va afegir dirigint-se a l'Emma i assenyalant amb desgrat l'olla de macarrons—, et descomptaré del jornal aquestes pèrdues. I si torna a passar...

Es va repetir. L'Emma pensava que podria controlar la situació i estar sempre atenta. Les cuines eren com un món amb vida pròpia, incontrolable: moviment constant, ordres, errors, discussions, foc, olors... Van ser un fideus a la cassola. També els van tornar, també la van escridassar, i excuses, mirades, i silencis. I els fideus que tenien gust de rata morta.

—Ja t'ho vaig advertir —esgrimí en Fèlix—. Et vaig dir que si tornava a passar perdries la feina.

L'Emma el va deixar amb la paraula a la boca i va abandonar de seguida la cuina. Al darrere sentia els crits del seu cap als fogons, que l'enviava al carrer. En Truchero no la va rebre. En Romero, el seu secretari, la va tractar amb condescendència, com si fos una criatura. «Tu també te n'has anat al llit amb mi?», li vomità ella davant de la seva actitud. L'expressió de l'apocat administratiu la va convèncer que sí, que ell era un dels que difonien les mentides de les quals li havia parlat l'Engràcia.

—S'ha de ser idiota… —l'increpà l'Emma—. Tu mai no podries ni apropar-te a una dona com jo. No ets prou home. Ja l'hi pots dir al teu superior.

—Què m'ha de dir? —En Truchero va treure el cap per darrere el secretari.

L'Emma el va mirar amb ràbia.

—Que si no m'ajudes tu, recorreré a Lerroux en persona o a qui calgui perquè sàpiguen què passa a les cuines.

—El que passa ara mateix a les cuines… és que tu no saps cuinar. Van ser uns macarrons, oi? —li etzibà en Truchero. L'Emma es va sobresaltar. Estava al corrent de l'incident dels macarrons—. I avui en quin plat l'has espifiada, eh? —El líder republicà va deixar passar uns segons durant els quals l'Emma va entendre que l'havia vençut, de manera que es va preparar per acusar el cop de les paraules següents—: Aquest és el teu problema, Emma, i cap altre. L'hi podràs mamar a en Lerroux i a tots els dirigents d'aquest partit, que si no saps cuinar, no et voldran a la cuina, perquè allà qui mana és en Fèlix. Si t'esforces en altres feinetes… qui ho sap, potser et nomenaran puta oficial del partit. Aleshores tornaràs aquí perquè alegris el dia a en Romero.

—Cabrons! —va bramar ella.

La ràbia amb què va insultar els dos homes va desaparèixer, però, així que es va girar i se'n va allunyar dues passes. Va lluitar per no desfer-se en plors. En Truchero li havia aconseguit aquell lloc de treball i no l'hi havia pres quan l'havia substituït per la rossa, però tampoc no estava disposat a donar-li un cop de mà. Ni l'Expedito ni cap dels que treballava a les cuines i havien arruïnat els seus plats podien aportar-li més que la protecció que li havien advertit la Dora i l'Engràcia. No necessitava la protecció de cap home! Una cosa era entregar-se amb l'objectiu de buscar el millor per a la seva filla, i una altra de molt diferent era convertir-se en la prostituta d'algú que no li donava res, algú que només tenia el recurs de fer-li xantatge i exposar-la a perdre el que tant li havia costat d'aconseguir. Però en Truchero no s'equivocava: ningú, ni en Lerroux ni cap dirigent no la mantindria en aquella feina en contra de l'opinió d'en Fèlix, que l'acabava d'acomiadar. I mentre se n'anava amb aquesta diatriba al cap, va topar amb la paret. Després va abandonar la Casa del Poble i va esperar amagada entre les vies del tren que es fes fosc i que la cuina tanqués. Va seguir el grup de cuiners que havien plegat de treballar fins que es van anar dispersant.

—Saps que no he estat jo —va prorrompre després d'interceptar en Fèlix, que ja caminava sol, al barri vell de Barcelona.

El cap de cuines va arrufar els llavis, va fer que no amb el cap i va obrir les mans en un gest d'impotència.

Es van mirar un instant.

—Em sap greu —va balbucejar ella en repetides ocasions.

L'home va sospirar.

—Jo només vull que les meves cuines funcionin, Emma. La meva família depèn d'això i res ni ningú posarà en perill el benestar de la meva gent. No vull saber res del que passa entre vosaltres, de les picabaralles que tingueu ni dels vostres desitjos. No és problema meu. Ho has entès? —El cuiner la va observar. L'Emma assentia amb el cap, la barbeta trèmula, aguantant les llàgrimes. En Fèlix es va compadir d'ella—. Tens una altra oportunitat —li oferí—. Arregla el que hagis d'arreglar perquè no n'hi haurà més.

El cap de cuina va continuar el seu camí, i els sons de la nit van assaltar l'Emma, que es va encongir sota un cel negre, sense estrelles. Un corrent d'aire, qui sap si simples ràfegues de la brisa marina, es va convertir en la gèlida ventada amb què la ciutat hostil li clavava una bufetada a la cara. Aleshores va esclatar a plorar, i les tremolors que la desemparança i la soledat li van causar se li van arrapar al cor i van foragitar un son que aquella nit no va arribar a trobar.

16

—M'encanta!

La Josefina s'hi va acostar per examinar-lo de prop. La Júlia, que acabava de fer els tres anys, la va seguir amb murrieria. En Dalmau va somriure davant l'atreviment de la nena, com també ho van fer la senyora Magdalena, la dispesera, i la Gregòria, una jove atractiva que encara no tenia els vint anys, companya d'en Dalmau al taller de mosaics de Maragliano. Es tractava d'una noia tranquil·la i serena; una treballadora minuciosa, de dits llargs i àgils que li permetien dominar les tessel·les petites amb una eficàcia que cap dels seus companys era capaç d'igualar. Aquests mateixos dits eren els que en Dalmau acariciava amb delicadesa per damunt de la taula d'una cafeteria, mentre passejaven agafats de la mà pel parc, o gaudien d'algunes de les moltes diversions que oferia la ciutat.

En Dalmau havia convidat la seva mare i la Gregòria a la seva habitació per mostrar-los el quadre que exhibiria a la V Exposició Internacional de Belles Arts i Indústries Artístiques de Barcelona. La Josefina va imaginar que la jove devia ser capaç de dibuixar en la memòria cadascun dels traços d'aquella obra a mesura que el seu fill l'havia anat pintant, i que l'expectació mostrada només era una cortesia cap a ella, però va guardar silenci. La Gregòria era catòlica —devota segons li va arribar a confessar en Dalmau—, casta, silenciosa i prudent, cosa que a la Josefina li produïa urticària perquè es tractava de l'estereotip de dona tan denigrat per la doctrina anarquista. No obstant això, el seu fill havia renascut i les sensacions que transmetia aquell quadre ho acreditaven, de manera que ella també callava, i admetia la ignorada influència que aquella dona, malgrat les seves creences, podia haver exercit sobre en Dalmau.

Amb aquells pensaments, la Josefina es va deixar acaronar pel devessall de llum primaverenca que entrava a l'habitació de la dispesa, la qual cosa ja era per si mateix un espectacle per als qui, com ella i la petita Júlia, vivien enclotats en edificis vetustos i carrerons estrets, aliens a aquell sol mediterrani que s'abocava gairebé de manera impúdica a la resta de la ciutat. En Dalmau havia enretirat amb solemnitat el llençol que cobria l'oli en el moment que les tres dones i la nena es van alinear, també amb certa cerimònia, davant del quadre. El sol va colpejar les ombres acolorides que es bellugaven en una miríada de grisos de diverses tonalitats, segons la tècnica dels grans impressionistes francesos i assumida pel seu pintor predilecte, Ramon Casas, que consistia a no fer servir el pigment negre per enfosquir els colors.

En Dalmau la coneixia i l'havia estudiat, però el cop de mà de Maragliano durant l'any que havia trigat a pintar el quadre d'ençà que va decidir tornar-s'hi a posar, va ser decisiu. El genovès es va comportar com un veritable mestre, de vegades més il·lusionat en l'obra que el mateix autor. Obtenir un gris de la barreja del negre era una senzilla qüestió de mesura; pretendre-ho amb vermells, verds i blaus es convertia en un exercici de creació, d'entendre la llum, de buscar la mirada profunda molt més enllà de les tècniques convencionals.

I en Dalmau havia recuperat la màgia, i ho havia aconseguit de manera gradual, sense traumatismes, a mesura que el seu esperit s'acomodava a la vida, a l'alegria dels companys, al somriure de la Gregòria, al mestre Maragliano i al Palau de la Música, als ànims de la Josefina, que diumenge rere diumenge l'incitava a tornar a pintar, i fins i tot a la petita Júlia, a qui la seva mare ja portava a dinar, com si fos la seva neta, com si es tractés d'una òrfena apadrinada. «Fes-me un dibuix», li va demanar la nena en un d'aquests dinars. En Dalmau va desviar la vista cap a la seva mare, que va arronsar les espatlles com si allò no anés amb ella, tot i que al mateix temps s'afanyava a demanar a un cambrer que li portés paper i llapis. En Dalmau va trigar a complaure la nena i a entregar-li el dibuix un cop acabat. El va examinar, i la cara de la Júlia el va fer caure de ple en tot de records caòtics on apareixien l'Emma i la joventut compartida amb ella. La nena no s'assemblava gaire a la seva mare, les faccions dures del pare paleta destacaven per damunt de qualsevol herència materna, i això era el que havia plasmat en Dalmau al paper: una còpia fidel a la realitat. Però el dibuix vivia, transmetia perspectives més enllà dels seus simples traços. En Dalmau va tancar els ulls i va agrair la seva fortuna: la seva mà tornava a ser capaç de captivar.

Va despertar d'aquest estat de somni en notar que el paper li volava de les mans: la seva mare. La Josefina ho havia pressentit. Va examinar la cara de la Júlia i després de fer que sí, el va entregar a la nena.

—Té, Júlia. Que bonica que has quedat!

Després, mentre la nena proclamava la seva il·lusió amb una llarga exclamació, va mirar el seu fill: no parlaven de l'Emma.

En Dalmau alguna vegada li havia preguntat per ella. «Ja no m'afecta sentir parlar d'ella», assegurava. La seva mare, però, no li contestava. No en parlaven.

El quadre que presentaria a l'Exposició Internacional de Belles Arts i Indústries Artístiques, i que ara tots contemplaven en silenci, extasiats, en aquella habitació assolellada, reflectia la vida al taller de Maragliano: diverses persones, de tots dos sexes, treballaven sobre una taula allargada en un gran mosaic inacabat que representava cinc fades que joguinejaven a la vora del riu, en una platgeta. Dues d'aquelles figures etèries, volàtils, apareixien ja acabades, com el riu o el terreny. En Dalmau havia triat l'hora que el sol es ponia a Barcelona, creant un contrast entre les tonalitats dels mosaïcistes i el seu entorn de treball amb la llum que desprenia la sorra de la platgeta i la pell clara de les fades. Tampoc no havia estat la seva intenció presentar-se a un certamen d'aquella categoria, on concorrerien grans mestres catalans modernistes com Casas, Rusiñol o Utrillo, espanyols del prestigi de Zuloaga, De Beruete o De Regoyos, i d'altres d'un bon nombre de països europeus: Portugal, Anglaterra, Itàlia, Alemanya, França, aquest últim amb una significativa representació de l'impressionisme francès, una mostra de la pintura que tant havia influït en el modernisme i que no s'havia exhibit mai a la ciutat. Per primera vegada en la història, els barcelonins es podrien aturar davant una mostra conjunta d'obres d'Édouard Manet,

Claude Monet, Camille Pissarro, Auguste Renoir o Alfred Sisley, entre d'altres.

Nou-cents autors amb un total de més de dues mil obres, entre les quals, contra qualsevol esperança que pogués tenir en Dalmau —perquè en l'organització de la fira hi tenien una participació activa molts Llucs, com el senyor Manel Bello—, s'hi havia colat *El taller de mosaics*, títol que en Dalmau havia donat al seu quadre. Si ho havia aconseguit havia estat gràcies a la insistència del mestre Maragliano, que, a través del secretari general de la Junta d'Admissió i ànima d'aquella exposició com de moltes altres anteriors, Carles Pirozzini, amic nascut a Barcelona però fill d'un italià, va obtenir l'acceptació del quadre del seu empleat amb un valor d'adquisició de quatre-centes pessetes.

La Josefina va sortir de l'habitació d'en Dalmau en el moment que la Júlia va començar a córrer ara cap aquí ara cap allà.

—Vol un cafè? —li oferí la senyora Magdalena mentre l'acompanyava a la cuina.

En Dalmau i la Gregòria es van quedar davant del quadre. Ell la va agafar de la cintura i la va estirar cap a ell. La noia es va deixar besar a la boca i es va girar però sense obrir-la, uns petons que tot i ser casts no deixaven de ser pecat; allò era el màxim a què la parella havia arribat en unes relacions mediatitzades pel mossèn amb qui es confessava la Gregòria a l'església de Sant Miquel del Port, la que corresponia al barri de la Barceloneta, en terra guanyada al mar, al costat del port. I era allà, al carrer de Ginebra, on vivia la Gregòria amb la família: el seu pare, un funcionari de Correus; la seva mare, que treballava en una petita fàbrica de xocolata embolicant les rajoles a mà; tres germans, dues noies i un noi, tots més petits que ella, i una àvia, la mare de la seva mare, que s'entestava a assumir les tasques domèstiques creant més problemes que proporcionant ajuda efectiva.

En Dalmau era conscient que la religió suposava un problema en un idil·li que no s'acabava de fiançar precisament per aquest motiu. Al començament, ella havia intentat atreure'l cap a l'Església; a la tercera discussió va deixar d'intentar-ho i com a molt el que feia era mostrar les seves creences en actituds com aquella. A en Dalmau li recordava l'Úrsula dels primers dies, la que mantenia els llavis serrats, però amb una gran diferència: en aquella època en Dalmau pretenia vèncer la resistència de la noia; ara, si bé les relacions eren insatisfactòries en el pla sexual, se sentia feliç acompanyat d'aquella noia serena de dits llargs i àgils que li havia donat suport amb fermesa i confiança en el seu retrobament amb la pintura.

Estava convençut que si hi insistia, amb afecte, amb delicadesa, venceria les prevencions i el sentiment de pecat que el mossèn de Sant Miquel predicava al púlpit i al confessionari, i la Gregòria se li entregaria; ho intuïa en com sospirava o en la momentània agitació del pit les vegades que l'agafava de la cintura o que el seus cossos, per casualitat o amb intenció, es fregaven més enllà del que calia com els passava als balls, als tramvies plens a rebentar de passatgers, o en alguns espectacles, en el moment que el públic els empresonava a l'entrada o a la sortida. No obstant això, ell no hi insistia: havia de ser ella que fes el pas; no li volia crear cap mal, i encara menys que un dia l'hi pogués retreure, tal com havia passat amb l'Emma.

Mentrestant, l'any transcorregut des que havia entrat a treballar al taller de Maragliano havia significat per a en Dalmau tornar a embeure's de la creativitat i la màgia d'un gran arquitecte com Domènech i Montaner i dels mestres de les arts aplicades, com li havia passat a la Casa Batlló de Gaudí. La Gregòria li insuflava part de la serenor i l'equilibri que a ella li sobraven; el Palau de la Música el sadollava de colors, formes, reflexos, metàfores... Encara no havia sonat cap música tret dels xiulets o la cantarella dels paletes i altres operaris, quan en Dalmau ja ballava al so de mil sensacions que continuaven espurnejant al seu interior un cop acabada la jornada. Domènech i Montaner preveia que s'obrís el Palau en un termini inferior a l'any. Ara bé, les obres de decoració superaven de llarg les que eren estrictament de paleta.

El mestre d'arquitectes havia tornat al maó vist, vermell, tal com va fer a l'Exposició Universal de 1888, recuperant la tradició a través d'un material propi de Catalunya, de la terra; no obstant això, allà on no n'hi havia, fluïa la fantasia en pedra, ceràmica, vidre o ferro. En Dalmau i la seva colla havien recobert la doble columnata del balcó principal de la façana amb mosaics, en una combinació de colors, formes geomètriques i vegetals, diferents a cada fust, com les columnes de l'altra façana, de les dues que donaven al carrer, i les de l'auditori als tres nivells; en canvi no era així amb les columnes de pedra del vestíbul i de les dues grans escales, que presentaven motius florals, sempre diferents i del mateix material, sota uns sostres voltats i unes parets recobertes amb ceràmica.

L'auditori en el qual es treballava sense descans, i que estava previst que tingués un aforament aproximat de dues mil persones, suposava una incògnita per a en Dalmau. L'espai estava dissenyat exclusivament per fer-hi concerts, sense necessitat, per tant, de tramoies, de manera que acabava en una paret corbada per darrere de l'escenari, a la vista del públic, on també treballaven els empleats de Maragliano. El fons d'aquesta paret estava formada per un trencadís de trossos de ceràmica de tons vermellosos, sobre la qual se superposarien els busts de divuit figures de joves intèrprets femenines, una orquestra de muses, cadascuna amb un instrument musical diferent, tret d'una d'elles, que representava la veu humana, el cant, totes creades per l'escultor Eusebi Arnau. Pel que feia a la resta del cos d'aquestes figures, de cintura cap avall —les cames, els vestits i els peus—, Domènech i Montaner havia decidit que ho fossin només en dues dimensions, a través de mosaics dissenyats per l'italià Maragliano. Faldilles de colors i motius hidràulics en representació de diverses èpoques, llocs i països. D'altra banda, els instruments que portaven aquestes muses també tenien un significat de pes. N'havia triat de relacionats amb el folklore més proper, com la gaita gallega, les castanyoles andaluses, el tambor basc, o el flabiol i el tamborí catalans, però també n'hi havia d'altres més llunyans com la pandereta zíngara o la flauta de Pan llatinoamericana. Al costat d'aquests instruments més tradicionals, se n'hi representaven de més antics: l'arpa, la lira o la cítara; o d'altres més moderns que aquests i que es van anar perfeccionant fins que es van introduir a les orquestres com el violí, el triangle o la flauta travessera.

El caos era absolut en aquella construcció que un dia seria una gran sala de concerts: moviment, pols, crits, ordres i soroll, molt, d'infinitat de martells i màquines.

—No m'imagino com quedarà tot això —va comentar en Dalmau al mestre mosaïcista en un descans, tots dos aturats davant la paret de tanca on es treballaven els vestits i les cames de les muses, sota l'espai destinat a l'òrgan, de cara a la platea, com si fossin dos intèrprets dalt de l'escenari.

Els menestrals dels diversos tallers artístics que col·laboraven amb Domènech i Montaner anaven d'una punta a l'altra sense fixar-se els uns en els altres: ebenistes, ceramistes, ferrers, escultors, però sobretot, a l'interior, vidriers.

—Fixa't —contestà l'italià amb la seva veu melodiosa, assenyalant-li els laterals de la sala—: No hi ha parets. Estan obertes a l'exterior. És... com una caixa de vidre. Els operaris cobriran tots aquests forats amb vitralls emplomats. És el primer edifici d'aquestes característiques que es construeix a tot l'Estat, amb obertures tan importants en l'estructura, i especialment a Catalunya, on l'habitual és que l'edifici descansi en les parets, exactament el contrari. La llum entrarà per tots aquests finestrals, fins i tot per aquells d'aquell racó d'allà —va afegir assenyalant el fons superior del segon pis—. A aquesta il·luminació lateral, s'hi sumarà la zenital, la que entrarà des del capdamunt per una claraboia immensa que s'instal·larà al sostre. —Va aixecar el cap enlaire i es va fixar en un forat que esperava la col·locació d'una lluerna—. N'he vist el disseny i reconec que em costa definir-la. Esperem a veure-la un cop estigui instal·lada. Serà una meravella!

Aquest era l'esperit que bullia dins d'en Dalmau: el de la creativitat i la imaginació desbordant, el de la constant sensibilitat en tot el que feia, en tot allò que tocava o mirava, buscant aquell detall que caracteritzava la decoració d'en Domènech i Montaner, intentant evadir-se de l'aclaparadora visió de conjunt de les coses, del mateix món; un monstre incontrolable que se li abalançava a sobre: els carrers, el port, la multitud..., per descobrir el somriure en la boca d'una noia que se li apropava en sentit contrari i que feia ombra a tots els que l'envoltaven, deixant els altres fora de la vista, o la pintura escrostonada d'una barca que feia saltar el seu nom: *La Concòrdia*, va aconseguir llegir en Dalmau, tot i que el patró de l'embarcació n'havia repintat les lletres amb poca perícia. Els detalls, els detalls. En acabat, com passava amb l'obra de Domènech, es podia alçar la mirada i enfrontar-se a un univers anàrquic, caòtic, com corresponia a la unió del somriure d'una noia amb el nom mal pintat d'una barca de pesca. I era allò el que pretenia ser el Palau de la Música: un regne de mil detalls que anhelava trobar l'ordre en l'emoció i la sensibilitat de l'espectador.

I era això, precisament, el que volia plasmar en Dalmau a la seva obra, en la seva vida, fins i tot. Creia haver-ho aconseguit al seu quadre *El taller de mosaics*, en què la conjunció dels detalls acabava mostrant a l'espectador un resultat meravellós, segons deia el mestre Maragliano i algun altre entès a qui mostraven el quadre. A més, que no l'hi havien admès a l'exposició al costat dels grans mestres del món de la pintura? Això va ser el que el va animar quan, acompanyat de la Gregòria, es va veure engolit, empetitit, davant la magnificència del Palau de Belles Arts de Barcelona, un edifici monumental de maó i ferro vist, com era habitual en les construccions efímeres de les fires, aixecat per a l'Exposició Universal de 1888, situat davant del Parc de la Ciutadella, el lloc per on passejaven els diumenges entre els arbres, les fonts i les flors, però també a tocar del dispensari on havia acabat moltes de les seves nits d'alcohol i morfina, amb l'asil a la vora: tres dies de refugi cada dos mesos.

El Palau conformava un edifici rectangular, format per tres espais, amb una torre a cada angle. A la planta baixa, la immensa nau central, que tenia el doble de superfície que les laterals, i amb prop de dos mil metres quadrats, s'enlairava diàfana fins a una gran claraboia a trenta-cinc metres d'altura. Les naus laterals de la planta baixa es dividien en sales d'exposicions que donaven a la gran sala central, mentre que, al pis superior, aquelles mateixes sales acabaven en una balconada perimetral que s'obria sobre la gran sala. El palau s'havia concebut per acollir-hi exposicions temporals i permanents, concerts, tot i que la seva acústica no era la ideal, mostres de tota mena de productes, congressos, mítings, festes i activitats d'oci per als barcelonins.

En Dalmau i la Gregòria es van aturar un instant sota la balconada que sostenien les columnes que donaven accés a la sala central. A mà dreta i a mà esquerra, la secretaria i les oficines; al capdavant, l'espai obert ja carregat d'obres que esperaven que les pengessin al seu lloc d'exposició, gairebé totes embalades: la majoria pintures i escultures, però també mobles, mosaics, llums, plafons, arquilles, vidrieres, altars i xemeneies, portes... Al fons de la sala un òrgan magnífic, obra d'Aquilino Amezua, i les escales nobles que portaven al pis superior.

A en Dalmau li va semblar que el quadre que tenia a les mans deixava de pesar de sobte i es convertia en una càrrega lleugera, com si hagués perdut consistència davant de la magnitud d'obres signades per grans mestres. Li va semblar reconèixer alguns pintors i escultors, fins i tot arquitectes com Puig i Cadafalch, xerrant i passejant pel lloc, ja que la majoria d'ells formaven part de les diverses comissions encarregades de l'organització del certamen. Tots aquells genis es saludaven i reien, despreocupats, mentre l'estómac d'en Dalmau es recargolava i tot ell se sentia intimidat. El seu quadre es va anar empetitint fins que es va convertir en un simple full de paper que exigia que el rebregués, en fes una bola i la llencés a la primera paperera que trobés.

—En què els puc ajudar? —La pregunta va sorgir d'una dona ja gran, de maneres pausades i cabells blancs, que es dirigí a ells i s'alineà al seu costat, davant de la sala central, com si fos la primera vegada que la veia—. Impressiona, oi? —afegí.

En Dalmau i la Gregòria van assentir amb el cap alhora.

—Porten un quadre per a l'exposició? —insistí la dona al cap d'uns segons.

En Dalmau reaccionà.

—Sí, sí.

La senyora Beatriu, que era com es deia, els va atendre amb una cortesia exquisida a les oficines ubicades a l'esquerra del vestíbul.

—Dalmau Sala, oi...? Sí... El tinc a les llistes... Un quadre: *El taller de mosaics*... Exacte... És aquest...? No, no cal que el desembali.

La senyora Beatriu va treure del calaix de la taula un formulari que va començar a omplir amb lletra preciosista. El nom, l'adreça, el títol del quadre... —Quatre-centes pessetes, oi? —va voler confirmar la dona abans d'anotar-hi el preu—. Descrigui'm el quadre en quatre paraules —demanà a en Dalmau—. Amb això n'hi ha prou —l'interrompé amb un somriure en veure que l'artista s'estenia en detalls.

La dona va fer el registre d'entrada de l'obra, que va numerar i emmarcar convenientment, i va donar a en Dalmau el document que acreditava la seva titularitat.

—Sort —el va acomiadar després oferint-li la mà—. No tots ho poden aconseguir, però personalment m'agradaria que un pintor jove i català com vostè guanyés algun dels premis del jurat.

—Tant de bo —va dir en Dalmau amb un somriure.

—He sentit bons comentaris sobre la seva obra en boca d'alguns membres del comitè d'admissions —li confessà amb un xiuxiueig la senyora Beatriu, abans de picar-li l'ullet—. Confiï en vostè.

Amb aquest afalac, en Dalmau va viure amb esperança els dies que quedaven fins a la diada de Sant Jordi, data assenyalada per a la inauguració de la mostra. Maragliano li confirmà les paraules de la senyora Beatriu: la seva obra havia causat bona impressió a diversos membres del jurat. La Gregòria l'animava, reia i fins i tot es va permetre especular amb el que podrien fer si guanyaven una d'aquelles distincions.

—El millor premi és el del rei, de sis mil pessetes. T'imagines Dalmau? Sis mil pessetes! I si a més venguessis el quadre, que segur que el vens, quatre-centes més. Una fortuna!

Aleshores als ulls de la noia, generalment plàcids, brillava una il·lusió desbordant que en Dalmau intentava aplacar: no era possible que ell, al capdavall un principiant, se situés per damunt dels grans mestres.

—Bé —va cedir la Gregòria després de pensar uns segons—, però existeixen prop de trenta premis diferents.

—En tenim prou amb un de mil pessetes, entesos? —va fer broma en Dalmau.

—El guanyaràs. Ja ho veuràs. He resat perquè…

Un gest adust en la cara d'en Dalmau frenà les paraules de la noia.

La seva mare també l'animava els diumenges durant els dinars, un ànim que fins i tot va poder trobar en les paraules de la petita Júlia, que havia ensenyat el seu retrat a l'escola de la Casa del Poble, i tots els nens, tots, tots, tots, volien que en Dalmau els en dibuixés un, i ella els havia dit que… I la Josefina esborrifava els cabells de la nena amb un somriure, apropava la cara per fer-li un petó a la galta, encara que la menuda lluitava per evitar que no la interrompés.

—Hi ha una nena que es diu Maria, i a aquesta sí que l'has de pintar. Però a en Gustau no, eh?

I la Josefina mirava el seu fill, que feia veure que estava atent a la nena, i tots dos reien. No. No parlaven de l'Emma, tot i que en aquell moment a la Josefina sí que li hauria agradat que ell insistís com ho feia abans. Anhelava que aquell nou Dalmau, el mateix que en l'últim aniversari s'havia presentat somrient al pis del carrer de Bertrellans amb una vella màquina de cosir com a regal, reiniciés la relació amb l'Emma i deixés de banda aquella noia catòlica que la treia de polleguera.

Un parell de diaris van citar *El taller de mosaics* amb crítiques que coincidien a celebrar el retorn d'en Dalmau Sala, el dibuixant que va arribar a pintar les ànimes dels trinxeraires, i que després d'una sèrie de desafortunades experiències vitals sorprendria ara el públic de la ciutat amb una obra magnífica que destacava per sobre de les altres i que, segons aquells entesos, comptava amb probabilitats reals de triomfar a la mostra.

Mentrestant, en Dalmau va continuar abocat al Palau de la Música, al trencadís de la paret i als mosaics que formaven els cossos de les muses esculpides d'Eusebi Arnau. Feinejava al costat dels altres menestrals que treballaven sota les ordres de Maragliano, entre els quals hi havia la Gregòria, agenollada a terra i concentrada en la col·locació de les tessel·les d'una de les dames de la música, abstracció que en Dalmau va aprofitar per observar-la des de l'extrem oposat de l'hemicicle, on ell s'ocupava dels vestits de la deessa que tocava la flauta travessera. Amb els cabells castanys recollits en una cua de cavall perquè no li fessin nosa, la noia mostrava el perfil d'una jove atractiva, de trets tan delicats com serens. Era prima, de pits menuts i corbes difuses, si més no a sota dels vestits folgats que acostumava a portar. «En qualsevol cas —va pensar en Dalmau en aquell mateix moment—, no és una dona voluptuosa, abassegadora, atrevida.» La Gregòria era pausada, prudent, minuciosa…

En Dalmau notava que la relació amb ella havia canviat des del moment que ell va presentar el quadre a l'Exposició Internacional de Belles Arts i Indústries Artístiques. El suport que havia rebut per part de la Gregòria mentre pintava el quadre, l'admissió al certamen, l'entrega de l'obra, els comentaris, les possibilitats d'èxit havien reforçat el lligam amb ella, si és que aquelles relacions castes es podien considerar com a tals. El cert era que tots aquells successos també havien fet canviar en Dalmau: tornava a pintar, la màgia li havia tornat als ulls i a les mans, al seu esperit. Les sensacions eren de nou aclaparadores i tot plegat no era fruit dels efectes de l'alcohol ni de la morfina, sinó d'un equilibri en la seva vida en què aquella noia, que continuava abstreta, agenollada als peus d'una musa que tocava el violí, havia tingut un paper imprescindible.

En Dalmau va sentir un remolí de tendresa que li va fer posar la carn de gallina. Li hauria agradat creuar l'escenari, agafar-la, alçar-la enlaire i portar-la a algun lloc amagat per fer-li l'amor, amb afecte, sense espantar-la. Va intentar esvair aquestes fantasies en un moment que la Gregòria, cansada d'estar en la mateixa posició, va tancar els ulls i va llançar el cap i les espatlles enrere per arquejar l'esquena i desencarcarar el cos; la visió dels pits de la noia, ferms al davant, com si desafiés la mateixa deessa a qui intentava donar vida a la paret de l'hemicicle, va desconcertar completament en Dalmau, que va veure com el seu desig esclatava sense control.

Es va girar i es va ajupir a la gatzoneta davant de la seva pròpia musa, la de la flauta. «La Gregòria és catòlica», va lamentar aleshores. Aquest era el gran abisme que s'obria entre ells. Els seus pares també eren catòlics, «massa», segons li havia fet entendre la noia, que no s'havia atrevit a presentar-los en Dalmau. Si tot es desenvolupava d'acord amb les expectatives del ceramista, i tornava a pintar, i triomfava, o si més no era reconegut i podia viure del seu art, i arribava el moment de formar una família, de tenir dona i fills, i casa pròpia, i… volia que fos amb la Gregòria, però com podria superar les íntimes conviccions religioses de la noia? Ell no estava disposat a assumir la religió catòlica, ni tan sols en un gest d'hipocresia, amb engany, sota reserva mental, i li constava que ella tampoc no prescindiria de les seves creences; la religió acompanyava la Gregòria com un halo que flotava al voltant d'ella, que inspirava les seves paraules i sobretot la seva manera d'actuar rutinària: la culpa, el perdó, la misericòrdia dels altres, i aquella generositat divina capaç de convertir els errors i els pecats en anècdotes.

En Dalmau no aconseguia imaginar com es desfaria aquell entrebanc que impedia una relació plena entre ells, però sí que pressentia que l'exposició seria un punt d'inflexió en les seves vides, per això quan el dia de Sant Jordi no es va inaugurar el certamen perquè les obres que venien de Portugal i el Japó s'havien retardat, va sentir una fonda decepció. Amb tot, en Dalmau, com els altres artistes, tenia permís per accedir al palau i controlar el seu quadre, cosa que va fer acompanyat de la Gregòria. *El taller de mosaics* s'exposava a la sala vuitena, a la planta principal, en una de les sales d'exposicions que donaven al gran saló de festes. Ramon Casas i Santiago Rusiñol exposaven a la sala quarta; en Dalmau va poder veure a través de la porta oberta els més de vint quadres dels pintors modernistes que omplien les parets, però no es va atrevir a entrar-hi. Ja ho faria el dia que s'inaugurés l'exposició, a la qual dedicaria hores, dies sencers probablement, a contemplar aquelles obres mestres, com també les dels impressionistes francesos, a la sala onze, cosa que desitjava amb un interès fora mida.

La Gregòria va estrènyer la mà d'en Dalmau quan va entrar a la sala que els corresponia i va descobrir *El taller de mosaics* destacant entre gairebé quaranta quadres penjats a les parets i diverses obres d'escultura al centre, entre les quals una d'esculpida en marbre que es titulava *Retrat*, d'Eusebi Arnau, el mateix escultor de les muses del Palau de la Música en què tots dos treballaven. A diferència de la sala on exposaven Casas i Rusiñol, restringida a ells dos, a la vuitena ho feien trenta-dos pintors i sis escultors, per tant eren uns quants els artistes que rondaven per allà, i van ser uns quants també els que es van dirigir a en Dalmau quan van observar que es plantava davant d'aquell quadre de tons grisos obtinguts sense utilitzar el negre, trencats de cop i volta per la llum que brollava d'un mosaic a mitges.

«Gran obra.» «Et felicito, nano.» «Li hauries d'haver posat un preu més alt.» Els elogis i els comentaris van aclaparar en Dalmau, que no sabia què contestar a uns artistes ja consagrats. «Ja m'ho havia dit el mestre Maragliano.» «Premi segur!»

Quatre dies més tard, el dissabte 27 d'abril, es va inaugurar oficialment la V Exposició de Belles Arts i Indústries Artístiques de Barcelona. En Dalmau va haver de demanar un dia de festa a Maragliano; la Gregòria s'hi va apuntar, tot i que va fer càlculs dels diners que perdria per aquella jornada i va haver de pensar com ho excusaria davant dels seus pares en el moment d'entregar-los els diners que guanyava.

—Tu digue'ls una mentida —va bramar en Dalmau ja de camí al Palau de Belles Arts, com si la veu nasqués del mateix infern i fos el diable qui el temptés.

—Dalmau! —va replicar ella—. A tu t'agradaria que et digués mentides?

—Per què ho hauries de fer?

—Perquè si dic mentides a uns, bé que en puc dir als altres, no?

Ell va fer que no amb el cap.

—No et preocupis per aquests diners. Tinc la sensació que després d'aquesta exposició les coses canviaran per a nosaltres —va dir en Dalmau. Tots dos anaven de bracet. La Gregòria el va mirar i no va dir res—. Arreglarem el que s'hagi d'arreglar —la va voler animar ell—. Ens en sortirem.

Prop de mig miler de persones s'aplegaven davant del Palau de Belles Arts mentre a les escales d'accés s'hi succeïen els discursos de les autoritats. En Dalmau els escoltava sense cap mena d'interès, impacient perquè s'obrissin les portes i fos el públic qui jutgés la seva obra. Necessitava veure la reacció de la gent anònima, no la de la seva mare ni la de la seva xicota ni la dels crítics o els artistes; volia examinar les expressions de persones estranyes, intentar captar les possibles emocions que els provoqués la visió d'*El taller de mosaics*.

Finalment, els parlaments es van acabar i les portes es van obrir als assistents. En Dalmau i la Gregòria es van fer a un costat al capdamunt de les escales; la gent passava per davant seu.

—Que no entrem? —es va estranyar ella.

—La meva mare m'ha dit que vindria. L'entrada costa una pesseta, però jo tinc tres invitacions de cortesia.

Va ser la Josefina qui els va trobar. La dona es va haver d'esforçar tant per pujar les escales com per no desairar la Gregòria; cada dia li coïa més que aquella beata suplantés l'Emma. Va fer un petó al seu fill encara panteixant per l'esforç i oferí la mà a la noia amb cert desgrat. En Dalmau va esperar una estona que la seva mare recuperés l'alè, preocupat perquè s'ofegués tant per un simple tram d'escales. «Quantes vegades es devia haver de parar per arribar fins al pis del carrer de Bertrellans?», es va preguntar quan les dues dones el van seguir i van accedir al Palau de Belles Arts, un edifici que havia cobrat vida amb el públic que es desplaçava per les sales, aturant-se aquí i allà, davant de quadres i escultures, xiuxiuejant, assenyalant, acostant-se i allunyant-se, buscant perspectives abans de caure abstrets davant d'una obra d'art. El sol s'esmunyia per la claraboia i els laterals i inundava de llum el lloc.

En Dalmau va respirar fondo: aquell espai que fins aleshores havia estat pràcticament mort, vibrava ara a través d'unes obres d'art que impactaven l'espectador amb els seus colors i composicions. No, no era la gent; eren les obres les que parlaven, les que en sentir-se contemplades naixien com a éssers vius i independents, dipositàries de les mil emocions que els artistes hi abocaven, i que ara rebentaven per traslladar-les als homes i dones cridats a jutjar-les. La màgia de l'art! S'apropaven a la sala vuitena, a la planta principal del palau, i en Dalmau va tenir la sensació que veia sortir per la porta comentaris, elogis, colors i llum. Potser es referien als seus grisos, els que tant li havia costat aconseguir, o a la llum del mosaic. Quanta gent devia estar contemplant *El taller de mosaics*?

Ningú.

En Dalmau no va superar el llindar de la porta d'accés a la sala d'exposicions. Un forat a la paret s'obria allà on hi havia hagut penjada la seva obra. La gent mirava estranyada aquell buit absurd entre tota la munió de pintures.

—On és? —es va atrevir a preguntar la Gregòria.

—El què? —inquirí la Josefina.

En Dalmau s'endinsà a la sala amb el pas vacil·lant, fins a situar-s'hi al bell mig; des d'allà va giravoltar sobre si mateix per examinar totes les obres que penjaven a les parets.

En aquella sala no hi era.

—El deuen haver reubicat en un lloc millor, més representatiu —va al·legar la Gregòria, convençuda, davant del desconcert que mostrà en Dalmau.

—Segur —va apuntar la Josefina.

En Dalmau es va dirigir cap a un bidell que vigilava des d'una cantonada. Les dues dones van veure que assenyalava el forat de la paret alhora que interrogava el vigilant, que per la cara que feia poca cosa devia saber, un desconeixement que no obstà perquè en Dalmau assenyalés el forat cada vegada amb més insistència.

—Deu ser en un emplaçament excel·lent —insistí la Gregòria—, el quadre s'ho mereixia.

La Josefina es va limitar a assentir, amb la mirada posada en el seu fill que es dirigia a elles.

—Anem a les oficines! —les va instar en passar pel seu costat, sense ni tan sols aturar-se.

La senyora Beatriu els va rebre amb el cap cot, vacil·lant, la seva elegància, educació i cortesia de dies anteriors perdudes en negatives i excuses:

—Jo no en sé res —repetia una vegada i una altra.

—Com que no en sap res? —cridava en Dalmau—. I el meu quadre? On és?

—No pot haver desaparegut —intentava reconduir la discussió la Gregòria.

—Què se n'ha fet del meu quadre? —insistia en Dalmau.

La Josefina els veia discutir. Es mossegava el llavi inferior i tancava els ulls cada vegada que sentia cridar el seu fill i negava amb el cap quan pensava que havien tornat a pecar d'ingenus en un món que no era el seu. S'imaginava el pitjor, però no s'afigurava qui podia ser. Es va mirar: duia el mateix vestit de tela florejada que anys abans havia portat a la primera exposició d'en Dalmau, la dels trinxeraires; no en tenia cap més. La Gregòria també havia tirat de la roba dels diumenges, la de missa, suficient per tant per a ella, qui pot exigir més que Déu? I en Dalmau… portava una americana vella i apedaçada, amb la seva camisa i els seus pantalons i la gorra i les sabates; una indumentària que la seva mare li havia demanat mil vegades que substituís per roba nova, però ell s'hi negava amb l'excusa que era còmoda, com si li tingués afecte.

—Si volen passar per aquí, si us plau?

La invitació els va venir de l'esquena. Un home, alertat pels escarafalls, els feia senyals perquè el seguissin. En Dalmau el va reconèixer: Carles Pirozzini, el secretari general de l'exposició, de rostre afable i un bigoti blanquinós, que, malgrat revelar els prop de seixanta anys que tenia, encara aconseguia elevar-se per damunt de les comissures dels llavis en dues puntes amb les quals acostumava a joguinejar.

Van creuar el vestíbul des de les oficines fins a la secretaria general, just a l'altre costat. En Pirozzini els va convidar a seure darrere d'una taula. Cap dels tres no ho va acceptar i es van quedar a peu dret. El secretari general va decidir imitar-los.

—La seva obra, senyor Sala... —va començar a dir l'home abans de perdre la valentia amb què havia iniciat el discurs—. Aquest... Com es deia? *El taller de mosaics*, oi? —va continuar.

En Dalmau i la Josefina no deien ni piu, la Gregòria, en canvi, va confirmar el títol.

—Bé, sembla que... —Va tornar a dubtar—. Resulta que l'han llençat a les escombraries —va confessar d'una tirada.

En Dalmau es va enrojolar, amb els punys tancats, tremolant de ràbia. La Josefina va haver d'auxiliar la Gregòria, que gairebé es va desmaiar.

—Què vol dir...? —va aconseguir articular en Dalmau encara fent-se creus del que acabava de sentir—. Que l'han llençat a les escombraries?

—Doncs això. No és cap metàfora, ni tan sols una burla; l'han llençat a les escombraries per immoral.

—Immoral? Qui l'ha llençat? —va saltar en Dalmau.

—Seguin, si us plau —insistí en Pirozzini.

Aquesta vegada sí que ho van fer, tot i que més que seure es van desplomar a les cadires que els havia preparat el secretari; en Dalmau entre les dues dones.

—Miri... —va començar a dir en Pirozzini abans que en Dalmau l'interrompés.

—Qui?

—Els Llucs —va contestar el secretari—. Van al·legar que hi havia unes quantes noies despullades al quadre, i que això era obscè i poc adient en una mostra com aquesta. Que consti que jo no hi estic d'acord.

En Dalmau va pensar en les noies del mosaic, algunes inacabades, d'altres nues ballant al costat del riu. Ho havia d'haver vist a venir.

—Qui dels Llucs? —En Dalmau no va donar al secretari l'oportunitat de contestar—. El senyor... —va decidir deixar-lo sense tractament—. En Manel Bello —va acabar afirmant.

—Sí —confirmà en Pirozzini.

—Fill de puta.

—Vigili aquest vocabulari —li cridà l'atenció el secretari, ja assegut darrere la taula, les mans agafades per davant del pit—. Miri, no combrego amb els Llucs ni amb les seves idees excessivament conservadores, però no ha estat vostè l'únic que ha patit la censura per part dels membres del cercle artístic. Sense anar més lluny, també han llençat a les escombraries, per deshonesta, una petita escultura de bronze d'una dona nua... Sap qui n'era l'autor? —En Pirozzini va deixar que passessin els segons, amb en Dalmau i les dues dones consternades davant seu—. Auguste Rodin. —L'home va esperar uns segons per veure la impressió que creava la seva revelació: cap—. Auguste Rodin! —va exclamar a l'últim—. Un geni de l'escultura, innovador en els conceptes, com els impressionistes francesos, un mestre molt per damunt de qualsevol dels membres del Cercle de Sant Lluc. Doncs una de les seves escultures també se n'ha anat al rec.

—I això se suposa que ha de ser un consol? —es regirà en Dalmau.

En Pirozzini va estrènyer els dits entrellaçats fins que es van tornar blancs i va sospirar.

—No, senyor Sala. No és cap consol. Vostè va pintar un gran quadre i això s'ha de reconèixer. Jo mateix em vaig plantejar comprar-lo per a la meva col·lecció particular, i ho hauria fet, però la situació és aquesta. Vostè és un home jove. Podrà repetir...

—Vostè sap que no és per les noies despullades. Això és cosa d'una venjança personal del... Manel Bello.

Li costava anomenar-lo sense el tractament que havia utilitzat tants anys abans amb el mestre.

—Ho desconec.

—Els denunciaré.

—No aconseguirà res. S'embolicarà en plets, i qui sap com acabaran. Vostè va cedir un quadre a l'exposició per un preu de quatre-centes pessetes. Això és el màxim que podria reclamar. La institució no té cap obligació amb vostè, seria com si l'hi hagués comprat, ho entén? Si després l'han llençat a les escombraries o l'han penjat a l'habitació d'un prostíbul, poc li pot importar.

El silenci es va fer a l'estança que servia de secretaria fins que la Josefina el va trencar:

—Ells sempre guanyen, fill.

En Pirozzini va desviar un moment la mirada cap a la Josefina, després la va tornar a centrar en en Dalmau.

—Tinc autorització per oferir-li cent cinquanta pessetes pel seu quadre.

—En valia quatre-centes! —va exclamar en Dalmau.

—Accepta-les, fill —li aconsellà la Josefina—, accepta-les i oblida't de tota aquesta colla de... —va buscar la paraula abans de deixar anar un improperi. Li va costar trobar-la—: pocavergonyes?

La Josefina la va dir clavant la mirada en el secretari, que va assentir, admetent la bondat del vocable. La Gregòria continuava muda, encara pàl·lida.

—Però mare...

—No s'acostumen a pagar els preus de sortida —va afegir el secretari.

—Accepta aquests diners, Dalmau. Aquest no és el nostre món.

Per segona vegada en la seva vida, en Dalmau havia tingut l'esperança que sí que ho fos. El senyor Manel! Li va estranyar que l'acceptessin al certamen; ara en sabia el motiu. El senyor Manel l'esperava. Si no hagués estat per les fades nues del riu, hauria trobat una altra manera d'humiliar-lo. Quantes il·lusions perdudes, al costat del quadre i de l'estàtua de Rodin! Va girar el cap i va mirar la Gregòria. La noia continuava amb el cap cot, la vista clavada a les faldilles. La dringadissa de les monedes va fer que aixequés el cap i mirés el secretari: comptava els diners i els ordenava en petites piles sobre la taula, com si en Dalmau ja hagués acceptat l'acord. Va interrogar en silenci la seva mare, que va tornar a fer que sí amb el cap. «Agafa'ls», li va dir amb els ulls. I si no ho feia? I si s'aixecava, escopia a aquell home i se n'anava? Es va regirar a la cadira, neguitós. En Pirozzini continuava fent piles. Per què no? Per als organitzadors era un almoina. Per a ell, un insult.

—No cal que continuï compt...

La mà de la Josefina sobre l'avantbraç va estroncar-li el discurs. Va arrufar els llavis cap a ell i després li va fer un somriure.

—Els obrers no tenim dret a renunciar als diners —va argüir ella.

El secretari va deixar de comptar. La Gregòria va aixecar la mirada. En Dalmau va escoltar la seva mare, atent, reflexionant sobre les seves paraules.

—Deixa els gestos de dignitat per als rics i els necis. Si no vols aquesta quantitat, en aquesta època de crisi hi ha molts necessitats que cal ajudar. Camarades que ho estan passant malament, que no tenen feina, però que tenen fills i no els poden alimentar.

En Dalmau va entregar els diners a la Josefina a les mateixes escales del palau.

—Guardi'ls —li exigí amb el posat seriós.

No li va donar l'oportunitat de replicar i va acabar de baixar amb presses les escales, disposat a deixar les dues dones allà.

—Dalmau... —el va cridar la Gregòria.

Ell es va girar.

—Són els de la teva corda —va respondre a la seva crida—. Els que han llençat el quadre a les escombraries són els que després van a missa, com tu, i es confessen i combreguen, i es consideren millors persones que els altres. No es pot estar a tot arreu, Gregòria.

La noia plorava quan en Dalmau es va encaminar amb decisió cap al barri vell. La Josefina va dubtar, però el desconsol de la noia la va portar a estirar-la per enretirar-la del mig del pas, així la gent no les havia d'esquivar com havia passat fins aleshores. En acabat, va guardar silenci.

—Creu que ho diu seriosament? —va preguntar entre sanglots la noia al cap d'una estona.

—Sí —es va sincerar la Josefina—. En Dalmau no cedirà en els seus principis.

—I ho haig de fer jo?

La Gregòria no va obtenir resposta.

En Dalmau va entrar en una taverna i va demanar un vi. Després de la seva estada a la barriada de Pequín, havia estat molt de temps sense fer ni un glop, fins que la mateixa estabilitat i la serenor que li havien permès tornar a pintar i a gaudir de la vida el van persuadir que beure amb moderació als àpats o a les sortides amb la Gregòria no el tornaria a fer caure al pou de la drogoaddicció i l'alcoholisme. No necessitava més estímul per poder crear que el que respirava al Palau de la Música. Es va endur a la boca un vi repugnant, segurament artificial, sofisticat, que va engolir amb un únic glop.

—Un altre —va demanar malgrat tot, fent lliscar el got cap al cambrer que era darrere de la barra.

Va sopar en una fonda on no acostumava a anar, amagant-se d'una Gregòria que potser l'estava buscant, tot i que era improbable que els seus pares la deixessin sortir sola quan ja començava a fer-se de nit, i dubtava que ella fos capaç de dir mentides encara que fos per salvar la seva relació. Es va concedir una ració generosa de cargols amb allioli després d'un primer plat de cigrons a la catalana, cuits amb una picada d'avellanes, all, julivert i ous durs. La cassola de caragols li va durar prou temps perquè s'entretingués a rumiar i a furgar l'interior de la closca amb un bastonet llarg fins a extreure'n l'animal i sucar-lo amb l'allioli que li havien servit a part. Se'ls menjava sense cap pressa i la rutina de furgar, estirar, sucar i menjar, una vegada i una altra, amb els dits tacats de la salsa i les diferents herbes aromàtiques amb què torraven els cargols, el va transportar mentalment fins a la Gregòria i en Manel, a la religió i a aquella societat que un cop més li acabava de robar el futur i les il·lusions. Es va endur un cargol a la boca. Tenia vint-i-sis anys i es va sentir vell, com si se li hagués escapat el temps destinat a triomfar, a donar-se a conèixer com a artista i a gaudir dels elogis que alguns havien fet en contemplar la seva última obra, *El taller dels mosaics*. Tot se n'havia anat en orris per uns pits joves i dos pubis innocents esbossats en un racó del quadre. Tant li feia que una escultura de Rodin hagués passat pel mateix tràngol que el seu quadre. Va menjar un altre cargol, el va acompanyar amb un tros de pa sucat amb l'oli i la picada d'all i julivert que pràcticament sobreeixien de la cassola, i va beure un glop de vi.

En Rodin era famós i les seves obres eren valorades mundialment, tret pels extremistes com els Llucs; aquella punyalada no perjudicaria el francès, però en canvi a ell... Ningú no s'havia queixat de la desaparició del quadre, i tots, modernistes o no, els Llucs o els bohemis, formaven part dels diversos jurats de l'exposició. No només es tractava del senyor Manel. L'incident amb l'obra de Rodin fins i tot el devia conèixer l'operari més insignificant, per tant el fet que aquell quadre d'en Dalmau hagués acabat al mateix lloc que l'escultura del mestre francès també devia de ser públic i al senyor Manel segur que li havia faltat temps per malparlar davant de tothom sobre l'obra deshonesta d'en Dalmau. I malgrat tot, ningú no l'hi havia advertit, ningú no havia aixecat la mà en defensa seva. L'únic que potser ho hauria fet, el mestre Maragliano, feia dues setmanes que era al seu taller de Madrid. La realitat era aquella: ell era un simple obrer, abans ceramista, ara mosaïcista, que no tenia cabuda entre els grans.

I a tot plegat calia afegir-hi la Gregòria. En Dalmau va observar el cos recargolat del mol·lusc empalat. La seva relació havia estat semblant: recargolada, encotillada per la religió, destinada a… Va somriure mirant-se el cargol i se'l va ficar a la boca: destinada a ser devorada per la realitat. Déu no existia. Es tractava d'una ficció sostinguda per persones com el senyor Manel, que aprofitava la ignorància del poble per aconseguir els seus objectius: dominar-lo. Va beure un altre glop de vi. En aquest cas no va deixar anar el vas mentre es reafirmava que l'Església només era una màquina immensament rica i poderosa que gastava el mateix joc del senyor Manel, controlant les persones, exigint-los obediència, imposant-los la seva moral arcaica i els seus preceptes, perforant-los les consciències amb el pecat per amenaçar-los amb el foc etern, robant-los la llibertat personal i individual. Era impossible continuar amb la Gregòria: la noia representava totes aquelles atrocitats.

Va beure més vi mentre el punxó per treure els cargols se li trencava a l'altra mà. Quina colla de malparits! Menjacapellans de merda! Rosegaaltars! No, el seu lloc no era allà, al costat dels que anaven per la vida de la mà de déus i verges, però no per això havia de desistir. Es va animar.

Va acabar de menjar els cargols i la salsa, la picada i el pa, que va escurar fins que a la cassola no hi va quedar ni una engruna, i va demanar un flam de postres. Li'n van servir un bon tros aromatitzat amb vainilla. Un cafè. Sense copa. «No», va contestar. No volia licor. Un altre cafè, més fort si podia ser.

El dinar i el cafè li van apaivagar la gana i li aclariren la ment del vi que havia consumit des que havia abandonat el Palau de Belles Arts, prou per tornar a casa seva, seure a la taula de l'habitació que tenia llogada i, il·luminat amb una espelma, començar a traçar els esbossos d'esglésies en flames. Les gàrgoles, éssers monstruosos que espantaven i advertien al devot de la maldat de tot el que passava a l'exterior de les parets que acollien el temple, cobraven vida i trencaven els finestrals per portar el foc i el vici a l'interior dels llocs sagrats.

L'albada va despertar en Dalmau amb el cap caigut sobre tota la pila de papers on plasmava i començava a formar-se la seva nova visió de l'art: una pintura reivindicativa, allunyada del concepte burgès del mer plaer. Pintaria per a les classes obreres. Representaria a les seves obres la realitat de la lluita del poble, començant per atacar l'Església, posant de manifest els seus abusos, els que acabaven d'esberlar-li els seus somnis. Això és el que havia decidit, i això va ser el que unànimement li van manifestar les desenes d'operaris que treballaven a la sala de concerts del Palau de la Música, aquell mateix matí, quan en Dalmau, encara encarcarat perquè havia dormit qui sap si dues hores assegut en una cadira, caigut damunt la taula sobre la qual dibuixava, va accedir al pati de butaques del palau per dirigir-se a la paret de tancament en què els menestrals de Maragliano encara treballaven el trencadís i els mosaics.

Arribava amb retard. Ni tan sols no havia tingut temps d'esmorzar, de manera que tampoc no va tenir l'oportunitat d'escoltar els lectors de diaris de tavernes i fondes que compartien en veu alta amb els altres parroquians els articles dels diaris progressistes. En una de les notícies del dia parlaven de l'escultura de Rodin, que havia acabat a les escombraries al costat d'un quadre d'en Dalmau Sala, el jove pintor català que amb el seu art feia ombra als mestres del Cercle Artístic de Sant Lluc. Tant era així que, amb el pretext d'uns pits i uns pubis indecorosos en les miniatures d'unes fades, els Llucs havien aconseguit el seu objectiu arterós d'excloure la seva obra del domini públic. Les crítiques eren accelerades. Els periodistes, els republicans o llibertaris, s'acarnissaven amb els membres de l'entitat artística i les seves normes retrògrades que prohibien el nu femení i fomentaven el concepte d'una religió intransigent i reaccionària.

Però si en Dalmau no havia arribat a sentir aquells pregoners moderns, sí que ho havien fet molts dels operaris que treballaven la fusta o el ferro, el vidre, o la ceràmica del Palau de la Música, i molts d'ells, propers a l'art, es van sentir insultats i es van solidaritzar amb aquell ceramista que formava part de la seva classe. «No t'ensorris, nano! —l'animà un ebenista, ja gran, que el va aplaudir amb timidesa.» Uns altres que treballaven al pati de butaques es van aixecar o es van girar on era en Dalmau i es van afegir als aplaudiments. «Continua pintant.» «No permetis que guanyin ells.» I en un instant, va retrunyir a la sala de concerts un sonor aplaudiment sorgit de la gran majoria dels artesans i els manobres que es bellugaven per les bastides i treballaven en les petites voltes de ventall, en els arcs de la sala, en les biguetes atapeïdes del sostre, combinades amb voltes de ceràmica, a l'espera de la gran claraboia; dels que s'escarrassaven en els vitralls artístics de les cortines de vidre alçades com a parets; dels que ho feien als llums de ferro forjat, als capitells de les columnes, o als paviments enrajolats o hidràulics; i dels seus mateixos companys mosaïcistes.

—El primer aplaudiment d'aquest auditori! —va sentir que li cridava algú.

—El primer èxit —va assegurar l'altre.

En Dalmau es va aturar abans de pujar a l'escenari on s'havia d'incorporar amb el seu equip i va passejar la mirada per tots aquells artistes dels oficis que feien gran el modernisme, assentint, amb la gola agafada i els ulls humits, i aplaudint al mateix temps. Aquella gent era el seu públic, no el burgès que pagava una pesseta per accedir a una exposició; ells, i els obrers de les fàbriques i els dependents dels comerços. A ells els havia de dedicar la seva obra. Quantes vegades l'hi havien dit! La seva mare, l'Emma, fins i tot la Montserrat abans de morir: l'artista que fa de la seva feina un ofici es fon amb les classes capitalistes. Es tractava de doctrines llibertàries, republicanes, progressistes. L'art pertany al poble i s'ha de difondre i gaudir gratuïtament; l'obra d'art no s'ha de convertir en un bé econòmic del qual gaudeixin en exclusiva els rics; ha de néixer del poble, de la immensa capacitat creativa de la seva gent, no d'artistes professionals. L'Emma li havia demanat tres quadres per a la Casa del Poble i ell els hi havia negat. Si bé era cert que aleshores encara no pintava, quan va estar en disposició de fer-ho va crear una obra per a rics i burgesos a qui va posar un preu de quatre-centes pessetes. En Dalmau no sabia que en Vicenç, el capitost dels joves bàrbars, i fins i tot en Truchero, havien recriminat a l'Emma l'incompliment del pintor, acusacions de les quals ella defugia al·legant que el que no van arribar a pactar va ser un termini d'entrega i que, si algun dia arribaven, no seria mai tard.

En el seu recorregut visual per l'auditori, en Dalmau va topar els seus companys i, entre ells, la Gregòria, que aplaudia amb una energia que amenaçava de fer-li malbé aquelles mans tan delicades. Plorava. Les llàgrimes li lliscaven per les galtes des d'uns ulls envermellits, per damunt d'unes ulleres moradenques, testimonis d'una nit d'insomni. En Dalmau es va aturar un moment en ella i es va preguntar si hi havia una solució per a tots dos.

—Podem continuar igual. Per què hem de canviar? Hem estat feliços fins ara.

Aquesta va ser la resposta que li va donar la Gregòria a l'hora de dinar, asseguts tots dos en una fonda, després que ella s'apropés a en Dalmau i li plantegés amb la veu afectada que havien de parlar. Ell no va evitar la trobada; en Dalmau no havia aconseguit esvair l'estima que tenia a aquella noia, fins i tot l'amor que sentia per ella, i encara li creava unes sensacions incontrolables al seu interior: angoixa quan la veia plorar; esperança per l'alegria i les ganes de viure; desig, molt desig, però com podia continuar com si res si...

—Tot ha canviat, Gregòria.

—No...

—Sí.

La noia el va mirar implorant, els ulls encara irritats; no havia ni tocat el menjar. En Dalmau no podia reprendre una relació que ara entenia que era una hipocresia.

—Odio l'Església! —va exclamar de cop i volta—. Odio els capellans i els beats com el meu antic mestre! I penso lluitar contra ells. Els humiliaré, els atacaré i em burlaré del seu déu, les seves verges i els seus sants sempre que en tingui l'ocasió. Estaries amb mi en aquests condicions? Tindria el teu suport? Renunciaries a les teves creences? Apostataries? Deixaries la teva família per mi?

Les llàgrimes van tornar a lliscar per les galtes de la Gregòria. En Dalmau sabia que no ho faria. No eren només les seves conviccions, profundes i viscerals, sinó que a més crearia un disgust a uns pares a qui reverenciava. La família de la Gregòria era el model d'institució controlat per l'Església. Si bé la feina del pare a Correus i el de la mare empaquetant rajoles de xocolata els excloïa de la categoria de pobres de solemnitat, el nombre de components i les seves mancances, una família que, a més a més d'ells i la Gregòria, tenia tres fills petits que no treballaven i l'àvia, els atorgava la condició de «família necessitada», la qual cosa els donava accés a ajuts i cupons de menjar. La Conferència de Sant Vicenç de Paül, que tenia un local a la parròquia de Sant Miquel del Port, era la institució encarregada de proporcionar aquests ajuts, tant com l'assistència mèdica que procurava a la Casa dels Socors que tenia oberta al passeig de Colom.

Les germanes petites de la Gregòria assistien de franc al col·legi per a nenes que la Conferència tenia al carrer de Sevilla de la Barceloneta, tot i que les altres alumnes havien de pagar. Gestionaven el centre les Filles de la Caritat Franceses. El mateix passava amb el germà, que anava a l'escola de Montserrat, al costat del col·legi de nenes, gestionat també per les monges franceses i finançat per la conferència de Sant Vicenç de Paül.

A part d'en Dalmau i de la seva feina amb Maragliano, tot en l'existència de la Gregòria girava entorn de l'Església, la religió i la família. No, no apostataria. La noia va callar i així es va mantenir, quieta, joguinejant amb una cullera, ploranera, la mirada fixa en algun punt de les estovalles, sense tocar el menjar, fins que en Dalmau va decidir que ja havia acabat, va pagar el compte de tots dos, i es van encaminar al Palau de la Música, en silenci, sense tocar-se.

Aquella tarda, quan va plegar de la feina, en Dalmau se'n va anar cap a la seva habitació sense entretenir-se més de l'estrictament necessari en salutacions i algun comentari sobre el que havia passat amb el seu quadre a l'exposició de Belles Arts. El cap li bullia amb escenes que necessitava esbossar, reflectir-les sobre paper per després desenvolupar-les, perfeccionar-les i ocultar-les a la possible curiositat de la dispesera en una carpeta, per decidir un dia si es mereixien constituir el tema de l'obra que tenia intenció d'executar. I a això es va dedicar mentre s'allargava la llum natural de finals d'aquell mes d'abril del 1907. No havia begut, ni tan sols s'ho havia plantejat. Les ombres li van indicar que tenia gana i, quan ja recollia i guardava els seus esbossos per anar al Restaurant d'Obrers de Santa Madrona, la senyora Magdalena va trucar a la porta i la va obrir sense esperar resposta, com era habitual en ella.

—Dalmau, tens visita —li anuncià amb un somriure d'orella a orella, abans de fer-se a un costat per deixar entrar la Gregòria.

Va sortir de l'habitació i va tancar la porta, convençuda que la integritat i l'honestedat de la jove, degudament contrastada des que flirtejava amb en Dalmau, no la portaria mai a tacar el bon nom de casa seva.

—Què fas…?

La Gregòria no el va deixar acabar i se li va llançar al damunt, i el va besar apassionadament a la boca, obrint-la, buscant la seva llengua, tot amb la matusseria i la ingenuïtat d'un primer petó. Ell la va rebutjar.

—Què pretens, Gregòria?

—T'estimo —li contestà ella—. No permetré que em deixis.

Aleshores va començar a desbotonar-se el vestit.

—No —va intentar frenar-la ell.

La peça, llisa, folgada, com les que sempre portava, primaveral, de tela fina, se li esmunyí fins als peus en un instant. La Gregòria evitava creuar la mirada amb la d'ell.

—No —repetí en Dalmau, aquesta vegada sense convicció, absort en la cotilla que ella ja es descordava amb aquells dits àgils que semblava que ballessin amb vida pròpia. Els pits se li van presentar com sempre els havia imaginat: petits, ben formats, ferms, de mugrons rosats en unes arèoles netes que gairebé es confonien amb la pell. Quan en Dalmau va aconseguir desviar la seva atenció d'aquells pits verges, la Gregòria se li mostrava ja completament nua al centre de l'habitació, terriblement bonica, jove, desitjable.

Ella s'hi va apropar i el va abraçar. En Dalmau va adonar-se que la noia tremolava, tot i que va intentar apaivagar els nervis ocultant el cap a la base del coll d'ell.

—T'estimo —va sentir que li confessava contra la pell, la respiració accelerada.

En Dalmau no sabia què fer amb les mans, les tenia immòbils als costats. No. No era allò el que volia d'ella, tot i que… Tot i que en aquell moment l'hauria arrossegat fins al llit i li hauria fet l'amor amb tota la passió que portava reprimida d'ençà que havien iniciat unes relacions en què el sexe, sense deixar de flotar entre dues persones en l'esplendor de la seva vida, no es va arribar a materialitzar mai.

—Vull viure al teu costat —va sentir que afirmava la jove abans de buscar la seva boca en un nou petó.

En Dalmau es va estremir en notar el fregadís dels pits, de la panxa, de les mans lliscant-li per l'esquena. No ho podia fer! La Gregòria no renunciaria mai als seus principis i, si estava disposada, n'havien de parlar. Allò només era una fugida a la desesperada, exclusivament amb l'objectiu de superar una situació traumàtica, sense pensar en l'endemà, una decisió totalment inconscient i absurda que només els portaria problemes; la coneixia, sabia com era.

—No! —li xiuxiuejà en Dalmau amb urgència.

La Gregòria continuava intentant introduir la llengua a la boca d'ell. En Dalmau la va allunyar. Va haver d'utilitzar més força de la que li hauria agradat.

—No continuïs —li va demanar.

—Per què?

—No vull que sigui així…

—M'estic entregant a tu —l'interrompé la noia obrint els braços en creu, exposant-se. Ara tremolava tota ella, avergonyida. Les llàgrimes se li van barrejar als ulls amb un rampell de còlera—. No és prou per a tu? —el va desafiar.

—No, no, no. Vesteix-te —li ordenà en Dalmau, i es va dirigir a la porta—. Distrauré la senyora Magdalena, que encara entrarà i t'enxamparà així.

Quan va tornar a la seva habitació, amb un cafè que havia demanat a la dispesera i que els va mantenir uns quants minuts ocupats a la cuina, la Gregòria ja se n'havia anat. El seu comiat va quedar manifest damunt de la taula, en forma de dibuixos estripats, rebregats, alguns esbocinats, d'altres ratllats amb fúria. «Desgraciat!», havia escrit en un que mostrava l'esbós d'una església en flames.

17

Si la Josefina esperava l'oportunitat de poder esmentar l'Emma
en alguna conversa amb el seu fill, i intentar rectificar així la
postura que havia mantingut fins llavors, demanant-li que
l'oblidés, no passava el mateix respecte a en Dalmau en els mo-
ments en què totes dues dones coincidien a la cuina, a la nit, quan
la Júlia ja dormia i elles procuraven evitar que les derrotessin el
cansament i l'apatia, que podien convertir la convivència en una
rutina insuportable.

—No seria capaç d'iniciar una relació amb cap home, Josefina,
i encara menys amb el seu fill —va arribar a afirmar l'Emma per
evitar qualsevol suspicàcia per part de la mare quan li explicava les
vivències d'en Dalmau, unes experiències que tampoc no volia
conèixer, però que escoltava fent veure que li parava atenció, veient
la il·lusió amb què ho explicava la Josefina; totes dues necessitaven
aquest optimisme, encara que fos a costa de recordar a l'Emma uns
moments molt llunyans en què es pensava que la vida li somriuria
eternament.

La Josefina sabia a què es referia l'Emma quan s'avergonyia de
si mateixa. No l'havien acomiadat de les cuines de la Casa del Poble
ni havia tornat a tenir problemes amb el menjar, cosa que només
significava que l'Emma s'havia sotmès. Més d'una vegada, la dona
havia intentat convèncer-la que no s'havia de martiritzar: fos el que
fos el que passava en aquelles cuines, ho feia per la seva filla, per tirar
endavant, per sobreviure, com tantes altres dones ho havien fet i ho
farien al llarg d'una història en què l'únic que hi havia de perma-

nent era la violència i l'egoisme dels homes. L'Emma no li responia, encara que sí que ho feia de nit, a les fosques, quan es regirava neguitosa al llit, o quan l'assetjaven els malsons i es posava a cridar. Quina altra solució tenia la noia? Vivia per la seva filla, i per somriure amb ella havia deixat de fer-ho amb l'altra gent. Era una dona fastiguejada, incapaç de fantasiejar amb l'amor. Treballava exclusivament per la Júlia, i per poder acaronar el rostre de la nena i omplir-la de petons, i alhora que li deia mil paraules boniques, havia d'amagar al fons de tot de les entranyes les carícies, els petons i els abusos amb què la humiliaven a ella.

Aquella nit la Josefina li va explicar el que havia passat amb *El taller de mosaics* i les cent cinquanta pessetes que li havia donat en Dalmau perquè les hi guardés.

—Amb aquests diners, el que tenim estalviat i la meva feina cosint —li va proposar després—, potser et podries plantejar de canviar de feina.

—Una altra vegada aquell fill de puta del Manel Bello —va etzibar l'Emma—. Em passarà el mateix a qualsevol lloc on vagi a treballar. A Barcelona només es jutja una violació a l'any! —va repetir com una cantarella, per tornar al tema del mestre—. En Manel Bello! Els catòlics s'han llançat als carrers —va afirmar—. Lluiten activament.

Totes dues ho sabien. Des de finals de l'any anterior, el 1906, els catòlics havien afegit a les pietoses processons i romiatges religiosos amb què volien donar fe de les seves creences, els mítings i les concentracions públiques, com si fossin membres d'un partit polític. Van iniciar les protestes per defensar els seus drets davant d'un projecte de llei del govern liberal que consideraven perjudicial per als seus interessos, però a partir d'aquí, la lluita als carrers es va generalitzar. Que potser ells no eren igual de capaços que els seus enemics?, es preguntaven els mitjans de comunicació catòlics. D'altra banda, l'anticlericalisme creixia: la pobresa i la crisi econòmica; les doctrines liberals i progressistes, i l'exemple de França, que l'any 1906 havia establert definitivament la separació entre l'Estat i l'Església, atiaven la rancúnia entre els qui veien en l'Església l'origen de tots els seus mals.

Dels aldarulls als temples o a les processons es va passar a la lluita. No feia ni tres mesos, al gener, s'havien aplegat milers de fidels en un míting a la plaça de braus de les Arenes. L'Emma els va esperar a la sortida, juntament amb un grup de joves bàrbars i altres activistes republicans seguidors de Lerroux.

La baralla va esclatar tan bon punt acabà l'acte, i es va estendre pels carrers adjacents a la plaça. Una batalla campal en què, a més de la lluita cos a cos, una vegada més es van fer servir pedres, garrots, ganivets i pistoles i tot. La policia, alertada per la possibilitat que hi hagués avalots, tant en un bàndol com a l'altre, atesa la presència de carlistes ultraconservadors i combatius a les files catòliques, va carregar indistintament contra tots plegats. Enmig d'aquell fragor, cavalls al galop, corredisses, batusses, crits i trets, l'Emma es va barallar cos a cos amb altres dones, que van substituir el recolliment que ostentaven a les misses, oficis i rosaris per una impetuositat i un valor enardit en la defensa d'unes creences realment profundes. Havia deixat la pistola a casa a precs de la Josefina. «Lluitaràs —li havia dit ella—, i si mor algú i la policia t'enxampa amb l'arma, la sentència serà molt dura. La Júlia et necessita.»

Més tard, quan l'Emma va sortir a lluitar als carrers, sense la pistola, la Josefina, com tantes altres vegades, va desviar l'atenció vers la Júlia, amoïnada per com acabaria si li passava res a la seva mare; en més d'una ocasió, l'Emma li havia demanat que si mai es produïa aquesta situació, es fes càrrec de la nena. La Josefina li assegurava que ho faria, però es guardava per a si mateixa que es trobava cansada, que veia com la vellesa se li tirava al damunt, i que en aquella visió no hi cabia una nena que ni tan sols hauria arribat a la pubertat, i això l'espantava molt. En canvi, l'Emma afrontava la lluita obrera amb una vitalitat i una fúria que portava la Josefina a veure-hi reflectida la Montserrat dels darrers dies, quan el patiment que va sofrir a la presó va arribar a entelar-li la prudència. Ara era l'Emma la que suportava uns abusos que la Josefina s'ensumava que eren semblants als de la seva filla, un maltractament que la humiliava com a dona; una opressió malaltissa de la qual només es podia alliberar demostrant la força que tenia als carrers, en la defensa tumultuària d'aquells principis que niaven al seu esperit des de molt petita. L'anarquisme i la lluita obrera havien robat a la Josefina un espòs i una filla. Quins altres sacrificis li exigiria la vida? Va inspirar fondo: el cos li pesava. Va respirar de nou; li costava fer-ho en aquell ambient pútrid. Va tossir. Era la seva pròpia lluita, la del seu marit, la dels seus fills. Seria ella, va mirar d'animar-se, la vella anarquista, qui s'ocuparia de la Júlia si a l'Emma li passava res.

I mentre la Josefina pitjava el pedal de la màquina de cosir per treure's els mals presagis del cap, l'Emma clavava cops de puny, empentes, esgarrapades, mossegades i puntades de peu. Va fer mal a unes quantes dones, però també la van ferir a ella: va acabar amb els artells pelats, blaus i esgarrapades, la roba estripada i els cabells tan bruts i enredats que semblava impossible que mai més hi pogués tornar a passar cap pinta. Tanmateix, va poder tornar al carrer de Bertrellans pel seu propi peu, a diferència d'una munió de ferits que van col·lapsar hospitals i dispensaris municipals.

La Josefina la va curar, com havia fet altres vegades que tornava d'alguna càrrega contra religiosos o polítics: àrnica a les contusions i aigua fènica a les ferides obertes. En aquesta ocasió, l'Emma estava exultant: «No es pot imaginar el que ha estat», comentava entre gemecs, mentre l'altra mirava d'estroncar la sang que li sortia d'una cella. «Una autèntica batalla. Duríssima! Una bogeria! No m'afigurava pas que aquelles rosegaaltars poguessin ser tan fortes». Després reia i es tornava a queixar. La petita Júlia, la seva filla, era la seva vida, sens dubte, però quan la Josefina la sentia defensar la seva lluita, orgullosa, i enaltir la causa obrera contra tots aquells que intentaven menystenir els seus drets, sobretot l'Església i els religiosos, s'adonava que l'esperit de l'Emma renaixia. «No volen que els humils prosperem —afegia indignada la jove—, només volen que ens conformem amb la nostra sort, que ens sotmetem a aquesta condició sense qüestionar la injustícia que porta els nostres fills a morir de gana!». La causa del poble era el que inoculava passió a la seva vida. Sí, la Júlia li proporcionava afecte, amor i alegria, però a més a més d'això, l'Emma necessitava entusiasme, frenesí, fins i tot violència, per sentir-se una mica més a prop de la dona que havia deixat abandonada en aquella cuina indecent de la Casa del Poble. Dia a dia, la Josefina copsava com, al compàs de la misèria i la pobresa dels seus iguals, creixia l'odi a l'interior de l'Emma envers els qui volien veure'ls convertits en esclaus, en lloc de permetre'ls ser persones lliures.

Pocs dies després, quan l'Emma va tornar ja fosc, la Josefina li va comentar la notícia que li havia donat el seu fill:

—En Dalmau està pintant un dels quadres que et deu.

L'Emma, quieta al marc de la porta de l'habitació de la Josefina, la va observar. La dona somreia, ufana. Tenia la màquina de cosir al costat de la finestra, al lloc de sempre. No semblava que hagués canviat res, tret de la nena de tres anys, que ara dormia, estirada tan llarga com era, al llit de la Josefina. Cada dia es repetia aquella situació: la Júlia s'adormia allà mentre la Josefina cosia perquè la seva mare, quan tornés de treballar, la portés al llit que compartien totes dues a l'antiga habitació d'en Dalmau, la que no tenia finestres. La nena, endormiscada, amb els ulls mig oberts, somreia un instant en notar l'abraçada i els petons de la mare i es tornava a quedar adormida al seu propi llit, ja que havien venut a un drapaire el bressol on ja no cabia.

Avui l'Emma va esperar un moment a despertar la seva filla. No volia tenir cap mena de relació amb en Dalmau. No li interessaven els seus quadres. En contra del que ella s'imaginava, en Dalmau havia superat l'addicció a la morfina. Treballava al Palau de la Música amb la seva ceràmica, ara concretament en els mosaics; havia tornat a pintar, amb tant d'art que els seus enemics havien fet desaparèixer un quadre seu. Si hagués estat dolent, no l'haurien llençat a les escombraries, es deia l'Emma. L'haurien deixat exposat allà perquè els crítics el denigressin i el públic es burlés de la seva obra mentre el mestre i el seu cercle xalaven escarnint-lo. Havia tingut una relació amb una bona noia, encara que abocada al fracàs, atès que ella era una catòlica convençuda, com afirmava la Josefina i com va sostenir una vegada més en comentar-li que havien trencat, que la noia, Gregòria li semblava que es deia, no estava disposada a prescindir del seu credo per seguir en Dalmau.

I ella, l'Emma, com s'enfrontaria a aquest Dalmau ressorgit de la droga i del llot dels carrers de Barcelona? Era una simple cuinera que conservava la feina gràcies als favors sexuals que proporcionava a un cuiner de primera, obès i sempre amarat de suor. Sí, podia parlar a en Dalmau de la seva filla, la Júlia, sense explicar-li que lliurava el seu cos i aquella honra de la qual només podien fer gala les burgeses riques, per la petita, i fins i tot per la seva mare, la d'en Dalmau, la Josefina, i dir a crits que no se'n penedia, i que quan s'enfonsava en l'abisme de la tristesa i la tenallaven els remordiments i la culpa, es barallava amb aquests sentiments, clamant que era una bona dona, algú que es deixava la vida per la petita. Però tot això no gosava explicar-ho a cap home, ni tan sols a en Dalmau. Les putes, les treballadores que, com ella, es lliuraven als homes esporàdicament o periòdicament, també ho feien per la seva gent, pels fills, pels marits, per la família. Cap d'elles no era rica, cap no trobava en el sexe altra cosa que humiliació i quatre pessetes, potser només alguns cèntims, que ràpidament gastaven en menjar, roba o medicaments, i no per aquesta bona causa deixaven de ser tractades com a vulgars prostitutes. En Dalmau seria capaç d'entendre-ho, si l'hi explicava? Quantes vegades, des que per primera vegada va permetre que li aixequessin la faldilla, tancada en un dels rebosts de la Casa del Poble, amb els ulls tancats i prement punys i dents, havia pensat en aquella criada a qui havien violat a la casa on prestava serveis? No recordava com es deia, però sí el nom del senyor, aquest el tenia gravat al cap: el senyor Marcel·lí. I ella l'havia menyspreada per no denunciar-lo!

Es va sentir bruta. La veu se li va trencar abans de respondre a les paraules de la Josefina:

—No en vull saber res, dels quadres del seu fill.

La Josefina es va estremir, va parar de trastejar amb la màquina de cosir i es va fixar en la manera com l'Emma es refugiava en la seva filla. Una dona capaç d'arriscar la vida per la lluita obrera, una dona capaç de lliurar el seu cos per atendre els altres… no s'atrevia a enfrontar-se a en Dalmau? Aquella postura era incoherent. Amb tot el que havia succeït i el temps que ja feia d'allò, l'Emma hauria de ser insensible als actes o a la presència d'en Dalmau, fins i tot a la seva opinió. La Josefina, sense voler, va somriure, pensant que potser quedava una mica del caliu d'aquell meravellós amor juvenil que els havia unit anys enrere.

—Bona nit —la va acomiadar.

En Dalmau es va aturar bruscament just quan sortia del portal de casa de la senyora Magdalena i posava un peu al carrer.

—Tu?! —va cridar l'home, fent que els vianants giressin el cap en direcció a ells.

La Maravilles l'esperava un xic apartada de la vorera per on circulava la gent que, així i tot, l'evitava. Havien passat dos anys llargs d'ençà de l'última vegada que havia vist la trinxeraire, i la noia encara estava més demacrada. En Dalmau va calcular l'edat que devia tenir: l'havia dibuixat el 1902, aquell any no se li esborraria mai del cap, ja que va ser l'any que va morir la Montserrat. Aleshores la Maravilles no va saber dir-li si tenia vuit o deu anys, cosa que suposava que en aquell moment en devia tenir entre tretze i quinze, i no havia crescut ni un parell de centímetres. Era com una nina vella, bruta i trencada; feia angúnia.

—Com t'atreveixes a venir a buscar-me??! —va tornar a cridar en Dalmau, amb el mateix resultat: la gent va girar el cap per mirar-los a ell i la captaire.

—T'he d'explicar una cosa que he sabut —va respondre la Maravilles.

En Dalmau es va aturar a dues passes de la trinxeraire, alçant les mans endavant imperiosament.

—Explicar? Tu? Què em vols explicar? Em vas trair. Em vas lliurar a la policia! No en vull saber res, de tu.

—Jo no et vaig trair —el va interrompre ella—. No sé de què em parles.

—De la policia! —va exclamar en Dalmau. La Maravilles va brandar el cap—. Del matí que em van detenir a la caserna de la Concepció. —La noia continuava fent que no amb el cap, amb els llavis premuts i les celles, quasi inexistents, alçades en senyal de sorpresa—. Tu i el teu germà!

En Dalmau va donar una ullada al voltant, a veure si veia en Delfí.

—Es va morir —es va limitar a afirmar la Maravilles—. Tuberculosi.

—Ah… Eh… Em sap greu. Però vosaltres dos em vau preparar aquella trampa per cobrar el rescat que havia ofert en Manel Bello.

—No, això no és veritat. Nosaltres no et vam trair. No ho hauríem fet mai, això.

Ell va bufar. Era com quan ella i el seu germà el portaven a veure dones que afirmaven que eren l'Emma. Els faltava un bull, a aquell parell, va concloure fent un altre esbufec.

—Què és el que has sabut? —va transigir al final, amb desconfiança.

Ella va allargar la mà, bruta, embolicada amb retalls negres malgrat la calor que feia aquell mes de juny. En Dalmau es va ficar la seva a la butxaca.

—Les portes de les esglésies són un bon lloc per demanar almoina —va començar a dir mentre l'altre examinava els diners—. Molta gent parla quan surt de missa.

En Dalmau la va acuitar amb la mà.

La Gregòria havia revelat els projectes del quadre que tenia en ment: l'església, el foc, les gàrgoles que cobraven vida, capellans fugint, altres fornicant, el Papa sodomitzat, Déu sotmès pel dimoni… Eren moltes idees, a penes esbossades, a les quals la noia havia tingut accés mentre ell preparava un cafè perquè ella tingués temps de vestir-se abans no l'enxampés la senyora Magdalena. «Desgraciat!», havia escrit ella en un d'aquells dibuixos a tall de comiat. En Dalmau no va donar importància a l'insult, convençut que es devia al seu rebuig, però ara s'adonava que la Gregòria havia examinat els esbossos sobre els quals pensava desenvolupar el quadre. La Maravilles li va explicar que la gent clamava contra ell. «A l'església de la Barceloneta», va contestar a les preguntes d'en Dalmau, que volia assegurar-se que per una raó o altra, aquella noia no l'estigués ensarronant una altra vegada.

—Que quina església? I jo què sé! Totes són iguals. Alguna cosa del port… Sant no sé què del port.

En Dalmau va assentir: Sant Miquel del Port, a la parròquia de la Gregòria.

—Doncs allà hi ha força gent que et vol fer mal abans no pintis aquest quadre —el va avisar la trinxeraire—. Canvia d'habitació —li va aconsellar tot seguit—, perquè saben on vius.

En Dalmau li va pagar. La Maravilles es va escapolir entre la gent i es va fer fonedissa rere un carro petit estirat per un ruc encara més menut. En Dalmau es va quedar mirant com aquella ombra fugissera es movia amb cautela entre els vianants i es va preguntar quant de temps trigaria a tornar a tenir-ne notícies, i si seria per bé o per mal.

Per a decepció de la senyora Magdalena, es va mudar a una altra habitació del tercer i últim pis d'un edifici vell i intricat, situat en una travessia del carrer de Sant Pere Més Alt, a prop del Palau de la Música Catalana. L'advertència de la Maravilles va reforçar una decisió que ja havia pres feia temps: no podia pintar el quadre en aquella casa. No li convenia tenir a prop cap dels xarlatans de les escales de l'església de Sant Miquel; la mateixa senyora Magdalena li estriparia el llenç i el faria fora de casa seva. «Vull viure més a prop d'on treballo», es va excusar amb la dona, sense donar-li cap oportunitat de discutir, i, a l'instant, la va sorprendre fent-li un petó a la galta.

Realment volia viure més a prop del Palau de la Música, proximitat que li permetia anar i tornar a la seva nova habitació en pocs minuts, sense perdre ni un sol instant en altres afers. En això es va convertir la seva vida: treballar en un edifici que dia a dia, a mesura que els diversos arts i oficis prosperaven, anava guanyant en sumptuositat, per després córrer a tancar-se en una habitació miserable, l'únic avantatge de la qual era que s'obria a una terrassa on les dones estenien la roba, i que permetia l'entrada de l'escassa claror que, com passava a la Barcelona antiga, aconseguia davallar fins a aquells carrerons.

El mestre Maragliano es va plànyer pel que havia passat amb *El taller dels mosaics*, però poca cosa més: els Llucs li donaven molta feina, i no convenia enemistar-s'hi. «Hi ha gent que són miserables», es va permetre afegir. N'hi havia tanta que, al final de l'Exposició Internacional de Belles Arts, la ciutat no va adquirir cap dels quadres dels mestres impressionistes francesos. Els membres del jurat no van arribar a oferir per aquelles obres ni una cinquena o sisena part del valor en què estaven taxades, oferta que va ser rebutjada de ple pel marxant que les havia cedit per a l'exposició, que en una carta adreçada al mateix Pirozzini, que també havia reduït el valor de l'obra d'en Dalmau a gairebé una quarta part, es va permetre de qualificar l'oferta de «ridícula i insultant». La mesquinesa de quatre creguts va deixar els museus de Barcelona sense el que hauria estat una mostra de pintura d'un dels moviments més importants de la història de l'art.

I al mateix temps presenciava com s'iniciava el muntatge de la immensa claraboia al sostre de l'auditori i del grup escultòric que, a tall de mascaró de proa d'un vaixell, havia de rematar la cantonada de les dues façanes de l'edifici, en Dalmau treballava en el quadre que volia regalar a l'Emma i a la Casa del Poble. Amb la Gregòria no hi enraonava, cosa que havia causat un cisma entre el personal del taller: la majoria estaven de part de la noia, que havia plorat davant de tothom que s'havia mostrat disposat a escoltar les seves queixes; un parell d'operaris estaven amb en Dalmau, i els altres es mantenien aliens al conflicte.

Els mals presagis de la Maravilles no es van arribar a complir. En Dalmau va ser caut durant els primers dies del trasllat; seria molt fàcil per als catòlics que «li volien fer mal», en paraules de la trinxeraire, esperar que sortís del Palau i seguir-lo fins al nou domicili. Tanmateix, van passar les setmanes, i com que no va copsar res de sospitós, en Dalmau va abaixar la guàrdia. I al Palau de la Música Catalana gaudia veient créixer la màgia dels colors, les formes i els materials, participant-hi, i també gaudia a casa, on dibuixava i dibuixava abans d'atrevir-se a fer la primera pinzellada. Va esbossar alguna de les veïnes que anaven a estendre la roba i a plegar-la. Dones treballadores que entraven a la seva habitació per la porta que donava a la terrassa: un joc, una diversió, un entreteniment, potser l'únic de què gaudirien abans de tornar a casa seva i afrontar la resta d'un dia probablement gris, trist i desventurat. Va fer l'amor amb dues d'elles, la Neus i la Marta, més grans que ell, d'entre trenta i trenta-cinc anys, va calcular, totes dues mares de diversos fills, casades i obreres. Totes dues treballaven a les filatures de cotó, però a fàbriques diferents, ubicades en aquell mateix barri de Sant Pere, de tradició a la indústria tèxtil, encara que en aquells temps els burgesos traslladaven les seves grans instal·lacions fora d'aquell entramat urbà medieval.

En totes les ocasions, van ser relacions gairebé desapassionades per part de totes dues dones, com si per a elles fos molt més important enganyar el marit, la seva família, o la simple infracció de les normes, que no l'escàs plaer sexual que n'obtenien. La mentida semblava que les feia revifar; lluitaven contra si mateixes, més que contra l'entorn. «Només em vull sentir diferent un instant, com si no fos jo, entens?», li va confessar una, un dia que en Dalmau es va preocupar davant d'una excessiva passivitat. «Així, no t'ho passes bé?», li va preguntar ell amb ingenuïtat. «Sí, sí —va procurar tranquil·litzar-lo ella—, només que d'una altra manera, potser. No et fa res, oi?» Ell va estar temptat de dir-li que sí, que li importava, i recriminar-li que una dona era alguna cosa més que una gossa que es queda quieta i submisa mentre el mascle la munta, però quin dret hi tenia? En lloc de dir-l'hi, li va oferir un got de vi negre, que va servir d'una gerra que, d'ençà que les coneixia, tenia a punt per a la Neus i la Marta, encara que també per a alguna altra, més púdica, que només s'esquitllava a casa seva per xerrar una estona i admirar els seus dibuixos. Ell també bevia, sense altra precaució que no fos el no excedir-se. El seu esperit ja no necessitava drogues; se sentia ple, eufòric. En canvi, el seu aspecte físic semblava haver-se forjat amb foc a Pequín, ja que no havia canviat: continuava sent igual de prim, i la barba i els cabells, llargs, li clarejaven; continuava tenint la cara xuclada, malgrat que, per satisfacció de la mare, el color groguenc amb què la droga li havia tenyit la pell havia canviat per un to més sa. En qualsevol cas, en Dalmau es va desprendre del celibat al qual tan estúpidament s'havia lliurat per la seva relació amb la Gregòria, i amb aquelles satisfaccions com a únic entreteniment durant els dies laborals de la setmana, va decidir d'enfrontar-se al llenç blanc que esperava la seva mà.

I va pintar, cada dia, cada minut que no dedicava al Palau de la Música, excepte els diumenges, en què va reprendre el costum d'anar a passejar i a dinar amb la seva mare i la Júlia, després de la temporada amb la Gregòria en què alguns diumenges, molts més del que ho hauria hagut de fer, tal com ara es retreia, hi havia faltat.

Va ser un d'aquells diumenges, ja en el mes d'octubre del 1907, que en Dalmau, ajudat per un parell de nanos, fills de la Marta, es va presentar al pis del carrer de Bertrellans amb un quadre de prop de metre per metre i mig de llargada, embolicat amb un llençol vell. L'Emma no hi era: els diumenges treballava a preu fet a la Casa del Poble. Van deixar el quadre repenjat al capçal del seu llit.

—Cap nota? —es va estranyar la mare quan el va veure sortir de l'habitació.

Ell va inclinar el cap a un costat.

—Que li regalen gaires quadres? —se'n va burlar.

La Josefina fa ver un gest alçant una mà.

—Vostè ja farà prou de nota —va afegir.

Tant els diaris afins a Lerroux com els de la corda de Solidaritat Catalana, els conservadors o els reialistes, es van ocupar d'enardir l'ambient previ al dia de la inauguració completa de la Casa del Poble, amb tots els pisos ja acabats, en què el quadre d'en Dalmau es mostraria en públic en un espai privilegiat del saló que servia de restaurant, teatre i centre de reunions i de mítings. Lerroux necessitava recuperar protagonisme davant dels obrers i la classe política. L'havien expulsat del seu partit, la Unió Republicana, per un atemptat contra Francesc Cambó, candidat catalanista a les eleccions d'abril d'aquell any, executat per activistes a les seves ordres després d'una disputa uns dies abans entre els catalanistes i els republicans radicals en què havia mort un obrer lerrouxista d'un tret de pistola. Tanmateix, l'atemptat contra Cambó, que va resultar ferit de bala al tòrax, va mobilitzar els votants, aconseguint que Solidaritat, una amalgama de partits d'ideals en alguns casos antagònics, que rebien el suport de l'Església, arrasessin a les eleccions de l'abril del 1907.

Lerroux, enfortit a la Casa del Poble i en les múltiples fraternitats que havia anat constituint i promocionant, al capdavant d'un exèrcit de líders joves, extremistes, seguidors incondicionals, va continuar comptant, malgrat tot, amb el suport de la massa obrera, de manera que va proposar la formació d'un nou partit republicà, radical, ateu, socialista i revolucionari.

La societat catalana es va dividir. Solidaritat va trobar en el català, la seva llengua i la seva cultura, la circumstància que els hauria d'unir. Es va enarborar la bandera del catalanisme contra els símbols castellans, com podien ser les corrides de braus o els cafès teatre. Va créixer el menyspreu envers els obrers; l'obrer català havia de basar la seva vida en la feina i l'estalvi, no en la revolució, la reivindicació o la vaga, afirmaven els de Solidaritat, i els enfrontaments arribaven a nivells tan personals com els atacs a les dones. Si els de Solidaritat titllaven de brutes les lerrouxistes, les feministes republicanes deien que les de l'altre sector eren unes ximpletes i ignorants, i els negaven la condició de dones per rebaixar-les a la de simples femelles.

La crisi econòmica atiava odis, recels i enfrontaments. Les vagues gairebé havien desaparegut, i les poques que es convocaven —el 1907, tan sols una vintena—, fracassaven: els obrers eren substituïts per esquirols, que encara resultaven més econòmics que ells. La falta de resposta per part de sindicats i societats d'oficis va atorgar als empresaris un poder absolut que van plasmar en reglaments tirànics, pels quals es regien les condicions laborals a les seves fàbriques. Les jornades de feina continuaven sent inhumanes, alhora que l'atur creixia. Aquell any, el vint per cent dels teixidors, una massa salarial important, no tenien feina, igual que el cinquanta per cent dels sabaters o el vint-i-cinc per cents dels adobers.

Tota aquesta confrontació es dirimia no solament als carrers, sinó també a la premsa. Lerroux, apartat de la Unió Republicana i mancat de poder sobre el diari que ell mateix havia creat, *El Progreso*, per publicar els seus articles sensacionalistes i demagògics, va recórrer als diaris que dirigien aquells líders joves que havien mamat la seva fúria. *La Rebeldía*, *El Descamisado*, el setmanari *La Kábila* i, fins i tot, la revista feminista *El Gladiador*, van ser els òrgans d'expressió d'un republicanisme radical, aliè a aquell catalanisme que defensava l'Església.

Les coses estaven així quan l'Emma va començar a complir la promesa que havia fet en l'alliberament d'en Dalmau, i va portar a la Casa del Poble aquell quadre tan agressiu i irrespectuós amb l'Església; l'hi va dur en el moment àlgid de l'enfrontament entre Lerroux i els seus obrers amb la resta del món. El líder republicà va decidir de mostrar-lo als mitjans per crear controvèrsia prèviament a la inauguració, de manera que, de la nit al dia, en Dalmau es va convertir en el capitost d'una aferrissada lluita política, social i religiosa, creador d'una obra que, al seu torn, va ser elevada a icona de la confrontació. Crítics, periodistes i polítics van discutir a través de la premsa. Una multitud indignada calant foc a una església que ja cremava per un costat. Les gàrgoles que tant atreien en Dalmau, transformades en monstres que empaitaven uns religiosos a la fuga carregats de tresors. Molts van buscar el model entre els temples de Barcelona i no el van trobar. Els diaris extremistes van lloar la imatge. «Assenyala el camí al poble: destruir l'Església.» «Endavant!», acabaven animant els radicals. «Intolerable!», protestaven els conservadors. «Ofensiu!», «Blasfem!». En una cantonada del quadre, un home agafat a una gran creu de plata igual que la que contenia les relíquies de sant Innocenci era sodomitzat per una cabra de banyes immenses i recargolades. El rostre de l'home quedava mig tapat rere la creu, però les patilles espesses que li baixaven per les galtes i s'ajuntaven amb el bigoti evocaven, sense cap mena de dubte, en Manel Bello, el mestre ceramista. «En Dalmau Sala va ser deixeble seu durant anys», va argumentar un articulista. «Qui millor que ell pot conèixer els seus vicis?»

Encara no s'havia procedit a l'acte d'inauguració oficial que ja es van produir incidents a les portes de la Casa del Poble; diversos grups la van apedregar més d'una vegada, i uns quants cops es van barallar amb els obrers que hi havia a dins. En Lerroux va enardir els seus seguidors i va mantenir la tensió entorn del quadre d'en Dalmau. Era la seva tàctica: insults i blasfèmies; promoure baralles; articles controvertits i sempre exagerats; batusses violentes amb els carlistes defensors de la fe i de l'Església; assalts a mítings, a celebracions religioses o, fins i tot, a reunions festives, com els balls de sardanes. Amb totes aquelles actuacions, el republicà consolidava una identitat específica: la lluita contra els rics i els burgesos. I amb aquest fi reunia els descontents i els exclosos de la societat entorn de la violència i l'agressió i creava un moviment obrer imparable sota el seu control i lideratge.

Va ser l'últim diumenge d'octubre del 1907. El gran saló de la Casa del Poble estava atapeït, no només de la gent que hi havia anat expressament a presenciar la inauguració, sinó també de gran part de la gran quantitat de socis que feien ús de les instal·lacions en un dia festiu per als afortunats que gaudien d'aquell dret i havien decidit afegir-se a la celebració. En Dalmau, dret a la primera galeria, on s'ubicava el pianista, just per sobre dels caps de la gent que abarrotaven la sala, va sentir el mateix neguit que havia experimentat el dia de l'obertura de l'Exposició Internacional de Belles Arts. Malgrat totes les crítiques que s'havien escrit ja sobre el seu quadre, necessitava comprovar als rostres d'aquelles persones l'impacte de la seva obra. Res no havia de distreure l'atenció dels presents, encara que probablement la qualitat artística de la seva obra es veuria atropellada per les emocions, els interessos o la lluita obrera.

Va mirar a la dreta i va veure l'Emma. Va arrufar els llavis, com si amb aquest gest es volgués queixar per ser allà esperant en Lerroux i els seus líders, i ella li va contestar amb un somriure forçat. Estava radiant i atractiva. La Josefina havia allargat les nits de feina per fer-li el conjunt que ara duia: una faldilla de tub de color blau marí que li arribava als turmells, deixant els peus a la vista, i una brusa blanca molt escotada que dissimulava el lli tosc amb què estava teixida sota infinitat de precioses puntes de seda de diversos colors que la Josefina hi havia cosit a sobre. Els adorns els havia demanat prestats a l'empleada d'una botiga on, de tant en tant, feia alguna feina. Al principi la dona s'hi havia negat, ja que aquelles blondes valien molts diners, i si no les hi tornava, o si es feien malbé, les hauria de pagar. Tanmateix, va canviar de parer quan la Josefina li va revelar per a què les volia. «El meu home i jo hi volem anar, el dia que presentin en públic aquell quadre!», va dir exultant. Les sabates també les va demanar prestades, a una veïna, però el que més va agradar a totes dues dones va ser la cotilla, que la Josefina havia adaptat no tan sols a l'escot de la camisa, sinó que també l'havia afluixat i buidat per la part que comprimia els pits. «Diuen que a França ja ni en porten», va dir per defensar els arranjaments. «Ara fan servir… sostenidors, una sola peça de tela amb tirants, que es lliga per darrere i subjecta els pits». Totes dues van acabar rient. Abillada així, elegant, amb les corbes marcades sota la roba i els pits alliberats d'una cotilla opressora, gronxant-se amb subtilesa a cada moviment, l'Emma semblava una deessa per sobre de la plebs. Això no obstant, se la veia neguitosa, angoixada, mirava d'una banda a l'altra, girant els ulls mecànicament, amb brusquedat; canviava de postura, s'agafava les mans davant del ventre o les amagava ràpidament a l'esquena, sense parar de bellugar-se.

D'ençà que en Dalmau li havia deixat el quadre repènjat a la capçalera del llit, ella l'havia evitat; totes les gestions amb els republicans i la seva donació a la Casa del Poble li arribaven per mitjà de la mare d'ell. Malgrat tot, pensar que l'Emma treballava en una cosa creada per ell li va fer reviure mil sentiments que havien quedat atrapats en l'oblit. Per què no podien ni tan sols recuperar l'amistat? Quedava molt enrere la mort de la Montserrat i les culpes... si havien arribat a existir, així com les discussions i aquells maleïts nus que no va arribar a saber mai qui li havia robat. Tots dos havien patit experiències traumàtiques: ell, l'addicció a la morfina; ella, la mort del seu marit. Ara vivia amb la seva mare! Els quedava tota una vida per viure; ella devia tenir vint-i-quatre anys, i ell dos més. Un corrent d'intens afecte va recórrer el cos d'en Dalmau de cap a peus. La va tornar a mirar i es va adonar que ella continuava nerviosa.

—Em fa por que ningú no miri el quadre —es va atrevir a dir-li.

L'Emma va tenir un ensurt i va fer mala cara. En Dalmau va dubtar de si continuar, però va decidir que sí:

—Tothom es fixarà en tu, els serà igual el que hagi fet jo. Estàs preciosa.

L'Emma es va quedar sorpresa. Feia molt de temps que ningú no li tirava floretes. Treballava a les cuines, i allà, la seva feminitat havia arribat a desaparèixer en una mena de pacte tàcit, un silenci còmplice entre tots els que s'hi movien: tots estaven al corrent de la seva submissió a l'Expedito, i ningú no la importunava, però tampoc no l'adulaven. A fora de les cuines... potser algun comentari més obscè que no seductor quan passava pels carrers de Barcelona. I justament havia de ser en Dalmau, qui l'afalagués! Va dubtar de si confessar-li que allà mateix, als seus peus, hi havia una cosa semblant a un home que des de feia quasi dos anys s'aprofitava d'ella d'una manera fastigosa i repugnant, perquè, obès, asmàtic i xop de suor, l'obligava a practicar unes perversions amb les quals es creia que s'atansava al plaer que no assolia d'una manera natural. Què hi diria ell? Es va penedir d'haver-se deixat portar per l'entusiasme de la Josefina. Ara hauria de dur posat el davantal de cuinera… No! Ni tan sols hauria d'ocupar el seu lloc.

—Imbècil —va abocar tota la frustració en en Dalmau.

—Guapa! —va replicar ell. L'Emma va fer un so gutural—. Per què estàs tan nerviosa? —va insistir—. Hauries d'estar acostumada a enraonar amb la gent. La Mestra, m'han dit que et deien, oi?

Què més li devien haver dit…? Potser que molts dels que eren allà la consideraven una puta, la meuca d'un dels cuiners, quan no eren ells mateixos els que mentien gallejant en públic d'haver gaudit dels seus favors. I ara l'exposaven vestida d'aquella manera, com una mercaderia, per sobre d'una multitud d'homes, molts dels quals no li treien els ulls de sobre. Els veia xiuxiuejar, assenyalar-la i fer broma entre ells. Alguns li picaven l'ullet en el moment que les seves mirades es trobaven; altres li llançaven petons. Havia sentit dir que en alguns prostíbuls les prostitutes desfilaven davant dels clients fins que aquests les escollien. Es va imaginar els sentiments d'aquelles dones.

—Crec que Lerroux —va continuar en Dalmau— espera que t'adrecis al públic. Hi ha moltes dones.

També l'hi havia comunicat en Romero, el secretari d'en Truchero: «Hauràs de dir alguna cosa. Prepara unes paraules breus».

Amb el neguit gratant-li la gola, la gent va irrompre en aplaudiments: Lerroux i tot el seu seguici avançaven en fila per la galeria, aplaudint i saludant els seus. Van arribar fins on els esperaven l'Emma i en Dalmau, i el líder republicà els va saludar: va estrènyer la mà a en Dalmau i va fer dos petons a l'Emma, molt celebrats. Lerroux va animar en Dalmau a descobrir el seu quadre davant dels obrers que omplien el local de gom a gom. Ell va voler cedir l'honor, i el republicà va estirar un cordó que va fer que la tela que cobria el llenç caigués a terra. Els assistents van callar davant de l'església en flames, un silenci que es va anar trencant en rumors fins que la concurrència va esclatar en aplaudiments i aclamacions. En Dalmau es va oblidar d'examinar les seves cares, tenia posada tota l'atenció fixament en l'Emma, en aquell rostre bell que tant va arribar a estimar un dia, i que havia enyorat molts més. Ella havia vist el quadre, però penjat allà, amb la gent ovacionant-lo, adquiria tota una altra dimensió. L'havien pintat per a ells, per a la causa, i aquella comunió elevava l'obra fins i tot per sobre de l'art, com si s'hagués convertit en un projecte universal. En Dalmau ho va percebre igual que l'Emma, a qui queia una llàgrima per la galta, que es va eixugar de seguida, tan bon punt es va adonar que en Dalmau l'observava. Tant se valia: ell també plorava. En aquell moment, en Lerroux es va interposar entre ells dos, els va agafar de la mà i els va obligar a alçar els braços amb ell. Els víctors es van refermar mentre ell sacsejava els braços enlaire, llavors els va deixar anar i va demanar silenci a la concurrència. Va parlar de l'Emma. La Mestra. «La recordeu?» Una cridòria va trencar el silenci. Doncs havia estat gràcies a ella, els va dir, que la Casa del Poble ara tenia aquell quadre meravellós; ella l'hi havia portat, i també s'havia compromès a aportar-n'hi dos més, que formarien un conjunt que havia de recordar obstinadament als republicans, allà mateix, on menjaven i es divertien, on sentien els discursos i discutien de política, quina era la seva última missió: «Destruir l'Església!». Va afalagar en Dalmau fins a fer-se enfadós.

—I no ens cobra les obres; ens les regala —va confessar a l'audiència, que va replicar amb un rumor que es va anar estenent per tot el saló—. És el pintor dels obrers! L'artista del poble! —El públic va tornar a esclatar en aplaudiments—. Els republicans li estarem agraïts eternament. Aquí té la seva família. Tu també, Mestra; accepta'm com aquell pare que va ser executat injustament pels nostres enemics. Jo et protegiré. Te'n dono la paraula davant de tots els camarades. No us faltarà res per part nostra. Estem en deute amb vosaltres. Mireu aquest quadre! —va exigir llavors a la gent, mantenint-se un instant en silenci—. Joves bàrbars! —els va cridar després buscant-los entre la gent que hi havia reunida. Molts van alçar la mà i van fer un udol—. Entreu a sac en la civilització decadent i miserable d'aquest país sense ventura —els va arengar—. Destruïu els seus temples! —va afegir assenyalant amb insistència el quadre d'en Dalmau—. Destruïu els seus sants! —Els aplaudiments i víctors ara s'havien convertit en insults i crits de guerra—. Alceu el vel a les novícies i eleveu-les a la categoria de mares per civilitzar l'espècie!

Ara es van sentir riallades, i fins i tot els ànims dels reunits. «Violeu-les!» «Cardeu-hi!» «Passeu-vos-les per la pedra!» «Desvirgueu-les!»

Lerroux va continuar amb aquella arenga explosiva.

—Assalteu els registres. Cremeu tots els títols de propietat. Destruïu l'organització social dels rics i els burgesos. Recluteu un exèrcit de proletaris perquè el món tremoli. Ara segueix tu —va animar l'Emma, agafant-la d'una mà i atansant-la a la vora de la galeria.

—Escopiu als capellans…! —va començar dient ella.

No va poder continuar. Just aleshores van sonar uns trets a les portes de la Casa del Poble, i unes quantres pedres van trencar els vidres de les finestres. Els carlistes i membres de Solidaritat volien assaltar la Fraternitat Republicana després de sentir les invectives de Lerroux contra la religió i les monges. Dins del saló hi havia famílies senceres, amb nens petits; allò no era un míting polític. Els joves bàrbars, juntament amb la majoria dels obrers i algunes de les seves dones, van córrer a defensar la gent i el seu territori. L'Emma va saltar d'alegria i s'hi va afegir, cridant com una esperitada.

—La camisa… —la va avisar la Josefina, a primera fila, quan la jove va passar pel costat d'ella i de la Júlia sense fer-los gens de cas.

La dona va fer que no amb el cap, pensant que aquelles puntes valien molts diners. Malgrat tot, aviat se'n va oblidar. Va alçar la nena fins a la galeria.

—Vigila-la —va demanar al seu fill.

—Què vol fer, mare? —es va amoïnar en Dalmau—. No vol pas sortir, oi?

Igual que l'Emma, la Josefina va desaparèixer entre la gent que encara era a la sala, però no se'n va anar al carrer, a l'esplanada que s'obria entre la façana de la Casa del Poble i la via del tren de Madrid, on es lliurava una batalla campal. El que va fer va ser dirigir-se cap la porta de doble batent que comunicava la sala amb les cuines. A dins, la gent treballava preparant el menjar del diumenge.

—Aquí no hi pot entrar, senyora —la va amonestar un cambrer.

—Sí que puc —va oposar ella, deixant-lo parat.

—Vol dir? —va insistir l'home.

—L'Expedito. Busco l'Expedito. —La Josefina va resseguir la

cuina amb la mirada, atordida pel caos que hi regnava. Expedito. Aquell era el nom que l'Emma escopia una vegada i una altra quan tenia malsons—. Qui és?

—Aquell —va contestar el cambrer, assenyalant el cuiner obès xop de suor que, amb molt d'esforç, manipulava i esquarterava el costellam d'un bou damunt del marbre, armat amb un ganivet i una destral de grans dimensions. La Josefina va fer un sospir—. Compte amb aquell home —li va aconsellar el cambrer, veient que ella se n'hi anava amb pas decidit.

Va travessar la cuina, atraient les mirades d'ajudants de cuina i cuiners. Els crits i els sorolls van minvar. Fins i tot l'Expedito es va girar abans que la Josefina arribés on era ell.

—Expedito? —va preguntar ella igualment, quan va ser al seu costat.

L'home suava copiosament. Encara tenia el ganivet a la mà, i estava tacat tot ell de sang i esquitxat de miques de carn i ossos de les costelles.

—Qui és vostè? Què vol?

En Fèlix, el cap de cuiners, s'hi va atansar.

—Et vull recordar el que ha dit en Lerroux de l'Emma —va xiuxiuejar la Josefina. La simple menció de Lerroux va fer posar tens el cuiner—. Ha dit que és el seu pare. Que substitueix el que li van matar a Montjuïc. I que la protegeix. Que la protegeix. Ho entens? I n'ha donat paraula. En públic. Saps què vol dir això, desgraciat, fill de la gran puta? —va dir entre dents.

El rostre del cuiner, enrogit per l'esforç de partir el costellam, encara va pujar de to. L'home va estrènyer els dits al voltant del mànec del ganivet i el va alçar. En Fèlix va fer el gest d'interposar-se entre ells, però la Josefina el va aturar amb un gest.

—No té els collons que cal tenir —va tranquil·litzar al cap de cuines; llavors li va clavar els ulls, cansats, fins al fons de tot d'aquell ésser abjecte que tenia al davant—. Soc la mare del pintor d'aquell quadre que tant ha agradat als teus caps i als diaris, i que tant ha ofès beates i rosegaaltars; la mare del pintor que n'ha de regalar dos més a aquesta casa, i t'aviso que si poses un dit sobre l'Emma, si ni tan sols goses adreçar-li la paraula, ni arribaran els altres dos quadres ni es quedarà el que ja és aquí. Ho entens? Tu perdràs la feina, i tu te n'aniràs amb ell —va afegir mirant el cap de cuines—, per consentir-ho. M'he expressat amb prou claredat?

—No tornarà a passar —va prometre en Fèlix.

—Els republicans estan en deute amb l'Emma i amb el meu fill. Això ha dit en Lerroux, el gran Lerroux! Recordeu-ho sempre. Tots plegats —va afegir, reptant a tots els que en aquell moment eren a la cuina—, recordeu-ho.

Dit això, en va sortir. «Bravo», va sentir que xiuxiuejava en passar el mateix cambrer que havia intentat impedir-li l'entrada, i que encara era al costat de les portes batents. Va arribar fins a on estava penjat el quadre del seu fill. En Dalmau no hi era, però la Júlia sí: jugava amb altres nens a terra, sota la vigilància d'algunes mares. La petita la va veure i va somriure, però ni s'hi va atansar ni va deixar de jugar.

—Saben on és el meu fill? —va preguntar la Josefina a les dones.

—El pintor? —va inquirir una d'elles.

—Ens ha deixat la nena, i abans no poguéssim dir res ha sortit corrents, a barallar-se. Els homes sembla que no saben fer altra cosa que beure, jugar, buscar brega i…

—Ell també sap pintar —la va interrompre una tercera.

La Josefina escoltava amb la mirada posada a l'exterior de la Casa del Poble, on s'amuntegaven uns quants que presenciaven la trifulga; no va reconèixer en Dalmau en cap d'ells. Devia ser fora. Va témer per ell, i se li va encongir l'estómac, ja que sabia que lluitar no era el seu fort. Tot i això, va acabar somrient: el seu pare n'estaria orgullós, tant com ella. No va voler treure-hi el cap. Es va limitar a esperar, com la majoria de les altres dones, observant com jugaven els nens a terra.

Al cap d'una estona la batussa es va acabar, i joves bàrbars i obrers van tornar a la sala, molts contusionats o ferits. «Els carlistes n'han sortit més malparats», es consolaven entre ells. «Els hem clavat una bona allisada!» «Corrien com aquells capellans del quadre», se'n va burlar un altre, assenyalant el quadre d'en Dalmau. «Per anar a donar-se pel cul entre ells!» Les riallades van tornar a envair l'espai. La Josefina, i fins i tot la petita Júlia, finalitzada la diversió, esperaven l'Emma i en Dalmau. Van entrar, ella panteixant i escabellada, aparentment il·lesa. En Dalmau la seguia ranquejant entre els joves bàrbars que van entrar com un tropell, la majoria rient, com en Dalmau, que rebutjava la seva ajuda.

La Josefina va inspirar fort i va exhalar l'aire amb un llarg sospir. Llavors es va fixar en la camisa de l'Emma, bruta, esquinçada, sense ni una sola de les blondes que l'adornaven, amb la cotilla a la vista. Hauria de fer servir les cent cinquanta pessetes del quadre, que encara conservava estalviades, per poder reposar totes aquelles puntes, es va plànyer, quan l'Emma, que encara era lluny, la va clissar entre la gent, va buscar entre els plecs de la faldilla i va alçar la mà per damunt del cap dels que l'envoltaven arborant la peça brodada, intacta.

18

Havia entrat el mes de novembre, i en una d'aquelles tardes, freda, humida i ja fosca, en què l'alè d'en Dalmau es convertia en un baf que es barrejava amb una mena de boirina pudent que surava per damunt del carrer mentre ell caminava apressat cap a la seva habitació, de sobte el van envoltar tres o quatre persones. Caminava distret, barrinant la composició del següent quadre que es proposava pintar per a la Casa del Poble, i després d'un ingenu «Disculpi» a qui li barrava el pas, va intentar esquivar-lo i continuar el seu camí. Un cop de puny fort a la boca de l'estómac l'hi va impedir.

—Heretge! —va ressonar al carreró.

En Dalmau ho va sentir doblegat, amb les mans al ventre, cercant l'aire que no li arribava als pulmons. Un cop a la cara va fer que el cap se li girés violentament cap al costat dret.

—Cabró! Déu no tindrà pietat de tu. Et matarem!

En Dalmau va intentar redreçar-se, però va ser massa lent i es va arronsar, esperant el cop següent. En lloc del cop, va sonar un tret: no va ser un soroll sec i contundent, sinó més aviat un espetec trencat. En Dalmau no l'hauria reconegut com a tal; els altres, sí.

—Ens ataquen!

Va sonar un altre tret. Els assaltants van fugir, però abans li van donar un cop al clatell i el van amenaçar:

—Tornarem a venir a buscar-te, fill de puta. No et sortirà de franc injuriar Déu, els seus vicaris i els seus fidels. Et volem mort.

Es van perdre entre la borina. Amb penes i treballs, en Dalmau es va posar dret, va respirar per fi, i es va repenjar a la paret d'un edifici, en el moment que van arribar fins a ell dos joves bàrbars.

—Estàs bé?

—T'han fet mal?

El van assetjar a preguntes mentre el palpaven i li obrien l'abric per comprovar que no tingués cap ferida.

—Estic bé —va acabar calmant-los ell—. Qui sou? —volia saber, malgrat que ja s'ho afigurava.

El van acompanyar a l'habitació alhora que li donaven consells. «Busca'ns primer» «Uns o altres serem sempre per aquí, a casa teva o al Palau, depèn.» «Per què? —va repetir estranyat la pregunta d'en Dalmau un d'ells—, doncs perquè en Lerroux ho ha ordenat. Que et vigilem i et defensem.» Ja l'havien avisat d'això a la Casa del Poble: podia ser que els catòlics l'ataquessin a causa del quadre. Havia d'anar amb compte. Va ser com la primera vegada, aquella en què la Maravilles es va presentar davant seu amb la història que havia sentit a les escales de l'església de la Barceloneta. Va estar pendent uns quants dies, menys que la primera vegada, amb la trinxeraire, i després es va relaxar. Per sort per a ell, els qui no van caure en aquesta despreocupació van ser els joves bàrbars.

Cap diari no va escriure sobre aquell tiroteig produït al barri de Sant Pere. Quatre crits i un parell de trets no eren notícia en una ciutat com Barcelona, que en aquell any 1907 ja havia patit disset bombes als carrers, amb vint-i-una víctimes. La policia no se'n sortia, de detenir els terroristes, suposadament anarquistes, i les mesures que s'adoptaven, com era la d'obligar que a cada casa hi hagués una portera per impedir que les bombes es col·loquessin a les entrades dels edificis, distaven molt de ser eficaces. Ni els propietaris no van contractar porteres ni les bombes es limitaven a les porteries; un dels llocs preferits dels terroristes van ser els urinaris públics de les Rambles, que al final van ser retirats per evitar els atemptats.

Davant de tanta incompetència, associacions d'empresaris i diverses corporacions van exigir la creació d'una policia particular, aliena a la de l'Estat, que era controlada des de Madrid, i aquell any es va materialitzar amb la contractació d'un inspector de Scotland

Yard, Charles Arrow, que no parlava castellà ni català, però que va crear l'Oficina d'Investigació Criminal (OIC), amb personal insuficient per a una ciutat com Barcelona, sense competències definides i que, com prou es va ocupar d'assegurar tota la premsa, va resultar ser poc eficient i de recorregut molt curt.

I si l'anglès Arrow havia estat cridat com a salvador de Barcelona, l'Emma ho havia estat per qualsevol cosa que li pogués passar a en Dalmau, atès que els joves bàrbars que s'ocupaven de la seva protecció van començar a informar-la de tots els incidents que es produïen al seu voltant.

—I per què m'ho expliqueu a mi? —va cridar als joves, enfadada, la primera vegada que van anar a donar-li part, el dia dels trets.

Els dos bàrbars van dubtar.

—Doncs perquè tu ets la cap —va al·legar un.

—Ordres de Lerroux? —va apuntar l'altre, arronsant les espatlles.

—Ordres de Lerroux —li va confirmar en Romero, després de pujar als despatxos a comprovar-ho.

—Però jo no hi tinc res a veure. Per què no se n'ocupa en Vicenç?

—Ordres del cap —va insistir el secretari, fent el gest de tancar la porta—. Ves a queixar-te a ell, com si fos el teu pare —va afegir en to burleta.

L'Emma no volia tenir notícies d'en Dalmau, que havia tornat a entrar a la seva vida com un remolí. Recordava els seus afalacs el dia de la presentació del quadre, i com hi havia insistit, sincerament, malgrat que ella l'havia insultat, però el que més li venia al cap era com havia aparegut de cop i volta enmig de la baralla amb els catòlics. Sense voler-ho, al seu rostre es dibuixava un somriure, quan revivia l'embranzida matussera amb què en Dalmau es va afegir a la batussa. En la trifulga el va veure llançar-se cridant contra un carlista, amb els braços arronsats al davant i els punys disposats a etzibar cops. Ho va intentar, encara que l'altre el va esquivar fàcilment. L'Emma va témer que el carlista no clavés una pallissa a en Dalmau, però uns quants joves bàrbars van anar a ajudar-lo. En acabat el va veure feliç com un nen, abraçant els bàrbars i republicans, satisfet com si ell sol hagués fet fugir tots els enemics. Va agitar el cap amb violència; no volia somriure davant d'unes emocions que procurava desterrar. No estava preparada per a cap relació; el cos se li posava tens només d'imaginar aquesta possibilitat. Havia renegat mil vegades dels homes! Ara tot just havia assolit la tranquillitat que li havia procurat l'estima i el suport públic de Lerroux, i l'Engràcia, l'altra cuinera de segona, li va explicar amb pèls i senyals la visita de la Josefina a les cuines.

Ja no la molestava ningú. L'Expedito li feia el buit, però els altres la tractaven amb cortesia, fins i tot amb afecte, com si acabés de superar una prova molt penosa. A la Josefina no li va treure el tema. Quan l'Engràcia li va narrar aquells fets, li va bullir la sang i hauria corregut en aquell mateix moment cap al carrer de Bertrellans per exigir explicacions de per què es ficava en la seva vida, però l'ofuscació va anar minvant al ritme de cocció d'una sopa de peix. Diverses escórpores, el rei dels peixos de roca, amb tanta espina com gust, petites perquè es desfessin del tot dins l'olla amb aigua bullent, i tres raps força grossos. Va separar els raps ja cuits i va colar la resta del brou. La Josefina ho havia fet amb tota la bona voluntat, es va dir a si mateixa mentre treia les espines i l'os central del rap per aprofitar-ne el tall. I a més, li havia sortit bé: ara la respectaven. Colada la sopa i net el rap, es va posar a fer el sofregit de ceba i tomàquet, que va deixar al foc mentre preparava la picada que l'acompanyaria: pinyons, ametlles, all, molla de pa, julivert, una mica de safrà i el toc definitiu que li proporcionaria un gust exquisit: el fetge del rap. A més, mentre feia la picada d'esma, va pensar que tractar d'aquell tema implicaria reconèixer una situació que, tot i ser sabuda, no s'havia arribat a verbalitzar mai. La Josefina respectava la seva intimitat i les seves decisions; mai no l'hi retrauria. Va barrejar el brou, el peix, el sofregit i la picada, va deixar que bullís prou estona perquè es lligués tot i va preparar el pa torrat que serviria amb la sopa. S'estimava la Josefina; una dona que l'havia acollit com una filla, i que tenia un desfici per la Júlia, tant com per renegar dels seus principis i recórrer a la beneficència de l'Església.

Aquella nit, quan l'Emma va tornar a casa i va trobar la Josefina al peu de la màquina de cosir, es va limitar a somriure-li, a fer-li un petó al front i demanar-li que deixés la feina. No van enraonar de l'assalt a les cuines, de l'Expedito, ni de la seva nova situació. L'Emma va treure de les mans de la Josefina la roba que cosia i van xerrar de la Júlia, que dormia plàcidament a l'habitació.

A partir d'aquell dia es va sentir alliberada, amb una feina que li permetia mantenir la filla, acompanyada de la família i sense cap home que l'assetgés i la maltractés. Per això no volia somriure amb el record d'en Dalmau quan havia atacat matusserament el carlista. Només volia oblidar, donar temps a les seves pors i a la rancúnia, i viure.

El mestre Maragliano li va permetre quedar-se fins a la inauguració del Palau de la Música, prevista en el termini d'un parell de mesos, a primers de febrer del 1908. Era un gran treballador, el va felicitar l'italià, però la baralla amb la Gregòria havia enrarit l'ambient que es respirava al taller. «La gent se l'estima molt, aquesta noia», va adduir el mestre, i a això calia afegir el seu protagonisme en els successos amb els republicans i les repercussions que li podien suposar al mercat.

—Confio que hagis escollit el bàndol correcte —va acabar desitjant-li el mestre italià, malgrat que en el fons de les seves paraules es percebia una nota de retret.

En Dalmau va rumiar un instant. Podia replicar que ningú l'havia ajudat a quedar-se a l'altre bàndol, el del mestre, el dels pintors, i retreure-l'hi amb un to més acre que el de la invectiva subtil del mosaïcista, però va optar per no furgar-hi més. S'havia equivocat en intentar accedir a un món que no era el seu.

—Estic al bàndol que em correspon, mestre, el dels obrers, el dels assalariats dels tallers d'arts.

Ho va deixar aquí. Maragliano es va donar per al·ludit, va assentir serrant els llavis i li va desitjar sort.

En Dalmau es va quedar immòbil al centre de l'escenari, petit, dissenyat exclusivament per a orquestres i cors, com l'Orfeó Català. El magnífic orgue, imponent, s'alçava darrere seu gairebé amenaçador, al segon pis, per sobre del lloc on els empleats de Maragliano ja acabaven els mosaics que formaven els vestits de les muses, i el trencadís que recobria tota aquella paret, la frontal. Però el que més impressionava en aquell moment a treballadors i mestres era la gran claraboia que els cèlebres vidriers Rigalt i Granell havien instal·lat al sostre de l'auditori. Un treball excepcional, inigualable, segons deien els que coneixien el món i les seves obres d'art. Neta ja aquella zona de bastides i d'altres materials de treball i de seguretat, la claraboia va resplendir, configurada en un rectangle de seixanta metres quadrats, confeccionada amb dues mil sis-centes peces circulars de vidre de diversos colors, entre els quals destacaven el vermell i els tons ocres en l'estructura que baixava, immensa, sobre el públic de la platea. Hi havia qui la comparava amb una cúpula invertida, amb un globus o una campana, amb un sol flamejant o un llum encès. Alguns es van atrevir a distingir-hi el pit d'una de les quaranta donzelles, el rostre grisenc de les quals envoltava geomètricament el rectangle que componia la claraboia, a manera d'un cor d'àngels. En Dalmau, en canvi, va veure en aquella armadura de discos de colors que penjava sobre el públic un mugró: un mugró enorme que des d'aquelles donzelles alimentava de llum l'interior de l'auditori.

La claraboia era l'element que tancava l'univers de llum ideat per Domènech i Montaner. L'auditori s'alçava com una capsa de vidre: milers de vidres emplomats, artístics, tant a les parets com als murs cortina i al sostre, que havien d'inundar de llum de diferents colors el temple de la música. En aquell espai, anàrquic en la decoració, de composició enlluernadora, la llum i el so es difondrien en un espectacle increïble.

Les obres acabaven, i la feina d'en Dalmau també finalitzaria, igual com estava acabant ja una època, la modernista, que havia revolucionat conceptes i criteris, despertant tota una societat adormida, fins llavors acomodada en el neoclassicisme, si no en la vulgaritat. Juntament amb el Palau de la Música, continuava la construcció de dos grans projectes modernistes: la Sagrada Família, de Gaudí, i l'Hospital de la Santa Creu i Sant Pau, de Domènech i Montaner. A banda d'això, i ja finalitzada la Casa Batlló, feia tres anys que l'arquitecte de Déu projectava la construcció d'un nou edifici al passeig de Gràcia: la Casa Milà, també anomenada la Pedrera, un edifici en què la pedra de la façana, les finestres i els balcons, les parets i les columnes es manifestava en formes sinuoses, vives, dinàmiques, a les quals s'afegia l'entramat retorçat de ferros forjats als balcons. L'interior era semblant: espais irregulars, passadissos i patis laberíntics, sempre torçats, ondulats, sinuosos, igual que els habitatges. Es deia que aquella seria l'última obra civil de Gaudí abans de dedicar-se de ple a la Sagrada Família. A en Dalmau li havien explicat que la dona del propietari, la senyora Milà, s'havia queixat que no veia ni un lloc recte on posar el piano una vegada acabessin les obres, i que Gaudí, ensuperbit, li havia recomanat que toqués la flauta.

En Dalmau no va poder corroborar la veracitat d'aquell rumor, però sí que va entendre que, al final, Gaudí havia aconseguit el seu objectiu: donar vida a la pedra, aconseguir que semblés que es movia. Tanmateix, aquell últim edifici modernista que es construïa al passeig de Gràcia de Barcelona no va conciliar l'aprovació dels ciutadans ni la de molts intel·lectuals, que es van burlar de l'obra i la van criticar mordaçment en un avançament, en matèria d'arquitectura, d'un nou moviment artístic i cultural ja en vigor d'ençà que l'any 1906 el filòsof i escriptor Eugeni d'Ors el va definir: el noucentisme.

Es tractava de crear un corrent artístic, literari i fins i tot arquitectònic influït per la política, el catalanisme a ultrança que es vivia en aquella època; un art social arrelat en els objectius polítics de la societat catalana. De l'explosió de la màgia del modernisme, individual, creativa i fantasiosa, ara es tendia vers la raó, l'estabilitat, l'austeritat, l'ordre i l'harmonia, aprofundint sempre en les tradicions mediterrànies i pròpies del poble català. En arquitectura, suposava el retorn al classicisme i a la proporció àuria. L'artista perdia la independència, s'havia d'integrar a l'estructura social catalana i treballar per ella, ja fos a través de l'art o de les diverses manifestacions culturals.

En realitat, va pensar en Dalmau, això era si fa no fa el que feia ell, si no pel catalanisme, sí per la classe obrera. L'individualisme i la llibertat que li permetien pintar allò que volia, com passava amb *El taller de mosaics,* es van veure substituïts per un objectiu polític: enardir el poble, fer-lo alçar contra l'Església, talment com volien fer els noucentistes amb els seus valors nacionals.

El 9 de febrer de 1908, data de la inauguració solemne del Palau de la Música Catalana, en Dalmau va aconseguir esquitllar-se entre els milers de privilegiats que hi van poder assistir. Uns retocs d'última hora, va dir al porter, sí, és clar, podien parlar amb el mestre Maragliano o, fins i tot, amb en Domènech i Montaner. «Ves a buscar-lo», va instar l'home, que ell es podia esperar, però si queia el mosaic que estava una mica fluix... «No, home, no!», va insistir, ara ja davant de dos porters malcarats que li impedien l'accés per l'entrada del personal. «Us penseu que no tinc res més a fer un diumenge? Aneu a preguntar a algú d'una vegada, cony!» No hi van anar, sinó que li van demanar la cèdula personal i es van apuntar el seu nom. «Si és mentida, te les heuràs amb mi», el va amenaçar un d'ells. En Dalmau es va arronsar d'espatlles, com si li fos igual. Tot seguit li van franquejar el pas.

Després dels discursos de les autoritats i de la benedicció del bisbe, en Dalmau, dret darrere de l'última fila de seients del tercer pis, es va deixar portar pel concert de l'orquestra filharmònica de Berlín, dirigida per Richard Strauss, i per les veus de la coral de l'Orfeó Català, música i cants que per primera vegada inundaven aquell espai, sobreeixint-ne, per escometre la gent i sacsejar-la, gratant les seves emocions amb la compulsió pròpia de l'esplendor efímera. En Dalmau va escoltar i es va perdre en la llum que, com un intèrpret més, entrava pels finestrals i la claraboia, tan silenciosa com fulgurant, tenyint les veus i les notes de colors, portant-les fins a l'espectador embolcallades amb espurnejos màgics. L'efecte encisador es completava amb les obres d'art que envoltaven l'espectacle: la ceràmica tremolava amb la llum; el ferro forjat, sinuós, jugava amb la música com si la reptés a esmunyir-se pels seus laberints; la pedra sostenia uns sentiments desbocats, capaços de devorar l'ambient, i muses i escultures somreien i cantaven. En Dalmau va tenir la sensació que li faltava l'aire. La funció continuava, amb més ímpetu i magnificència, si era possible, però ell va copsar amb una intensitat que aclaparava, terriblement inquietant, que allà, en aquell mateix moment, reunits a l'interior de l'obra cimera del modernisme català, es posava punt final a una època.

Allò que havia sentit i que ja comptava amb manifestacions en la literatura, la pintura i l'escultura, ho vivia ara juntament amb milers de persones que en nom de la política volien transformar l'art. El catalanisme guanyava. Ja no hi hauria més pedres en moviment, petons de colors ni quadres, en aquella broma que esperonava la imaginació de l'espectador.

Es va sentir consternat i va sortir del Palau de la Música molt abans que acabés el concert. El grup escultòric que, com si fos el mascaró de proa d'un vaixell, s'alçava a la cantonada de les dues façanes, li va flanquejar l'esquena mentre enfilava amunt pel carrer de Sant Pere Més Alt. Per davant de tots els altres personatges, una donzella que representava la música catalana estava penjada en l'aire, amb els cabells al vent, la túnica que duia agafada al cos, un braç alçat, com si en realitat estigués navegant; darrere seu, envoltant-la, el poble català simbolitzat pels oficis, i per sobre de tots, brandant una espasa en una mà i la senyera a l'altra, amb cuirassa i elm, sant Jordi, el patró de Catalunya.

En Dalmau deixava enrere uns quants anys de feina en un edifici màgic que, això no obstant, ja començava a rebre crítiques per part dels racionalistes, incapaços d'entendre, i encara menys de sentir, aquell efluvi de creativitat. Però també deixava enrere l'ofici de ceramista. D'ençà que Maragliano li havia anunciat que ja no continuaria amb ell, en Dalmau va emprendre un pelegrinatge pels tallers i les fàbriques de ceràmica de Barcelona, grans o petits, importants o humils. Ningú li va oferir feina. «La crisi.» «Ens sobren empleats.» Encara que algú va reconèixer la veritable raó: «Si hi ha algú en una llista negra al món de la ceràmica, ets tu, Dalmau Sala». Es va assabentar de les pressions del senyor Manel; l'hi van reconèixer expressament: «Sí, ha vingut a enraonar amb l'amo. Sí, de tu». Però no va ser només el seu antic mestre, qui va instar els altres a no contractar-lo; van ser molts altres arquitectes, gairebé tots relacionats amb els Llucs, que van aconseguir que li tanquessin les portes. En realitat, la majoria d'aquells arquitectes, mestres d'obres i grans industrials de la ceràmica eren catòlics, i, si no, ho feien veure, i si realment no ho eren ni ho simulaven, combregaven amb el catalanisme i, en últim cas, amb el conservadorisme, i totes aquelles idees i tendències xocaven amb l'actitud a favor dels obrers i les postures anticlericals d'en Dalmau, tan airejades i discutides a la premsa, ja fos per lloar-les o per vilipendiar-les.

Feia temps, doncs, que havia decidit de buscar feina en altres sectors, ni que fos com a ajudant o per ocupar-se de la neteja, com el treballador més insignificant en uns processos de fabricació que desconeixia. El sou tant li feia, mentre n'hi hagués prou per menjar i per continuar pintant a l'habitació que donava a la terrassa on les dones estenien la roba. Aquells quadres constituïen l'objectiu de la seva vida: la lluita contra l'Església, contra el poder que representava i exercia amb duresa, com ara mateix, una altra vegada, negant-li fins i tot el pa. No va trobar feina: ningú necessitava més personal, i encara menys, sense experiència. «Cobraré el que vostè vulgui», va intentar convèncer els primers patrons que va anar a veure. Ho va ometre a les entrevistes següents; aquells homes van riure, alguns sense manies, a riallades, i d'altres amb cinisme. «Ja paguem el que volem —va ser la resposta unànime—, i si no els agrada, que facin vaga.»

La desesperació havia fet acte de presència en l'ànim d'en Dalmau el matí que va rebre la visita de l'Emma. El va escometre al mateix carrer de Sant Pere Més Alt, amb un jove bàrbar un xic apartat, i la seva veu quedà superada pel soroll que feien a les obres definitives del grup escultòric del mascaró de proa del Palau de la Música. Va notar com la sang li corria impetuosa per tot el cos.

—No et sento —li va dir, assenyalant-se l'orella amb una mà, mentre amb l'altra, sense pensar, l'agafava pel braç per apartar-la del terrabastall.

L'Emma va fer un bot enrere només de sentir aquell contacte.

—No em toquis!

—Disculpa'm —es va excusar en Dalmau, ja a recer de la fressa—. No volia…

—Deixa-ho —el va tallar ella.

—Deixar-ho? M'agradaria no haver de deixar-ho. —L'Emma va arrufar les celles en una reacció defensiva—. M'agradaria tornar-te a veure, no deixar-ho. Demà i l'endemà…

El cor li bategava fort, animant-lo a continuar, com si participés d'aquells desitjos i sentiments que li havien esclatat per dins tan bon punt l'havia vist.

—Dalmau —va sospirar l'Emma—, allò nostre va morir fa molt de temps.

—No és veritat, som vius —va objectar ell—, i si som vius, per què no podríem…?

—Perquè no, Dalmau, perquè no —el va tornar a interrompre ella—. Potser som vius, però dins meu han mort moltes coses, ja. —Durant molt de temps s'havia humiliat davant l'Expedito, i això la corsecava i li impedia de pensar amb naturalitat en els homes. Davant la simple fantasia d'una relació sexual, l'assetjava la vergonya, se sentia bruta, fastiguejada, i les perversions del cuiner li tornaven al cap i li paralitzaven el cos i l'esperit, era incapaç de reaccionar. Ho va intentar ara. Va respirar fondo. Va expulsar una part dels dimonis i va tornar a respirar—. La mort —va xiuxiuejar llavors a en Dalmau— no és una cosa que arriba de sobte; sí, pot passar en alguns casos, però la majoria de les vegades ens encalça a poc a poc, robant-nos la felicitat, l'amistat, la dignitat, fins que ens etziba el cop fatal. No demano que ho entenguis, Dalmau —va afegir veient el gest d'incredulitat d'ell—, però és així. Sigui com sigui, no he vingut a parlar de morts i d'amors impossibles.

La Josefina li havia explicat la situació del seu fill: no trobava feina. Els republicans, Lerroux el primer, l'havien d'ajudar, va intentar la dona convèncer l'Emma la mateixa nit que en Dalmau va fer la confessió. Ell no cobrava per pintar, ni cobraria. Era la seva contribució a la lluita; altres morien de gana o arriscaven el benestar dels fills i de les seves dones. Havia perdut la feina amb el mosaïcista entre d'altres coses pel seu activisme polític, una postura que li impedia de trobar altres feines. Els republicans havien de reaccionar, tenien influències, a banda que els interessava: si en Dalmau no menjava ni podia pagar una habitació, tampoc no pintaria.

—Treballaries a les brigades municipals que s'ocuparan de derruir totes les cases que calgui treure per obrir la gran via, que anirà d'aquí mateix, on som ara, fins al mar —li va oferir l'Emma després d'admetre que s'havia preocupat, i que era allà a instàncies de la Josefina—. Està previst que les obres de demolició comencin d'aquí a poc més d'un mes. T'interessa?

En Dalmau coneixia el projecte, que efectivament seria executat en aquell termini el dia que el rei Alfons XIII vingués a Barcelona per inaugurar-lo. Era una de les tres grans avingudes que havia previst Cerdà en el seu pla per a la Ciutat Comtal, i de les quals encara no se n'havia començat a obrir cap. Aquesta, que s'havia de dir via Laietana, era la primera, i estava destinada a connectar la ciutat moderna amb el port. La feina consistia a enderrocar més de sis-centes cases, els milers d'habitants de les quals serien desplaçats a barraques míseres, sense serveis ni condicions higièniques, bastides amb urgència a la platja mateix o a la muntanya de Montjuïc.

—És un projecte per als rics —va replicar ell—. Infinitat de famílies obreres seran obligades a substituir les seves cases per barraques situades a llocs infectes. I tot perquè els industrials i burgesos puguin arribar abans al port i construir els seus grans edificis en aquella zona nova.

—És veritat —va admetre l'Emma—, però és l'únic que m'han ofert. Els republicans tenen influència a l'Ajuntament.

—No ho sé, Emma —va vacil·lar en Dalmau davant del rebuig moral que li provocava un projecte urbanístic com aquell—. Necessito treballar, però em costa prendre part en això.

—Aleshores…. —va començar a dir ella.

—M'ho rumiaré, encara que ja t'avanço que si trobo qualsevol altra feina, per menyspreable que sigui, no dubtaré a agafar-la.

Tots dos es van quedar en silenci un instant, defugint qualsevol contacte visual.

—És decisió teva.

—Vols que t'ensenyi com va el segon quadre? —la va sorprendre en Dalmau, de sobte.

—I hauria de conèixer aquelles dues dones amb qui et rebolques? —li va engegar l'Emma, sense pensar. Ell es va quedar blanc i va desviar els ulls cap al jove bàrbar, que, una mica allunyat d'ells, deixava passar el temps donant puntades a pedres imaginàries del carrer i que no va interrompre el seu deambular—. No, no vull —el va tornar a la realitat l'Emma—. Ja veuré el quadre el dia que el donis a la Casa del Poble.

—Emma… —va provar de disculpar-se en Dalmau.

—No cal que em donis cap explicació —li va impedir de continuar ella.

No hi volia tenir tracte, però tampoc no podia evitar que l'afectés la vida íntima d'en Dalmau; era una contradicció interna que l'angoixava, i a la qual no trobava escapatòria. En qualsevol cas, no tenia dret a qüestionar les seves diversions, es va dir, al mateix temps que tornava a recriminar-se el fet de plantejar-se amb tanta frivolitat, mirant de restar-los importància, els embolics amorosos d'en Dalmau.

—Ja em diràs alguna cosa de la feina —es va acomiadar bruscament.

L'Emma s'havia promès una i mil vegades que mai no mencionaria les relacions que en Dalmau mantenia o deixava de mantenir amb qui volgués. Tanmateix, a la primera ocasió que es trobaven, l'hi havia retret. Li havia sortit del fons del cor, de manera inconscient, com si fos una navalla esmolada que tenia amagada dins seu i que d'improvís havia sortit per ferir. Però a qui feria? Que potser no tenia dret en Dalmau a anar-se'n al llit amb qui volgués?

El dia que els dos joves bàrbars que s'ocupaven de vigilar en Dalmau li van explicar entre rialles i comentaris obscens les enraonies que les dones del barri xerraven sobre les relacions del pintor amb un parell de veïnes del seu edifici, l'Emma va tenir la sensació que es quedava buida per dins, com si tots els òrgans se li arronsessin. «O més de dues!», va exclamar una vella esdentegada que tenia per única feina en tot el dia estar asseguda en una cadira a peu del carrer, desgranant faves o pèsols, pelant patates o netejant de pedretes llenties o cigrons. «Imbècil», es va insultar l'Emma. Però les experiències i les il·lusions de la joventut tornaven amb força, com si volguessin encegar la misèria i la matusseria a què l'havia condemnat la fortuna. Malgrat tot, aquells rajos d'esperança li permetien de somiar, un segon que en la seva ment es convertia en infinit, fins que tornava en Truchero o l'Expedito i l'Emma tremolava o plorava a soles, veient com s'enverinaven els seus anhels.

En Truchero va suposar l'inici de la seva entrega, de la seva submissió, però l'home es va cenyir al sexe convencional i a l'exhibició: petulància pública. Aleshores ella va aconseguir una feina ben remunerada que l'altre, l'Expedito, va posar en perill fins que ella es va sotmetre. Amb el cuiner va travessar tots els llindars de la vergonya i la humiliació. La seva panxa immensa unida a un penis minúscul li dificultaven la penetració. Sí que ho van aconseguir alguna vegada, en postures enrevessades, ajudats amb estovalles enrotllades posades a manera de coixins, però la mateixa experiència, forçada o ridícula i tot, la seva ineptitud per al sexe, avergonyia i enfurismava el cuiner. La majoria de les vegades en què la reclamava, l'Expedito utilitzava estris de cuina per obtenir plaer. La mà de morter, com més grossa millor, els mànecs d'escumadores i cassons, tot servia per ficar-ho a la vagina i al recte de l'Emma... O el d'ell, mentre li exigia que li xumés el penis o el cul, que li llepés la panxa o aquell pit penjant, que li feia sacsons sobre l'estómac. Després, a la cuina, li somreia mentre feia servir aquells estris sense haver-los rentat, i llepava la mà de morter fent veure que tastava la picada.

—I per què m'expliqueu la vida privada del pintor? —va cridar l'Emma davant dels joves bàrbars, espargint aquelles escenes del seu record.

—Per si també l'hem de defensar dels marits cornuts —va riure un d'ells, sense acovardir-se gens pel to de la seva cap.

L'Emma va dubtar. Va obrir les mans i les va moure enlaire.

—No... Què sé jo! —va protestar.

—Oh —va ficar cullerada l'altre jove—, és que si l'enxampa un dels cabrons, o tots dos alhora, ens quedem sense pintor i sense quadres per a la Casa del Poble, i això no li agradaria gaire a en Lerroux... ni a ningú.

—Doncs protegiu-lo, també —va admetre l'Emma—. Que no el toqui ningú.

En Lerroux ja tenia prou problemes, va pensar l'Emma, per afegir-hi el fet que un parell de cornuts clavessin una pallissa al seu pintor. Efectivament, tal com havia anunciat quan el van expulsar del partit republicà, al gener del 1908 va constituir una entitat republicana nova, el Partit Radical, però només un mes després es va veure obligat a fugir d'Espanya i refugiar-se a Perpinyà a causa de la pena de presó a què el van condemnar els tribunals per la publicació de poesies subversives. El partit i l'acció política van quedar en mans dels joves violents i extremistes com en Truchero, que va ser a qui es va adreçar l'Emma per aconseguir la nova feina per a en Dalmau, no sense cert recel per si la fuga d'en Lerroux podia afectar la seva situació, dubte que es va esvanir davant l'actitud del qui havia estat el seu amant, així com la de tots els que l'envoltaven a les cuines: fins i tot estant lluny, en Lerroux continuava sent el líder, i les seves decisions eren indiscutibles.

En Truchero ja no sortia amb la rossa que havia desplaçat l'Emma; ella l'havia vist amb alguna altra al restaurant de la Casa del Poble, però es comentava que aquelles relacions no eren res seriós. Potser per això el dirigent polític pretenia l'Emma. «Per rememorar com de bé ens ho vam passar», li va xiuxiuejar a cau d'orella, alhora que, amb delicadesa, com si no es volgués excedir, li acaronava l'esquena. «Un cop de genoll als collons!», va pensar l'Emma en aquell moment. El faria doblegar pel mig. Udolaria de mal. El tenia al davant; només havia d'aixecar el genoll ben fort per engegar-li un cop.

—Si és per això, oblida-te'n —li va respondre l'Emma, també fluixet, descartant la possibilitat del cop de genoll—. Jo no m'ho vaig passar gens bé amb tu. Ets un amant pèssim. —En Truchero es va quedar immòbil—. Però tranquil —va continuar—, que per mi no ho sabrà ningú. No l'hi faria mai, això, a un camarada.

La inauguració del projecte de construcció del nou gran eix urbà destinat a unir la ciutat ideada per Cerdà, l'Eixample, amb el port de Barcelona, es va produir un dimarts de març del 1908 en presència del rei Alfons XIII, nombroses personalitats i una multitud, entre la qual hi eren l'Emma i la Josefina. Després dels discursos, al monarca li van lliurar una piqueta de plata i, al so de la marxa reial, va baixar de la tribuna reial, una de les cinc que s'havien instal·lat i en què destacava la butaca on estava assegut, es va dirigir a un edifici propietat del marquès de Monistrol, al número 71 del carrer Ample, i va picar contra una pedra que va cedir de seguida i va caure.

—Què coi aplaudeixen? Imbècils —va insultar l'Emma la multitud.

—És el seu rei —va contestar la Josefina.

Eren allà per la simple raó que en Dalmau no havia arribat a acceptar aquella feina que suposava el desnonament de milers de persones humils. La Josefina sabia que d'ençà que l'Emma l'hi havia proposat, en Dalmau havia continuat cercant feina. No en trobava, es va veure obligat a admetre a l'hora de dinar, el diumenge anterior. Malgrat tot, tampoc no va assegurar a la seva mare que acceptaria la feina com a operari de l'Ajuntament, i des de llavors no s'havien vist més.

—És allà —va dir l'Emma, assenyalant una de les sis brigades d'obrers municipals que desfilaven per davant del rei.

La Josefina va intentar reconèixer-lo. No se'n va sortir. La vista li fallava; era un gran esforç cosir de dotze a catorze hores diàries. Amb tot, va assentir amb un rictus d'aversió a la cara. Dins del seu cor, desitjava que en Dalmau rebutgés la feina que faria desnonar milers de persones per expulsar-les a les barraques de la platja, però el seu fill es devia trobar en una situació molt desesperada perquè s'hagués afegit a aquelles brigades municipals d'enderroc. Ho va lamentar mentre la gent aclamava els obrers com si fossin soldats victoriosos que tornaven del camp de batalla. Una posada en escena digna d'un monarca que havia honrat Barcelona amb la seva presència; al davant dels treballadors municipals, dos carros, l'un tirat per sis cavalls, i l'altre, per sis mules, i tots els animals anaven guarnits amb gualdrapes de seda i or que transportaven les eines dels operaris. Encapçalava cada brigada un capatàs amb una branca de llorer de la qual penjava una nota amb la referència de la casa que havien de demolir, i per darrere de cada una d'elles, una banda de música. Els militars i els guàrdies municipals anaven vestits de gala, radiants. Quant a les autoritats civils, anaven abillats amb frac i barret de copa ells, i engalanades elles amb sedes i joies.

—Ridícul! Esperpèntic! Un malbaratament inadmissible a l'època que vivim, i un servilisme ofensiu —es va tornar a queixar l'Emma—, com si fóssim esclaus.

—La monarquia és justament això —va argüir la Josefina—. Malbaratament, excentricitat, ostentació de poder i caprici. Per això som republicans.

L'Emma va clavar la mirada en en Dalmau quan passava per

davant del rei: arrossegava els peus i anava capcot. Els republicans donaven suport al projecte urbanístic, però, així i tot, com es devia sentir en Dalmau, traint la seva gent? En Truchero li podia haver ofert un altre lloc de treball; segur que tenia alternatives. Tanmateix, probablement, el cop de genoll verbal a la seva virilitat el va fer decidir a proposar-li aquella feina com a única possibilitat. L'Emma va sospirar. La Josefina encara no havia pogut clissar el seu fill, però va sentir el sospir de l'Emma, i va parar esment que estava neguitosa.

—No té altre remei. Bé ha de menjar —va apuntar. L'Emma es va limitar a assentir amb el cap, pensativa. Aquell moviment sí que el va distingir la Josefina—. Tu també havies de menjar, i alimentar la teva filla… i fins i tot a mi.

—Què vol dir?

—Vull dir que tots, en algun moment de la vida, ens hem vist obligats a humiliar-nos i a fer alguna cosa inconvenient, pel nostre bé o pel bé dels nostres. Ara és en Dalmau. Abans vas ser tu. Hauries de deixar córrer el passat.

—No sap de què parla, Josefina. Hi ha coses que és impossible treure's del cap.

La cerimònia havia tocat fi, i la gent es va dispersar un cop el rei es va perdre de vista entre aplaudiments. La Josefina i l'Emma van decidir fer el tomb a la ciutat pel passeig de Colom, que s'obria a la façana del port, i evitar ficar-se en aquells carrerons on, amb tota seguretat, toparien alguna brigada que estaria derruint una casa.

—Passem ratlla a tot, noia. Fins i tot a la mort dels qui estimem, que és la pitjor desgràcia que ens pot passar.

—Josefina…

—Te'n recordes, de la Montserrat?

—Sí, és clar! —va protestar l'Emma, ofesa.

—Quants cops al dia?

Van caminar unes passes en silenci. El moviment al port era constant, caòtic; el temps, primaveral, agradable; l'olor de peix, forta i torbadora.

—No sigui cruel —es va queixar l'Emma.

—No ho soc pas. Quantes vegades et recordes de la Montserrat?

Una a la setmana, potser? Quan trobes alguna cosa que t'hi fa pensar, oi?

—Josefina, sisplau...

—Era la meva filla, i em passa si fa no fa el mateix. Continuo plorant per ella les nits que la seva absència dolorosa em venç, però sis anys han fet que els seus trets es desdibuixin en el meu record, i que només me'n quedi l'esperit. Després la vida diària t'engoleix i els pensaments estan per altres mil coses, depenent del que et passi. I la pena que em va provocar la mort de la Montserrat la vas esmorteir tu i, sobretot, la Júlia. —Van caminar en silenci, sota el sol temperat, envoltades de crits i d'olors—. No crec que estigui traint la memòria de la meva filla per això —va afirmar tot seguit la Josefina—. Torna a la vida, Emma. Procura passar-t'ho bé, oblida!

—Josefina... —Més passes, el silenci de totes dues enmig de l'enrenou del port—. He arribat a un punt que soc incapaç d'imaginar-me amb un home. Ni tan sols al llit, sola, a les fosques, no puc oblidar. Pensar en un home, imaginar de tenir-hi relacions sexuals, em repugna. Tremolo, suo, de vegades m'ofego, igual que em passava quan el fill de puta del cuiner m'agafava pel coll i m'estrenyia i estrenyia.

—No hauries de pensar en el sexe.

L'Emma va deixar anar una rialla, que va interrompre la Josefina.

—Just en això és en el que pensen ells! No pensen en res més, quan són davant d'una dona. Només ens veuen com a animals, i vostè prou que ho sap.

Per un moment, la Josefina va pensar que s'havia quedat sense arguments. L'Emma tenia raó, i més encara tractant-se d'una dona bella, atractiva i voluptuosa. La sensualitat ho impregnava tot, quan passava ella, però no podia permetre que caigués en aquell abisme que la devorava: l'havia de treure d'allà.

—La Júlia ja no és tan petita. —L'Emma es va aturar. Què li volia dir? La Josefina es va adonar de fins a quin punt la podia afectar la veritat que estava a punt de descobrir—. La teva filla ara ja es pot adonar que la seva mare no és feliç. No ho dissimulen, els quatre petons i les abraçades que li fas a la nit! Els perquès són constants. «Per què la mare no ve a dinar els diumenges? S'ho passaria bé, amb nosaltres i en Dalmau.» «Per què no hi és mai?» «Per què no m'explica contes?» Recordes cap conte per a nens? —Aquelles paraules de la Josefina la van mantenir en silenci—. «Per què no riu mai?» Aquesta pregunta me l'ha feta unes quantes vegades, Emma: «Per què la mare no riu com vostè, Josefina?». Aleshores he de deixar de jugar-hi perquè no em compari amb tu. Si jugo i ric, perds tu; si deixo de jugar, perd la nena. Has de tornar a riure, estimada.

L'Emma ho va intentar. Va demanar més temps lliure a les cuines i l'hi van concedir, igual que ho feien quan els comunicava que anava a rebentar algun míting o amb els joves bàrbars a encalçar rosaris i processons. Era la protegida d'en Lerroux. Algun diumenge fins i tot es va afegir als dinars amb en Dalmau. Era l'any 1908, i en una d'aquelles trobades festives ell li va comunicar que aviat acabaria el segon quadre.

—Pinta molt bé, mare —va saltar en aquell moment la Júlia—, a mi m'ha dibuixat. I a vostè? Demani-li que li faci un dibuix.

—Ja me'n va fer, bonica —va contestar l'Emma assentint amb tristor, amb el record dels maleïts nus al cap.

—I estava maca?

—La teva mare era molt maca —va intervenir en Dalmau—, igual que ho és ara.

La Josefina es va ennuegar amb l'escudella i la seva tos va tallar la conversa un moment, fins que va tornar a respirar, cosa que va tranquil·litzar els altres, i els comensals de les taules del costat, algun dels quals fins i tot s'havia aixecat per fer costat a en Dalmau quan donava cops a l'esquena de la seva mare. Tornaven a anar a cases de menjars barats, brutes i sorolloses, aquelles on per vint cèntims donaven pa, vi —o més aviat un succedani elaborat amb alcohol alemany, com va corroborar l'Emma tot just el va tastar, tot i que va callar—, escudella bullida amb col i patates, ossos, carcasses i cansalada rància de primer, i de segon, llengua, o qualssevol altres menuts que haguessin emprat per fer la sopa. En Dalmau guanyava pocs diners, molts menys que amb Maragliano, ja que l'Ajuntament l'havia contractat com a peó de segona, la categoria més baixa, atès que no tenia experiència com a paleta, de manera que l'habitació on vivia i la manutenció se li enduien bona part del sou.

Superat l'ensurt, la Josefina, encara una mica sufocada, va somriure a l'Emma i a en Dalmau. Després es va adreçar a la Júlia:

—Sí, la teva mare era tan maca com ho és ara.

L'Emma no va voler mirar en Dalmau, així que va clavar els ulls en la taula i en el que menjaven. El que no va poder evitar de veure van ser les seves mans, ara plenes de durícies, amb força rascades i alguna ferida. Per un moment, li van recordar les del seu paleta, encara que no eren tan grosses ni poderoses. En Dalmau treballava en una cosa semblant al que feia l'Antoni: enderrocava edificis, transportava pedres de la casa als carros; fent això, es feia mal a les mans. Cobrava pocs diners, això ho sabia l'Emma, però en Dalmau no aspirava a res més. Semblava feliç amb aquells dinars dels diumenges, la feina i la pintura... Era la seva manera de lluitar pels obrers. Tot allò potser amenitzat amb alguna rebolcada amb aquelles bacones de veïnes. L'Emma va sentir un esclat de ràbia per aquelles dones a qui ni tan sols podia posar cara, per bé que el va reprimir de seguida; no era assumpte seu. El seu problema sí que podien ser les mans ferides d'en Dalmau, ja que potser l'afectaven quan pintava.

No va ser així, ja que en Dalmau va lliurar a la Casa del Poble un segon quadre, magnífic com el primer a parer de molts crítics, en què tornava a figurar-hi una institució religiosa cremant, en aquest cas un monestir de frares que corrien espantats davant del poble alçat en armes.

—El foc és el motiu central dels dos primers quadres, i no tinguin cap dubte que es repetirà en el tercer lliurament —va anticipar en Dalmau en el discurs espontani que va fer, perquè l'hi van demanar a la Casa del Poble. Va dubtar abans de decidir-se a enraonar, però s'hi va llançar en comprovar que la inseguretat i els nervis d'altres èpoques no li tenallaven l'estómac ni la gola. Va esguardar el quadre. Aquella era la seva força, d'allà treia la seguretat—. Hem d'ensenyar als capellans que amenacen i espanten els feligresos amb el foc etern, que en realitat no hi ha altre infern que aquest, el que patim nosaltres, amb la misèria, els sous minsos, humiliants, les condicions de treball i les jornades esgotadores, amb les malalties dels nostres fills i la falta de menjar i de medecines.

El públic aplegat al saló de la Casa del Poble escoltava les seves paraules en un silenci gairebé reverencial. L'Emma, que aquesta vegada era entre la gent, tremolava de l'emoció, tenia un nus a la gola i les llàgrimes li pujaven als ulls, on se les eixugava gairebé amb violència amb la màniga de la camisa, com si fossin una ofensa, una mostra de feblesa. La Josefina la va agafar pel braç afectuosament i se la va atansar. En Dalmau continuava enraonant:

—D'aquest infern que pateixen els nostres no se'n poden escapar, ni se n'han d'escapar els rics, els burgesos i els capellans, amb les seves oracions i les seves pregàries.

La gent va esclatar en ovacions. La Josefina va abraçar l'Emma amb força, i a en Dalmau el va sorprendre la vehemència i la duresa del seu propi discurs. Però era el seu triomf; aquells crits i aquells aplaudiments provinents de simples obrers arrossegaven a l'oblit el quadre que el senyor Manel havia llençat a les escombraries, la persecució a què l'havien sotmès els catòlics conservadors, i tots els greuges patits per culpa d'aquella gent. Aquest era el seu lloc, al costat de la seva gent. Havia trigat a entendre-ho, però les efusives felicitacions dels líders republicans del nou partit fundat per Lerroux, en aquell moment refugiat a l'Argentina, l'hi van acabar de confirmar. En Dalmau va guaitar la seva mare i l'Emma, que eren a baix, abraçades entre la gent, i els va somriure.

Aquell segon quadre va suscitar unes controvèrsies semblants a les de l'anterior. Uns diaris a favor i d'altres en contra. Declaracions i insults, entre ells, els del senyor Manel Bello. Els republicans, seguint els ensenyaments de Lerroux, van atiar les disputes per tal de generar la violència que unia el poble entorn de la seva formació política. L'únic en què es va diferenciar aquesta jornada festiva va ser en el fet que no hi hagué cap baralla a les portes de la Casa del Poble, ja que la policia n'havia ocupat els carrers i tots els voltants.

I ara faltava pintar l'últim quadre, per tal de fer els tres que com a excusa va improvisar l'Emma el dia que es dirigia amb els joves bàrbars a la caserna de la Concepció, va pensar mentre els quatre, comptant-hi la Júlia, dinaven convidats al restaurant de la Casa del

Poble, envoltats dels líders republicans, que estaven asseguts en altres taules. Un menú exquisit: arròs amb verdures i estofat de vedella, un bon vi, i poma al forn de postres. En Dalmau va menjar amb ànsia, amb una esgarrapada, gairebé sense mastegar, i a mesura que buidava el plat, la Josefina li donava bona part del seu. L'Emma feia veure que s'ocupava de la Júlia, que feia cas omís del menjar per adreçar-se als altres amb preguntes i més preguntes, encara que, en realitat, mentre esperava amb la forquilla alçada que la nena es decidís a badar la boca, l'Emma mirava de reüll en Dalmau.

Havia llegit les crítiques d'art: en Dalmau feia anar el pinzell com un mestre consumat. Dominava els colors, l'espai i la llum, encara que sobretot les ombres. És cert que les crítiques que apareixien als diaris catòlics o catalanistes no eren tan positives, però, en general, en un exercici d'honestedat, tampoc no s'aferrissaven contra la qualitat del pintor, sinó amb la temàtica escollida: el foc, l'infern, la violència, la incitació a la massa a revoltar-se contra l'Església. I aquell era l'home que tenia assegut davant i que menjava amb fruïció, probablement perquè normalment passava gana. Aquell era l'home que havia estimat de jove, i amb qui havia somiat viure eternament. Un home que va caure al pou més fondo de la desgràcia, amb la droga que li torçava l'enteniment, però que va aconseguir sortir-ne. Un menyspreat per la burgesia que havia acabat trobant-se amb la seva gent, amb el seu camí, i que s'hi lliurava de manera altruista, sense aspirar ni tan sols a aquell àpat amb què l'havien sorprès, i que gaudia com un necessitat a qui conviden a un banquet: els ulls esbatanats, el pa sempre a la mà i la boca plena en tot moment.

I ella? La forquilla, fins llavors alçada davant de la seva filla, es va inclinar, i el menjar va caure al plat. «Mare!», la va renyar la Júlia, malgrat que fins llavors no havia fet gens de cas dels seus esforços perquè mengés. L'Emma va ser incapaç d'alçar una altra vegada la forquilla; en lloc d'ella ho va fer la Josefina. I ella?, es va preguntar de nou. Havia venut el seu cos. No era més que una dona desesperada que es llançava a la lluita contra catòlics, catalanistes i tot aquell que se li posés al davant, com la via de fugida a una vida sense altre atractiu que una filla a qui hauria d'amagar que s'havia prostituït

per proporcionar-li una vida millor. El contrari implicaria respon-
sabilitzar la nena d'aquell error, i això no ho faria mai. La va esguar-
dar: la Júlia menjava de la mà de la Josefina. Li va somriure, i va
aprofitar un moment en què tenia la boca buida per fer-li pessigo-
lles en un costat.

—Amb mi no menjaves! —va dir de broma.

—Perquè s'ha de ser més afectuós —va intervenir en Dal-
mau—. Oi que sí, Júlia?

L'Emma va copsar, i també la Josefina, que el retret anava adre-
çat a ella; no tenia res a veure amb la nena. Afecte? Quant de temps
feia que no tractava un home amb afecte?

—Jo faig el que... —va començar a replicar l'Emma, però la
seva filla l'hi va impedir.

—La meva mare és molt afectuosa —el va sorprendre la nena—,
i molt bona, i treballa molt perquè la Josefina i jo puguem menjar i
tinguem una casa.

Aquella nit, en Dalmau va convidar l'Emma a prendre una copa
al Paral·lel.

—Com quan érem joves.

—Ja no ho som, Dalmau —va dir ella, rebutjant la proposta.

—No afluixaràs? —li va preguntar després la Josefina, quan van
ser totes dues a casa.

No ho faria. No estava preparada. Li agradava el nou Dalmau,
modest, afectuós amb la seva gent, dedicat a la mateixa causa que
ella, però el cos li deia que no cedís.

—No —va respondre a la Josefina.

Es va entestar a treballar a la cuina. Va voler aprendre d'en Fèlix
les receptes d'aquells plats típics catalans que omplien els estómacs
dels republicans que anaven a la Casa del Poble: peus de porc amb
naps; pollastre amb samfaina; cargols amb allioli; tota mena d'arros-
sos, amb ànec, amb bacallà; perdius a la catalana, guisades amb alls i
aiguardent. Ara bé, com més treballava, com més intentava distreu-
re's de les preocupacions, més insistia en Dalmau.

—Què li passa al seu fill? —va preguntar a la Josefina—. No té
intenció de deixar-me en pau?

—Doncs, pel que es veu, no. Vols que li digui res?

—Sí. Digui-li que se'm tregui del cap d'una vegada per totes.

—Ui, no! Em referia a donar-li alguna bona notícia, com ara que acceptes d'anar-hi a dinar o a passejar.

—Josefina!

—Us estimo a tots dos —es va disculpar la dona.

—Vostè ja sap quina és la raó que m'ho impedeix.

—No. No sé res.

—Si en Dalmau ho arribés a saber...

—Si en Dalmau ho arribés a saber —la va interrompre la dona—, n'hauria d'estar orgullós i felicitar-te per tot el que has fet per la Júlia i per mi, que soc sa mare. No siguis tan estricta amb tu mateixa, filla. Estàs segura que el problema és en Dalmau?

L'Emma va dreçar més el cap i va entretancar els ulls en un gest rude que l'acompanyava des que treballava a les cuines. Tot i això, la Josefina va continuar amb la qüestió que ja surava entre elles després de l'anterior pregunta:

—I si el problema fossis tu?

—Què vol dir?

La Josefina no va respondre.

L'any 1908 es va agreujar la crisi econòmica, que va afectar sobretot una indústria destacada a Catalunya, la del cotó, que des de feia anys arrossegava problemes de superproducció, acumulant estocs impossibles d'absorbir pel mercat, a la qual cosa es va afegir una puja constant del preu internacional del cotó en floca, que portava les fàbriques a treballar amb pèrdues. Ultra això, aquell any es va produir un descens de gairebé dos terços de les vendes a les Filipines com a conseqüència de l'expiració del tractat amb els Estats Units, pel qual totes dues nacions es repartien aquell mercat transoceànic, amb la qual cosa va pesar encara més sobre la indústria catalana la negociació d'un nou tractat comercial amb Cuba, que finalitzava el 1909. Empreses històriques d'importació de cotó en floca es van declarar en fallida, i a aquestes empreses els van seguir algunes banques comercials. Diverses factories i negocis de corretatge tampoc no van poder suportar les condicions del mercat i es van tornar insolvents.

Després de buscar nous mercats on abastir-se de cotó barat, com va passar amb el de l'Índia, de pitjor qualitat però que es barrejava amb l'americà, els grans industrials tèxtils van adoptar les mesures temudes per la massa laboral: la reducció de personal. Un quaranta per cent dels homes i un trenta per cent de les dones que treballaven a Barcelona i a la vall del Ter van ser acomiadats, mentre que als qui mantenien la feina els reduïen els salaris i els augmentaven la jornada laboral fins a les dotze hores diàries. Nombrosos fabricants van recórrer al locaut, el tancament empresarial temporal; simulaven la venda de les seves empreses tèxtils a germans, parents o a tota mena de fiduciaris per declarar extingits els contractes als treballadors, imposar-los noves condicions molt més adverses per a ells, i en el cas que no les acceptessin, substituir-los per esquirols disposats a treballar per uns sous més baixos.

Una multitudinària massa laboral es va sumar als qui ja vivien en la misèria, i els rumors sobre una nova vaga general van començar a córrer entre els obrers, les organitzacions polítiques i les societats laborals.

La tensió social es podia palpar. A l'octubre del 1908, els traginers de Barcelona es van declarar en vaga per reivindicar els seus drets. Els empresaris, les agències de transport, es van negar a fer cap concessió, van acomiadar els treballadors i els van substituir per esquirols. La violència no va trigar a esclatar. Els vaguistes van matar un esquirol i la policia va respondre amb violència en defensa dels empresaris. L'Emma va penjar el davantal de cuinera i, després de provocar un sospir de resignació per part d'en Fèlix, es va afegir als traginers en vaga, als joves bàrbars i als obrers sense feina que recorrien la ciutat armats per donar l'alto a qualsevol carro que infringís l'aturada laboral.

El port i l'estació de tren constituïen els llocs on més tràfic hi podia haver de mercaderies i, per tant, de traginers. L'Emma i els seus joves bàrbars s'hi van dirigir sense dubtar-ho. Entre les files republicanes va córrer el rumor que s'havien vist esquirols al voltant dels llocs on es procedia a enderrocar els edificis necessaris per a l'obertura de la futura via Laietana. Després d'uns quants dies de vaga, si els obrers no netejaven la zona de runa, era impossible continuar treballant-hi.

—Som-hi! —va ordenar l'Emma als bàrbars.

Envoltats d'edificis a mig derruir, amb el terra ple de runa, les brigades municipals s'afanyaven a carregar-la als tres carros tirats per mules que trencaven la vaga; operaris, esquirols i animals protegits per un destacament muntat de la Guàrdia Civil i diversos agents a peu, armats amb fusells. L'Emma va buscar en Dalmau entre ells, però no el va trobar. Potser havia tingut sort i estava treballant en una altra casa, en un carrer per sobre d'on eren ells en aquell moment. Aquell instant d'indecisió va fer que un dels capitosts dels bàrbars se li avancés:

—A l'atac!

La topada va ser brutal. Els cavalls no podien maniobrar entre els maons i els rocs, i n'hi hagué algun que va ensopegar i va caure a terra. En nombre, els vaguistes superaven de llarg les forces policials, que en pocs segons es van trobar sota una pluja de pedres. Es van sentir trets. L'Emma va dirigir un grup contra els traginers esquirols que trencaven la vaga.

—Malparits! Traïdors! —va cridar mentre els perseguia fins a gairebé ficar-se entre el destacament de cavalleria de la Guàrdia Civil, on els altres havien corregut a refugiar-se.

Va haver de recular amb els seus. Va anar de poc que no rep l'impacte de les pedres que llançaven els seus propis companys.

—Ataqueu! Ataqueu! —els va animar, embravida.

Igual que la cavalleria havia vist minvada la seva efectivitat entre tota aquella runa, pedres i parets a mig ensorrar, els agents que anaven a peu estaven més pendents de protegir-se de les pedres que volaven per sobre dels seus caps que no d'apuntar i disparar. Per la seva banda, els vaguistes creixien en nombre a mesura que els obrers del voltant s'afegien a la lluita pels drets dels companys. Mentre els uns continuaven mantenint a ratlla la Guàrdia Civil, altres van desjunyir les mules, les quals van fugir espantades; tot seguit van bolcar els carros, encara amb pedres, i els van calar foc. Convenia començar a retirar-se, perquè aviat arribarien reforços. L'Emma continuava escrutant el lloc per si hi distingia en Dalmau, i per fi el va clissar: s'arrecerava d'esquena a un mur per protegir-se de les pedres que llançaven els vaguistes.

—Fora! —es va sentir entre les files dels activistes—. Marxem!

Vaguistes i republicans van obeir i van fugir, dispersant-se pels carrerons de la ciutat vella, la que intentaven enderrocar per acontentar els rics i els burgesos. La interrupció de l'atac i el llançament de pedres va esperonar la Guàrdia Civil, que va fer el mateix amb els cavalls i va començar a perseguir els agressors. De cop i volta, l'Emma es va trobar sola al costat d'un carro encès. Concentrada en la visió d'en Dalmau, havia perdut uns segons vitals per fugir, i els guàrdies civils que no corrien al darrere dels vaguistes es disposaven a controlar la zona. L'Emma va sentir les ordres dels oficials, els insults dels agents, les promeses de venjança eterna, i es va ajupir darrere de la pantalla de foc que s'alçava del carro; si la descobrien en aquell moment, serien capaços de qualsevol cosa. El cor se li va encongir en sentir els crits de dolor d'algun vaguista o republicà que devia haver quedat enrere, ferit. Els guàrdies s'hi acarnissaven. L'Emma es va alçar d'un bot.

—Què penses fer, ingènua? —Una estirada del braç la va aturar i la va obligar a tornar a ajupir-se darrere del foc.

En Dalmau era al seu costat. Fins en aquesta situació, l'Emma va intentar desfer-se de la seva mà. L'altre no l'hi va permetre, i la va sacsejar abans de continuar parlant-li molt fluixet.

—Vols que t'arrestin i que et jutgi un tribunal militar? Aquests són guàrdies civils, són militars. Primer et clavaran una pallissa, i després… després ja et pots imaginar què faran amb una dona com tu, i per acabar t'imposaran una condemna d'una pila d'anys de presó.

Els laments anaven en augment a mesura que els agents trobaven vaguistes ferits. Alguns gemecs se sentien reprimits, però no per això eren menys esgarrifosos. L'Emma es va imaginar aquell camarada que serrava les dents, que lluitava per no concedir a la policia la satisfacció del seu suplici. Altres, en canvi, lliures de tota prudència, s'alçaven d'allò més punyents. Els agents de la Guàrdia Civil havien patit una severa derrota, encaixonats com havien quedat entre els enderrocs, i a les seves files hi havia força ferits de cops de roc. Ara no estaven disposats a perdonar.

—I què vols que faci? —va replicar l'Emma, arronsada davant

dels crits, que no paraven. Si hagués pogut lluitar, enfrontar-s'hi, la sang i la ràbia l'encegarien, però allà amagada, inerme, es va sentir fràgil i abandonada.

—Anem.

En Dalmau no li va deixar temps per decidir-se. La va estirar fort i van travessar l'espai que els separava d'una de les cases a mig enderrocar. Van sentir crits darrere seu: «¡Por ahí!», «¡Escapan!», «¡Detenedlos!». Aquella fugida era una bogeria, va arribar a pensar l'Emma mentre seguia en Dalmau, saltant per sobre de les pedres i la runa. Travessaven edificis mig ensorrats amb els guàrdies civils estalonant-los, ordenant-los que s'aturessin. L'Emma es pensava que continuarien corrent per un carrer que s'obria al lloc on abans hi havia la façana d'una casa, però llavors en Dalmau va parar. Va mirar els peus de l'Emma, es va ajupir, li va treure una espardenya i la va llançar al mig del carrer.

—Què fas?

—Fica't aquí, de pressa!

I la va empènyer cap a darrere d'una paret solitària que en un racó amagava l'entrada al que havia estat el celler de la casa. En Dalmau i l'Emma van baixar els quatre graons que duien al soterrani quan els guàrdies civils s'aturaven al davant, al carrer.

—¡Allí! ¡Ha perdido un zapato!

Això va ser l'últim que van sentir abans de deixar caure sobre els seus caps la feixuga porta que clausurava el celler.

—No et facis il·lusions —va dir de broma en Dalmau, mentre intentaven acostumar-se a l'escassa claror que hi penetrava per uns forats més pensats per ventilar que no per proporcionar llum al celler—, que el vi se'l van endur abans d'anar-se'n de casa.

—Era una espardenya pràcticament nova —es va queixar ella.

Es van asseure a terra, repenjats d'esquena a la paret, ella en una punta i ell a l'altra. Era un celler petit, amb espai per encabir-hi quatre o cinc botes.

—No ens trobaran, aquí? —L'Emma es va preocupar.

—Aquesta és la zona on treballo. En principi, no hi hauria de venir ningú, per aquí, i avui no crec que treballi ningú. Ja has vist que el celler està força amagat. Jo havia deixat la porta oberta, però, una vegada tancada, és molt difícil distingir-la del terra; està coberta de peces de ceràmica amb un dibuix idèntic que les de la resta de l'estança, i fins i tot les juntes s'avenen amb les de la porta. Una bona feina, les rajoles es confonen. Un amagatall perfecte per al vi. No, no crec que ens trobin. Ens hi podem quedar tant de temps com vulguem...

—Que serà l'imprescindible per sortir sense perill —el va interrompre ella.

—Jo m'esperaria que es fes fosc.

—Massa estona.

Malgrat les dimensions reduïdes d'aquell espai, amb prou feines si es veien. Una ombra al davant de l'altra. Només veus.

—Tant m'odies, que no vols estar amb mi unes quantes hores? Tot el que va passar quan érem...

—No t'odio. En absolut.

—Aleshores, a què ve aquest rebuig? Sé que no estàs amb cap altre home. I tampoc no espero que te'n vagis al llit amb mi, ni que t'enamoris de mi, només que tornem a ser amics.

Les veus es van convertir en respiracions, quasi més audibles que les primeres, a mesura que passava l'estona. «I si el problema fossis tu?» La pregunta formulada per la Josefina li repicava dins el cap.

—Creus que mereixo aquest tracte per part teva? —Ara va ser en Dalmau qui va trencar el silenci—. Ja sé que vaig cometre molts errors. Ja et vaig demanar perdó llavors, segurament no amb la insistència que ho hauria d'haver fet, però les coses van anar així. T'ho he tornat a demanar, ja en aquesta etapa de la nostra vida, i si convé, ho repeteixo ara: perdona'm, Emma, per tot el mal que et pugui haver fet. El cert és que vius amb la mare, i que ella t'estima com una filla, i a la teva filla l'adora com una neta. I em consta que l'afecte és recíproc. A què ve aquest menyspreu, doncs? Per què no podem ser amics?

«Perquè no em puc tornar a enamorar de tu», va pensar l'Emma. Li hauria agradat reconèixer-ho, però, si ho deia, després vindrien més preguntes. I acabaria confessant que s'havia vist obligada a lliurar-se a la lascívia d'un degenerat, i a partir d'aquí, qualsevol solució seria dolenta: en Dalmau podria renunciar a ella, menysprear-la com

573

una meuca, o al contrari, comprendre-la i assumir el seu passat, com deia la Josefina, però com podia arribar a entendre, en Dalmau, les seves accions, si ni ella mateixa no arribava a entendre-les? Va notar com li lliscaven les llàgrimes per les galtes. L'Emma no trobava consol per al seu esperit trencat quan nit rere nit les imatges de les seves humiliacions li regiraven les entranyes una vegada més, i li tornava a fer mal l'entrecuix, la boca i els pits. Ara ja sanglotava, però li era igual. La tensió de l'atac, el veure's arrestada, la fugida…, en Dalmau. Notava la sensibilitat a flor de pell, les simples paraules l'acaronaven. Li semblava impossible arribar a oblidar mai…

Va tenir un ensurt.

En Dalmau li acaronava la galta! Absorta en les seves afliccions, i enmig de la penombra del celler, no s'havia adonat que ell se li acostava.

—Què fas?! —va cridar, i li va apartar la mà amb un cop fort—. Què t'has cregut?!

L'Emma semblava totalment fora de si. A en Dalmau li va semblar que els ulls li refulgien entre les llàgrimes que l'havien fet atansar-s'hi i seure al seu costat, i va reaccionar tirant-se-li al damunt.

—Deixa'm! —es va remoure ella.

—Sí, sí —va acceptar ell amb un xiuxiueig, alhora que intentava tapar-li la boca—, però, sobretot, no cridis, que ens descobriran.

L'afany d'ell per fer-la callar va encendre una ràbia irracional en ella.

—Doncs no haver-me tocat! —va insistir l'Emma abans que en Dalmau li pogués tapar la boca.

—Ho sento —es va disculpar ell, quan ja tenia la mà sobre la boca de l'Emma i només sentia la respiració accelerada d'ella, i els intents infructuosos per tornar a parlar i a cridar es van quedar en un murmuri apagat—. Només et volia consolar. T'he vist plorant i he pensat… Calma't, si us plau. No m'hauria imaginat mai que reaccionaries així només perquè t'he acaronat la galta.

Però l'Emma no es podia calmar. La boca tapada, igual que feia ara en Dalmau amb la mà, però amb un drap de cuina fastigós per evitar que cridés, o que ni tan sols cridés l'atenció: així la forçava l'Expedito de vegades. I en aquest moment, emmordassada de nou, en una foscor que l'atemoria, va creure tornar a notar com el mànec dur de fusta d'algun estri de cuina se li enfonsava al recte després d'esquinçar-li l'anus mentre l'obès llardós panteixava excitat. Es va girar contra en Dalmau amb l'impuls que li imprimia la ràbia, i va acabar clavant-li una puntada de peu a l'estómac que el va fer apartar.

—No em tornis a tocar mai de la vida! —va cridar posant-se dreta.

—Calla, t'ho demano si us plau.

—Ves-te'n a la merda!

I dit això, va empènyer la porta del celler cap amunt i va pujar els graons fins al pis cobert de rùna. No va adoptar cap precaució, i va tenir la sort que no hi havia cap guàrdia civil. Va donar una ullada al carrer, obert de cap a cap davant de l'edifici sense façana, i va reconèixer la seva espardenya, llançada a terra. La va anar a buscar, es va calçar i es va perdre a correcuita per l'entramat de la ciutat vella sense mirar enrere, cap a un Dalmau amb mig cos a fora del celler, que, amb una expressió atònita, brandava el cap.

19

En el lliurament del tercer i últim quadre d'en Dalmau a la Casa del Poble, l'Emma no hi va ser. «Tenia molta feina a la cuina», la va excusar la Josefina. Tampoc no és que hi assistís gaire gent, ni l'acte havia tingut el ressò que havien despertat els anteriors quadres als mitjans de comunicació per més que, continuant amb la temàtica de l'incendi d'un convent de monges —tal com havia promès el pintor—, el contingut fos molt més violent, procaç i insultant respecte als altres dos. El senyor Manel va signar alguns articles duríssims a la premsa catòlica i no es va mossegar la llengua, emprant tota mena d'insults i invectives destinades a desacreditar i injuriar en Dalmau, tant en l'àmbit personal com en l'artístic però, deixant de banda aquelles diatribes, l'atenció pública estava posada en altres problemes.

Barcelona, com tot Espanya, i també els diaris, els polítics i sobretot els obrers, estava pendent dels turbulents esdeveniments que succeïen al nord d'Àfrica, a la zona del Rif, on s'enclavaven les ciutats espanyoles de Ceuta i Melilla. Com a potència colonial sobre aquell territori, aquell mes de juny del 1909, el govern espanyol havia autoritzat la sortida de les tropes acantonades a Melilla per imposar l'ordre i sufocar la violència i els atacs de les cabiles, les tribus berbers que poblaven la regió. Després d'una acció bèl·lica costosa en vides humanes per a totes dues parts, en què no va faltar la invocació a la reina Isabel la Catòlica en la seva lluita contra els moros, els espanyols van recuperar el control del Rif i es van reobrir les mines de ferro que hi explotaven tot un grup de grans empresaris espanyols, encapçalats pel comte de Romanones a Madrid i pel marquès de Comillas a Barcelona. Durant nou mesos, les mines havien estat tancades i havien estat improductives arran de les revoltes dels cabilencs. Banquers i rics industrials que defensaven les seves inversions en ferrocarrils i mines al nord d'Àfrica, al costat dels militars, sempre heroics, sempre delerosos d'entrar en combat, van forçar el govern de Madrid a prendre aquesta primera decisió, que es va intentar encobrir com una acció de simple policia, però diaris i polítics, i fins i tot el mateix poble planer, començaven ja a entreveure una nova guerra. Sobre la moral de la gent encara pesava el desastre del 1898, tot just feia onze anys, en què s'havien perdut de la manera més humiliant les colònies de Cuba, Puerto Rico i Filipines. I en aquest cas s'hi afegia la incertesa de batallar un cop més contra l'enemic atàvic dels espanyols: els moros. «És mil vegades més perillós anar al Marroc que deixar d'anar-hi», es repetia als carrers i a les tavernes.

Espanya, invariablement superbiosa, va negociar amb marroquins i cabilencs des de la prepotència, com si encara regentés aquell imperi en què mai no es ponia el sol. Les empreses mineres van defensar els seus interessos pactant amb el cap dels berbers, que va atacar el sultà i va cedir el comandament al seu segon, el qual va trencar tots els compromisos i va alçar el poble rifeny contra aquells que espoliaven les seves riqueses naturals. Per la seva banda, l'estat espanyol, a través del seu ambaixador al Marroc, feia unes declaracions a la premsa estrangera en què titllava el nou sultà d'esquerp, descortès i faltat de cap preparació per governar; unes cartes de presentació més que dubtoses davant de les autoritats d'un país que havia d'oferir ajut en temps d'incertesa.

Amb tot, en Dalmau va rebre clams i aplaudiments després de descobrir el nou quadre que tancava la sèrie i que, al costat dels anteriors, ocupava gran part d'una de les parets de la sala d'actes i restaurant de la Casa del Poble republicà. Després el van convidar a dinar amb la Josefina i la Júlia, una nena que al llarg dels seus cinc anys de vida havia suavitzat de mica en mica els trets aspres i grollers heretats del pare, però mantenia el desvergonyiment de la mare.

—Avui tampoc no vindrà la mare? —es va queixar la Júlia després que el cambrer hagués pres nota del menú.

577

—La teva mare té molta feina, bonica —va intentar desviar la conversa la Josefina.

La Júlia va obrir la boca per replicar, però la Josefina va fer que no amb el cap, pacientment, instant-la a no continuar, així que la menuda va cedir i es va dedicar a observar amb insolència els comensals de les taules del voltant; abans, però, va fer una ganyota. Els nens s'obliden ràpidament de les coses; el disgust més gran s'esvaeix en cosa d'hores. Aquesta és la gran virtut de la infància: els nens han nascut per riure, per deixar de banda les desgràcies i tornar als seus jocs i fantasies. No obstant això, fins i tot la Júlia era capaç de percebre la tensió que hi havia entre l'Emma i en Dalmau. Diverses vegades havien coincidit, havien discutit, i la seva mare fins i tot s'havia arribat a mostrar despectiva amb ell. La Júlia s'estimava en Dalmau, adorava la Josefina i venerava la seva mare, però tot el seu món afectiu s'esfondrava tan aviat com es trobaven tots dos. No es va atrevir a preguntar a la seva mare per no esguerrar els moments de felicitat que vivien quan tornava de la feina, a més, quina culpa podia tenir ella? Era la seva mare! Però aleshores va intentar satisfer la curiositat a través de la Josefina, que es va perdre en excuses i no li va aclarir res.

—Per què et baralles amb la meva mare? —va etzibar a en Dalmau de cop i volta en un dinar de diumenge.

—Perquè l'estimo.

La Júlia va fer uns ulls com unes taronges.

—Llavors, si l'estimes…

—No són coses de nenes —la va interrompre la Josefina, i tot seguit va recriminar al seu fill la resposta.

—L'estimo, sí —insistí l'altre sense fer cap cas de la seva mare—. Però ella no s'atreveix.

La Josefina va alçar el cap i va mirar el sostre. Pressentia el que comportaria aquella estúpida declaració d'amor utilitzant la Júlia com a mitjancera. Sabia quina era la situació de l'Emma. N'havien parlat, fins i tot havien plorat juntes. L'Emma no aconseguia superar el passat i aquella rèmora l'impedia estimar ningú més. Havia reaccionat empresonant encara més els sentiments, sobretot quan la buscava en Dalmau, i desfogant-se en la política, en la lluita obrera, en el menyspreu cap a l'Església, a qui continuava fent responsable de tots els mals que assetjaven l'univers. La noia s'havia radicalitzat, i allà on hi havia un problema, allà on ningú s'atrevia a fer un míting, allà hi era ella perquè l'aclamessin o per plantar cara. Passava els dies i les nits entre la feina a la cuina i l'activitat revolucionària. Cada vegada veia menys la seva menuda i la Josefina va arribar a veure en ella el reflex de la seva filla Montserrat quan va sortir de la presó, quan les seves paraules traspuaven odi per la societat, per la gent, fins i tot per la vida. La Montserrat va morir, es repetia una vegada i una altra amb les llàgrimes lliscant-li per les galtes, tement el mateix desenllaç per a qui s'havia fet dir germana seva.

No van trigar a fer-se realitat els presagis de la Josefina sobre les conseqüències dels comentaris d'en Dalmau a la Júlia. L'Emma el va buscar a les obres d'enderrocament de la Via Laietana, li va demanar un minut i li'n va sobrar mig.

—No li tornis a dir a la meva filla que m'estimes —el va abordar sense cap mena de discreció, a dues passes escasses d'on els seus companys continuaven treballant—, o que jo no m'atreveixo a estimar-te, o qualsevol altra ximpleria que et passi pel cap. Si no ets capaç de limitar la teva conversa amb la Júlia als dibuixos i a les nines, potser millor que no la tornis a veure.

—Emma…

—Ni Emma ni hòsties. Entre nosaltres no hi ha res ni hi tornarà a haver res. Continua divertint-te amb les teves veïnes i a mi deixa'm en pau, ho has entès? —En Dalmau la mirava amb la tristesa marcada a la cara. Alguns dels paletes presenciaven l'escena en silenci—. Queda entès? —va repetir—. I vosaltres què mireu?! Que no teniu feina?! —va acabar cridant a tots els altres.

—Per aguantar una dona com aquesta, més val que la deixis córrer, Dalmau —va intervenir un dels seus companys.

—En trobaràs de dolces i afectuoses —s'hi va afegir un altre en to burleta.

—Fes cas als teus amics, Dalmau —va xisclar l'Emma donant una manotada a l'aire i tornant cap a la Casa del Poble; ho va dir sense girar el cap per evitar que ningú no li pogués veure els ulls negats.

El que el govern de Madrid havia qualificat eufemísticament de simple acció de la policia a l'Àfrica va acabar convertint-se en el que tots veien a venir: una guerra. Al juliol, els rifenys van atacar el ferrocarril i van matar quatre obrers espanyols; els altres treballadors van fugir i van aconseguir arribar fins a Melilla amb una locomotora. Des d'allà es va iniciar una operació de càstig que va acabar amb un nombre indeterminat de cabilencs morts pels efectes de l'artilleria i el foc de metralladora. A les files espanyoles, el correctiu es va saldar amb quatre morts, entre ells un oficial, i més de vint ferits. A partir de l'agressió a civils indefensos, un fet revelador de les veritables intencions de les tribus rifenyes, el general de la plaça africana de Melilla va sol·licitar reforços a la península per fer front al conflicte.

Les dificultats van posar de manifest, un cop més, tal com havia passat a la guerra de Cuba, la incompetència i la supèrbia dels militars i els polítics. Després de segles de sobirania sobre les places africanes de Ceuta i Melilla, els militars espanyols ni tan sols havien aixecat plànols topogràfics de la regió; no coneixien les característiques físiques dels enclavaments muntanyosos que calia controlar, i tampoc no sabien on havien de desembarcar les tropes en cas que calgués fer-ho a la costa, lluny dels ports de les places fortes. La diplomàcia, per la seva banda, es va tornar a basar en una actitud arrogant sobre els moros i en la falta absoluta d'habilitat. Davant de la situació al Rif, el sultà del Marroc va enviar una missió diplomàtica especial a Madrid per convèncer els espanyols que enretiressin els seus efectius, i es va comprometre a restaurar la normalitat amb les forces de l'ordre marroquines. Aquesta missió diplomàtica especial la va rebre i atendre un subsecretari interí —un funcionari sense cap representativitat— i el mateix ambaixador que s'havia permès insultar el sultà als diaris. Abans fins i tot que la missió tornés al seu país, les autoritats espanyoles felicitaven les tropes espanyoles establertes a l'Àfrica pel càstig infligit als berbers.

Però independentment d'errors i negligències, la pitjor lacra que va envoltar la «guerra dels banquers», com se la va anomenar pels interessos econòmics que hi havia en joc, va ser la de l'orgull personal i les enveges dels alts càrrecs de l'exèrcit espanyol, un defecte que al llarg de la història havia portat Espanya a la decadència. El juliol del 1909 hi havia a Cadis, al sud d'Espanya, a vint-i-quatre hores d'estar plenament operatius a la zona del Rif només creuant l'estret de Gibraltar, un exèrcit de setze mil homes perfectament preparats i equipats pel general Primo de Rivera, anterior ministre de la Guerra del govern d'Espanya, que, preveient els enfrontaments bèl·lics a l'Àfrica, va prendre la decisió de crear aquell cos d'exèrcit professional.

Amb tot, el general Linares, ministre de la Guerra en l'època de la revolta del Rif, va menysprear els esforços i la visió del seu antecessor i va prescindir de les tropes preparades al camp de Gibraltar, en aquell moment sota les ordres del general Orozco. En contrapartida i, juntament amb els escassos soldats en actiu, va cridar a files els reservistes, majoritàriament catalans. Ja feia sis anys o més, el 1903, que havien servit a l'exèrcit i es consideraven lliures d'obligacions militars. Confiats amb aquesta idea, s'havien casat, havien format famílies i havien portat fills al món. La majoria d'ells havien de sortir del port de Barcelona.

A la Casa del Poble, sobre l'estrada, asseguda en una de les cantonades de la taula que presidia la reunió republicana, de cara a la sala d'on s'havien enretirat les taules del restaurant i on s'acumulaven els obrers, enfurismats per la mesura del govern de cridar a lleves els reservistes, l'Emma escoltava els discursos dels líders del partit i les aclamacions o les xiulades que els esperonaven.

—De què viuran les nostres famílies?

Aquesta era una de les preguntes que es repetien i que irrompien en tots els discursos.

—Com s'alimentaran els meus fills?

Ho preguntaven les dones, algunes cridant i alçant el puny, d'altres amb llàgrimes als ulls; la misèria i la mort ja les rondava. La gernació escridassava i insultava els rics, que es lliuraven d'anar a la guerra pagant mil cinc-centes pessetes, i llençava proclames contra les autoritats de Madrid i l'Església, que donava suport a aquell enfrontament com si es tractés d'una croada.

Eren nois d'uns vint-i-cinc anys, com ella o fins i tot més joves, va pensar l'Emma mentre se'ls mirava. Joves que quan els va tocar van complir amb el servei actiu, però que ara tenien dona i fills. Que els cridessin a files volia dir que les seves famílies passarien gana, perquè els soldats no cobraven ni un cèntim. Corria el rumor que el rei pretenia compensar els reservistes amb dos rals diaris, mitja pesseta, si en realitat cristal·litzava el gest de generositat de què es vantava el monarca. De què viuria la seva gent? Una família amb dos fills necessitava uns ingressos mínims de cent quinze pessetes al mes simplement per sobreviure.

Milers de famílies escapçades. Homes sobtadament enviats a la guerra, amb una preparació militar que se suposava que tenien, però que en temps de pau no havien arribat a rebre per estalviar en despesa, fins al punt que un regiment de mil homes acabava format la major part de l'any per tres-cents per falta de pressupost. Així era la milícia espanyola: més generals que oficials; més oficials que soldats. El fantasma del Desastre del 1898, amb la pèrdua de Cuba i les Filipines, amb milers de soldats morts per la imperícia i la negligència dels seus comandaments, sobrevolava la Casa del Poble i tot Espanya.

—Per què no criden a files els milers d'homes que l'excedent de contingent ha deixat fora aquests últims anys? —va clamar una dona—. Ells no tenen ni dones ni fills. Els joves són els que haurien d'anar a la guerra, i no els pares de família.

L'auditori republicà va esclatar en crits i insults. Els de la taula presidencial es van mirar entre ells. Molts podrien contestar a aquella pregunta, però va ser l'Emma qui es va aixecar i va esperar que la gent es tranquil·litzés. Coneixia la història i els motius d'aquella decisió tan injusta. L'oncle Sebastià, amb qui havia viscut de petita, quan havia esclatat la guerra de Cuba, no parava de queixar-se, una vegada i una altra, i aquelles queixes eren una mena de cantarella que li havia quedat gravada: diversos familiars que ella ni tan sols coneixia havien estat cridats a files encara que tinguessin dona i canalla.

—Sabeu per què han triat els reservistes? —va intervenir l'Emma quan es va plantejar la pregunta. Després va esperar una estona, la necessària perquè fins i tot se silenciés la remor—. Perquè si els militars reclutessin els joves, els quintos que van quedar fora en els sortejos dels últims anys, els rics d'aquesta ciutat perdrien molts diners.

—Això mateix ja va passar a la guerra de Cuba —va cridar algú. L'Emma va assentir.

La gent va tornar a insultar i a escridassar, però molts dels que hi eren van reclamar silenci cridant «Per què?» o «Què vols dir?». L'Emma va recordar totes i cadascuna de les paraules de l'oncle Sebastià:

—Hi ha companyies d'assegurances que s'omplen les butxaques segons si a una persona la criden o no a files. Si es recluta aquesta persona, l'asseguradora ha de pagar les mil cinc-centes pessetes en metàl·lic que costa la redempció del servei militar. Tots coneixeu el sistema, tot i que cap de vosaltres no heu pogut pagar les quotes que demanen aquestes asseguradores —va afegir verbalitzant el que tots pensaven en aquell moment—. Per tant, si són els reservistes qui van a la guerra, les companyies d'assegurances no han d'afluixar ni un cèntim: els reservistes que vau estar en servei actiu no teníeu cap assegurança, si l'haguéssiu tingut ni tan sols hauríeu entrat a l'exèrcit, no seríeu reservistes. En canvi, si criden tots els quintos que es van quedar fora per l'excedent, gent que va tenir sort en el sorteig, aquestes companyies asseguradores hauran de pagar tots els contractes que han signat per mil cinc-centes pessetes, ja que tots els quintos, sense excepció, serien cridats a la guerra i molts d'ells tindrien una assegurança. I això —va afegir l'Emma— és un perjudici econòmic que els inversors rics d'aquesta ciutat ni poden ni pensen consentir. Ells, els rics... i l'Església, han declarat una guerra que ens venen com a patriòtica quan només és una excusa per defensar les seves mines i els seus ferrocarrils. A sobre, seran els mateixos interessats en la guerra qui s'encarregaran de transportar des de Barcelona els nostres homes en vaixells de la seva propietat i en cobraran els ports a l'Estat. I, per si no fos prou, fins i tot decideixen qui dels nostres, dels humils, dels miserables, ha de morir. Tu o tu! O potser tu! —va interrompre el seu discurs assenyalant alguns homes—. I aquesta macabra elecció no la fan per patriotisme, la fan pensant en els beneficis personals.

Si algú esperava que tornés a esclatar una gran cridòria es va equivocar. Va ressonar algun crit, sí, i també algun insult, que es va aturar en sec davant de l'actitud de la majoria dels obrers, que van sentir com les paraules de l'Emma perforaven el seu amor propi i arrasaven la poca dignitat que els quedava després d'entregar la seva vida a fàbriques i tallers en jornades inacabables i per uns jornals mesquins. Els homes no es van atrevir a mirar les dones i els fills, perquè no tenien paraules per expressar el que sentien. Quina dignitat els quedava perquè els reconeguessin com a caps de família? Es van sentir titelles d'uns fils que movien els rics, fins al punt que disposaven de les seves vides. Es van sentir uns ninots i podien fer amb ells el que volguessin. I sabien que amb les seves vides, les dels bufons sotmesos al capital, arrossegaven també les de les seves famílies.

Els rumors van renéixer al cap d'un instant.

—Impost de sang! —va cridar aleshores l'Emma des de l'estrada—. Això és el que ens cobren als pobres, als que no tenim recursos: un impost de sang. —Va passejar la mirada per l'auditori—. El volem pagar?!

Un bram tronador va sorgir dels centenars de boques que omplien fins dalt la Casa del Poble.

—El pagarem?! —va tornar a cridar l'Emma, el puny alçat, exaltada, tot i que ja ningú no la podia sentir.

—Mori la guerra!

Aquest va ser l'eslògan que van adoptar els republicans del Partit Radical i que van escampar per tot Barcelona, manifestant-se principalment per les Rambles, perquè els batallons de soldats es dirigien al port per aquesta via i també perquè era allà on hi havia el palau del marquès de Comillas, l'objecte de la ràbia de tots els manifestants. Els embarcaments de soldats de la tercera brigada van començar l'11 de juliol. L'Emma coneixia bastants d'aquests reservistes que desfilaven per les Rambles cap a un destí tan incert com perillós: dos cambrers de la Casa del Poble; diversos membres de les brigades de joves bàrbars i molts homes, pares de família d'edat semblant a la d'ella, amb canalla, que se li van apropar després d'haver fet el discurs a la Casa del Poble. N'hi havia que havien intentat desertar, però les autoritats, previsores, van augmentar les mesures de vigilància en camins, trens, ports i fronteres. La detenció fulminant de diversos desertors i la publicitat que es va concedir a l'èxit de la policia van dissuadir la gran majoria dels reservistes de llançar-se a una aventura que, si fracassava, comportava una pena superior a la d'acudir a la guerra contra els moros. Pares i mares desesperats van demanar solucions a l'Emma. «Què pensa fer el Partit Radical?» «Com ens defensarà?» «On és en Lerroux?» «Per què no és aquí lluitant per la seva gent?» «Nosaltres vam construir aquesta casa perquè ell ens ho va demanar.»

—En Lerroux torna ara de l'Argentina —va dir l'Emma per intentar calmar els ànims. No podia jurar-ho, però es comentava que estava decidit a tornar a Espanya emparat en la immunitat parlamentària que li procurava la seva acta de diputat nacional obtinguda en la seva absència—, però us prometo que aturarem la guerra. Ho aconseguirem! Farem una vaga general. Paralitzarem el país. Els nostres camarades de Madrid i d'algunes altres ciutats estan amb nosaltres. Ens hauran de fer cas. Confieu-hi!

El recurs de la vaga general s'exposava com la millor mesura de pressió, però no van ser els republicans radicals qui ho van fer, sinó els socialistes, que es van afanyar a abanderar les protestes contra la guerra, mentre els líders republicans radicals es mostraven complaents amb el govern de Madrid. Amb tot, conscients que les seves bases eren les que patien les conseqüències del conflicte, van desviar les culpes cap a l'Església, cap a aquells catòlics recalcitrants, amics del Papa, els interessos del qual eren els que havien alçat en armes als berbers.

En qualsevol cas, els obrers d'una banda, els anarquistes i els radicals de l'altra, els socialistes i fins i tot els catalanistes amb ells, van aconseguir que Barcelona es convertís en un polvorí a punt d'esclatar.

—Crida, filla —va animar l'Emma a la seva filla—. Vinga! Crida amb mi: Mori la guerra!

—Mori la guerra! —va repetir la Júlia, alçant el puny a l'aire com la seva mare.

—Bravo! Molt bé! Ja ets de les nostres!

Van ser la Josefina i altres dones les que van felicitar la nena, com feien amb tots els altres infants que també acompanyaven les seves mares a les manifestacions.

Davant la duresa amb què el governador pretenia imposar l'ordre, a través de la policia, de la Guàrdia Civil, de trets a l'aire i de detencions, els manifestants van tornar a les tàctiques d'anys enrere: dones i nens per davant dels obrers per alterar l'esperit de les forces de l'ordre públic. L'Emma es creixia i gaudia amb la política de confrontació oberta adoptada pel Partit Radical. Més de sis mil radicals havien arribat a congregar-se davant de la Casa del Poble! Però sobretot contemplava orgullosa la presència de la seva filla i de la Josefina, que s'havia entestat a acompanyar-la quan va saber que l'Emma pretenia portar-hi la petita. «No us deixaré soles», li va dir. I no ho va fer. Lluitaven juntes! Eren la seva família i les tenia al costat. Ja feia dies que assistien a manifestacions i l'Emma es mostrava exultant, fins al punt que cada dia acabava amb la veu rogallosa. A les nits, la Júlia queia rodona, i la Josefina obligava l'Emma a callar encara que volgués comentar els fets de la jornada, mentre li proporcionava unes pastilles per al mal de coll que contenien clor, bor i cocaïna, indispensables, segons deia el prospecte, per a oradors i cantants.

—Cantar no cantes —va comentar la Josefina amb ironia la primera vegada que l'hi va donar—, però com a oradora no hi ha qui et superi.

El diumenge 18 de juliol del 1909 no van fer cap dinar amb en Dalmau. Aquell dia hi havia programat un nou embarcament de tropes integrades majoritàriament per catalans, i la Josefina va fer arribar al seu fill la notícia que havien d'estar atentes al pas dels soldats. També ella sentia que revivia amb les revoltes. Percebia la tensió a la ciutat, en la seva gent i fins i tot als edificis. La desfilada va tenir lloc a primera hora de la tarda, i els soldats es van trobar que no només els esperaven activistes i manifestants, sinó també els veïns de Barcelona. El descans dominical ja era un dret, i la gent sortia al carrer a prendre la fresca i a deixar per uns moments uns habitatges que els queien al damunt, sobretot en un mes de juliol calorós.

Les autoritats civils i militars de Barcelona, arrogants, continuaven menyspreant els obrers i, malgrat els mítings, les protestes al carrer i les amenaces, en comptes de fer el tomb a la ciutat vella per arribar al port, on hi havia els vaixells, van fer passar els soldats pel centre de la ciutat: des de la caserna del Bonsuccés, a tocar del tram inicial de les Rambles, fins al port. Allà hi havia l'Emma, amb la filla de cinc anys, i la Josefina, i dones que ploraven desconsolades el pas dels seus marits, que carregaven a les espatlles, com si es tractés d'una impedimenta més, els seus fills petits. Els oficials, davant de la gentada que s'arremolinava al voltant de les files, ho van permetre. Hi havia àvies que els animaven, però la gran majoria també plorava. Marits, pares i fills que marxaven a la guerra contra els moros, i que deixaven enrere, en la misèria, sense recursos, les seves famílies.

L'Emma, amb la gola engarrotada, va estrènyer la Júlia contra el cos. Portava la nena al davant, agafada de les espatlles. Ella mateixa va buscar el consol de la Josefina i s'acostà a la dona. No era el moment de crits ni consignes. La majoria ho va entendre i va exigir respecte als qui alçaven la veu. Un funeral massiu: el dol de centenars de dones que lliuraven els marits als capricis dels rics. Les tropes es van anar fonent amb el poble. L'Emma va carregar la Júlia a collibè i, amb la Josefina al costat, envoltades de les files desmanegades de soldats, motxilles i fusells, es van afegir a la processó que baixava en direcció al port. La tensió, continguda fins al límit, va rebentar en el moment que la immensa comitiva es va espargir quan va arribar a l'ampli passeig de Colom, davant dels molls. Allà s'havien aglomerat els barcelonins. Algun crit d'ànims, aïllat, temorós de trencar l'encanteri amb què es desplaçava la multitud. Uns primers aplaudiments discrets que van anar en augment fins que van assolir un fragor que va fer retrunyir les llambordes de la calçada.

L'Emma no podia aplaudir perquè agafava la Júlia dels turmells, però la menuda sí que ho feia, com la Josefina, com moltes altres dones obreres, la majoria deixant córrer les llàgrimes, com l'Emma. Als crits de suport de la multitud s'hi van començar a afegir les reivindicacions: «Mori la guerra!», va sentir l'Emma que cridava la seva filla, i li van tremolar les cames. Es va refer i va continuar amb el pas ferm i les dents serrades, sacsejant la Júlia amb les espatlles, esperant-la perquè intentés alçar la veu infantil per sobre de l'escàndol. Era perillós i l'Emma ho sabia. Ho sabia la dona que tenia a l'esquera, amb un nen a les espatlles com ella, i també la de la dreta, que portava agafat de la mà un nen més gran. Ho sabien les del darrere, i les dels costats que formaven la capçalera de la protesta. Totes elles eren conscients del risc que corrien, elles i els seus fills, però estaven decidides a lluitar per frenar la injustícia.

—Mori la guerra! —bramaven dones i infants.

Al moll els esperava una considerable força de policia ben armada que, sense cap mena de consideració, va obligar els soldats a separar-se dels seus éssers estimats i a embarcar a bord del vapor *Cataluña*. La situació es va descontrolar quan, des de la multitud, es va poder comprovar que allà on ells tenien prohibit accedir-hi, sí que ho havien pogut fer unes desenes de burgeses, riques, senyores de l'alta societat, vestides de negre com si anessin a un funeral, perfumades i enjoiades, que repartien medalletes religioses i tabac entre els soldats, talment com si fossin unes protectores divines, enviades de Déu, la qual cosa encara va irritar més la tropa i els seus acompanyants. La gran majoria dels soldats van llançar les medalles al mar amb menyspreu.

—Llanceu també els fusells! —es va sentir des de la multitud.

—Que hi vagin els rics, a la guerra!

La policia va exhibir les seves armes per contenir l'allau de civils al moll.

«I els capellans!» «Que hi vagin ells a convertir els moros!» «Que hi vagin a morir els rics!» «O tots o ningú!»

Mentre la cridòria i les amenaces refermaven i la policia començava a disparar a l'aire per controlar el tumult, els oficials es van afanyar a agilitzar l'embarcament, van enretirar la passarel·la i el *Cataluña*, carregat de reservistes, va salpar. Encara s'acomiadaven familiars i soldats, quan part de la policia va augmentar els trets a l'aire per dissoldre la multitud i un altre grup iniciava les detencions. Les dones amb criatures s'havien enretirat davant de les primeres detonacions, i l'Emma se'n va anar amb elles, fins que va trobar la Josefina i li entregà la Júlia. «Cuidi-me-la!», li va demanar abans de girar-se colèrica cap al moll, com si policies, activistes i fins i tot militars estiguessin esperant el seu retorn. Es va situar a la primera fila, envoltada de dones, que continuaven assumint el seu paper de punta de llança en defensa dels seus homes, i allà va cridar més que ningú, va escopir als policies que formaven un mur de contenció i els etzibà puntades de peu. Dos dels agents se li van tirar al damunt, delerosos de detenir la Mestra. La coneixien: s'havia guanyat a pols constar a totes les llistes d'elements conflictius i revolucionaris que corrien per les autoritats. L'Emma no va poder maniobrar amb agilitat. Va intentar escapar, però la van agafar abans que fes tres passes. Va estirar el policia mentre buscava ajut. Un braç fort li va encerclar la cintura i li va impedir continuar. L'altre policia la va atrapar pel tòrax i li recolzà una de les mans directament al pit.

—Fills de puta! —va cridar ella.

Els policies l'arrossegaven, vençuda, cap al moll, on encara hi havia les autoritats i les beates per a les quals moririen els reservistes catalans perquè poguessin continuar lluint vestits fastuosos i joies.

Tot d'una es van aturar.

—Deixeu-la anar!

Va ser la veu qui va aconseguir que reviscolessin dins seu les forces que semblava que l'haguessin abandonat. L'Emma es va regirar contra els policies amb més afany. Noves veus conegudes entre els trets a l'aire de la policia i la bullícia. Eren els seus joves bàrbars! Cinc, potser més, a les ordres d'en Vicenç. Van encerclar l'Emma i els policies, que demanaven ajut als seus, tot i que l'ajuda va arribar del bàndol dels radicals, que no van haver d'utilitzar ni tan sols la força per alliberar l'Emma, ja que els dos agents van recular cap al moll, ensenyant els palmells de les mans a mitja altura.

—Sempre estàs ficada en embolics —va fer broma en Vicenç mentre s'allunyava del lloc amb l'Emma i la seva colla de joves.

Aquell mateix 18 de juliol en què els ciutadans de Barcelona s'havien alçat contra els embarcaments de tropes, es van produir les primeres baixes importants al Rif. Els cabilencs van atacar per sorpresa l'exèrcit espanyol i van causar més de tres-centes baixes. La notícia va arribar l'endemà per telegrama, tot i que l'exèrcit encara trigaria molt més a comunicar la identitat dels morts, de manera que mares, dones i fills dels reservistes van començar a viure el seu propi calvari: el de l'espera anguniosa fins a saber si algun dels soldats abatuts era dels seus.

L'Emma va viure aquell patiment en primera persona. S'havia refugiat a casa d'en Vicenç, al barri fabril de Sant Martí de Provençals, la Manchester catalana. Era en una illa en què, com passava en moltes de les d'aquella zona, les cases s'integraven amb les indústries, i així gran part del terreny era ocupat per una fàbrica o un taller, i la resta, de manera caòtica, per edificis d'habitatges obrers. En el cas de la família d'en Vicenç, la seva casa afrontava una forja de grans dimensions que, a part de fer tremolar el terra i les parets amb cada cop de martell piló, feia augmentar la temperatura per l'escalfor que s'escapava dels forns permanentment encesos i empitjorava la sensació de xafogor d'aquell mes de juliol. Allà, al característic pis construït per allotjar-hi obrers —habitacions fosques sense a penes ventilació, que donaven a uns patis ridículs, una sala d'estar que no tenia ni cuina i lavabos compartits—, s'amuntegaven els pares d'en Vicenç, ell mateix i la seva germana, amb un nen petit i sola perquè al marit l'havien cridat com a reservista. Elvira, es deia la noia, i el plor, que havia estat constant d'ençà que s'havia embarcat el marit, havia crescut amb la notícia de les primeres baixes. A instàncies del mateix Vicenç i d'alguns altres líders republicans, es va decidir que l'Emma s'amagués durant un temps al barri de Sant Martí, ja que la policia no trigaria a iniciar les detencions. «Per la cuina no et preocupis —l'havien alliberat els seus caps—, ens fas més servei als carrers.» Davant la nul·la reacció del govern a les reivindicacions obreres perquè s'aturés la guerra, es parlava ja obertament d'una vaga general d'àmbit estatal encapçalada pels socialistes. A Madrid, un dels embarcaments de reservistes a l'estació de tren de Mediodía havia acabat en una batalla campal, amb les dones esteses sobre les vies, alguns vagons bolcats i els seguidors de Pablo Iglesias enfrontant-se a la policia.

Davant d'aquesta situació, la Josefina es va fer càrrec de la Júlia, i els joves bàrbars, de l'Emma. Els joves radicals la protegien perquè no patís cap mal ni la detinguessin al llarg de totes les protestes que van tenir lloc a Barcelona mentre es preparava una vaga general que tenia el suport dels líders republicans. No obstant això, en Lerroux encara era a l'estranger, i, en una mena de doble joc, els republicans dissimulaven el seu ferm compromís amb les revoltes que es produïen a Barcelona: certament, hi enviaven els seus activistes i afiliats, i fins i tot arribaven a vendre pistoles, a terminis, a la Casa del Poble mateix, però tot quedava en aquell perfil baix, el de l'Emma, els seus bàrbars, els obrers i els anarquistes, que, orfes d'organització, s'havien sumat a les files republicanes. Nit rere nit, la multitud de revoltats es concentrava a la plaça de la Universitat, on els esperava un destacament especial de la policia que disparava a l'aire i intentava detenir-ne uns quants.

La situació a Barcelona va empitjorar. Les autoritats van imposar una censura informativa que va impedir tenir constància del que passava en altres parts d'Espanya, principalment a Madrid, però això no va afectar una població com la barcelonina, que sempre havia lluitat pels seus drets.

Al cap d'uns quants dies es va saber que els cabilencs del Rif, després d'una setmana de combats, havien trencat les línies espanyoles d'avituallament. Les autoritats van censurar la difusió del nombre de baixes que s'havien comptabilitzat entre els espanyols, la qual cosa només va aconseguir que proliferessin els rumors entre les tavernes i les tertúlies, i la catàstrofe es multiplicava. Els reservistes, que com a molt havien disparat un fusell tres vegades a la vida, i d'allò feia un grapat d'anys, en el període de servei actiu, van desembarcar sobre el terreny i, sense descansar ni tenir cap preparació prèvia, els van enviar al front a combatre contra els berbers, guerrillers experts que lluitaven ferventment per la seva terra i la seva gent.

I les notícies que arribaven a la ciutat, així com la posició intransigent de les autoritats, que havien intensificat la seva força dissuasiva amb set-cents guàrdies civils més, ben armats, molts a cavall, encara enardien més els ànims dels obrers barcelonins. La seva gent moria com gossos en una guerra iniciada pels rics per defensar els seus interessos econòmics!

Barcelona vivia un mes de juliol càlid i xafogós. La pols dels carrers sense pavimentar del barri de Sant Martí es barrejava amb la suor de la gent; ni tan sols les nits portaven una mica de fresca a un ambient sec i opressiu. Després de les protestes, homes i dones es quedaven als carrers, incapaços de tancar-se als tuguris que tenien per casa. Allà esclataven les llàgrimes que en forma d'insults i odi s'havien vessat a les concentracions al ritme de les càrregues policials. Allà, a les entrades d'aquelles cases miserables, els crits contra la guerra es convertien en udols, els uns sords, els altres aguts i forts, d'altres esquinçadors, que sorgien de la boca de mares i dones joves.

—Anem al terrat —va convidar en Vicenç a l'Emma. La mirada de pocs amics de la noia el va obligar a donar explicacions—: Potser hi corre més aire.

En Vicenç ho va intentar una vegada al terrat, en un racó, allunyats d'alguns veïns que també buscaven aquella fresca inexistent. L'Emma sabia que tard o d'hora ho faria; el noi ja feia temps que desviava una mirada que ella percebia com a lasciva. La va voler besar. L'Emma el va allunyar; ho va fer amb tendresa, malgrat que la sensació de fàstic i brutícia la colpegés amb força davant la simple possibilitat d'una relació. No va poder suportar la idea del seu contacte, dels llavis i la llengua d'en Vicenç, de les seves mans lliscant-li pels pits… Se li regirà l'estómac i una glopada de bilis li arribà a la boca.

—No, si us plau —li pregà davant la insistència del capità dels bàrbars, tornant-lo a allunyar.

—Per què no? —va preguntar l'altre—. Sé que no estàs amb ningú. Deixa't anar. Gaudeix del moment.

No estava amb ningú, era veritat. D'ençà de l'última escridassada que li havia fet a en Dalmau no havia tornat a tenir notícies d'ell. No entenia per què pensava en en Dalmau en aquell moment, perquè, de fet, feia molts anys que no havia estat amb ell. Potser perquè sentia que s'havia excedit. Sí, segur que era per allò. Les mans d'en Vicenç als malucs la van portar de nou a la realitat. Deixar-se anar? Gaudir del moment? S'havia parlat molt d'ella i, tot i així, no estava disposada a confessar al bàrbar els horrors patits a les maleïdes cuines de la Casa del Poble.

—Si us plau —insistí ella—. T'aprecio, Vicenç, però no vull. No.

El cap dels bàrbars va fer espetegar la llengua i la va deixar anar.

—La gent mor —va dir ell aleshores, assenyalant amb el dit en l'aire, indicant-li que es fixés en els plors que procedien dels carrers—. Hauríem de gaudir del moment. Som joves. Si canvies d'opinió, ja saps on soc.

L'Emma es va limitar a assentir amb el cap.

El dilluns 26 de juliol del 1909 es va iniciar una vaga general a Barcelona. Tal com estava previst, a les cinc del matí, l'Emma va sortir amb els piquets a convèncer els obrers que aturessin l'activitat i ocupessin les fàbriques. Les dones, que portaven un llaç blanc, es van convertir en els elements més actius i fins i tot en els més violents.

—Tanqueu! —L'Emma i altres dues dones es van encarar amb diversos operaris d'una fàbrica de galetes que es negaven a afegir-se a l'aturada.

—Que us follin! —contestà un d'ells.

—Només serveixen per a això —va riure un altre.

—Tenim temps per fotre-us un bon clau.

Una de les dones va mostrar un garrot que amagava a l'esquena i que va fer giravoltar per sobre el cap, i una altra va amenaçar els homes amb un ganivet. Els obrers van recular. L'Emma no anava armada. Havia intentat recuperar la seva pistola, la que no havia disparat mai, però la Josefina l'hi havia impedit amb el mateix argument de sempre: la Júlia. «Baralla't amb un policia, si cal, però no disparis a ningú», li aconsellà. No portava cap garrot, però això no li va impedir abalançar-se contra els dos fatxendes, amb les mans com dues urpes, fent costat a les altres dues.

—Prou! —Un home es va interposar entre les dones i els obrers. La situació es va apaivagar el temps necessari perquè l'intrús es pogués explicar—: No cal que hi insistiu —va dir a les dones—, ni que vosaltres us oposeu a la vaga —va afegir mirant els treballadors—, l'amo ha decidit tancar la fàbrica.

I això va ser el que va passar al cinturó industrial de Barcelona. Molts obrers es van afegir a la vaga, però també hi va haver molts industrials que van tancar les fàbriques i els tallers, alguns per por davant la inexistència de prou forces policials per controlar la situació, d'altres perquè combregaven amb el pacifisme i la causa antimilitarista que abanderaven tant els homes com les dones activistes: la fi de la guerra al nord de l'Àfrica.

Un cop controlada la gran indústria només en un matí, l'Emma i els seus acompanyants es van dirigir al centre de Barcelona, on malgrat les instruccions de la Guàrdia Civil i el seu compromís de defensar-los, botiguers i petits comerciants se sotmetien als tancaments a mesura que l'Emma i els seus acompanyants els instaven a fer-ho; pocs van discutir.

—Guanyarem —comentava l'Emma amb les dones que l'acompanyaven a mesura que els comerciants assentien a les seves pretensions. En coneixia algunes, del partit, d'altres no les havia vist mai: obreres i treballadores il·lusionades—. Mori la guerra! —va cridar amb el puny enlaire.

Multitud de goles van cantar la consigna republicana. Era el cant de nens i joves amb ganes de brega que s'afegien al pas d'un piquet cada vegada més nombrós. Una cosa semblant passava en altres punts de la Barcelona vella, amb la notícia del triomf de la vaga als suburbis en boca de tots els ciutadans, on es van anar formant grups revolucionaris, tot i que de vegades dirigits per simples delinqüents delerosos d'aprofitar el caos, o per conegudes prostitutes, com la que, al comandament d'una banda d'homes i dones, va causar el terror als cafès i als locals d'espectacles del Paral·lel que es negaven a tancar.

L'Emma va anar a dinar a la Casa del Poble, des d'on es planificaven les accions, tot i que abans va passar pel carrer de Bertrellans per fer manyagues a la Júlia, que se li agafava a les cames entre crits i rialles.

—Aquesta tarda —va dir a la Josefina mentre abraçava la nena— s'ha convocat una concentració davant de la Capitania General. Ves a jugar a la nostra habitació —va demanar a la petita després d'una estona de dedicar-li tota l'atenció. La nena va obeir tot i que li va caldre una empenteta afectuosa a l'esquena—. No hi portaré la Júlia —va dir abans que la Josefina la interrompés.

—No saps que tranquil·la em quedo. No sortirem al carrer, em quedaré amb ella.

—Ja. L'ambient s'està enterbolint. Aquesta vegada és diferent, Josefina, es percep als carrers, en la gent... Hi ha tensió. N'he parlat amb altres companyes i totes hem decidit el mateix. —Va deixar passar uns segons durant els quals totes dues es van distreure escoltant com enraonava la Júlia amb la seva nina—. El que sí que m'agradaria és que em donés la pistola —va dir l'Emma trencant la màgia del moment. Aquesta vegada tampoc no la va aconseguir—. Tothom va pel carrer disparant —va al·legar.

—Però si no la saps fer servir! —es burlà d'ella la Josefina—. Escolta —li advertí, sufocant l'intent de l'Emma de queixar-se i discutir—, declararan l'estat de guerra, com va passar el 1902, i a tots els que arrestin armats els jutjaran sota la llei marcial. No t'arrisquis. —L'Emma sospirà—. Encara no has trobat un bon garrot? —va intentar animar-la.

Un cop a la Casa del Poble, els vaguistes van lluitar contra els guàrdies civils que protegien els tramvies, també per darrere de les dones i algunes criatures que feien de mur defensiu. Hi va haver ferits de bala, entre ells una nena. L'Emma va veure com la mare de la criatura, una activista republicana que coneixia, corria amb la nena en braços cridant i demanant ajuda. La pal·lidesa de la mare contrastava amb la sang que rajava de la ferida de la filla, i l'Emma va pensar que era una sang innocent, més líquida i brillant que la que perdien els altres ferits. Va anar a ajudar-la, però un grup d'homes va envoltar la dona i es van ocupar de la petita.

—Feu córrer la veu entre les mares —va ordenar aleshores als joves bàrbars— que no han de portar els fills petits a les protestes.

—Ja ho saben els alts comandaments? —se li va ocórrer qüestionar l'ordre a un d'ells—. Els líders del partit, vull dir.

—Tu en veus cap, de líder, aquí? —contestà l'Emma amb sarcasme.

Ningú no liderava aquella lluita.

Tal com va augurar la Josefina, aquell mateix dia el capità general va declarar l'estat de guerra a Barcelona. Van clausurar la Casa del Poble i molts altres ateneus. Els obrers i els delinqüents que s'havien afegit als activistes polítics es van dedicar a assaltar aleshores les comissaries; els primers per alliberar els seus companys detinguts, els segons per incendiar els arxius i les fitxes policials i eliminar així els seus antecedents penals. En algun cas ho van aconseguir. Hi va haver més morts, com els que es van produir a la manifestació convocada a la tarda davant de la Capitania General, al passeig de Colom, un cop més amb les dones al capdavant. S'hi van veure molt poques criatures, i les mateixes dones van desplaçar aquelles mares cap a files posteriors. L'Emma es va mantenir amb el braç alçat, com moltes altres camarades, exigint el final de la guerra al nord de l'Àfrica i el retorn dels reservistes, fins que les forces de seguretat van obrir foc contra els concentrats. La policia va parlar d'alguns ferits, no més de tres; els vaguistes van consignar força morts.

La situació escapava del control de totes les parts. L'exèrcit, que rondava els mil cinc-cents homes, estava format per oficials i soldats a parts iguals, a raó d'un oficial per soldat, i no va rebre cap més ordre que la de controlar els edificis administratius. La seguretat pública quedava així en mans d'un miler de guàrdies civils i un altre miler de policies, clarament insuficients per enfrontar-se a les desenes de milers d'obrers que havien pres els carrers mentre la resta de la ciutadania es tancava a casa seva com si el problema no els afectés. Els polítics, sobretot els republicans, es van distanciar d'un moviment que no podien dominar, de manera que la massa obrera, excitada, irada per la guerra i les morts a la seva ciutat, va quedar sota les ordres dels activistes més radicals, que el primer que van fer va ser aïllar Barcelona amb barricades, controls i talls de carreteres, vies de tren, telèfons i comunicacions.

La vaga general que havia nascut per reclamar la fi de la guerra anava camí de convertir-se en una veritable revolució capaç d'enderrocar el govern i fins i tot el rei. «Visca la república!», cridaven molts dels revoltats.

Aquella nit del 26 de juliol, la primera de la revolució, els republicans van dirigir la seva ira contra aquell enemic atàvic culpable de tots els mals de la societat i a qui els seus líders havien responsabilitzat fins i tot de la guerra: l'Església. Al capvespre, al barri del

Poblenou, es va calar foc a una escola que dirigien els germans maristes, una institució generosament finançada per seglars rics amb què ni republicans ni sindicats podien competir. L'educació dels nens obrers, per tant, quedava en mans de religiosos que els inculcaven unes idees determinades i els feien acceptar la seva condició social com a designi diví. Renunciaven així a la seva llibertat, es deixaven humiliar i se sotmetien pacíficament als privilegiats, tot plegat sota la promesa d'un món millor després de la mort. A més de l'escola, sense que les forces de l'ordre no fessin res per impedir-ho, van cremar l'església i la biblioteca.

20

E n Dalmau es va amagar entre la multitud perquè l'Emma, al
capdavant de la revolta amb altres seguidors radicals i joves
bàrbars, no el descobrís; la veia exultant, llançada, alegre,
viva, i no volia que la seva presència pogués torbar aquesta felicitat
o ni tan sols esguerrar-li l'expressió de la cara. Eren davant del col-
legi dels escolapis, a la ronda de Sant Pau, al barri de Sant Antoni,
una de les institucions més grans de Barcelona. En aquells mo-
ments, tot i que costava de creure, pretenien cremar l'immens edi-
fici. La gent del voltant d'en Dalmau discutia si calia fer-ho o no. Ell
sabia que, amb l'Emma encapçalant la protesta, segur que hi cala-
rien foc, però es va estimar més callar. La va observar entre els caps de
la gent: anava d'un costat a l'altre; era un devessall d'energia, auto-
ritat..., sensualitat. L'Emma conservava la voluptuositat que va em-
pènyer en Dalmau a dibuixar-la despullada; mil vegades havia in-
tentat esbrinar sense èxit qui li havia robat les làmines. El record de
la humiliació de l'Emma en sentir que havia estat objecte de la
lascívia de la gent, va transportar en Dalmau a l'època en què im-
partia classes nocturnes de dibuix als obrers pobres a les aules de la
institució religiosa que ara tenia al davant. Formava part del tracte
que havia fet amb el mestre per treure la seva germana de la presó.
Ja lliure, l'Emma va substituir la Montserrat a la catequesi de les
monges i després ella l'hi va recriminar, imprudentment, dreta i
ensenyant l'esquena a la barricada i a una metralladora, conver-
tint-se en un blanc fàcil. La vida d'en Dalmau es va estroncar a
partir d'aquells fets, i l'escola dels escolapis representava tot el que

l'havia portat a la ruïna afectiva, moral i fins i tot econòmica. Volia veure com cremava l'edifici i, com més l'observava, més ho desitjava. Havia arribat l'hora que l'Església expiés els seus pecats i pagués per la hipocresia i la mesquinesa de persones com el senyor Manel. El foc estava cridat a compensar tot el mal que els sacerdots havien infligit a la classe obrera, amb l'engany, la culpa i la por com a banderes, aprofitant la fam i la necessitat dels humils per exigir compromisos per escrit i rendicions espirituals, tal com havien fet amb la seva mare, a canvi d'un rosegó de pa i unes quantes verdures.

Amb vint-i-set anys, en Dalmau acumulava un reguitzell d'experiències vitals de tota mena: l'èxit i el reconeixement; la humiliació pública; el dolor i la misèria; l'esperança i l'amor. No obstant això, un cop acabat el Palau de la Música Catalana, s'havia vist alliberat de la voràgine creativa que es vivia en aquell recinte i feia una feina més física, enderrocant cases, amb l'única preocupació de tirar parets a terra i traslladar la runa fins a un carro de mules. El món de la ceràmica estava prohibit per a ell d'ençà que el senyor Manel va iniciar la seva croada i el va incloure a totes les llistes negres fins que va aconseguir que no el contractés ningú. En qualsevol cas, ja no quedaven gaires obres modernistes en construcció: tres que dirigia Antoni Gaudí —la Pedrera, la Sagrada Família i el Park Güell—, i una quarta, de Domènech i Montaner —l'Hospital de la Santa Creu i Sant Pau. En totes aquestes obres ja li havien negat una ocupació després que hagués hagut de deixar la feina al Palau de la Música.

Tampoc no pintava; com a molt, de tant en tant dibuixava algun retrat al carbonet per a algun veí, els seus fills o els seus amics. N'hi havia que li pagaven uns cèntims, uns altres li donaven dos ous o un crostó de pa, i els altres l'hi agraïen amb bones paraules i una mica de barra, tot i que en Dalmau ho assumia com la continuació d'aquella labor social que havia iniciat amb els quadres de la Casa del Poble. El cert era que, després de la brega que havia tingut amb l'Emma, havia perdut les ganes de pintar.

Era com si el cos se li hagués buidat. No creava, no imaginava, no fantasiejava, i les hores transcorrien en una rutina que va arribar a obligar-lo a anhelar un cop més aquell amor perdut, a reviure la immensa felicitat gaudida durant aquells dies en què tot rutllava.

La mala jeia constant que l'Emma gastava amb ell el desconcertava. Va reiterar els raonaments que sempre es feia quan hi pensava: hi havia d'haver una raó més enllà de la mort de la Montserrat i de l'aparició dels nus, de la seva matusseria per no haver persistit un cop van trencar la relació, per no haver-li suplicat que no el deixés.

Que no l'estimés era una cosa, però aquell odi, aquell ressentiment... no tenia sentit, cap sentit.

—Sí, sí que en té —el va contradir un dia la Josefina quan ell l'hi va preguntar.

—Doncs no ho entenc!

—No s'ha d'entendre res, fill. Les coses són com són.

—És culpa meva? —Ella no va voler contestar. En Dalmau va insistir—: Mare, no li demano que reveli els secrets de l'Emma, només digui'm si és culpa meva.

—No —va afirmar a l'últim la Josefina—. No ho és.

I ara era allà, contemplant l'Emma, esperant-la des de la distància que calés foc a l'edifici. Després de l'incendi de l'escola que dirigien els maristes al Poblenou, els líders republicans s'havien desentès definitivament de la vaga i d'aquella revolució que la massa clamava, la qual cosa va enervar els obrers, que es van trobar orfes de lideratge i no sabien quina direcció prendre. Amb tot, aquell mateix matí, algú, no se sabia qui, va donar l'ordre de cremar tots els convents, col·legis i temples de Barcelona: per fi la ira del poble es dirigiria contra l'Església de manera contundent.

—El coneixement us farà lliures!

El famós eslògan progressista va tornar a la boca dels republicans que eren davant dels Escolapis de Sant Antoni. En Dalmau va tremolar d'emoció davant d'una Emma, que, amb el braç ben amunt, passejava per davant de les files dels seus bàrbars arengant-los: «El coneixement us farà lliures!». Estava tot a punt per calar foc a aquell immens centre escolar que acollia dos mil alumnes. «El cremaran!», es va sentir entre la multitud. La certesa encenia els ciutadans que s'havien congregat davant del centre escolar. L'incendi dels Maristes del Poblenou no seria un fet aïllat. Se sabia que ja cremava l'església propera de Sant Pau del Camp; una densa columna de fum negre que s'alçava per sobre els terrats de les cases n'era una bona mostra, i corria la veu que als barris i suburbis annexos a la gran ciutat també s'hi estaven cremant propietats religioses.

A Sant Antoni, els revoltats havien assaltat una armeria propera i es van proveir d'una gran quantitat de fusells, pistoles i munició. Amb els consells de la Josefina al cap i la imatge de la Júlia al cor, l'Emma va rebutjar l'arma que li van oferir. També es van aixecar barricades a tots els carrers adjacents, tot i que no van caldre, ja que, incomprensiblement, un destacament muntat de la Guàrdia Civil que vigilava els Escolapis es va retirar de la zona i va deixar via lliure als incendiaris.

L'odi d'en Dalmau contra l'Església, els capellans, els monjos i les monges estava a punt d'esclatar allà mateix sota el guiatge de l'Emma i al compàs dels crits de la gent, cada vegada més estentoris. Eren una multitud d'obrers revolucionaris, dones, criatures, nois joves, tot un exèrcit nerviós, alterat, i tota mena de gent, des de trinxeraires fins a delinqüents, que esperaven l'ordre definitiva d'atacar l'edifici, però eren molts més els tafaners que contemplaven l'escena: es comptaven a milers, a peu de carrer o als balcons i terrats de les cases veïnes. La comunitat religiosa havia confiat en el veïnat una defensa que no es va produir mai, si bé un bon nombre d'aquells ciutadans s'havien beneficiat de l'escolarització gratuïta als Escolapis.

—Tu ets el pintor? —Enmig de la bullícia, en Dalmau no va sentir la pregunta fins que un home el va agafar per l'espatlla i el va sacsejar—. Sí que ho ets. És clar que ho ets!

«De què parla?», es va estranyar en Dalmau.

—Eh! —va cridar l'altre cridant l'atenció dels que l'envoltaven—. Eh! Mireu! El pintor dels quadres de la Casa del Poble on cremaven les esglésies i els capellans, com exigia en Lerroux.

—I també cridava a aixecar-los les faldilles a les monges! —va riure l'altre home.

—Doncs aconseguirem totes dues coses! —va assegurar una dona.

La gent va començar a donar copets a l'esquena d'en Dalmau, mentre el primer home que l'havia reconegut l'estirava cap al lloc on es concentraven els capitosts dels incendiaris, l'Emma entre elles.

—Dalmau? —es va sorprendre ella, i se li va acostar immediatament.

Ell va assentir arrufant els llavis, com si volgués dir-li que no la volia importunar amb la seva presència, mentre que l'home que l'havia portat fins allà continuava anunciant a la gent que en Dalmau era el pintor dels quadres de la Casa del Poble. Molts s'hi van apropar i els van encerclar.

—És el teu dia —va xiuxiuejar aleshores en Dalmau a l'Emma, sense arribar a acostar-se-li a l'orella per no molestar-la, tement una altra reacció violenta com la que havia tingut al celler de la casa en ruïnes—. No te'l vull esguerrar.

L'Emma va assentir en silenci, els llavis serrats, sospesant les paraules d'en Dalmau, fins que, per primera vegada en molt de temps, li va somriure; el mateix somriure franc i obert de feia anys.

—És el nostre dia, Dalmau —el va corregir—. Tu vas pintar aquells quadres. Mira la gent: t'aclamen. Vas fer una gran obra. Vas ser generós, molt generós, i vas donar el teu art al poble. Pocs artistes tan qualificats com tu són capaços de fer-ho.

En Dalmau no va saber reaccionar. Aquella Emma no tenia res a veure amb la dona que se li havia abraonat cridant-lo i insultant-lo les últimes vegades; ara estava alegre, eufòrica, i li parlava amb afecte… Fins i tot amb admiració!

L'Emma va endevinar els pensaments d'en Dalmau. Se li reflectien a la cara. Estava a un pas d'aconseguir l'èxit pel qual lluitava des de feia tants anys: vèncer l'Església cremant-li les propietats, i ell era allà, erigit en una mena de símbol de la lluita obrera, d'aquella mateixa lluita. Sabia per la Josefina que en Dalmau tenia una vida austera, que ja no pintava i que semblava que s'hagués buidat amb aquells tres quadres lliurats a la causa, i no obstant això la gent l'aclamava. Aquella contradicció va fer esclatar en l'Emma un calfred que es va estimar més no analitzar.

—Què espereu per cremar-lo? —va preguntar-li en Dalmau, estroncant-li els pensaments.

—Ara ho farem. Tan aviat com ens assegurin que, un cop es retiri la cavalleria de la Guàrdia Civil, es tornaran a aixecar les barricades.

—Te n'adones —va continuar en Dalmau—, que amb l'incendi dels Escolapis es cremarà part del nostre passat, precisament aquell en què vam caure en mans de l'Església i va arruïnar la nostra vida?

L'Emma anava a contestar, però finalment no va dir res.

—El foc purifica —insistí ell.

A les dues del migdia va començar l'assalt. Diversos grups de nois es van alçar contra les diverses portes de l'escola i de l'Església, on tenien munts de material per encendre-hi fogueres, mentre uns altres s'enfilaven fins a les habitacions dels pisos amb escales i començaven a llançar tota mena de mobles i objectes al carrer, que immediatament s'utilitzaven per abrivar els focs a les entrades de l'edifici sota les ordres d'un dels delinqüents més coneguts de la ciutat. Quan feia poc que havia començat l'incendi, el capità general de Catalunya en persona va anar a socórrer els religiosos i es va presentar al lloc amb un destacament de cinquanta soldats d'infanteria i dotze de cavalleria. Sense oposició per part dels revolucionaris, que no pretenien causar cap mal físic als capellans, el militar va creuar el pati fins a arribar a l'antic convent on s'havien refugiat cinquanta escolapis que ja estaven envoltats per les flames.

En Dalmau els va veure sortir en filera, encapçalats pel general, amb mossèn Jacint caminant al costat. L'home es va aturar i li va clavar una mirada d'odi. El capità general es va estranyar i també es va aturar. El sacerdot li assenyalà en Dalmau, i els seus gestos histriònics, impropis en un home que sempre havia fet gala de moderació, van ser suficients perquè en Dalmau entengués que li parlava dels quadres de la Casa del Poble mentre el militar assentia sense desviar ni un bri la seva mirada.

—Visca la república! —va cridar un dels joves bàrbars, trencant així l'encanteri.

La comitiva de capellans i soldats va reprendre la marxa. En Dalmau va buscar l'Emma amb la mirada, a prop de les fogueres, i es van parlar en silenci: a ella no l'havia vist mossèn Jacint, però, com no podia ser d'altra manera, ell s'acabava de convertir en un dels principals responsables d'aquell incendi. L'Emma el va premiar amb un somriure abans d'alçar el puny al cel i cridar alguna cosa, que, en el fragor, en Dalmau no va arribar a sentir. Ell li va contestar alçant també el puny, gest a què es van sumar tots els que l'envoltaven entre aclamacions a la república i insults a l'Església. El foc bramava i en Dalmau també. Era la seva victòria, la d'ell, la del poble.

Els religiosos es van desallotjar en tartanes i els soldats es van allunyar cap a l'edifici de la Capitania General, tot i que uns quants d'ells van abandonar la columna i es van barrejar entre els milers de persones que contemplaven el que ja començava a ser un espectacle dantesc de foc i fum negre. Malgrat les tropes amb què comptava, ben armades i entrenades, el general Santiago no va fer cap intent d'aturar els incendiaris, cosa que passava gairebé amb caràcter general a tot Barcelona i el seu voltant: les forces públiques, o bé es mostraven impassibles, o bé consideraven més prioritari vigilar bancs que no pas esglésies.

L'Escola Pia de Sant Antoni va cremar durant dos dies sencers. L'Emma, però, no va esperar ni tan sols dues hores. Va cridar als seus bàrbars, va creuar el carrer amb ells i va incendiar l'escola per a nens pobres.

—Aquest també? —va sentir en Dalmau que preguntava un dels bàrbars a l'Emma—. Aquí venen a estudiar de franc els fills dels necessitats —va argüir.

La resposta no es va fer esperar:

—Precisament per això. Cap dels nostres no ha d'estudiar amb els capellans ni educar-se en les seves doctrines, i encara menys els nens petits, tan fàcils de convèncer. Després, a través dels fills es guanyen les mares, i tot plegat, al final, és la perdició de l'obrer. Cremeu-ho!

En Dalmau, confós entre el grup de bàrbars, va assentir als arguments de l'Emma. Recordava la doctrina que mossèn Jacint havia intentat imposar-li en aquell mateix edifici que ara cremava de manera terrorífica. Va recordar també el dia en què li va tocar el cul a l'Emma mentre passejaven per la ronda de Sant Antoni i li va proposar de buscar algun lloc per fer l'amor. Ella el va sorprendre amb una negativa rocambolesca. Les seves paraules, pronunciades feia anys i en les quals en Dalmau no havia tornat a pensar, se li van aparèixer al cap com si tot just les acabés de recitar: «Quin és el sisè manament de Déu? —li havia preguntat—. No faràs accions impures. Què ordena aquest manament? Que siguem nets i casts en pensaments, paraules i obres. Escolta —va explicar després recitant les paraules de les monges—: la ira es venç retenint el cor. Fàcil, oi? I l'enveja, sufocant-la dins del pit, i aquí de vegades és on ens queda. Però la luxúria no es venç així, sinó fugint-ne.» Qualsevol ensenyament que impartien capellans, monjos i mossens s'inspirava en la repressió. La llibertat i la facultat de poder decidir lliurement quedaven per al més enllà, quan la mort ja s'hagués acarnissat en la persona. Què no podien aconseguir en uns pensaments purs i innocents d'unes criatures a qui seduïen amb un plat a taula que no els podien proporcionar a casa?

—El coneixement us farà lliures! —va cridar algú del grup dels bàrbars.

En Dalmau, arrossegat pels revolucionaris, es va afegir a la gent que amb gran esvalot s'acostava a l'escola per cremar-la. La passió compartida a través de crits, empentes i ànims el va incitar a atacar un edifici que només tenia com a objectiu satisfer els interessos dels poderosos ensinistrant homes submisos i obrers pacífics.

—Tu no! —li va impedir l'Emma, que el va agafar pel braç i el va aturar mentre els altres arribaven fins a la porta i les finestres de l'escola.

—Per què no? —es va revoltar ell—. També és la meva lluita. Tant com qualsevol de vosaltres.

—Sí, sí, sí —va intentar tranquil·litzar-lo ella, però ja has vist que t'han reconegut i que t'han assenyalat als Escolapis. Et buscaran, Dalmau. No t'hauries de fer veure més. No els donis més proves. T'hauries d'amagar, o fins i tot fugir. N'hi ha molts que ja són rumb a França.

—És la nostra victòria, Emma.

Les flames de les fogueres i les teies ja devoraven les parets de l'escola per a nens pobres. L'Emma va haver d'alçar la veu per superar els crits d'alegria de la gent: incendiaris i espectadors.

—Dalmau —li va cridar a l'orella—, no t'ho prenguis malament, però et busquen i t'odien: mossèn Jacint, el teu mestre, el senyor Manel, tots els reaccionaris que s'han assabentat pels diaris

dels quadres que has pintat, i ara fins i tot el capità general. Et per-
seguiran i no escatimaran forces, no en tinc cap dubte. Probablement
ja ho estan organitzant. I això significa que la teva simple presència
posa en perill molta gent que depèn de mi; no puc córrer aquest
risc. —En Dalmau va remugar. L'Emma va esclafir a riure—. No
t'hauries imaginat mai una situació com aquesta, oi? Et tenen per
més revolucionari que a mi. Nosaltres només som una trepa incen-
diària, com els milers que corren per la ciutat, ja has vist que ens
deixen fer i els soldats reculen, però tu, amb les teves obres i les te-
ves arengues a la Casa del Poble, ets el líder, l'instigador de la revolta.

—Però…

—No vull que t'atrapin —va interrompre ella la seva rèplica
suplicant-l'hi amb la mirada—. Has de fugir, has de córrer a ama-
gar-te. No pots anar ni a la dispesa ni a casa la teva mare.

—I on és ella?

—S'ha amagat amb la nena a casa d'uns vells coneguts —el
tranquil·litzà l'Emma—. Arrestaran tanta gent com podran, Dal-
mau. Estem en estat de guerra. Has de fugir! Ves-te'n cap a França
ara mateix. El partit et podria ajudar si decideixes fer-ho.

—Només ho faré si veniu amb mi: tu, la nena i la meva mare.

L'Emma va callar un instant, la mirada clavada en en Dalmau, els
llavis i la mandíbula tensos, immòbils. La seva cara va apassionar un
Dalmau que es va haver d'esforçar per no abraçar-la en aquell mo-
ment: despentinada, sutjosa, les cendres enganxades a la suor, per-
lant-li el front, la cara i el cos; els ulls més fulgurants que qualsevol
incendi.

—Si no pots fugir, com a mínim amaga't. No els donis l'opor-
tunitat de venjar-se en tu. Ho faran, Dalmau, ho faran. Ets un bon
home —va afegir com a comiat, fent el gest de dirigir-se al lloc on
els seus bàrbars atiaven el foc. Abans, però, es va aturar, va fer mitja
volta i el va sorprendre amb un petó a la galta—. Ves amb compte,
Dalmau. I si canvies d'opinió sobre França, busca'm. Em trobaràs en
alguna església —va fer broma—. Òndia, qui m'ho havia de dir!

—En Dalmau va sentir que l'Emma es burlava d'ella mateixa i es
feia creus del que anava a fer mentre es dirigia cap als seus bàrbars
agitant els braços—. Jo en una església! En una església!

Mentre l'Emma i els seus bàrbars incendiaven l'escola per a nens pobres, un altre grup calava foc al convent de les Jerònimes, situat a la vora dels Escolapis; la trentena de monges que componien la congregació va haver de fugir entre insults i vexacions per part dels veïns perquè no les va auxiliar cap regiment.

Del barri de Sant Antoni, l'Emma va saltar al del Paral·lel, on prostitutes i delinqüents comandaven els grups d'incendiaris. Allà van cremar les parròquies de Santa Madrona, la nova i l'antiga, i una escola cristiana en la qual s'educava gratuïtament més de dos-cents joves.

Els bàrbars, com molts altres grups, van continuar recorrent Barcelona. L'Emma abrivava els obrers perquè incendiessin esglésies, convents i col·legis. Van caure els convent de les Assumpcionistes i l'asil de les Filles de la Caritat de Sant Vicenç de Paül. Aquest mateix orde era el que s'ocupava de la presó d'Amàlia, en aquella època destinada exclusivament a la reclusió de dones. Allà va ser on es van refugiar les quinze monges després d'entregar als incendiaris l'asil que incloïa escola, guarderia per a mares obreres i orfenat. També, com passava en molts casos, aquestes religioses van esperar fins a l'últim moment per abandonar les instal·lacions, convençudes que aquelles mateixes persones a qui havien ajudat no els podien causar cap mal. L'Emma va posar fi a la discussió entre la mare superiora i un jove bàrbar a qui suplicava ajut i intentava convèncer.

—Tu has estudiat aquí, Manel —al·legava la monja—. Per què ens ho fas, això? Que no t'hem tractat bé? Que no et vam cuidar i et vam alimentar?

—Sí però també el van obligar a combregar amb les seves idees —va afegir l'Emma, allunyant amb la mà un noi que escoltava el discurs de la religiosa cada vegada més captivat—. I a anar a missa. I a callar davant de la injustícia. I a deixar-se humiliar davant del ric i el poderós. I a assumir la desgràcia i la misèria amb fatalitat. I a reprimir els seus instints. —Molts bàrbars assentien el discurs de l'Emma—. Vostès no han fet res per altruisme; sempre han buscat el seu interès i han utilitzat els obrers per aconseguir-ho. Com en diuen vostès, són el seu «ramat»! Són com ovelles i les fan anar per on volen. Que cremi aquest temple de l'engany i la repressió de les llibertats de l'home! —va acabar cridant.

Les monges van haver de fugir en el moment que la gent se'ls va llançar al damunt amb teies i petroli, incitats per la crida de l'Emma. Els van permetre sortir de l'asil, com s'havia fet amb tots els religiosos que s'havien trobat als edificis eclesiàstics que en aquells moments cremaven a Barcelona. Tots els grups d'exaltats asseguraven que la revolta no era contra la gent sinó contra l'estructura de l'Església, contra totes aquelles escoles, patronats o asils que impedien el progrés de la massa obrera i de la seva educació laica, i també contra els convents, que feien la competència a les dones de classe humil en el sector de la confecció.

Els incendis van continuar a Barcelona sense l'oposició per part de les forces de l'ordre. No obstant això, sí que es van produir combats armats entre revolucionaris i soldats o guàrdies civils a les barricades que havien aixecat als carrers. Es disparava des dels terrats, després que les dones recorreguessin els edificis exigint als veïns que deixessin la porta del carrer oberta perquè els franctiradors hi poguessin accedir. Alhora, desenes de columnes de fum dels incendis enterbolien un cel llis de juliol. Moltes de les revoltes ja les encapçalaven nois que no superaven els quinze anys i que assaltaven les esglésies. Una noia de només setze anys havia dirigit un nombrós grup de dones en l'atac al convent de les Penedides, a prop de la universitat. D'allà van expulsar les monges reformades que havien adoptat el vot de clausura i que conformaven aquell orde. Els obrers que perseguien la causa política de la revolució, de la república, s'abstenien de robar qualsevol objecte de les esglésies o dels col·legis i es dedicaven a llançar-los independentment del valor que tinguessin; fins i tot els bons i els diners en metàl·lic es llançaven a les fogueres. Però no passava el mateix amb el grup de lladregots i delinqüents que actuaven pel seu compte i que rondaven pels edificis buscant-ne el botí.

Incendis. Combats aferrissats a les barricades, moltes de les quals defensaven les dones. Trets dels franctiradors. Bombes. Els primers morts. Nombrosos detinguts a les escaramusses amb l'exèrcit. Càrregues policials. El poble amagat a les seves cases. Grups de salvatges excitats. Bombers que arribaven amb els carros tirats per cavalls fent ressonar les campanes, però a qui només se'ls permetia remullar els edificis veïns, ja fossin cases humils o fins i tot fàbriques de burgesos rics, perquè el foc no hi arribés.

Barcelona s'havia convertit en una ciutat sense llei, caòtica i perillosa.

Durant una estona, en Dalmau havia estat observant a la reraguarda, d'amagat, com l'Emma dirigia el seu assalt a l'escola per a nens pobres, però algú el va tornar a reconèixer i el va assenyalar com el pintor de la Casa del Poble, de manera que els altres li van dirigir tota l'atenció: alguns s'hi van apropar, moment en què va decidir fer cas dels consells de l'Emma. Sí, havia pintat aquells quadres que ara l'elevaven a símbol de la lluita contra l'Església i n'estava orgullós: era conscient que cada pinzellada transmetia el dolor que li causava el senyor Manel; les monges del correccional del Bon Pastor, que van intentar catequitzar l'Emma; els capellans de Santa Anna, que van negar la beneficència a la seva mare; els Llucs, que van llençar el seu quadre a les escombraries; el mestre Gaudí, que li negà la feina; els obrers extorsionats i les dones que els mossens entabanaven; la mort del seu pare, injustament condemnat per l'esclat d'una bomba a la processó del Corpus, evidentment religiosa; per la seva mare… I si la seva obra havia servit d'inspiració per iniciar aquella nit de foc, l'orgull encara li creixia més. Però, en el fons, el somriure de l'Emma, la seva vitalitat i la seva eufòria, aquell petó, eren capaços d'ocultar les flames de l'incendi més gran de tots. Ja podia cremar tot Barcelona, que en Dalmau només la veia a ella.

Va caminar pels carrers de la ciutat intentant evitar les barricades en què es lluitava a trets i les partides d'incendiaris que assetjaven la ciutat. Necessitava algun lloc per amagar-se durant el temps que s'allargués el merescut càstig a l'Església. Portava al damunt prou diners per mantenir-se uns quants dies i dormir en algun asil d'obrers, si és que eren oberts, però no li va caldre. Barcelona vivia una nit inoblidable, un foc purificador. Els incendis, el dels Escolapis destacant per sobre dels altres, il·luminaven la ciutat d'una manera ben estranya: esclats de llum vermells i grocs impactant contra un cel negre. Els revolucionaris, ja fossin activistes polítics o delinqüents, havien anunciat la seva decisió de continuar tota la nit reduint convents i esglésies a cendres.

En Dalmau, perdut en el record de l'Emma, en la seva transformació, en el seu agraïment i en la seva consideració, en el petó que li havia fet, va dirigir les seves passes cap al passeig de Gràcia, on va topar obrers, captaires, que encara esperaven una mica de caritat en forma de menjar, i lladregots amatents que no volien perdre l'ocasió de robar en algun comerç. En aquella via no hi havia res que s'hi pogués cremar, i els acabalats veïns s'havien refugiat a casa seva, de manera que l'aldarull que es vivia en altres parts de la ciutat, no gaire lluny, a una o dues travessies a tot estirar del mateix Eixample de Barcelona, s'encalmava en aquella zona. En Dalmau es va aturar davant de l'illa en què competien la Casa Batlló, la Casa Lleó i Morera i la Casa Amatller. Els llums d'infinitat d'espelmes il·luminaven l'interior dels habitatges. Les finestres de molts dels pisos, obertes per combatre la calor, permetien que s'escapessin a l'exterior les notes musicals dels pianos, els cants i fins i tot les veus i els somriures de les reunions socials alienes al que passava a Barcelona. En Dalmau va continuar caminant pel passeig amb la vista alçada cap als terrats dels edificis on se celebraven festes, es tocava música i fins i tot es ballava. I aquells burgesos treien el cap pels arrambadors amb copes de xampany a la mà, assenyalaven els focs que s'alçaven sobre la ciutat i gaudien de l'espectacle.

Aquell mateix dia, a la sessió oficial a l'Ajuntament de Barcelona, els lerrouxistes van declarar que aquell espectacle de foc era una meravella. Mentrestant, en Dalmau va arribar fins a la Pedrera, l'obra en construcció de Gaudí, envoltada de bastides recobertes amb lones perquè la gent no veiés la pedra sinuosa que donava vida a una façana en moviment. En Dalmau no s'ho va pensar dues vegades: es va enfilar al primer tauló de la bastida i des d'allà va pujar al terrat, un lloc màgic de paviments ondulats, on l'arquitecte de Déu havia obert sis caixes d'escala, dues torres de ventilació, set xemeneies i quatre cúpules dissenyades amb elements geomètrics: paràbòlics, helicoïdals, piramidals, cònics, tots ells recargolats, de formes complexes i indesxifrables, diferents de qualsevol exemple que es pogués trobar en la naturalesa. De totes aquelles construccions que coronaven un edifici en què la pedra es convertia en un element eteri, quatre de les caixes d'escala estaven recobertes de trencadís, però a diferència del que s'utilitzava en altres de les obres del genial arquitecte, en aquest cas es tractava de trossos de ceràmica grisa, monocroma, i al capdamunt de tot destacava una de les xemeneies rematada per un barret recobert de colls i culs d'ampolla de xampany.

En Dalmau es va moure amb molt de compte pel terrat de la Pedrera: hi faltaven les baranes, sobretot als patis interiors, per tant la seguretat era bastant precària. No obstant això, des del capdamunt, l'espectacle era esfereïdor: per un costat, les columnes de fum i les flames que s'alçaven per tot Barcelona; per l'altra, els terrats plens de gent ballant. Una jove el va saludar des d'un terrat proper en adonar-se de la seva presència: cabells rinxolats, rossos, molt clars, i vestit llançat i eteri, de fada, cobrint un cos gairebé sense pits. En Dalmau no va voler respondre; li semblava immoral l'actitud d'aquells burgesos: als carrers de la ciutat s'estava lliurant una guerra i ells bevien xampany i presenciaven el drama com si es tractés d'un espectacle de focs artificials. En comptes de deixar-ho estar, la noia va cridar dues altres amigues, incorpòries com la primera, que es van sumar a la salutació, ara frenètica, que li dirigien apostades darrere de la barana del seu terrat. En Dalmau va fer el gest de girar cua i buscar un altre racó, però justament aleshores el cel es va enrojolar amb una nova flamarada: a prop d'on eren, al carrer de Rosselló cantonada amb Muntaner, els incendiaris havien calat foc al col·legi, l'església i la residència dels germans del Sagrat Cor de Jesús. S'alçava el foc i s'alçaven les exclamacions d'estupefacció dels rics des dels terrats. A en Dalmau li va semblar que sentia alguns aplaudiments, tímids, apocats, que ben aviat es van esvair. La gent va tornar a llançar exclamacions d'esglai davant d'aquell nou incendi i els pianos es van sentir amb més ímpetu a través de les finestres obertes. En Dalmau va sospirar. Va veure com es bellugaven algunes ombres al terrat de la Pedrera;

de fet, ja les havia vist una estona abans. No hi va donar importància. Aquella nit es van produir dos incendis més a l'Eixample de Barcelona: el del convent de les Dominiques, que un grup d'uns trenta nois va assaltar i en van exhumar els cadàvers, els van passejar i els van vexar abans d'abandonar-los per la ciutat, i el de l'església del col·legi de les Concepcionistes, a la rambla de Catalunya, una escola per a nenes de casa bona, tot just a un carrer de la Pedrera.

Des dels terrats, els burgesos gaudien del moment immersos en una ciutat que cremava, amb pilars de fum i foc ballant amb ells al compàs de la seva música, en una nit negra, sense cap fanal que il·luminés els carrers i sense cap llum a les cases a causa de la manca de subministrament de gas, en un escenari irrepetible, apocalíptic, una exhibició teatral que cap escenògraf hauria pogut oferir.

Aquella nit, mentre cremava el col·legi de les Concepcionistes, en Dalmau va baixar per la bastida i se'n va anar a buscar l'Emma; pressentia que era allà, en aquella escola de nenes riques. No va veure ni soldats ni Guàrdia Civil ni cap cos de policia. Es penedia d'haver-la deixat sola, per més que ella l'hi hagués demanat; l'hauria pogut seguir, a distància. Tampoc no la va trobar: l'escamot que cremava el col·legi no era el d'ella; l'encapçalava un antic regidor del partit de Lerroux. «Tu creus que estem al cas d'uns i altres?», li va contestar un incendiari a qui havia demanat per la Mestra. En Dalmau es va adonar que no podia recórrer tota la ciutat i va tornar a la Pedrera.

Dimecres es van continuar cremant convents, escoles i esglésies, i es va incrementar notablement la lluita a les barricades i als enfrontaments amb l'exèrcit i les forces de seguretat. Barcelona no tan sols cremava, sinó que estava en guerra; un exèrcit format per uns trenta mil obrers, delinqüents i joves, es revoltava sense cap mena de consignes, banderes ni líders. En Dalmau ho va sentir en boca d'aquelles ombres que amb l'arribada de l'alba es van convertir en persones com ell: obrers que s'havien refugiat en aquell edifici a mig fer. Va saber que fins i tot en algun dels pisos de sota hi havia dues famílies amb canalla. Van compartir menjar, que en Dalmau va pagar, però sobretot van comentar unes notícies que no arribaven per falta de diaris i per la censura que les autoritats aplicaven. A la resta de Catalunya es donava suport a la revolta, assegurava la mitja dotzena d'obrers que seia a terra, encara de ciment, d'un dels pisos, tot i que, per descomptat, no amb tanta fermesa com a Barcelona; amb tot, ni a Madrid ni a cap de les altres ciutats espanyoles es va arribar a declarar la vaga general, i encara menys a batallar per la república.

—Com és això? —va preguntar algú.

—Perquè les autoritats de Madrid han estat més intel·ligents que els babaus que ens dirigeixen, si és que en tenim cap, i han convençut els espanyols que aquesta és una revolta separatista dels catalans. A partir d'aquí, el poble ens titlla d'antipatriòtics; ningú no vol sentir a parlar d'independentisme, per això no hi ha hagut revoltes fora de Catalunya. Estem sols, com sempre.

—Però si ens van dir que la vaga general havia triomfat a Espanya! —En Dalmau va sentir que algú exclamava darrere seu.

—Ens van enganyar, com han estat fent des que tot això va començar.

En Dalmau va continuar amagat a la Pedrera durant el dia. «Et buscaran», li havia advertit l'Emma. Patia per la seva mare i per la Júlia, si bé estava convençut que la Josefina no hauria posat mai en perill la nena i s'amagaria fins que passés aquella bogeria. A les nits sortia, i a l'empara de la nit i d'una ciutat sense il·luminació, s'allunyava cada vegada més del centre de Barcelona a la recerca de l'Emma, guiat per les columnes de foc. No la va arribar a trobar. En un dels incendis, on un grup de dones i nenes vigilaven que els bombers no sufoquessin les brases d'una església ja esfondrada, li van dir que estava bé, que l'havien vist aquell matí mateix. Va voler creure les dues obreres que li van donar la notícia i va tornar a buscar el refugi de l'edifici en construcció de Gaudí abans que es fes de dia. No podia anar enlloc més. Els dies van transcórrer amb una lentitud exasperant i només la possibilitat de trobar l'Emma i veure-la somriure de nou l'ajudava a espolsar-se els neguits, tot i que no aconseguia esvair els que la connectaven amb ella. I si l'havien arrestat? Potser era morta... Corria el rumor d'un nombre considerable de morts, i els combats refermaven: acabaven d'arribar tropes de reforç procedents de tota aquella Espanya que en teoria els havia de donar suport: València, Saragossa, Burgos, Pamplona, Tortosa… El cert era que els soldats sortien amb la consigna que anaven a combatre un alçament separatista i així ho van fer. Divendres, 30 de juliol, el centre de Barcelona estava en calma, i a la nit es va encendre una part de l'enllumenat públic, i va circular el primer tramvia, tot i que als barris de la perifèria es continuava plantant batalla apassionadament.

Encara s'incendiaven esglésies, però ja no hi calaven foc delinqüents o obrers, aquests últims desmoralitzats, sinó nens de tot just catorze anys, contractats a set pessetes per anticlericals radicals que s'entestaven en una lluita que ja se sabia que estava perduda. Mentrestant, la gent sortia de casa seva i s'arremolinava al voltant dels edificis que encara treien fum. Alguns buscaven objectes per rampinyar-los, la majoria contemplava atònita el desastre i la destrucció, com també ho van fer els turistes que havien arribat expressament a Barcelona amb una rapidesa incomprensible, com un grup de cent setanta alemanys, que, amb la càmera fotogràfica a la mà, van passejar per la ciutat protegint-se dels franctiradors, tot i que una de les macabres visitants va rebre de rebot un tret a la cama. En Dalmau ho va presenciar, com també ho va veure qui devia ser el seu marit, que cridava el seu nom: «Cristina!». Es tractava d'una dona rossa, més petita que la majoria de les seves companyes, amb uns intensos ulls blaus que van espurnejar de dolor quan van passar pel costat d'en Dalmau, transportada enlaire pels seus companys, les càmeres que penjaven de les cintes colpejant els cossos, mentre diverses dones cridaven a fugir corrents de la zona de guerra on havien entrat.

Dissabte, l'Ajuntament, reunit amb els grans industrials de la ciutat, van acordar de reprendre dilluns, dia 2 d'agost, l'activitat als comerços, fàbriques i tallers, i per evitar més enfrontaments van pactar que pagarien als obrers els jornals corresponents a la setmana que s'havien estat cremant esglésies.

En Dalmau se'n feia creus: els pagarien el jornal d'aquella setmana! Diumenge va abandonar la Pedrera, conscient que un cop recuperada la normalitat no trigarien a presentar-s'hi els capatassos i els manobres, i deambulava pel passeig de Gràcia, on el sol d'agost afegia caliu a un ambient que fins aleshores havia estat alterat, en tensió. Semblava que tots els burgesos s'haguessin llançat a la llarga avinguda amb els seus millors vestits, protegits ara per un exèrcit victoriós. En Dalmau va veure com s'exhibien els uns davant dels altres, com se saludaven efusivament com si haguessin sortit airosos d'un conflicte bèl·lic, mentre comentaven amb gestos mesurats els successos que, entre altres noms, ja anomenaven la Setmana Tràgica. En Dalmau va tenir l'oportunitat d'escoltar algunes d'aquelles converses de carrer entre senyores enjoiades i homes amb barrets i vestits negres, barbes i bigotis poblats amb tota mena de combinacions; catòlics piadosos, ells i elles, que ara només es queixaven de l'excessiu nombre de monges i sacerdots establerts a Barcelona. Com no s'havia d'arribar a una situació com la que s'havia viscut? Era previsible! Aquells rics hipòcrites que havien comprat aquell sol que no arribava als carrerons dels humils, ara, com si no hagués passat res, pretenien comprar també les consciències dels obrers pagant els jornals de la setmana. Un gest intolerable, perquè sens dubte havien passat moltes coses que ningú no havia d'oblidar: havien cremat vuitanta edificis religiosos, entre ells trenta-tres escoles, catorze esglésies i trenta convents. Tot Barcelona es va arribar a convertir en una teia ardent.

La revolta es va saldar amb cent quatre civils morts, tant homes com dones, i centenars d'obrers ferits. Entre l'exèrcit, la Creu Roja i les forces de seguretat sumaven vuit morts i més d'un centenar de ferits.

No obstant això, malgrat els vuitanta incendis, malgrat el centenar de morts entre els alçats, i malgrat el caos, la violència i el desordre, el clero no va rebre un atac directe i ningú no va obeir la crida de Lerroux de violar monges. Van morir tres religiosos, dos d'ells per trets: un després d'encarar-se al poble amb una escopeta i un segon per intentar fugir amb els diners i els objectes de valor de la seva comunitat; el tercer capellà va morir de manera accidental, no desitjada, perquè ho va fer asfixiat a l'incendi de la seva església, amagat al soterrani sense que els revolucionaris en tinguessin cap constància.

I a aquesta realitat, la inexistència de violència contra el clero, se n'hi afegia una altra que caracteritzava la revolta: malgrat els actes d'unes masses obreres escapçades, sense cap mena de control, no es va comptabilitzar cap atemptat contra els interessos burgesos. No es va atacar cap fàbrica, ni cap banc, ni es va assetjar els palaus dels rics, excepte els dels industrials que estaven darrere de la guerra del Rif, tot i que tampoc no es van assaltar ni les seves cases ni les seves indústries.

Es parlava ja de milers de detinguts. Pensar-hi va obligar en Dalmau a mirar els carrers amb una perspectiva diferent. No va fer cap cas dels burgesos, minyones, cavalls i carruatges, ni d'un cotxe sorollós i fumejant, sinó que es va fixar en les nombroses patrulles de soldats i de la Guàrdia Civil que no abaixaven la guàrdia i escorcollaven amb la mirada qualsevol persona que no formés part d'aquell decorat idíl·lic. Es va sentir observat. Un dels obrers amb qui havia compartit el refugi de la Pedrera, i que disposava d'unes tisores bastant esmussades, li havia tallat els cabells i retallat la barba, però en Dalmau poca cosa més havia pogut fer per deixar d'aparentar el que era: un vulgar paleta que esfondrava les cases del casc antic per construir-hi una avinguda que permetria als rics accedir al port sense haver de topar amb els desventurats. I així va entendre que també el veurien els soldats i els policies, de manera que, a l'empara de tots aquells vianants, es va escapolir per un carrer lateral, pendent en tot moment de la possible existència de tropes. Va travessar la rambla de Catalunya i va continuar caminant en direcció a la universitat, des d'on podria introduir-se al barri vell i arribar fins al carrer de Bertrellans. Confiava que, un cop pacificada Barcelona, l'Emma hi fos, i potser també la seva mare i la Júlia.

L'exèrcit havia ocupat la ciutat vella. Encara s'hi enretiraven les barricades i es recol·locaven llambordes als carrers. Eren els mateixos veïns qui ho feien. En Dalmau es va afegir a un d'aquells grups a qui els soldats controlaven, una milícia jove que no només procedia del mateix estrat social que aquells contra els quals havien anat a combatre, sinó que ho feien amb l'actitud displicent de qui ja considera acomplert el seu deure. I allà, regirant les pedres com hauria pogut estar fent amb les cases que esfondrava, en Dalmau va presenciar com la policia entrava als edificis i els abandonava estirant amb violència algun detingut. Diverses vegades es va repetir l'escena mentre la majoria dels que desmuntaven les barricades alentien l'activitat, mirant-se en silenci, amb complicitat i tristesa. Podia ser un amic, un veí, un company o un familiar, però ningú no gosava oposar-s'hi; la tirania, l'odi i sobretot la venjança s'ensenyoria de la ciutat. De la primera barricada en Dalmau va saltar a d'altres i fins i tot va xerrar una estona amb alguns dels soldats: valencians. Eren dels primers reforços que havien arribat a Barcelona, perquè els havien portat per mar. Quan van entrar al port es van creuar amb un regiment que salpava cap a Melilla. Durant la Setmana Tràgica, les tropes no van defensar les esglésies, els convents i les escoles, i no obstant això es continuaven enviant reservistes al nord de l'Àfrica perquè defensessin els interessos dels rics.

—Tinc un germà al Rif —va mentir en Dalmau. Dos valencians van fer una ganyota en senyal de comprensió—. Vaig a casa la meva mare aviam si en té notícies, i si cal a consolar-la una estona.

Va travessar les Rambles amb l'aplom que li proporcionava saber que els soldats de l'altra banda del carrer, procedents de Burgos, ciutat històrica i monumental del centre d'Espanya, l'havien vist xerrar distesament amb els valencians.

—Diuen els d'allà —els va anunciar assenyalant amb el dit gros els del darrere— que aquesta nit no aneu de putes, que amb vosaltres s'avorreixen i després ells s'han d'esforçar més per alegrar-los el dia.

Va arribar a l'Ateneu Barcelonès, al carrer de la Canuda, i encara sentia els crits d'uns soldats i els altres insultant-se amb les Rambles entremig; dos soldats dels de Burgos l'acompanyaven, assetjant-lo i preguntant-li què era exactament el que els de València havien dit d'ells.

—Què passa allà? —va bramar el cap d'una nova patrulla, aquesta vegada apostada a l'entrada del carrer de Bertrellans.

—No res —va dir en Dalmau assenyalant els dos soldats que tenia al costat—, que aquests es barallen per les putes d'aquesta nit —va afegir rient sense ni tan sols aturar-se.

—Sí, home! De putes, les que us donaré jo! —va exclamar el caporal, i va impedir que els soldats continuessin seguint en Dalmau, que va tornar a riure i es va acomiadar del militar com si mantinguessin una amistat de tota la vida.

Havien detingut l'Emma. Un tal Vicenç va fer arribar l'encàrrec a la Josefina després que la policia l'arrestés; l'Emma havia donat al jove bàrbar l'adreça on s'havien refugiat la cosidora i la seva filla per si es produïa aquell contratemps. I amb el missatge li feia arribar una súplica: «Si us plau, ocupi's de la meva filla». La Júlia continuava allà amagada, a casa d'uns vells amics anarquistes. La Josefina havia tornat al carrer de Bertrellans divendres a la nit, conscient que en un moment o altre apareixeria en Dalmau.

—Quan l'han detingut? —li va preguntar a la seva mare.

«I quina importància té això ara?», va pensar ella.

—Divendres a la nit —va contestar-li a l'últim amb desgana—. Després de l'incendi del col·legi de la Sagrada Família de Sant Andreu. L'Emma segur que sabia que havien arribat tropes de reforç —va somiquejar la Josefina—. Hauria d'haver fugit abans.

La dona li va explicar que l'endemà mateix, dissabte, havia anat a la presó d'Amàlia, i també aquell diumenge, però havia estat en va perquè no li havien donat cap mena d'informació i ni havia arribat a veure-la per fer-li arribar menjar; de fet, no podia ni assegurar que la tinguessin presonera allà.

—Saben qui soc, Dalmau. Em tracten amb menyspreu… Bé, en realitat ens menyspreen a tots plegats. Però, pel que fa a mi, soc la teva mare. No te m'has d'apropar. Estic convençuda que em vigilen. M'estranya que no hagin pujat darrere teu. Es deuen haver despistat però sé que hi són. No té cap sentit que hi hagi tot un exèrcit en un carreró tan miserable com el nostre. —En Dalmau va pensar en el caporal, en les putes i en la discussió dels soldats. Havia tingut sort—. Els veïns m'han explicat que després de l'incendi dels Escolapis, la Guàrdia Civil s'ha presentat cada dia preguntant per tu. Ahir també van venir, dues vegades, i aquest matí, a primera hora, ja trucaven a la porta.

—Malparits… —sospirà en Dalmau.

—La Guàrdia Civil et ve a buscar a tu, però a la nena també la volen. Van venir dues monges acompanyades de la Policia Municipal. Se la volien emportar a un reformatori. Filles de puta! Tant de bo les haguessin cremat a totes amb les seves esglésies i convents.

—I aquests amics amb qui l'ha deixada…

—Són camarades. Anarquistes de fiar.

—Però he sentit a les barricades que els estan arrestant a tots.

—Sí. El teu germà, per exemple, encara que diu que no va participar ni en els incendis ni en els tirotejos. Però, com a conseqüència de la revolta, les autoritats tenen l'oportunitat de desempallegar-se de tots els anarquistes i no ho desaprofitaran. He sentit que els desterraran a pobles de l'interior de l'Aragó, sense judici ni res.

—Aleshores… i els que tenen la nena a casa seva?

—No —el va tranquil·litzar—. Aquests són anarquistes vells; ja ho eren quan va passar allò del teu pare. Gairebé no surten de casa. Ja s'han oblidat d'ells.

En Dalmau va negar amb el cap al mateix temps que els seus temors es tornaven a abocar en l'Emma.

—I ara què fem? L'Emma…

—Tu, fugir.

—Però no me'n puc anar i deixar l'Emma a la presó!

—Ves-te'n d'aquí, Dalmau. Corre! Fuig ara mateix! —li exigí empenyent-lo cap a la porta—. No pararan fins que et trobin. Diuen que ets un dels líders de la rebel·lió, l'autor intel·lectual, amb les teves pintures i els teus discursos incendiaris a la Casa del Poble. Et van reconèixer als Escolapis i ara tothom assegura que t'ha vist a tot arreu, a tots els incendis! Fill: hi ha milers de detinguts, com el teu germà, ja t'ho he dit. I continuaran arrestant tantes persones com puguin. —En Dalmau va assentir amb el cap; ho acabava de presenciar—. La gent no hi cap, a les presons. Aquesta nit ja hi ha prevista una manifestació de dones per exigir l'alliberament dels presos. Potser n'hi ha que l'aconseguiran; tu, no. Si t'arresten, s'acarnissaran amb tu. Ves-te'n. Fuig. No et preocupis per res ni ningú. Deixa passar el temps. Ves-te'n, ves-te'n, ves-te'n. —La Josefina va acompanyar les seves súpliques empenyent-lo suaument cap a la porta—. Fuig a França, Dalmau. Allà hi ha molts republicans i anarquistes que t'ajudaran. No et faltarà feina. Necessites diners? Tinc… —En Dalmau la va interrompre amb un gest de les mans. No volia els diners que de ben segur necessitarien elles—. Fuig, t'ho suplico —el va acomiadar a la porta de la casa amb els ulls negats de llàgrimes, els braços caiguts als costats i una combinació d'angoixa i pressa a la cara.

619

—I vostè, mare, què farà? —li preguntà ell ja des del replà, on l'havia empès la Josefina.

—Treballar i tirar endavant, com sempre he fet. No serà per sempre. Passaran uns quants anys i tornaràs. Ves molt amb compte! T'estimo, fill! —va sentir darrere seu, quan ja baixava les escales.

No fugiria. No estava disposat a abandonar l'Emma i la seva mare, però tampoc no sabia què podia fer. No podia anar al pis del carrer de Bertrellans, no podia tornar a l'habitació de dispesa que tenia a prop del Palau de la Música Catalana, al barri de Sant Pere, i encara menys podia anar a la feina d'esfondrar cases com a brigadista de l'Ajuntament. Aquelles dades d'on trobar-lo estaven en poder de la policia. Tampoc no aconseguiria treballar en cap obra, el coneixien.

—Què se'n sap del teu germà?

La pregunta el va sorprendre amb l'angoixa que li produïa no saber què faria ni on viuria, ni tan sols què faria aquella mateixa nit. Els asils i els centres de beneficència estaven vigilats. En Dalmau va mirar el soldat que esperava resposta. Sense adonar-se'n, havia travessat les Rambles i tornava a ser a tocar del destacament de valencians.

En Dalmau va fer que no amb el cap. Ho va fer per la desesperació davant d'una realitat que semblava que el volgués esclafar. El soldat el va mal interpretar.

—Ho sento —el va complànyer.

Es va acostar un altre soldat.

—Què passa?

—El seu germà —va contestar el primer assenyalant en Dalmau—. Era reservista i els moros se l'han carregat.

En Dalmau es va adonar del malentès, però davant la bota de vi que li van oferir, va decidir no entrar en aclariments.

—Hauríem d'haver pelat tots els moros fa segles! —va exclamar un altre soldat.

—Això és impossible —va afegir l'altre—. A l'Àfrica n'hi ha milions.

Els valencians i un caporal, al cas de la seva desgràcia, el van acollir i l'instaren a seure al voltant d'una foguera. Les tropes dormien al ras pels carrers de Barcelona. Aleshores va saber on passaria la primera nit d'aquella època que es presentava incerta: amb els que tenien l'ordre d'arrestar-lo.

El dilluns 2 d'agost del 1909, obrers, treballadors i funcionaris es van reincorporar als seus respectius llocs de treball, on els van satisfer els jornals corresponents a la setmana que havien estat de revolució, cremant esglésies i disparant contra soldats i policies. Aquell mateix dilluns, els diaris afins al govern i que, per tant, tenien l'autorització adient per sortir al carrer, parlaven de la Setmana Tràgica i exigien una repressió dura i contundent. En Dalmau va abandonar el destacament valencià abans que els nanos que venien els diaris, fervorosos després d'una aturada de set dies, comencessin a cridar als quatre vents les notícies entre les quals s'incloïa la recerca del pintor blasfem i radical Dalmau Sala com a autor intel·lectual de les revoltes.

Per segona vegada en la seva vida, en Dalmau va sentir com els repartidors de diaris escampaven el seu nom per la ciutat. Molts d'aquells vailets havien estat els primers d'incendiar les esglésies al costat de companys de la mateixa edat, però eren persones anònimes. En canvi, tothom coneixia el seu nom: havia pintat tres quadres ben explícits i, a la Casa del Poble, alçat a força de braços al costat del piano i victorejat, havia exhortat els obrers a la lluita. I, si no havia participat més en la crema dels edificis religiosos, havia estat perquè l'Emma li havia advertit que no ho fes. Després de la Setmana Tràgica, l'Església havia pagat molt car les seves mentides i trifulgues per controlar la societat, principalment els grups de gent humil, els que s'havien de sotmetre i servir als rics i poderosos. Les pèrdues econòmiques eren espectaculars. I lluitaven precisament per allò: per la destrucció d'aquella estructura podrida. Ho havien aconseguit, va concloure en recordar com li guspirejaven els ulls a l'Emma. Va notar els llavis d'ella a les galtes i sentí una flamarada d'emoció.

L'havia de trobar. L'havia d'ajudar.

Des de les Rambles s'havia endinsat al Raval, on ja només quedaven els vestigis de les barricades, tot i que el tràfec de les llambordes amunt i avall només havia aconseguit remoure un subsol putrefacte que empudegava l'ambient. En un dels carrerons va topar diversos captaires, que, asseguts sobre el que havia estat la paret d'una casa ara en ruïnes, escuraven el contingut d'una ampolla de vi. En Dalmau va enretirar la gorra bruta i arrossinada a un d'ells, i abans que l'home se li encarés, li va oferir la seva, que l'home va acceptar després de comprovar-ne l'estat.

—No li agrada més la meva? —li insinuà el que seia al costat de l'agraciat.

En Dalmau va tenir temptacions de contestar la veritat, però va esbufegar amb els llavis mig serrats i es dirigí al nou:

—No. M'agrada aquesta —va afirmar alhora que se l'encaixava al cap i notava com la suor del captaire li xopava els cabells—, però potser les teves sabates m'anirien bé.

Aquelles sabates encara mantenien la forma del calçat; les teles que les cobrien no havien arribat a tapar-les del tot. La repugnància que li acabava de causar posar-se la gorra no va ser res en comparació amb la que va sentir quan es va calçar les sabates. En Dalmau va voler recordar que durant un temps ell va arribar a viure d'aquella manera, com un vulgar indigent, vagant pels carrers, però aquelles sensacions s'havien difuminat amb el temps; les d'ara eren reals, enganxifoses, covades, pudents.

També es va canviar la camisa de la feina, tot i que es va negar a treure's els pantalons, per molt que els captaires l'animessin a fer-ho. Els va embrutar amb fang de l'interior de la casa en ruïnes, el mateix amb què va embetumar-se les mans, la cara, els cabells i la barba. Amb l'ampolla buida agafada amb una mà pel coll, caminant a poc a poc, com un vulgar arreplegat alcohòlic, va acabar davant de la porta de la presó d'Amàlia, la mateixa on havien tancat i violat la seva germana Montserrat. La situació havia canviat d'ençà d'aleshores, ja que ara als homes els tancaven en una penitenciaria nova: la Model, construïda feia cinc anys als suburbis de la ciutat, al costat de la caserna de cavalleria, l'escorxador i la plaça de toros de les Arenes. Potser ja no hi havia homes a la presó d'Amàlia, però hi havia tanta gent amuntegada a l'entrada com quan en Dalmau hi va accedir anys enrere amb l'advocat Fuster. Familiars i amics volien saber en quina situació es trobaven les detingudes.

En Dalmau va pressentir que entre tota aquella munió de gent apinyada hi havia la seva mare. Es va fer a un costat quan va passar el tramvia de circumval·lació, que ja circulava sense necessitat de protecció de les forces de l'ordre, i va arrambar l'esquena a un arbre que hi havia davant de la presó. Va fer lliscar el cos contra el tronc fins que va quedar amb el cul a terra. En aquella postura, va agafar l'ampolla contra el pit, com si fos un tresor, i va deixar els ulls mig clucs com si fes veure que dormia, pendent en tot moment de la porta d'entrada amb els pensaments posats en l'Emma, estudiant tota mena de possibilitats, les unes més dramàtiques que les altres.

Cap al migdia va veure la seva mare que sortia de la presó. La dona caminava lentament, amb el cap cot. En Dalmau es va aixecar de terra movent-se amb matusseria, i va pidolar parant la mà entre la gent que deambulava per la zona i apropant-se cada vegada més a la Josefina, a qui no va interceptar fins que van ser a tocar del mercat de Sant Antoni.

—Caritat, senyora —va suplicar entre murmuris. La Josefina s'hi va negar sense ni mirar-lo a la cara—. Si us plau —insistí ell, aquesta vegada sense confondre la veu.

—Què vol? —La Josefina va vacil·lar un instant abans de refer-se de la sorpresa—. Ja li he dit que no —va reiterar acompanyant les paraules amb un gest brusc.

En Dalmau va apropar la mà fins que gairebé la va tocar, insistent.

—Què en sap? —va xiuxiuejar.

—Res —va contestar ella—. Res —va afegir obrint les mans, sense amagar-se, com si li negués l'almoina—. No tinc res —insistí negant amb el cap, simulant el fàstic que li causaven la tropa de pidolaires que poblaven Barcelona—. Te n'has d'anar —li advertí en xiuxiuejos—. Tard o d'hora t'atraparan. Poc servei li faràs a l'Emma, si t'afusellen.

En Dalmau va tornar als carrers. Les nits càlides d'agost li van permetre dormir a la intempèrie com ho feien els desemparats com ell. Va viure de la mendicitat i de la beneficència, amagat darrere de la brutícia i la misèria, que, davant d'alguna detenció també de cap- taires, va augmentar amb un procediment que li havia explicat la Maravilles que utilitzaven els trinxeraires perquè la policia no se'ls apropés i els deixessin vagar per la ciutat furtant i rampinyant: es contagiaven la sarna. I pagaven pel contagi, va assegurar la noia amb serietat. En Dalmau no va pagar: dos talls molts superficials a les mans i a la cara, com si fossin esgarrapades que no arribessin a sag- nar sinó només a aixecar la pell, que va apropar i va fregar contra les butllofes escamades d'una rodamon sarnosa i beguda, a qui primer sorprengué l'actitud d'en Dalmau, però que després va agrair amb una remor gutural fins que en Dalmau va calcular que ja li devien haver saltat prou àcars a la pell i es va alliberar dels seus braços. En quatre dies, els aràcnids van atacar i li desfiguraren la cara i les mans, i ningú que no formés part d'aquell univers inhumà de la pobresa se li apropava a menys de dos metres.

Tampoc la seva mare.

—Que ets boig! —va exclamar la Josefina dues setmanes des- prés davant l'aspecte del seu fill, convençuda ja que en Dalmau no fugiria de Barcelona. Ell va assentir amb el cap, intentant com a mínim que la seva mare no veiés com es gratava, cosa que havia començat a fer de manera compulsiva tan aviat com va notar la picor sota la pell—. Continuo sense tenir notícies de l'Emma —es va veure obligada a reconèixer la dona, tal com repetia dia rere dia, un cop acabats els incendis; l'angoixa li havia fet efecte a la cara, en les ulleres morades, en les mans que li tremolaven i en una veu cada vegada més feble i cansada—. Li dono menjar a una de les monges que vigilen les recluses, tot i que tampoc no sé si el fa arribar a l'Emma.

Hi havia prou raons per viure amb aquella angoixa. Tot era caòtic, ningú no sabia res de ningú. La Josefina va arribar a contrac- tar un advocat perquè s'interessés per l'Emma, però el silenci de les autoritats, emparades en l'estat de guerra, i la suspensió dels drets civils van convertir la seva gestió en una despesa tan amarga com inútil. Perquè, finalitzada la rebel·lió, la repressió per part de les au- toritats no va tenir clemència. El governador es va posar en mans del Comitè de Defensa Social de Barcelona, una associació catòlica radical i conservadora que va aconsellar al polític el tancament de tots els col·legis laics de la ciutat —se'n van clausurar més de cent cinquanta—, a més de totes les societats obreres o ateneus polítics que havien influït en l'alçament contra l'Església, començant per la Casa del Poble de Lerroux. També, en el cruel exercici d'aniquilació de dissidents, adversaris, o senzillament enemics particulars, els membres del comitè van assenyalar aquelles persones que la policia calia que detingués, si es que no ho havia fet encara. Era el cas d'en Dalmau. El seu nom es publicava als diaris i corria de boca en boca, amb un Manel Bello rabiós, públicament entestat a escarnir i executar el pintor que havia estat el seu deixeble.

El Comitè de Defensa Social va animar la gent a fer denúncies anònimes i va tornar a imperar el sistema inquisitorial: «Delateu!» era la seva consigna. I això va fer que moltes persones busquessin entre els veïns i els coneguts la venjança per afronts que no tenien res a veure amb l'alçament de la Setmana Tràgica.

Per la seva banda, el mateix dilluns 2 d'agost, mentre els obrers es reincorporaven a la feina, les autoritats militars, seguint estrictes ordres de Madrid, van iniciar el primer judici sumaríssim que va finalitzar aquella jornada amb la sentència a cadena perpètua per rebel·lió militar contra un obrer que havia lluitat darrere d'una barricada. Només quinze dies més tard, després d'un altre judici fulminant, es va produir el primer afusellament al castell de Montjuïc: un desgraciat que havia agafat un fusell per lluitar pels seus drets. Les sentències a cadena perpètua, desterrament de per vida o bé execució es van anar succeint sota el guiatge dels fiscals militars ajudats per un fiscal especial del Tribunal Suprem, catòlic recalcitrant, també enviat des de la capital del regne d'Espanya.

En Dalmau se sentia impotent. Pel que semblava, ningú no el reconeixia; les crostes que se li formaven després de gratar-se li afaiçonaven la cara d'un malalt contagiós a qui no convenia apropar-se. Havia aconseguit un objectiu: bellugar-se per la Barcelona caòtica presa per l'exèrcit i les forces de l'ordre amb la llibertat d'un empestat a qui rebutjaven amb insults i escopinades. Ara bé, no tenia a qui recórrer tret de la seva mare. Tal com ella mateixa li havia fet saber, a en Tomàs i a l'advocat Fuster, amb un bon contingent de mestres laics, els havien deportat i confinat a poblacions allunyades de Catalunya com Alcanyís, Alzira, Terol, la Pobla d'Híxar, entre d'altres, de les quals no es podien allunyar més de cinc quilòmetres, i qualsevol espurna d'organització política, social o veïnal com les que havien promogut els republicans a la ciutat havia desaparegut alhora que es clausuraven les seves seus.

L'Emma s'havia convertit en el pensament únic d'en Dalmau; una obsessió que li devorava la ment més ràpidament fins i tot que els àcars la pell. Què devia fer? Es trobava bé? Com la devien tractar? La jutjarien aviat? I ell, se n'assabentaria? Els diaris que les autoritats consentien publicar s'alimentaven de les notícies sobre els judicis i les sentències, i si bé a ell no li permetien l'accés a les tavernes on es llegien en veu alta, li constava que la seva mare sí que ho feia. L'Emma era una líder dels activistes republicans. La policia ho sabia. La condemna seria realment dura si els militars la jutjaven. Només hi havia una possibilitat: que la jutgessin els tribunals civils, que encara no s'havien posat en funcionament, potser per poder determinar quins detinguts corresponien a una o altra jurisdicció.

En Dalmau coneixia la línia que separava els militars dels civils, n'havien parlat als cercles de captaires en què ara es bellugava, al voltant d'una ampolla de vi sofisticat amb alcohol etílic, tot i que s'havia de barallar per un glop que els altres interrompien a còpia de cops i picabaralles. Portar armes i haver participat en la construcció de barricades, els atacs als serveis públics o transports, o ser un dels autors intel·lectuals de la revolta, com acusaven en Dalmau i ara també Ferrer i Guàrdia, el fundador de l'Escola Moderna, implicava un delicte de sedició i, per tant, els seus actors queien en mans de la justícia de l'exèrcit, i els jutges militars s'ocupaven de jutjar-los. El saqueig o l'incendi dels convents, fins i tot els atacs a religiosos, es van tipificar com a delictes comuns, de manera que corresponia als tribunals civils condemnar-los, i d'aquests se n'esperava més clemència.

—Portava armes, l'Emma? —li havia preguntat en Dalmau més d'una vegada a la seva mare.

—No. No l'hi vaig permetre mai —li repetia la Josefina—. Ja m'ensumava les conseqüència del ban del capità general.

Tanmateix, els dies passaven sense tenir notícies de l'Emma. La inactivitat, la tristesa, la ignorància, la pena… i aquella coïssor que el torturava i que el duia a espellar-se van arrossegar en Dalmau a refugiar-se un cop més en el vi. El calmava, l'endormiscava, enfonsava l'Emma en l'oblit i fins i tot li permetia deixar de gratar-se, però el que no va aconseguir el vi va ser amagar-li les passes lentes i insegures de la seva mare cada cop que tornava a la presó d'Amàlia.

Aquell dia, en Dalmau no havia begut gaire, no cada dia disposava d'alcohol, més enllà del got que li podien donar a la beneficència. Va observar detingudament aquella dona feble: estava blanca, li tremolaven les mans i, malgrat l'agradable temperatura del mes de setembre, les gotes de suor li corrien pel front i les galtes. Tenia febre, va pensar. Una tos seca i repetitiva, forçada, com si pretengués expulsar bocins dels pulmons, li va confirmar aquella impressió: la seva mare s'havia posat malalta.

Se li va atansar.

—Mare —la va cridar. La Josefina semblava que no l'hagués sentit—. Mare —va repetir ell, topant aquesta vegada amb el rostre desconegut d'una àvia que l'interpel·lava—. No vagi a la presó, que no es troba bé.

—Hi haig d'anar…

En Dalmau la va agafar del colze i la va obligar a fer mitja volta amb delicadesa.

—Ara l'únic que ha de fer vostè és cuidar-se —li deia mentrestant. Va mirar al voltant: la presó era a unes quantes passes i algunes persones que esperaven amb posat ociós a la porta observaven amb estranyesa que un rodamón sarnós parlés i toqués una dona que semblava malalta. Potser la volia atracar, va pensar més d'un. En Dalmau va ser conscient que estava a punt d'espatllar el seu camuflatge, però no podia deixar la seva mare allà—. Acompanyi'm —l'instà empenyent-la pel colze.

—Fill… —va arribar a mussitar ella—. L'Emma…

—No s'amoïni.

En Dalmau va girar el cap. Dos homes els assenyalaven. No trigarien gaire a lligar caps. El podia delatar, però això no canviava el que havia de fer. Tot i així, va forçar el pas i va cridar «És la meva

627

mare!» a una dona que es va apropar a interessar-se per una Josefina que cada vegada s'arrossegava més pels carrers. Va aconseguir arribar fins al carrer de Bertrellans sense que l'aturessin. Va carregar la Josefina intentant que no es donés cap cop per l'escala estreta i, quan van ser dins de casa, la va deixar amb molt de compte sobre el llit.

—No es bellugui d'aquí —li va suplicar. Ella tenia els ulls tancats.

Només va trobar aigua a la cuina, que va beure amb fruïció. Probablement la seva mare no devia ni menjar. Passava els dies a la presó i les nits enganxada a la màquina de cosir. Va seure al seu costat i, amb un nus a la gola, va reprimir les ganes de plorar: tot sortia malament. Quan li va anar a agafar la mà es va adonar de com tenia la seva: corrompuda. La va enretirar i es va aixecar d'un bot.

—L'estimo, mare —li va xiuxiuejar, maleint-se perquè no li podia fer un petó. Després va abandonar l'habitació i va netejar el lloc en què s'havia assegut i va sortir a la cuina. Sabia que tenia diners estalviats en algun lloc. Els va trobar; els tenia a l'amagatall de sempre, el mateix on ja els guardava ell quan treballava a la fàbrica de ceràmica del senyor Manel i les coses li anaven de cara, i va agafar deu pessetes. «En tindré prou?», es va preguntar. Va ampliar la xifra fins a vint i va pujar al pis de dalt, on vivia la Ramona, una vídua que tenia prou bona relació amb la seva mare. La dona només va veure un home malgirbat i li va voler tancar la porta als nassos. En Dalmau l'hi va impedir amb el peu.

—Soc en Dalmau —li va dir pel badall de la porta—, el fill de la Josefina, la del pis de sota. —Va passar un instant de silenci, tot i que en Dalmau va notar que afluixava la pressió al peu—. Em sap greu si em presento així... d'aquesta manera —va trencar-lo ell.

—Et busquen —es va sentir des de dins—, la policia ha vingut unes quantes vegades.

—Ho sé. Per això m'amago sota aquesta disfressa.

—Això és una disfressa? —va acabar preguntant la dona després d'obrir la porta i mirar-lo de dalt a baix—. Si sembles... T'has disfressat de sarnós?!

En Dalmau va decidir no contestar. Havia de marxar d'allà tan aviat com fos possible. Pressentia que, un cop descoberta la seva identitat, en qualsevol moment podia arribar la policia.

—Tingui —va dir a la Ramona—, entregant-li els diners—. La meva mare està malalta. L'he deixat a casa, al seu llit. No crec que sigui res greu: fatiga, debilitat.

—Sento com treballa cada nit, sense descans —el va interrompre la dona fent que no amb el cap—. Ahir mateix li vaig dir que havia de parar. Em va preocupar el seu aspecte, la vaig veure desmillorada.

—Em sembla que tampoc menja com cal, i a sobre se li afegeixen l'angoixa i els nervis.

—Per l'Emma. Ho sé —el va tornar a interrompre—. Alguna vegada em vaig haver d'encarregar de la Júlia… —La dona es va quedar pensativa, recreant-se en l'alegria i la vitalitat que devia portar la nena a aquella casa fosca i llòbrega com totes les de la zona—. I per tu, és clar —va afegir tot d'una, avergonyida—. Per tu també.

—S'ocuparà d'ella, Ramona? —l'apressà en Dalmau, que lamentava ser tan brusc.

—D'això no en tinguis cap dubte —es va comprometre la veïna—. Són molts anys vivint al mateix edifici. La teva mare va ser la que ens va ajudar quan…

Un escàndol a l'escala va silenciar la conversa. «Cap dalt!», van sentir que cridaven. Un tropell de persones pujaven corrents; la dringadissa dels metalls i les corretges en xocar donava fe de la seva professió: policies. «L'han vist entrar!» «Correu!» Van sentir com esbotzaven la porta del pis de la Josefina amb dues puntades de peu, i hi van entrar cridant.

—Policia!

—Dalmau Sala, queda detingut!

—Fuig! —li va dir la Ramona a en Dalmau—. No tindràs cap altra oportunitat.

En Dalmau va baixar les escales de quatre en quatre. L'enxamparien tan bon punt inspeccionessin el pis i comprovessin que no hi era, va concloure. Va notar que li faltava agilitat, vestit amb els parracs, amb unes sabates que li ballaven als peus, amb la debilitat física sorgida del tipus de vida que havia fet l'últim mes. Va ensopegar i va recuperar l'equilibri recolzant-se en les parets abans de caure per les escales i no va poder evitar una torçada de turmell. Els crits van continuar a l'interior del pis de la seva mare, tot i que cada vegada es feien més clars, com si els policies ja haguessin sortit al replà. Només li quedava un tram d'escales, que baixava coixejant per culpa del dolor del turmell. L'acabarien atrapant, si no era allà mateix, al carrer.

—Ha fugit! —va sentir.

No podia fer res. Va ensopegar una altra vegada i estava a punt de rendir-se quan va sentir uns crits d'una dona que s'afegien a l'aldarull. Va reconèixer la veu de la Ramona. Va somriure i va continuar baixant, saltant els esglaons amb una única cama, amb les mans apuntalades a les parets, a banda i banda.

—Socors! Auxili! —cridava la Ramona—. Hi ha un rodamón!

Els policies van començar a pujar per les escales i en Dalmau va arribar al carrer. Confonent-se entre la gent, que més aviat s'allunyava i s'apartava del seu camí tan aviat com el veien, es va dirigir a les obres d'enderroc properes en què havia treballat i coneixia bé. Allà podria amagar-se fins que es fes fosc, després hauria de trobar la millor manera de tirar endavant la decisió que acabava de prendre davant del patiment de la seva mare. Avui la cuidaria la Ramona, segur; l'endemà, quan tornés amb les forces recuperades a la presó d'Amàlia i continués sense obtenir respostes, es tornaria a posar malalta i moriria en aquell entorn malsà i insalubre. I si no era l'endemà, seria un altre dia, o més endavant, quan arribés l'hivern i arrosseguès les febres i els contagis. La solució s'havia presentat davant d'en Dalmau amb una senzillesa sorprenent: s'havia de canviar per l'Emma. Ell s'entregaria a les autoritats conscient de la sentència de mort a què el condemnaria un tribunal militar; d'això no en tenia cap dubte: com a autor intel·lectual de la revolta, el jutjaria l'exèrcit, i la sentència, atesa la gravetat de les que ja s'estaven dictant per accions menys transcendentals, era clara, moriria afusellat al fossat del castell de Montjuïc.

L'Emma, que gràcies a la tossuderia de la Josefina no havia arribat a portar mai cap arma, no la jutjarien els militars, tot i que en Dalmau tampoc no podia preveure quina seria la sentència que li imposarien els tribunals civils, per molt benèvols que fossin. Probablement, no la condemnarien a mort ni a cadena perpètua, ni tan sols la desterrarien, però ningú no li garantia que no li caiguessin quinze o vint anys a la presó. La Josefina no ho resistiria; abans moriria, per malaltia o per simple tristesa. I la Júlia… la nena creixeria sense l'afecte de la seva mare, de ben segur ingressada en un asil per a orfes a càrrec d'unes monges que venjarien en la petita els atacs de l'Emma a l'Església.

Es tractava d'una decisió ben senzilla: la seva vida a canvi de la llibertat de l'Emma. Ningú no s'hi oposaria. El senyor Manel faria tots els possibles perquè es fes realitat l'intercanvi, i aleshores tornarien a estar totes tres juntes, i la seva mare recuperaria l'afecte de la Júlia, i a més tindria al costat algú que la cuidaria molt més del que ho havia fet ell al llarg dels anys.

21

A magat entre les fileres dels alts canyissars que creixien al costat de la via del tren que anava a França, en Dalmau vigilava el pas dels qui transitaven pel camí de Pequín. Sabia que en un moment o altre passaria per allà davant. Se li van atansar uns quants gossos, van ensumar entre les canyes, que aquells dies estaven florides, van grunyir i van bordar una estona, però tots van acabar reculant i fugint quan en Dalmau va donar un parell de cops de peu a terra; no volia que els atragués la fortor que desprenia l'estrany sarnós, i els seus amos, si en tenien, pensarien que devia ser alguna rata.

Aquella nit havia trobat refugi entre els enderrocs de les cases a mig derruir; ja no existia el celler on s'havia amagat amb l'Emma. No va aconseguir adormir-se. Sense deixar de gratar-se la cara, els braços i els engonals, els racons del cos afectats per la sarna, el neguit el mantenia despert, rumiant com podria tirar endavant aquell pla benintencionat però que, com més anava, més complicat li semblava. No es podia presentar simplement en un quarter de la policia ni davant de cap altre estament oficial, perquè el detindrien i no aconseguiria la llibertat de l'Emma. Ni tan sols podia voltar per Barcelona: així com fins aquell dia la sarna li havia estalviat les mirades, ara, revelada la seva estratègia, el podrien identificar des d'uns quants metres de distància. Era evident que necessitava un intermediari, i l'elecció d'aquesta persona no era gens fàcil. La Casa del Poble estava tancada, i no coneixia l'adreça particular dels líders republicans, i això en el cas que cap d'ells estigués disposat a ajudar-lo. La seva mare ja l'havia avisat que tots els que havien tingut un cert paper en la causa obrera ara es desvinculaven de qualsevol responsabilitat en la revolució que havia culminat en la Setmana Tràgica. Tots tret d'en Ferrer i Guàrdia, l'anarquista, que aquell 31 d'agost havien detingut quan intentava fugir a França, acusat d'instigar aquells successos. Al llarg de la nit va decidir que la millor manera que se li acudia de proposar el projecte de bescanvi era fer-ho per mitjà de la premsa, els mateixos que l'havien posat en boca de tothom i al mateix nivell que Ferrer i Guàrdia: com a líder de la revolta. Per això era allà, amagat entre els canyissars, esperant que passés la Maravilles, atent al camí que anava de Pequín a Barcelona, la ciutat d'on havia fugit com un animal ferit amb la primera claror que no arribava a esquinçar la foscor, arrossegant-se i amagant-se quan veia el més ínfim moviment.

L'ajudaria, la trinxeraire? Li semblava arriscat refiar-se de la noia, o més aviat li semblava una bogeria, sobretot quan el que estava en joc era la seva pròpia vida i la llibertat de l'Emma. En Dalmau va tornar a pensar en les possibilitats que tenia, i totes passaven per tornar a Barcelona, on, amb tota seguretat, el detindrien. S'havia de posar en mans de la Maravilles. L'última vegada l'havia ajudat, i ara no hi havia diners en joc, ja que el senyor Manel no havia ofert cap recompensa per ell; potser l'exèrcit no l'hi havia permès, fent gala d'aquella supèrbia espanyola que rebutjava qualsevol col·laboració, ja que donaven per fet que un dia o altre els militars el capturarien. Encara que no hi havia la possibilitat de guanyar-se quatre monedes, era probable que la noia li donés un cop de mà, mal que ell no l'hi pogués agrair de cap manera. La pobresa d'ella li va recordar que no havia menjat res des de feia més d'un dia. Per enganyar la gana va rosegar unes fulles de les canyes, fins que va notar la boca seca i aquell gust se li va fer repugnant. El sol era al zenit: era migdia. Feia poc que havia arribat la tardor, però encara feia calor, fins i tot allà, a pocs metres del mar, on bufava una brisa refrescant. Va dubtar de si sortir de l'amagatall i anar a Pequín a buscar menjar, però tampoc no es refiava de Don Ricardo; no li estranyaria gens que el lliurés a les autoritats a canvi de diners o de prebendes. No, el delinqüent obès tampoc no semblava una bona alternativa.

La Maravilles no va passar per allà en tot el dia. Quan ja s'havia fet fosc, en Dalmau va travessar la via del tren per dirigir-se al cementiri del Poblenou, que era a prop, per camins de terra, sense altra llum que la d'una lluna immensa, la resplendor de la qual semblava que volia insuflar una mica d'ànims en el caminant. Sabia que allà s'alçava un altre assentament de barraques, tan miserables com les de Pequín, però esperava trobar-hi alguns desnonats de la vida com ell. Va aconseguir que tres captaires asseguts al voltant d'unes brases li donessin un rosegó de pa, que no es va atrevir a mirar, i que es va empassar procurant no fixar-se en el gust que tenia. L'aigua per beure era bruta i calenta. «Això mata fins i tot la sarna!», va dir rient el que li va allargar un got escantellat ple d'aquell líquid. No li van oferir un glop de l'ampolla d'alcohol que compartien; ell tampoc no els ho va demanar, i quan els altres ja estaven endormiscats, es va retirar al canyissar.

L'endemà al matí, en Dalmau va estar a punt de deixar passar la trinxeraire, sorprès en veure la persona que acompanyava la noia. Al final va sortir d'entre les canyes.

—Em pensava que el teu germà era mort —li va engaltar, sense saludar, assenyalant en Delfí.

Cap dels dos trinxeraires aparentment no es va sorprendre del seu aspecte.

—Per què? —va preguntar la Maravilles amb indolència.

—Tu m'ho vas dir.

—No —va rebatre ella—. És aquí. Tu —va dir, girant-se cap a en Delfí—. T'has mort?

El noi va respondre fent la cara de beneit que tan bé coneixia en Dalmau, com si allò no anés amb ell. En Dalmau va brandar el cap: una mentida més, sense solta ni volta. Va tornar a dubtar de si demanar ajut a una noia boja que tan aviat matava el seu germà com el feia reviure, però ara ja no es podia fer enrere, ja s'havia descobert.

—Doncs m'alegro que no s'hagi mort —va dir—. M'has d'ajudar —va demanar tot seguit a la Maravilles.

Es van observar mútuament. La Maravilles, amb la vista clavada en els abscessos de la sarna i les rascades que s'havia fet en Dalmau, i ell, constatant que el decurs del temps continuava maltractant aquells milers de vailets abandonats a la seva sort, que tenien per llar tota la ciutat. La Maravilles continuava sense créixer ni engreixar-se, ni mostrava cap senyal de vitalitat.

—Què hi guanyarem? —va intervenir en Delfí—. Què tens? Sabem que et busca tot Déu.

Això sí que despertava l'interès del trinxeraire, com set anys enrere, quan a la fàbrica de ceràmica el va avisar que pintar la seva germana nua li sortiria més car.

—No tinc res —en Dalmau va obrir les mans, fent palesa, amb aquest gest, la seva pobresa—, però una vegada s'hagi arreglat tot tal com espero, la meva mare i la meva… xicota —es va atrevir a dir, cosa que a la Maravilles li va fer venir un calfred— us pagaran bé. Segur.

—Segur?

La seva xicota. «La meva xicota, la meva xicota, la meva xicota», repetia en Dalmau en veu alta. Li agradava sentir-ho. Donaria la vida per l'Emma, i no tenia por; al contrari, n'estava orgullós. La Maravilles va complir, i en Dalmau va poder apaivagar l'angoixa que el tenallava d'ençà que li havia demanat el favor. A més d'aigua i menjar, poca i gairebé podrida, i un remei de sofre per a la sarna i tot, «sempre hi ha algú que en té», li havia dit, li va procurar un parell de fulls de paper i una punta de llapis, prou perquè en Dalmau escrivís una nota adreçada al director de *La Vanguardia*. Era un dels diaris autoritzats pel govern per sortir al carrer. I el rotatiu la va publicar l'endemà a primera plana, compartint protagonisme amb una gran esquela que anunciava la mort d'un noble, un baró, un prohom de la ciutat, un personatge de tal importància que el bisbe de Barcelona atorgava mil dos-cents dies d'indulgència per cada acte de pietat o de caritat cristiana que es practiqués en sufragi de l'ànima del difunt. Si una persona feia dos actes de pietat, va pensar en Dalmau, podia aconseguir dos mil quatre-cents dies d'indulgència. I si continuava sumant… potser ell i tot es podria salvar! Va somriure amb cinisme. Vuitanta esglésies cremades i continuaven igual! Va tornar a somriure, però ara amb tristesa. I al costat d'aquell magnífic obsequi diví a canvi d'unes oracions en record d'un noble que devia tenir interessos al Rif, una guerra que havia estat l'origen de la Setmana Tràgica, en Dalmau va llegir el seu oferiment a l'exemplar que li va llançar la Maravilles, que ignorava el contingut de la carta que li havia lliurat en Dalmau per al director del diari: «El pintor Dalmau Sala, perseguit com a autor intel·lectual de les últimes revoltes, en les quals ha participat activament, proposa lliurar-se a les autoritats a canvi de la llibertat d'una republicana detinguda: la Mestra». Després, al terme d'un resum tan breu com inexacte de les vides i les obres d'en Dalmau i l'Emma, l'articulista es perdia en consideracions, ja fossin a favor o en contra del bescanvi, que tindria lloc a la mateixa redacció del diari, sempre que les autoritats, a criteri dels periodistes, els de *La Vanguardia* i els d'altres rotatius convidats, consideressin que es donaven les condicions i les garanties suficients perquè en Dalmau no fos detingut abans d'arribar a la seu del diari, i que l'Emma quedaria en llibertat sense càrrecs una vegada ell s'hagués lliurat.

En Dalmau ja tenia publicat l'anunci. Ja no hi havia possibilitat de retractar-se, per bé que tampoc no ho hauria fet. Per primera vegada des de feia molt de temps se sentia ple, viu, més i tot que quan havia regalat els quadres a la Casa del Poble. Ara es lliurava ell mateix per l'Emma, la persona que havia estimat tota la seva vida, per molt turbulentes que haguessin estat les seves relacions. Ella li havia fet un petó. L'hi havia fet després de rebutjar-lo mil vegades, i així com ell mai no havia arribat a creure que els seus insults fossin sincers, sí que va notar l'amor i el perdó en aquell petó: un lleu contacte a la galta que el portaria al patíbul. Juntament amb la imatge de l'Emma, li va venir al cap la de la seva mare. La Josefina segurament no estaria d'acord amb aquella decisió, es va dir, però ell, al llarg dels anys, només li havia causat que problemes. Li havia arribat a pegar. En canvi, l'Emma havia aportat estabilitat econòmica a la vida de la seva mare i, sobretot, una il·lusió per viure: la Júlia. «Perdoni'm, mare», va resar ja de nit, encara dins del canyissar, on havia obert una clariana per encreuar precàriament unes quantes canyes i lligar les seves fulles per formar una petita tenda de campanya, sota la qual es podia asseure a esperar les notícies que li havia de portar la Maravilles.

De tant en tant el pas del tren, amb el corrent d'aire que aixecava i la tremolor del terra i les canyes, li desmuntaven aquell recer.

L'intercanvi proposat per en Dalmau es va sumar a la disputa que havia sorgit entre l'opinió pública entorn de la conveniència de ser indulgents amb els detinguts. Hi havia qui propugnava l'amnistia; d'altres clamaven per la repressió, tant o més dura que la que ja s'exercia. La gent, esperonada pels diaris, discutia aquelles possibilitats, tant com la d'alliberar una coneguda activista republicana a canvi del lliurament d'aquell que els catòlics ultramuntans consideraven un dels principals inductors de la revolta contra l'Església. La premsa contrària al bescanvi afirmava que l'Estat no podia cedir i, malgrat que va fer esglaiar burgesos i autoritats, fins i tot va reproduir els quadres d'en Dalmau que incitaven els obrers a cremar edificis religiosos i a violar les monges. El senyor Manel Bello, assetjat pels periodistes, va declarar, però, que si depengués d'ell, deixaria anar tots els republicans empresonats per poder detenir i jutjar els qui s'havien aprofitat de la ignorància i la necessitat dels obrers per llançar-los contra l'Església d'una manera tan astuta i violenta. L'antic mestre del pintor feia recaure, doncs, tota la culpabilitat de la Setmana Tràgica en en Dalmau; ni tan sols Lerroux, que sí que havia enardit públicament les seves hordes perquè cremessin esglésies i violessin monges, era considerat culpable de res, ja que continuava a l'exili.

Aquella va ser la postura que es va imposar amb el transcurs dels dies, després de les pressions dels alts dignataris eclesiàstics enfront d'un capità general sota el comandament del qual es continuaven celebrant judicis sumaríssims, amb condemnes a mort, algunes commutades per cadena perpètua i d'altres executades als fossats del castell de Montjuïc. En Dalmau va tenir coneixement de totes aquelles circumstàncies gràcies als diaris, encara que fossin endarrerits, que la Maravilles li portava juntament amb l'aigua i el menjar, i el remei a base de sofre que aconseguia als dispensaris municipals quan feia veure que hi acompanyava algun trinxeraire sarnós que assegurava que es volia curar, i que després es quedava ella. Allò era l'únic que suposava una alegria per a en Dalmau: l'efecte beneficiós del sofre sobre els àcars. La picor s'anava apaivagant, mal que no el seu neguit; no podia continuar gaire més temps sota aquella tenda de campanya improvisada. Els gossos, que abans s'espantaven, ara ja s'atrevien a atansar-se-li, avesats a la seva presència. Algun de tafaner fins i tot havia tret el morro entre les canyes.

La qui no s'hi acostumava era la Maravilles. La trinxeraire se sentia enganyada. El dia que en Dalmau li va lliurar la nota per al diari, i ella es va interessar per un contingut que no sabia llegir, el pintor li va contestar que a la nota delatava alguns jerarques de l'Església. «Escapa't tan bon punt l'hagis donat al conserge de la porta», la va exhortar en Dalmau. L'advertència era debades: la noia sempre fugia després d'atansar-se més del convenient a algun ciutadà respectable. I així ho va fer en aquella ocasió. L'endemà es va assabentar per la veu de la canalla que venia diaris que en realitat havia estat la portadora de la sentència de mort d'en Dalmau.

La Maravilles no era aliena al que succeïa. Sabia què eren els judicis militars, i li constava que s'hi dictaven unes condemnes duríssimes. L'espai de davant del tribunal, entremig de la gran quantitat de públic que s'hi movia inquiet, era un bon lloc per estar a l'aguait de qualsevol distracció: una cartera, alguna peça de roba, potser una bossa... La gent discutia, es barallava, plorava o clamava, i no estava gaire pendent de vigilar les seves pertinences. Allà, a més de furtar, la Maravilles s'assabentava de tot el que passava en relació amb els consells de guerra. També sabia que els militars buscaven en Dalmau; deien que ell havia organitzat tot l'enrenou contra les esglésies. Ella no s'ho havia cregut en cap moment, però ho agraïa a qui ho hagués fet, en Dalmau o qui fos, ja que havia guanyat força diners rapinyant en temples i convents, uns diners que perdia amb la mateixa facilitat amb què els aconseguia o que li robaven altres trinxeraires, que els apostaven absurdament o, simplement, els canviaven per alcohol i capricis ridículs.

Això no obstant, ara no es podia ficar al cap que en Dalmau

volgués lliurar la seva vida per l'Emma, la jove que no li va voler donar ni un bocí de pa el dia que ella l'hi va demanar. «Busqueu-me l'Emma!» «Busqueu-me l'Emma!» Les súpliques d'en Dalmau li ressonaven al cap. La Maravilles el va enganyar fins que l'altre va desistir d'aquella dèria. I després, al cap d'un temps, li va ensenyar la noia, que estava prenyada d'un paleta. No hauria d'haver espantat el cavall perxeró quan passava per sota de l'obra. Si el paleta no s'hagués mort, ara l'Emma segurament estaria carregada de fills i no tindria el més petit interès per en Dalmau. Fos com fos, a què podia aspirar, ella, amb en Dalmau? Sabia perfectament que a res, però l'empipava veure'l encaterinat, enamorat d'una altra dona. La ràbia, la ira i l'enveja es barrejaven en ella en un remolí de sentiments, l'un desagradable i l'altre encara més, que li feien pegar o insultar a qui tenia a la vora. Era talment com quan en Delfí xerrava i reia amb una altra trinxeraire, o quan el sentia refregar-se amb alguna d'elles de nit, sospirant i panteixant. Imbècil! Era un imbècil, però era seu, era el seu imbècil.

I en Dalmau moriria per aquella dona. La seva intenció de sacrificar-se era una cosa a la qual la Maravilles no podia posar remei. En Dalmau l'havia enganyat sobre el que havia escrit al paper. Si li hagués dit que el seu contingut tenia com a finalitat la llibertat de la dona del paleta, no s'hauria ofert a dur-lo al diari. Ella no podia evitar que els militars executessin en Dalmau, però tampoc no estava disposada a consentir que aquella mort beneficiés la puta de la seva xicota. Abans guanyaria diners ella, i que a la noia l'executessin els militars o la llencessin als gossos: s'ho mereixia.

Amb aquests pensaments al cap, la Maravilles va passar de llarg el cementiri del Poblenou i va deixar enrere el lloc on s'amagava en Dalmau sense dir res. En Delfí, un parell de passes enrere, va assentir, encara que es va mantenir en silenci. Un xic més endavant, la trinxeraire va llençar a terra, amb ràbia, els diaris que duia, el menjar i una altra dosi de sofre per tractar la sarna. En Delfí va tornar a assentir, aquest cop amb entusiasme.

—Et torno a vendre el pintor —va oferir la Maravilles a Don Ricardo, ja a Pequín, amb l'estufa perdent fum a dins de la barraca, l'altre igual d'obès, escarxofat a la butaca, amb la flassada sobre les cames malgrat el bon temps que feia, i el retrat, amb els colors ja enfosquits, darrere seu.

—Hauries de treballar aquí amb mi, mala peça —va respondre Don Ricardo—. Tens una virtut que poca gent té: saps vendre la mateixa mercaderia dues vegades. I més cara! —va dir rient.

El delinqüent obès era conscient del valor que tenia en Dalmau. L'exèrcit o les autoritats potser no pagarien res per ell, ja en tenien prou de lucrar-se personalment amb diners públics i no els volien destinar a fer tripijocs per detenir fugitius. Ara bé, l'Església, el beat a qui en Dalmau va robar la creu amb les relíquies de… «Quin sant era?», va pensar. Tant se valia… Aquell missaire pagaria una fortuna pel pintor, com molts altres rosegaaltars que l'únic que volien era fer un escarment públic perquè l'Església tornés a assumir el control de la societat, i espantar els fidels amb el pecat i el foc etern, una hipocresia de la qual Don Ricardo havia obtingut substanciosos beneficis cada vegada que un d'ells volia oblidar la seva dona, vella, tan grassa com pudorosa, antipàtica i frígida, per recrear-se amb una nena de vuit o deu anys, verge, neta i innocent.

—I què passa amb aquella noia per qui es vol bescanviar el teu pintor? —va preguntar Don Ricardo, tot i que ja s'afigurava quines eren les intencions de la Maravilles.

—No és el meu pintor, és el teu.

Don Ricardo va arronsar les espatlles.

Ella el va imitar.

—L'altra no entra al tracte —va afegir tot seguit.

—Et donaré el deu per cent del que en tregui —va proposar a la trinxeraire, després d'assentir pel que feia al destí de l'Emma.

El regateig va concloure amb el vint per cent i amb un parell d'esbirros que van acompanyar en Delfí als canyissars.

—Pintor —es va sentir al camí, allà on en Delfí va assenyalar que s'amagava en Dalmau—, el meu cap t'espera.

Feia estona que el gos rater s'havia ficat entre les canyes i bordava.

En Dalmau no va contestar. Dubtava de si ajupir-se per intentar fer festes a l'animaló i calmar-lo o si engegar-li una puntada de peu.

—No ens obliguis a entrar —el va amenaçar el segon esbirro—. Serà pitjor per a tu.

En Dalmau coneixia totes dues veus: uns deixos, tons i accents que el van traslladar a una època que surava, turbulenta, a la seva memòria. Passat el desconcert inicial, no va trigar gaire a adonar-se que la Maravillas l'havia tornat a vendre, i es va maleir per haver ensopegat amb la mateixa pedra. Va analitzar les possibilitats que tenia: fugir amb el gos darrere seu, bordant i mossegant-li els turmells. Sabia que qualsevol d'aquells dos sequaços l'atraparia en dues gambades; estaven forts, ho sabia, ho havia patit en carn pròpia. I on aniria? Quin amagatall tenia? El buscaven pertot arreu.

—Què vol Don Ricardo? —va preguntar, quan va sortir d'entre les canyes.

Un d'ells es va arronsar d'espatlles i va alçar les mans amb els palmells cap amunt, en senyal d'ignorància.

—Això no és assumpte nostre —va contestar l'altre.

—Però tu saps que t'aprecia, oi? —va afegir el primer, amb una nota de cinisme a la veu, empenyent-lo fins que el va posar entre tots dos, i llavors van enfilar pel camí cap a Pequín—. Ets el seu pintor preferit!

L'Emma va entrar a la sala de justícia escortada per dos policies. Duia la mateixa roba amb què l'havien detingut feia més d'un mes i mig, però tot i que estava rebregada, es notava que l'havien rentat. Va accedir al tribunal neta, pentinada, ben dreta, altiva, orgullosa, sabent-se escrutada pels periodistes, el públic, els jutges i el jurat, fins i tot pel fiscal i el seu advocat, del partit republicà, amb el qual havia pogut mantenir una conversa el dia abans.

—Digui-l'hi a la Josefina —va demanar a l'home. Aquell advocat era la primera persona de confiança amb qui podia parlar. L'Emma estava al corrent de la proposta d'en Dalmau, i no hi estava disposada—. Digui-li que busqui el seu fill i que el convenci que no ho faci. No em penso canviar per ell. Que fugi… Que s'ocupi de la meva filla i que fugi a França. Ho ha entès bé? —va insistir—. No em penso bescanviar per en Dalmau Sala. Digui-ho a la seva mare!

Era el primer judici que afrontaven els jutjats ordinaris, com si els jutges de Barcelona estiguessin responent pel seu compte a la proposta llançada per en Dalmau i haguessin decidit avançar-se a qualsevol resolució que poguessin adoptar les autoritats dirigides des de Madrid. L'Emma va buscar la Josefina entre el públic. La va trobar, ja recuperada de la malaltia, asseguda, ben dreta, una mica blanca i amb els cabells recollits, més grisos, però aparentment ferma, disposada a escoltar la sentència, si és que la dictaven aquell dia. Des de la distància, l'Emma volia trobar en ella la resposta a l'encàrrec que li havia transmès per mitjà de l'advocat, però la dona va romandre hieràtica, impàvida.

Els jutges van ordenar silenci. El relator va donar lectura a l'acusació, i en acabat van cridar l'Emma perquè declarés. Ella va respondre negativament a totes les preguntes que li va fer el fiscal, i va confirmar les de la defensa davant dels membres d'un jurat popular que no tenien cap problema a somriure a l'encausada. «No els has de regalar la teva llibertat», la va convèncer l'advocat, pels escrúpols que mostrava l'Emma a mentir. Havia cremat esglésies i escoles! Sí! «No és covardia, negar els fets, és ser llest. Que els demostrin ells», va insistir.

A continuació van fer pujar a l'estrada els testimonis, diversos religiosos i dos veïns dels edificis per on havien passat les joventuts bàrbares a les ordres de l'Emma. Cap d'ells no va ratificar les acusacions que havien formulat davant del jutge instructor i la policia. «Potser...», «No ho puc assegurar...», «En aquell moment em va semblar...», «La policia em va pressionar...». Dubtes i retractacions, i cap d'ells no va assenyalar l'Emma. El fiscal va ensenyar al tribunal algunes denúncies contra ella, fruit de la campanya «Delateu!» promoguda pels catòlics reaccionaris, i que relataven detalladament els successos en què havia participat al llarg de la Setmana Tràgica, però els jutges no van acceptar aquelles delacions anònimes com a proves. «Si algú vol denunciar aquesta dona —va posar fi a la discussió el president del tribunal—, que comparegui aquí i ho faci.» Seguidament es va quedar en silenci prop d'un minut que es va fer molt llarg, com si efectivament esperés que el fiscal aportés algun d'aquells testimonis. No va passar, i el judici va quedar enllestit en un parell d'hores. El jurat ni tan sols es va retirar a deliberar.

—Innocent! —va declarar el portaveu, després de simplement mirar-se entre tots ells.

Una part del públic va esclatar en aplaudiments. Els periodistes van córrer cap a les seves redaccions per donar la notícia. L'Emma va agrair a l'advocat del partit la seva tasca, interrompent el que ell li volia dir, i va córrer cap a on l'esperava la Josefina, ja dreta.

—I la Júlia? I la nena? —va demanar.

La sort que va tenir l'Emma va ser la mateixa que van tenir la gran majoria dels detinguts que van acabar sent jutjats davant dels tribunals civils de Barcelona. Per desesperació dels fiscals del govern, prop de dues mil persones van ser posades en llibertat després d'uns judicis en què els religiosos, malgrat una primera declaració en contra, es negaven a col·laborar per no exacerbar els ànims dels obrers contra l'Església; els testimonis es retractaven davant la pressió de la gent que assistia als judicis, i jutges i jurats simpatitzaven amb els acusats. Barcelona responia així a la duresa de les sentències dictades en els procediments militars. «La ciutat aplaudeix la revolució!», es va arribar a dir en un diari radical.

Que potser no era veritat? Els rebels havien respectat la vida dels religiosos, igual que respectaven també els béns dels burgesos i els ciutadans. Cap edifici civil, comercial o industrial no va ser atacat ni arrasat per les flames. Fins els mateixos burgesos van contemplar, passius, entre festes i balls, l'incendi d'unes esglésies i uns convents que ningú no va córrer a defensar: ni l'exèrcit, ni la policia, ni els fidels. Més tard, els mateixos ciutadans donaven la culpa d'aquells fets a l'excés de religiosos instal·lats a la ciutat, perquè Espanya, i Barcelona tant o més que altres poblacions, havien anat acollint les comunitats expulsades d'altres països: França, Cuba, Puerto Rico o les Filipines.

I davant de tot això, el govern de Madrid instava el governador civil de Barcelona a aprofitar la conjuntura de la Setmana Tràgica per posar fi de la manera que fos als anys d'anarquia que havien caracteritzat la ciutat i alliberar així Espanya del càncer que suposava el terrorisme a la Ciutat Comtal.

Dues visions radicalment oposades. Dues maneres d'impartir justícia enfrontades: la de Madrid a través de l'exèrcit, dura, implacable, inclement; la dels tribunals de Barcelona, comprensiva, flexible, clement.

L'Emma, acompanyada de la Josefina, va sortir pel seu propi peu del jutjat entre les felicitacions de la gent.

—I ara, què passarà amb el bescanvi proposat pel pintor Dalmau Sala? —li va preguntar un periodista, amb un petit quadern i un llapis a les mans.

La Maravillas no va sentir la resposta que l'Emma va donar al periodista, ja que ella s'havia estat fent la mateixa pregunta tot el matí: què passaria si l'Emma era declarada innocent? Com havia fet en un gran nombre de judicis militars, la trinxeraire no es va voler perdre el judici civil en què es dirimia la responsabilitat de la dona que estimava en Dalmau, un procés anunciat per tots els diaris que sortien al carrer, i va estar tot el matí movent-se entre la gent que s'havia quedat a fora del tribunal.

Les coses canviaven radicalment amb l'Emma absolta, va pensar la Maravillas. En Dalmau no voldria morir. Si no podia ser bescanviat per aquella dona, per què s'hauria de lliurar i sotmetre's a la justícia militar? La Maravillas va comprendre que els seus actes havien complicat la vida al pintor: ara que l'intercanvi per aquella dona perdia tot el sentit, en Dalmau seria lliurat igualment per Don Ricardo. I, sens dubte, això seria culpa seva.

—Sap on és en Dalmau? —va sentir la Maravillas que l'Emma preguntava després d'alliberar-se del periodista.

Les seguia, gairebé sense precaucions. Les dues dones caminaven despreocupades, gaudint d'una llibertat amb què unes hores abans ni tan sols no haurien fantasiejat.

—No —va sentir que admetia la Josefina—. Es va disfressar de captaire i fins i tot va agafar la sarna perquè no el detinguessin, però em va haver d'ajudar… i es va descobrir. Tot va ser per culpa meva. A partir d'aquell moment, no n'he sabut res més, fins que va sortir als diaris allò del bescanvi.

La Maravillas va estar temptada de ficar cullerada en la conversa i tranquil·litzar aquella mare confessant-li que al seu fill gairebé li havia marxat del tot la sarna. Això li va semblar observar, amagada rere la mampara negra amb laca escrostonada on encara s'intuïen delicats

644

adorns orientals, rere la qual també es va amagar la primera vegada que va portar en Dalmau en presència de Don Ricardo, el dia que l'hi va vendre com una desferra humana. No volia que en Dalmau sabés que ella l'havia traït; volia que es pensés que era cosa d'en Delfí.

—On pot ser?

Era la Josefina, qui ho havia preguntat, encara que també podia haver estat l'Emma, o totes dues alhora.

«Al mar», va estar a punt de contestar-los. Sí, era allà on Don Ricardo amagava les seves pertinences més valuoses quan estaven en perill imminent. Una simple barca de pescadors, de les que pescaven a la platja, portada per un parell de mariners lleials al traficant, que s'allunyava de la costa i es perdia de vista; al cap d'uns dies la rellevaven, o no. Era impossible que el trobessin, tal com va quedar demostrat quan Don Ricardo va fer arribar al senyor Manel la proposta de lliurar en Dalmau per cinc mil pessetes en or i, a instàncies del burgès, la policia es va presentar a Pequín creient que l'hi trobarien sense haver de sotmetre's al xantatge del delinqüent.

No hi hagué cap traïció.

Ningú no va parlar.

Els escorcolls no van aportar cap prova en absolut.

No hi van trobar res.

—Digui als de l'Església —va dir Don Ricardo amb veu somorta al comissari que havia dirigit aquell fiasco— que el preu ha pujat a set mil cinc-centes pessetes en or.

—No siguis tan ambiciós —va replicar el comissari—. Què en faràs, si no ens el vens a nosaltres?

—Ja hi ha uns quants republicans francesos interessats pel pintor —va mentir el delinqüent—. Recordi: set mil cinc-centes pessetes en or.

El preu va pujar a deu mil quan algú, s'assegurava que mereixedor de tot crèdit, va enganyar el senyor Manel Bello i els seus amics retrògrads del Comitè de Defensa Social i els va indicar el lloc exacte on Don Ricardo tenia amagat en Dalmau. Aquesta vegada s'hi va presentar l'exèrcit i tot, en una operació per sorpresa que va desgavellar la vida a totes les barraques de Pequín, i que va ser del tot infructuosa.

La Maravilles sabia que els catòlics havien assumit el pagament de les deu mil pessetes en or. El senyor Manel Bello va posar de la seva butxaca gairebé una tercera part de la quantitat total; la resta va ser sufragada generosament per altres beats acabalats. Aviat podrien jutjar l'home que, amb els seus quadres blasfems, havia incitat a la rebel·lió la massa obrera, llançant-la contra l'Església. Déu necessitava, o més ben dit, reclamava, aquell rescabalament públic.

—En Dalmau sabrà que t'han alliberat i no s'entregarà.

Le paraules de la Josefina, ja al carrer de Bertrellans, van sonar més com una esperança que no com una certesa.

—No, no s'entregarà —hi va coincidir l'Emma—. La meva innocència apareixerà a tots els diaris, i en Dalmau ho veurà.

—Sí que s'entregarà.

La Maravilles va aclucar els ulls quan les dues dones es van girar cap a ella. «Ja està fet», va pensar la noia. En Dalmau no havia de morir. La trinxeraire va prémer els llavis: en Dalmau era l'única persona que, de vegades, li produïa un pessigolleig, i d'altres vegades, si el veia patir, era com si li esgarrapessin l'estómac, com quan tenia gana de dies. Es pensava que sabia què era; sospitava el que significaven aquelles sensacions, però mai no s'havia atrevit a dir-les en veu alta; ben just si les havia mussitat amb un xiuxiueig entretallat alguna nit en què, quan en Dalmau estava enganxat a la droga, l'havien trobat estès al carrer, inconscient, i ella havia gosat ajupir-s'hi al costat per tocar-li lleument els cabells. No, no podia deixar morir en Dalmau, per molt que quedés en mans de l'harpia que no li havia donat ni un rosegó de pa. Perdia molts diners, això sí, l'obès no els matava abans, a ella i el seu germà, i es quedava la seva part: dues mil pessetes en or valien la desaparició de dos captaires pels quals ningú no preguntaria ni es preocuparia mai. Dues mil pessetes! Impossible! La Maravilles sabia que Don Ricardo no les hi pagaria, i que potser els mataria; el traficant n'era conscient, però també estava segur que la Maravilles no actuava pels diners, sinó empesa per la gelosia, encara que no s'atrevís a confessar-ho: només volia fer mal a la xicota del pintor. Si l'Emma estava en llibertat, no tenia cap sentit que en Dalmau morís. Va somriure abans d'obrir els ulls i mirar aquelles dues dones que la interrogaven des d'una distància prudencial, la mateixa que la majoria de la gent mantenia davant de la seva roba, la brutícia i la fortor que feia.

—Què has dit? —va preguntar l'Emma—. Parlem del mateix?

—Parlem d'en Dalmau, sí. I no és que es vulgui entregar ell, sinó que el vendrà Don Ricardo, el de Pequín. Bé, crec que ja el té venut. Només l'ha d'entregar. Avui, demà…

L'Emma es va tapar la cara amb les mans.

—I tu com ho saps, tot això? —li va preguntar la Josefina.

La Maravilles no va contestar. No podia apartar els ulls de l'Emma, que sanglotava entre les mans. El cos se li sacsejava. Una llàgrima va rodolar per la galta bruta de la trinxeraire, cosa que la va sorprendre.

—Respon —li va exigir la Josefina. La Maravilles no ho va fer—. Per què ens hauríem de refiar de tu?

—Perquè la meva ànima, si és que mai n'he tingut cap, me la va robar el seu fill. Se'n recorda?

La Josefina va fer uns ulls com unes taronges. L'Emma es va treure les mans de la cara. La Maravilles va esguardar totes dues dones i va haver de gargamellejar abans de continuar adreçant-se a l'Emma:

—Mai no he tingut tanta enveja d'algú com el dia que vaig veure aquells dibuixos en què sorties nua. Em vaig mirar en un mirall que hi havia i… —La Maravilles va aprofitar aquell moment per tornar a examinar-se el pit, inexistent, i l'estómac, les cames, tot indefinible, tapat amb parracs. Al rostre se li va dibuixar una ganyota difícil d'interpretar—. Des de llavors t'he odiat, tant que et vaig humiliar i et vaig prendre en Dalmau. —La noia no havia tingut mai una conversa tan llarga, i encara menys amb persones normals, que solien fugir d'ella o espantar-la a cops de bastó. En canvi, aquelles dues dones estaven atentes. Es va sentir com si per primera vegada a la vida estigués fent alguna cosa que valia la pena, i això li va donar una seguretat de la qual mai no havia gaudit—. Guanyes tu —va concloure—. Te'l torno. No vull que es mori. T'has d'afanyar i anar amb molt de compte. L'amaguen al mar… Saps on és Pequín, oi? Si no, procura saber-ho de seguida.

No va permetre preguntes i, com si tot d'una se li hagués exhaurit la vitalitat, va fer mitja volta i les va deixar allà.

El terrabastall del tren que passava en direcció a França va silenciar els trets. L'Emma no va atorgar gens d'importància a les persones que la podien haver vist des dels vagons; una dona es va aixecar i tot del seient quan la va veure al costat de les vies, amb els braços estirats endavant, en tensió, aguantant la pistola amb totes dues mans. L'Emma va tenir l'oportunitat de somriure-li al mateix temps que premia el gatell de la Browning semiautomàtica que no havia disparat mai. En passar el tren, amb la primera passatgera probablement ja absorta en un altre paisatge, l'Emma va buidar el carregador contra els canyissars. Set cartutxos. Set rascades a les canyes. Després de superar el primer retrocés de l'arma, que la va sorprendre, no li va semblar difícil. Va treure el carregador i el va tornar a omplir amb poca traça. Tenia prou cartutxos? Ella mateixa es va recriminar la pregunta, perquè tampoc no tenia la intenció de penetrar a trets en aquell poblat de barraques. El pla que havia ordit ara li semblava impossible. Pequín era un niu de lladres, n'havia sentit a parlar molt, d'aquell lloc. Com s'havia d'encarar amb tots aquells delinqüents per molt armada que anés? Una suor freda li va cobrir tot el cos; l'acer de la pistola li va congelar la mà. Es va barallar contra la respiració, que se li accelerava, i es va obligar a inspirar aire profundament, una, dues, tres vegades. En Dalmau moriria si no el rescatava. No obstant això, es va sentir sola i atribolada per la por. Es va penedir d'haver rebutjat la proposta que li havia fet la Josefina abans que la dona la veiés sortir corrents cap a Pequín:

—D'aquí un parell d'hores, només que faci córrer la veu —va proposar la mare d'en Dalmau—, crec que podria aplegar una vintena de dones, o trenta, potser una mica grans, com jo, però foguejades en la lluita obrera, que ens acompanyarien a alliberar-lo.

—L'hi agraeixo, però si muntem una manifestació, serà com una crida perquè actuïn l'exèrcit o la Guàrdia Civil, i tal com estan les coses, no crec que fossin gaire benèvols. Si ells encara no l'han pogut trobar, no veig per què ho hem d'aconseguir una colla de dones. En Dalmau desapareixeria, potser per sempre. Val més moure's amb discreció.

—Armada amb una pistola?

—No és un canó! —va dir de broma l'Emma, mirant de rebaixar la tensió que es palpava al pis del carrer de Bertrellans, amb l'arma i els cartutxos damunt la taula. En acabat va demanar a la mare d'en Dalmau que anés a buscar la seva filla.

—Llavors —va insistir la Josefina assentint amb el cap a la seva petició—, almenys demana ajuda als teus companys, els joves bàrbars. Segur que et faran costat!

—No sé on són. Vostè n'ha vist al judici? —La Josefina va fer que no amb el cap—. Deuen estar detinguts o fugats, però la veritat és que tampoc no vull comprometre ningú. Aquell delinqüent es voldrà venjar en tothom qui m'ajudi. No tinc dret a ficar-hi ni tan sols els bàrbars. Ho he de fer jo. Jo sola.

Sola.

Així és com se sentia ara. Va bufar, va alçar l'arma i la va apuntar al tronc d'un arbre, a dos metres encara no. Va disparar. Va fallar. Va cloure els ulls i va haver de fer un esforç per no plorar. S'havia de posar en marxa: era capitana dels joves bàrbars, es va recordar per donar-se ànims. Havia lluitat en infinitat de llocs, contra la policia i la Guàrdia Civil a cavall, contra genets que amenaçaven amb els llargs sabres desembeinats; havia encapçalat marxes i assalts, exposant-hi la vida. Tanmateix, el camí cap a Pequín es va convertir en una sendera sens fi en el moment que l'Emma s'hi va enfrontar, amb la pistola amagada a sota d'un abric que duia penjat al braç dret. Amb tot, es va posar ben dreta i es va omplir els pulmons de l'aroma d'un mar que allà, una mica allunyat de la ciutat, semblava més salobre. Va escrutar l'horitzó, que a mesura que avançava la tarda perdia el blau lluent del Mediterrani, cercant-hi barques de pescadors, i en va albirar unes quantes. Alguna d'aquelles devia ser la presó d'en Dalmau. Necessitava veure'l una altra vegada. Eren molts els errors que havien comès tots dos. Ara sabia que havia estat la trinxeraire qui havia venut els quadres dels nus. O això havien entès tant ella com la Josefina de les seves paraules: «Et vaig humiliar i et vaig prendre en Dalmau. Guanyes tu. Te'l torno». Ara sentia com el seu cos reaccionava amb repulsió davant el simple pensament de tenir relacions amb un home, però parlaria amb en Dalmau i l'hi explicaria, li diria que no havia pogut fer altra cosa que lliurar el seu cos per poder alimentar la seva filla. I ell l'hauria d'entendre. Segur que l'entendria! En Dalmau estava disposat a sacrificar la vida a canvi de la seva llibertat! Va tremolar en una successió de sacsejades que li van recórrer el cos de dalt a baix, fins a rebentar-li al pit, insuflant-li tanta vida que li costava respirar. Es va aturar un instant, va buscar l'aire fins a recuperar el control, i la intrepidesa que l'havia abandonat i li va tornar davant la possibilitat d'un futur al costat d'en Dalmau. El principal era alliberar-lo, encara que ell la pogués rebutjar. Ell estava retingut allà, negociaven amb ell com si fos una vulgar mercaderia, i tot això li passava per causa d'ella, per haver intentat defensar-la.

Els gossos la van sortir a rebre a prop de les primeres barraques de Pequín. No els va fer cas, però als amos la visitant no els va passar per alt. Algunes dones van treure el nas pel que pretenien ser finestres: simples forats als taulons de fusta podrida, amb prou feines mig tapats amb trossos de roba. Un parell d'homes van sortir de les cabanes.

—Busco Don Ricardo —els va engegar l'Emma.

Tots dos, alhora, van assenyalar amb la barbeta una de les barraques més grans, coronada amb una xemeneia que tacava l'aire amb un tortorol de fum negre. En Dalmau els havia parlat d'aquella xemeneia quan la Josefina i ella el van obligar a explicar-los d'on havia tret les mil tres-centes pessetes amb què es van desempallegar de l'Anastasi i del jutjat. L'Emma havia anat recordant trossos d'aquella explicació: els esbirros, l'obès sempre assegut en una butaca enmig d'un basar d'objectes robats...

—Què vols?

La pregunta havia sorgit de boca d'un home malcarat. Un gosset rater va acompanyar aquella rebuda tan eixuta amb uns lladrucs aguts. L'Emma va prémer els llavis abans de contestar. La Josefina li havia preguntat, sense poder dissimular la preocupació del seu rostre: «Com ho faràs?». «Com sempre», havia respost ella, sense sospitar que el que es proposava no es podia comparar amb una batussa al carrer, per molt violenta que fos. «S'hi arriba, s'insulta i es lluita. No sé cap altra manera de fer-ho».

L'Emma es va esforçar perquè la veu li sonés segura, decidida, i ho va aconseguir:

—Vull veure Don Ricardo.

—Per a què? —va inquirir l'home, mentre la repassava de dalt a baix amb lascívia, centrant-se en els seus pits, més que no pas en la jaqueta que duia penjada al braç, i que amagava la pistola.

—Això ja l'hi diré a ell —va respondre amb serenitat, prement lleument un dit sobre el gallet, a punt per disparar a la més petita amenaça.

Va semblar que el tipus s'ho rumiava, mentre el gosset ensumava les cames a l'Emma. Altres gossos rondaven per allà, com també uns quants nens, que s'hi van acostar amb curiositat. L'home no la devia considerar perillosa, perquè va escopir un bri d'herba que tenia entre les dents, va assenyalar la barraca d'on sortia la xemeneia que treia fum i, amb un moviment de la barbeta, li va indicar que el seguís.

—Don Ricardo! —va cridar l'home tot just entrar per la porta—. Aquí hi ha una puteta que vol parlar amb vostè.

El traficant va fer un senyal i l'esbirro es va enretirar a un costat per deixar passar l'Emma, que es va atansar a Don Ricardo evitant la seva mirada com si li fes por, o potser li feia por de veritat?

—Què em vens a oferir? —va preguntar l'obès, examinant l'Emma de cap a peus, com havia fet el seu empleat a fora de la barraca, amb una certa expressió de luxúria—. Ja tinc prou dones que…

Don Ricardo no va acabar la frase i li va mudar l'expressió, amb l'ensurt de veure la pistola que li va ensenyar l'Emma, amb què el va apuntar abans de fer el tomb a la butaca on estava assegut, amb la manta damunt dels genolls. Tan sols va trigar un instant a situar-se darrere seu, per davant del retrat que n'havia pintat en Dalmau, amb el respatller de la butaca entre tots dos, i pressionar-li la pistola sobre el clatell.

—Quiets! —va cridar—. Digues a aquest cabró que s'aturi! —va exigir al traficant, prement l'arma encara més fort.

No va caldre que ell donés cap ordre. L'esbirro es va aturar i va alçar les mans enlaire en adonar-se de la pistola que apuntava al seu patró. Això no obstant, els crits de l'Emma van atraure un parell d'homes més, i una dona i tot, que va sortir d'una altra estança de la mateixa barraca, sens dubte la cuina, ja que duia un davantal sobre la roba i tenia les mans cobertes de farina.

Tots quatre es van aturar en filera davant de l'Emma i l'obès. El gosset rater, l'únic dels que eren a fora que havia entrat a la barraca, corria d'un cap a l'altre. Els nens treien el nas per la porta.

—Què vols? —va inquirir la dona.

—Suposo que mamar-me-la, Teresa —va contestar Don Ricardo, provocant un somriure en dos dels homes—. En venen moltes com tu, per aquí, però t'hauràs d'agenollar davant meu, si vols...

—Vull en Dalmau Sala —el va interrompre l'Emma.

Havia entrat una altra dona, a la barraca, i després un altre home. L'Emma va girar el cap un instant per mirar darrere seu: no hi havia portes ni finestres, i tampoc no va advertir cap moviment. El retrat pintat per en Dalmau la va distreure un segon, i quan va tornar a centrar l'atenció en els esbirros que estaven en fila davant seu, li va semblar que ara n'hi havia més, i els va notar més a prop. No va poder evitar que la mà amb què subjectava la pistola li tremolés.

—Feu alguna cosa! —va ordenar Don Ricardo als seus homes—. Té més por que vosaltres, imbècils!

—Ja saps fer servir això, maca? —va fanfarronejar un dels esbirros, avançant un pas amb precaució—. Et podries fer mal —va afegir, allargant la mà, demanant-li l'arma.

L'Emma encara tremolava. Ara ho notava als genolls i tot. Se li havia accelerat la respiració i li va començar a baixar una suor freda per l'esquena. Li va semblar veure una munió de gent borrosa davant seu.

—Preneu-li la pistola! —va bramar Don Ricardo.

El crit va espantar l'Emma. De sobte se sentia com quan era petita, quan s'enfrontava a la policia muntada per protegir els homes a les vagues i manifestacions. Aquests desgraciats que ara l'assetjaven no feien més por que els genets amb els sabres desembeinats. En un instant se li va aclarir la visió i va abastar la gent que hi havia allà entre un univers de trastos que semblava que li queien a sobre: roba, mobles, coberteries, figuretes, ferralla… Entre els esbirros va brillar un reflex, i ella va pressentir el perill imminent.

La detonació els va paralitzar a tots.

L'Emma, que havia desplaçat uns centímetres el canó de la pistola fins a situar-lo darrere del lòbul de l'orella dreta de Don Ricardo, va disparar. El traficant va fer un bram quan la bala li va destrossar l'orella i n'hi va arrencar un tros, a ran del cap.

—El mataré! —va amenaçar l'Emma.

—Tots quiets! —va cridar la dona a qui Don Ricardo havia anomenat Teresa—. Enrere! Enrere! —va ordenar als presents acuitant-los amb la mà perquè s'enretiressin.

—El mataré —va repetir l'Emma, i va agafar l'obès pel coll de la camisa per incorporar-lo i tornar a encanonar-lo pel clatell, ja que s'havia desmaiat després d'haver-se posat la mà a l'orella, en un intent va per estroncar la sang que en rajava.

—No ho farà, mestressa —va afirmar un dels esbirros.

—Sí que ho farà —el va contradir la dona, amb la mirada clavada als ulls de l'Emma, reconeixent-hi la decisió que ara, passats els moments inicials de por i indecisió, dominava el seu esperit—. Sí que ho farà —va repetir gairebé per a si mateixa, la dona del traficant.

L'Emma li va aguantar la mirada, carregant-hi tota la fredor de què fins llavors havia pogut fer gala en les mil vicissituds de la seva vida, per confirmar a aquella dona la seva resolució de tornar a prémer el gallet, i ara directament al clatell del marit. Ignorava si seria capaç de fer-ho. Des del primer tret al canyissar havia comprès que no era el mateix llançar-se a lluitar al costat dels seus joves bàrbars, entre crits i aclamacions d'ànim, que enfrontar-se tota sola a tot un exèrcit de delinqüents com els que ara tenia al davant, però ja no hi havia res a fer. La vida d'en Dalmau i la seva depenien exclusivament del seu valor.

—Porteu en Dalmau Sala —va exigir l'Emma.

Els esbirros, desmaiat com estava Don Ricardo, van interrogar amb la mirada la seva dona.

—Porteu-lo! —va insistir, i va aconseguir que la dona assentís amb el cap, i que un parell d'homes sortissin corrents a buscar-lo—. Els altres, fora d'aquí, també.

Els esbirros van obeir de mal grat.

—Deixa'm que el curi —va demanar la Teresa assenyalant Don Ricardo, que sagnava profusament.

—Com més aviat em porteu en Dalmau i ens n'anem d'aquí, abans el podreu curar. Si tardeu gaire, es dessagnarà.

—En aquest cas, moriràs.

—Ja ho sé.

La dona va córrer cap a la porta de la barraca, va apartar els gossos i els nens, i va apressar a crits els seus homes perquè s'afanyessin a portar en Dalmau. L'Emma va respirar fondo, unes quantes vegades. El silenci que ara imperava a la barraca feia minvar la tensió viscuda davant dels esbirros de Don Ricardo. Acabava de reconèixer que era conscient que podia morir. I la Júlia? Què li passaria, a la seva nena? Va observar la sang que rajava, abundant, del cap del traficant. «De pressa! —hauria volgut cridar—, afanyeu-vos, fills de puta!» Malgrat tot, va aguantar en el paper de dona serena, un engany que va estar a punt de fracassar en el moment que un esbirro va fer entrar en Dalmau a la barraca amb una empenta. El noi va ensopegar, va fer caure a terra uns quants objectes i va estar a punt de caure ell, també.

L'Emma va trigar uns segons a reconèixer-lo. La Josefina ja l'havia avisat del seu aspecte: semblava un indigent sarnós. Aparentment, la sarna s'havia curat, però la realitat superava qualsevol expectativa que l'Emma s'hagués format, encara que això no va impedir que un terrible calfred li sacsegés tot el cos: estava així per ella, per la causa, pels drets dels obrers i per la lluita contra les mentides de l'Església.

—Emma —va dir. Movia el cap com si es volgués despertar d'un malson, amb la barba llarga, els cabells llardosos i escabellats, i tot ell brut—. Què hi fas, aquí?

—T'he vingut a buscar.

—Com has sabut...?

—No és hora de conversar. Hem de sortir d'aquí.

En Dalmau va fer el tomb a la butaca de Don Ricardo, com si ell no hi fos, com si no existís, i es va atansar a l'Emma. Va intentar agafar-li les mans, però no va poder. Ella no l'hi va permetre: empunyava la pistola. Va pensar de fer-li un petó, però no va gosar. Es

654

van mirar un instant, en què els ulls de tots dos van recuperar la lluïssor d'una esperança que els havia abandonat.

—Dalmau —li va dir l'Emma, premiant-lo amb el somriure més dolç que era capaç de fer en aquell moment—, hem de fugir d'aquí.

—I com ho fareu? —es va interessar amb ironia la dona de Don Ricardo.

—Tu m'hi ajudaràs —va decidir l'Emma en aquell mateix moment. No havia pensat com fugiria d'allà, però la supèrbia de la dona li va donar una idea—. Acosta't.

La Teresa va obeir i l'Emma va deixar anar el marit, a qui subjectava pel coll de la camisa, i que es va aclofar com un sac ple de plom sobre la butaca. Tot seguit, d'una revolada, va posar la pistola al cap de la dona.

—Avisa'ls que no ens segueixin ni ens facin la guitza, o tu seràs la primera de morir. Lliga-li les mans a l'esquena —va demanar a en Dalmau, assenyalant una de les moltes cordes que hi havia al basar.

—Obeïu —va ordenar la dona a tots els que s'havien tornat a amuntegar dins la barraca, mentre en Dalmau li lligava les mans—. No ens seguiu ni intenteu res; penseu en els meus fills. Em necessiten. Truqueu a un metge i cureu el meu marit —va afegir quan l'Emma ja l'empenyia cap a la porta, amb en Dalmau al davant, obrint camí.

Aleshores ja fosquejava. Encara no feia fred, però la foscor queia ràpidament. La gent es va apartar al seu pas.

—No feu res! —va cridar la Teresa a la gent de Pequín que esperava a fora de la barraca.

Només el rater es va atrevir a desobeir les ordres de la dona de Don Ricardo, i es va posar a saltar i a bordar per davant d'ells.

—Coi de gos! —es va queixar l'Emma, que caminava amb la pistola apuntant el cap de la dona.

—De tot el que es belluga per aquí —va comentar en Dalmau, que ara caminava al darrere, atent a la gent que es quedava enrere—, és de les poques coses de les quals et pots refiar. Si se'ns atansa és que no morirem.

655

—Això t'ho penses tu —va replicar la dona de Don Ricardo—. El meu marit us perseguirà fins que us trobi i us arrencarà la pell de viu en viu, encara que sigui l'últim que faci a la vida. En sou conscients, oi?

Ni l'un ni l'altre no va contestar. Van apressar el pas fins que van deixar de sentir les mirades de la gent darrere seu. Tenien pressa; no hi havia cap garantia que els de Pequín fessin cas a la dona de Don Ricardo, o que ell no es recuperés i decidís enviar gent a buscar-los. Un cop van haver perdut de vista el barri de Pequín, en Dalmau es va atansar a l'Emma, que ara apuntava la dona per l'esquena, empenyent-la amb el canó tan bon punt l'altra alentia el pas.

—Gràcies, Emma —li va dir amb un murmuri—, però com és que estàs lliure? —va demanar amb la veu presa per un sentiment d'astorament, alegria i gratitud davant la seva presència i pel que havia fet per alliberar-lo.

—M'han absolt…

—Però si estaven dictant sentències de mort i de cadena perpètua —la va interrompre.

—Això era als jutjats militars. Els civils posaran en llibertat la gent. Sembla que els ciutadans de Barcelona no volen reviure la Setmana Tràgica.

La conversa els va distreure prou perquè la Teresa alentís el pas i la distància entre uns i altres s'hagués reduït sensiblement, en un intent de guanyar temps, potser confiada que la gent de Pequín prendria la iniciativa i els perseguiria en la foscor. L'Emma la va empènyer amb el canó de la pistola.

—Mou-te! —li va ordenar.

—I ara, què fem? —va continuar en Dalmau—. Jo no puc tornar a Barcelona, em detindran. Però tu ets lliure. No has de sacrificar-te per mi…

L'Emma el va agafar pel braç. L'escalfor de la seva mà el va cremar per dins. El va estirar perquè s'endarrerís prou perquè la Teresa no sentís el que li volia dir.

—La Josefina ens amagarà al Poblenou, amb uns amics, a la casa on és la Júlia —li va dir a cau d'orella—. En això hem quedat. Confio que ens esperi pel camí.

656

—I després?

—Ja ho decidirem.

Van continuar caminant i no van enraonar més de l'imprescindible, per bé que cada vegada que en Dalmau es girava cap a l'Emma, topava amb un somriure que li transmetia mil emocions més que les que expressaven les paraules. Ell va reconèixer en aquell somriure la noia amb qui havia ordit somnis de futur i tota mena de fantasies. Procurava tornar-l'hi, intentava contestar de la mateixa manera a les sensacions de plaer que li omplien el cor, però se sentia matusser, i ella somreia encara més veient com s'hi esforçava.

Quan s'atansaven als afores del Poblenou, una ombra es va abraonar sobre l'Emma, que va desviar la pistola per disparar.

—No ho facis! —La veu va sonar darrere seu, i tots dos la van reconèixer a l'instant: la Josefina.

—Esperi's! —va ordenar en Dalmau, adreçant-se a la seva mare. L'últim que volia era que la Teresa la veiés i afegís una altra persona als plans de venjança del seu marit.

Sense perdre ni un segon, va empènyer la muller de Don Ricardo cap al canyissar, fins a prop de les vies del tren. Allà va esquinçar el davantal que duia la dona, en va fer unes quantes tires llargues i en va agafar una per emmordassar-la.

—En Ricardo us matarà —el va tornar a amenaçar ella, girant el cap bruscament per impedir que la fes callar.

—Avui ha estat a punt de morir ell —va apuntar en Dalmau, barallant-s'hi per emmordassar-la—. No ens subestimeu, perquè potser sereu vosaltres, els que morireu primer.

Al final se'n va sortir, i va tapar la boca de la Teresa amb el retall, que li va lligar per darrere del cap, la va obligar a asseure's a terra i li va lligar els peus amb dues tires de tela més. Les va estrènyer fort per comprovar que aguantarien, es va posar dret i la va contemplar asseguda, emmordassada i lligada de mans i peus. En acabat, tan sols li va donar una empenta a l'espatlla amb el peu, fins que l'altra va caure lentament a terra cap a un costat, entre les canyes.

—No passis ànsia, que algú et trobarà demà al matí. Aquí només hi venen a ensumar gossos de tota mena —es va permetre de bromejar, recordant el munt de gossos que s'havien ficat per allà els dies que havia estat amagat entre les canyes.

Quan va tornar al camí va veure l'Emma parlant amb la Josefina.

—Se m'ha escapat la nena —comentava la dona—. Quan us ha vist, no l'he pogut retenir.

Però l'Emma ja no estava per ella: plorava i omplia de petons la seva filla.

—Mare! —va exclamar en Dalmau, quan la va tornar a veure—. Anem? —va instar a totes dues dones—. M'ha dit l'Emma que ens amagaria a casa…

—Canvi de plans —el va tallar ella.

En Dalmau va alçar les celles.

—Sí —va anunciar la mare—. En Carmel, el fill dels meus amics, us portarà a França, o tan a prop com pugui, amb una d'aquelles barques —va dir assenyalant una línia d'embarcacions encallades a la platja.

—Però… —volia replicar en Dalmau.

—No hi ha però que valgui. Us n'aneu ara mateix. La teva vida corre perill, i la teva també, després del que has fet —va afegir adreçant-se a l'Emma, alhora que assenyalava cap al canyissar—. Aquest malparit de Don Ricardo és capaç de trobar-te al Poblenou, a Barcelona o a Madrid més fàcilment que tota la policia junta. No teniu alternativa, fills. Us vull veure dalt de la barca d'aquí a cinc minuts. —La Josefina va veure que dubtaven—. Us he portat roba d'abric i per a tu alguna cosa decent per vestir-te i calçar-te. També menjar i els estalvis que teníem.

—No penso deixar-la aquí, mare —va dir en Dalmau, tot decidit—. No em puc arriscar que es quedi sola a Barcelona, sense cap protecció.

La Josefina es va escurar la gola.

—Jo ja soc massa gran per fer un viatge tan llarg. El meu lloc és aquí, ja ho sabeu. A més, he d'esperar en Tomàs. Segur que tornarà, i m'hi ha de trobar.

—Però vostè… —va intervenir l'Emma amb la veu enrogallada—, de què viurà? Amb qui…?

En Dalmau va assentir davant de les paraules de l'Emma.

—Ha de venir amb nosaltres...

—No! No us amoïneu per mi. Sé on amagar-me. Els meus amics anarquistes m'acolliran a casa seva durant un temps. I més endavant, quan la cosa estigui més tranquil·la i aquesta gentussa ja no es recordi de nosaltres, viuré amb la Ramona. Mentre em cuidava vam arribar a la conclusió que era absurd que dues dones soles visquessin en pisos diferents. Vindrà amb mi. I en últim cas, compartirem llit i rellogarem una altra vegada la teva habitació. Jo ho veieu: només us heu de preocupar per vosaltres.

Ells continuaven dubtant.

—Aneu! —els va instar la Josefina mentre es dirigien cap a la platja. Va agafar l'Emma pel braç. Li va prendre la Júlia de sobre—. Veus aquell senyor de la barca? —va dir a la nena assenyalant en Carmel—. Ves-hi corrent per començar a preparar-ho tot.

Després va fer afanyar en Dalmau, també perquè anés a ajudar a empènyer la barca cap dins de l'aigua. En Dalmau va dubtar. L'Emma va somriure i va fer que sí amb el cap.

—Filla —li va dir la Josefina una vegada van estar soles—, no has fet mai res de dolent. No t'has de penedir de res. De res. I tampoc no tens res per amagar, ni al meu fill ni a ningú. Ets una gran dona, i sempre t'has de sentir orgullosa del que has fet, per la teva filla i per mi.

—I si ell no ho entén, Josefina? Els homes són gelosos i possessius, encara que diguin el contrari.

La Josefina va assentir amb el cap.

—Som amos dels nostres actes, Emma. Sovint les dones ens sacrifiquem sense vantar-nos-en, sense aspirar a compensacions, ni tan sols a comprensió. Sembla que és el nostre destí —va afegir amb desencant—. Ho has de decidir tu. L'únic que et vull dir és que no t'has de culpar ni d'avergonyir mai de la teva vida. Sigues feliç. D'una manera o altra, tindreu el món als vostres peus; tu decidiràs. I si algú no t'entén, tant si és el meu fill com algú altre, aparta-te'n, que no et mereix.

—Mare... —En Dalmau se'ls atansava. La barca ja es gronxava a l'aigua.

—Promet-me que mai no et penediràs del teu passat —va instar la Josefina a l'Emma en veu baixa—. Emma! —va sil·labejar en silenci quan ja tenia en Dalmau al costat.

—Mare? —es va estranyar ell, veient que no li parava atenció.

La Josefina se li va girar de cara perquè ell la pogués abraçar.

—L'hi prometo —va mormolar l'Emma en aquell moment.

—Què dius? —va preguntar en Dalmau.

—No res, fill, no res —va contestar la Josefina per ella, mig ennuegada, amb els braços oberts per acomiadar-se d'un fill que pressentia que no tornaria a veure mai més.

En acabat, tots tres es van trobar a la platja sense saber com expressar la infinitat de pensaments que els semblava que s'havien de comunicar. La lluna ja llambrejava sobre un mar en calma, i llavors van veure passar pel camí, al trot ràpid, diversos cotxes de cavalls.

—El senyor Manel —va comentar en Dalmau, en reconèixer el carruatge amb què tantes vegades havia anat.

—Sí, de poc no ens enxampen —va assentir l'Emma.

—Saps… —va dir en Dalmau quan l'Emma se li va apropar i el va tornar a agafar pel braç. La Josefina, darrere seu, es va eixugar les llàgrimes que li pujaven als ulls—. És com veure una vida que passa per davant teu. Aquell home em persegueix per posar-hi fi.

—Doncs tindrà una bona decepció —van sentir de boca de la Josefina—. No perdeu el temps, no fos cas que girin cua i al final us enxampin.

En Dalmau es resistia a deixar de mirar aquella filera de cotxes que l'anaven a buscar.

—Dalmau… —L'Emma se li va arrapar—. Aquí es queda la teva altra vida. A la nova, tindràs el món als teus peus —va afegir mirant la Josefina i arrufant la boca en un somriure tens.

No van demanar ajuda a la Josefina en el moment de l'última empenta a la barca abans de pujar-hi d'un bot: la dona plorava un tros enllà; ella tampoc no es va voler atansar a la platja quan la barca ja surava.

—Mare… —la va cridar en Dalmau.

La Josefina va fer que no amb el cap.

—Aneu!

Epíleg

Barcelona, abril del 1932

E l tren exprés va entrar a Barcelona arrossegant-se, prou a poc a poc perquè l'Emma pogués contemplar la plaça de braus de la Barceloneta, encara sencera, però en un estat d'abandó patent. Va somriure en veure-la, i va recordar que molt a prop hi havia el llatzeret dels pollastres, allà on en Maties obtenia la merca-deria per vendre a preus baixos als carrers de la ciutat. En Dalmau se li va atansar i la va agafar per la cintura en silenci, afegint-se a una nostàlgia que el sotragueig del tren, ara lànguid, semblava que volia avivar. Havien transcorregut vint-i-tres anys d'ençà que van embarcar en una barca que, costejant el litoral català, els va dur sense incidents a França.

Al país veí els van acollir amb hospitalitat, fins que van arribar a París, on en Dalmau, acompanyat de l'aura d'autor intel·lectual i, fins i tot, de capitost de la revolta que va desembocar en la Setmana Tràgica de Barcelona, fou tractat com un veritable heroi pel Comi-tè de Defensa de les Víctimes de la Repressió Espanyola. A França, com a Itàlia i a molts altres països, es duien a terme mobilitzacions de protesta contra els successos que es produïen a Espanya, princi-palment contra la detenció de Ferrer i Guàrdia, màrtir de l'ensenya-ment i instigador, com en Dalmau, de la crema d'esglésies i con-vents. Ni les pressions polítiques, ni els diaris, ni les gairebé cent cinquanta manifestacions, alguna de fins a seixanta mil persones, que van recórrer els carrers de París encapçalades per líders anarquistes i socialistes, espanyols o francesos, entre els quals sempre hi eren l'Emma i en Dalmau, no van obtenir la clemència per a Ferrer i Guàrdia, que va ser afusellat el dia 13 d'octubre de 1909, mentre reivindicava a crits tant la seva innocència com l'Escola Moderna.

Aquell dia, infaust per a la llibertat, ho va ser encara molt més per a l'Emma i en Dalmau, que es van fer càrrec en tota la seva cruesa de quin hauria estat el seu destí si no haguessin fugit d'Espanya. Aquella nit la mort els va visitar disfressada de capellà i de guàrdia civil, de burgès i de soldat, per recordar-los que no desistia del seu propòsit, que els esperava a Barcelona. Poc després, abans que acabés l'any 1909, el 18 de desembre, les autoritats espanyoles signaven un tractat de pau en virtut del qual posaven fi a la guerra del Rif: les tropes berbers eren autoritzades a viure a les possessions espanyoles sota l'administració de Madrid. Les xifres oficials parlaven de prop de dos mil morts i milers de ferits entre el contingent de reservistes espanyols que van haver d'abandonar a la seva sort dones i fills. Aquell martiri garantia, però, l'explotació de les mines per part dels grans empresaris. Els obrers havien acabat pagant un impost de sang.

L'Emma va agafar fort la mà que en Dalmau li tenia posada a la cintura. Eren molts els incidents, les alegries i les desventures que havien viscut d'ençà que havien fugit de la Ciutat Comtal, però la sensació més dolorosa que els escometia vint-i-tres anys després, i que piconava els seus records al ritme lent d'una màquina de tren que arribava a l'estació de França de Barcelona, era que els rics havien aconseguit el que volien: les mines de l'Àfrica a canvi de la destrucció d'una ciutat, la misèria de milers de famílies obreres i el desterrament de molts altres, que es van veure obligats a fugir de la seva terra, a abandonar les arrels.

Aquella ferida no es va tancar mai, ni al cor de l'Emma ni al d'en Dalmau, ni tampoc en la societat barcelonina. Tanmateix, tots dos van tenir sort: l'Emma va bolcar tota la seva energia en les organitzacions d'ajuda als refugiats, que eren molts i estaven molt necessitats. En Dalmau no va trigar gaire a trobar feina en una fàbrica de ceràmica, per bé que, malgrat l'alta consideració en què el van tenir els francesos tan bon punt va demostrar la seva professionalitat i la qualitat de la seva feina, a poc a poc es va anar centrant en una sola activitat, la pintura. París superava qualsevol de les fantasies més agosarades que havia tingut a Barcelona, quan considerava la Ciutat de la Llum com un paradís al qual no podria accedir mai. París era el centre de l'univers creatiu. Per mitjà dels seus patrons al món de la ceràmica, que també mantenien interessos en el de la pintura, va establir contacte amb un prestigiós marxant d'art que no solament el va promoure entre una clientela sempre oberta a nous artistes, sinó que també va influir en la seva pintura. No van ser els consells d'un mestre com el senyor Manel: el retorn al classicisme i a l'enaltiment religiós com a objectiu artístic. Monsieur Léon Vaise, que és com es deia el seu marxant, li va demanar que s'inspirés en la modernitat, la llibertat i la ruptura que suposava el cubisme, i que tenia en el seu compatriota Picasso un dels exponents més destacats.

En Dalmau va recordar el dia que el senyor Manel el va comparar amb Picasso, aquell jove que, segons deia, no havia triomfat a Barcelona, i que ara era un mestre a París. Va seguir el consell de monsieur Vaise i es va sentir transgressor en prescindir de línies, perspectives, volums i, fins i tot, colors.

—Un dia vam cremar esglésies —va comentar l'Emma en una ocasió, ja convertida en la seva dona, davant d'una obra seva—, però aquesta ha estat la teva revolució creativa.

Perquè, si la convulsió de l'arquitectura modernista barcelonina en Dalmau l'havia viscut com un treballador de la ceràmica, i la pintura com un obrer que comminava els seus a l'alçament violent, el fet de sumar-se a moviments tan avantguardistes com el cubisme, trencadors de tendències i tradicions, li va semblar revolucionari. En aquest cas, vivia en primera persona l'autoria i l'explosió d'un nou moviment artístic.

En Dalmau venia les seves obres, i es va convertir en un pintor cotitzat. La Primera Guerra Mundial va portar la família a Nova York, on va acabar de consolidar fama i prestigi, encara que, de seguia que es va signar l'armistici, va tornar a París. Allà, a més de pintar, va aprofitar l'experiència i els coneixements que tenia sobre ceràmica per crear escultures, peces úniques, modernes, atrevides, fantàstiques. Va flirtejar amb el surrealisme i amb l'art abstracte, però va tornar a la figura humana i a la natura, que va interpretar amb atreviment i amb tons molt vius, molt allunyat de les tenebres del modernisme de la primeria de segle amb què envoltava els seus personatges.

El tren finalment es va aturar a l'estació de França, un complex ferroviari restaurat recentment que no tenia res a veure amb la vella terminal que recordaven l'Emma i en Dalmau. S'havia transformat en una imponent estructura de ferro forjat coberta, en part recta en part corbada, amb tres grans cúpules. Estava dotada de vidrieres translúcides que deixaven entrar la llum, tant a través de les tres arcades immenses de la façana principal com per les laterals, que il·luminaven els sumptuosos materials amb què s'havia construït: marbres de colors als paviments, sòcols i pilars; capitells de bronze a les columnes; decoració de pa d'or; vidres bisellats i fustes nobles.

L'Emma i en Dalmau van baixar del compartiment i van esperar al costat de la porta del vagó, repassant amb la mirada tota aquella esplendor. Ell amb la barba i els cabells esclarissats, com li havien quedat d'ençà de la primera estada a Pequín, prim i amb la cara picada per efecte de la sarna, però ben dret, amb americana folgada, camisa sense coll ni corbata, i la gorra que sempre duia; ella, amb mitja cabellera i vestida còmoda: faldilla i una brusa que permetien fantasiejar amb el cos que encara amagava una dona que, tot i passar de llarg dels quaranta anys, semblava que l'haguessin forjat amb ferro durant la joventut. «Així va ser», hauria respost ella a qui pogués atrevir-se a plantejar-ho. Al cap d'una mica va comparèixer el revisor acompanyat d'un parell de mossos de corda i tres homes ben vestits.

—El senyor Dalmau Sala? Soc en Pere Sabater, galerista —es va presentar un d'ells, i li va allargar la mà—. Han tingut bon viatge?

—Sí, moltes gràcies —va contestar en Dalmau.

Tot seguit, sense amagar un cert malestar, va saludar els altres dos: un conseller republicà de l'Ajuntament i un representant de la Generalitat de Catalunya. Durant els preparatius per a la visita a l'exposició retrospectiva de la seva obra a Barcelona, en Dalmau havia rebutjat expressament totes les invitacions que li havien fet arribar des de partits polítics, sindicats i administracions públiques. Tant ell com l'Emma volien que fos un viatge privat, breu, i sense compromisos oficials. Ben poca cosa els unia a Barcelona. Tant la Josefina com en Tomàs havien mort feia anys. I no solament això, sinó que els esdeveniments que havien passat a Espanya els disgustaven.

Després de fugir a França, van estar en contacte amb la Josefina, a qui enviaven diners perquè pogués viure còmodament. Malgrat que pugui semblar estrany, Don Ricardo no els va buscar mai, potser perquè no va arribar a tenir notícia de la seva existència o perquè es va estimar més oblidar la humiliació infligida per l'Emma i en Dalmau. La salut de la dona, que amagava al seu fill les xacres pròpies de l'edat i d'una vida de treballar de valent en unes condicions poc saludables, i els seus consells en el sentit que encara no es deixés veure per Barcelona, ja que malgrat l'amnistia dictada per a una part dels encausats pels fets de la Setmana Tràgica, la situació d'en Dalmau no era clara, ja que l'Església i el senyor Manel Bello continuaven insistint que el castiguessin fins a la fi dels temps, van convèncer en Dalmau, que es va conformar a estimar la seva mare des de la distància, amb l'esperança que algun dia es podrien tornar a reunir. Però va arribar la Gran Guerra, i poc després Espanya va caure sota el control d'una dictadura militar, la del general Primo de Rivera, que es va allargar fins al 1930, i durant la qual era impossible ni tan sols plantejar-se de travessar la frontera. La Josefina no va superar aquella època, va morir anys abans que caigués la dictadura, abans que el rei Alfons XIII fugís del país i es proclamés la República a Espanya.

En Tomàs, per la seva banda, va aconseguir escapar del desterrament a què l'havien condemnat sense ni tan sols un judici, i al cap d'uns quants anys, passada la Gran Guerra, es va presentar a París, on va rebre l'estima i l'ajuda del seu germà. Va continuar aferrat a l'anarquisme, i es va dedicar a la causa amb més intensitat, si això era possible, que a Barcelona. Aquest ímpetu va fer que un dia caigués sota les potes d'un cavall de la policia, que el va trepitjar i el va deixar ferit tan greu que no va superar les intervencions quirúrgiques a què el van sotmetre.

En Dalmau va pensar que a en Tomàs li hauria agradat viatjar amb ells a Barcelona. Un any abans de la visita, Espanya havia deixat de ser oficialment catòlica. L'Església va perdre el poder i les noves autoritats van garantir a en Dalmau la seva seguretat i la inexistència de cap causa penal oberta contra ell en cap de les jurisdiccions, incloent-hi la militar. Ara bé, el tracte que en Dalmau va rebre per part dels republicans no tenia res a veure amb el que aquells mateixos polítics donaven a la massa obrera. Tots dos seguien amb gran interès i molta preocupació el que passava a Espanya per mitjà de la premsa. L'Emma més que ell. I les notícies no eren tranquil·litzadores. Els republicans, així que van arribar al poder, actuaven amb la mateixa fermesa, de vegades sota la mateixa legalitat i tot, que els governs monàrquics, en les lleis obsoletes dels quals es basaven per tractar amb duresa els humils, i en ocasions dictaven lleis encara més repressores de les que ja hi havia per a desesperació de tots els qui havien lluitat per aconseguir la República.

D'ençà de la Setmana Tràgica, Barcelona havia duplicat la població fins a un milió de persones, que eren les que tenia el 1930. Els immigrants van arribar en massa a la Ciutat Comtal a l'època de la prosperitat que hi hagué arran de la neutralitat d'Espanya a la Gran Guerra, una falta de bel·ligerància que va atreure gent, comerç i, sobretot, una riquesa extraordinària per a la burgesia industrial catalana. Més endavant, els treballs de construcció i urbanització de la zona de Barcelona que havia d'acollir l'Exposició Internacional del 1929 van absorbir bona part d'aquella mà d'obra, i de molta altra que arribava d'arreu del país. Eren tants els immigrants que feien cap a Barcelona que milers d'ells van ser retornats per la força als seus llocs d'origen. Però va acabar la guerra, i l'exposició, i a això s'hi van afegir els efectes tardans del crac als Estats Units de l'any 1929, amb la qual cosa l'atur a Barcelona, en el moment que es va promulgar la República, era devastador, sense subsidis per als desocupats, i això va portar famílies senceres a la pobresa i la misèria.

L'Emma es pensava que els nous governants d'un país que havia aconseguit expulsar el rei i anul·lar el poder de l'Església declarant-se aconfessional advocarien pel poble, per aquells obrers amb qui ella mateixa havia arribat a compartir desgràcies i il·lusions, però no va ser així; els republicans van actuar de manera repressora envers els necessitats, que van acabar apostant per l'anarcosindicalisme i la violència als carrers. Durant l'any 1931, a Barcelona es van declarar cent cinquanta-cinc vagues, una de les quals, la de llogaters, va tenir l'Emma, i fins i tot en Dalmau, amb l'ai al cor. Així com a la primera dècada del segle, quan tots dos vivien a Barcelona, les condicions de l'habitatge ja eren precàries, vint anys després, amb més de mig milió de persones acabades d'arribar, van passar a ser insuportables. L'especulació immobiliària va assolir extrems insospitats: es van arribar a demanar trenta pessetes al mes per una barraca de nou metres quadrats, sense llum ni aigua.

Així les coses, grups d'obrers es van posar d'acord per no pagar els lloguers. Els primers desnonaments es van impedir per la força. La solidaritat tornava a imperar entre els treballadors, i si a algú efectivament el feien fora de casa seva, els altres l'ajudaven. Tanmateix, va transcórrer l'any i les autoritats van recórrer a la Guàrdia d'Assalt, una força policial nova, lleial a la República, per procedir a executar unes ordres de desnonament en què, després de vèncer qualsevol mena de resistència popular, llençaven els mobles al carrer, per les finestres, per destrossar-los, i així fer que els desnonats no poguessin tornar a ocupar l'habitatge. La policia, ara republicana, treia de casa seva les famílies dels obrers que no podien pagar. L'any 1932, quan l'Emma i en Dalmau van arribar a Barcelona, la vaga dels llogaters havia finalitzat amb molt poc èxit per als treballadors, fracassos que calia estendre a la majoria dels rams de producció, com el dels agricultors catalans, que aquell mateix any van perdre el noranta per cent de les més de trenta mil demandes de revisió dels contractes de parceria, en sol·licitud que els reduïssin els fruits que havien de pagar als terratinents. Els jutges que van aplicar lleis incoherents a favor dels grans propietaris van enfonsar les esperances i il·lusions dels treballadors del camp.

Aquella no era la Barcelona per la qual havien lluitat l'Emma i en Dalmau.

—Disposem de transport? —va preguntar en Dalmau al galerista.

—Tenim un automòbil esperant a la porta —va contestar en Pere Sabater.

—Senyor Sala… —El conseller de l'Ajuntament va intentar cridar la seva l'atenció—. L'alcalde i els altres membres del consistori se sentirien molt honrats si vostè i la seva esposa assistissin a un dinar al…

—No m'interessa —el va tallar en Dalmau bruscament.

—Però l'alcalde… —va insistir l'altre.

—La Generalitat… —va intervenir el representant de la institució.

—Dalmau —va dir l'Emma, fent-los callar tots dos—, no em trobo bé —va mentir per evitar que el seu marit deixés anar algun exabrupte.

—Ja ho veuen, senyors —es va acomiadar en Dalmau agafant l'Emma pel colze i indicant al galerista que els guiés.

Es van allotjar a l'hotel España. Van rebutjar altres ofertes, potser més còmodes o luxoses que els va proposar el galerista, i en Dalmau va escollir l'establiment on confluïa la feina de diversos dels grans artistes de la Barcelona modernista: Domènech i Montaner, l'arquitecte del Palau de la Música Catalana, amb Eusebi Arnau, Alfons Juyol i altres cèlebres artesans del vidre, la fusta i el marbre, però sobretot aquell espai on Ramon Casas havia pintat el menjador de les sirenes, en el qual aquella mateixa nit, després d'un nostàlgic passeig per les Rambles, van sopar sota els fanals en forma de flor que penjaven del sostre. Després de la vida a París o a Nova York, de conèixer el món, el cubisme, les noves tendències i les dràstiques ruptures estilístiques, en Dalmau i l'Emma van haver de fer un esforç perquè el sopar en aquell restaurant un pèl opressiu i recarregat no asfixiés els seus desitjos de reviure aquells anys tan difícils per a tots dos, de recrear-se en una fortuna per la qual havien lluitat aferrissadament.

—Ens hem fet vells —va sentenciar l'Emma en un moment de silenci.

—Vella, tu? Si no arribes als quaranta!

L'Emma li va premiar aquesta amable mentida amb un somriure.

—Aquesta nit farem l'amor com quan érem joves —va reblar.

—Dalmau!

—Això és Barcelona, amor meu, recorda-ho! —li va dir agafant-li la mà per damunt la taula.

L'Emma ho recordava. Com no se n'havia de recordar! A Barcelona havia lliurat el seu cos per poder tirar endavant. Una esgarrifança li va baixar per l'esquena. L'hi havia confessat a en Dalmau, que no va trigar a posar-li dos dits sobre els llavis perquè no continués parlant de l'Expedito. Al començament, a l'Emma li va costar retrobar-se amb la sexualitat i el desig. En Dalmau mai no li va donar presses, i així, a poc a poc, es va imposar un amor que va desterrar d'ella fins a l'últim vestigi de vergonya.

L'Emma va agrair a la fortuna el caràcter d'en Dalmau, el seu afecte i la seva paciència, i de mica en mica va tornar a gaudir del seu cos i del sexe, i les vegades que rememorava aquells tristos episodis es van anar espaiant tant que gairebé els va oblidar... fins a aquell dia. Sí. Eren a Barcelona.

I aquella nit van fer l'amor, i l'Emma, decidida a deixar enrere definitivament qualsevol complex, a vèncer les rèmores d'aquella ciutat, va sorprendre en Dalmau amb un erotisme i una voluptuositat apaivagats per l'edat i la rutina.

—Si em promets més nits com la d'avui —va comentar en Dalmau mentre es canviava per baixar a esmorzar i comprovava el seu aspecte davant d'un mirall de peu—, ens quedarem a viure aquí.

L'Emma va notar que s'enrojolava. «Imbècil», es va insultar per aquell pudor sobtat d'adolescent, encara que el record de la seva impetuositat, de quatre grapes a sobre d'ell, llepant-lo, xumant-lo, acaronant-lo, esgarrapant-lo, exigint-li sexe fins que ell li va haver de suplicar que parés, la va fer sufocar. Es va girar perquè en Dalmau no la pogués veure. La veritat és que la nit abans s'havia sentit dona. Més dona! Molt dona! A Barcelona!

—No he fet res fora del normal —va protestar quan anava al bany, abans que ell no tingués temps de dir-hi res—. Deu ser que tu sí que t'has fet vell —li va cridar, ja des de dins.

Devia ser vell, va pensar un parell d'hores més tard, després d'entrar a la galeria d'art d'en Pere Sabater, al carrer de la Diputació de l'Eixample. Aparentment, l'Emma es va solidaritzar amb els seus sentiments, ja que se li va penjar del braç, amb la respiració una mica alterada i una tremolor imperceptible que l'obligava a estrènyer-lo fort. Era una sala àmplia i diàfana, i allà dins, alguns il·luminats per focus zenitals i d'altres en una mitja penombra calculada, hi havia penjats desenes de quadres i dibuixos d'en Dalmau, alguns de signats i d'altres no, tots els que havia fet quan treballava a la fàbrica de ceràmiques d'en Manel Bello, tots els que havia guardat en carpetes, satisfet o decebut amb la seva feina, els que en Paco, el vell porter esdentegat, li va assegurar que ell mateix havia destruït als forns de la fàbrica juntament amb les altres pertinences seves, després de la malaurada mort de l'Úrsula.

L'Emma i en Dalmau sabien a què s'enfrontarien. En Pere Sabater, el galerista de Barcelona, havia enraonat amb Léon Vaise, el seu marxant i ara amic i home de confiança.

En un lloc preeminent de la galeria, un quadre ben il·luminat, potser en excés a parer d'en Dalmau, ja que matava la llum que desprenien les fades de la platja: *El taller de mosaics*. Era l'obra que li van assegurar que havien llençat a les escombraries, juntament amb l'escultura de Rodin, abans de la inauguració de l'Exposició Internacional de Belles Arts de Barcelona del 1907. Vint-i-cinc anys després reapareixia. L'Emma es va quedar extasiada davant de la pintura. No la coneixia; en aquella època no es parlaven, i en Dalmau mantenia una relació casta amb la Gregòria.

—Diferent de l'estil d'ara, però esplèndid —va comentar.

Tots dos, juntament amb el galerista, eren davant del llenç. La galeria estava tancada al públic. Només una secretària, a l'entrada, els acompanyava allà dins.

—Està segur que té títol de propietat? —va inquirir en Dalmau, malgrat que en Léon ja l'hi havia assegurat diverses vegades a París.

—Sí —va respondre en Sabater—, el de l'Exposició del 1907. L'hi van vendre per dues-centes pessetes.

En Dalmau va somriure amb cinisme. Tots aquells cabrons miserables, gasius i avars que ni tan sols van ser capaços d'adquirir per als museus de Barcelona les obres dels mestres impressionistes, havien fet negoci amb el seu quadre!

—A mi me'n van pagar cent cinquanta —li va recordar una vegada més a l'Emma—. I totes les altres obres? —va preguntar al galerista.

Encara que també l'hi havien dit a París, ho volia sentir allà, de boca d'en Sabater.

—Tret del quadre de la trinxeraire —va respondre assenyalant el dibuix emmarcat de la Maravilles—, adquirit en una exposició que es va celebrar a casa dels Llucs, totes les altres obres consten com a incloses en una subhasta judicial dels seus béns que es va efectuar arran de l'impagament d'un préstec per alliberar-se del servei militar. En consta una relació a l'acta de la subhasta, un per un, fins al dibuix més petit. Ho vol comprovar? —li va proposar, allargant-li un lligall.

En Dalmau no en va fer cas. A París, en Tomàs li havia explicat que, segons l'advocat Fuster, les cinc-centes pessetes no van arribar per liquidar el plet, amb els interessos i les múltiples costes processals, i que el jutjat va acabar subhastant tots els béns embargats, però que ningú no s'havia imaginat que entre els béns hi pogués haver totes aquelles pintures i dibuixos.

L'Emma sí que va agafar els papers que els donava el galerista, però ho va fer més aviat per fingir que els llegia atentament i permetre que en Dalmau s'atansés sense companyia al dibuix de la trinxeraire que havia esmentat en Sabater. Sabia el que significava aquella obra per a ell: el començament d'una vida, afortunada a temporades, sinistra en altres, però d'allà, d'aquell dibuix, havia nascut un motiu que amb el temps ell havia recuperat: Dalmau Sala, el pintor d'ànimes. Des de darrere, l'Emma va veure com arronsava les espatlles, com si un calfred li hagués fet estremir tot el cos en veure la captaire. Havien tornat a parlar de la Maravilles al tren que els duia a Barcelona:

—Sense la seva intervenció —va reconèixer l'Emma—, no sé pas com hauríem acabat; em va avisar que el fill de puta de Pequín et pensava vendre... encara que també va ser ella qui va robar els meus nus.

—Sí, era un personatge realment contradictori, incoherent... —va comentar en Dalmau, donant una manotada a l'aire—. Si no els hagués venut, però, ara estarien exposats a la galeria on anem, i no m'han dit pas que hi siguin.

—Et penses que em sabria greu? —se'n va burlar l'Emma—. Estava maca. M'hauria agradat conservar-los. Creus que encara deu ser viva?

—La Maravilles?

—És clar.

—No. Segur.

En Dalmau li va respondre amb els pensaments posats en la Maravilles. Devia haver mort, sens dubte. Els desnonats per la fortuna, com tots aquells milers de marrecs que corrien pels carrers de Barcelona, no estaven destinats a tenir una vida llarga.

Ara, veient el dibuix de la trinxeraire, que havia fet quan era jove, intentant fugir del dolor per la mort de la seva germana i per la ruptura amb l'Emma, en Dalmau es va girar cap a ella i el galerista Sabater lentament, com si el pes dels records li impedís moure's amb més energia. L'Emma li va ensenyar els papers vells i esgrogueïts del jutjat.

—Aquí consta la màquina de cosir —va apuntar, assenyalant amb el tou d'un dit una de les pàgines de la llista.

En Dalmau va donar a entendre amb un gest de la mà que no volia verificar cap document que li recordés els moments tràgics que van viure en aquella època.

—I ara volen —es va adreçar al galerista— que reconegui l'autoria de totes les obres i dibuixos que no estan signats.

—I una navalla petita —va dir l'Emma, que no estava al cas de les paraules del seu marit.

En Dalmau es va oblidar del galerista, va somriure amb tendresa i va desviar l'atenció cap a la seva dona.

—I també la ploma amb el tap d'or. La del meu pare...

Se li va esquerdar la veu, i en Dalmau la va abraçar per sobre de les espatlles. No van ser dies bons, aquells en què el jutjat els va embargar i es van veure obligades a compartir el pis amb l'Anastasi i la seva família.

En Pere Sabater va deixar passar uns segons abans de tornar al tema que els havia portat fins allà.

—Efectivament. Volen que vostè reconegui l'autoria d'aquelles obres —va explicar—. La cotització canvia, si es produeix el reconeixement.

—Totes les obres figuren en aquesta llista —va apuntar l'Emma—. El seu valor: insignificant, s'indica en aquest paper. Ni tan sols hi van consignar una quantitat, per baixa que fos.

—Exacte —va afirmar en Sabater, sense poder dissimular la vergonya. Estava davant d'un dels millors pintors del món, negociant l'autentificació d'uns quadres i uns dibuixos que en Manel Bello s'havia apropiat per un valor insignificant—. En aquella època —va intentar excusar-se— no se'ls va donar cap valor.

—I nosaltres què hi guanyem? —va inquirir l'Emma, fent cas omís de les paraules del marxant.

—Demanin —els va instar ell—. Estic disposat a escoltar ofertes.

—No —s'hi va oposar en Dalmau—. L'oferta la farem a en Manel Bello en persona. A ell i a tota la seva família. Aquí. Citi'ls i després avisi'ns. Som-hi —va dir, adreçant-se a l'Emma—, que Barcelona ens espera.

S'havien arruïnat. Per això Manel Bello necessitava vendre totes aquelles obres. Segons li va explicar en Léon que li havia confessat el galerista, el mestre no va saber adaptar el negoci quan va acabar el modernisme i, per tant, l'eclosió de la ceràmica als edificis. Les rajoles encara es feien servir, però no de la mateixa manera que les emprava l'arquitecte i mestre d'obres modernista. A allò va afegir-se una pèssima gestió per part del seu gendre, un jove vanitós que es va pensar que la modesta fàbrica de rajoles era comparable a una gran empresa i que va invertir el poc que quedava en projectes inviables que van fracassar l'un rere l'altre mentre la senyora Cèlia i el seu fill, un noi que no tenia cap intenció d'abandonar la vida que feia de burgès inútil, consentit i mandrós, malbarataven fins a l'últim ral. En Manel Bello va confiar en el seu gendre, i fins i tot en la seva dona, que a instàncies de la filla el defensava com si fos un il·luminat, i va resar tant com va poder perquè la situació econòmica de la família millorés, fins que un dia es va aixecar del reclinatori i es va trobar en la fallida més absoluta. I en aquesta situació, l'obra d'en Dalmau que tenia emmagatzemada, incapaç d'esquinçar una tela o un paper, per molt que l'autor fos un enemic acèrrim seu, podia valer molt diners, potser no tant com les pintures actuals, però sempre hi hauria col·leccionistes o amants de l'art disposats a adquirir quadres o dibuixos de les primeres èpoques del famós pintor Dalmau Sala. En urnes de vidre, com si fossin incunables, s'exposaven a la galeria d'en Sabater uns quants dels petits quaderns on en Dalmau dibuixava les taules dels cafès cantant i que guardava al taller quan els acabava, abans que l'acomiadessin; algun dels quaderns era un estudi permanent dels ulls d'una noia, que no aconseguia plasmar amb tota la força i intensitat, fins i tot la maldat, que transmetien, pensava llavors. Va fer espetegar la llengua quan va recordar la fi de l'Úrsula. L'Emma el va mal interpretar. Tots dos anaven al seient del darrere de l'automòbil que en Sabater havia posat a la seva disposició: un Hispano Suiza ampli, luxós, semblant als grans cotxes clàssics europeus. En Dalmau havia ordenat al xofer que els portés a la plaça d'Espanya, el lloc on s'havia fet l'Exposició Internacional del 1929, juntament amb la plaça de braus de les Arenes. Ella li va agafar la mà per sobre de la llustrosa tapisseria de pell.

—Nostàlgic? —li va preguntar.

Ell va rumiar la resposta: no, no era nostàlgia. Frisava per veure les construccions que havien substituït les modernistes, i sobre les quals tant havia llegit, una tendència estilística —el noucentisme— que ja començava a despuntar quan acabaven les obres del Palau de la Música, i el millor lloc per a allò era la falda de la muntanya de Montjuïc, on s'havien bastit diversos palaus que van culminar amb els erigits per a l'exposició internacional celebrada feia tres anys.

—Ens dirigim a veure els assassins del modernisme.

—Amor meu... —va replicar l'Emma, estrenyent-li la mà—, tu també has assassinat alguns estils pictòrics, no? S'ha d'evolucionar.

—És cert —va respondre en Dalmau—, però no crec que tornar a la monumentalitat, a l'arquitectura que persegueix la bellesa pública, fins i tot la manifestació del poder i que, per tant, se sotmet als dictats polítics, sigui comparable al cubisme o al surrealisme, les màximes expressions de la independència de l'art i la llibertat interpretativa de l'artista. En el noucentisme i els corrents semblants que s'estenen per tot Europa, les institucions assumeixen la promoció d'un art públic, l'art urbà, i ho fan d'acord amb la seva ideologia, que una vegada més intenten imposar al poble.

—Abans —el va tallar l'Emma—, aquest art, aquest urbanisme estava en mans de només uns quants: els rics.

—Però hi ha una gran diferència entre ells i la llibertat.

—T'has tornat massa lliure, tu! —li va recriminar ella de broma—. No deu ser tan dolent —va insistir.

—Deu ser com una punyalada a la meva joventut. Jo vaig créixer mamant modernitat, fantasiejant amb el color i amb les pedres en moviment.

Per a en Dalmau va ser efectivament un cop a aquella Barcelona que havia estimat. Un conjunt d'edificis grandiosos, regulars, amb cúpules, columnes i torres a les cantonades. Monumental, impressionant, però d'una bellesa freda, allunyada.

—La Setmana Tràgica va consolidar aquest moviment —va comentar en Dalmau, quan tots dos ja eren fora de l'Hispano Suiza, contemplant aquells edificis—. Aquí, a l'entrada que dona a la plaça, Puig i Cadafalch, que va evolucionar cap a aquest corrent arquitectònic, va alçar quatre grans columnes representatives de les barres de la senyera. —L'Emma va mirar cap a on assenyalava el seu marit—. El general Primo de Rivera va fer que les enderroquessin. Lluites polítiques entorn de l'art urbà. El que et deia.

—Dalmau —li va dir ella al cap d'una estona de passejar per aquella zona—, t'imagines tots aquests grans espais, necessaris per a les exposicions i, per tant, la prosperitat de la ciutat, dissenyats pels modernistes que tant admires? —Ell la va esguardar bocabadat—. Sí, aquests edificis d'allà, per exemple —va insistir ella assenyalant els dos grans palaus que s'obrien a banda i banda del passeig que pujava fins al Palau Nacional, que en aquell punt coronava el turó—. Aquest, el de l'esquerra, en mans de Gaudí, i el de davant l'adjudiquem a Domènech i Montaner. Tot recarregat, sinuós, farcit de decoracions, de rajoles, de ferros retorçats, de... de... de culs d'ampolla de cava! Seria impossible una sola exposició!

En Dalmau ho va intentar: veure aquelles construccions bastides per mans modernistes. Feia que no amb el cap, rebutjant una imatge rere l'altra.

—Bé —va intentar sortir de la dificultat en què l'havia posat la seva dona—, cap problema, el de Gaudí no estaria acabat, encara.

Tots dos es van posar a riure. Van acomiadar el cotxe que els esperava i van decidir de tornar a l'hotel passejant per aquell Paral·lel on tantes nits havien transitat. Els grans arquitectes mencionats per l'Emma havien mort feia pocs anys, i el modernisme havia desaparegut, deixant pas als edificis oficials, els del règim.

Van arribar a la part final del Paral·lel, on la via es confonia amb el port i les seves instal·lacions. El carrer continuava sent canalla. El van imaginar al capvespre: teatres, espectacles, bordells... Ara, tret dels bars i els restaurants, tot estava tancat, amagat de la llum intensa de la primavera mediterrània. Però així com els establiments semblava com si no volguessin viure el dia, els obrers sense feina que hi transitaven no tenien cap inconvenient a mostrar el seu malestar. La tensió tenallava la ciutat. L'Emma i en Dalmau van observar que molts d'aquells anarcosindicalistes duien pistoles. Els tirotejos a Barcelona eren constants. La gent discutia amb vehemència, amb els rostres torçats per la ràbia. Aquí i allà tenien lloc petits mítings: líders exaltats que bramaven i cridaven a la vaga i a la lluita obrera.

—Hauries de ser-hi tu —va apuntar en Dalmau a la seva dona.

—Et sap greu això dels edificis modernistes i vols venjança? —va respondre ella.

En Dalmau se li va arrambar sense parar de caminar.

—Sí —va admetre—. Ja t'he dit que allò va formar part de la meva joventut.

—I la meva era lluitar, i ara... ja em veus: passejant tranquil·lament com una burgesa de bracet d'un pintor famós arreu del món —va dir l'Emma de broma.

A l'hotel no hi havia notícies d'en Sabater. Van dinar una altra vegada al restaurant de les sirenes, i després van agafar el cotxe per visitar tots aquells llocs on en Dalmau havia treballat de ceramista.

—Temo que tindràs una decepció —va presagiar l'Emma.

Els noucentistes i els nacionalistes catalans no van ser tan comprensius amb el moviment que els precedia com ho havia estat l'Emma. Els edificis modernistes havien perdut la pàtina brillant que els conferien les rajoles i altres elements artístics, i ara es confonien, grisos i foscos, amb la resta de la ciutat. No hi havia lloc per a concessions a un art que ja no representava el moviment català. Les construccions de Gaudí es comparaven amb pastissos de nata, xocolata i tota mena de caramels i dolços, donant lloc a multitud de vinyetes satíriques, com una en què la Casa Batlló es fonia cap per avall, o un nen que demanava una mona de Pasqua tan gran com la Pedrera, també comparada amb un hangar o un parc zoològic.

El Palau de la Música Catalana, un dels llocs on en Dalmau va experimentar amb més força la intensitat de la imaginació, la creativitat i la llibertat artística, ara era anomenat el «Palau de la Ferralla Catalana». Grans intel·lectuals deien que era horrible i d'una qualitat ínfima, i afirmaven que era impossible concentrar-se en la música estant envoltat d'aquell gran conjunt ornamental. Altres el van denunciar de vulgar a més no poder, el titllaven d'anàrquic i afirmaven que era una obra que no representava la Catalunya moderna.

—Política —es va plànyer aquella nit en Dalmau, després d'ordenar al xofer que girés cua. Va dir que ja no volia veure res més, que els portés a la costa, on van passejar per la platja i van sopar en una fonda a la mateixa sorra, tan modesta com exquisida.

—D'una platja com aquesta vam sortir cap a França —va recordar l'Emma mirant l'horitzó després de ficar-se a la boca un bon bocí de peix.

—La mare… —va recordar ell—. I la Júlia. Encara era petita.

Tots dos van recordar aquella nit en silenci. La Josefina s'havia mort, i la Júlia ja era una dona, casada amb un parisenc amb qui havia tingut dos fills, i treballava d'advocada defensant obrers i gent humil; «causes perdudes», a parer del seu marit, però no pas per a en Dalmau i l'Emma, que veien en ella la continuadora de la seva lluita.

—Les vam passar magres. —L'Emma va trencar el silenci—. Però avui no em canviaria per cap altra dona del món. T'estimo.

—Jo també. —En Dalmau se li va girar de cara—. Jo també t'estimo —va repetir mirant-la als ulls.

L'Emma els va repassar tots amb la mirada, dreta al bell mig de la galeria d'en Pere Sabater, de nou tancada al públic. El seu marit, amb l'americana folgada, la camisa sense coll i la gorra posada. En Dalmau no li havia fet saber quant volia demanar a en Manel Bello per reconèixer la seva obra, ni tan sols si ho faria, i l'Emma no l'hi va preguntar. Aquella nit, després d'arribar a l'hotel gairebé de matinada i trobar l'encàrrec del galerista, que els citava per a l'endemà al matí, ella va comprendre la importància que tenia aquella reunió per al seu marit.

No era la simple signatura d'unes teles o uns dibuixos. Tampoc no era pels diners. Aquell era l'home que l'havia ajudat de petit, que l'havia portat a l'escola de la Llotja i li havia donat feina a la seva fàbrica, però també era el que li va exigir la catequització de la Montserrat. Potser si hagués estat més generós i no s'hagués erigit en un fanàtic religiós que frisava per fer mèrits davant del seu Déu, convertint els altres, la Montserrat i ella no haurien discutit en aquella barricada, i la germana d'en Dalmau no s'hauria mort. Segur que no. Després va arruïnar la Josefina embargant-li tot el que tenia. També va ser ell qui va aconseguir que acomiadessin en Dalmau de les obres on treballava, i que diguessin que havia llençat el seu quadre a la brossa per obscè. Era l'home que la va humiliar a ella el dia que s'hi va presentar suplicant ajuda. Va ser qui va criticar públicament, amb un furor injustificable, les obres que en Dalmau va regalar a la Casa del Poble. I qui no va dubtar a pagar el que fos per lliurar-lo a la justícia militar, i amb això, a una mort més que segura.

En Dalmau tenia davant seu el mestre, el senyor Manel Bello, vell, consumit, aferrat a un bastó, amb un vestit negre que ara li anava balder i unes patilles blanques i esclarissades que maldaven per continuar unides al bigoti.

En Dalmau no el va saludar, ni tampoc a la senyora Cèlia, ella ben dreta, amb un vestit passat de moda, igual que quan s'entestava a dur els polissons que la feien semblar un caragol i dels quals l'Emma i en Dalmau es reien, amb la Montserrat. Era com el retrobament dels personatges d'una tragèdia, es va estremir l'Emma en recordar la seva amiga. La senyora Cèlia, que superava el marit en alçària i corpulència, feia pudor de vell, d'usat. Al seu costat, la filla i el gendre que els havien arruïnat, tots dos altius, i el fill petit, el burgès dissolut, un home que ranejava la trentena amb ulleres i aspecte cansat, a qui de ben segur havien obligat a sortir del llit perquè els acompanyés a la cita, com demostrava amb uns sospirs i uns badalls que ni tan sols feia l'intent de dissimular.

—Bé… —va intentar encetar la negociació el galerista.

En Dalmau el va fer callar fent un gest amb la mà, i va continuar en un silenci incòmode en què l'Emma, tanmateix, li va semblar que creixia, i es va sentir forta. Es va apropar al seu marit, fins a situar-se al seu costat. En Dalmau escrutava la família del qui havia estat el seu mestre com si examinés un entorn que es disposava a pintar; l'Emma coneixia aquell procés màgic. La gent callava. En Dalmau omplia els llocs com feia ara en aquella galeria, i la seva personalitat sobreeixia fins i tot per les escletxes de la porta del carrer, que estava tancada. Era un geni! El senyor Manel va abaixar els ulls i la senyora Cèlia va perdre l'aplom. Els altres, simplement es van arronsar. «Agenolleu-vos davant d'ell», va estar temptada d'exigir-los a crits.

L'Emma va inspirar fondo. Volia introduir aquell ambient dins del seu cos, assimilar-lo, assaborir-lo, i llavors la veu d'en Dalmau va trencar l'encanteri.

—Vull la ploma amb el tap d'or que van embargar a casa de la meva mare —va exigir.

—D'això deu fer més de vint anys! —es va escandalitzar el galerista.

—La té —el va interrompre en Dalmau amb serenitat. Estava segur que el senyor Manel no se n'havia desprès després d'adjudicar-se-la a la subhasta.

Ell va assentir, i l'Emma va serrar les barres i es va eixugar els ulls. No permetria que aquells indesitjables la veiessin plorar. La ploma del seu pare, la que havia de regalar al seu marit. L'Antoni no en va gaudir. «No sap escriure», va recordar la mentida amb què es va excusar davant del seu oncle.

—Una ploma? —va saltar el fill del senyor Manel, interrompent-li els pensaments—. Per això tanta molèstia?

—Només una ploma? —es va estranyar en Sabater, també.

—No —va dir en Dalmau, i a la galeria es va fer el silenci de nou—. També vull els dibuixos que no estan exposats.

El senyor Manel va alçar el cap, recuperant una mica de la vitalitat que havia perdut, i va clavar uns ulls aquosos en en Dalmau.

—Quins dibuixos? —va exclamar el gendre—. Que potser tenim més obres d'aquest personatge? Per què a mi ningú no me n'ha dit res?

Ningú no li va contestar. La senyora Cèlia va trigar a reaccionar, i va ser per negar enèrgicament amb el cap.

—Ja no existeixen —va al·legar el senyor Manel, que parlava per primera vegada.

—Sí que existeixen. Sé on els té guardats.

—On són? —va tornar a intervenir el gendre.

—Calla —li va etzibar la senyora Cèlia, que tot seguit va travessar amb la mirada el seu marit—. Els tens guardats?

El senyor Manel no va respondre.

—Sortirem amb el primer tren cap a la frontera, per després continuar cap a París —els va comunicar en Dalmau—. Si abans que sortim em porten a l'hotel el que els he demanat, els signaré el reconeixement de totes aquestes obres —va continuar dient, alhora que passejava la mirada pel que era part de la història de la seva vida—; en cas contrari, no disposaran de cap altra oportunitat.

—I acabaran com indigents, als carrers —va afegir l'Emma, recordant l'amenaça que un dia li havien fet a ella mateixa quan va anar a suplicar-los clemència.

No va parlar ningú més. En Dalmau va agafar l'Emma pel colze amb suavitat i es va disposar a sortir de la galeria. Però aleshores es va aturar.

—Senyor Manel… —li va cridar l'atenció utilitzant el tractament que li donava quan treballava per a ell. Va esperar que l'home gran el mirés, i va continuar—: jo mai no vaig voler fer mal a la seva filla. Si, per les meves circumstàncies personals, no vaig ser capaç d'expressar-ho llavors, pot tenir la certesa que he patit el dolor per la seva mort durant tota la meva vida, igual com ho lamento ara. Senyora Cèlia —es va acomiadar d'ella, també, tocant-se la vora de la gorra.

El tren sortia de l'estació de França. L'Emma i en Dalmau se n'anaven de la ciutat que continuava sent hostil, lliurada a la revolució, al pistolerisme, a la lluita, la destrucció, i a una misèria consentida per l'egoisme i l'avarícia dels poderosos.

—Joan Maragall, un dels millors poetes catalans —va comentar en Dalmau, amb la mirada perduda a fora de la finestra—, va dir de Barcelona després de la Setmana Tràgica que era una ciutat sense amor. I ho continua sent —va sentenciar.

L'Emma, asseguda davant d'en Dalmau, al compartiment del tren, ni tan sols va contestar, atònita, atemorida fins i tot, davant dels dibuixos que tenia agafats ben fort entre les mans, i en els quals sortia l'Úrsula en diferents moments de la seva mort. Alguns eren simples ratlles, esbossos gairebé inintel·ligibles. Altres eren d'una precisió que, coneixent el final de la noia, li van semblar macabres. Aquest era el pagament que havia exigit en Dalmau, a més de la ploma amb tap d'or que amb orgull s'havia ficat a la butxaca interior de l'americana després que l'Emma l'hi regalés amb els ulls humits.

—Per què aquests dibuixos? —es va atrevir a preguntar-li, ara.

Ell va tardar a respondre.

—L'Úrsula va morir per culpa meva —va dir llavors amb la veu trencada, després d'escurar-se la gola un parell de cops—. El seu patiment impregna aquests papers, una agonia que no vaig ser capaç de veure i que, drogat, vaig confondre amb… amb l'erotisme que tu m'oferies quan posaves nua. —Va guardar silenci un instant, en què el sotragueig del tren va inundar el compartiment—. Per molt estrany que et pugi semblar —va alçar la veu, amb la gola ja neta—, tu formes part d'aquests dibuixos, i jo no podia permetre que els tinguessin en poder seu, el vell i la seva família.

L'Emma estava astorada, amb els ulls clavats en en Dalmau.

—No me n'havies parlat mai.

—Et molesta, que no te'n parlés?

Ella va fer que no amb el cap.

En Dalmau va somriure i va contemplar amb afecte la cara de la seva dona, fins que l'espurneig de la joia que ella portava clavada a la solapa el va distreure: una libèl·lula modernista; el cos llarg i esvelt de l'animal en or, i les ales d'esmalt translúcid, tot puntejat amb diminutes pedres precioses de colors. En Dalmau l'hi havia regalada la tarda anterior, després que el joier insistís debades perquè adquirissin una peça amb un disseny més actual. El ceramista es va perdre en els reflexos de la libèl·lula, que pretenien retenir-lo a prop d'aquesta ciutat on l'art, la creativitat i la fantasia més desbordant jugaven entre elles per bastir uns edificis i crear unes obres d'un valor que un dia la humanitat acabaria reconeixent.

Barcelona quedava enrere, i, amb ella, una part de la vida de tots dos.

Notes de l'autor

Barcelona és, sens dubte, una de les ciutats del món que ofereix un nombre més gran d'edificis d'estil modernista, diversos dels quals han estat declarats Patrimoni de la Humanitat per la UNESCO. L'origen d'aquest conjunt arquitectònic tan notable es troba en les característiques especials del desenvolupament urbà de la capital catalana, així com en la riquesa d'una classe social que frisava per adscriure's a un moviment tan creatiu i imaginatiu com va ser el modernisme.

En aquesta novel·la, valent-me d'en Dalmau Sala, he volgut mostrar al lector una visió àmplia d'un estil que es va desenvolupar al llarg de tres decennis, amb grans arquitectes i artesans com a artífexs d'allò que avui admirem, malgrat que durant anys va ser un estil denigrat, criticat i, de vegades, fatalment destruït o mutilat. He procurat ajustar la ficció al calendari real en què van ser executades totes aquestes construccions, encara que en algun cas, i per donar una referència completa al lector, m'he permès de modificar algunes dates, com poden ser la de construcció del conjunt escultòric de la façana del Palau de la Música Catalana, que és posterior al moment en què es menciona a la novel·la.

Això no obstant, al costat d'aquesta magnificència en la construcció d'edificis, i fins i tot en la manera de pensar d'una part considerable de la burgesia barcelonina, coexistia la misèria característica de la revolució industrial. Al mateix temps que els uns empenyoraven el seu patrimoni en una competició per la sumptuositat, la massa obrera, tremendament empobrida i explotada, començava a prendre consciència del seu poder polític més enllà de postulats anarquistes i d'unes accions terroristes que identificaven Barcelona com «la ciutat de les bombes».

Les vagues, les manifestacions i les reivindicacions socials van ser una constant que els rics observaven des de les seves noves talaies modernistes. És sorprenent el paper que van tenir les dones en aquesta lluita obrera; unes dones els drets de les quals distaven molt dels dels homes, i que ni tan sols havien obtingut el de sufragi en cap dels seus vessants, però que, al mateix temps, encapçalaven les manifestacions portant-hi els seus fills petits, per impedir així els trets i les càrregues policials contra els marits i pares. Arran d'això neix l'altra protagonista de la novel·la: l'Emma, que personifica aquest esperit de lluita, embrió d'uns moviments molt més rotunds, que amb el temps farien que Espanya esdevingués una república, a la qual es va posar fi amb una guerra i amb la posterior dictadura, que va durar quaranta anys.

L'anticlericalisme es va convertir en una de les doctrines principals defensades pels republicans i els polítics d'esquerres a la primera dècada del segle XX, i, en mans d'una gran figura tan controvertida com va ser Lerroux, que de manera grollera propugnava la destrucció de l'Església, va esdevenir un argument idoni per exaltar i incitar les masses a la rebel·lió.

En aquesta tessitura, la defensa dels interessos econòmics de certs grups d'industrials adinerats que va abocar Espanya a una guerra sagnant contra els berbers del Rif, així com el comerç humà que va suposar el reclutament de pares de família en lloc de joves solters, en benefici exclusiu de les companyies d'assegurances i els seus accionistes, van irritar els obrers fins al punt que van declarar una reeixida vaga general, que, a Barcelona i en una part de Catalunya, va degenerar en la Setmana Tràgica, sis dies en el decurs dels quals a la ciutat es van cremar vuitanta esglésies i un bon nombre d'edificis religiosos.

Segons l'opinió majoritària dels estudiosos d'aquest succés luctuós en la història de Barcelona, el moviment incendiari no va tenir cap lideratge ni cap coordinació política. Ens pot costar de creure que la gent limités la violència als edificis religiosos, però és el que realment va succeir, sense que això excusi o resti transcendència a la devastació. Però el fet cert és que no es va atacar cap propietat d'una burgesia que, segons la documentació de l'època, va observar aquells esdeveniments des d'una certa distància, entre festes i balls, i que va decidir pagar els sous dels treballadors d'aquella setmana de revoltes com si s'hagués treballat.

Ni l'exèrcit ni la policia ni la població no van defensar les propietats de l'Església; hi ha testimonis que afirmen que les tropes protegien els bancs mentre els revolucionaris cremaven esglésies. No cal dir que es van produir excepcions i que, en alguns llocs, l'exèrcit, els carlistes o els veïns —com els de Sarrià— van defensar els seus temples, com va passar amb l'església de Santa Maria del Mar, entre d'altres.

És difícil esbrinar les raons per les quals la turba desorganitzada, víctima de la injustícia social, sumida en la pobresa, no va adreçar les seves reclamacions i la ràbia també contra la classe social que els explotava, però certament va ser així, i van respectar el seu patrimoni, les seves cases, les seves indústries i els seus establiments comercials. Valgui un exemple: en un dels incendis, els revolucionaris van permetre l'actuació dels bombers només per mullar la paret contigua de la fàbrica d'un empresari conegut i ric, a fi d'impedir que les flames que devoraven l'església es propaguessin al seu immoble.

També van respectar la vida dels clergues. No consta la violació de monges, tal com Lerroux arengava les masses amb vehemència, i la mort de tres capellans —sense que això no excusi tampoc aquells decessos— va ser deguda a unes causes determinades, una d'elles gairebé accidental, però es podria afirmar que no van respondre a un odi dirigit específicament contra l'estament religiós ni que es generalitzés en actes que atemptessin físicament contra ells, buscant la seva mort o el linxament, més enllà, malauradament, de la violència, la coacció, els insults i les vexacions, els robatoris i la força que es va utilitzar per desallotjar-los, unes agressions absolutament deplorables que efectivament es van produir.

Potser aquesta manca generalitzada d'homicidis en l'estament clerical, en uns esdeveniments que sí que en van causar entre el poble menut, va pesar en la balança amb què la justícia civil de Barcelona, l'ordinària, diferent de la militar, que depenia del govern de Madrid, va afrontar els processos contra els incendiaris detinguts. L'Emma, la nostra protagonista, va ser declarada innocent, igual que prop de dos mil incendiaris que van comparèixer davant la jurisdicció civil, encara que a la novel·la s'avança la data en què aquests tribunals van iniciar la labor. Els militars, al contrari, van dictar, entre d'altres, disset penes de mort, de les quals se'n van executar cinc, i cinquanta-nou sentències de cadena perpètua.

És possible que la causa immediata de la revolta que va originar la Setmana Tràgica s'hagi de cercar en la reacció de la classe obrera davant la guerra del Rif, però tampoc no es pot afirmar que aquest fos l'únic motiu. El gran poeta Joan Maragall, amant de Barcelona i de Catalunya i defensor dels seus valors, es va sentir profundament afectat davant d'una revolta que va estudiar i analitzar, pensaments que va plasmar en tres articles que han fet història (un d'ells, en què demanava clemència i apostava pel perdó, no va sortir publicat). Sense ànim d'aprofundir en arguments tan erudits i, per tant, exposant-ho a tall de referència, Maragall va qualificar les classes dirigents de Barcelona de covardes i egoistes, i va instar l'Església a acostar-se més als obrers i a col·laborar en la creació d'una societat més justa.

Les causes i les conseqüències de la Setmana Tràgica depassen, de molt, l'àmbit d'una novel·la i d'aquestes notes, però, sens dubte, van contribuir al declivi d'un moviment artístic de la transcendència del modernisme. El liberalisme va ser acusat de fonamentar ideològicament les revoltes. L'individualisme, la imaginació exuberant i la genialitat van cedir la primacia al dirigisme, i la llibertat creativa es va veure fortament restringida. Tal com assenyala Dalmau molts anys després, quan torna a Barcelona i visita els palaus d'exposicions de la falda de Montjuïc: «Ens dirigim a veure els assassins del modernisme».

Vull agrair a la meva editora, Ana Liarás, la seva ajuda en aquesta novel·la i la seva confiança en el projecte, com també a totes les persones que hi han col·laborat i n'han fet possible la publicació. El meu reconeixement, com sempre, a Carmen, la meva dona, sense el suport de la qual no hauria escrit aquesta obra, i que roman al meu costat per més difícils que siguien les vivències, així com als meus fills i persones estimades que també m'han acompanyat en aquest camí.

Barcelona, abril del 2019